LA DIDACHÈ

INSTRUCTIONS DES APÔTRES

ÉTUDES BIBLIQUES

LA DIDACHÈ

INSTRUCTIONS DES APÔTRES

PAR

JEAN-PAUL AUDET

PARIS
LIBRAIRIE LECOFFRE
J. GABALDA et Cie, Éditeurs
RUE BONAPARTE, 90
—
1958

NIHIL OBSTAT : *Marianopoli, die 22ª Martii* 1957. IMPRIMATUR : *Lutetiae Par.: die 4ª Maii* 1957.

PARENTIBUS

·S·

TABLE DES MATIÈRES

BIBLIOGRAPHIE

Cette bibliographie n'est pas complète. Elle voudrait seulement n'avoir rien omis de ce qui paraît le plus utile. Il m'a semblé superflu, en outre, de rappeler les notices, parfois importantes, consacrées à la *Didachè* dans des ouvrages généraux de patrologie et d'ancienne littérature chrétienne qui sont entre toutes les mains.

TEXTE

GRENFELL, B. P., et HUNT, A. S., *The Oxyrhynchus Papyri*, Londres, 1922, XV, n. 1782.

HARRIS, J. R., *Three Pages of the Bryennios Manuscript Reproduced by Photography for the Johns Hopkins University*, Baltimore, 1885.

— *The Teaching of the Apostles, newly edited, with facsimile text and a commentary for the Johns Hopkins University*, Baltimore, 1887.

HORNER, G., *The Statutes of the Apostles or Canones ecclesiastici*, Londres, 1904, pp. 193-194.

— *A New Fragment of the Didache in Coptic*, dans *JTS*, XXV (1924) 225-231.

LEFORT, L.-Th., *Les Pères apostoliques en copte* (*CSCO*, 135; *Scriptores coptici*, 17), Louvain, 1952, pp. 32-34 (trad. fr., 136, 18, pp. 25-28).

PERADZE, G., *Die « Lehre der zwölf Apostel » in der georgischen Überlieferung*, dans *ZNTW*, XXXI (1932) 111-116.

SCHMIDT, C., *Das koptische Didache-Fragment des British Museum*, dans *ZNTW*, XXIV (1925) 81-99.

ÉDITIONS

BIHLMEYER, K., *Die apostolischen Väter*, Tubingue, 1924, pp. 1-9.

BOSIO, G., *Dottrina dei dodici apostoli* (*Corona Patrum Salesiana, series gr.*, VII ; *I Padri apostolici*, 1), Turin, 1940, pp. 3-59 (trad. ital.).

DE GEBHARDT, O., HARNACK A., et ZAHN, Th., *Patrum apostolicorum opera*, Leipzig, editio quinta minor, 1906, pp. 216-222.

FUNK, F. X., *Patres apostolici*, Tubingue, 1901, I, pp. 2-37.

HARNACK, A., *Die Apostellehre und die jüdischen beiden Wege*, Leipzig, 1886, pp. 45-52.

KLAUSER, Th., *Doctrina duodecim apostolorum. Barnabae epistula* (*Florilegium Patristicum*, 1), Bonn, 1940, pp. 14-30 (trad. lat.).

LAKE, K., *The Apostolic Fathers* (*Loeb Classical Library*), Londres, 1912, I, pp. 305-333 (trad. angl.).

LIETZMANN, H., *Die Didachè mit kritischem Apparat* (*Kleine Texte*, 6), Bonn, 2 éd., 1907.

LIGHTFOOT, J. B., et HARMER, J. R., *The Apostolic Fathers*, Londres, 1893, pp. 215-235 (trad. angl.).

RAUSCHEN, G., *Monumenta aevi apostolici* (*Florilegium Patristicum*, 1), Bonn, 2 éd., 1914, pp. 1-29 (trad. lat.).

TEXTE ET COMMENTAIRE

BIGG, C., *The Doctrine of the Twelve Apostles*, Londres, 1898.
— et MACLEAN, A. J., *The Doctrine of the Twelve Apostles*, Londres, 1922.
BRYENNIOS, Ph., Διδαχὴ τῶν δώδεκα ἀποστόλων, Constantinople, 1883.
FUNK, F. X., *Doctrina duodecim apostolorum*, Tubingue, 1887 (aussi *Patres apostolici*, I, 1901).
HARNACK, A., *Die Lehre der zwölf Apostel* (*Texte und Untersuchungen*, II, 1-2), Leipzig, 1884.
HEMMER, H., et LAURENT, A., *Doctrine des apôtres. Épître de Barnabé* (*Textes et documents*, 1-2), Paris, 1907.
HITCHCOCK, R. D., et BROWN, F., *Teaching of the Twelve Apostles*, New York, 1885 (Ph. Schaff : bibliographie).
JACQUIER, É., *La Doctrine des douze apôtres et ses enseignements*, Lyon-Paris, 1891.
KLEIST, J. A., *The Didache*, etc. (*Ancient Christian Writers*, 6), Westminster (Maryland), 1948, pp. 3-25, 151-166.
KNOPF, R., *Die Lehre der zwölf Apostel. Die zwei Clemensbriefe* (Lietzmann, *Handb. z. Neuen Testament: Die apostolischen Väter*, 1), Tubingue, 1920, pp. 1-40.
LILJE, H., *Die Lehre der zwölf Apostel. Eine Kirchenordnung des ersten christlichen Jahrhunderts*, Hambourg, 2 éd., 1956.
MINASI, I., *La Dottrina del Signore dei dodici apostoli bandita alle genti detta La Dottrina dei dodici apostoli*, Rome, 1891.
SABATIER, P., *La Didachè ou l'Enseignement des douze apôtres*, Paris, 1885.
SCHAFF, Ph., *The Teaching of the Twelve Apostles or The Oldest Church Manual*, New York, 3 éd., 1889 (bibliographie jusqu'à 1888).

ÉTUDES GÉNÉRALES

BARDY, G., *Didachè ou Doctrine des apôtres*, dans *Catholicisme*, III, 747-749 (1952).
BARTLET, J. V., *Didache*, dans *Dict. of the Bible* (Hastings), Extra-vol. IV, 438-451.
CHIAPPELLI, A., *Studi di antica letteratura cristiana*, Turin, 1887, pp. 21-148.
EHRHARD, A., *Die altchristliche Literatur und ihre Erforschung von 1884-1900. I. Die vornicänische Literatur*, Fribourg-en-Br., 1900, pp. 37-68 (bibliographie abondante dans les notes).
HARNACK, A., *Die Apostellehre*, dans *Realencyklopädie für protestantische Theologie und Kirche*, 3 éd., 1896, 711-730.
— *Didache*, dans *The New Schaff-Herzog Encyclopedia of Religious Knowledge*, 1909, III, 420-424.
HARRIS, J. R., *The Teaching of the Apostles*, Baltimore, 1887.
HEMMER, H., *La Doctrine des douze apôtres*, dans *Rev. d'hist. et de lit. rel.*, XII (1907) 193-239.
LECLERCQ, H., *Didachè*, dans *Dict. d'arch. chrét. et de lit.*, IV, 772-798 (bibliographie jusqu'à 1913).
MUILENBURG, J., *The Literary Relations of the Epistle of Barnabas and the Teaching of the Twelve Apostles*, Marbourg, 1929.
PETERSON, E., *Didachè*, dans *Encicl. cattol.*, IV, 1562-1565 (1950).
RICHARDSON, C. C., *The Teaching of the Twelve Apostles, Commonly Called the Didache* (*Library of Christian Classics. I. Early Christian Fathers*, 1), Philadelphie, 1953, pp. 161 ss.

SALMON, G., *Teaching of the Twelve Apostles*, dans *Dict. of Christ. Biogr.*, IV, 806-815 (1887).
— *A Historical Introduction to the Study of the Books of the New Testament*, Londres, 9 éd., 1899 *(The Teaching of the Twelve Apostles)*, pp. 551-566.
SAVI, P., *La Dottrina degli apostoli*, dans *Studi e documenti di storia e diritto*, XIII (1892) 209-244; XIV (1893) 3-48.
TAYLOR, C., *The Teaching of the Twelve Apostles with illustrations from the Talmud*, Cambridge, 1886.
VOKES, F. E., *The Riddle of the Didache. Fact or Fiction, Heresy or Catholicism?*, Londres, 1938.
WATT, H., *Didache*, dans *Dict. of the Apost. Church* (Hastings), I, 296-302 (1916).
ZAHN, Th., *Die « Lehre der zwölf Apostel »*, dans ses *Forschungen zur Geschichte des neutestamentlichen Kanons und der altkirchlichen Literatur*, III (1884), pp. 278-319.

ÉTUDES PARTICULIÈRES

ADAM, A., *Erwägungen zur Herkunft der Didache*, dans *Theol. Literaturzeitung*, LXXXI (1956) 353-356.
— *Erwägungen zur Herkunft der Didache*, dans *Zeitschr. f. Kirchengesch.*, LXVIII (1957) 1-47.
ALTANER, B., *Zum Problem der lateinischen Doctrina apostolorum*, dans *Vig. christ.*, VI (1952) 160-167.
AMÉLINEAU, E., *Monuments pour servir à l'histoire de l'Égypte chrétienne aux IVe et Ve siècles (Mémoires publiés par les membres de la Mission Archéologique Française au Caire*, 4), Paris, 1888, pp. 289-296.
ARNOLD, A., *Der Ursprung des christlichen Abendmahls im Lichte der neuesten liturgiegeschichtlichen Forschung (Freiburger theologische Studien*, 45), Fribourg-en-Br., 2 éd., 1939, *passim*.
ATHENAGORAS (Métropolite), Νεώτεραι ἀπόψεις ἐπὶ τῆς Διδασκαλίας, Διδαχῆς καὶ τῶν ᾿Αποστολικῶν Διαταγῶν, dans ᾿Εκκλ. Φάρος, XXXII (1933) 481-510.
AUDET, J.-P., *Affinités littéraires et doctrinales du « Manuel de discipline »*, dans *RB*, LIX (1952) 219-238.
BARDY, G., *Didachè*, dans *Dict. de spir.*, XX-XXI, 860-862.
BARNIKOL, E., *Der triadische Taufformel: Ihr Fehlen in der Didache und im Matthäusevangelium und ihr altkatholischer Ursprung*, dans *Theol. Jahrbücher*, IV-V (1936-37) 144-152.
BARTLET, J. V., *The Didache Reconsidered*, dans *JTS*, XXII (1921) 239-249.
BATIFFOL, P., *Studia patristica (Études d'ancienne littérature chrétienne*, 2), Paris, 1890, pp. 148 ss.
— *Études d'histoire et de théologie positive*, Paris, 2e éd., 1902 *(L'agapè)*, pp. 279-311, spécialement 284-286.
— *Études d'histoire et de théologie positive*, 2e série, Paris, 1905 *(Épilogue au Nouveau Testament : La Didachè et les épîtres ignatiennes)*, pp. 107-133.
BENIGNI, U., *Didache coptica. Duarum viarum recensio coptica monastica, Shenudii homiliis attributa, per Arabicam versionem superstes*, dans *Bessarione*, IV (1898) 311-329.
BENOIT, A., *Le baptême chrétien au second siècle. La théologie des Pères*, Paris, 1953, pp. 5-33.
BETZ, J., *Der Abendmahlskelch im Judenchristentum*, dans M. REDING, *Abhandlungen über Theologie und Kirche* (Festschr.-Adam), Düsseldorf, 1952, pp. 109-137.
BIGG, C., *Notes on the Didache*, dans *JTS*, V (1904) 579-589; VI (1905) 411-415.

BOEHMER, H., *Hat Benedikt v. Nursia die Didache gekannt?*, dans *ZNTW*, XII (1911) 287 ss.

BOIS, H., *Zum Texte der Lehre der zwölf Apostel*, dans *Zeitschr. f. wiss. Theol.*, XXX (1887) 488-497.

BO REICKE, *Diakonie, Festfreunde und Zelos in Verbindung mit der altchrist-lichen Agapenfeier*, Upsal, 1951, *passim*.

BRATKE, E., *Über die Einheitlichkeit der Didache*, dans *Jahrb. f. prot. Theol.*, XII (1886) 302-311.

BROEK-UTNE, A., *Eine schwierige Stelle in einer alten Gemeindeordnung (Did., 11 : 11)*, dans *Zeitschr. f. Kirchengesch.*, LIV (1935) 576-581.

BURKITT, F. C., *Barnabas and the Didache*, dans *JTS*, XXXIII (1932) 25-27.

CADBURY, H. J., *The Epistle of Barnabas and the Didache*, dans *Jew. Quart. Rev.*, XXVI (1936) 403-405.

CALLEWAERT, C., *De wekelijksche Vastendagen*, dans *Sacris erudiri*, XXX (1940) 305-328, *passim*.

COLSON, J., *L'évêque dans les communautés primitives (Unam sanctam, 21)*, Paris, 1951, pp. 125-131.

CONNOLLY, R. H., *New Fragments of the Didache*, dans *JTS*, XXIV (1923) 151-153.

— *The Didache in Relation to the Epistle of Barnabas*, dans *JTS*, XXXIII (1932) 237-253.

— *The Didache and Montanism*, dans *Down. Rev.*, LV (1937) 339-347.

— *Agape and Eucharist in the Didache*, dans *Down. Rev.*, LV (1937) 477-489.

— *Canon Streeter on the Didache*, dans *JTS*, XXXVIII (1937) 364-379.

CREED, J. M., *The Didache*, dans *JTS*, XXXIX (1938) 370-387.

DIBELIUS, M., *Die Mahl-Gebete der Didache*, dans *ZNTW*, XXXVII (1938) 32-41.

DIEPART, A., *L'archaïsme de la liturgie dans la Didachè* (Mémoire présenté pour l'obtention du grade de Licencié en Philosophie et Lettres), Louvain, 1949 (inédit : aperçu des conclusions de l'auteur sur le problème litté-raire de la *Didachè* dans É. MASSAUX, *Influence de l'Évangile de saint Matthieu sur la littérature chrétienne avant saint Irénée*, pp. 3-6).

DIX, G., *Didache and Diatessaron*, dans *JTS*, XXXIV (1933) 242-250 (cf. R. H. CONNOLLY, *ibid.*, pp. 346 s.).

— *Primitive Consecration Prayers*, dans *Theol.*, XXXVII (1938) 261-283.

DREWS, P., *Untersuchungen zur Didache*, dans *ZNTW*, V (1904) 53-79.

FLESSEMAN-VAN LEER, E., *Tradition and Scripture in the Early Church (Van Gorcum's theologische Bibliotheek, 26)*, Assen, 1953, pp. 14-19.

FUNK, F. X., *Die « Doctrina apostolorum »*, dans *Theol. Quartalschr.*, LXVI (1884) 381-402.

— *Zur alten lateinischen Übersetzung der Doctrina apostolorum*, dans *Theol. Quartalschr.*, LXVIII (1886) 650-655.

— *Zur Apostellehre und apostolischen Kirchenordnung*, dans *Theol. Quar-talschr.*, LXIX (1887) 355-374.

— *Die Didache in der afrikanische Kirche*, dans *Theol. Quartalschr.*, LXXVI (1894) 601-604.

— *Kirchengeschichtliche Abhandlungen und Untersuchungen*, Paderborn, 1899, II, pp. 108-141.

— *Zur Didachè. Die Frage nach der Grundschrift und ihre Rezensionen*, dans *Theol. Quartalschr.*, LXXXIV (1902) 73-88.

— *L'agapè*, dans *Rev. d'hist. eccl.*, IV (1903) 5-23.

— *Didache und Barnabasbrief*, dans *Theol. Quartalschr.*, LXXXVII (1905) 161-179.

GAVIN, F., *The Jewish Antecedents of the Christian Sacraments*, Londres, 1928, *passim*.

GAVIN, F., *Rabbinic Parallels in Early Church Orders*, dans *Hebr. Un. Ann. Coll.* VI (1929) 55-67, *passim*.

GEBHARDT, O. V., *Ein übersehenes Fragment der Didache in alter lateinischer Übersetzung*, en appendice à A. HARNACK, *Die Lehre der zwölf Apostel*, pp. 275-286.

GIBBINS, H. J., *The Problem of the Liturgical Section of the Didache*, dans *JTS*, XXXVI (1935) 373-386.

GOLTZ, E. V. DER, *Das Gebet in der ältesten Christenheit*, Leipzig, 1901, *passim*.

GOODSPEED, E. J., *The Didache, Barnabas and the Doctrina*, dans *Angl. Theol. Rev.*, XXVII (1945) 228-247.

— *The Place of the Doctrina in Early Christian Literature*, en appendice à son ouvrage *The Apostolic Fathers. An American Translation*, New York, 1950, pp. 285-310.

GOOSSENS, W., *Les origines de l'eucharistie*, Louvain, 1931, *passim*.

GREIFF, A., *Das älteste Pascharituale der Kirche, Did.*, 1-10, *und das Johannesevangelium (Johanneische Studien*, 1), Paderborn, 1929.

HANSSENS, J.-M., *L'agapè et l'eucharistie*, dans *Ephem. lit.*, XLI (1927) 525-548 (*Didachè*, pp. 545 s.); XLII (1928) 545-571; XLIII (1929) 177-198; 520-529 (bibliographie, pp. 525 s.).

HARNACK, A., recension de Ph. Bryennios, dans *Theol. Literaturzeitung*, IX (1884) 49-55 (9 février 1884 : première réaction à la suite de l'arrivée de l'ouvrage de Bryennios en Europe).

— *Geschichte der altchristlichen Literatur bis Eusebius. I. Die Überlieferung und der Bestand*, Leipzig, 1893, pp. 86-92.

— *Die Apostellehre und die jüdischen beiden Wege*, Leipzig, 2 éd., 1896.

HENNECKE, E., *Die Grundschrift der Didache und ihre Recensionen*, dans *ZNTW*, II (1901) 58-72.

HILGENFELD, A., *Die « Lehre der zwölf Apostel »*, dans *Zeitschr. f. wiss. Theol.*, XXVIII (1885) 73-102.

HITCHCOCK, F. R. M., *Did Clement of Alexandria Know the Didache?*, dans *JTS*, XXIV (1923) 397-401.

HÜNTEMANN, U., *Ad cap. 1 Doctrinae XII apostolorum*, dans *Antonianum*, VI (1931) 195 s.

ISELIN, L. E., *Eine bisher unbekannte Version des ersten Teiles der « Apostellehre » (Texte und Untersuchungen*, XIII, 1b), Leipzig, 1895.

JOHNSON, S. E., *A Subsidiary Motive for the Writing of the Didache*, dans M. H. SHEPHERD et S. E. JOHNSON, *Munera studiosa* (Festschr.-Hatch), Cambridge (Mass.), 1946, pp. 107-122.

KEATING, J. F., *The Agape and the Eucharist in the Early Church*, Londres, 1901, *passim*.

KLAUSER, Th., *Taufet in lebendigem Wasser! Zum religions- und kulturgeschichtlichen Verständnis von Didache*, 7 : 1-3, dans *Pisciculi* (Festschr.-Dölger), Munster, 1939, pp. 157-164.

KLEIN, G., *Die Gebete in der Didache*, dans *ZNTW*, IX (1908) 132-146.

KNELLER, C. A., *Zum 'schwitzenden Almosen'*, dans *Zeitschr. f. kath. Theol.*, XXVI (1902) 779 s.

KNOX. W. L., *ΠΕΡΙΚΑΘΑΙΡΩΝ (Didache*, 3:4), dans *JTS*, XL (1939) 146-149.

KOHLER, K., *Didache, or the Teaching of the Twelve Apostles*, dans *Jew. Encycl.*, IV, 585-588.

KOCH, H., *Die Didache bei Cyprian?*, dans *ZNTW*, VIII (1907) 69 s.

KRAWUTZCKY, A., *Über die sog. Zwölfapostellehre, ihre hauptsächlichsten Quellen und ihre erste Aufnahme*, dans *Theol. Quartalschr.*, LXVI (1884) 547-606.

LADD, G. E., *The Eschatology of the Didache* (Mémoire inédit : Graduate School of Arts and Sciences, Harvard), 1949.

Ladeuze, P., *L'eucharistie et les repas communs des fidèles dans la Didachè*, dans *Rev. de l'Or. chrét.*, VII (1902) 339-359.

Lake, K., *The Didache*, dans *The New Testament in the Apostolic Fathers* (Oxford Society of Historical Theology), Oxford, 1905, pp. 24-36.

Lietzmann, H., *Messe und Herrenmahl*, Bonn, 1926, pp. 230-238.

— *Zum Text der georgischen Didache*, dans *ZNTW*, XXXI (1932) 206.

Lightfoot, J. B., *Results of Recent Historical and Topographical Research upon New Testament Scriptures*, dans *Expos.*, 3 série, I (1885) 6-11.

Loisy, A., *La Didachè et les lettres des Pères apostoliques*, dans *Rev. d'hist. et de lit. rel.*, N. S. VII (1921) 433-442.

McGiffert, A. C., *The Didache Viewed in its Relations to Other Writings*, dans *And. Rev.*, V (1886) 430-442.

Massaux, É., *Influence de l'Évangile de saint Matthieu sur la littérature chrétienne avant saint Irénée*, Louvain, 1950, pp. 604-646; aussi pp. 3-6.

Middleton, R. D., *The Eucharistic Prayers of the Didache*, dans *JTS*, XXXVI (1935) 259-267.

Moule, C. F. D., *A Note on Didache IX, 4*, dans *JTS*, N. S. VI (1955) 240-243.

Neppi-Modona, A., *Un frammento della « Didache » in un nuovo papiro di Ossirinco*, dans *Bilychnis*, XX (1922) 173-186.

— *Nuovo contributo dei papiri per la conoscenza di antichi testi cristiani*, dans *Bilychnis*, XXVII (1926) 161-174 (version copte, pp. 169-174).

Nock, A. D., *Liturgical Notes*, dans *JTS*, XXX (1929) 390-395.

Oesterley, W. O. E., *The Jewish Background of the Christian Liturgy*, Oxford, 1925, *passim*.

Oreb, M. J., *Notio peccati in Didachè*, Rome, 1946.

Oulton, J. E. L., *Clement of Alexandria and the Didache*, dans *JTS*, XLI (1940) 177-179.

Peterson, E., *Didachè cap. 9 e 10*, dans *Ephem. lit.*, LVIII (1944) 3-13.

— *Über einige Probleme der Didache-Überlieferung*, dans *Riv. di archeol. crist.*, XXVII (1951) 37-68.

Potwin, L. S., *The Vocabulary of the « Teaching of the Twelve Apostles »*, dans *Bibl. sacra*, XLI (1884) 800-817.

Roberts, C. H., et Capelle, B., *An Early Euchologium. The Dêr-Balizeh Papyrus Enlarged and Reedited* (*Bibliothèque du Muséon*, 23), Louvain, 1949, pp. 26 s., 45-49.

Robinson, J. A., *The Problem of the Didache*, dans *JTS*, XIII (1912) 339-356.

— *Barnabas, Hermas and the Didache* (*Donnellan Lectures*, 1920), Londres, 1920.

— *The Epistle of Barnabas and the Didache*, art. posthume publié par R. H. Connolly dans *JTS*, XXXV (1934) 113-146; 225-248.

Schermann, Th., *Eine Elfapostelmoral oder die X-Rezension der « beiden Wege »* (*Veröffentlichungen aus dem kirchenshistorischen Seminar*, 2 série, II), Munich, 1903.

— *Die Gebete in Didache c. 9 und 10*, dans Festschr.-Knöpfler, Munich, 1907, pp. 225-239.

— *Die allgemeine Kirchenordnung, frühchristliche Liturgien und kirchliche Überlieferung. I. Die allgemeine Kirchenordnung des zweiten Jahrhunderts* (*Stud. z. Gesch. und Kult. des Altertums*, III, 1), Paderborn, 1914.

Schlecht, J., *Doctrina XII apostolorum*, Fribourg-en-Br., 1900.

— *Die Apostellehre in der Liturgie der katholischen Kirche*, Fribourg-en-Br., 1901.

Schümmer, J., *Die altchristliche Fastenpraxis, mit besonderer Berücksichtigung der Schriften Tertullians*, Munster, 1933, *passim*.

Schuster, I., *La Dottrina dei dodici Apostoli e la « Regula monasteriorum » di s. Benedetto*, dans *Scuola cattol.*, LXX (1942) 265-270.

SEEBERG, A., *Die beiden Wege und das Aposteldekret*, Leipzig, 1906.

STÄHLIN, O., *Zu dem Didachezitat bei Clemens Alexandrinus*, dans *ZNTW*, XIV (1913) 271 s.

STOMMEL, E., Σημεῖον ἐκπετάσεως (*Didache* 16:6), dans *Röm. Quartalschr.*, XLVIII (1953) 21-42.

STREETER, B. H., *The Primitive Church*, Londres, 1929, pp. 279-287.

— *The Much-Belaboured Didache*, dans *JTS*, XXXVII (1936) 369-374.

SWETE, H. B., *The Didache*, en appendice à son ouvrage *The Holy Spirit in the Ancient Church*, Londres, 1912, pp. 411-414.

TAYLOR, C., *The Didache and Barnabas*, dans *Expos.*, 3 série, III (1886) 316 s.

— *The Didache and the Epistle of Barnabas. An Argument for the Priority of the Didache*, dans *Expos.*, 3 série, III (1886) 401-428.

— *The Didache and Justin Martyr. Traces of the So-Called « Teaching of the Twelve Apostles » in the Writings of Justin Martyr*, dans *Expos.*, 3 série, VI (1887) 359-371.

— *Notes on the Text of the* Διδαχὴ τῶν δώδεκα ἀποστόλων, dans *Class. Rev.*, II (1888) 262 s.

— *The Theology of the Teaching (of the Twelve Apostles)*, reproduction d'un art. du *Guardian*, 21-9-1889, pp. 139-168.

— *The Didache Compared with the Shepherd of Hermas*, dans *Journ. of Philol.*, XVIII (1890) 297-325.

TELFER, W., *The « Didache » and the Apostolic Synod of Antioch*, dans *JTS*, XL (1939) 133-146; 258-271.

— *The « Plot » of the Didache*, dans *JTS*, XLV (1946) 141-151.

TURMEL, J., *Étude sur la Didachè*, dans *Ann. de philos. chrét.*, CXLVII (1903) 281-297.

TURNER, C. H., *Adversaria patristica*, dans *JTS*, VII (1906) 593-595.

— *Studies in Early Church History*, Oxford, 1912, pp. 1-32.

WARFIELD, B. B., *Text, Sources and Contents of the « Two Ways » or First Section of the Didache*, dans *Bibl. sacra*, XLIII (1886) 100-161.

— *The Didache and its Kindred Forms*, dans *And. Rev.*, VI (1886) 81-97.

— *Textual Criticism of the Two Ways*, dans *Expos.*, 3 série, III (1886) 156-159.

WOHLEB, L., *Die lateinische Übersetzung der Didache kritisch und sprachlich untersucht (Stud. z. Gesch. und Kult. des Altertums, VII, 1)*, Paderborn, 1913.

WOHLENBERG, G., *Die Lehre der zwölf Apostel in ihrem Verhältnis zum neutestamentlichen Schriftum*, Erlangen, 1888.

ZAHN, Th., *Justinus und die Lehre der zwölf Apostel*, dans *Zeitschr. f. Kirchengesch.*, VIII (1886) 66-84.

Je voudrais dire ici avec gratitude tout ce que je dois aux excellentes traductions de la *Bible de Jérusalem*, que j'ai eues constamment sous les yeux. Je me suis permis de les citer plusieurs fois sans changement. En toutes occasions, elles m'ont été d'un inappréciable secours.

PRÉFACE

Ce livre n'a pas répondu d'abord à un désir d'apporter une solution satisfaisante aux multiples problèmes posés par la *Didachè*. Il est né, presque par hasard, d'une lecture qui se proposait un autre but. Une observation faite au passage a rayonné peu à peu sur les autres données, jusqu'à la périphérie. Le reste n'a été qu'une longue mise en œuvre. A la fin, il se trouvait que le document auquel je m'étais attaché s'éclairait d'une lumière nouvelle. On a pensé que, de toutes manières, un peu de clarté ne paraîtrait pas inopportun. C'est dire que la publication de cet ouvrage dans les *Études bibliques* n'a pas été un point de départ. Ce n'est pas non plus maintenant une déclaration de principe. C'est un résultat, que je dois d'ailleurs, en partie, à l'extrême bienveillance, — et puis-je le dire? — à l'amitié du Père Vincent qui m'y accueille. Je le prie d'agréer ici l'expression de ma sincère gratitude.

Je voudrais pouvoir nommer, en outre, par la même occasion, tous ceux à qui je dois conseils, encouragements et soutien. Ils sont trop nombreux, et surtout, peut-être suis-je seul à savoir que la qualité du secours que j'ai trouvé auprès de chacun d'eux ne se pourrait le plus souvent mettre en paroles. Qu'ils veuillent bien comprendre, du moins, que je reconnais toujours à leur égard la dette que je m'avoue impuissant à acquitter. Je ne puis cependant omettre un souvenir de particulière gratitude à l'endroit des bibliothèques étrangères où mon travail s'est poursuivi, au gré des circonstances : Rome, Oxford, Paris, Jérusalem, et surtout Cambridge (Mass.), où pendant plusieurs étés consécutifs, Andover Hall (Harvard Divinity School) et la Widener m'ont ouvert leurs trésors avec un sens si parfait des longues exigences du savoir, et aussi, non moins appréciables, avec les sentiments d'une si généreuse et si cordiale hospitalité.

Ottawa   J.-P. A.

INTRODUCTION

CHAPITRE PREMIER

L'INTERPRÉTATION RÉCENTE DE LA DIDACHÈ

L'édition princeps de la *Didachè* parut à Constantinople, vers la fin de l'année 1883. Elle était due à la diligente recherche et aux soins de Philothée Bryennios, alors métropolite de Nicomédie. L'éditeur avait lui-même découvert le manuscrit, dix ans plus tôt, au couvent du Saint-Sépulcre de Constantinople, de la juridiction du Patriarcat grec orthodoxe de Jérusalem.

Près de soixante-quinze ans, pour un document qui a suscité de toutes parts, dès son apparition, tant d'hypothèses et d'explications diverses, c'est déjà une longue histoire. Quand on songe à la défiance actuelle de la critique, on mesure encore mieux le chemin parcouru. L'atmosphère a si bien changé que nous imaginons mal aujourd'hui l'émoi de la première heure. Comment furent-ils si candides? La découverte suscita une immense curiosité, non seulement parmi les érudits, mais dans les vagues milieux que touchait la grande presse. Quelques jours à peine après l'arrivée du premier exemplaire de l'édition de Bryennios en Amérique, Hitchcock et Brown étaient en mesure de mettre leur propre édition sur le marché. En quelques mois, près de huit mille exemplaires de cette édition furent vendus, ce qui représentait, pour ce genre d'ouvrages, un succès de librairie sans précédent. A lui seul, l'*Independent*, hebdomadaire de New York, fit paraître exactement vingt-neuf articles et notes sur la *Didachè* entre le 28 février 1889 et le 12 mars de l'année suivante (1). C'était une véritable fièvre (2). En 1891, soit huit ans à peine après l'édition princeps, on pouvait déjà compter, outre de nombreuses éditions nouvelles du texte grec, plus de trois cent traductions, études et articles. Quelques-unes de ces études formaient de gros ouvrages,

---

(1) Voir Ph. SCHAFF, *Digest of the Didache Literature*, en appendice à R. D. HITCHCOCK et F. BROWN, *The Teaching of the Twelve Apostles*, New York, 2 éd., 1885, p. 72.

(2) Depuis, seule peut-être la découverte des manuscrits de Qumrân et du désert de Juda a créé un émoi aussi universel.

remplis d'analyses approfondies, d'informations abondantes et minutieuses. Tout ce qui touchait au nouveau document, aux circonstances de sa découverte (1), à la personne même et à la carrière de Bryennios, était assuré d'être lu avec avidité (2). Il semblait qu'on n'avait qu'à se féliciter (3) : c'était la surprise heureuse, l'admiration enthousiaste. Aucune découverte littéraire du xixe siècle n'a suscité une plus grande émotion (4). Rien moins persuadé que le petit livre méritât tant de faveur, C. Bigg avait de quoi se sentir encore justifié, en 1898, de parler avec ironie de la *Didachè* comme de « l'enfant gâté de la critique » (the spoiled child of criticism), et de mettre en partie au compte de l'entraînement sentimental le crédit dont on l'avait honoré (5).

Nous sommes aujourd'hui bien loin de l'admiration première. Les derniers travaux semblent consacrer pour toujours le désenchan-

---

(1) Est-il nécessaire de dire qu'elles n'avaient rien de cet air d'aventure qu'avait pris, quelques années plus tôt, la découverte du *Sinaiticus* par Tischendorf? Bryennios avait d'ailleurs assez d'esprit pour raconter les choses simplement : « En feuilletant le catalogue des manuscrits de la bibliothèque, mon attention fut spécialement attirée par celui-ci à cause de son contenu; de fait, la Synopse de l'A. et du N. T. de s. Jean Chrysostome était le plus ancien écrit mentionné dans tout le catalogue. Mais, sachant par expérience que chaque manuscrit contient très souvent plusieurs écrits appartenant à différents auteurs, et que seul le premier de la série est indiqué sur la feuille de garde, je découvris, en tournant les pages, les *Épitres* de Clément et, en dernier lieu, la *Didachè*. Ce sont les seuls détails de la découverte. » (Extrait d'une lettre de Bryennios à l'éditeur de l'*Andover Review*, I (1884) 663.)

(2) Cf. Ph. Schaff, *The Oldest Church Manual Called the Teaching of the Twelve Apostles*, New York, 2 éd., 1886, pp. 8-9. Je ne me priverai pas du plaisir de citer; le morceau reflète à merveille l'état des esprits, et, dans la critique, les goûts d'un temps qui semble déjà lointain : « Bryennios is described as a tall, dignified, courteous Eastern prelate, in the prime of manhood, with a fine, intelligent and winning face, high forehead, black hair, long mustache and beard, dark and expressive eyes, great conversational power and personal magnetism. He was a prominent, though passive candidate for the vacant patriarchal chair, which, however, has been recently filled (1884) by a different man ». Il est permis de sourire devant le portrait. Ceux qu'a persuadés M. Vokes le regarderont sans doute comme un symptôme particulièrement inquiétant de l'illusion dont la critique était menacée.

(3) « Mgr Philothée Bryenne, métropolite de Nicomédie, est ce qu'on peut appeler, dans l'espèce, un homme heureux. D'autres passent leur vie à fouiller les bibliothèques de l'Europe entière, dévorent courageusement l'ennui des compilations d'extraits, des commentaires bibliques, des scholies de toute sorte que nous a léguées le moyen âge; et, après tant d'efforts, ils se voient réduits à se contenter de quelques phrases détachées, sans intérêt appréciable, ou bien de productions d'une authenticité plus que suspecte. Lui, au contraire, il n'a qu'à étendre la main pour saisir un manuscrit contenant des ouvrages inédits, authentiques, de la plus haute antiquité et d'une extrême importance » (L. Duchesne, recension de Bryennios, Διδαχή, dans *Bull. crit.*, V (1884) 382).

(4) A. Ehrhard, *Die altchristliche Literatur und ihre Erforschung von 1884-1900*, Fribourg-en-Br., 1900, p. 37.

(5) C. Bigg, *The Doctrine of the Twelve Apostles*, Londres, 1898, p. 21.

tement. La *Didachè* n'aurait qu'une apparence d'authenticité et d'antiquité; elle ne serait, de fait, qu'une fiction littéraire archaïsante mise au service du montanisme, vers la fin du IIe siècle, par l'un quelconque de ses obscurs défenseurs. Ceux qui, par habitude autant que par conviction, la datent encore de la fin du Ier siècle, et qui, même avec toutes les précautions voulues, prennent ses données pour renseignements authentiques, risquent de faire bientôt figure de conservateurs attardés. En conclusion d'un article sur les « prières eucharistiques » de la *Didachè*, R. D. Middleton écrivait en 1935 : « Je ne pense pas que (l'auteur de la *Didachè*) ait apporté une utile contribution à notre connaissance de l'Église primitive, ni que son œuvre soit digne de rien qui ressemble à l'attention sérieuse qu'on lui a accordée. Il n'y a rien en elle qui soit original » (1). C'était à peu près le sentiment qui se répandait depuis de nombreuses années déjà parmi les critiques anglais. Les travaux parus depuis 1935, ceux de Connolly et de Vokes en particulier, sont venus fortifier le jugement qui dès lors tendait à prévaloir. A l'heure actuelle, si l'on s'en tient aux études qui paraissent de plus en plus s'imposer, il faut avouer que la défiance n'est pas loin d'être complète (2).

De 1883 à 1956, que s'est-il passé? — Avant de reprendre à mon tour le problème, il m'a semblé utile d'attirer brièvement l'attention sur un certain nombre de faits appartenant à la récente histoire littéraire de la *Didachè*.

Pour les années 1884-1900, la période de beaucoup la plus féconde en travaux, il existe déjà un court mais substantiel essai d'Albert Ehrhard, dans l'ouvrage spécial qu'il a consacré aux recherches d'ancienne littérature chrétienne parues durant les seize der-

---

(1) R. D. MIDDLETON, *The Eucharistic Prayers of the Didache*, dans *JTS*, XXXVI (1935) 267.

(2) Il suffira de citer G. Bardy : « Quoi qu'il en soit, on ne peut aujourd'hui utiliser la *Didachè* qu'avec la plus grande prudence. Il est sage de ne pas y chercher un tableau exact de l'Église et de ses institutions vers la fin du Ier s. L'ouvrage reste très intéressant, très important même, mais comme objet d'étude plutôt que comme point de départ de conclusions assurées » (*Didachè ou Doctrine des apôtres*, dans *Catholicisme*, III, 749, conclusion de l'art.). Mettons en contraste ce jugement de Lightfoot, qui est de 1885 : « Its (de la *Didachè*) interest and importance have far exceeded our highest expectations. It is found indeed to be the basis of the seventh book of the *Apostolical Constitutions*; but this is the smallest item in our gain. Its chief value consists in the light which it throws on the condition of the infant Church » (*Results of Historical and Topographical Research upon New Testament Scriptures*, dans *Expos.*, 3 série, I (1885) 6). Les positions sont exactement renversées : le précieux document historique n'est plus qu'un « objet d'étude » dont l'histoire n'use qu'à son corps défendant.

nières années du XIXᵉ siècle : *Die altchristliche Literatur und ihre Erforschung von* 1884-1900 (Fribourg-en-Br., 1900). Ehrhard s'est appliqué à recenser toutes les opinions principales émises à date sur le problème littéraire de la *Didachè*. Il a dépouillé avec soin une littérature considérable. On trouve chez lui beaucoup de renseignements utiles et précis (1).

Mon intention n'est donc pas de reprendre son travail. Je voudrais plutôt, en me plaçant à un point de vue moins analytique que le sien, et dans l'intérêt de l'étude à entreprendre dans la suite, m'attacher à mettre principalement en lumière quelques-uns des principes, ou postulats critiques, qui ont commandé, en général, depuis le début toutes les recherches d'une solution satisfaisante au problème littéraire de la *Didachè*, abstraction faite, dans une certaine mesure, des divergences où les chercheurs ont pu se trouver en fin de compte dans le détail des conclusions. Il y a eu, en effet, des points de départ communs qui, par leur position même, ont orienté l'attention d'un certain côté; des principes généralement acceptés qui, par leur force même, ont conduit les recherches dans une certaine direction, dont il n'est pas interdit de penser, cependant, qu'ils ont imposé aux regards des limites trop étroites, et ainsi créé eux-mêmes des difficultés.

* *

L'édition de Bryennios (2) n'a pas seulement fait connaître le texte de la *Didachè*, elle a tracé la voie, sur un point capital, à toutes les interprétations qu'on en devait donner par la suite.

Le manuscrit découvert portait un double titre : Διδαχὴ τῶν δώδεκα ἀποστόλων et Διδαχὴ κυρίου διὰ τῶν δώδεκα ἀποστόλων τοῖς ἔθνεσιν. Bryennios s'est demandé s'il fallait considérer l'un et l'autre comme authentiques. Sa réponse a été franchement négative : seul le titre long appartient à l'auteur (*Proég.*, p. 3).

Mais certains faits, assez curieux, n'avaient pas échappé à son attention. A première vue, le titre court annoncerait un enseignement donné par les douze apôtres; le titre long, ajoutant quelques précisions, ferait prévoir dans le petit livre un enseignement du

---

(1) Pour compléter, dans une certaine mesure, voir le chapitre que J. Muilenburg a consacré à l'histoire du problème littéraire des relations de la *Didachè* et de l'*Épitre* de Barnabé, dans son ouvrage, *The Literary Relations of the Epistle of Barnabas and the Teaching of the Twelve Apostles*, Marbourg, 1929, pp. 1-9; aussi O. CASEL, dans *Archiv für Liturgiewissenschaft*, I (1950) 279-282.

(2) Ph. BRYENNIOS, Διδαχὴ τῶν δώδεκα ἀποστόλων ἐκ τοῦ ἱεροσολυμιτικοῦ Χειρογράφου νῦν πρῶτον ἐκδιδομένη, Constantinople, 1883.

Seigneur communiqué aux nations par le ministère des douze apôtres. Mais les promesses des titres ne sont pas tenues, remarque Bryennios, ou, du moins, ne sont-elles pas tenues à la lettre. Ni les apôtres ni le Seigneur lui-même n'enseignent dans l'ouvrage. Bien plus, celui qui enseigne paraît bien être seul, et, d'autre part, rien ne laisse voir qu'il ait eu la qualité d'apôtre. Bryennios a cru rendre suffisamment compte des faits en proposant de retenir le seul titre long comme authentique : ce titre ne concernerait que les six premiers chapitres. Le titre court, pour sa part, ne serait qu'un abrégé plus récent du titre long, et il serait dû naturellement à une main étrangère. On ne doit donc pas, continue-t-il, interpréter les titres comme s'ils voulaient dire en propres termes que l'ouvrage offre de façon directe l'enseignement du Seigneur et des apôtres. De fait, contrairement à une habitude chère aux pseudépigraphes de la même famille, la *Didachè* s'abstient de passer dès le début la parole à ceux dont elle voudrait revêtir l'autorité (*Proalég.*, pp. 3-4). *Sobrius inter ebrios*. C'est, pourrait-on dire, un pseudépigraphe qui a conservé par miracle un sens parfait de la discrétion.

Telle est la solution de Bryennios au problème posé par le double titre du ms. Le principe à tout le moins en devait demeurer. On le retrouve dans toute l'histoire de l'interprétation de la *Didachè*. Quelques-uns, comme Lightfoot (1), ont pu à son endroit se tenir sur la réserve. Personne n'est allé jusqu'à en faire une critique un peu approfondie. Sous des formes diverses, il s'est transmis comme un postulat qu'on ne songe plus à discuter : l'un ou l'autre à tout le moins des titres du ms. doit être authentique. Ce principe admis, avec toutes les conséquences qu'on se croyait en droit d'en tirer, l'interprétation n'avait plus guère qu'une route à suivre : celle qui passe par la littérature pseudépigraphique (2). Celle-ci, d'ailleurs, par ses multiples remaniements, n'avait-elle pas depuis longtemps tiré à elle le petit livre? On pouvait dire qu'elle s'y était simplement reconnue. La critique pouvait ainsi penser que le fait de la pseudépigraphie était en quelque manière doublement acquis, d'un côté, par le titre, et, de l'autre, par le traitement de faveur que lui avait accordé la littérature des compilations canoniques. Effec-

---

(1) J. B. LIGHTFOOT, *The Apostolic Fathers*, Londres, 2 éd., 1893, p. 215.
(2) Ainsi déjà Harnack, dans sa recension de Bryennios (*Theol. Literaturzeitung*, IX (1884) 52) : par son contenu sinon par sa forme, la *Didachè* doit être regardée comme un « apocryphe ». On notera que l'observation est effectivement tirée, comme elle l'était déjà chez Bryennios, de la comparaison du titre (long) de l'écrit avec l'écrit lui-même.

tivement, la question de l'authenticité des titres s'est avérée déterminante pour la question ultérieure du genre littéraire auquel il fallait rattacher l'écrit, de même que pour le problème fondamental de l'intention de l'auteur. Sur ce point précis et capital, le premier éditeur a ouvert une voie dont on ne devait pas beaucoup s'écarter.

L'édition de Bryennios parvint en Allemagne en janvier 1884. Au mois de juin de la même année paraissait, dans les *Texte und Untersuchungen* (II, 1-2), la grande édition de Harnack (1). La rapidité extraordinaire avec laquelle le travail avait été fait, a d'abord jeté la critique dans l'admiration (2), mais avec le recul du temps, à mesure qu'on voit les conclusions hâtives céder les unes après les autres devant un examen plus réfléchi, il est permis de regretter peut-être que ce vaste labeur se soit estimé trop tôt parvenu à maturité (3).

Du reste, comme il était naturel, ce qui a fait la fortune de l'étude de Harnack, c'est moins l'originalité et la force de la solution donnée par elle au problème littéraire du nouveau document, que la signification générale qu'elle attribuait audacieusement à celui-ci dans l'histoire des institutions primitives du christianisme. Sur l'état de choses original, la *Didachè* apportait, enfin, la lumière tant souhaitée (Die Διδαχή hat uns endlich Licht gebracht, *Proleg.*, p. 94) (4). Les témoins jusque-là incompréhensibles allaient désormais parler un langage clair. L'essentiel semblait définitivement ramené au jour : hiérarchie itinérante charismatique, administration locale inférieure élue par la communauté, église spirituelle, prédication entièrement morale, absence de symbole dogmatique ou de règle de foi, absence de canon néotestamentaire. L'atmosphère sereine où s'était maintenu Bryennios, se chargeait d'une âpre controverse.

Pour ce qui est du problème littéraire, les conclusions du premier éditeur se trouvaient maintenues, et renforcées, sur tous les points décisifs. Tacitement, le postulat de la préférence à donner au ms.,

---

(1) A. HARNACK, *Die Lehre der zwölf Apostel*, Leipzig, 1884.
(2) Harnack avait déjà reçu, il est vrai, directement de l'éditeur à Constantinople, un exemplaire de l'édition princeps avant que celle-ci ne fût mise sur le marché.
(3) Voir le jugement très juste de C. H. TURNER, *Studies in Early Church History*, Oxford, 1912, pp. 1-3.
(4) Comp. ce jugement de Lietzmann : « Jede Erörterung über die Entstehung der altchristlichen ¨mter hat von der Didache auszugehen, die allein ein volkommen klares und unsere übrigen Quellen aufhellendes Bild liefert » (*Zur altchristlichen Verfasungsgeschichte*, dans *Zeitschr. f. wiss. Theol.*, LV (1914) 98).

sur la question du titre, était de nouveau accepté, avec cette grave conséquence, cette fois, qu'il allait peser sur le problème littéraire d'un poids d'autant plus lourd qu'on voulait entrer davantage dans l'analyse, et qu'on cherchait plus minutieusement à lui trouver dans le texte des justifications.

De fait, et cela est déjà bien significatif, Harnack range sur une même ligne continue, dans le paragraphe deuxième de ses *Prolegomena* (pp. 24-37), le titre, les destinataires et le but de la *Didachè*. Au départ, il est vrai, nous sommes invités à prendre acte des divergences de la tradition et du ms. sur la teneur exacte du titre. Harnack s'étonne même de ce désaccord. Mais il passe outre, sans discussion, parce que son opinion est déjà faite sur la préférence à donner au témoignage du ms., et parce qu'il croit, aussi bien, que les divergences peuvent s'expliquer du côté de la tradition sans trop de peine (*Proleg.*, pp. 30-31). Ainsi, du double titre que porte le ms., c'est naturellement (natürlich), pour lui, le deuxième, le plus long, qui est le plus ancien (*Proleg.*, p. 24). Reste à savoir s'il est original. Harnack répond par l'affirmative, estimant sa conclusion munie d'une assez grande probabilité par l'analyse des caractères internes de l'écrit.

Cette conclusion, qui était déjà celle de Bryennios, a pu paraître assez indifférente, mais l'importance exceptionnelle qu'elle a prise en réalité chez Harnack, et par celui-ci, indirectement, chez beaucoup d'autres, pour toute l'étendue de la question littéraire de la *Didachè*, ne doit pas nous échapper. Si, en effet, le titre long est original, on peut immédiatement y lire en propres termes le genre littéraire dans lequel l'auteur a choisi de s'exprimer, les destinataires qu'il avait en vue, et le but même qu'il s'est proposé en écrivant. Harnack, qui estimait être arrivé à montrer, effectivement, que le titre long est non seulement le plus ancien des deux titres du ms., mais le titre original lui-même, représentant la pensée de l'auteur sur son œuvre, pouvait donc résumer sa propre conception de l'écrit dans la formule suivante, dont la plénitude ne laisse rien à désirer : « Rédigé à l'intention des convertis de la gentilité, l'écrit est véritablement, comme le déclare son titre, un précis de l'enseignement reçu du Christ et donné à la communauté (ἐκκλησία) des chrétiens, sur tout ce qui regarde la vie chrétienne et ecclésiale, tel que, dans la pensée de l'auteur, les douze apôtres l'ont eux-mêmes prêché et transmis » (*Proleg.*, p. 30). C'est un simple commentaire du titre considéré comme authentique : Διδαχὴ κυρίου διὰ τῶν δώδεκα ἀποστόλων τοῖς ἔθνεσιν.

Mais les avantages que Harnack se croyait en droit de tirer de la détermination du titre original pour la solution du problème littéraire n'étaient pas épuisés pour autant. Au sujet des sources, il fait d'abord observer que la *Didachè* ne le cède à aucun autre écrit de la littérature chrétienne primitive pour l'originalité de la composition et de la forme. Néanmoins, ajoute-t-il, aucun autre écrit ne révèle à l'égard des écrits plus anciens une dépendance égale à celle de la *Didachè*. Le fait ne doit pas surprendre, si l'on se rappelle le but que l'auteur s'est proposé (Allein diese Abhängigkeit ist im dem Zwecke begründet, den der Verfasser sich gesetzt hat, *Proleg.*, p. 63). Il a voulu recueillir et présenter la Διδαχὴ κυρίου διὰ τῶν δώδεκα ἀποστόλων. Son but lui imposait donc de laisser de côté ses idées particulières, pour s'en remettre aux données de la tradition. Il devait emprunter et il l'a fait : « Son écrit veut être, et il est, un condensé relativement substantiel du plus ancien enseignement oral et écrit, transmis par la tradition, tel que les communautés chrétiennes l'ont fixé dans l'empire romain » (*Proleg.*, pp. 63 s.). Ainsi, dans l'application aux cas particuliers, la moindre ressemblance manifestée par la *Didachè* à l'égard d'autres écrits vraisemblablement plus anciens pouvait-elle *a priori* être présumée l'effet d'une dépendance. Pourvu qu'aucune difficulté sérieuse ne se présentât dans le fait, ne pouvait-on pas dire qu'on tenait fermement la conclusion?

Sans paraître partout en première ligne, il est vrai, le principe, présenté une fois pour toutes, a conduit l'examen entier des relations littéraires de la *Didachè* avec les deux Synoptiques, *Mt.* et *Lc.*, l'*Épître* de Barnabé et le *Pasteur* d'Hermas. Dans cet ensemble, les cas les plus significatifs, et les plus gros de conséquences, restaient naturellement ceux de l'*Épître* de Barnabé et du *Pasteur* d'Hermas. Pour le premier, Harnack met sans hésiter la dépendance du côté de la *Didachè*, quitte à écarter ensuite par de brèves explications quelques difficultés de détail : « On doit dire sans hésiter que c'est l'auteur de la *Didachè* qui a utilisé l'*Épître* de Barnabé, et non inversement » (*Proleg.*, p. 82). Quant au *Pasteur*, une dépendance de la *Didachè* à son endroit devait être regardée à tout le moins comme probable (*Proleg.*, p. 87).

On voit tout de suite quelle portée pouvaient avoir ces conclusions pour la date et le lieu d'origine de la *Didachè*. De fait, si Harnack a cherché la date de composition quelque part entre les années 135 (140) et 165, et s'il s'est décidé pour l'Égypte contre la Syrie ou la Palestine en ce qui regarde le lieu d'origine, c'est qu'il était

avant tout persuadé de la double dépendance littéraire de la *Didachè*
à l'égard de l'*Épître* (écrit présumé alexandrin) et du *Pasteur*.
Les critères internes, ou même les autres critères externes, n'appor-
taient que les confirmations attendues.

Ainsi, dans la solution de Harnack au problème littéraire de la
Didachè, un fil continu, et presque partout visible à qui en est une
fois averti, relie entre elles toutes les conclusions principales, et
c'est au titre long du ms. qu'il a été noué au point de départ, ou,
plutôt, au postulat de la prévalence du ms. sur la tradition indirecte
dans la recherche du titre primitif et authentique. Mais n'était-il
pas d'autant plus nécessaire alors de s'assurer si le postulat à
qui l'on demandait un pareil service pouvait résister à l'examen?
A côté du manuscrit, et avant lui, la tradition indirecte était forte,
et l'on pouvait toujours se demander si ses données, par chance,
n'avaient pas une valeur de premier rang, et ne réclamaient pas
davantage qu'une simple mention de curiosité.

Selon toute apparence, l'étude de Harnack était déjà à l'impression, lorsque l'associé de ses travaux, Oscar von Gebhardt, grâce
à une indication de la *Bibliotheca Mellicensis* de Martin Kropff
(Vienne, 1747), parvint à retracer dans le *Thesaurus anecdotorum
novissimus* de Pez (t. IV, pars. II, col. 5-8) une *Doctrina apotolo-
rum* dont les érudits avaient perdu le souvenir. Le manuscrit
(*Mellicensis*) de l'abbaye de Melk, en Autriche, dont Pez avait transcrit le texte, était malheureusement mutilé à la fin (1). Gebhardt ne
retrouvait donc à son tour qu'un fragment. Pour Harnack, la découverte venait trop tard, mais Gebhardt prépara à son intention une
brève étude, qui put être ajoutée en appendice à son ouvrage sur
la *Didachè* elle-même.

De quoi s'agissait-il au juste sous ce titre de *Doctrina apostolorum*? Vraisemblablement, d'une ancienne version latine de la
Didachè depuis peu rendue à l'histoire par le ms. de Constantinople (2). Certes, il était curieux de noter une fois de plus que le
titre de la version latine ne s'accordait parfaitement avec aucun

---

(1) Il a été retrouvé et édité de nouveau par Funk; cf. *Zur alten lateinischen
Übersetzung der Doctrina apostolorum*, dans *Theol. Quartalschr.*, LXVIII (1886)
650-655; aussi *Doctrina duodecim apostolorum*, Tubingue, 1887, pp. LXIII-
LXVII et 102-104.
(2) Gebhardt est cependant plus affirmatif : « Heute kann es gar keinem
Zweifel unterliegen, dass der Melker Codex einst nichts weniger enthielt, als
eine lateinische Version der (Didache)... »; *Ein übersehenes Fragment der
(Didache) in alter lateinischer Übersetzung*, en append. à l'ouvrage de HARNACK,
Die Lehre, p. 275.

des deux titres du ms. grec; plus curieux encore d'observer que la *Doctrina*, après une remarquable addition, avait omis un assez long passage de la *Didachè* grecque, mais il semblait à Gebhardt que tout pouvait s'expliquer sans que soit mis en question le point fondamental : s'agissait-il d'une version de la *Didachè?* La *Doctrina* manifestait de singuliers rapports avec le texte rendu par elle, mais on ne pouvait douter qu'il s'agît réellement d'une version latine de la *Didachè* découverte par Bryennios.

Disons rapidement que, pour le fond, et à travers des explications diverses, les choses en devaient demeurer là, même après la découverte faite par Schlecht, en 1900, du manuscrit de Freisingen, aujourd'hui à Munich (1). De nouveau, le titre pesait d'un grand poids dans une question de première importance. Même l'hypothèse de la source commune, proposée spécialement pour les rapports de la *Didachè* et de Barnabé, n'a pas conduit à le faire mettre résolument en doute. Hennecke s'est appuyé sur lui pour identifier, en substance, la *Doctrina* de Schlecht et de Gebhardt à l'écrit fondamental (un *Duae viae* qui aurait eu pour titre : Διδαχὴ τῶν ιβʹ ἀποστόλων), qu'il supposait avoir été utilisé, dans une première recension, par Hermas, la *Didachè* de Bryennios et le panégyriste de Shenouté; et, dans une seconde recension parallèle, par Barnabé et les *Canons ecclésiastiques* (2). On continua donc toujours à parler vaguement d'une version latine de la *Didachè*, sous le titre de *Doctrina apostolorum* (3), et on le fait avec d'autant plus de tranquillité aujourd'hui que les travaux plus récents de Robinson, de Muilenburg et de Connolly semblent avoir éliminé définitivement l'hypothèse de la source commune, en attribuant à Barnabé la paternité du *Duae viae* primitif, véritable centre névralgique de tout le problème littéraire.

Zahn s'est d'abord intéressé à la *Didachè* du point de vue spécial de ses études sur l'histoire du Canon du Nouveau Testament.

(1) J. Schlecht, *Doctrina XII Apostolorum, una cum antiqua versione latina prioris partis de Duabus viis*, Fribourg-en-Br., 1900, pp. 7 ss.

(2) E. Hennecke, *Die Grundschrift der Didache und ihre Recensionen*, dans *ZNTW*, II (1901) 69.

(3) Ce titre, depuis Gebhardt qui en a été la première victime, a exercé une véritable tyrannie sur toutes les hypothèses qui ont essayé de résoudre le problème littéraire, soit du *Duae viae* en particulier, soit de la *Didachè* dans son ensemble. Personne n'a eu l'audace de s'affranchir. Il était nécessaire, dès lors, que le *Duae viae* apparût comme une « version » partielle, ou une « recension » de la *Didachè*. En réalité, c'est le titre qu'il fallait d'abord mettre en question. Le tort a été, sans critique sérieuse, de le prendre dès le point de départ pour acquis, et d'établir sur lui l'un des postulats fondamentaux de l'analyse ultérieure.

Son intervention dans la question de la dépendance à l'endroit de Barnabé mérite cependant d'être rappelée ici, au moins pour l'argument principal (1). Mis en contraste avec l'argument parallèle de Bryennios et de Harnack, l'argument de Zahn situe en pleine lumière la difficulté à laquelle, de part et d'autre, allaient se heurter les critères internes dans la recherche d'une solution satisfaisante, difficulté qui devait finalement, après bien des péripéties, provoquer par désespoir l'audacieux effort de libération inauguré par Robinson en 1912 (2).

Le traitement des sources vient en dernier lieu dans l'introduction de Bryennios. Dans sa pensée, les sources, c'étaient naturellement l'*Épître* de Barnabé et le *Pasteur* d'Hermas. La date de la *Didachè* se trouvant, en effet, déjà déterminée par ailleurs (120-160), la conclusion suivait sans peine d'une simple lecture comparée, si l'on admettait que la recension la plus développée et la mieux éclaircie ne pouvait être l'originale (*Prolég.*, p. 84). Aussi bien, tout nous est-il donné par Bryennios en moins d'une demi-page. Les choses vont comme de soi. La *Didachè* ne présente qu'une recension secondaire : c'est Barnabé qui est primitif.

Mais Zahn n'était pas satisfait. Dans le cas présent, pouvait-on dire que la recension d'aspect le plus simple était l'originale? Et d'abord, de quel côté se trouvait la véritable simplicité? Il semblait incroyable à Zahn qu'un auteur sans façons comme le Didachiste (3), en dépiquant çà et là dans Barnabé des mots, des expressions et des bouts de phrase, fût parvenu à tirer de cette matière une pièce d'une aussi belle venue que son instruction morale, qui, dans sa simplicité familière, ne porte aucune trace d'un procédé de composition aussi artificiel. A ses yeux, s'il y avait artifice, il se trouvait du côté de Barnabé. C'était donc la *Didachè* qui devait être primitive.

Cependant Harnack, de son côté, suivait Bryennios, et s'émerveillait de ce que l'habile auteur de la *Didachè* avait su faire de la *rudis indigestaque moles* que lui offrait Barnabé. Ainsi, les réactions

---

(1) Th. ZAHN, *Die « Lehre der zwölf Apostel »*, dans *Forschungen z. Gesch. des neutestamentlichen Kanons*, III, 5 (1884) 278-319.

(2) Voir spécialement *The Problem of the Didache*, dans *JTS*, XIII (1912) 339-356, article dont les hypothèses principales devaient être reprises dans les *Donnellan Lectures* de 1920.

(3) On me permettra d'employer à mon tour, à titre provisoire, ce terme peu élégant pour désigner, sans distinction, les divers «auteurs» responsables de notre *Didachè* (voir, plus loin, le chapitre sur la composition). Nous disons pareillement : le Psalmiste, quand il n'est pas nécessaire de supposer une attribution plus précise.

et les jugements étaient exactement contraires. Le bel ordre et la
clarté qui faisaient l'admiration de Harnack, c'était cela même qui
rendait inconcevable aux yeux de Zahn une dépendance de la
Didachè à l'endroit de Barnabé. Pour le premier, la réussite faisait
honneur à l'habileté de l'écrivain; pour le second, la « merveille »
était vraiment trop dénuée d'apprêts pour avoir été produite par
les procédés artificiels que lui imposait la conclusion de Bryennios (1).

Avec Harnack d'un côté et Zahn de l'autre, deux positions irréductibles étaient prises dès le départ, qui allaient être ensuite
défendues avec un égal acharnement (2). Toute la question entre
elles était de savoir si le principe général invoqué par la première,
et accepté comme tel par la seconde, n'admettait pas en l'occurrence
une exception. *A priori*, l'écrit le plus fruste a toutes les chances
d'être primitif, mais ne faut-il pas en dernière analyse s'en remettre
au fait? Un bon ouvrage peut toujours être mal utilisé par un écrivain maladroit, négligent, ou ne disposant que de lambeaux de
souvenirs. Mais comment démontrer avec certitude que, dans le
cas présent, il en a bien été ainsi (3)?

---

(1) Harnack, *Die Lehre, Proleg.*, pp. 82-83 : « On doit dire sans hésiter
que c'est l'auteur de la *Didachè* qui a utilisé l'*Épitre* de Barnabé, et non inversement. Ce qu'offre Barnabé, dans son ch. 19, est une *rudis indigestaque moles*,
sans suite ni composition. Il est admirable de voir ce que l'auteur de la *Didachè*
a su faire de cet entassement négligé de sentences morales. Il en a tiré un
compendium de la morale chrétienne étroitement articulé et en excellent
ordre. » — Zahn, *Forschungen*, II, 5, p. 312 : « Après cette analyse, qu'on veuille
bien relire *Did.*, 1-6, et il paraîtra inimaginable que cette section soit le fruit
d'un procédé aussi artificiel. On revient à la première impression que la marche
de la pensée a été ordonnée avec simplicité. Que ce résultat ait été obtenu par
les opérations raffinées qui viennent d'être décrites, semblera d'autant plus
incroyable que la *Didachè* dans son ensemble est l'œuvre d'un homme d'esprit
pratique et de peu d'habileté littéraire. » — Il est intéressant de relire, à ce
propos, le jugement de Lightfoot : « Quand je vois deux groupes de critiques
maintenir chacun avec une égale assurance et avec quelque apparence de raison, l'un que Barnabé emprunte à la *(Didachè)*, l'autre que la *(Didachè)*
dépend de Barnabé, une troisième solution me vient à l'esprit qui me semble
plus probable que l'une et l'autre. Ne se peut-il pas qu'aucun des deux auteurs
ne plagie l'autre, mais que tous deux tiennent ce qu'ils ont en commun d'une
troisième source? » (Cf. *Results of Recent Historical and Topographical Research
upon New Testament Scriptures*, dans *Expos.*, 3e série, I (1885) 8).
(2) L'argument de Zahn a été repris spécialement par Massebieau, *L'enseignement des douze apôtres*, Paris, 1884, p. 35; Hitchcock-Brown, *Teaching
of the Twelve Apostles*, New York, 1885, pp. xxxvi ss.; Funk, *Doctrina duodecim apostolorum*, Tubingue, 1887, p. ix.
(3) On sait que Harnack modifia sa première position, en 1886 (*Die Apostellehre und die jüdischen beiden Wege*, Leipzig), à la suite des observations de
C. Taylor, sur les affinités de la *Didachè*, et spécialement de son *Duae viae*, avec
le judaïsme (*The Teaching of the Twelve Apostles, with illustrations from the
Talmud*, Cambridge, 1886). Au lieu d'une dépendance directe de la *Didachè* à
l'égard de Barnabé, Taylor suggérait, à la suite de quelques autres déjà (pre-

Le cas de Barnabé n'était d'ailleurs pas la seule complication
dans le problème des sources. Sans parler d'Hermas, qui a été le
plus souvent tiré d'un côté ou de l'autre suivant la position à laquelle
on s'était préalablement arrêté à l'endroit de Barnabé, quels étaient
les rapports du nouveau document avec les écrits néotestamentaires? Toutes les positions ont été prises. Quelques-uns ont pensé
que le Didachiste n'avait connu que *Mt.* Le plus grand nombre a
admis une double dépendance certaine à l'égard de *Mt.* et de *Lc.*,
en ajoutant une obscure influence johannique pour les « prières
eucharistiques » des chapitres 9 et 10. Le reste s'est montré plus
accueillant encore, jusqu'à soutenir que l'auteur de la *Didachè*
avait connu et utilisé de diverses façons presque tous les écrits du
Nouveau Testament. Paul Sabatier est demeuré seul, je crois, à
penser que la tradition orale, en voie de se fixer par écrit, suffisait
à rendre compte des faits (1). Ainsi les conclusions étaient-elles
aussi divergentes que possible. Le principe par lequel on prétendait
les obtenir demeurait cependant partout le même : les similitudes, approchant parfois l'identité complète, semblaient indiquer
autant de dépendances. Aussitôt cessait l'accord. Quel degré de
ressemblance fallait-il pouvoir constater entre les textes avant de
conclure à une réelle parenté littéraire? Par malheur, les expressions
employées par le Didachiste pour parler de l'évangile paraissaient

mier en date : J. WORDSWORTH, *Christian Life, Ritual and Discipline at the
Close of the First Century*, dans *The Guardian* (Londres), 19 mars 1884, *Suppl.*),
une source commune, c'est-à-dire un manuel juif destiné à l'instruction des
prosélytes, comprenant, avec d'autres éléments assez mal définis, un *Duae
viae* substantiellement identique à celui de la *Didachè*. L'hypothèse sourit
tellement à Harnack, en ce qui concerne du moins le *Duae viae*, qu'il l'adopta
sur-le-champ, et s'en fit le fidèle défenseur chaque fois qu'il eut ensuite à
revenir sur la question (*Die Apostellehre*, dans *Realencycl. für prot. Theol. und
Kirche*, 3 éd. (1896), I, 723 ss.; *Didache*, dans *The New Schaff-Herzog Encycl.
of Rel. Knowl.* (1909), III, 423). A ses yeux, cependant, une dépendance de
la *Didachè* à l'égard de Barnabé n'en demeurait pas moins certaine. Elle
était réduite, mais non pas écartée entièrement par l'hypothèse de la source
commune pour le *Duae viae*. La *Didachè* gardait donc toujours, en face de
l'*Épître*, le caractère secondaire qui lui avait été reconnu au premier abord,
en 1884. La première solution : dépendance pure et simple de la *Didachè*
à l'égard de Barnabé, avait du moins le mérite d'être nette. L'adoption de
l'hypothèse de Taylor sur la source commune pour le *Duae viae* la rendait
simplement ambiguë, et y introduisait un doute que les nouvelles probabilités
compensaient avec peine. On comprend, après cela, que Robinson, en désespoir de cause, en ait appelé au Harnack de 1884 contre celui de 1886, heurtant
ainsi de front les deux opinions principales en cours : celle qui, ayant admis
l'origine et le caractère juifs du *Duae viae*, en faisait une source commune de
l'*Épître* et de la *Didachè;* et celle qui continuait à tout attribuer, sans plus,
au Didachiste lui-même (voir *Barnabas, Hermas and the Didache*, Londres,
1920, pp. 72-80).
(1) P. SABATIER, *La Didachè ou l'Enseignement des douze apôtres*, Paris,
1885, p. 156.

d'un médiocre secours. Elles ont rendu perplexes les critiques les plus sagaces : pour une part, elles impliquaient un écrit, mais, pour le reste, elles semblaient se référer à la seule tradition orale. De quoi s'agissait-il sous ces expressions : « évangile », « évangile du Seigneur », « évangile de notre Seigneur »?

Effectivement, on n'en pouvait décider avant d'avoir élargi les observations faites sur la composition de la *Didachè*, ni non plus avant d'avoir trouvé au document le milieu historique qui pouvait le mieux répondre à l'ensemble de ses caractères. Les deux éléments : composition de l'écrit et milieu historique, devaient simultanément entrer en ligne de compte. Les pures comparaisons de textes imposaient à la discussion des cadres trop restreints. L'expérience a montré qu'on n'en devait espérer aucun résultat définitif, ce qui était d'autant plus malheureux que la conclusion acquise sur les rapports au N. T. fournissait de multiples données aux problèmes ultérieurs de la date et du lieu d'origine.

Il faut dire, cependant, qu'au début du siècle, malgré de nombreuses incertitudes qui continuaient à défier tous les efforts tentés pour les réduire, la critique en était arrivée sur l'ensemble du problème littéraire de la *Didachè*, sinon à l'unanimité complète, du moins à une double position d'attente, où régnait une relative tranquillité. Ces deux positions majeures sont bien représentées, d'un côté, par l'introduction de Funk à la deuxième édition de ses Pères apostoliques ((Tubingue, 1901), dans la partie consacrée à la *Didachè* (pp. vi-xx); et de l'autre, par le grand article donné par Bartlet au *Dictionary of the Bible* de Hastings (Extra-vol. IV, 1904, pp. 438-451).

Le désaccord principal entre les deux solutions tenait toujours à l'origine et au caractère, chrétien ou juif, du fameux *Duae viae*. Pour Funk, le *Duae viae* était d'origine simplement chrétienne, et son auteur n'était personne d'autre que le Didachiste lui-même. Pour Bartlet, au contraire, qui adoptait en cela les vues émises par Taylor en 1886 et acceptées ensuite par Harnack, le *Duae viae* était d'origine juive, et devait être considéré comme la source commune de l'instruction morale de la *Didachè* (ch. 1-6, moins 1:3b-2:1), de Barnabé (ch. 18-20), et de quelques autres écrits postérieurs.

Aucune de ces deux solutions ne 'pouvait, dans l'ensemble, s'estimer entièrement satisfaisante, mais l'une et l'autre permettait une utilisation valable, croyait-on, des données historiques de la *Didachè*. Parmi les critiques de quelque autorité, C. Bigg était le seul à se tenir résolument à l'écart (1). Mais son opinion, qui aboutissait à renvoyer la composition de la *Didachè* quelque part dans le ive siècle, était trop manifestement extravagante pour recueillir beaucoup de suffrages. On eût dit qu'il se faisait un devoir de fustiger sans pitié « l'enfant gâté de la critique ».

*
* *

Les choses en étaient là, quand parut, en 1912, dans le *Journal of Theological Studies*, un article de J. Armitage Robinson, réclamant une nouvelle considération du problème littéraire de la *Didachè* (2). L'article ne parvint pas tout d'abord à forcer l'attention, en dépit du nom de son auteur. Mais, par étapes, la révision désirée fut obtenue : tous les résultats acquis allaient être remis en question.

Effectivement, Robinson introduisait un point de vue en partie nouveau (3), en poussant à leur extrême limite les implications du titre long du ms. de Constantinople, accepté (autant dire sans discussion!) comme le titre original, exprimant en raccourci toute l'intention de l'auteur. Robinson partait donc d'un bref examen de l'origine et de la signification du titre : *Enseignement du Seigneur aux gentils par le ministère des douze apôtres*, puis il se demandait : « Comment procède alors l'auteur pour arriver à produire un livre qui corresponde à ce titre? » (p. 341). La réponse était censée ressortir peu à peu de l'analyse de la *Didachè* elle-même. A la fin, la conclusion générale pouvait se formuler ainsi : « Si nos conclusions sont justes, on doit reconnaître que l'auteur de la *Didachè*, pour autant du moins que les questions d'organisation ecclésiastique sont concernées, se limite aussi rigoureusement que possible à ce qu'il peut raisonnablement présumer que les douze apôtres ont ordonné, et base ses instructions sur ce qu'il croit pouvoir tirer des écrits apostoliques. Il dissimule ses emprunts, il est vrai, mais il masque

---

(1) *Notes on the Didache*, dans *JTS*, V (1904) 579-589; VI (1905) 411-415; spécialement, pp. 414-415.

(2) *The Problem of the Didache*, dans *JTS*, XIII (1912) 339-356. L'article marquait, chez Robinson lui-même, une rupture, encore hésitante d'ailleurs; voir son art., *Church*, dans *Encycl. bibl.* (1899), I, 826; aussi *The Christian Ministry in the Apostolic and Sub-Apostolic Periods*, dans H. B. Swete, *Essays on the Early History of the Church and the Ministry*, Londres, 1918, pp. 59 ss.; spécialement, pp. 67-72.

(3) Une anticipation partielle de Zahn, *Studien zu Justin. Justinus und die Lehre der zwölf Apostel*, dans *Zeitschr. f. Kirchengesch.*, VIII (1886) 80 s. On pense bien que Zahn n'a pas tiré de ses observations sur le titre long de la *Didachè* les mêmes conséquences que Robinson en ce qui regarde l'intention de l'auteur.

aussi du même coup l'état de choses réel de son temps. Le résultat est qu'il n'apporte à peu près rien, hors son exégèse douteuse, qui puisse faire avancer notre connaissance du ministère dans l'église primitive » (p. 354). La *Didachè* n'est plus que le sous-produit équivoque d'une simple fiction littéraire : celle-là précisément qui est impliquée dans le titre : *Enseignement du Seigneur aux gentils par le ministère des douze apôtres.*

Mais l'article de 1912 était trop bref pour faire complète justice à toutes les données du problème. Aussi bien son intention dernière n'était-elle que de provoquer une utile discussion sur une base renouvelée. Mais la discussion souhaitée tardait à se produire (1). Robinson eut une occasion de revenir à la charge dans les *Donnellan Lectures* de l'Université de Dublin, en 1920. Cette fois, le coup devait commencer à porter.

Un principe nouveau et une méthode correspondante entraient en jeu dans la détermination des rapports littéraires de la *Didachè* et de l'*Épître* de Barnabé. Qu'est-ce que révèle, en effet, une lecture continue et attentive de celle-ci? — Que les différences de la première (ch. 1-17) à la deuxième partie (ch. 18-21) sont beaucoup moins considérables qu'on ne pourrait croire à première vue et que la critique ne l'a cru effectivement; qu'en réalité on passe de l'une à l'autre de la façon la plus naturelle, à tel point qu'il y a lieu de se demander si l'auteur de la première partie n'est pas aussi bien, purement et simplement, l'auteur de la seconde.

Robinson rencontrait ainsi le principe qui devait présider à sa démonstration : dans les multiples affinités qui relient entre elles les diverses parties d'un ouvrage, il arrive un point de similitude au-dessus duquel on n'a plus à se poser la question de savoir si l'écrit est issu d'un seul ou de plusieurs auteurs : clairement, il ne s'agit que d'un seul.

Restait la preuve de fait. Elle consistait à relever, dès lors, en détail les affinités diverses de la première à la seconde partie de

---

(1) On peut voir, cependant, la note consacrée par Harnack à l'article de Robinson dans la *Theol. Literaturzeitung*, XXXVIII (1912) 528-530 (en désaccord, pour le fond, avec l'argumentation de l'auteur); aussi les remarques de Swete, en appendice à son ouvrage, *The Holy Spirit in the Ancient Church*, Londres, 1912, pp. 412-414. Sur l'argument principal de Robinson, Swete fait observer : « Il n'est pas facile, à première vue, de découvrir comment le droit d'un auteur à être reconnu comme témoin fidèle d'un état de choses contemporain peut être affecté par ses allusions aux Évangiles et aux Épîtres. (Robinson) croit que son auteur « s'est mis à mal pour dissimuler ses emprunts », et a eu « l'intention bien arrêtée » d'amener les lecteurs de la *Didachè* à tirer une conclusion contraire aux faits. Je dois avouer qu'après avoir lu les textes produits, je ne puis estimer prouvée l'accusation portée contre lui » (p. 412).

l'*Épître* de Barnabé. A la fin, la conclusion s'offrait d'elle-même, avec l'évidence cumulative d'un grand nombre de faits particuliers, rapprochés les uns des autres et apparentés entre eux : la deuxième partie de l'*Épître* de Barnabé (*Duae viae*) fait partie intégrante de la lettre; il n'y a *a priori* aucune raison de supposer que cette section est empruntée à un auteur plus ancien; au contraire, toute l'évidence des critères internes tend à montrer que le *Duae viae* est l'œuvre de Barnabé lui-même. Au surplus, la comparaison suivie des textes vient confirmer cette conclusion, en manifestant le caractère secondaire du *Duae viae* de la *Didachè* par rapport à celui de l'*Épître*.

Rien d'essentiel n'a été ajouté à cette démonstration par les travaux postérieurs de Muilenburg, de Connolly et de Robinson lui-même. M. Vokes a tenté de coordonner les résultats de ses devanciers dans une étude d'ensemble (1), mais il n'est pas sûr qu'il ait seulement réussi à leur conserver toute leur force (2).

Les principales conclusions émises par Robinson en 1920, en dépendance de sa solution personnelle au problème du *Duae viae*, demeurent donc sans changement : *a*) si l'on accepte que Barnabé soit purement et simplement l'auteur du *Duae viae*, il est clair que les hypothèses anciennes de l'antériorité de la *Didachè* et du manuel de morale juive (source commune) devront être écartées du même coup; *b*) mais si la *Didachè* dépend de Barnabé, et non pas inversement, il devient possible de montrer, aussi bien, qu'elle dépend d'Hermas; *c*) la date de composition de la *Didachè* ne peut donc être antérieure à 140-150 : de fait, on peut la reporter à la fin du IIe siècle, ou même au début du IIIe; *d*) si, au surplus, on retourne aux résultats acquis en 1912, on maintiendra que la *Didachè* n'est qu'une fiction littéraire archaïsante, dont il faut se garder de prendre trop au sérieux les soi-disant données historiques : elle n'a rien d'autre à nous apprendre sur l'église primitive qu'un certain nombre d'interprétations douteuses des écrits et des traditions apostoliques.

Un élément d'importance manquait, cependant, à la solution de Robinson. Celui-ci étant mort en 1933, c'est son ami Dom Connolly qui y pourvut, dans un article de la *Downside Review*, en

---

(1) F. E. VOKES, *The Riddle of the Didache, Fact or Fiction, Heresy or Catholicism?* Londres, 1938.

(2) Voir E. HENNECKE, dans *Theol. Literaturzeitung*, LXIV (1939) 302-303; J. LEBRETON, dans *Rech. de sc. rel.*, XXX (1940) 118-121; D. AMAND, dans *Rev. bén.*, LI (1939) 218-219 (ce dernier beaucoup plus favorable, sauf en ce qui regarde l'hypothèse montaniste, en quoi il se rencontre avec Lebreton et Hennecke); B. T. D. SMITH, dans *JTS*, XL (1939) 287 s.

1937 (1). La question ne pouvait en effet être éludée : si la *Didachè* est une fiction littéraire archaïsante, quel dessein poursuivait son auteur? Connolly était trop averti de la littérature des « Church Orders » pour ne pas apercevoir l'invraisemblance qu'il y aurait toujours, dans l'hypothèse de Robinson, à faire de la *Didachè* une fiction purement gratuite (2). L'auteur avait dû avoir son idée de derrière la tête, en faisant retour, avec tant de circonspection, aux enseignements et aux institutions de l'âge apostolique. Quelle était cette idée? Connolly n'a pas craint de ressusciter l'hypothèse impopulaire du montanisme de la *Didachè*.

Celle-ci lui paraissait présenter les deux notes distinctives du montanisme : les prophètes, chefs de la communauté, et les jeûnes obligatoires. La suggestion a plu à M. Vokes, qui s'est appliqué dans son propre travail à lui fournir de tous côtés de nouveaux appuis (3).

Qu'est-ce après cela que la *Didachè*? Rien d'autre que ceci, qui est en vérité peu de chose : « Une œuvre littéraire artificielle, composée de matériel apostolique, affectant un langage apostolique, ayant pour but d'enseigner aux hommes ce que pense l'église montaniste et comment elle se conduit, en vue de montrer jusqu'à quel point elle peut être « apostolique », en dépit des attaques de l'église catholique, avec toutes ses prétentions à un credo apostolique, à une hiérarchie, à des Écritures et à des sacrements » (4). On est passé aux antipodes des conceptions qui prévalaient autour de 1900, après le labeur intense des vingt premières années.

Lentement, mais sûrement, l'hypothèse de Robinson avait donc fait son chemin. En 1931, elle recevait une adhésion aussi importante que celle de F. C. Burkitt (5). En 1937, Connolly, qui avait

---

(1) R. H. CONNOLLY, *The Didache and Montanism*, dans *Down. Rev.*, LV (1937) 339-347.

(2) Dès 1912, à propos de l'article que Robinson venait de faire paraître Swete faisait remarquer : « Nous nous demandons quel dessein cette ingéniosité, futile en apparence, pouvait bien être destinée à servir; et jusqu'à ce qu'une intention compréhensible nous soit suggérée, nous continuerons à regarder la *Didachè* comme une honnête tentative de légiférer pour une église inconnue et probablement obscure » (H. B. SWETE, *The Holy Spirit in the Ancient Church*, Londres, 1912, *Add. notes*. A. *The Didache*, p. 414; voir aussi S. E. JOHNSON, *A Subsidiary Motive for the Writing of the Didache*, dans *Munera studiosa*, (Festschr.-Hatch), Cambridge (Mass.), 1946, pp. 107-122).

(3) *The Riddle of the Didache*, pp. 129-145.

(4) F. E. VOKES, *The Riddle of the Didache*, p. 219.

(5) F. C. BURKITT, *Barnabas and the Didache*, compte rendu de J. MUILENBURG, *The Literary Relations of the Epistle of Barnabas and The Teaching of the Twelve Apostles*, dans *JTS*, XXXIII (1932) 25-27 : « (Muilenburg) a prouvé, me semble-t-il, ce que le Doyen Armitage Robinson avait indiqué et rendu extrêmement probable, savoir, que la Didachè dépend de Barnabé, et que

fait le sacrifice héroïque de « brûler tous ses navires pour la *Didachè* », pouvait se consoler de sa perte en constatant que la nouvelle solution, en ce qui concerne du moins la dépendance à l'endroit de Barnabé, était « en passe d'obtenir le consentement général de la critique » (1).

Les suffrages favorables se multipliaient, en effet, autour des travaux de Robinson et de ceux qui l'avaient suivi, et ils se multiplient encore. Au milieu de réserves sur le rattachement à la littérature montaniste, on s'est habitué depuis une quinzaine d'années à rencontrer des déclarations comme celles-ci, dans des ouvrages qui, sans être consacrés à la *Didachè*, ont cependant à tenir compte de ses données : « Robinson, Connolly, Muilenburg et Vokes ont démontré au delà de tout doute raisonnable la dépendance directe de la Didachè par rapport à des documents chrétiens de la première moitié du IIᵉ siècle » (2); — « Nous parlons de la *Doctrine des apôtres* avant de rappeler la position prise par Hermas, pour nous conformer à ce qui est encore l'ordre courant. Mais qu'il soit bien entendu que nous ne voulons pas regarder pour autant comme résolus les problèmes de la date et du caractère de la *Doctrine*. En toute hypothèse, ce petit livre, qui fait partie de la littérature apocryphe, ne représente pas une situation que l'Église ait jamais connue. Vokes, après Robinson et Muilenburg, a bien montré qu'elle ne pouvait pas être antérieure au Pseudo-Barnabé et au *Pasteur* d'Hermas : elle est donc une projection dans un passé lointain, d'un idéal imaginé par l'écrivain et non pas la traduction d'un état de fait » (3).

Barnabé est un document original qu'il y a peu de raison de supposer dépendant d'aucun autre écrit que l'Écriture elle-même. En tout cas, il nous a donné une étude complète et méthodique des rapports littéraires de Barnabé et de la Didachè, et quiconque voudra à l'avenir traiter la Didachè autrement que comme directement dépendante de Barnabé devra tenir un compte sérieux de son travail » (p. 27).

(1) R. H. CONNOLLY, *Agape and the Eucharist in the Didache*, dans *Down. Rev.*, LV (1937) 477, note 1 : « I have now completely burnt my boats in regard to the Didache; but I have done so after long reflection, and I do not expect ever to repent of my folly » (p. 489, conclusion de l'art.); voir aussi S. E. JOHNSON, *A Subsidiary Motive for the Writing of the Didache*, dans *Munera studiosa*, pp. 107 s.; avec cet hommage de confiante gratitude : « New Testament scholars may feel gratitude to Robinson and Connolly for having successfully relegated the *Didache* to a date later than the end of the first Christian century » (« MONACHUS », *Dom Hugh Connolly — R. I. P.*, dans *Down. Rev.*, LXVI (1948) 243.

(2) C. W. DUGMORE, *The Influence of the Synagogue upon the Divine Office*, Oxford, 1944, p. 38, n. 4.

(3) G. BARDY, *La Théologie de l'Église de saint Clément de Rome à saint Irénée* (*Unam sanctam*, 13), Paris, 1945, p. 134, n. 3; aussi *Didachè* dans *Dict. de dr. can.*, IV, 1210-1218, et *Didachè ou Doctrine des apôtres*, dans *Catholicisme*, III, 747-749; *Didachè*, dans *Dict. de spir.*, XX-XXI, 860-862 (plus réservé). Dans le même sens, G. DIX, *The Apostolic Tradition*, Londres, 1937, p. XLVII;

Il s'en faut néanmoins que tout le monde soit complètement
d'accord. Les *Donnellan Lectures* de Robinson, réunies en volume
(1920), ont provoqué aussitôt une discussion serrée de la part de
Bartlet (1). En 1922, A. J. McLean a soumis la nouvelle position
à un second examen, déniant aux arguments de Robinson la portée
que celui-ci leur attribuait (2). Streeter, qui offrait, pour la circonstance, les services du « chevalier errant », et s'attribuait la
mission de secourir le faible en péril, ne s'est jamais rendu aux arguments de Robinson et de Connolly (3). Il estimait que tout ce
grand effort qu'ils avaient accompli laissait intacte l'hypothèse
de la source commune pour le *Duae viae* de l'*Épître* et de la *Didachè*,
ce qui pouvait conduire de proche en proche à une révision à peu
près complète de la nouvelle solution donnée au problème littéraire. En 1938, J. M. Creed donnait un long article au *Journal of
Theological Studies*, où il esquissait une mise au point, et souhaitait

E. Peterson, *Didachè*, dans *Encicl. cattol.*, IV, 1563 s.; É. Massaux, *Influence
de l'Évangile de saint Matthieu sur la littérature chrétienne avant saint Irénée*,
Louvain, 1950, pp. 3-6; J. Colson, *L'évêque dans les communautés primitives*
(*Unam sanctam*, 21), Paris, 1951, append. : *La Didachè*, pp. 124-131, avec la
note approbative de Th. Camelot, *Bull. d'hist. des doctr. chrét.*, dans *Rev. des
sc. ph. et th.*, XXXVI (1952) 492, n. 2. — Il conviendrait peut-être de faire une
place à part à W. Telfer (*The Didache and the Apostolic Synod of Antioch*,
dans *JTS*, XL (1939) 133-146; 258-271; *The « Plot » of the Didache, ibid.*,
XLV (1944) 141-151). Il accepte, lui aussi, l'hypothèse littéraire de la « fiction
apostolique » proposée par Robinson. Mais, au lieu de lui chercher une justification dans l'aventure montaniste, comme le voulaient Connolly et Vokes,
il croit que l'auteur de la *Didachè*, attristé de voir l'église d'Antioche déchue
de sa ferveur primitive, se serait donné pour tâche de la rappeler à l'idéal qu'elle
avait reçu des apôtres. Pour accréditer ses remontrances, il en aurait fait l'objet
rétrospectif d'une réunion apostolique, tenue à Antioche même, dont ses lecteurs auraient gardé le souvenir, — à moins qu'il n'ait plus naturellement songé
à la réunion de Jérusalem telle qu'elle était connue par les *Actes*. M. Telfer
n'est pas trop sûr (et qui le serait?). Il a transporté assez allégrement son hypothèse d'Antioche (1939) à Jérusalem (1944); mais il tiendrait du moins à une
chose : c'est que la fiction apostolique soit en même temps fiction conciliaire.
Je ne sais si beaucoup auront été impressionnés par sa tentative de démonstration. Pour ma part, il me semble que tout cela ne tient plus que par des fils
imaginaires à l'écrit dont on veut nous expliquer la nature et l'origine. —
Plus récemment C. C. Richardson, *The Teaching of the Twelve Apostles*,
Commonly Called the Didache (*Library of Christian Classics*. I. *Early Christian
Fathers*, 1), Philadelphie, 1953, pp. 161 ss.

(1) J. V. Bartlet, *The Didache Reconsidered*, dans *JTS*, XXII (1921)
239-249. On verra aussi B. Capelle, rec. de Robinson, *Barnabas, Hermas and
the Didache*, dans *Rev. bén.*, XXXIV (1922) 71-73.

(2) A. J. McLean, *The Doctrine of the Twelve Apostles*, Londres, 1922,
spécialement, pp. xii-xvi; xxxi-xxxv. On pourra voir aussi les observations
de C. H. Turner, qui ne connaissait encore que l'article donné par Robinson
au *JTS* en 1912, dans C. Gore, *The Church and the Ministry*, Londres, 1919,
pp. 374-377.

(3) B. H. Streeter, *The Much-Belaboured Didache*, dans *JTS*, XXXVII
(1936) 369-374.

qu'on reprenne au plus tôt le problème par le fond (1). En Allemagne, une attitude semblable était prise en 1940 par Th. Klauser,
dans son édition de la *Didachè* pour le *Florilegium Patristicum* (2).
Plus récemment, un critique de la valeur de Dodd exprimait son
avis en ces termes : « Il est trop tôt, je pense, pour dire qu'ils ont
échoué (Robinson et ceux qui l'ont suivi), bien que, pour ma part,
je crois toujours qu'il y a beaucoup à dire en faveur d'une date
reculée » (3).

Sans aller plus loin dans l'alignement des témoignages pour ou
contre l'opinion de Robinson, il est évident, par l'histoire même de
l'interprétation, que le dernier mot n'est pas encore dit. Pour ne
prendre qu'un exemple à portée de la main, personne de ceux qui
savent le rôle énorme joué par les titres du manuscrit de Bryennios
dans le développement de toutes les hypothèses, et qui sont à même
d'apprécier, au surplus, dans quelle disproportion par rapport à
ce rôle est toujours demeuré le travail consenti par la critique à la
question primordiale d'authenticité, ne pourra douter qu'il n'y
ait là à tout le moins un large domaine à nettoyer avant de penser à
une solution définitive et à un consentement général.

*
* *

Aux recherches communes, je voudrais donc apporter maintenant ma contribution, en m'excusant de prendre si longuement
la parole dans une assemblée qui a déjà entendu tant d'avis contraires, et en exprimant à mes devanciers ma profonde gratitude pour
tout ce que je tiens d'eux.

(1) J. M. CREED, *The Didache*, dans *JTS*, XXXIX (1938) 370-387.
(2) Th. KLAUSER, *Doctrina Duodecim Apostolorum, Barnabae Epistula*
(*Florilegium Patristicum*, 1), Bonn, 1940, pp. 1-13; aussi *Taufet in lebendigem
Wasser! Zum religions- und kulturgeschichtlichen Verständnis von Didache*
7 : 1-3, dans *Pisciculi* (Festschr.-Dölger), Munster, 1939, p. 158; sur les travaux
antérieurs de Robinson, K. BIHLMEYER, *Die apostolischen Väter*, Tubingue,
1924, pp. XIII, XV. On pourra lire aussi plusieurs remarques pertinentes de
G. ANRICH, dans *Theol. Literaturzeitung*, XLVIII (1923) 105-106 (recension
de ROBINSON, *Barnabas, Hermas and the Didache*).
(3) C. H. DODD, *Christian Beginnings, A reply to Dr. Barnes's « The Rise
of Christianity »*, extrait de la *London and Holborn Quarterly Review* (juillet
1947), p. 8.

CHAPITRE DEUXIÈME

LE TEXTE

Il n'est pas sans importance d'observer, au point de départ, devant quelles conditions textuelles la critique s'est trouvée placée, en 1883, avec l'édition de Bryennios. On prenait connaissance d'un seul manuscrit, d'ailleurs assez tardif (A. D. 1056). Pour en apprécier la valeur, on ne disposait que du remaniement opéré, au IVᵉ siècle, par le compilateur des *Constitutions apostoliques*. Il est vrai que, pour la première partie (ch. 1-6), on possédait divers autres témoins du texte, mais depuis longtemps, sinon depuis l'origine même, de transmission étrangère à la *Didachè* : c'étaient principalement les ch. 18-20 de l'*Épître* de Barnabé et deux recensions grecques des *Canons ecclésiastiques*, à quoi vint s'ajouter, dès 1884, un fragment d'une *Doctrina apostolorum*, qui paraissait être le débris d'une ancienne version latine de la *Didachè* elle-même. *Rari nantes in gurgite vasto.*

Autour de ce groupe déjà confus de témoins, qui s'obstinaient à ne parler que pour les six premiers chapitres, on rassembla bientôt un nombre assez considérable de remaniements secondaires, de citations et de réminiscences, toujours aussi empressés à fournir des renseignements sur la première partie que réticents quant au reste.

Tout compte fait, cette foule de témoins si curieusement assortis semblait apporter bien peu d'éléments sûrs pour estimer le texte même du ms. de Constantinople, et pour l'améliorer s'il y avait lieu. De fait, la question textuelle de qualité fut dominée par la question littéraire d'intégrité. Fallait-il reconnaître la main d'un interpolateur? et en un ou plusieurs endroits? On sait qu'il s'agissait avant tout de la section « évangélique » du chapitre premier (1:3*b*-2:1). Ainsi, l'attention étant concentrée sur une difficulté spéciale que soulevaient les témoins eux-mêmes, le ms. de Constantinople s'est bientôt imposé comme le « texte reçu » (1), à trois ou quatre

(1) J. R. HARRIS, *The Teaching of the Apostles*, Londres, 1887, p. VI : « A received text of the Teaching is happily almost ours ».

corrections près (1), dont aucune n'avait, du reste, une réelle portée
sur le problème littéraire.

Il n'est que juste de rappeler, d'ailleurs, que, pour la critique textuelle, les données étaient, au début, plutôt réduites. Nous sommes
aujourd'hui un peu plus fortunés, quoique nous soyons encore loin
d'avoir tout à souhait. Les acquisitions les plus précieuses, depuis
1883, sont celles d'un fragment de texte grec (1922), et d'un fragment de version copte (1924), à quoi il faut joindre un fragment de
version éthiopienne (1904) et une version géorgienne complète
(1932), dont il ne nous reste malheureusement plus qu'une collation
allemande. Si ces éléments textuels nouveaux ne suffisent pas encore
à éclairer tous les points obscurs, ils permettent du moins de juger,
en plusieurs endroits importants, de la valeur du ms. de Constantinople, et, par là même, de mesurer avec plus d'exactitude la part
de confiance que, dans l'ensemble, nous devons mettre en lui.
Chacune des pièces du dossier mérite donc, à ce titre, d'être étudiée
avec soin. On trouvera dans ce chapitre une appréciation générale
de chacune d'elles. Les leçons les plus importantes, il va sans dire,
seront dès maintenant discutées, et avant tout, celles qui peuvent
avoir une portée quelconque sur la solution du problème littéraire.
Le reste viendra en son lieu, dans la partie consacrée à l'établissement et au commentaire continu du texte.

On aura déjà observé que je ne faisais entrer ici directement en
ligne de compte ni la *Doctrina apostolorum* (version latine de la

---

(1) Cf. A. HARNACK, *Die Apostellehre und die jüdischen beiden Wege*,
1886, p. 6. Harnack comptait trois endroits où le ms. pouvait avec raison être
soupçonné d'erreur sérieuse : 1:6 (ἱδρωτάτω); 11:11 (ποιῶν εἰς μυστήριον
κοσμικὸν ἐκκλησίας); 16:5 (ὑπ'αὐτοῦ τοῦ καταθέματος). Mais pour le premier
cas seulement une correction était proposée par le texte de l'édition de 1884.
En pratique, on revenait donc aux leçons du ms., sauf à chercher, avec Rendel Harris, une explication exégétique aux difficultés : « Ces passages (les trois
ci-dessus mentionnés) seront maintenant discutés à fond, et nous montrerons
qu'en deux d'entre eux le texte est à peu près certainement correct tel qu'il
se présente, tandis que dans le troisième il est si près d'être correct qu'il est
difficile de dire où il faudrait commencer à le corriger » (*The Teaching of the
Apostles*, p. 14). On notera, au passage, ce jugement plus général du même
Rendel Harris : « Il est probable qu'aucun document n'a jamais plus victo-
rieusement défendu que la *Didachè* son droit à ne pas être corrigé par conjecture. Nous pouvons même dire qu'à l'exception d'une ou deux erreurs maté-
rielles de transcription, le texte se justifie lui-même presque à tout coup »
(*op. cit.*, p. 62). On pourra voir également H. BOIS, *Zum Texte der Lehre der
zwölf Apostel*, dans *Zeitschr. f. wiss. Theol.*, XXX (1887) 488-497 (arbitraire
et erratique); B. B. WARFIELD, *Text, Sources, and Contents of « The Two Ways »,
or First Section of the Didache*, dans *Bibl. sacra*, XLIII (1886) 137 s.; *Textual
Criticism of the Two Ways*, dans *Expos.*, 3 série, III (1886) 156-159 (ce dernier
tout entier dans l'ombre de Hort : recension « syrienne » et recension « égyptienne » du *Duae viae*; un peu plus libre, cependant, à l'égard du ms. de Constantinople).

Didachè, ou soi-disant), ni l'*Épître* de Barnabé, ni les diverses recensions grecques des *Canons eccl.*, ni les autres documents apparentés. Cette exclusion sera, me semble-t-il, pleinement justifiée lorsque nous examinerons à nouveau l'hypothèse d'une source commune pour la partie « morale » de la *Didachè* et de l'*Épître* de Barnabé. Qu'il me soit donc permis d'anticiper pour le moment sur nos conclusions, et de réserver tout ce qui concerne le *Duae viae*, dont l'origine et la tradition sont effectivement indépendantes de celles de la *Didachè*.

LES TÉMOINS DU TEXTE

1. *Le manuscrit de Constantinople (H)*.

Le manuscrit de Constantinople a été souvent décrit (1). Dans les années qui virent paraître les deux *Épîtres* de Clément de Rome et la *Didachè* (1875-1883), il était encore à Constantinople, dans la bibliothèque du Saint-Sépulcre, où Bryennios l'avait découvert quelques années auparavant (1873). Il y portait le numéro 446. Mais, au début de 1887, le précieux manuscrit fut transporté à Jérusalem et déposé dans la bibliothèque du Patriarcat grec orthodoxe de cette ville. Il est maintenant enregistré au catalogue, Κῶδ. πατρ. 54 (pour nous, *Hierosolymitanus* 54).

C'est un in-8º de petit format (19 cm × 15,5 cm) : parchemin, 120 folios ; belle cursive, coulante et régulière ; transcription soignée : les erreurs de copiste sont relativement peu nombreuses. Le contenu est distribué de la manière suivante :

fol. 1a-32b. Τοῦ ἐν ἁγίοις Ἰωάννου τοῦ Χρυσοστόμου σύνοψις τῆς
        παλαιᾶς καὶ καινῆς διαθήκης ἐν τάξει ὑπομνηστικοῦ.

fol. 33a-51b. Βαρνάβα ἐπιστολή.

fol. 51b-70a. Κλήμεντος πρὸς Κορινθίους Αʹ.

---

(1) Voir, en particulier, A. PAPADOPOULOS-KERAMEUS, Ἱεροσολυμιτικὴ βιβλιοθήκη, I, pp. 134-137 (avec reproduction phototypique des fol. 51b, 76a et 120a) ; K. et S. LAKE, *Dated Greek Minuscule Manuscripts to the Year 1200*. I. *Manuscripts at Jerusalem, Patmos and Athens*, Boston, 1934, p. 11 ; Ph. BRYENNIOS, Τοῦ ἐν ἁγίοις πατρὸς ἡμῶν Κλήμεντος ἐπισκόπου Ῥώμης αἱ δύο πρὸς Κορινθίους ἐπιστολαί, *Prolég.*, pp. 7-9, et Διδαχὴ τῶν δώδεκα ἀποστόλων, *Proleg.*, pp. 93-108 ; HARNACK, *Die Lehre, Proleg.*, pp. 11-12 ; Ph. SCHAFF, *Teaching of the Twelve Apostles*, New York, 1885, pp. 1-7 ; J. R. HARRIS, *The Teaching of the Apostles*, pp. 11-12 (avec reproduction phototypique des fol. 76a-80b, contenant le texte de la *Didachè*) ; J. B. LIGHTFOOT, *The Apostolic Fathers*. I. S. *Clement of Rome*, 2 éd., 1890, I, pp. 121-129 (avec reproduction phototypique des fol. 51b-76a, contenant la fin de l'*Épître* de Barnabé, les deux *Épîtres* de Clément de Rome, une liste des livres de l'A. T. et le début de la *Didachè*, pp. 425-474).

fol. 70*a*-76*a*. Κλήμεντος πρὸς Κορινθίους Β΄. La fin de l'épître,
y compris la suscription, occupe les six premières
lignes du fol. 76*a*. Vient ensuite une liste canonique
de l'A. T. : nom hébreu, ou araméen, suivi du correspondant grec (1). La liste a pour titre : ᾿Ονόματα
τῶν βιβλίων παρ᾿῾Εβραίοις. Elle occupe douze lignes,
laissant quatre lignes au bas de la page pour le titre
et le début de la *Didachè*.

fol. 76*a*-80*b*. Διδαχὴ τῶν δώδεκα ἀποστόλων.

fol. 81*a*-82*a*. ᾿Επιστολὴ Μαρίας Κασσοβόλων πρὸς τὸν ἅγιον καὶ
ἱερομάρτυρα ᾿Ιγνάτιον ἀρχιεπίσκοπον Θεουπόλεως ᾿Αντι-
οχείας.

fol. 82*a*-120*a*. Τοῦ ἁγίου ᾿Ιγνατίου Θεουπόλεως ᾿Αντιοχείας πρὸς
Μαρίαν, κτλ. (recension longue : 12 épîtres).

Au fol. 120*a*, un colophon nous apprend que le ms. a été achevé
le mardi 11 juin 1056 (6564 des Grecs), et que nous le devons à un
certain Léon, « notaire (copiste) et pécheur ». Ce colophon est suivi
(fol. 120*a*-120*b*) d'un court essai d'explication de la généalogie
du Sauveur, dont le texte a été publié par Bryennios (Διδαχή,
Proleg., pp. 148-149).

Le point important est évidemment pour nous celui de la valeur
du texte. Lightfoot a montré, par une comparaison détaillée avec
l'*Alexandrinus* que le texte des deux *Épîtres* de Clément présenté
par le ms. de Constantinople avait fait l'objet d'une « révision
critique » (2). L'examen des épîtres ignatiennes, d'autre part, le
conduisait à la même conclusion, que venait confirmer la collation
d'autres textes fournis par le ms. (3). De son côté, en effet, Gebhardt
avait déjà énoncé un jugement semblable à celui de Lightfoot à
propos de l'*Épître* de Barnabé, pour laquelle il avait donné la
préséance au *Sinaiticus* (4).

Il n'en faudrait pas davantage, semble-t-il, pour donner à penser

---

(1) Sur ce curieux document, cf. J.-P. AUDET, *A Hebrew-Aramaic List of
Books of the Old Testament in Greek Transcription* dans *JTS*, N. S. I (1950)
135-154; C. C. TORREY et O. EISSFELDT, *Ein griechisch transkribiertes und
interpretiertes hebräischaramäisches Verzeichnis der Bücher des Alten Testaments
aus dem 1. Jahrhundert n. Chr.*, dans *Theol. Literaturzeitung*, LXXVII (1952)
249-254.

(2) J. B. LIGHTFOOT, *The Apostolic Fathers. I. S. Clement of Rome*, I, 2 éd.,
1890, pp. 124-128.

(3) J. B. LIGHTFOOT, *The Apostolic Fathers. II. S. Ignatius and S. Polycarp*,
I, 2 éd., 1889, pp. 118-119.

(4) *Patrum apostolicorum opera*, fasc. I, pars II, *Barnabae epistula*, 2 éd.,
1878, pp. XXXI-XXXVII. Dans le même sens, F. X. FUNK, *Opera Patrum apostolicorum*, Tubingue, 1887, pp. XIII-XIV.

que *H*, dans son ensemble, offre un texte révisé suivant une intention définie. Mais, d'autre part, il n'est pas impossible non plus, à tout prendre, que, même dans ces conditions, la *Didachè* ait échappé au traitement subi par les textes voisins, d'autant qu'il serait hasardeux d'assigner les responsabilités immédiates de la révision critique décelée par Gebhardt et Lightfoot. Il n'est pas nécessaire qu'elle ait accompagné la transcription de *H ;* elle peut lui être antérieure, et donc, ne s'être pas étendue au texte de la *Didachè*. Mais, de toutes manières, il reste que celle-ci se trouve dans un voisinage textuel quelque peu compromettant, et le fait assuré d'une révision critique toute proche suffirait à lui seul à imposer un examen sérieux de son texte.

2. Le fragment d'Oxyrhynque (O).

Jusqu'à 1922, le texte grec de la *Didachè* ne fut représenté que par le ms. de Bryennios. C'est alors que les éditeurs des papyrus d'Oxyrhynque firent connaître le texte de deux fragments de parchemin (fol. 1 : 5,8 cm × 5 cm; fol. 2 : 5,7 cm × 4,8 cm), que les fouilles avaient permis de retrouver (1).

Écrits sur les deux côtés, ils contenaient *Did.*, 1:3*b*-4*a* et 2:7*b*-3:2*a*, en tout 64 mots, tous lisibles et intégralement conservés. En outre, le contour des deux petites feuilles, la disposition et la répartition du texte montraient à l'évidence que les fragments constituaient un feuillet de volume. On était donc en présence d'un débris de codex-miniature, semblable à tous ceux dont les sables d'Égypte avaient déjà fourni un assez grand nombre d'exemples. Il était à présumer, d'autre part, qu'arrivant par cette voie, son texte représenterait une transmission populaire (2). Pour la date, les

---

(1) B. P. GRENFELL et A. S. HUNT, *The Oxyrhynchus Papyri*, XV, 1782.
(2) Les éditeurs notent : « That the writer was a person of no great culture is clear also the from spelling and division of words » (*op. cit.*, p. 13); voir également, d'un point de vue plus général, C. H. ROBERTS, *The Christian Book and the Greek Papyri*, dans *JTS*, L (1949) 155 s.; sur le codex-miniature, L. AMUNDSEN, *Christian Papyri from the Oslo Collection*, dans *Symbolae Osloenses*, XXIV (1945) 126-128; 140, n. 3; aussi F. G. KENYON, *Books and Readers in Ancient Greece and Rome*, Oxford, 2 éd., 1951, p. 92. L'épître dédicatoire que Rufin a écrite pour sa traduction des *Sentences* de Sextus, est peut-être, dans l'antiquité chrétienne, le document qui révèle le mieux l'usage de l'édition de petit format. Je me permets de reproduire ici le texte en entier, malgré sa longueur, parce qu'il est peu connu : « Scio quia, sicut grex ad vocem pastoris accurrit, ita et religiosus auditor vernaculi doctoris commonitionibus gaudet. Quia ergo, karissime fili, Aproniana religiosa filia mea, soror tua in Christo, poposcerat me, ut ei aliquid quod legeret tale componerem, ubi neque laboraret in intellegendo et tamen proficeret in legendo, aperto satis plano sermone : Sextum in Latinum verti, quem Sextum ipsum esse tradunt, qui apud vos id est in urbe Roma Xystus vocatur, episcopi et martyris gloria decoratus. Hunc ergo

critères paléographiques indiquaient la fin du ɪvᵉ siècle (Éditeurs).

Je reproduis le texte du fragment, tel qu'il a été édité par Grenfell et Hunt (1).

Recto	Folio 1	Verso	
ουχι και τα ε	1:3	θρον ακου	1:4
θνη τουτο		ε τι σε δει ποι	
ποιουσιν υμ		10. ουντα ϲωσαι	
εις δε φιλειτ		σου το π̅ν̅α̅ π[ρ]ω	
5. ε τους μισου̅		τον παντω̅	
τας υμας και		αποσχου των	
ουχ εξετε εχ		σαρκε[ι]κων ε	
		15. πιθυμειων	

Recto	Folio 2	Verso	
ελεγξεις περι ω̣	2:7	[[απο]] παντος	
δε προσευξει ους		πραγματος	
δε αγαπησεις		25. πονηρου και	
υπερ την ψυχη̅		ομοιου αυτου	
20. σου »»»»»»»»»»»»»		μη γεινου οργει	3:2
═══ ═══		λος επειδη οδη	
τεκνον μου	3:1	γει η οργη προς	
φευγε απο		30. τον φονον	

cum legerit, inveniet tam brevem ut videat singulis versiculis ingentes expli- care sensus, tam vehementem ut unius versus sententia ad totius possit per- fectionem vitae sufficere, tam manifestum ut ne absens quidem legenti puella expertem se intellectus esse causetur. Omne autem opus ita breve est, ut de manu eius nunquam possit recedere totus liber, unius pristini alicuius pretiosi anuli optinens locum. Et revera aequum videtur, ut, cui pro verbo dei terrena ornamenta sorduerunt, nunc a nobis ad vicem verbi et sapientiae monilibus adornetur. Nunc ergo interim habeatur in manibus pro anulo liber, paulo post vero in thesaurum proficiens totius servetur disciplinae bonorum actuum commonitiones de intimo suggesturus arcano. Addidi praeterea et electa quaedam religiosi parentis ad filium, sed breve totum, ut merito omne opus- culum vel enchiridion si Graece vel anulus si Latine appelletur » (cf. I. GILDE- MEISTER, *Sexti sententiarum recensiones latinam, graecam, syriacas*, Bonn, 1873, pp. ʟɪɪɪ s.; aussi *PL*, 21, 192). On remarquera que le « pugillaris » de Rufin était destiné à une femme. Je me garderai bien de spéculer sur un cas particulier, mais il y a quelques autres indices, et il est peut-être permis de se demander si le codex-miniature, dans son usage chrétien, ne répondait pas, de façon particulière, à des goûts féminins et à des habitudes féminines, ce qui ne serait pas pour atténuer le caractère essentiellement populaire de la tra- dition textuelle qui passait par lui. C'est en tout cas parmi les femmes que le codex-miniature a le plus souvent franchi la frontière de la superstition pour devenir amulette; cf. CHRYSOSTOME, *In epist. ad Col.*, hom. 8, 5; *PG*, 62, 357; *In Matth.*, hom. 72; *PG*, 58, 669; ISIDORE DE PÉL., *Epist.*, ɪɪ, 150; *PG*, 78, 604; JÉRÔME, *In Matth.*, ɪv, 33; *PL*, 26, 175. Mais il faut ajouter, pour être exact, que les hommes n'étaient pas sur ce point tout à fait sans reproche; cf. Ps.-CHRYSOSTOME, *In Matth.*, hom. 43; *PG*, 56, 878.

(1) Sigles : [[ ]] = lacune; [[ ]] = raturé dans le ms.; les lettres sous- pointées sont de lecture moins certaine.

La discussion qui doit suivre la présente description des témoins du texte ne pourra que profiter d'un état de faits bien éclairci. A cette fin, je donnerai immédiatement une collation complète du fragment d'Oxyrhynque *(O)* sur le ms. de Constantinople *(H)*. Des collations semblables viendront en leur lieu pour les versions copte, éthiopienne et géorgienne (1).

Fol. 1

1:3 τὸ αὐτὸ] τουτο ‖ ἀγαπᾶτε] φιλειτε ‖ ἐχθρόν] ακουε τι σε δει ποιουντα σωσαι σου το πνευμα· πρωτον παντων *add. O* ‖ 1:4 ἀπέχου] αποσχου ‖ καὶ σωματικῶν] *om. O*

Fol. 2

2:7 περὶ δὲ ὧν προσεύξῃ] περι ων δε προσευξει ‖ 3:1 παντός] πραγματος *add. O* ‖ ἀπὸ παντὸς] *om. O* ‖ ὁδηγεῖ γάρ] επειδη οδηγει.

3. *La version copte (c)*.

Le British Museum vit arriver en 1923 un papyrus copte (Br. Mus. *Or.* 9271), dont l'importance se révèle très grande pour la question textuelle et littéraire de la *Didachè*. Sa provenance n'est pas connue avec certitude. Horner, et après lui Schmidt, ont suggéré avec vraisemblance les environs d'Oxyrhynque (2). Il s'agit d'une

---

(1) La collation des fragments d'Oxyrhynque sur le ms. de Constantinople a déjà été faite par R. H. Connolly, *New Fragments of the Didache*, dans *JTS*, XXV (1924) 151-152; voir également U. v. Wilamowitz-Moellendorff, compte rendu de Grenfell-Hunt, *The Oxyrynchus Papyri*, XV, 1922, dans *Deut. Literaturzeitung*, XLIII (1922) 317; H. Lietzmann, dans *ZNTW*, XXI (1922) 238; A. Neppi-Modona, *Un frammento della « Didaché » in un nuovo papiro di Ossirinco*, dans *Bilychnis*, XX (1922) 173-186. (= *Estratti della Rivista 'Bilychnis'*, 2 série, n. 92, Rome, 1923).

(2) L.-Th. Lefort a fait connaître récemment que le fragment lui avait d'abord été offert lors d'un séjour qu'il fit en Égypte au printemps de 1923 : « Pendant mon séjour en Égypte au printemps de 1923, M. Nahmann, marchand bien connu, me présenta une très large feuille de papyrus portant au recto deux colonnes d'écriture. Je fus aussitôt frappé par la belle qualité du papyrus, par son format insolite pour un manuscrit copte, et par l'écriture, en deux larges colonnes, attribuable au ve siècle : apparemment on pouvait se trouver devant un morceau de *volumen*. N'ayant aucun instrument de travail sous la main, une lecture attentive ne me permit pas d'aboutir à une identification de ce texte en fayoumique assez incorrect; aussi je me contentai de fixer dans ma mémoire une phrase caractéristique : « Que tout apôtre venant chez vous demeure un jour; si c'est nécessaire, qu'il reste deux jours; mais s'il demeure trois jours, c'est un faux prophète. » Le prix de 50 L. E. me parut excessif pour une pièce non identifiée qui pouvait tout aussi bien n'être qu'un fragment d'une homélie quelconque; malgré l'intérêt paléographique évident du papyrus, je renonçai à l'acquérir. — A mon arrivée à Jérusalem au mois d'avril, je soumis la phrase caractéristique au P. Abel qui me suggéra de chercher d'abord dans la *Didachè;* c'est ce que je fis le lendemain à la Bibliothèque du Patriarcat grec, où je travaillais, et sans difficulté je constatai que la phrase en question figurait au ch. xi de la *Didachè*. Quelques jours plus tard, à un thé

longue feuille (44 cm × 28,5 cm), qui, selon toutes apparences, faisait originellement partie d'un rouleau, et qui porte, en un fayoumique assez fortement teinté de sahidique (1), *Did.*, 10:3*b*-12:1*a*. L'édition princeps du fragment a été donnée par Horner en 1924 (2). Un an plus tard, après un nouvel examen du ms., et en utilisant quelques parcelles de papyrus à qui Horner n'avait pu trouver leur place, Schmidt (3) donna une deuxième édition du fragment, qui, pour ce qui est de la lecture, peut être considérée comme définitive (4).

chez M. R. Storrs, gouverneur de Jérusalem, celui-ci me demanda si je n'avais rien trouvé d'intéressant chez les marchands du Caire; je lui signalai, entre autres, le fragment de la *Didachè* que je venais d'identifier. Peu après mon retour en Europe j'appris que le papyrus avait fait son entrée au British Museum »; cf. *Les Pères apostoliques en copte* (*CSCO*, 135; *Script. copt.*, 17), Louvain, 1952, pp. IX s.

(1) Lefort suggère avec beaucoup de vraisemblance que notre fragment représente, non pas une traduction du grec, comme le voulait Schmidt, mais une simple transposition, faite par le copiste lui-même, du sahidique au fayoumique. L'hypothèse repose, en dernier lieu, sur des observations plus générales, qui affectent une grande partie de la littérature bohairique, fayoumique et achmimique (voir, du même LEFORT, *La littérature égyptienne aux derniers siècles avant l'invasion arabe*, dans *Chron. d'Ég.*, VI (1931) 318; aussi *Littérature bohairique*, dans *Muséon*, XLIV (1931) 115-135, spécialement 134). Il aurait donc existé une version sahidique plus ancienne, connue peut-être de s. Pachôme et des premiers pachômiens (voir *Les Pères apostoliques en copte*, pp. XIII s.). L'hypothèse est très séduisante. Je ne sais si, comme le dit Lefort, elle est « infiniment probable ». Ce qui est certain, c'est qu'elle explique au mieux les faits dans l'état actuel de notre connaissance. Il faut avouer, cependant, que dans une aire linguistique aussi complexe que l'Égypte gréco-romaine du IVe ou du Ve siècle, il n'est pas facile de réduire toutes les possibilités. La langue des frontières démographiques est susceptible de toutes les bizarreries. D'autre part, il est loin d'être sûr, en dépit des apparences, que Shenouté ait connu une *Didachè* sahidique. Il a certainement connu un *Duae viae* : ce qui est tout autre chose. Notre fragment fayoumique concerne la *Didachè*, non le *Duae viae* dans sa transmission indépendante. Le raisonnement ne peut passer de l'une à l'autre quantité sans précautions, bien que, évidemment, ce soit un fait que le *Duae viae* ait été incorporé à la *Didachè*. Je ferais une remarque semblable à propos des pachômiens. A ma connaissance, rien de ce qui a été publié jusqu'ici ne permet de leur demander un appui pour affirmer l'existence d'une *Didachè* sahidique qui aurait éventuellement servi de base à notre fragment « transposé ». Encore moins peut-on songer à s. Athanase.

(2) G. HORNER, *A New Papyrus Fragment of the Didaché in Coptic*, dans *JTS*, XXV (1924) 225-231; cf. K. BIHLMEYER, *Die apostolischen Väter*, pp. XVIII ss.; E. HENNECKE, dans *Theol. Literaturzeitung*, XLIX (1924) 408; A. NEPPI-MODONA, *Nuovo contributo dei papiri per la conoscenza di antichi testi cristiani*, dans *Bilychnis*, XXVII (1926) 169-174.

(3) C. SCHMIDT, *Das koptische Didache-Fragment des British Museum*, dans *ZNTW*, XXIV (1925) 81-99.

(4) C'est le jugement de Lefort, qui a collationné le texte de Schmidt sur une photographie du manuscrit, en vue de son édition des fragments coptes des Pères apostoliques dans le *Corpus scriptorum orientalium* (cf. L.-Th. LEFORT, *Les Pères apostoliques en copte*, pp. X et XV). J'ai moi-même vu le manuscrit à Londres il y a quelques années, et j'en ai obtenu une photographie en grandeur naturelle, que j'ai sous les yeux. J'ignorais, en ce temps-là, que M. Lefort préparait une nouvelle édition pour les *Scriptores coptici*. Si j'ai voulu voir le fragment, ce n'est pas que j'aie pensé y faire quelque découverte sur les battues

La date assignée au fragment n'est heureusement pas trop flottante. Suivant les paléographes du British Museum consultés par Horner, le fragment serait des environs de 400. Horner lui-même tenait plus largement pour le ve siècle (1). C'est encore aujourd'hui l'opinion de Lefort, qui ne voit pas de raison de s'arrêter au doute exprimé par Schmidt, et qui avait lui-même pensé au ve siècle, lorsque le fragment lui avait été présenté au Caire en 1923 (2).

La disposition du texte est assez irrégulière (3). Au recto, il est écrit sur deux colonnes, la col. I mesurant 21,5 cm × 17 cm, et la col. II, 23 cm × 12 cm, dimensions maximales. La longueur des lignes, dans la col. I, varie entre 17 et 15 cm; et dans la col. II, entre 12 et 10 cm. La col. II, qui commence deux lignes plus haut et descend une ligne plus bas que sa voisine, compte 32 lignes au lieu de 29 (col. I). Par contre, la marge de droite de la col. II ne mesure pas moins de 10 cm. Au verso, le texte repart en sens inverse, mais en ne laissant qu'une marge de 2,5 cm environ. La largeur de la marge de droite de la col. II, au recto, n'avait donc en aucune manière pour but de mettre le texte à l'abri des accidents de manipulation : elle n'est qu'une fantaisie, ou une incohérence, parmi beaucoup d'autres. La col. III (12,5 cm × 11 cm) s'arrête à mi-hauteur, en cours de phrase, et ne compte que 18 lignes. Le reste du verso est demeuré en blanc. L'écriture elle-même, une grande onciale droite (4), aux traits lourds, quoique individuelle-

---

de maîtres tels que Horner et Schmidt. Je croyais seulement que pour une époque et un milieu donné, il y a, dans l'état général d'une écriture et d'un manuscrit, un élément d'appréciation textuelle d'autant plus important que cet état déroge davantage aux habitudes éditoriales les mieux établies. Il ne s'agit pas purement et simplement de bonnes et de mauvaises « leçons », ni même, pour nous, de « lecture » correcte : il s'agit d'habitudes éditoriales, révélatrices d'un goût, d'une culture, d'une intention, ce qui est beaucoup plus compréhensif, et qui pourrait, à l'occasion, nous sortir de l'impasse des discussions abstraites.

(1) G. Horner, *A New Papyrus Fragment of the Didaché in Coptic*, dans *JTS*, XXV (1924) 225.

(2) C. Schmidt, *Das koptische Didache-Fragment des British Museum*, dans *ZNTW*, XXIV (1925) 82; L.-Th. Lefort, *Les Pères apostoliques en copte*, pp. x, xiv s.

(3) Pour les éléments généraux d'appréciation, cf. F. G. Kenyon, *The Palaeography of Greek Papyri*, Oxford, 1899, pp. 19 ss.; *Books and Readers in Ancient Greece and Rome*, Oxford, 2 éd., 1951, pp. 55 ss.

(4) Horner ajoute : « One large letter occurs as a capital letter at the beginning of a line » (I, 27); puis d'un point de vue littéraire : « it is remarkable that the content of this fragment of papyrus should largely correspond to the content of the fragment of the *Didaché* in the Statutes of the Apostles in the Ethiopic. The papyrus begins quite fragmentarily in chapter x, and breaks off in section 2 of chapter xii. The Statute 52 begins the fragment at section 3 of chapter xi, where the one capital letter of the papyrus occurs, and it adds

ment bien conduits, achève l'impression générale de « lâché »,
d'insouciant abandon à une certaine facilité acquise, comme une
détente de copiste, ou de lecteur, désœuvré.

Selon toutes apparences, nous sommes en présence de l'extrémité droite d'un rouleau de papyrus. Comme la col. III (verso)
continue la col. II (recto), il est clair qu'aucune partie du texte
n'est perdue de ce côté. Il faut seulement rappeler que la col. III,
sans raison apparente, s'arrête à mi-page, et en cours de phrase,
12:2a. D'autre part, bien que les profondes échancrures de la
marge de gauche aient emporté le coin supérieur de la col. I, on
peut calculer, théoriquement, que cinq ou six lettres tout au
plus manquent à la première ligne. Même intacte, la col. I com-
mençait donc elle-même en cours de phrase, 10:3b. Car il n'est pas
question de faire tenir 10:3a dans les lettres perdues. Or, si l'on comprend sans peine qu'un copiste quelconque ait vingt raisons de
s'arrêter n'importe où, et même qu'il puisse ne pas lui en manquer
pour ne jamais reprendre son travail, on voit moins bien ce qui
aurait pu se passer dans la tête du copiste de notre fragment s'il
avait réellement commencé avec 10:3b. Il est beaucoup plus naturel
de supposer qu'au moins une colonne entière a été perdue, d'autant
que la marge de gauche, très ravagée, témoigne que c'est bien de
ce côté que le fragment a le plus souffert (1).

Mais, quoi qu'il en soit de cette conjecture, les faits, dans leur
ensemble, donnent évidemment à penser que notre fragment
fayoumique est un extrait (2). Extrait d'une version fayoumique
complète? Extrait transposé en fayoumique d'une version sahidique

at the end of its fragment the first section of chapter VIII about Fast Days »
(*art. cité*, p. 225). L'observation a été recueillie par K. BIHLMEYER, *Die apostolischen Väter*, p. XVIII, et plus récemment par VOKES, *The Riddle of the Didache*,
p. 16. Malheureusement, il faut renoncer à la majuscule, qui est inexistante,
ce qui coupe court, il va sans dire, à toute suggestion littéraire. Je ne sais
comment Horner, qui paraît si sûr de lui, a pu se méprendre sur ce point.
Ni Schmidt ni Lefort n'ont vu de majuscule dans le fragment. En réalité, le
« ei » auquel fait allusion Horner n'est que très légèrement plus grand que la
même lettre dans le corps des mots et en cours de phrase. La différence n'est
pas telle qu'elle fasse penser à une majuscule. Ce qui est exact, c'est que le
« ei » a une certaine tendance générale à s'agrandir, plus manifeste peut-être
au début d'une ligne qu'à l'intérieur du texte.

(1) La menue tache noire, à l'extrême bord, à la hauteur des lignes 8-9
de la col. I, est peut-être tout ce qui subsiste de la lettre qui aurait terminé
la ligne la plus avancée de la colonne perdue. L'indice serait excellent s'il était
certain. Mais il reste douteux. Il vaut mieux ne pas le faire entrer en ligne de
compte.

(2) « Mr. Bell of the British Museum suggests that the papyrus may be a
casual extract », HORNER, *A New Papyrus Fragment of the Didaché in Coptic*,
dans *JTS*, XXV (1924) 225.

plus ancienne? Il est difficile de trancher l'alternative. Les vrai-semblances générales du développement de la littérature chrétienne d'expression copte me paraissent recommander la seconde hypo-thèse, qui est celle de Lefort (1). Une version sahidique, dont il nous est impossible de préciser l'étendue avec une parfaite exactitude, mais qui s'étendait au delà des limites de notre fragment fayoumique, et qui pouvait même être complète (et pourquoi pas?), a bien pu circuler en Haute et en Moyenne Égypte vers la fin du IVe siècle. Cette version était-elle sensiblement plus ancienne? Je serais porté à le croire. Mais je n'ai pas de peine à avouer que ce n'est guère qu'une impression, fondée principalement, à mes yeux, sur les traits distinctifs du texte copte (fayoumique!) comparé au type de texte que représente le *Hier.* 54. Un certain nombre de leçons, qui seront discutées plus loin, semblent être, en effet, dans *c*, des survivances d'un état du texte antérieur à celui que le ma-nuscrit de Bryennios a rendu familier. Or, à peu de chose près, le *Hier.* 54 représente vraisemblablement, en dépit de son âge réel (A. D. 1056), un texte de la fin du IVe siècle, ou, si l'on veut, de l'époque où la *Didachè*, dépassée par les écrits dont elle a fait en partie la fortune (*Didascalie, Constitutions Apostoliques*, etc.), perd son intérêt et cesse peu à peu d'être lue. On pourrait donc penser que la version sahidique transposée en partie par notre fragment remonte au moins à la première moitié du IVe siècle, sinon au IIIe siècle lui-même. L'écart entre les deux types de texte est trop considérable, et certaines leçons de la version copte sont manifestement trop archaïques, pour qu'une explication par les recensions locales puisse paraître de tous points satisfaisante. La raison de l'écart textuel doit être en partie une raison chronologique. On ne peut alors normalement supposer qu'une chose : c'est que la version copte soit assez ancienne pour que son histoire textuelle propre soit déjà parfaitement décelable en présence d'un texte de la fin du IVe siècle. Dans ces conditions, un recul d'un siècle ne me semble pas exagéré (2).

(1) L.-Th. LEFORT, *Les Pères apostoliques en copte*, pp. XII ss.
(2) Schmidt a pensé que le fragment du Br. Mus. représentait, sans inter-médiaire, un essai de traduction de la *Didachè* originale en copte. Notre papyrus ne serait rien d'autre que le « pensum » (p. 91), très négligé d'ailleurs, du tra-ducteur en personne. Comme, d'autre part, Schmidt se refusait à faire remon-ter le papyrus aussi haut que le Ve siècle, à la suite de Horner, on comprend qu'à ses yeux la « version » copte n'ait pu être qu'une version assez tardive (aus der späteren Zeit), à laquelle il fallait normalement présupposer, dans l'appréciation du texte, tous les avatars de la transmission originale elle-même. (*Das koptische Didache-Fragment*, p. 93). C'est contre cette interpréta-

La collation de *c* sur le *Hier.* 54 renvoie à la récente édition de L.-Th. LEFORT, *Les Pères apostoliques en copte* (*CSCO*, 135; *Script. copt.*, 17), Louvain, 1952.

Col. I

p. 32, 1. *Did.*, 10:3 <...> τοῖς ἀνθρώποις] aux enfants des hommes (τοῖς υἱοῖς τῶν ἀνθρώπων) ‖ ἵνα σοι εὐχαριστήσωσιν] *om. c* ‖ 4. διὰ τοῦ παιδός σου] par Jésus ton fils (διὰ ἰησοῦ τοῦ παιδός σου) ‖ 5. *Did.*, 10:4 πρὸ πάντων] pour toutes choses (περὶ πάντων) ‖ 5s. ὅτι δυνατὸς εἶ σύ· ἡ δόξα] car tu as la puissance; à toi la gloire (ὅτι δυνατὸς εἶ· σοὶ ἡ δόξα) ‖ 6. εἰς τοὺς αἰῶνας] amen *add. c* (ἀμήν) ‖ 9. *Did.*, 10:5 τὴν ἁγιασθεῖσαν] *om. c* ‖ 11. εἰς τοὺς αἰῶνας] amen *add. c* (ἀμήν) ‖ *Did.*, 10:6 ἐλθέτω χάρις] Que vienne le Seigneur (ἐλθέτω ὁ κύριος) ‖ 11s. παρελθέτω ὁ κόσμος οὗτος] amen *add. c* (ἀμήν) ‖ 12. ὡσαννὰ τῷ θεῷ δαυίδ] Hosanna à la maison de David (τῷ οἴκῳ δ.) ‖ 13s. μαραναθά] le Seigneur est venu (ὁ κύριος ἦλθεν?) ‖ 15. *Did.*, 10:7 ὅσα θέλουσιν] de la manière qui leur plaît (ὡς plutôt que ὅσα) ‖ 16-20. θέλουσιν] En ce qui regarde la formule du *muron* (lit., substance odoriférante, parfum), rendez grâce ainsi, et dites (ceci) : Nous te rendons grâce, Père, pour le *muron*, que tu nous a fait connaître par Jésus, ton fils; à toi la gloire dans les siècles! Amen *add. c* (περὶ δὲ τοῦ λόγου τοῦ μύρου οὕτως εὐχαριστήσατε λέγοντες· εὐχαριστοῦμέν σοι, πάτερ, ὑπὲρ τοῦ μύρου, οὗ ἐγνώρισας ἡμῖν διὰ ἰησοῦ τοῦ παιδός σου· σοὶ ἡ δόξα εἰς τοὺς αἰῶνας. ἀμήν) ‖ p. 33, 1s. *Did.*, 11:1 ταῦτα πάντα τὰ προειρημένα] πάντα *om. c* ‖ 3. *Did.*, 11:2 διδάσκῃ ἄλλην διδαχήν] vous donne d'autres instructions (διδάσκῃ ἄλλας διδαχάς) ‖ 4. καταλῦσαι] écartant celles qui précèdent (lit., les premières, τὰς πρώτας) ‖ μὴ αὐτοῦ ἀκούσητε] n'écoutez pas un tel homme (μὴ τοῦ τοιούτου ἀκ.) ‖ *Did.*, 11:3 τὸ δόγμα] la parole (τὸ ῥῆμα) ‖ 8. *Did.*, 11:4 πᾶς δὲ] δὲ *om. c* ‖ 9. δεχθήτω ὡς κύριος] *om. c* (?)

Col. II

Did., 11:5 οὐ μενεῖ δὲ ἡμέραν μίαν] qu'il demeure un jour (οὐ *om. c*?) ‖ 10. καὶ τὴν ἄλλην] deux jours (δύο ἡμέρας) ‖ 10s. τρεῖς δὲ ἐὰν μείνῃ] Mais s'il séjourne trois jours (τρεῖς ἡμέρας?) ‖ 13s. *Did.*, 11:6 αἰτῇ] prend (λαμβάνῃ) ‖ 15s. *Did.*, 11:7 οὐδὲ διακρινεῖτε] et ne vous montrez pas soupçonneux à son endroit (οὐδὲ διψυχεῖτε περὶ αὐτοῦ ‖ 18. *Did.*, 11:8 οὐ πᾶς δὲ] δὲ *om. c* ‖ pp. 33,20-34,1. γνωσθήσεται ὁ ψευδοπροφήτης καὶ ὁ προφήτης] vous saurez si le prophète est un vrai prophète (γνώσεσθε τὸν προφήτην, εἰ ἀληθινός ἐστιν) ‖ 2. *Did.*, 11:9 ἐν πνεύματι] *om.* c ‖ εἰ δὲ μήγε] et tout prophète qui dresse une table sans en manger (lit., n'en mangeant pas, εἰ οὐ φάγεται ἀπ' αὐτῆς ?)‖ 3. ψευδοπροφήτης ἐστίν] un tel homme est un faux prophète (ὁ τοιοῦτος) ‖ *Did.*, 11:10 πᾶς δὲ προφήτης] et tout prophète (καὶ πᾶς προφήτης) ‖ 4. εἰ ἃ διδάσκει οὐ ποιεῖ] sans la mettre en pratique (lit., ne la faisant pas, εἰ οὐ ποιεῖ αὐτήν?) ‖ 5. *Did.*, 11:11 πᾶς δὲ προφήτης] δὲ *om.* c ‖ 6. ποιῶν εἰς μυστήριον κοσμικὸν ἐκκλησίας, μὴ διδάσκων δὲ ποιεῖν ὅσα αὐτὸς ποιεῖ] qui enseigne et approuve (lit., rend témoignage à) une tradition profane dans l'église (διδάσκων καὶ μαρτυρῶν παράδοσιν κοσμικὴν ἐν τῇ ἐκκλησίᾳ)

Col. III

8. μετὰ θεοῦ γάρ] mais (ἀλλά) ‖ ὡσαύτως γάρ] γάρ *om.* c ‖ 12. *Did.*, 11:12 περὶ ἄλλων] pour des pauvres (ἄλλων *om.* c; τινῶν?) ‖ 14. *Did.*, 12:1 ὁ ἐρχόμενος] Quiconque vient chez vous (πρὸς ὑμᾶς *add.* c) ‖ 15. ἔπειτα δέ] mais vous (ὑμεῖς δέ) ‖ 16s. σύνεσιν γὰρ ἕξεται] vous aussi, vous avez le discernement (σύνεσιν ἔχετε; c *om.* γάρ) ‖ 12. *Did.*, 12:2 εἰ μέν] mais si (εἰ δέ)

4. La version éthiopienne (e).

Il y a plus à dire pour présenter cette version, bien qu'elle ne puisse se comparer, en importance, à la version copte. Nous la possédons, non à l'état isolé, mais incorporée à la recension éthiopienne des *Canons apostoliques*, que Horner a éditée pour la première fois au complet en 1904, sous le titre de *Statutes of the Apostles or Canones ecclesiastici* (1). Il ne s'agit, du reste, que d'extraits (*Did.*, 11:3-13:7 et 8:1-2, dans cet ordre), partiellement retouchés, partiellement écourtés, le compilateur n'ayant emprunté, comme il est naturel, que ce qui allait à son but.

Quelle est l'origine de ce bout de version? La question est loin d'être simple. On ne peut tenter d'y répondre sans risquer un pied dans le maquis littéraire de l'*Heptateuque clémentin* (sahidique). Le premier fait à observer, c'est que ni la recension arabe ni la recension sahidique des *Canons apostoliques*, dans leur état actuel, ne comprennent les passages de la *Didachè* insérés dans la recension éthiopienne (2). Comment celle-ci peut-elle être seule

---

(1) G. HORNER, *The Statutes of the Apostles or Canones ecclesiastici*, Londres, 1904, pp. 192-194; sur le *Sinodos*, cf. J. M. HARDEN, *An Introduction to Ethiopic Christian Literature*, Londres, 1926, pp. 61 ss.

(2) H. HORNER, *The Statutes of the Apostles*, pp. xxv s.

affectée? On remarquera, d'autre part, que, dans la recension
éthiopienne elle-même, la pièce est manifestement intrusive. Elle
vient dans une section qui, au premier regard, a bien l'air d'une
espèce de fourre-tout : can. 49-52.

Il importe, cependant, d'examiner les choses d'un peu près.
Le can. 48 termine la *Constitution ecclésiastique égyptienne* (= *Tradition apostolique* de s. Hippolyte, en substance). Avec le can. 53
commence un remaniement de la même *Tradition apostolique*,
apparenté de quelque manière à celui des *Constitutions apostoliques*,
VIII, 4ss. En gros, on peut dire que les can. 49-52 de la recension
éthiopienne correspondent (j'emploie à dessein un terme peu
compromettant) au Περὶ χαρισμάτων de *Const. apost.*, VIII, 1-2 (1).
C'est dans le can. 52, donc à la fin de la section « intercalaire »
(49-52), qu'on rencontre *Did.*, 11:3-13:7 et 8:1-2.

L'insertion est très maladroite. A la suite d'une invitation à
l'humilité à l'adresse de ceux qui pourraient s'enorgueillir de leur
don de prophétie, survient d'abord un rappel, gauchement amplifié,
et plutôt inattendu, de la décision de Jérusalem, *Act.*, 15:29 (suggéré, semble-t-il, par *Did.*, 6:3) : « Mais n'ayez rien à voir avec la
religion des démons et des dieux, et abstenez-vous d'animaux
(trouvés) morts (lit., de choses mortes), de sang, et d'animaux
étouffés (lit., de choses étouffées); et, au surplus, aucun os ne sera
brisé » (Horner, 193, 4-6). Suit *Did.*, 11:3-13:7, appelé évidemment
par le thème général de la conduite à tenir à l'égard des prophètes
(Horner, 193,7-194,23); puis, *Did.*, 8:1-2, qui nous jette de nouveau
en plein hors-d'œuvre : « Votre jeûne, également (!), ne sera pas à
la manière des hypocrites, car ils jeûnent le deuxième et le cinquième jour de la semaine. Mais vous, jeûnez le quatrième et le
sixième (lit., le soir). Et vous ne prierez pas comme les hypocrites,
mais comme le Seigneur l'a ordonné dans l'évangile » (Horner,
194, 24-28). Horner avait reconnu ensuite *Cons. apost.*, II, 57
(syr.; reconstitution de P. de Lagarde), et *Didascalie*, XXIX-XXX
(Hauler). Mais, en réalité, il s'agit uniquement de *Didasc.*, XII
(= Hauler, XXIX-XXX, pour la dernière partie) (2), sur le bon
ordre dans les assemblées liturgiques. Le tout se termine par un
épilogue (Horner, 196,18-197,6), dont la première partie reproduit,
avec de légères modifications, l'épilogue de la *Constitution ecclésiastique égyptienne* (= *Trad. apost.*; comp. can. 48, Horner : 186, 7-9,

---

(1) Je ne laisse que provisoirement de côté *Const. apost.*, VIII, 3.
(2) Cf. G. HORNER, *The Statutes of the Apostles*, pp. XXVI s.; R. H. CON-
NOLLY, *Didascalia apostolorum*, Oxford, 1929, pp. 120-125; E. HAULER,
Didascaliae apostolorum fragmenta Veronensia latina, Leipzig, 1900, pp. 42 s.

et can. 52, Horner : 196, 18-20), et dont la seconde partie est propre
à la section « intercalaire » (Horner, 196,20-197,6).

Précisons tout de suite, pour achever de nous orienter, que la
matière des can. 49-52 de la recension éthiopienne forme une
addition (ou une suite) aux canons antérieurs (*Canons eccl.* et
Const. eccl. ég.), et non une sorte de préambule à ceux qui suivent
(disons, pour donner un point de repère, *Const. apost.*, VIII, 4ss.).
Le fait ressort aussi nettement que possible de la comparaison des
deux textes.

Can. 48	Can. 52
And if there is any doctrine	*a*) And if then we have omitted
that we have diminished, brethren,	anything, our brethren,
God will reveal (it) to those	God will reveal (it) to those
who are worthy, while he steers	who are worthy, while he steers
the holy Church into quiet and a	the holy Church into a quiet and
harbour (Horner, 186,7-9).	a harbour (1).

(can. 52). — *b*) And this word shall not be hidden concerning the
gifts which God gave to the youths as they wished, and as they
acquire the similitude of those who dwell in falsehood, and are
moved because of alien spirits. And God appointed impious men
to be such as either prophesied or did signs.

c) And now the word will guide us to that which is better for
the ordinance of the Church: that ye indeed, the bishops whom we
ordained and sent from ourselves by the commandment of our
Lord Jesus Christ—if ye know the ordinance from us—that ye
might do all and not neglect anything, as our Lord Jesus Christ
commanded, as the ordinance which we gave to you. And ye
know that he who heard from us is he who heard from Christ,
and he who heard from Christ heard from God the Father, to
whom be glory for ever and ever. Amen (Horner, 196,20-197,6;

---

(1) Cette première partie de l'épilogue du can. 52 reproduit sans changement notable l'épilogue du can. 48. Faut-il la négliger entièrement avec les
deux recensions arabe et sahidique (Horner, 173, 4 et 340, 2)? Mais on peut
justement soupçonner celles-ci de s'être débarrassé à peu de frais d'une répétition encombrante. J'inclinerais, malgré tout, à donner raison à la recension
éthiopienne. La répétition peut avoir été voulue comme une sorte d'attache
littéraire destinée à retenir le *Des charismes* dans l'orbite de l'écrit antérieur
(*Tradition apostolique*). Le procédé peut nous sembler artificiel. Mais nous
devons nous défier ici de nos goûts, qui ne sont pas ceux des anciens, surtout
au niveau littéraire des écrits dont nous nous occupons. Le second épilogue
de l'évangile de *Jn.* (21:24 s.), par exemple, reprend, pour finir, une idée qui
est bien proche de celle sur laquelle s'ouvre le premier (20:30 s.). C'est une
sorte d'*inclusio*, refermée sur l'addition du ch. 21.

comp., pour l'arabe, 266,8-12 et 273,4-17; pour le sahidique, 332,5-8 et 340,2-17).

Ce n'est pas ici le lieu d'entrer dans une discussion de détail, qui nous entraînerait bien au delà des limites de notre objet. Il me semble, cependant, que les textes qu'on vient de lire suggèrent d'eux-mêmes l'hypothèse qui les explique. Lorsque, vers la fin du III⁰ siècle, les *Canons ecclésiastiques* eurent pris (en Égypte?) à peu près la forme que nous leur connaissons, les deux écrits d'Hippolyte, *Des charismes* et *Tradition apostolique*, devaient être déjà assez connus, sans l'être trop, pour tenter la main d'un compilateur. Aussi bien est-il naturel de penser que le traité sur les charismes et la *Tradition apostolique*, liés par l'auteur dans leur rédaction même, ne connaissaient guère également qu'une transmission commune (1). Mais il est clair, d'autre part, que les deux écrits n'offraient pas le même intérêt disciplinaire, et qu'aux yeux d'un clerc en mal de réglementation ecclésiastique, c'était la *Tradition* qui devait occuper le premier rang. Tout s'explique, je crois, dans nos textes, si l'on admet que les choses ont suivi le cours que mon hypothèse essaie de leur tracer.

On l'admet d'ailleurs en partie, depuis les travaux de Schwartz et de Connolly (2), mais on ne semble pas se rendre assez compte qu'en réalité l'opération du compilateur a dû être double. Il faut qu'il y ait eu, non seulement addition de la *Tradition apostolique* aux *Canons ecclésiastiques*, mais transposition du *Des charismes* et de la *Tradition*. Dans la première moitié du IV⁰ siècle, la compilation qui allait s'achever dans l'*Heptateuque clémentin*, ne devait pas s'étendre au delà de ces trois écrits, et, ce qui est de notre point de vue capital, elle devait les présenter dans l'ordre suivant : *Canons ecclésiastiques — Tradition apostolique — Des charismes*. On comprend du moins ainsi l'étrange épilogue actuel des trois recensions égptiennes : éthiopienne (can. 52), arabe (can. 51) et sahidique

---

(1) Voir le ¦prologue de la *Tradition*, dans Hauler, *Didascaliae apostolorum fragmenta Veronensia latina*, p. 101 : « Ea quidem, quae verba fuerunt, digne posuimus de donationibus, etc. », avec la discussion de R. H. Connolly, *The So-Called Egyptian Church Order and Derived Documents* (*Texts and Studies*, VIII, 4), Cambridge, 1916, pp. 136 ss. La célèbre inscription de la statue du Latran, dans laquelle les deux titres se suivent, [π]ερὶ χαρισμάτων | [ἀ]ποστολικὴ παράδο | σις, fournit un sérieux indice dans le même sens; cf. G. Bovini, *Sant'Ippolito, dottore e martire del III secolo*, Rome, 1943, pp. 99 s.

(2) E. Schwartz, *Über die pseudoapostolischen Kirchenordnungen* (*Schriften der wissensch. Gessellsch. in Strassburg*, 6), Strasbourg, 1910; R. H. Connolly, *The So-Called Egyptian Church Order and Derived Documents* (*Texts and Studies*, VIII, 4), Cambridge, 1916.

(can. 63). Cet épilogue ne peut être rien d'autre, sauf retouches accidentelles, que l'épilogue du *Des charismes* de s. Hippolyte faisant office d'épilogue général à la compilation tripartite qu'on peut vraisemblablement assigner à la première moitié du ive siècle. Conçu par son auteur pour clore le Περὶ χαρισμάτων et annoncer l' 'Αποστολικὴ παράδοσις, il en garde encore très nettement la forme binaire : « And this word (= λόγος) shall not be hidden concerning the gifts (= Περὶ χαρισμάτων) which God gave to the youths (cela est fait)... — And now the word (= λόγος) will guide: us (au futur) to that which is better for the ordinance of the Church: that ye indeed, the bishops,... (matière de l' 'Αποστολικὴ παράδοσις : c'est ce qui reste à faire) ».

Que peut signifier ce texte, juste au moment où la compilation tripartite se termine, si l'on ne suppose pas qu'il s'est en quelque sorte imposé au compilateur? Mais si l'on retourne en arrière, qui pourra-t-on rencontrer sinon Hippolyte? Il est vrai que, dans l'état présent de la compilation, la seconde partie de notre épilogue semble justifiée par ce qui suit, c'est-à-dire, par les can. 53ss., qui couvrent la matière de la *Tradition apostolique* (= can. 22-48) dans une forme relativement plus récente. On pourrait dire alors que tout l'épilogue, ou du moins sa troisième partie, n'est qu'une pièce de raccord inventée par le compilateur. Mais il y a, à cette interprétation, une objection décisive : c'est la doxologie qui termine le can. 52. Il n'est pas permis de l'enjamber. Sa signification littéraire, dans l'ensemble de la compilation, est aussi nette que celle de la doxologie sur laquelle s'achèvent les *Canons ecclésiastiques* au can. 21 : elle marque un stade dans la formation de l'*Heptateuque clémentin*. Il y a, entre le can. 52 et le can. 53, une limite chronologique à respecter. L'épilogue du can. 52 doit donc bien être expliqué à l'intérieur de la compilation tripartite : *Canons ecclésiastiques — Tradition apostolique — Des charismes*. L'explication est d'ailleurs simple : il suffit de supposer, comme nous venons de le faire, une transposition des deux écrits hippolytains concomitante à leur rattachement commun aux *Canons ecclésiastiques*. Ce qu'annonce la dernière partie de l'épilogue actuel du can. 52, qui paraît bien conserver la substance de l'épilogue original du traité sur les charismes, ce n'est donc rien d'autre que la *Tradition apostolique* elle-même, déjà reproduite en substance dans les can. 22-48. Le remaniement plus tardif des can. 53 ss. est hors de perspective. L'épilogue *bifrons* original du *Des charismes* regarde toujours, en arrière, vers un écrit comme celui pour lequel il a été conçu;

mais, en avant, son regard se perd désormais dans le vide, et par la simple faute d'une transposition qui a totalement négligé de remettre les choses en ordre (1).

Ces remarques ne voudraient, du reste, que définir le cadre littéraire actuel de notre fragment de version éthiopienne de la *Didachè*. Ce fragment, suivi d'un fragment de la *Didascalie*, se trouve inséré entre le *Des charismes* et son épilogue. Comme, d'autre part, cet épilogue, augmenté accidentellement de sa doxologie, marque la

---

(1) De là à supposer que le *Des charismes* de la recension éthiopienne (à laquelle il faudrait maintenant joindre la recension sahidique et la recension arabe) — sauf les deux additions finales de la *Didachè* et de la *Didascalie* — doit avoir gardé l'essentiel du *Des charismes* de saint Hippolyte, il n'y a évidemment qu'un pas. Mais la question demanderait un traitement minutieux. Les travaux anciens de Funk, Achelis et Harnack devraient être repris dans la perspective nouvelle créée par l'identification de la *Tradition apostolique*. Connolly, dont la sagacité a été admirable en ce qui regarde celle-ci, n'a pas compris les vraies données du problème propre au *Des charismes*. Je me trompe sans doute, mais j'ai l'impression qu'il sacrifie d'assez bon cœur le *Des charismes* à sa découverte. Je voudrais être plus économe, — ou moins prodigue. Car il y avait des résultats non négligeables à attendre d'une identification possible du traité sur les charismes, sans parler de l'intérêt intrinsèque à l'écrit lui-même. Connolly s'est trop exclusivement attaché au prologue de la *Tradition apostolique*. Les données de l'épilogue du *Des charismes* lui ont totalement échappé, à tel point qu'il a pensé pouvoir mettre en parallèle le prologue de la *Tradition*, tel qu'il apparaît dans la version latine (= can. 40 de l'éth.), et *Const. apost.*, VIII, 3, en prétendant que le second texte était basé sur le premier (« When this preface of *Eg[yptian]* *C[hurch]* *O[rder]* [= *Trad. apost.*] is compared with A.C. VIII, 3, it is seen that the latter passage is based upon it »; cf. *The So-Called Egyptian Church Order*, p. 141; aussi pp. 141 s.). En réalité, *Const. apost.* VIII, 3, à peu de chose près, reproduit l'épilogue du *Des charismes* dans la forme qu'il avait prise lorsque la préséance donnée à la *Tradition apostolique* l'avait amené, de force, à terminer la compilation tripartite de l'*Heptateuque clémentin* : *Canons eccl.* — *Trad. apost.* — *Des char.* Le passage, *Const. apost.*, VIII, 3, n'a donc rien à voir avec le texte du prologue de la *Tradition*, du moins en ce qui concerne le compilateur des *Const. apost.* Tous leurs rapports, pour autant qu'ils en ont, remontent plus haut : si je ne me trompe, à Hippolyte lui-même. Il est curieux, au surplus, que Connolly ne se soit pas laissé arrêter par la doxologie qui termine *Const. apost.*, VIII, 3. A-t-il imaginé qu'elle n'était qu'une explosion de la piété du compilateur? Sans doute l'est-elle, mais il faut ajouter qu'elle a aussi une fonction littéraire. Il n'est que de la comparer aux parallèles éthiopien, arabe et sahidique (Horner, 197,6; 273,17 et 340,17) pour se rendre compte qu'elle n'est pas du cru du compilateur des *Const. apost.* Celui-ci ne fait que la reproduire, et s'il la reproduit, en cet endroit, c'est sans doute que la compilation disciplinaire qu'il avait sous la main n'était rien d'autre que la compilation tripartite primitive de l'*Heptateuque clémentin*, augmentée, dans le cours du IVe siècle, d'une recension autonome de la *Tradition apostolique*. C'est cette dernière recension, non la *Tradition* elle-même, trop archaïque, qui a naturellement eu l'heur de plaire au compilateur syrien : il en fit la matière principale de son livre huitième. C'est cette recension, également, que nous retrouvons, au quatrième rang (sa place naturelle!), dans les *Canons* éthiopiens, arabes et sahidiques. Mais, s'il en est ainsi, on ne peut plus dire, avec Connolly, que la *Constitution ecclésiastique égyptienne* (= *Tradition apostolique*) a été la « source directe » de *Const. apost.* VIII (*op. cit.*, pp. 27 ss. et 142). Ce point, secondaire à vrai dire, de sa démonstration est à réviser entièrement.

limite extrême d'une compilation disciplinaire qui devait exister
(en Égypte) dès la première moitié du ive siècle, on serait porté à
en déduire tout de suite que l'insertion des deux fragments de la
Didachè et de la *Didascalie* dans la compilation ne doit pas être
elle-même beaucoup plus tardive. L'inférence n'est toutefois pas
aussi immédiate. C'est le fragment de la *Didascalie* qui doit retenir
ici en premier lieu l'attention, et ce n'est que par son intermédiaire
qu'il est possible d'être un peu fixé sur l'insertion du fragment de
la *Didachè* elle-même.

On observera, d'abord, que le fragment de la *Didascalie* appartient, sans aucun doute possible, à la forme relativement pure de
cet écrit que représentent maintenant pour nous les deux versions
syriaque et latine. On ne peut songer à le faire sortir, ni de la
Didascalie remaniée des *Constitutions apostoliques* (i-vi), ni de la
Didascalie éthiopienne qui en dépend (1). Il suffit de lire parallèlement les textes pour s'en convaincre : ce fait ne demande pas de
démonstration spéciale. Mais, dans de telles conditions, est-il
vraisemblable que l'insertion dans les *Canons* ait été faite en une
autre langue que le grec? La *Didascalie* ne nous est du moins
connue ni en copte ni en arabe ni en éthiopien, où elle a justement
été évincée par les *Constitutions apostoliques*. Celles-ci, d'autre part,
sont de la fin du ive siècle. Si vague qu'il soit encore, n'avons-nous
pas ici un premier indice pour dater l'intrusion de notre passage
de la *Didascalie* dans la recension éthiopienne des *Canons apostoliques?* Il est naturel de penser que cette intrusion s'est produite
au cours du ive ou du ve siècle.

Mais il semble qu'il soit possible de préciser davantage. Notre
extrait de la *Didascalie* concerne, on s'en souvient, le bon ordre dans
les assemblées liturgiques : division en groupes, préséances à l'intérieur des groupes, etc. Nous avons déjà fait observer, d'autre part,

---

(1) A propos 'de cette *Didascalie éthiopienne*, je ne puis arriver à partager
les hésitations de Nau, qui se demandait s'il ne fallait pas y voir une forme
intermédiaire entre la *Didascalie* primitive et le remaniement des *Constitutions
apostoliques* (cf. F. Nau, *Didascalie des apôtres*, dans *Dict. de th. cath.*, IV,
740 s.; on peut lire commodément le texte dans la traduction anglaise de
J. M. Harden, *The Ethiopic Didascalia* (*Transl. of Christ. Lit.*, IV, *Orient.
Texts*), Londres, 1920, spécialement en ce qui nous concerne, pp. 75-78; ou
encore dans Th. Pell Platt, *The Ethiopic Didascalia, or, The Ethiopic Version
of the Apostolical Constitutions, Received in the Church of Abyssinia*, Londres,
1834, pp. 93 ss., texte éth. et trad. angl.). C'était l'opinion de Funk que la
Didasc. éth. suivait la recension remaniée des *Const. apost.*, non la *Didascalie*
proprement dite; cf. *Die apostolischen Konstitutionen*, Rottenbourg, 1891,
p. 211; voir aussi W. Riedel, *Die Kirchenrechtsquellen des Patriarchats Alexan-
drien*, Leipzig, 1900, p. 165. De toutes manières, le cas n'est pas douteux pour
le passage qui nous occupe, et c'est tout ce qui importe ici.

que l'interpolateur l'a purement et simplement coincé, à la suite
d'un ou deux passages empruntés à la *Didachè*, entre le corps
principal d'un *Des charismes* et ce qui semble bien en être l'épilogue
(Horner, 193,3 et 196,17). La situation littéraire est plutôt inconfor-
table, et le morceau donne fatalement l'impression d'un hors-d'œuvre, ou d'une pièce de remplissage. Si l'interpolateur tenait tant à
dire ce qu'il a voulu dire par son extrait de la *Didascalie*, pourquoi
n'a-t-il pas cherché à sa remontrance un contexte plus approprié?
Il n'en manquait pas, tout au long de la *Tradition apostolique*,
sans parler de maints endroits des *Canons ecclésiastiques* eux-
mêmes. Or, il est évident que l'interpolateur ne s'est pas arrêté
deux minutes pour chercher un endroit convenable à son insertion.
Il y a lieu de croire, du reste, que, lorsque l'idée de cette insertion
lui est venue, il était déjà trop tard pour lui trouver une autre situation que celle qu'elle occupe effectivement. Bref, tout semble s'être
passé comme si l'interpolateur avait tout bonnement voulu remplir
les dernières pages de son manuscrit. Il a pris la matière qui lui
paraissait convenable, il y a taillé de son mieux (de là sa tendance
caractéristique à l'abréviation et à l'omission), et il a simplement
donné au résidu la seule place désormais possible : la dernière, entre
le *Des charismes* et son épilogue. Je ne vois pas, du moins, comment
les faits pourraient mieux s'expliquer.

Nous revenons donc, par un nouveau biais, à une constatation
déjà faite : dans la formation de l'*Heptateuque clémentin*, il fut un
temps où la compilation ne comprenait que les *Canons ecclésiastiques* et les deux écrits hippolytains intervertis, *Tradition apostolique* et traité sur les charismes. Or, dès la fin du ive siècle, la
compilation tripartite s'était déjà vu allonger d'une nouvelle pièce
tout au moins : le remaniement de la *Tradition apostolique* qui,
dans notre version éthiopienne de l'*Heptateuque*, commence au
can. 53 (arabe, 52 et sahidique, 64). C'est un tel recueil, en effet,
que le compilateur syrien des *Const. apost.* doit avoir eu sous les
yeux pour rédiger son livre huitième comme il l'a fait. Mais alors
nous sommes approximativement fixés sur la date de l'insertion
de notre fragment de la *Didascalie* dans la recension éthiopienne
des *Canons apostoliques;* elle appartient au stade de la compilation
tripartite, elle ne doit donc pas être de beaucoup postérieure au
milieu du ive siècle.

Or, le passage de la *Didachè* qui précède l'extrait de la *Didascalie*
dont nous avons essayé de déterminer la date, se trouve exactement
dans les mêmes conditions. Il y a tout lieu de croire, en effet, que

la main qui a emprunté à la *Didascalie* est aussi celle qui a emprunté
à la *Didachè*. De part et d'autre, ce sont les mêmes procédés d'abréviation et d'omission. Les additions sont minimes, pour autant
que nous puissions en juger par les témoins indépendants qui nous
sont restés des écrits mis à contribution par l'interpolateur. On
comprend, du reste, que la tendance ne soit pas à l'addition si
l'interpolateur ne voulait rien d'autre que remplir utilement les
dernières pages de son manuscrit. L'entreprise était modeste.
Négativement, on ne voit rien, d'autre part, qui décèle une double
provenance.

Au surplus, si l'interpolateur est le même personnage dans le cas
de la *Didachè* et de la *Didascalie*, on s'explique sans trop de peine
deux faits qui nous ont semblé à première vue étonnants. Nous ne
savons pas quel texte l'interpolateur lisait à *Did.*, 6:3, mais je suis
porté à croire qu'il y lisait simplement ce qu'il nous a transcrit
(Horner, 193, 4-6) : ce serait bien dans sa manière. Mais pourquoi,
de toutes façons, ce saut de *Did.*, 6:3 à 11:3? N'est-ce pas l'hésitation du copiste qui ne sait encore trop ce qu'il prendra pour achever
son manuscrit? Il est permis de croire que l'interpolateur s'est
ravisé après avoir accepté une suggestion de 6:3, et que sa première
idée avait été de prendre, à l'aide de la *Didachè*, tout simplement
la suite du *Duae viae* des *Canons ecclésiastiques*. Puisqu'il disposait
de la *Didachè*, il pouvait juger autant que quiconque au premier
coup d'œil de la parenté de son *Duae viae* et de celui des *Canons
ecclésiastiques* qu'il venait tout juste de transcrire. La pensée a donc
pu lui venir très naturellement d'enjamber par-dessus la *Tradition
apostolique (Const. eccl. ég.)* et le *Des charismes*, et de renouer
avec le *Duae viae* des *Canons eccl.* De là le départ avec 6:3,
inexplicable autrement. On dirait, néanmoins, que l'interpolateur
a aussitôt ensuite changé de parti (et quel inconvénient, s'il
travaillait pour lui-même, ou pour l'utilité domestique?), pour une
raison qu'il est d'ailleurs inutile de chercher à deviner. Au lieu
de suivre pas à pas le texte de la *Didachè* jusqu'à la fin, à partir
de 6:3, quitte à l'abréger s'il y avait lieu, il s'est reporté directement au passage qui pouvait le mieux s'harmoniser avec le
thème général du *Des charismes*, abandonnant le reste, et préfé-
rant suppléer par un passage de la *Didascalie* qui devait, somme
toute, lui paraître maintenant mieux indiqué. Enfin, parcimonieux
de sa prose comme toujours, il a jeté son dévolu sur *Did.*, 8:1-2
(concernant le jeûne et la prière) pour ménager vaille que vaille
une transition entre les deux extraits *Did.*, 11:3-13:7 (sur les

prophètes) et *Didasc.*, xii (sur la discipline des assemblées liturgiques), qui avaient fini par obtenir la préférence.

J'ose espérer que l'explication ne paraîtra pas trop recherchée, et ne compromettra pas ce qui, à mes yeux, demeure le résultat principal : le fragment de version de la *Didachè* que Horner a fait connaître par sa publication, en 1904, de la recension éthiopienne des *Canons apostoliques*, est un témoin indépendant, détaché du reste de la transmission à une date qui ne peut pas être beaucoup plus récente que le milieu du ive siècle (1).

Ce résultat est cependant un peu moins beau qu'il ne pourrait sembler. La version éthiopienne abrège volontiers, pour des raisons que j'ai essayé d'éclaircir : ses omissions particulières seront donc facilement suspectes. Elle est par surcroît flottante, et plus que partout ailleurs, aux endroits critiques où l'on voudrait pouvoir compter sur son secours. Horner a basé son édition sur six manuscrits, dont il a donné les principales variantes (2). Je reproduis sa

---

(1) Une difficulté secondaire resterait néanmoins à résoudre : si l'insertion de notre fragment de la *Didachè* (et de la *Didascalie*) à la fin du *Des charismes* remonte à l'original grec lui-même, comment se fait-il que les deux recensions sahidique et arabe des *Canons apostoliques* ne la connaissent pas? On pourrait toujours dire qu'elles se sont débarrassées d'un poids mort. Mais la véritable réponse semble devoir être moins simple. En fait, c'est toute la question générale des rapports de la recension éthiopienne à la recension arabe et à la recension sahidique qui se trouve engagée ici. A ma connaissance, les deux Périer sont les derniers à s'en être occupés sérieusement (1911). Encore les résultats de leurs travaux ne sont-ils que très imparfaitement connus, et tout négatifs. « Les différences qu'on relève dans la version éthiopienne sont trop grandes pour qu'il soit possible de la considérer comme une simple traduction du texte arabe que nous possédons aujourd'hui » (J. et A. Périer, *Les « 127 Canons des apôtres »*, dans *Patrol. orient.*, VIII, 4, p. 572 : *Note sur la version éthiopienne*). Mais alors, que penser? Conjecturer une recension copte autre que la sahidique (fayoumique?) dont procède l'arabe, à l'origine de l'éthiopienne? Une recension fayoumique qui aurait été l'héritière du type de texte grec auquel nos propres observations nous ont conduit? — (cf. J. M. Harden, *An Introduction to Ethiopic Christian Literature*, Londres, 1926, p. 24).

(2) Pour la description des manuscrits, cf. *The Statutes of the Apostles*, pp. xxxvi s. On se souviendra que la traduction de l'éditeur (et donc notre collation) repose sur le Br. Mus., *Or.* 793, désigné par *a* dans la collation, et daté du xviiie s. Ce manuscrit a été choisi de préférence au Br. Mus., *Or.* 794, plus ancien (première moitié du xve s.), pour cette simple raison pratique qu'il offrait « a more continuous and intelligible text ». Je crois nécessaire de reproduire le jugement de Horner sur les manuscrits utilisés par lui, tout le monde n'ayant sans doute pas son édition sous la main. — b. Br. Mus., *Or.* 794 : « ... This MS, usually agreeing with e. and v., gives undoubtedly an earlier form of the text than a., but on account of many imperfections it was thought better to print the more continuous and more intelligible text of a., while calling special attention to the earlier readings ». — c. Br. Mus., *Or.* 796 (xviiie s.) : « ... This MS. contains a third form of the text, which sometimes suggests a nearer relation to a Greek original, particularly in the enumeration of the canons, but the frequent omissions due to homeoteleuton prevented the choice of it for printing ». — d. *Berlin* 396 (xviiie s.) : non caractérisé.

collation sans changement, à la suite de la collation de sa traduction anglaise de l'éthiopien sur le grec du ms. de Bryennios. Il sera donc loisible à chacun de se rendre compte des faits.

Horner, pp. 193 s.

8. *Did.*, 11:4 δεχθήτω ὡς κύριος] *om. e* ‖ 9. *Did.*, 11:5 οὐ μενεῖ δὲ] shall not remain (εἰ μὴ *add. e*) ‖ ἡμέραν μίαν] or the next *add. e* (ἢ τὴν ἄλλην) ‖ 10. καὶ τὴν ἄλλην] the third also (καὶ τὴν τρίτην) ‖ τρεῖς δὲ ἐὰν μείνῃ] and if he stayed longer (περισσότερον δὲ ἐὰν μείνῃ) ‖ *Did.*, 11:6 ἐξερχόμενος... ἐστίν] *om. e* ‖ 12. *Did.*, 11:7 καὶ...οὐκ ἀφεθήσεται] and every prophet who speaks in the spirit shall be proved, and he shall be examined that there may be no sin (in him) (καὶ πᾶς προφήτης λαλῶν ἐν πνεύματι πειρασθήτω καὶ διακριθήτω, εἰ μὴ ἁμάρτημά τι ᾖ ἐν αὐτῷ?) ‖ 14. *Did.*, 11:8 οὐ πᾶς] and everyone (καὶ πᾶς) ‖ 15. ἀλλ'ἐὰν ἔχῃ τοὺς τρόπους κυρίου] if he lives the life of God, he is a true prophet *add. e* (ἀληθινὸς προφήτης ἐστίν) ‖ 16. ὁ ψευδοπρο-φήτης] every false prophet (πᾶς ὁ) ‖ 17. καὶ ὁ προφήτης] or a prophet (ἢ προφήτης) ‖ 20. *Did.*, 11:10 τὴν ἀλήθειαν] *om. e* ‖ εἰ ἃ διδάσκει οὐ ποιεῖ] but does not the truth (ἀλλ' οὐ ποιεῖ τὴν ἀλήθειαν) ‖ 22. *Did.*, 11:11 πᾶς δὲ προφήτης δεδοκιμασμένος ἀληθινὸς ποιῶν εἰς μυστήριον κοσμικὸν ἐκκλησίας, μὴ διδάσκων δὲ ποιεῖν ὅσα αὐτὸς ποιεῖ] and every prophet proved in truth, who acts in the assembly of men and acts unlawfully (καὶ πᾶς προφήτης δεδοκιμασμένος ἀληθινός, ὃς ποιεῖ ἐν ἐκκλησίᾳ ἀνθρώπων καὶ ποιεῖ παρανόμως) ‖ 26. *Did.*, 11:12 ἀργύρια] gold (χρυσά) ‖ 28. ἄλλων] another (ἄλλῳ) ‖ ὑστερούντων] *om. e* ‖ 30. *Did.*, 12:1 ἐρχόμενος] to you *add. e* (πρὸς ὑμᾶς) ‖ p. 194,1. ἔξεται] you have (ἔχετε) ‖ 4. *Did.*, 12:2-3 ἐὰν ᾖ ἀνάγκη· εἰ δὲ θέλει] and if he had need and wished (καὶ ἐὰν ᾖ ἀνάγκη, ἐὰν καὶ θέλῃ) 7. *Did.*, 12:4 τέχνην] and works not *add. e* (καὶ οὐκ ἐργάζεται) ‖ 9. χρισ-τιανός] *om. e* ‖ 18. *Did.*, 13:6 ἐλαίου] and of honey *add. e* (καὶ μέλιτος) ‖ 22. *Did.*, 13:7 ἐντολήν] of the Lord *add. e* (τοῦ κυρίου) ‖ 24. *Did.*, 8:1 μετὰ] as (ὡς) ‖ 28. *Did.*, 8:2 ἐν τῷ εὐαγγελίῳ αὐτοῦ] αὐτοῦ *om. e*

Variantes de l'éthiopien (Horner, pp. 401 s.) :

P. 193,12. who speaks in the spirit] is he who speaks in the spirit ‖ he is prophet] *c* ‖ shall be proved and he shall be examined] *a*; shall be proved, he shall be examined *d (e)*; shall be proved, he shall cause to examine *b*; shall be proved, he shall not be exa-mined *c v* ‖ 13. that there may be no sin] because all sin shall be forgiven *b* etc. ‖ 15. if he lives (lit., upon him) the life of God, he is a true prophet] if (+ 'then' *v*) he has the life of the Lord *b* etc.

|| God] the Lord *b* etc. || 16. by his life hitherto] by his life then
b c d e v || every] *om. b* etc. || 17. And every prophet (+ 'then' *c*)
who] *a c d v*; he who *b (e)* || 18. shall not eat] all MSS. have 'and
shall not eat': 'and' is probably due to the Arabic idiom || 20. And
every prophet... does not the truth] *a*; *om.* 'the truth' *c*; and every
prophet then who teaches is true, then is he, he who teaches and does
not *b*; and every prophet then who teaches (is) true and that (one)
who teaches and does not *d*; and every prophet then who teaches
and does not what he teaches *e*; and every prophet then who
teaches is true, he who teaches and does not *v* || 22. proved in truth]
who (is) proved who (is) true *b c* || 23. in the assembly] *om.* 'in' *b*
|| and acts] *a d (c) e v*; *om.* 'and' *b* || for his judgment... God] all
of his judgment *c* || from God] *a b*; with God *d e v* || 24. did] *(a)*
b c e v; do *d*; trs. after 'prophets' *a* || 26. And he who says] he then
who says *b* etc. || 28. give to him] that he should give *b* etc. || 29.
shall examine] examined *v* || 31. our Lord] the Lord *b* etc. || p. 194, 1.
and so (to speak)] *om. b* etc. || 4. and if, etc.] *a c d*; trs. 'wished
and had need' *b e v* || 5. if he has a trade to work at] if... which he
works at *d*; because he was working at (a trade) *c* || 7. and works
not] *om. b* etc. || 8. remain] live *b* etc. || 9. of the name] *a d*; *om.*
b c e v || 11. prophet] *a v*; *om. b c d e* || 16. bread] + 'having taken'
b etc. || 17. according to the commandment] *om. e.* || 18. and of
honey] or honey *b* etc. || 19. having taken] *om. b* || 20. and every-
thing] *om. c* || 21. which thou wishedst] having taken *v* || 24. the
hypocrites] *a c e*; pref. 'that of' *b d v* || 28. the Lord] God *b*.

5. *La version géorgienne (g).*

La version géorgienne demeure seule, avec le ms. de Bryennios,
à représenter un texte complet de la *Didachè*. Sa découverte eût pu
être particulièrement heureuse. En réalité, elle a été faite dans
des conditions défavorables qui lui enlèvent de sa valeur. C'est
G. Péradzé qui l'a décelée, en 1931, dans les notes d'un certain
Simon Pheikrischwili, géorgien de naissance, alors étudiant à
Paris. Péradzé a lui-même fait connaître la version, en 1932, dans
un article de la *Zeitschrift für die neutestamentliche Wissenschaft* (1).
Ce qu'on venait ainsi de recouvrer, ce n'était malheureusement pas
un manuscrit ancien, mais une copie récente d'un manuscrit de la
première moitié du xixe siècle, faite à Constantinople. L'original,

(1) G. Péradzé, *Die „Lehre der zwölf Apostel" in der georgischen Überlieferung*, dans *ZNTW, XXXI* (1932) **111-116**.

qui devait normalement se trouver dans cette ville, s'est dérobé à toutes les recherches.

La copie elle-même est d'ailleurs restée jusqu'ici imparfaitement connue. Aucun texte complet, ni dans le géorgien original, ni dans une traduction, n'a été publié. Péradzé a cru assez faire pour notre curiosité en nous offrant une collation sur le grec de l'édition de Harnack (1). Il est vrai qu'il nous assure par surcroît, d'une façon générale, que le géorgien appuie fortement le grec et ne présente nulle part avec lui de bien grandes divergences (2). Mais la collation même qu'il nous donne ne va pas sans compromettre gravement la légitimité de cette assertion.

Il serait bien intéressant, d'autre part, de connaître l'âge de la version. L'analyse de ses caractères philologiques, telle que l'a esquissée Péradzé, indiquerait une date relativement ancienne. Mais nous avons alors l'embarras de ne pouvoir nous arrêter nulle part avec quelque certitude dans la très longue période qui s'étend du ve au xe siècle (3).

Nous n'oublions pas que Péradzé s'en tire tout autrement. Il s'appuie sur le colophon de la version elle-même : « Um mich zu trösten während des Umherirrens in der Fremde und gleichzeitig, auch damit jener Teil der Kirche Gottes, der die Kirche der Georgier ist, diese Lehre der zwölf Apostel Christi habe, habe ich in Gott Erbärmlicher, ein gewisser Jeremias aus Orhai, diese aus dem Griechischen ins Georgische übersetzt. Der Nationalität nach ein Georgier, der Religion nach dagegen ein Christ und Orthodoxer, zwischen den Festen der Auferstehung und Pfingsten, als ich zu jener Zeit mein Noviziat durchmachte und vollständig entfernt war von allen Blutsgenossen und Freunden, Landsleuten und von jeglichem menschlichen Trost, und nur Gott allein hatte ich als denjenigen, der zu mir herabblickte und mit meiner in jeglicher Hinsicht sehr leidenden Seele sprach » (4). La version aurait donc été faite par « un certain Jérémie d'Édesse » (Orhaï). Péradzé a cherché dans l'ancienne littérature géorgienne, et n'a trouvé qu'un seul Jérémie,

---

(1) M. Vokes s'embrouille lorsqu'il écrit que Péradzé ne fait que « reproduire les notes textuelles communiquées par Pheikrischwili » (*The Riddle of the Didache*, p. 12).

(2) « Textlich weist der Georgier keine besonders grosse Abweichungen vom Griechischen auf und bestätigt den griechischen Text auf das beste » (*Die „Lehre der zwölf Apostel"*, p. 114).

(3) Pour l'appréciation de la valeur des critères philologiques dans la datation des anciens écrits géorgiens (textes *khanmeti*), voir R. P. BLAKE, *The Caesarean Text of the Gospel of Mark*, dans *Harv. Theol. Rev.*, XXI (1928) 365 ss.; *Georgian Fragments of Jeremiah*, XXV (1932) 233-237.

(4) *Die „Lehre der zwölf Apostel"*, p. 113.

l'évêque de l'Ibérie perse, présent au Concile d'Éphèse en 431, auquel ses propres travaux avaient déjà attaché son nom. Jérémie d'Édesse serait donc le même personnage que l'évêque Jérémie. Ainsi, la *Didachè* aurait été traduite du grec en géorgien autour du premier quart du Vᵉ siècle, et ne serait rien moins que le plus ancien monument de la littérature géorgienne !

Mais le bollandiste P. Peeters a aussitôt contesté l'identification (1), et avec raison, semble-t-il, de sorte que nous retombons dans l'incertitude où nous avaient laissés les critères philologiques.

Comme nous l'avons indiqué au passage, la collation de la version géorgienne a été faite sur le texte grec de Harnack. Nous n'avons pas à nous en plaindre, car, en fait, l'édition de Harnack (1884) s'écarte si peu de *H* qu'une collation de version comme la géorgienne, la prenant pour base, équivaut en pratique à une collation faite directement sur le ms. En deux endroits seulement (10:4 σοὶ ἡ δόξα, au lieu de σύ; 11:5 οὐ μενεῖ δὲ, addition de εἰ μή), on pouvait s'attendre à recevoir de la version quelque lumière sur les conjectures de l'éditeur. Péradzé a omis de nous dire de façon explicite ce qui en est effectivement de ces deux points dans sa version. Il nous reste à inférer de son silence que les deux restitutions de Harnack s'y trouvent en quelque manière appuyées. Ces deux cas spéciaux mis à part, on peut donc traiter la collation de Péradzé comme ayant été faite sur *H* lui-même. Je la reproduis sans changement, sauf l'appareil, pour raison d'uniformité, et quelquefois aussi, de clarté.

Lehre der zwölf Apostel, geschrieben im Jahre 90 oder 100 nach dem Herrn Christus : Lehre des Herrn, die durch die zwölf Apostel der Menschheit gelehrt worden ist. — 1:4 τις 2°] im Namen Christi *add. g* ‖ οὐδὲ γὰρ δύνασαι] und du kannst auch nicht um des Glaubens willen dieses tun ‖ 1:5-6 παντί... δῷς] *om. g* ‖ 2:2 οὐ μοιχεύσεις] *om. g* ‖ οὐ πορνεύσεις] *om. g* ‖ 2:3 οὐ κακολογήσεις] *om. g* ‖ 2:7 οὓς δὲ... ψυχήν σου] Alle diese aber sollst du lieben im Herrn mehr als deine Seele ‖ 3:1 τέκνον μου] ich sage dir an Stelle des Herrn *add. g* ‖ 3:4 μου] *om. g* ‖ βλέπειν] oder anzuhören *add g* ‖ 3:6 μου] *om. g* ‖ εἰς τὴν βλασφημίαν] zur Gotteslästerung ‖ 3:8 ἤκουσας] jetzt *add. g* ‖ 4:1 ἐκεῖ κύριος] Christus *add. g* ‖ 4:4 οὐ... ἢ οὔ] daruber sollst du auch nicht zweifeln : ob das Gottesgericht über alle Menschen,

(1) P. PEETERS, *Jérémie, évêque de l'Ibérie perse*, dans *Analecta Bollandiana*, LI (1933) 5, note 3 : « Identification extrêmement peu probable, pour cette raison tout d'abord, que le dit traducteur se présente lui-même sous le nom de Jérémie d'Édesse (Orhaï) ».

gemäss ihren Werken, kommen wird oder nicht || 4:6 ἐὰν... σου 1°] wenn du (etwas) in deinen Händen hast || 4:7 οὐ... δοῦναι] zögere nicht beim Geben des Almosens || 4:8 εἰ... θνητοῖς] denn, wenn ihr in den Gütern der geistigen Unsterblichkeit eine Gemeinschaft habt, um wieviel mehr sollt ihr sie in den vergänglichleiblichen haben || 4:9 τοῦ θεοῦ] des Herrn || 4:10 ἐλπίζουσιν] über die du der Herr bist || οὐ γὰρ... ἡτοίμασεν] du sollst wissen, der Herr wird nicht kommen, nach Ansehen der Person zu berufen, sondern die, welche der Geist des Herrn im Geiste vorbereitet hat || 4:14 αὕτη... ζωῆς] Dieses, bis hierher, ist gesagt worden vom Wege des Lebens || 5:2 διῶκται] Dieses alles tun die (Verfolger etc.) *praepon. g* || οὐ πονοῦντες ἐπὶ καταπονουμένῳ] die nicht mild sind gegen die Notleidenden und Kranken || ῥυσθείητε... ἁπάντων] haltet euch fern, ihr Söhne Gottes, von allen dergleichen || 6:1 ὅρα] wandle nun || 6:2 ποίει] wenn nur ihr Glaube ein rechter Glaube ist und aufrichting und das Wissen gut *add.g* (*Thꝟitschegneba* entspricht der griech. συνείδησις von 4:14. Wir haben hier ein Andeutung an die Rechtgläubigkeit) || 7:3 ἐὰν... ὕδωρ] Wenn du aber beides nicht zur Genüge hast, so giesse auf das Haupt dreimal etwas Wasser || 10:2 εὐχαριστοῦμέν] ich danke || τοῦ ἁγίου] allerheiligen || καὶ ὑπὲρ τῆς γνώσεως] ich danke dir *praepon. g* || ἡμῖν] *om. g* || 10:3 ἡμῖν δὲ,... σου] Uns aber die von dir getauft worden sind, hast du gespendet diese geistliche Speise und den Trank und das ewige Leben durch deinen Sohn Christus Jesus || 10:4 εἴ] und gut *add. g* || 10:5 εἰς τὴν σὴν βασιλείαν, (ἣν ἡτοίμασας αὐτῇ)] das Reich, das du für ihn bereitet hast (?) || 10:6 μαρὰν ἀθά] (der) Herr ist gekommen und sein Reich für immer zu uns || 10:7 εὐχαριστεῖν] Gott *add. g* || 11:2 τὸ καταλῦσαι] das Obengesagte *add. g* || εἰς δὲ... κυρίου] wenn es aber zum Verständnis der Gerechtigkeit und der besseren Erkenntnis des Herrn dient || 11:6 ἕως οὗ αὐλισθῇ] bis er zu der anderen Wohnung gelangt ist || 11:7 ἐν πνεύματι] im heiligen Geiste (*item* 11:8) || 11:8 καὶ ὁ προφήτης] und auch der wahre Prophet || 11:11 ἐκκλησίας] Christi *add. g* || οὐ κριθήσεται] dann *add. g* || 11:12 κρινέτω] denn vom Herrn Gott wird, was von ihm getan worden ist, gerichtet || 12:1 ἐρχόμενος] zu euch *add. g* || δεχθήτω] soll von ihnen aufgenommen werden gemäss (seiner) Würde || γνώσεσθε] ob er mit dem Herzen des Herrn ist *add. g* || 12:2 ἐρχόμενος] zu euch *add. g* || 12:3 φαγέτω] bei euch in jeglicher Einheit und Frieden || 13:3 τὴν ἀπαρχὴν] *om. g* || τοῖς προφήταις] ihren Theologen (*sc.* Propheten) || 13:4 ἐὰν... πτωχοῖς] wenn ihr aber ihren Theologen (*sc.* Propheten) nicht habt (inzwischen einige Wörter unverständlich)... und gib weg nach dem Gebote des Evangeliums || 13:5-7 ἐὰν σιτίαν ποιῇς... κατὰ τὴν ἐντολήν] *om. g* || 15:1 χειροτονήσατε... ... κυρίου] Durch die Auflegung der Hand bestellt euch die Bischöfe, welche Verwalter des Geistigen sind, und Diakone, die Diener für den Gottesdienst || 15:3 μηδὲ... ἀκουέτω] auch soll er nicht in ihrer Mitte hören die Lehre des Herrn || 15:4 ὡς... ἡμῶν] wie ihr gelernt habt im Evangelium unseres Herrn Jesu Christi || 16:1 ὑπὲρ... ὑμῶν] über das Leben (*i. e.* Heil) || 16:2 ἐὰν... τελειω-θῆτε] wenn ihr nicht in der Endzeit vollkommen wordet durch den Glauben und durch die Liebe || 16:4 ἀνομίας] dann *add. g* || 16:5 σωθήσονται... καταθέματος] werden dadurch gerettet, sogar von diesem furchtbaren Fluch (Der Georgier liest, wahrscheinlich, statt κατάθεμα-ἀνάθεμα) || 16:6 νεκρῶν] sogleich in Freuden *add. g* || 16:7 οἱ ἅγιοι] seine Heiligen || 16:8 τότε... οὐρανοῦ] Dann wird diese Welt unsern Herrn Jesus Christus, den Sohn des Menschen, der (gleichzeitig) Sohn Gottes ist, sehen (als) kommend auf den Wolken mit der Macht und grosser Herrlichkeit, damit er jedem Menschen gemäss seinen Werken in seiner heiligen Gerechtigkeit vergelte vor dem ganzen Menschengeschlecht und vor den Engeln. Amen *add. g*

A sa collation, Péradzé a joint une note sur la traduction de certains mots, telle qu'elle apparaît dans le géorgien. Elle contribue à fixer pour nous la physionomie de la version. A ce titre, il me semble utile de la reproduire.

1:2 *thanamzchowrebi* — πλήσιος — Mitbürger; 3 *sasqideli* — χάρις — der Lohn; 4 wenn jemand dich nötigt, hundert Schritte zu gehen, so gehe mit auch zweihundert. 2:2 das Schädliche sollst du nicht zum Trinken geben; 4 *carcqmeda* — θάνατος — das Verderben; 6 *pirpheri* — ὑποκριτής — der Schmeichler. 3:1 *boroteba* — πονηρός — das Böse; 3 *garqwnileba* — πορνεία — schlechte Sitte; *thwaltha-mthchreli* — ὑψηλόφθαλμος — Augenausreisser (höchst interessante und wichtige Abweichung auch in der Frage des Verhältnisses der Didaché zu den apostolischen Konstitutionen, vgl. Const. app. 7, 6 bei v. Harnack, a. a. O. S. 11, Anm. zu 3:3); 9 μετὰ ὑψηλῶν] mit denjenigen, die andere verachten. 4:1 τοῦ λαλοῦντός σοι] der dich lehrt; νυκτὸς καὶ ἡμέρας] Tag und Nacht; 11 *patiebitha* — ἐν αἰσχύνῃ — in Ehren. 6:3 θεῶν νεκρῶν] nicht lebendigen Göttern. 7:1 ὕδωρ ζῶν] das natürliche Wasser. 8:1 νηστεύουσι... παρασκευήν] denn diese fasten am zweiten Tage der Woche und am fünften. Ihr dagegen sollt fasten am vierten und am sechsten. 9:2 παῖς] in bezug

auf David Knecht, dagegen in bezug auf Jesus Sohn (*cf.* 9:3; 10:2,3);
3-4 κλάσμα] das Kommunionbrot (ebenso wird auch das Wort
ἄρτος in 14:1 übersetzt). 10:7 προφήτης] an allen Stellen als "Theo-
loge" wiedergegeben, Ausnahme nur in 16:3 (*çinasçarmetqweli*,
dagegen überall *ǵuthismetqweli*). 11:3 *sçawla* — δόγμα — die Lehre;
6 *pursasazrdosa* — ἄρτον — das Brot zum Unterhalt (*cf. Pater*, τὸν
ἐπιούσιον); 10 *sinandwile* — ἀλήθεια — die Wirklichkeit (*item* 16:6).
14:1 Am Herrentage sollt ihr euch stets an einem Ort versammeln
und das Kommunionbrot brechen und danken, indem ihr vorher
eure Sünden bekannt habt, damit euer Opfer rein sei. 15:1 λειτουρ-
γία] der öffentliche Gottesdienst. 16:2 τὰ ἀνήκοντα... ὑμῶν] der
Nutzen für eure Seelen; 4 *uǵmrthoebani* — ἀθέμιτα — die Gottlosig-
keiten.

6. *Le livre VII des Constitutions apostoliques (CA).*

Les *Const. apost.* sont trop connues pour qu'il soit nécessaire de
les présenter longuement (1). Il suffira de rappeler qu'il s'agit
d'une vaste compilation canonique formée par le remaniement de
plusieurs autres écrits antérieurs : *Didascalie* pour les six premiers
livres, *Didachè* pour une partie du septième livre et *Tradition
apostolique* de s. Hippolyte (déjà remaniée) pour une partie du
huitième. L'auteur de cette compilation ne serait autre que le
Pseudo-Ignace, interpolateur des sept épîtres authentiques de
saint Ignace d'Antioche, et auteur des six épîtres additionnelles
de la recension longue des épîtres ignatiennes (recension de notre
Hier. 54). L'ouvrage aurait ainsi vu le jour en Syrie, vers le troisième quart ou la fin du IVe siècle.

On aura noté, en particulier, que le livre VII (§§ 1-32) est constitué par un remaniement de la *Didachè*. Le compilateur, à son
habitude, ajoute, retranche et transforme, suivant ses goûts, les
adaptations qui s'imposent, les vraisemblances à respecter, ou les
fins poursuivies, tandis que certaines parties du texte demeurent
sans altération. Tout cela est bientôt clair, dans l'ensemble, à la
simple lecture parallèle du texte original et du texte remanié (2).

Les difficultés commencent lorsque, en certains cas, on a des

---

(1) Voir A. Puech, *Histoire de la littérature grecque chrétienne* (Paris, 1930),
III, 585 ss.

(2) L'édition classique de Funk, *Didascalia et Constitutiones apostolorum*,
permet d'étudier très commodément les procédés habituels du compilateur
grâce à la disposition parallèle du texte de base, là où il existe, et de son remaniement.

raisons extrinsèques de douter de la leçon du principal témoin,
le *Hier.* 54. *A priori*, en effet, il n'est pas impossible que le compilateur, travaillant sur un texte de sept siècles plus ancien que celui
de *H*, nous ait conservé quelques leçons préférables à celles de *H*
lui-même.

Mais il faut d'abord pouvoir les reconnaître, à travers les transformations de toutes sortes subies par le texte. Où commence et
où finit, en chaque cas particulier, l'opération de remaniement,
il n'est pas toujours facile d'en décider (1). Pourtant, il est clair
que c'est au moment où la leçon de *H* devient sujette à caution
qu'il serait précieux de pouvoir compter sur le témoignage du texte
qu'avait entre ses mains, au ive siècle, le compilateur des *Const.
apost.* Dans les cas où *H* est moins sûr, chaque leçon correspondante
de *CA* doit être jugée, en fait, selon ses propres conditions et sur
ses propres mérites, ce qui est un avantage plutôt modeste, encore
qu'il ne soit pas négligeable (2).

(1) On lira avec profit, à ce propos, les remarques pertinentes de G. Dix,
à qui la difficile édition de la *Tradition apostolique* avait rendu familier cet
épineux problème : « ... Bien que leur utilisation d'Hippolyte soit partout
discontinue et généralement très libre, les *Constitutions apostoliques* ont une
certaine valeur pour la reconstruction du texte grec d'Hippolyte partout où
celui-ci peut être décelé sous le verbiage du Compilateur (« Constitutor »).
Mais il convient de souligner également le fait qu'elles ne prennent cette valeur
qu'en raison de l'insuffisance des matériaux dont nous disposons par ailleurs.
On ne peut mesurer exactement le degré de confiance qu'elles méritent sans
un examen attentif du traitement que le Compilateur a fait subir aux autres
écrits dans les livres I-VII. Cet auteur était doué d'une ingéniosité fâcheuse à
maltraiter les écrits plus anciens, tout en conservant parfois intacte la structure de leurs phrases, qu'il faut avoir étudiée pour pouvoir en juger correctement. Il introduit partout dans la langue de ses sources des expressions et
des sentiments tout entiers de son cru... La moitié seulement du texte d'Hippolyte est représentée de quelque manière dans les *Constitutions apostoliques*,
alors que les omissions faites par le Compilateur dans la *Didachè* et la *Didascalie* sont brèves et sans importance. Ce qui reste effectivement d'Hippolyte
est souvent résumé dans une expression qui, tout en rappelant l'original, ne
lui est pas identique. Dans la *Didachè* et la *Didascalie*, le Compilateur a reproduit ses sources avec beaucoup plus de fidélité » (*The Apostolic Tradition of
St. Hippolytus*, Londres, 1937, pp. LXXII s.). On pourra voir également le sentiment de CONNOLLY, *Didascalia apostolorum*, pp. XX s., et de BRIGHTMAN,
Liturgies Eastern and Western, Oxford, 1896, pp. XXIV s.

(2) Pour *CA*, je suis le texte de FUNK, *Didascalia et Constitutiones apostolorum*. Paderborn, 1905, I, pp. 386-422. — M. Besson a édité, en 1901, d'après
deux mss. (*Vat. grec*, 375, XIVe siècle, fol. 157^r ss.; *Pal. grec*, 146, XVe siècle,
fol. 146^r ss.), le texte d'un recueil de maximes morales attribué à Isaac le
Syrien (mort vers le début du VIIe siècle); cf. M. BESSON, *Un recueil de sentences
attribué à Isaac le Syrien*, dans *Oriens Christianus*, I (1901) 46-49; 288-298.
Il n'y a aucun doute que ce recueil a quelque relation avec la *Didachè*. Besson
écrit : « En général, nos sentences se rapprochent des *Constitutions apostoliques ;* quelquefois aussi, mais plus rarement, de la *Didachè* (v.g. p. 52, 5-7) »
(*art. cité*, p. 47). En réalité, il faut dire, sans réserves, que les sentences suivent
les seules *Const. apost.*, pour tout ce qui les apparente à la *Didachè*. Leurs relations avec cette dernière ne sont qu'indirectes. La preuve en est, d'une part,

QUELQUES VARIANTES SIGNIFICATIVES

Lightfoot, après avoir soigneusement examiné le texte de *H* (pour lui *C*) en deux de ses parties importantes, les deux épîtres de Clément et les treize épîtres ignatiennes, s'estimait en droit de conclure, de part et d'autre, à une révision critique. Pour les épîtres clémentines, dans les cas où les critères internes demeuraient indécis, la présomption favorisait donc l'*Alexandrinus* (ve siècle), contre *H*. Pour les épîtres ignatiennes, dans les mêmes conditions, la présomption était du côté d'autres témoins plus anciens et plus fidèles que le ms. de Bryennios (1). En ce qui concerne l'*Épître* de Barnabé, néanmoins, le *Hier.* 54 avait déjà su gagner d'emblée l'entière confiance de Hilgenfeld. Mais, par la suite, Gebhardt et Harnack ont bien montré contre lui que la préférence devait aller d'une manière générale au *Sinaiticus* (ive siècle).

A voir la manière dont elle est ordinairement traitée, la question du texte de la *Didachè* donnerait l'impression d'une question brûlante. Chacun ne paraît vouloir y toucher que du bout des doigts. Mais il est plutôt entendu, je le crains, que le ms. de Bryennios est « satisfaisant » (2), ce qui justifie tout de suite une confortable tranquillité. Quoi qu'il en semble, il y a pourtant un problème du texte de la *Didachè*, et un problème sérieux (3). Pour-

qu'elles n'ont de la *Didachè* que ce que pouvaient leur en offrir les *Const. apost.*, et, d'autre part, que leurs additions à la *Didachè* s'inspirent en beaucoup de passages des additions mêmes qu'avait déjà faites à la *Didachè* le compilateur des *Const. apost.*, quand elles ne coïncident pas simplement avec elles. Le recueil est donc, pour la partie où la *Didachè* est intéressée, le remaniement d'un remaniement. Un tel texte, d'ailleurs en de mauvaises conditions (*art. cité*, p. 48), n'a pas à entrer ici en ligne de compte.

(1) *H* « bears on(its) face the signs of literary revision, but (is) not without (its) value as subsidiary evidence in confirmation of readings found in other authorities », *The Apostolic Fathers*. II. *S. Ignatius and S. Polycarp*, I, 2 éd., 1889, p. 125.

(2) L'expression est de G. Bardy, qui la nuance cependant : « Dans l'ensemble, le texte fourni par ce manuscrit est satisfaisant » (*Didachè*, dans *Dict. de dr. can.*, IV, 1211). Ce qu'on aimerait connaître, c'est la marge d'incertitude qui, aux yeux de Bardy, déborde ce qu'il appelle « l'ensemble ».

(3) Ce chapitre était déjà rédigé lorsque a paru l'article très suggestif de E. PETERSON, *Ueber einige Probleme der Didache-Ueberlieferung*, dans *Rivista di archeol. crist.*, XXVII (1951) 37-68. Mais j'ai profité d'une révision générale de mon travail pour faire entrer en ligne de compte plusieurs remarques utiles contenues dans cet article (cité désormais : *Didache-Ueberlieferung*). M. Peterson pose différemment le problème, un peu plus de l'extérieur peut-être, en s'appuyant sur la comparaison directe du texte de la *Didachè*, tel qu'il est représenté par le *Hier.* 54, avec celui des autres témoins : *Pap. Oxyrh.* 1782, Br. Mus., *Or.* 9271 (version copte), etc. Mais je suis heureux de me trouver d'accord avec lui sur une observation générale : si le matériel dont nous disposons aujourd'hui ne nous permet pas de songer à une reconstitution du texte primitif (?), il suffit cependant à montrer que la transmission textuelle n'a pas

quoi, en premier lieu, le *Hier.* 54, d'une valeur secondaire pour la plupart des autres écrits qu'il contient, sinon pour la totalité, serait-il tout à coup si excellent pour le texte de la *Didachè*, qu'il admette à peine en celui-ci un très petit nombre de corrections occasionnelles, tout à fait insignifiantes? Pourquoi, d'autre part, les témoins les plus anciens n'obtiendraient-ils, en règle générale, que le second rang?

Sans doute, le ms. de Bryennios demeure-t-il, en toute hypothèse, notre principal témoin pour le texte complet de la *Didachè*, et, à ce titre, il a droit à une très sérieuse considération. Mais, cela dit, la question de sa valeur continue évidemment à se poser. Il est seulement requis de la traiter avec toutes les précautions désirables.

Nous discuterons donc ici un certain nombre de leçons plus significatives, en réservant au problème particulier des titres un examen spécial dans un chapitre séparé.

1:3a

H τοὺς καταρωμένους ὑμῖν — *CA* ὑμᾶς. Le datif est plus classique (Hérod., Xénoph., etc.); l'accusatif est conforme à *Lc.*, 6:28 (?), et à l'usage le plus habituel de la koinè (*LXX*, Philon, *Mc.*, 11:21, *Jac.*, 3:9, Plut., Luc., etc.). *H* a pu ainsi viser à la correction, suivant une tendance qu'il manifeste ailleurs, et que Lightfoot a bien notée (*Apost. Fathers*, II, 1, 126 s.). D'autre part, *CA* ne semble pas, dans le détail, s'être beaucoup soucié d'harmoniser *Did.*, 1:3-6 avec les textes parallèles de *Mt.* et de *Lc.* Ses interventions sont franches, massives (sauf peut-être un cas : οἱ ἐθνικοί, *Mt.*, 5:47, pour τὰ ἔθνη, *Did.*, 1:3), et partant, bien reconnaissables. Le choix entre les deux leçons concurrentes, dans ces conditions, serait déjà assez hasardeux. Ce n'est cependant pas tout. Car la transmission de *Lc.*, 6:28 ajoute à ce petit problème une nouvelle complication, inéluctable. Les onciaux les plus anciens (*SABD*) tiennent fermement à l'accusatif, mais le datif n'était sûrement pas inconnu à leur époque. Quant aux témoins postérieurs (*EHKLMPRS*, etc.), ils sont à peu près également partagés entre le datif et l'accusatif. N'importe quelle des deux leçons, à une date ancienne ou relativement récente, a donc pu interférer avec *Did.*, 1:3 et faire succomber un copiste quelconque à la banale

été sans introduire dans la *Didachè* beaucoup de modifications (*Didache-Ueber-lieferung*, p. 37). En dépit des apparences, d'ailleurs, on verra que la reconnaissance de ce fait n'a pas seulement une portée négative.

tentation d'harmoniser son texte. Toutes les possibilités restent ouvertes. On l'aura compris, si j'ai choisi de discuter en premier lieu cette leçon, c'est justement à cause de la complète incertitude où elle nous laisse, et non à cause des résultats positifs que j'en aurais espérés. Il fallait qu'il soit clair, dès le départ, que le ms. de Bryennios ne jouit d'aucun privilège d'intégrité textuelle. Un problème se pose.

1:3b

H ἐὰν ἀγαπᾶτε τοὺς ἀγαπῶντας ὑμᾶς — *CA* ἐὰν φιλῆτε τοὺς φιλοῦντας ὑμᾶς. Cette fois, la conformité avec *Lc.*, 6:32 (*Mt.*, 5:46) se trouve du côté de *H*, qui porte ἀγαπᾶτε. *CA* est isolé dans l'histoire du texte avec φιλεῖν au lieu de ἀγαπᾶν qu'on attendrait, selon l'usage en pareil contexte (cf. G. QUELL et E. STAUFFER, ἀγαπάω dans *TWNT*, I, 46-48; 54 s.). Il est donc probable que *H* harmonise ici avec les Synoptiques. De son côté, *CA* s'en tient à sa propre manière d'intervenir pour des transformations d'ensemble plutôt que de détail dans une unité donnée. Il n'est guère croyable qu'il ait voulu substituer φιλῆτε à ἀγαπᾶτε s'il avait trouvé celui-ci dans le texte qu'il remaniait.

1:3c

H τὸ αὐτὸ — *O* et *CA* τοῦτο. On peut toujours dire que le changement est minime et peut ne pas avoir de signification déterminée. Mais il faut observer, d'autre part, que les textes apparentés des Syn. (*Mt.*, 5:47; *Lc.*, 6:33) ont une tradition relativement ferme dans les mss. principalement en ce qui regarde *Mt.* (quelques hésitations du côté de οὕτω -τως dans *Mt.* et de τοῦτο dans *Lc.*). Au surplus, *CA* est ici appuyé par *O*. Leur accord doit prévaloir. *H* continue à harmoniser avec les Syn.

1:3d

H ἀγαπᾶτε — *O* et *CA* φιλεῖτε. Nous avons ici, il me semble, une solide confirmation des suggestions antérieures. *H* tend à se rapprocher des Syn., tandis que *CA* conserve simplement le texte de la *Did.* qu'il a sous les yeux, aussi longtemps que son goût et ses idées ne lui conseillent pas une suppression complète (comme dans le cas du νηστεύετε δὲ ὑπὲρ τῶν διωκόντων ὑμᾶς, étranger aux Syn.), ou une substitution globale (comme dans le cas de *Did.*, 1:4b, carrément remplacé par *Mt.*, 5:40 et *Lc.*, 6:30). Avec *O* et *CA*, on retiendra donc la leçon plus originale φιλεῖτε, de préférence à la leçon harmonisante de *H*.

1:4a

O seul ajoute après ἐχθρόν (1:3): ἄκουε τί σε δεῖ ποιοῦντα σῶσαί σου τὸ πνεῦμα· πρῶτον πάντων. Il n'y a pas de doute qu'il faille ici préférer l'omission avec *H g* (*CA*). Dans ses caractères paléographiques, et dans son format même, *O* porte tous les traits de la transmission populaire qui lui a donné naissance (cf. GREN-FELL-HUNT, *Oxyrhynchus Papyri*, XV, 1782, pp. 12 s.). Il a une tendance visible à aplanir les difficultés : il explique, comme il est évident, en particulier, pour 3:1, où l'ambiguïté de ἀπὸ παντὸς πονηροῦ est levée par l'addition de πράγματος. Il ne serait pas de sa famille textuelle si par surcroît il n'ajoutait pas. Il est peu probable, à cet égard, que le remplissage de la ligne 20s., fol. 2^r, soit un exercice gratuit. On devine plutôt que le copiste s'y était réservé l'espace nécessaire à une addition marginale ou interlinéaire de son texte, qu'il n'avait peut-être pas réussi à déchiffrer. Peut-être aussi espérait-il quelque secours de la collation d'un second manuscrit. Il est peu vraisemblable, en tout cas, qu'il ait simplement voulu marquer une séparation (ch. 2-3), ainsi que certains l'ont pensé. Le procédé eût par trop manqué d'élégance, sans compter qu'il était inutilement coûteux dans un livret de format si réduit. Il est beaucoup plus naturel de supposer une addition projetée, puis omise après coup pour une raison ou pour une autre. Mais n'est-ce pas tout juste l'image renversée du cas dont nous nous occupons? Ainsi, l'accord *O CA* peut être parfois décisif contre *H*, mais lorsque *O* reste seul, il perd, en dépit de son âge, presque toute autorité, surtout, il va de soi, dans les passages difficiles, et là où il ajoute. On peut toujours le soupçonner alors d'avoir voulu éclaircir le texte par une explication ou une addition de son cru.

1:4b

H g τῶν σαρκικῶν καὶ σωματικῶν — *O om.* καὶ σωματικῶν — *CA* καὶ κοσμικῶν. La difficulté est célèbre. On pourrait d'abord, avec d'assez bonnes raisons, révoquer en doute l'authenticité de cette espèce d'incise hors contexte. Mais la leçon est sûrement très ancienne. Je la prends donc d'abord comme elle se présente. L'omission de καὶ σωματικῶν avec *O* serait bien séduisante : on se déchargerait ainsi d'une redondance manifeste. Mais *O* est seul, et alors il n'est plus sûr qu'il n'ait pas lui-même voulu se débarrasser d'un poids inutile. En revanche, une omission, chez lui, est plus à considérer qu'une addition. D'autre part, le témoignage ambigu de *CA* inspire des doutes : il a pu se tirer d'affaire en recourant à *Tit.*,

2:12, ἀρνησάμενοι τὴν ἀσέβειαν καὶ τὰς κοσμικὰς ἐπιθυμίας, ou
tout simplement, à la phraséologie commune, sans parler de la
langue plus particulière aux milieux monastiques. Nous resterions
donc avec *H g*, la version géorgienne toutefois demeurant imparfaitement connue. Que vaut leur accord dans le cas présent? La
leçon τῶν σαρκικῶν καὶ σωματικῶν est loin de se recommander
elle-même. Il vient tout de suite à la pensée que σωματικῶν, répondant mieux à l'usage grec, n'est qu'une glose agglutinante du premier terme. C'est le phénomène classique, et pour qu'il se produise,
il a pu suffire d'une certaine sensibilité linguistique formée par le
grec profane. Est-ce tout à fait par hasard que les papyrus ne
semblent pas jusqu'ici avoir donné d'exemple ni de σάρξ ni de
σαρκικός, alors que σῶμα et ses dérivés y sont nombreux (1)?
Dans l'expression d'une idée banale comme celle de *Did.*, 1:4,
ἀπέχου τῶν σαρκικῶν [καὶ σωματικῶν] ἐπιθυμιῶν, qui n'est pas
spécifiquement chrétienne, l'usage littéraire païen inclinait sûrement du côté de σωματικός, sauf peut-être dans l'épicurisme, qui
est un cas spécial. Un chrétien du IIe ou du IIIe siècle, mettons
même le IVe, puisque *CA* est de la fin de ce siècle, était-il obligé
de préférer l'usage particulier au Nouveau Testament et aux *LXX?*
Si ces remarques sont justes, il n'y a aucune difficulté, dans notre
cas, à donner raison à *O* seul contre *H g*. Quant à *CA*, son caractère secondaire me semble maintenant manifeste. Il suppose, et
il essaie de redresser pour la sauver, une glose malheureusement
agglutinée au texte.

1:4c

H ἐὰν ἀγγαρεύσῃ σέ τις — *g add.* ἐν ὀνόματι χριστοῦ. Je m'arrête
à ce cas, non parce qu'il offre une réelle difficulté, mais parce que
la tendance propre à la version géorgienne y est pour la première
fois évidente. On peut dire, d'une façon générale, que les leçons
propres à *g* sont explicatives (2). Elles éclairent, elles adaptent,

(1) Voir MOULTON-MILLIGAN, *The Vocabulary of the New Testament*, 569b;
PREISIGKE, *Wörterbuch der griechischen Papyrusurkunden*, II, 451. Ce dernier
ne signale que des inscriptions funéraires, dont les formules sont en partie
stéréotypées : ὁ θεὸς τῶν πνευμάτων καὶ πάσης σαρκός (une exception seulement
mais du IIIe siècle avant J.-C.). On pourra voir aussi C. BAILEY, *Epicurus,
The Extant Remains*, Oxford, 1926, pp. 350, 360, et E. DE WITT BURTON,
Spirit, Soul, and Flesh, Chicago, 1918, pp. 123 ss., auxquels renvoie Moulton;
ajouter A.-J. FESTUGIÈRE, *L'idéal religieux des Grecs et l'évangile*, Paris, 1932,
pp. 196 ss.; C. DIANO, *Epicuri ethica*, Florence, 1946, index, *s.v.* σάρξ.
(2) C'est sans doute une distraction qui a fait écrire à G. Bardy : « Cette
traduction (géorgienne), dont il est malheureusement difficile de déterminer
l'origine exacte, est très littérale et confirme habituellement le grec publié
par Bryennios » (*Didachè*, dans *Dict. de dr. can.*, IV, 1211). A vrai dire, personne

elles aplanissent, elles glosent. Si l'on ajoute à cela que g, ayant toutes les leçons distinctives de H, dépend d'un manuscrit de son type, on sera en mesure de juger de sa valeur. La version géorgienne est de peu d'utilité pour l'établissement du texte de la *Didachè*. Sur deux points où H est défectueux, elle restitue, si j'interprète correctement le silence de la collation de Péradzé, les mots obscurcis ou tombés par accident dans la transmission : 10:4, σοί, et 11:5, εἰ μή. Son témoignage est utile à recueillir aussi à 3:4, où elle ajoute μηδὲ ἀκούειν, à 12:1, où elle ajoute πρὸς ὑμᾶς, et à 13:3, où elle omet τὴν ἀπαρχήν. A 14:1, elle apporte un certain appui à CA contre H pour la leçon ἡμέραν κυρίου. Nous y reviendrons (voir ci-dessous). A 16:5, elle semble avoir lu ἀπὸ τούτου τοῦ ἀναθέματος au lieu de ὑπ' αὐτοῦ τοῦ καταθέματος, ce qui n'est qu'une amélioration extrêmement douteuse (sur l'addition faite à 16:8, voir ci-dessous; aussi le comm. *in loc.*). Sa contribution s'arrête là (1).

2:2-6:1

Du point de vue où nous nous plaçons en ce moment, il y a peu de chose à tirer du *Duae viae* proprement dit : *Did.*, 1:1-3a; 2:2-6:1. Une discussion efficace de ses principales variantes exigerait de faire intervenir ici la *Doctrina apostolorum* de Schlecht, les diverses recensions des *Canons ecclésiastiques* et les écrits apparentés. Mais le témoignage de ces documents dans les questions textuelles de la *Didachè* ne peut être produit qu'une fois connue leur origine, ce qui supposerait qu'on tient déjà la solution du problème littéraire de la *Didachè* elle-même. La question est d'ailleurs beaucoup trop complexe pour que les conclusions puissent être anticipées. Au surplus, même en mettant les choses au mieux et en toute hypothèse, ce n'est pas dans le *Duae viae* que la transmission de la *Didachè* révèle le plus nettement ses caractères propres (2).

ne peut savoir à quel point la version géorgienne est littérale. Nous n'avons, pour en juger, que des termes de comparaison trop éloignés dans l'espace et le temps. Mais, faute de mieux, admettons, de toutes manières, avec G. Bardy, la comparaison avec le « grec publié par Bryennios ». Il est difficile d'imaginer le critique sérieux qui, devant la simple collation de Péradzé, jugera que la version géorgienne de la *Didachè* est « très littérale ». Il y a toute apparence, au contraire, que c'est une traduction libre, très confortablement affranchie des scrupules d'exactitude qu'on veut bien lui prêter.

(1) Nous reviendrons sur *Did.*, 16:8 et l'addition de la version géorgienne, qui demandent un traitement spécial.

(2) Peterson a consacré une assez longue discussion à *Did.*, 4:1 et 14 (*Duae viae*). J'avoue qu'elle me laisse perplexe. Les problèmes proprement textuels ne sont-ils pas bien près de s'y résorber dans les problèmes littéraires et exégétiques qui en dépendent? D'autre part, on verra plus loin qu'il y a de très

7:1

H ταῦτα πάντα προειπόντες βαπτίσατε — *om. CA.* Nous touchons à un point délicat. Tous les éditeurs, à ma connaissance, ont accepté sans discussion l'authenticité de cette rubrique, ταῦτα πάντα προειπόντες. Ils la croyaient essentielle à l'interprétation de l'écrit.

Elle aurait pourtant dû éveiller le soupçon. Pour l'attester, il y a *H*, avec la version géorgienne. Mais celle-ci constitue à peine un témoin indépendant. De l'autre côté, *CA*, qui est un remaniement, mais du ivᵉ siècle, et qui s'appuie au surplus, selon toutes apparences, sur un manuscrit d'une autre lignée que celle de *H* et de sa fidèle suivante, la version géorgienne. Tels sont les faits.

La question est de savoir, en premier lieu, si, de la part de *CA*, il y a eu omission volontaire d'une rubrique qui se lisait dans son texte de base; et, en second lieu, si la leçon de *H* lui-même se recommande assez par ses propres mérites.

Commençons par mettre en avant un fait certain : les chapitres 1-6 de la *Didachè* n'ont pas été remaniés par le compilateur des *Const. apost.* comme une catéchèse baptismale, mais comme une instruction morale commune adressée à des chrétiens. On peut d'abord s'en rendre compte à la simple lecture : il n'y a pas un mot, dans les §§ 1-21 du livre VII des *Const. apost.* (= *Did.*, 1-6), qui donne à penser que le compilateur ait lui-même songé, d'une manière quelconque, à l'instruction des catéchumènes. D'autre part, tout s'entend le plus simplement du monde dans la perspective d'une exhortation aux fidèles : choix et développement des thèmes offerts par le texte de base, citations scripturaires et phraséologie générale. Si, au surplus, le compilateur avait réellement voulu tourner en catéchèse baptismale, immédiate ou lointaine, le texte neutre du *Duae viae* de la *Didachè*, ne semble-t-il pas que son prologue (vii, 1) eût été l'occasion pour le dire? Mais le prologue, qui est sûrement de la main du compilateur, ne souffle mot d'une telle intention. Au contraire, il prend les choses de très haut et de très loin, dans un ensemble d'évocations aussi peu sacramentelles que possible : Moïse, Élie et Jésus lui-même, amenant les citations (libres) de *Deut.*, 30:19, ἰδοὺ δέδωκα πρὸ προσώπου ὑμῶν τὴν ὁδὸν τῆς ζωῆς καὶ τὴν ὁδὸν τοῦ θανάτου·... ἔκλεξαι τὴν ζωήν, ἵνα ζήσῃς; de 1 *Rois*, 18:21, ἕως πότε χωλανεῖτε ἐπ' ἀμφοτέραις ταῖς

---

sérieuses raisons de refuser une solution du problème littéraire du *Duae viae* comme celle qui est présupposée par Peterson (cf. *Didache-Ueberlieferung,* pp. 40-46).

ἰγνύαις ὑμῶν; εἰ θεός ἐστι κύριος, πορεύεσθε ὀπίσω αὐτοῦ, et de *Mt.*,
6:24, οὐδεὶς δύναται δυσὶ κυρίοις δουλεύειν κτλ. C'est à ce point que
les apôtres annoncent leur propos. Mais ce n'est que pour dire qu'il
leur a paru nécessaire à eux aussi (ἀναγκαίως καὶ ἡμεῖς), suivant
l'exemple du Christ, qui est le sauveur de tous les hommes et principalement des fidèles (1 *Tim.*, 4:10), de déclarer qu'il y a deux
voies, l'une de la vie et l'autre de la mort (*Did.*, 1:1). On eût pu s'attendre à une autre révélation, s'il n'était de la fatalité de ce genre
littéraire de sonner faux aux moments les plus solennels.

La suite ne nous offre d'ailleurs aucune compensation, comme
elle n'opère aucun revirement. Il est bien significatif, à cet égard,
que, parvenu au point où la *Didachè*, laissant le *Duae viae*, introduit
son rituel baptismal (vii), le compilateur des *Constitutions* juge à
propos de renvoyer, par-dessus le *Duae viae*, à son remaniement
antérieur de la *Didascalie* (*Const. apost.*, iii, 16-18) : περὶ δὲ βαπτίσματος, ὦ ἐπίσκοπε ἢ πρεσβύτερε, ἤδη μὲν καὶ πρότερον διεταξάμεθα,
καὶ νῦν δέ φαμεν, ὅτι οὕτως βαπτίσεις (vii, 22, 1). Sans doute,
serait-il légitime de penser, en soi, que le compilateur désire, par
son renvoi (ἤδη μὲν καὶ πρότερον), rattacher rituel à rituel, et
rien de plus. Mais il est bien difficile d'admettre qu'en réalité, s'il
avait conçu son remaniement du *Duae viae* comme une catéchèse
baptismale, il eût pu l'enjamber avec une aussi totale indifférence,
même en renvoyant au rituel de iii, 16-18. Ce sentiment est, du
reste, confirmé par l'importante transition du § 39 de notre livre VII :
ὅπως μὲν οὖν ὀφείλουσι ζῆν οἱ κατὰ Χριστὸν μεμυημένοι καὶ οἵας
εὐχαριστίας ἀναπέμπειν τῷ θεῷ διὰ Χριστοῦ, εἴρηται διὰ τῶν προλα-
βόντων (c'est la matière, quelque peu entremêlée, à vrai dire, des
§§ 1-32 et 33-38). δίκαιον δὲ μηδὲ τοὺς ἀμυήτους καταλιπεῖν ἀβοηθήτους
(c'est la suite, §§ 39 ss.). On aura remarqué les termes employés :
jusqu'ici (§ 39), le compilateur déclare lui-même n'avoir eu en vue
que les initiés (μεμυημένοι); c'est maintenant que sa sollicitude le
porte vers les non-initiés (ἀμυήτους), pour ne pas les laisser démunis.
L'auteur s'explique lui-même : il n'y a qu'à le croire sur parole. Il
n'y a rien, ni dans les §§ 1-21, ni dans les §§ 22-38, qui, dans son
intention, concerne spécifiquement les catéchumènes, sauf, évidemment, les quelques références indirectes amenées par le rituel
baptismal (§ 22) et le rituel eucharistique (§ 25). Le remaniement
du *Duae viae* qui fait partie de cet ensemble n'est donc pas lui-
même une catéchèse baptismale.

Effectivement, ce que le compilateur tenait en réserve pour
l'instruction des catéchumènes et la préparation au baptême, il

a commencé à le dire au § 39. Et c'est une véritable catéchèse, cette fois, parfaitement reconnaissable, bien autre chose qu'une servile paraphrase du *Duae viae*. Si le compilateur n'a pas mis à profit l'indication que *Did.*, 7:1, suivant la leçon de *H* (ταῦτα πάντα προειπόντες), aurait dû fournir à son remaniement, ce n'est donc pas qu'il fût à court d'idées sur le sujet ni que l'intention lui en fît totalement défaut. La raison est à chercher ailleurs. Le plus naturel serait de supposer qu'il ne lisait pas ταῦτα πάντα προειπόντες dans le texte de la *Didachè* qu'il avait sous la main.

Contre cette hypothèse, on ne saurait d'ailleurs faire valoir l'objection du double emploi, comme si le compilateur avait eu scrupule à parler deux fois des mêmes choses : une première fois, à l'occasion de la *Didachè*, (§§ 1-22) et une seconde, à l'occasion d'une autre source, inconnue, qui serait celle des §§ 39 ss. Car il faut bien reconnaître, en premier lieu, que les *Constitutions*, au livre septième, n'en sont plus à une répétition près, et que, selon toutes apparences, le compilateur s'était fait depuis longtemps, sur ce chapitre, une assez bonne conscience littéraire. Il n'est même pas nécessaire de sortir du groupe de textes dont nous nous occupons pour trouver un exemple à point. Le court rituel baptismal auquel la *Didachè* a donné occasion au § 22 se trouve développé aux §§ 40-45, et sans doute sous l'inspiration d'une source nouvelle. On se souvient que le § 22, pour sa part, renvoyait déjà sans sourciller à III, 16-18. Dans ces conditions, on ne peut certes pas dire que si le remaniement du *Duae viae*, dans les *Constitutions apostoliques*, n'a pas pris la forme d'une catéchèse baptismale, comme *Did.*, 7:1 eût dû y inviter (leçon de *H*), c'est parce que le compilateur répugnait à parler des mêmes choses en deux endroits rapprochés. Au surplus, j'ajouterai bien volontiers, à son avantage, que le compilateur avait malgré tout assez d'habileté pour se redire convenablement. On peut présumer qu'un remaniement du *Duae viae* en forme de catéchèse n'eût pas fait un tort trop sérieux à l'actuel § 39. En réalité, il semble donc bien qu'il n'y ait qu'une explication possible : l'omission de ταῦτα πάντα προειπόντες par le manuscrit de la *Didachè* qui a servi de base au remaniement des *Constitutions apostoliques*.

Du côté de la *Didachè* elle-même, l'état des choses n'est pas plus favorable à la leçon de *H*. Et d'abord, celle-ci a tout l'air d'une intrusion due à une main étrangère à celle de l'auteur. Elle vient comme en surcharge. Les formules parallèles du Didachiste sont, en effet, plus simples; elles sont au surplus stéréotypées, et donc aisé-

ment reconnaissables : 8:2, ὡς ἐκέλευσεν ὁ κύριος ἐν τῷ εὐαγγελίῳ
αὐτοῦ, οὕτως προσεύχεσθε; 8:3, τρὶς τῆς ἡμέρας οὕτω προσεύχεσθε;
9:1, περὶ δὲ τῆς εὐχαριστίας, οὕτω εὐχαριστήσατε; 10:1, μετὰ δὲ τὸ
ἐμπλησθῆναι οὕτως εὐχαριστήσατε; 11:3, περὶ δὲ τῶν ἀποστόλων καὶ
προφητῶν κατὰ τὸ δόγμα τοῦ εὐαγγελίου, οὕτως ποιήσατε; 15:4, τὰς
δὲ εὐχὰς ὑμῶν καὶ τὰς ἐλεημοσύνας καὶ πάσας τὰς πράξεις, οὕτως
ποιήσατε ὡς ἔχετε ἐν τῷ εὐαγγελίῳ τοῦ κυρίου ἡμῶν (1). On attendrait
donc : περὶ δὲ τοῦ βαπτίσματος, οὕτω βαπτίσατε, εἰς τὸ ὄνομα κτλ., ou
tout au plus : περὶ δὲ τοῦ βαπτίσματος, ταῦτα πάντα προειπόντες, οὕτω
βαπτίσατε εἰς τὸ ὄνομα κτλ. On n'attend assurément pas la leçon
de *H*, qui porte tous les signes d'une addition maladroite : περὶ δὲ
τοῦ βαπτίσματος, οὕτω βαπτίσατε. ταῦτα πάντα προειπόντες βαπτίσατε.

D'autre part, à supposer que le Didachiste ait eu l'intention de
présenter son instruction morale comme une catéchèse baptismale,
on conçoit mal qu'il ait attendu pour le faire qu'elle fût entièrement
terminée, s'en étant avisé comme par hasard. On le conçoit avec
d'autant plus de difficulté qu'il n'y a pas, dans les six premiers
chapitres, un seul trait qui par lui-même fasse songer que quelqu'un
y est spécialement préparé à recevoir le baptême « au nom du Père,
du Fils et du Saint Esprit ». L'auteur le moins conscient (et le Didachiste n'est assurément pas celui-là) eût senti en l'occurrence la
nécessité d'une véritable présentation. Une pure incidente rétros-
pective en épilogue l'eût difficilement satisfait. Le moins qu'on
puisse dire, alors, c'est qu'il faudrait une meilleure autorité que celle
de *H* pour la faire admettre sans réserves dans le texte de la *Didachè*.

Aussi bien une circonstance connue de l'histoire de la *Didachè*
peut-elle expliquer de façon très naturelle la leçon de *H*. Saint Athanase, écrivant en 367, nous apprend que la *Didachè* est depuis longtemps utilisée en Égypte pour la formation des catéchumènes (2).
Dans sa pensée, il s'agit sans doute avant tout de l'instruction
morale des six premiers chapitres. Lui-même approuve d'ailleurs
la pratique déjà ancienne de son église. Un copiste pouvait donc
s'autoriser de l'usage courant dans son milieu pour insérer ce que
nous lisons dans *H*, reliant ainsi vaille que vaille la section baptismale à l'instruction morale qui précède. C'est, croyons-nous, ce qui
est arrivé. La leçon particulière de *H* ne représente que l'usage
spécial qu'on a longtemps fait de la *Didachè* en Égypte, sinon même

---

(1) 7:3 a été laissé de côté, parce que, justement, il n'appartient pas à la
même main que 8:2, etc.; cf. pp. 104 ss., le ch. sur la composition.
(2) *Lettre festale* 39; texte dans ZAHN, *Forschungen*, II, pp. 210-212; *PG*,
26, 1437-1440.

ailleurs. Il faut donc lire simplement, comme le suppose *CA* : περὶ
δὲ τοῦ βαπτίσματος, οὕτω βαπτίσατε εἰς τὸ ὄνομα κτλ.

10:6

H ὡσαννὰ τῷ θεῷ δαυίδ — *CA* ὡσαννὰ τῷ υἱῷ δ. — *c* ὡσαννὰ τῷ
οἴκῳ δ. *CA* est conforme à *Mt.*, 21:9, 15. De plus, τῷ υἱῷ ne fait
pas de difficulté dans le contexte. Si le Seigneur est venu, ou si l'on
appelle son retour (μαραναθά), il est naturel qu'on lui adresse la
grande acclamation messianique. Mais la leçon, en présence de ses
rivales, τῷ οἴκῳ et τῷ θεῷ, n'est-elle pas justement trop facile? Le
soupçon devient sérieux lorsqu'on s'aperçoit que la formule du
compilateur est stéréotypée. Elle revient, en effet, suivie du même
développement, à viii, 13, 13 : ὡσαννὰ τῷ υἱῷ δαυίδ, εὐλογημένος
ὁ ἐρχόμενος ἐν ὀνόματι κυρίου, θεὸς κύριος ὁ ἐπιφανεὶς ἡμῖν ἐν σαρκί
(vii, 26, 5; καὶ ἐπεφάνη ἐν ἡμῖν, viii, 13, 13). La main du compilateur et la liturgie qu'il représente, sont trop visibles dans ce remaniement pour que nous puissions nous arrêter davantage à τῷ υἱῷ,
qui arrange les choses en harmonisant avec *Mt.*, 21:9, 15.

Il est beaucoup plus délicat de prononcer entre la version copte
et le *Hier.* 54. Car, de toutes manières, la leçon de *H* doit être très
ancienne. Il est malaisé d'admettre, en effet, qu'à une époque relativement récente, un copiste ait pris sur lui d'aller contre un texte
bien connu de *Mt.*, qui ne faisait d'ailleurs aucune difficulté. On ne
peut guère s'échapper non plus en supposant qu'il s'agisse de simples
erreurs de transcription : τῷ θεῷ et τῷ οἴκῳ pour τῷ υἱῷ, alors que
celui-ci devait se présenter si naturellement sous la plume, c'est bien
peu probable. D'autant que l'erreur aurait dû se produire deux fois,
pour rejoindre, en deux directions différentes, deux formules de la
plus authentique saveur juive : c'est impossible. Il est clair, dans ces
conditions, que la leçon de *c* est également une leçon fort ancienne,
qui doit remonter à l'original grec, par delà la version sahidique
elle-même dont notre fragment fayoumique semble être une transposition. D'où serait-elle venue autrement puisque la version sahidique de *Mt.* porte le texte courant : Hosanna au fils de David
(*Mt.*, 21:9,15)?

Schmidt a consacré un paragraphe à la comparaison des trois
leçons, mais sans conclure. Une note suggère seulement la possibilité
d'un emprunt de la transmission à l'Ancien Testament (1). Mais,
de la part d'un chrétien qui ne pouvait pas ignorer les évangiles et
à qui la liturgie eucharistique imposait peut-être déjà la formule,

(1) C. SCHMIDT, *Das koptische Didache-Fragment*, pp. 97 s.

Hosanna au fils de David (1), un tel recours à l'Ancien Testament paraît pour le moins étrange. Comment imaginer, en outre, que la personne de Jésus, à une date par hypothèse déjà éloignée des origines palestiniennes, ait pu tout à coup éveiller chez un chrétien une allusion « dynastique (1b) » telle que « la maison de David »? C'est peu croyable en soi, et moins que partout ailleurs dans un texte liturgique.

M. Lefort, de son côté, a reproché à Schmidt d'avoir « perdu de vue que les citations bibliques faites dans les anciens textes coptes sont souvent aberrantes par rapport au texte courant, et sont vraisemblablement des restes d'un texte « sauvage » (3). Mais on a de la peine à regarder la leçon « maison de David » comme une banale leçon « aberrante », quand on se souvient que la formule était d'usage quotidien dans l'*Amidah* palestinienne dès la seconde moitié du 1ᵉʳ siècle de notre ère tout au moins, et donc, assez tôt pour qu'elle ait pu très naturellement entrer dans les « prières eucharistiques » de la *Didachè* avant même que le Didachiste ne leur ait fait une place dans son recueil (4). Un texte a beau être « sauvage », ce n'est pas n'importe où ni n'importe quand qu'il a dû recueillir une leçon comme « Hosanna à la maison de David ». On ne peut vraiment pas traiter cette leçon comme une pure curiosité.

Il y a longtemps que la critique textuelle du Nouveau Testament a relevé cette remarque d'Origène à propos de *Mt.*, 21:9,15 : ζητήσεις δὲ πότερον ταὐτόν ἐστιν οἶκος δαυίδ καὶ υἱὸς δαυίδ, καὶ εἰ μὴ ταὐτόν ἐστιν, ἡμάρτηται τὸ κατὰ ματθαιὸν γραφικῶς. ὄφειλον ἔχειν ἤτοι δίς· τῷ οἴκῳ δαυίδ. ἤτοι· τῷ υἱῷ δαυίδ (5). Dans la première moitié du 111ᵉ siècle, en Palestine tout au moins mais probablement aussi en Égypte, des manuscrits de *Mt.* circulaient donc qui portaient bel et bien τῷ οἴκῳ au lieu de τῷ υἱῷ δαυίδ à 21:9 ou 15. Au surplus, il faut que cette leçon, qui nous étonne, ait

---

(1) F. Cabrol, *Hosanna*, dans *Dict. d'arch. chrét. et de lit.*, VI, 2, 2771 s.; J. H. Srawley, *The Early History of the Liturgy*, Cambridge, 2 éd., 1947, p. 195; J. A. Jungmann, *Missarum sollemnia*, Vienne, 1949, II, pp. 161 ss.

(2) Je raisonne ici provisoirement dans l'hypothèse où la leçon « maison de David » ne serait qu'une leçon tardive, dont l'origine vraisemblable resterait malgré tout à expliquer.

(3) L.-Th. Lefort, *Les Pères apostoliques en copte* (trad.), p. 26, n. 9.

(4) *'Amidah*, 14; texte dans W. Staerk, *Altjüdische liturgische Gebete* (*Kleine Texte*, 58), p. 13; voir aussi L. Finkelstein, *The Development of the Amidah*, dans *JQR*, N.S. XVI (1925) 37; texte, p. 159.

(5) Cette observation d'Origène, dans son *Commentaire sur les Psaumes*, 8 (éd. Lommatzsch, XII, 16; éd. de la Rue, II, 583), est reproduite par Tischendorf dans l'apparat de *Mt.*, 21:15 (*octava maior*). Elle est omise par la grande édition d'Oxford (*Novum Testamentum Graece*) : S.C.E. Legg, *Evangelium secundum Matthaeum*, Oxford, 1940.

été alors très connue, car on ne s'expliquerait pas que, dans un commentaire sur les *Psaumes*, une vague singularité textuelle de *Mt.* ait pu faire sentir à un Origène l'utilité d'une correction aussi explicite que celle que nous venons de lire : ὡσαννὰ τῷ οἴκῳ δ. se présentait naturellement à l'esprit, à côté de ὡσαννὰ τῷ υἱῷ δ. dans le contexte approprié. Origène ne précise pas, il est vrai, lequel des deux endroits, de 21:9 ou de 21:15, portait la leçon jugée fautive, mais nous le savons maintenant avec certitude grâce à un sommaire évangélique africain sur lequel de Bruyne a naguère attiré l'attention (1). C'est *Mt.*, 21:15 qui, au lieu de reprendre dans les mêmes termes l'Hosanna de 21:9, présentait la variante « Hosanna à la maison de David ». Or, on sait que cette leçon, familière encore aux lecteurs du IIIᵉ siècle, aussi bien en Afrique qu'en Palestine et en Égypte (?), a complètement disparu de la transmission des versions comme du texte original. Ses deux seuls témoins sont indirects : le sommaire africain édité par de Bruyne, et Origène.

Il ne m'appartient pas de juger ici pour lui-même du texte de *Mt.* Il est important, néanmoins, de constater, pour le cas qui nous occupe (*Did.*, 10:6), avec quelle vigueur et quelle unanimité la transmission postérieure de *Mt.*, 21:15 a refusé l' « Hosanna à la maison de David ». Car on pense bien que la transmission de la *Didachè* a dû rencontrer, dans les mêmes milieux, sur le même point, une opposition identique, toutes proportions gardées, il va sans dire, et compte tenu, ici et là, de la différence de cadre littéraire. C'est merveille, il me semble, que la version copte ait résisté, et que la leçon chassée du texte de *Mt.* y ait survécu jusqu'au Vᵉ siècle. Or, dans de pareilles conditions, à supposer que *Did.*, 10:6 ait porté originellement : « Hosanna au fils de David », les chances sont-elles pour que la leçon de la version copte y ait été introduite après coup ? Certes, les copistes sont capables de bien des choses, mais quel est celui qui aurait ici bravé inutilement les idées reçues ? Je reconnais aussi qu'il est aujourd'hui impossible de savoir où et quand une réaction a commencé à se faire sentir contre l' « Hosanna à la maison de David » de *Mt.*, 21:15, et qu'il a donc dû y avoir un moment de tranquille possession pendant lequel la transmission de la *Didachè* aurait pu, en principe, subir l'influence du texte évangélique. Mais les chances, de ce côté, sont-elles vraiment appréciables ? Elles le

---

(1) Vainement, d'ailleurs, autant que j'en puisse juger; cf. D. DE BRUYNE, *Quelques documents nouveaux pour l'histoire du texte africain des évangiles*, dans *Rev. bén.*, XXVII (1910) 298 ss. Voici le texte du *capitulum* concerné, LXVI : Ubi indignati sunt sacerdotes et scribae quia pueri clamabant : osanna domui dauid (p. 277).

sont d'autant moins, semble-t-il, qu'une influence du texte évangélique sur celui de la *Didachè* sur le point précis dont nous nous
occupons, suppose, non seulement un moment de tranquille possession, mais un moment de faveur. Or, en remontant à partir de la
seconde moitié du IIe siècle au plus tard, où trouver celui-ci, sinon
à proximité des origines évangéliques, pour ne pas dire aux origines
mêmes? Mais alors il n'y a plus aucune raison, en ce qui concerne la
Didachè, de rapporter à la transmission plutôt qu'à l'auteur l' « Hosanna à la maison de David », et, partant, une influence possible de
Mt., 21:15 n'a plus à entrer spécialement en ligne de compte. Nous
sommes au moment où l'acclamation appartient, en réalité, à la
conscience commune. Le plus simple serait donc d'admettre, avec
la réserve qui s'impose, la leçon de la version copte.

Indépendamment des précisions que pourra apporter le contexte,
elle est naturelle dans le milieu et dans le temps où la prière pour
« la maison de David », chargée de toutes les déceptions auxquelles
avaient conduit les dynasties hasmonéenne et hérodienne, et de
tous les espoirs que semblaient permettre encore les promesses
messianiques, est entrée dans l' *'Amidah* palestinienne : « Fais-nous
miséricorde, Yahvé notre Dieu, dans l'abondance de ta miséricorde sur Israël ton peuple, et sur Jérusalem ta cité, et sur Sion la
demeure de ta gloire, et sur ton temple et sur ta demeure et sur le
royaume de la maison de David, l'oint de ta justice. Béni sois-tu,
Yahvé, Dieu de David, qui fondes Jérusalem » (1). On mesurera
l'importance du témoignage rendu par cette prière à la conscience
de la nation si l'on observe qu'elle était destinée à la récitation
quotidienne, surtout liturgique. L'acclamation « Hosanna à la maison de David » était, dans la conscience palestinienne du Ier siècle,
à proximité de cet usage et de ces sentiments. Il est encore moins
étonnant de la trouver à *Did.*, 10:6 qu'à *Mt.*, 21:15, où le parallélisme du récit (21:9) ramenait plutôt « Hosanna au fils de David ».

---

(1) *'Amidah*, 14; texte dans W. STAERK, *Altjüdische liturgische Gebete*,
p. 13; voir aussi I. ELBOGEN, *Der jüdische Gottesdienst in seiner geschichtlichen
Entwicklung*, Francfort, 2 éd., 1924, pp. 27-41; 52 ss.; M.-J. LAGRANGE, *Le
judaïsme avant Jésus-Christ*, Paris, 1931, pp. 466 ss.; quelques éléments complémentaires d'appréciation dans V. APTOWITZER, *Geschichte einer liturgischen
Formel*, dans *Monatsschr. für Gesch. und Wiss. des Judent.*, LXXIII (1929)
93 ss.; *Bemerkungen zur Liturgie und Geschichte der Liturgie*, *ibid.*, LXXIV
(1930) 115 ss. Finkelstein a suggéré avec vraisemblance que la prière pour
« la maison de David » aurait été ajoutée, en Palestine, à la prière pour Jérusalem, entre les années 50-56 (*The Development of the Amidah*, dans *JQR*,
N.S. XVI (1925) 37). Mais il est clair que les sentiments qui lui ont donné
naissance ont débordé ces limites. Il suffit à notre propos de la période plus
vague du Ier siècle, où il est raisonnable de penser que les « prières eucharistiques » de la *Didachè* ont vu le jour.

Or, il est certain, en dépit du silence des manuscrits, que *Mt.*, 21:15 a porté, à un stade primitif de sa transmission, sinon dans l'original même, la leçon « Hosanna à la maison de David ». Pourquoi l'analogie des causes n'aurait-elle pas produit, de part et d'autre, des effets semblables?

J'ai réservé jusqu'ici la leçon de *H*, τῷ θεῷ δαυίδ, parce que je la crois secondaire, en dépit du fait qu'elle soit sûrement très ancienne. La substitution de τῷ θεῷ à τῷ οἴκῳ est plus vraisemblable, dans une transmission chrétienne, que l'opération inverse. La leçon τῷ οἴκῳ, par son allusion « dynastique » et ses attaches à l'âme mouvante et divisée de la nation, est, en effet, de sa nature même, beaucoup plus affectée par l'indice temporel que la leçon τῷ θεῷ, et nous avons déjà pu observer, en fait, combien les chances de sa transmission étaient vite devenues précaires en dehors des conditions connaturelles de ses origines. « Hosanna au Dieu de David » paraît bien répondre ainsi au désir d'assurer au texte une signification plus durable. Mais la leçon ne saurait être bien tardive. On aura remarqué, au passage, la bénédiction sur laquelle se terminait la prière, pour Jérusalem et la maison de David, citée il y a un instant : « Béni sois-tu, Yahvé, Dieu de David, qui fondes Jérusalem » (*'Amidah*, 14). Est-il fortuit que les deux leçons dont nous cherchons à peser les mérites, trouvent chacune un écho dans la même prière de l'*'Amidah* palestinienne? ou sommes-nous partout victimes de faux-semblants? Je me garderai bien de suggérer ici des rapports littéraires entre nos deux principales leçons de *Did.*, 10:6 et la quatorzième bénédiction de l'*'Amidah*. Il semble, cependant, qu'une identité plus ou moins rigoureuse de milieux d'origine, et de date, ne puisse pas être écartée. Ce fut en tout cas une erreur de la part de Harnack, et de tous ceux qui l'ont suivi, de chercher à appuyer l' « Hosanna au Dieu de David » du manuscrit de Bryennios sur le souvenir d'une « controverse » ancienne à propos du titre de « Fils de David », dont témoignerait, en particulier, *Barn.*, 12:10s. (1). Car il est clair que le modèle de l'expression n'est pas à chercher dans la foi chrétienne en la divinité de Jésus, mais avant tout dans la foi juive au « Dieu d'Abraham, d'Isaac et de Jacob » (2). L' « Hosanna au Dieu de David », « oint de la justice » de Dieu (*'Amidah*, 14), ne peut avoir été originellement qu'une expression de l'espérance

---

(1) HARNACK, *Die Lehre der zwölf Apostel*, pp. 35 s.
(2) *'Amidah*, 1 et 14 de la recension palestinienne : « Béni sois-tu, Yahvé, notre Dieu, et Dieu de nos pères, Dieu d'Abraham, Dieu d'Isaac et Dieu de Jacob... » — « Béni sois-tu, Yahvé, Dieu de David... » (W. STAERK, *Altjüdische liturgische Gebete*, pp. 11 et 13).

messianique : il est inutile de la charger du poids d'une « controverse » à laquelle elle est toujours demeurée étrangère. Il suffit qu'elle nous assure par elle-même de sa haute antiquité, et peut-être, par surcroît, de son origine palestinienne (1).

10:7

H θέλουσιν — *c add.* περὶ δὲ τοῦ λόγου τοῦ μύρου οὕτως εὐχαριστήσατε λέγοντες· εὐχαριστοῦμέν σοι, πάτερ, ὑπὲρ τοῦ μύρου, οὗ ἐγνώρισας ἡμῖν διὰ ἰησοῦ τοῦ παιδός σου· σοὶ ἡ δόξα εἰς τοὺς αἰῶνας. ἀμήν.

— *CA* περὶ δὲ τοῦ μύρου οὕτως εὐχαριστήσατε· εὐχαριστοῦμέν σοι, θεὲ δημιουργὲ τῶν ὅλων, καὶ ὑπὲρ τῆς εὐωδίας τοῦ μύρου καὶ ὑπὲρ τοῦ ἀθανάτου αἰῶνος οὗ ἐγνώρισας ἡμῖν διὰ ἰησοῦ τοῦ παιδός σου, ὅτι σοῦ ἐστιν ἡ δόξα καὶ ἡ δύναμις εἰς τοὺς αἰῶνας. ἀμήν.

A première vue, l'addition de la version copte fait bonne impression (2). Elle est très simple. La plus grande partie de sa phraséologie reprend les expressions des « prières eucharistiques » qui précèdent : περὶ δὲ = 9:1,3; οὕτως εὐχαριστήσατε = 9:1; 10:1; εὐχαριστοῦμέν σοι = 9:2,3; 10:2,4; ὑπὲρ = 9:2,3; 10:2; οὗ ἐγνώρισας ἡμῖν διὰ ἰησοῦ τοῦ παιδός σου. σοὶ ἡ δόξα εἰς τοὺς αἰῶνας = 9:2,3; 10:2. Il est clair, d'autre part, qu'un texte semblable, sinon de tous points identique, à celui de *c* est présupposé par le remaniement de *CA*. Il faudrait donc que l'insertion remonte au plus tard au début du ive siècle. Enfin, on a fait valoir que la *Tra-*

(1) Il ne faut pas viser en ce domaine à des précisions qui seraient excessives, mais on peut se demander si la leçon de *H*, τῷ θεῷ δ., comparée à τῷ οἴκῳ δ., ne représente pas une réaction des « prières eucharistiques » de la *Didachè*, dans leur transmission autonome, orale ou écrite, sur le texte incorporé à la *Didachè* elle-même. Le Didachiste a choisi pour son recueil le « texte » qu'il lui a plu, à supposer qu'il n'en soit pas l'auteur. Mais si, comme il est naturel de le penser, la formulation des « prières » demeurait plus ou moins variable dans la pratique, il n'y aurait rien d'étonnant que les formes négligées ou exclues par le Didachiste aient réagi après coup, mais très tôt, sur la forme qu'il avait reproduite dans son recueil.

(2) L'authenticité (substantielle) a été admise par K. BIHLMEYER, *Die apostolischen Väter*, p. xx; E. HENNECKE, compte rendu de HORNER, *A New Papyrus Fragment of the Didache*, dans *Theol. Literaturzeitung*, XLIX (1924) 408; O. CASEL, compte rendu de SCHMIDT, *Das koptische Didache-Fragment*, dans *Jahrb. für Liturgiewissenschaft*, V (1925) 237 (implicitement); A. GREIFF, *Das älteste Paschariuale der Kirche*, Did. 1-10, *und das Johannesevangelium* (*Johanneische Studien*, 1), Paderborn, 1929, pp. 132-138 (avec distinctions et nuances); B. POSCHMANN, *Busse und letzte Oelung*, dans SCHMAUS-GEISELMANN-RAHNER, *Handbuch der Dogmengeschichte*, Fribourg, 1951, p. 127; E. PETERSON, *Ueber einige Probleme der Didache-Ueberlieferung*, dans *Rivista di archeol. crist.*, XXVII (1951) 46-55. Elle est niée par C. SCHMIDT, *Das koptische Didache-Fragment des British Museum*, dans *ZNTW*, XXIV (1925) 94-96; A. NEPPI-MODONA, *Nuovo contributo dei papiri per la conoscenza di antichi testi cristiani*, dans *Bilychnis*, XXVII (1926) 172; F. E. VOKES, *The Riddle of the Didache*, Londres, 1938, p. 13; Th. KLAUSER, *Doctrina Duodecim Apostolorum, Barnabae Epistula* (*Flor. Patrist.*, 1), Bonn, 1940, p. 25, note *in loc.*

dition apostolique de s. Hippolyte (avec ses remaniements) et l'*Euchologe* de Sérapion (1), connaissaient une prière de bénédiction de l'huile après l'eucharistie : donc, tout juste dans le cadre liturgique où nous la trouvons dans les *Const. apost.* et dans la version copte de la *Didachè*.

Mais alors, supposé l'authenticité, comment expliquera-t-on l'omission de *H* et de son associée, la version géorgienne? Évidemment, on peut dire que les deux témoins ne sont pas toujours sûrs (2), ou que les deux n'en font qu'un. Mais la version géorgienne a du moins ici le mérite de réduire les chances d'une omission accidentelle. Reste donc à chercher un motif plausible à l'omission. J'avoue n'en point voir. On ne peut songer à aucune raison ni de forme ni de fond, puisque, à trois mots près (λόγου, λέγοντες et μύρου) et à une omission (πάτερ seul), la bénédiction du *muron* ne s'écarte en rien de la phraséologie des « prières eucharistiques » qui précèdent. Il serait malaisé de prétendre, d'autre part, que la formule a été omise parce qu'elle ne répondait plus à l'usage postérieur (3). Car, à ce compte, il eût fallu plutôt commencer par omet-

---

(1) *Trad. apost.*, v (Dix, p. 10); Sérapion, *Euchol.*, xvii (Funk, II, 178, 180); voir, en particulier, la discussion de Peterson, *art. cité*, pp. 54 s.

(2) M. Peterson écrit que la thèse de l'inauthenticité repose sur ce présupposé faux que nous avons, à peu de chose près, dans le manuscrit de Bryennios, quelque chose comme le texte original de la *Didachè* (*Didache-Ueberlieferung*, p. 48). Il se peut, sans doute, qu'il en ait été plus ou moins ainsi chez tel ou tel; mais ne serait-ce pas une égale erreur de disposer ici trop légèrement de l'omission de *H* et de la version géorgienne?

(3) M. Peterson voudrait que l'omission de *H* soit due à une influence novatienne (*Didache-Ueberlieferung*, pp. 51 et 53). Il me semble que c'est aller chercher bien loin l'amputeur. Nous savons par Pacien et Théodoret que le baptême novatien se distinguait de celui de la grande église par l'omission des onctions (Pacien, *Ad Symprosianum*, 3, 3; *PL*, 13, 1065; Théodoret, *Haeret. fabul. compend.*, 3, 5; *PG*, 83, 408). Mais la bénédiction du *muron*, dans la *Didachè*, a-t-elle un rapport quelconque avec le baptême? Elle en est séparée par les « prières eucharistiques », le précepte sur la prière quotidienne et la réglementation des jeûnes. Ce novatien avait la fibre liturgique terriblement sensible s'il a vu là une menace à la pratique de son église! Je n'oublie pas, certes, que M. Peterson essaie de montrer que le rapport du *muron* au baptême est intrinsèque au symbolisme de l'onction, et donc, indépendant, dans une certaine mesure, du cadre littéraire de la *Didachè*. Mais il est rien moins que certain que les idées et les usages relativement tardifs sur lesquels il appuie son argumentation aient déjà été ceux de la *Didachè* originelle. Pourquoi le rituel baptismal, alors, ne souffle-t-il mot de l'onction? M. Peterson invoque, à ce propos, une correction intentionnelle, dans *H* (et donc aussi dans *g*!), 7:2 s., corrélative à l'omission de la bénédiction du *muron*, 10:7, en s'appuyant sur *Const. apost.*, vii, 22, 3 : εἰ δὲ μήτε ἔλαιον ἦ μήτε μύρον, ἀρκεῖ τὸ ὕδωρ. On se demande cette fois pour quelle raison le correcteur hypothétique, au lieu de s'essayer à une retouche que M. Peterson juge absurde (p. 49), n'a pas pris de nouveau le parti beaucoup plus simple d'omettre, comme lui-même, ou son confrère novatien, est censé avoir fait à 10:7. A la rigueur, on peut passer de *Did.*, 7:2 s. à *Const. apost.* vii, 22, 3, mais aucune explication ne rendra jamais naturel un rapport inverse, de quelque manière qu'on l'imagine dans le détail

tre les « prières eucharistiques » elles-mêmes. L'omission de la bénédiction du *muron* est insignifiante, de ce point de vue, après l'accep-
tation globale du reste de l'écrit. Au reste, l'usage devait porter à
introduire la bénédiction bien plus qu'à l'omettre, et tous les parallèles qu'on a essayé de produire en sens contraire ne font, en réalité,
que rendre plus probable l'interpolation.

La *Didachè* aura été sur ce point, et d'assez bonne heure, alignée
sur la pratique. Aussi bien devons-nous reconnaître que l'économie
que l'interpolateur a voulu faire de son style et de son imagination
suffit, au premier regard, à donner le change. Il n'était pas nécessaire d'être bien malin pour plagier de cette façon les « prières eucharistiques » : le parti était à la portée du premier venu. Faut-il insister
pour dire que le résultat n'est pas brillant? Que signifie : « Nous te
rendons grâce, Père, pour le *muron* que tu nous as fait connaître
par Jésus ton Fils »? Les « prières eucharistiques » se donnaient, sous
la même formule, des objets mieux appropriés : « la sainte vigne de
David » (9:2), « la vie et la connaissance » (9:3), « la connaissance,
la foi et l'immortalité » (10:2). La comparaison des textes donne
l'impression que la bénédiction du *muron* ne fait que reproduire
de façon mécanique le modèle qui s'imposait tout proche. Il semble
que la disproportion des objets, de part et d'autre, ait complètement échappé à l'interpolateur (1). Sans le calomnier, on en conclura que sa bonne intention était trop bornée pour ne point le trahir.

Ajoutons, pour ne rien négliger, que les rares indices de style ne
rachètent rien. λέγοντες, ajouté à οὕτως εὐχαριστήσατε, contre ce
qui semble bien être l'usage du Didachiste (9:2; 10:1; comp. 8:2,
οὕτως προσεύχεσθε) n'est certes pas un signe favorable à l'authenticité. Il faut en dire autant de τοῦ λόγου dans la formule περὶ δὲ
τοῦ μύρου : l'addition, jointe à λέγοντες qui suit, a l'air de vouloir
imposer une formule liturgique invariable. Le propos serait assez
curieux de la part du Didachiste, tout juste après avoir concédé
une entière liberté aux prophètes sur un point de toutes manières
beaucoup plus important (10:7). En revanche, il n'y a probable-

et quelle que soit la part qu'on veuille faire au remaniement du côté des *Const.
apost.*

(1) La difficulté a été parfaitement sentie par M. Peterson (*Didache-Ueberlieferung*, p. 47). On peut douter, cependant, qu'il soit légitime de tenter de
rétablir l'équilibre grâce à des compléments suggérés par les *Const. apost.*
Comment s'assurer que le compilateur n'a pas eu justement la même impression que nous et n'a pas cherché à remanier en conséquence le texte boiteux
qu'il avait sous la main? La reconstitution de M. Peterson porte une trop
lourde part d'hypothèse pour pouvoir servir de base à une discussion d'authenticité. Car alors de quoi parlons-nous?

ment pas grand-chose à tirer contre l'interpolateur de l'invocation πάτερ, employée sans qualificatif (comp. *Did.*, 9:2, 3; 10:2) : le Didachiste lui-même, on le comprend sans peine, ne paraît pas avoir été lié sur ce point par un usage bien rigide. Des trois traits de style qui caractérisent la bénédiction du *muron*, deux demandent donc une excuse : c'est le moins qu'on puisse dire. Pour un plagiat, c'est une belle proportion. Qu'eût-ce été si l'interpolateur s'était abandonné à lui-même?

11:2

H et *CA* ἄλλην διδαχήν — *c* ἄλλας διδαχάς. La leçon de la version copte répond de façon très naturelle au titre donné par Eusèbe à l'écrit : Διδαχαὶ τῶν ἀποστόλων (*Hist. eccl.*, III, 25, 4). Son importance apparaîtra plus loin lorsque nous essaierons de débrouiller, s'il est possible, la composition littéraire de la *Didachè*. Mais le texte doit d'abord être établi pour lui-même et par les moyens qui lui sont propres. Je ne sais si l'on a déjà observé que le pluriel διδαχαί, en dehors du sens péjoratif, n'est pour ainsi dire pas employé dans les anciens écrits chrétiens (1), et que la forme, en raison même de sa rareté, est instable dans la transmission manuscrite. Il faut, en effet, mettre à part le cas du sens péjoratif, qui se rencontre une fois dans *Hébr.*, 13:9, διδαχαῖς ποικίλαις καὶ ξέναις μὴ παραφέρεσθε, et deux fois dans Hermas, *Sim.*, VIII, 6, 5, ἦσαν γὰρ ὑποκριταὶ καὶ διδαχὰς ξένας εἰσφέροντες…, ταῖς διδαχαῖς ταῖς μωραῖς πείθοντες αὐτούς. C'est un argument apologétique constant de rejeter, comme une défaillance, sur les doctrines « étrangères », leurs oppositions mutuelles et leurs contradictions internes. On comprend ainsi qu'il en soit parlé au pluriel (διδαχαί). La forme grammaticale porte une pointe parfaitement visible. Il n'est pas étonnant que la transmission manuscrite l'ait reconnue et conservée (2). Mais on aperçoit du coup, par contraste, à quel point le sens favorable altérait ces conditions. Le pluriel, possible en soi, ne se justifiait plus que difficilement devant l'usage, qui, semble-t-il, inclinait d'ailleurs à préférer διδασκαλία, même au singulier (3).

(1) Je ne trouve à signaler, dans la littérature commune, que PLATON, *Timée*, 88*a*, grâce à l'index d'Ast.

(2) On s'en rendra compte par les apparats critiques des textes cités dans l'une ou l'autre des grandes éditions. Pour le sens, on pourra comparer *Is.*, 29:13, μάτην δὲ σέβονταί με διδάσκοντες ἐντάλματα ἀνθρώπων καὶ διδασκαλίας, repris dans *Mt.*, 15:19; *Mc.*, 7:7 et *Col.*, 2:22; cf. K. H. RENGSTORF, διδασκαλία, dans *TWNT*, II, 163.

(3) On pourra voir, par exemple, sur ce dernier point, l'index de Leisegang aux œuvres complètes de Philon (COHN-WENDLAND, *Philonis Alexandrini opera quae supersunt*, VII) : une seule fois διδαχή, mais plus d'une colonne

En fait, devant διδαχαί, la tendance fut, ou bien de lui substituer carrément διδασκαλίαι pour garder le pluriel, ou bien de passer au singulier pour conserver διδαχή. On a un excellent exemple de l'un et l'autre type de variantes dans les *Acta Ioannis*, 106. Un groupe de trois manuscrits a substitué διδασκαλίας à διδαχάς : ce que la version latine s'est elle-même contentée de traduire par *doctrinam* (1). On verra plus loin que le titre de la *Didachè* a été victime de procédés identiques. Peut-on douter que *Did.*, 11:2, qui lui correspond, n'ait connu le même sort? διδαχάς était une leçon que les goûts postérieurs rendaient particulièrement vulnérable. On ne conçoit pas qu'elle ait remplacé διδαχήν, mais on comprend aisément que celle-ci vise à corriger une forme insolite (2).

11:5

H οὐ μενεῖ δὲ ἡμέραν μίαν — *e g* οὐ μενεῖ δὲ εἰ μὴ ἡμέραν μίαν. Le cas ne présente pas une difficulté bien grande. Avant même que les versions éthiopienne et géorgienne ne fussent connues, on avait communément admis, avec Harnack, la nécessité pour le sens d'ajouter εἰ μὴ à la leçon du ms. Mais c'est la première fois que la version éthiopienne peut entrer en ligne de compte dans la discussion du texte. On me permettra d'en prendre occasion pour considérer cette version dans son ensemble. Il y a d'ailleurs peu à dire.

On s'en souvient, il ne s'agit pas, d'abord, purement et simplement, d'une version, mais bien plutôt d'un fragment de version incorporé à la recension éthiopienne des *Canons apostoliques*. L'opération, par malheur, n'a pas été sans entraîner une part d'adaptation. En revanche, le remaniement proprement dit a été

---

pour διδασκαλία. Pour Josèphe, on verra THACKERAY-MARCUS, *A Lexicon to Josephus*, διδασκαλία, 10 fois; διδαχή, 2 fois. Celle-ci l'emporte, cependant, dans le N. T. à 30 contre 21 et chez les Pères apostoliques à 14 contre 3 (GOODSPEED, *Index apostolicus*). Mais à partir de la seconde moitié du IIe siècle, peut-être par le fait que la littérature chrétienne achève, à ce moment, de se détacher d'un certain judaïsme populaire, beaucoup moins profondément hellénisé que ne l'avait été celui de Josèphe et de Philon, et d'expression toujours plus ou moins sémitisante, c'est διδασκαλία qui paraît définitivement l'emporter : pour les Pères apologètes, voir GOODSPEED, *Index apologeticus;* pour Clément d'Alexandrie, STÄHLIN, *Clemens Alexandrinus*, IV; pour Origène, R. P. C. HANSON, *Origen's Doctrine of Tradition*, dans *JTS*, XLIX (1948) 22. N'est-il pas significatif, à cet égard, que les pseudépigraphes se soient ralliés, pour leurs titres, à διδασκαλία plutôt qu'à διδαχή (αί), dont ils avaient pourtant un exemple illustre et ancien? Pour un sondage dans la langue du IVe siècle, cf. MÜLLER, *Lexicon Athanasianum*, *s. vv.*

(1) LIPSIUS-BONNET, *Acta apostolorum apocrypha*, II, 2; 203, 14, et ZAHN, *Acta Joannis*, Erlangen, 1880, p. 239.

(2) L'hypothèse que διδαχάς résulte d'une simple erreur de copiste sur διδαχήν n'est pas en soi très plausible. Elle est exclue, de fait, par des raisons littéraires qui seront exposées en leur lieu.

discret. La manière de l'interpolateur est plutôt de retrancher ce qui lui plaît moins, ou ce qui lui paraît inutile (ainsi 11:6, 8*b*; 13:2; 8:2*b*), et de résumer d'après le sens les passages encombrants ou obscurs (11:11) (1). Dans ces conditions, il va de soi que le témoignage de la version éthiopienne est à peu près dénué de valeur quand elle est seule à omettre. C'est le cas, en particulier, à 11:4, pour l'omission de δεχθήτω ὡς κύριος, contre *H c* (2). La véritable et unique utilité de la version éthiopienne est de confirmer occasionnellement, quand elle n'est pas elle-même empêtrée dans ses propres difficultés de traduction, les leçons de témoins dont on aurait peut-être raison de douter par ailleurs. Ainsi, à 11:5, où l'accord avec *g* sur l'addition de εἰ μὴ tend à montrer que la traduction copte est ici plutôt large. De même, à 12:1, où ἔχετε est appuyé par *c*, contre *H*, ἔξετε (αι), en soi déjà beaucoup moins bon, pour ne pas dire davantage.

14:1

H κατὰ κυριακὴν δὲ κυρίου — *CA* τὴν ἀναστάσιμον τοῦ κυρίου ἡμέραν, τὴν κυριακήν φαμεν — *g* καθ' ἡμέραν δὲ κυρίου (?). La leçon de *H* est en soi bien difficile à justifier. *CA* glose sur son texte en ajoutant ἀναστάσιμον, mais la glose elle-même est déjà un certain indice de la présence de ἡμέρα κυρίου dans l'écrit de base. On comprendrait moins bien autrement l'addition explicative, τὴν κυριακήν φαμεν. D'autre part, la version géorgienne (am Herrentage) semble, pour l'essentiel, supporter cette interprétation. L'étrange expression de *H* s'est formée, j'imagine, en deux étapes : d'abord, κυριακήν en marge, en vue d'expliquer l'expression archaïque, ἡμέρα κυρίου (3), par l'usage courant, κυριακή; puis, κυριακήν simplement

(1) Voir plus haut en ce qui concerne le traitement de la *Didascalie* par le même interpolateur, p. 40.

(2) Pour être tout à fait exact, la version copte ne porte pas expressément la leçon de *H* : elle laisse un espace occupé par un remplissage quelconque. Mais il est clair que c'est le copiste qui n'a pas su déchiffrer l'exemplaire. Son blanc atteste assez le membre de phrase attendu (cf. L.-Th. Lefort, *Les Pères apostoliques en copte*, texte, p. 33, n. 15).

(3) L'omission de l'article devant κυρίου, dans *H*, me paraît significative : c'est un archaïsme marqué qui continue à attester indirectement, en dépit du trouble survenu dans la transmission, ce que je crois avoir été le texte primitif : ἡμέρα κυρίου. Le compilateur des *Const. apost.* n'a-t-il pas justement senti cet archaïsme lorsqu'il a dilué son texte dans les formules précautionneuses : τὴν ἀναστάσιμον τοῦ κυρίου (avec l'article!) ἡμέραν, τὴν κυριακήν φαμεν. Ce luxe de précisions fait soupçonner qu'il y avait de quoi. Et que peut-on plus naturellement supposer que ἡμέρα κυρίου ? Au surplus, une comparaison peut être ici éclairante. Du point de vue chronologique, à tout le moins, τράπεζα κυρίου (1 *Cor.*, 10:21, κυρίου sans article! ; comp. *Lc.*, 22:30, ἵνα ἔσθητε καὶ πίνητε ἐπὶ τῆς τραπέζης μου) est à κυριακὸν δεῖπνον (1 *Cor.*, 11:20) comme ἡμέρα κυρίου est à κυριακὴ ἡμέρα (*Apoc.*, 1:10). Or, des deux formes, de part

substituée, par négligence ou distraction, à ἡμέραν, dans une transcription subséquente, κυρίου étant maintenu.

Il faut donc vraisemblablement lire καθ' ἡμέραν δὲ κυρίου au lieu de l'injustifiable surcharge κατὰ κυριακὴν δὲ κυρίου de *H*.

16:8

H τότε ὄψεται ὁ κόσμος τὸν κύριον ἐρχόμενον ἐπάνω τῶν νεφελῶν τοῦ οὐρανοῦ. La version géorgienne, après avoir amplifié à son habitude le texte de *H*, ajoute ici résolument : « mit der Macht und grosser Herrlichkeit, damit er jedem Menschen gemäss seinen Werken in seiner heiligen Gerechtigkeit vergelte vor dem ganzen Menschengeschlecht und vor den Engeln. Amen ». *CA* fait une addition semblable à partir du même point : μετ'ἀγγέλων δυνάμεως αὐτοῦ ἐπὶ θρόνου βασιλείας κατακρῖναι τὸν κοσμοπλάνον διάβολον καὶ ἀποδοῦναι ἑκάστῳ κατὰ τὴν πρᾶξιν αὐτοῦ. Malgré d'évidentes diversités, la rencontre demeure frappante. D'autre part, il est incontestable que le texte de *H* s'interrompt de manière abrupte. Mais si l'on n'avait que les raisons tirées de ces faits, on ne serait assurément pas en mesure d'affirmer que le ms. de Bryennios écourte l'instruction finale de la *Didachè*. C'est là que s'en tient M. Vokes (1).

Les faits et les arguments décisifs sont apportés par certaines particularités paléographiques du ms. lui-même. Le texte de la *Didachè* s'achève au fol. 80*b*, ligne 16. Le reste de la page a été laissé en blanc, soit 7 lignes. D'après ce qu'on peut savoir des habitudes du copiste, ce blanc est déjà singulier. Ainsi, par exemple, le début de la *Didachè* elle-même, titre compris, occupe les 4 dernières lignes du fol. 76*a*. Il est donc difficile d'expliquer l'espace blanc laissé par le copiste au fol. 80*b*, par le désir de commencer sur une nouvelle page un nouvel écrit, ou une nouvelle série d'écrits, en fait, les épîtres ignatiennes. Le copiste Léon, ou son employeur, est plus économe de son parchemin. Quand il passe de l'*Épître* de Barnabé à la *Ia Clementis* (fol. 51*b*), et de celle-ci à la seconde (fol. 70*a*), de cette dernière à la liste des livres de l'A. T. (fol. 76*a*), et enfin, de cette liste à la *Didachè* (*ibid.*), il ne perd pas une seule ligne (2). Au contraire, on peut remarquer qu'il serre l'écriture de

et d'autre, c'est le génitif, en soi plus proche du génie sémitique, et en fait seul possible en araméen, qui a toutes chances d'être plus ancien (de bons éléments d'appréciation du point de vue hellénistique dans DEISSMANN, *Licht vom Osten*, Tubingue, 4 éd., 1923, pp. 304 ss.). Pourquoi, dès lors, la *Didachè*, dont le texte contient tant d'archaïsmes par ailleurs, n'aurait-elle pas eu également celui-là, puisqu'en le supposant tout pourrait s'expliquer de façon naturelle, tant du côté de *H* et de *g* que du côté de *CA*?

(1) F. E. VOKES, *The Riddle of the Didache*, p. 26.
(2) Au fol. 120*a*, cependant, le colophon est isolé du texte par une ligne

la dernière ligne d'un écrit, lorsqu'il compte que par ce moyen il épargnera une ligne qui autrement serait à peine commencée. Selon toutes apparences, dans la pensée de Léon, le blanc devait donc être rempli.

Le fait devient incontestable quand on observe la manière dont se termine le texte des autres ouvrages contenus dans le ms. Dans le cours du texte, la ponctuation se réduit le plus souvent au simple point, placé sous la ligne, généralement à la hauteur du sommet des lettres (1). La fin d'un ouvrage est marquée, au contraire, par l'un de ces deux signes particuliers : deux points suivis du trait horizontal (3 fois ainsi, d'après les éditions phototypiques partielles que nous possédons, soit 51*b* et 76*a bis*); ou une simple croix (fin de 1 *Clem.*, 70*a*, à laquelle il faut ajouter la ligne qui contient le colophon, fol. 120*a*, terminée elle aussi par une croix) (2). Or, la *Didachè* ne porte pas le signe final. Après οὐρανοῦ, il n'y a que le simple point de ponctuation ordinaire. Le copiste savait donc que l'ouvrage n'était pas terminé avec ce qu'il en donnait. Il a naturellement alors laissé en blanc ce qui lui paraissait suffire à recevoir le reste. C'est de ce reste que témoignent indépendamment *CA* et *g*, celle-ci descendant d'un ms. apparenté à *H* lui-même. Tout s'explique de façon simple.

Le fait d'une lacune à la fin de *H* ne me paraît donc pas douteux. Mais autre chose est de déterminer exactement la teneur de ce qui a été perdu. Nous ne disposons pour reconstituer le grec original que de *CA* qui remanie, et de *g* qui traduit avec une assez grande liberté : c'est visible dans le passage même dont nous nous occupons. Dans ces conditions, une reconstitution conjecturale serait assez précaire, et d'ailleurs de peu d'intérêt. Il doit nous suffire de savoir que l'instruction finale de la *Didachè* est tronquée dans notre texte grec, et que le sens général de ce qui est ainsi perdu, se retrouve dans la version géorgienne.

*
* *

Quelques faits, non dépourvus d'importance pour expliquer les caractères textuels généraux du *Hier.* 54, se trouvent impliqués dans cette lacune. Ils nous amènent à une conclusion d'ensemble

laissée en blanc (voir J. R. Harris, *Three Pages of the Bryennios Manuscript*, Baltimore, 1885, p. C). Mais une ligne, pour dégager le colophon, n'est pas encore une prodigalité.

(1) Quelques précisions additionnelles dans Bryennios, Διδαχή, pp. 97 ss., et J. R. Harris, *Three Pages of the Bryennios Manuscript*, s. p., note γ.

(2) Sur ces usages, voir E. M. Thompson, *Greek and Latin Palaeography*, Oxford, 1912, pp. 60.

sur la valeur comparative des divers témoins du texte de la *Didachè*.

Et d'abord, selon toutes probabilités, le manuscrit sur lequel le copiste Léon a fait sa transcription, ne contenait que la *Didachè*. Nous avons déjà eu l'occasion de suggérer, en effet, que la matière du ms. de Bryennios semblait avoir été apportée au copiste comme au hasard de ce que la bibliothèque mettait sous la main, dans un certain genre d'écrits donné, et cela, au cours même du travail de transcription. Ainsi, la *Synopse* du Pseudo-Chrysostome précède l'*Épître* de Barnabé; celle-ci est suivie des deux *Épîtres* de Clément de Rome, ce qui, pour les trois derniers écrits du moins, est un ordre convenable. Mais la suite est aussitôt rompue par une liste canonique des livres de l'A. T. La *Didachè* se présente alors, suivie, à son tour, des treize épîtres ignatiennes. Le colophon déclare à ce moment le ms. terminé, mais il recommence, ou plutôt il continue, toujours de la même main, avec un court essai d'explication de la généalogie de Jésus. Cette fois, cependant, c'est bien tout. Les 120 feuillets sont remplis, mais la distribution de la matière a été ce qu'elle a pu.

Pour sa part, la *Didachè* voisine avec la liste des livres de l'A. T., d'un côté, et les épîtres ignatiennes, de l'autre. Devant l'ordre général du ms., il n'est pas téméraire d'en inférer qu'elle a été apportée au copiste, après les *Épîtres* de Clément, dans un nouveau codex.

Celui-ci, au surplus, devait se terminer par la *Didachè* elle-même, puisque la perte du dernier folio peut seule expliquer de façon naturelle que l'instruction finale soit amputée de ses dernières lignes dans le ms. de Bryennios.

Ajoutons que le copiste ne savait certainement pas avec exactitude quelle longueur de texte pouvait lui manquer par suite de la disparition du dernier folio. Autrement, il n'aurait pas laissé un blanc de sept lignes, alors qu'en réalité il n'en fallait pas plus d'une ou deux. Et du reste, comment l'aurait-il su?

Mais alors il devient d'un grand intérêt de se demander si, comme il était normal, le blanc de sept lignes dans le ms. de Bryennios n'a pas été calculé approximativement d'après le contenu possible du folio perdu. L'hypothèse a pour elle toutes les vraisemblances. Mais, à ce moment, nous avons un premier renseignement indirect sur le format du ms. dont provient le texte de *H*. Pour qu'un blanc de sept lignes dans *H* ait été jugé suffisant pour contenir à tout le moins un folio entier de l'exemplaire, il fallait que celui-ci fût de petites dimensions, en fait, quelque chose comme l'un de ces codex-miniatures dont les fragments d'Oxyrhynque 1782 nous ont offert un exemple pour la *Didachè* elle-même.

Sans nous laisser piquer au jeu, n'y aurait-il pas avantage à voir ici les choses de plus près, même s'il devait y entrer à nouveau une certaine part de conjecture? Le *Hier.* 54 est daté de 1056. Si l'exemplaire qui lui a fourni le texte de la *Didachè*, avait perdu son dernier folio, on peut en inférer qu'il avait lui-même un certain âge. Les xᵉ et xiᵉ siècles byzantins, en quelque milieu que ce soit, n'ont pas dû, en effet, éprouver une particulière ferveur pour notre mince « directoire ecclésiastique ». Il y avait même sans doute longtemps, au xᵉ siècle, qu'il ne devait plus intéresser que de rares curieux ou érudits. On voit plutôt les exemplaires qui en subsistaient encore paisiblement reposer dans les armoires des bibliothèques. Photius, qui avait de la culture et la curiosité des vieux livres, ne semble pas l'avoir jamais rencontré. Du moins ne lui a-t-il pas fait l'honneur d'une mention dans son *Myriobiblon*, ce qui est encore un témoignage. Selon toutes vraisemblances, l'exemplaire que Léon a eu sous la main était donc un vieil oncial du temps jadis où la *Didachè* achevait de perdre la célébrité de ses origines.

Pour calculer son format avec une certaine précision, il faudrait avoir entre les mains des données qui nous font évidemment défaut. Mais un calcul largement approximatif n'est pas impossible, et il suffit. On peut, en effet, se baser sur des probabilités statistiques. L'examen des codex-miniatures retrouvés en Égypte révèle que l'onciale employée était généralement de grandeur moyenne. La petite onciale, très serrée, du *Pap. Oxyrh.* 840, — ivᵉ siècle, évangile extra-canonique — (GRENFELL-HUNT, V, 1-10), est une exception. Avec ses dimensions réduites (8,8 cm × 7,4 cm), ce petit codex n'en portait pas moins, sur chaque page, de 22 à 23 lignes, chacune de celles-ci ayant en moyenne 28 lettres. Un folio comme celui qui en subsiste pouvait recevoir plus de 1 200 lettres. Or, 1 200 lettres, dans la minuscule du *Hier.* 54, chargée d'abréviations, avec ses 53 lettres à la ligne en moyenne, c'est déjà presque assez pour couvrir quatre fois l'espace laissé en blanc par le copiste. Il suffirait donc d'imaginer une onciale plus grande, du type courant, et un nombre de lignes plus réduit, tout en restant dans les codex de même format, pour être assez près de l'exemplaire dont procède le manuscrit de Bryennios. Le *Pap. Oxyrh.* 6, — vᵉ siècle — (GRENFELL-HUNT, I, 9-10), un codex-miniature qui contenait les *Actes de Paul et de Thècle*, mesure 7,3 cm × 6,7 cm. Or, avec ses 12 lignes et sa moyenne de 16 lettres à la ligne, il aurait rempli le blanc du copiste Léon avec un surplus d'environ deux lignes. Le *Pap. Oxyrh.*

401, — vᵉ ou viᵉ siècle — (Grenfell-Hunt, III, 1-2), qui contient quelques versets de *Mt.*, provient d'un codex de parchemin qui pouvait mesurer environ 11 cm × 9,5 cm. Avec une quinzaine de lignes à la page et une moyenne de 18 lettres à la ligne, il aurait à peu près rempli l'espace de six lignes et demie laissé en blanc par le copiste du *Hier.* 54 avec une seule de ses pages.

On voit le genre de manuscrit auquel devait appartenir l'exemplaire transcrit par le « notaire » Léon. C'est de l'édition populaire commune, rien qui fasse penser, en tout cas, à une transmission surveillée. D'où venait-il? je ne saurais dire. Mais devant la leçon vraisemblablement égyptienne de 7:1, ταῦτα πάντα προειπόντες, ne peut-on pas suggérer l'Égypte pour le type de texte sinon pour le manuscrit lui-même?

Un codex-miniature, d'ascendance égyptienne, de destination et d'usage populaires, dont le texte aurait passé dans notre *Hier.* 54 : l'hypothèse est bien séduisante. Car, en plus d'expliquer au mieux l'importante leçon de 7:1, elle fournirait des conditions générales très convenables pour rendre compte des caractères textuels de *H* dans son ensemble.

Une précaution s'impose pourtant ici. Il semble bien, surtout d'après les résultats des analyses de Lightfoot, que Léon ne s'est pas toujours contenté de transcrire : il a lui-même révisé méthodiquement. Quelle part doit ainsi lui revenir en propre dans l'état du texte de la *Didachè*, tel que nous le lisons aujourd'hui dans *H*? Il serait certes inexact d'étendre, sans précautions, à la *Didachè*, les jugements que Lightfoot a portés pour 1 et 2 *Clément* et les épîtres ignatiennes. De fait, les observations de Lightfoot ne peuvent se vérifier, dans une certaine mesure, que pour le début de la *Didachè*, soit pour 1:1-5 environ. On dirait qu'après avoir voulu continuer ce qu'il avait fait auparavant, le réviseur s'est découragé, dès qu'il est entré dans le passage broussailleux de *Did.*, 1:5-6. L'écrit n'intéressait peut-être aussi que médiocrement. En tout cas, à partir de ce point, sa main ne se reconnaît plus. Le texte semble plutôt avoir été transcrit matériellement, tel qu'il se présentait dans l'exemplaire, avec la seule addition de quelques erreurs nouvelles, comme il pouvait s'en produire. Le meilleur signe en est que les difficultés de toutes sortes ne portent pas trace d'une intervention systématique en vue de les résoudre. Elles sont simplement reproduites. On ne saurait donc parler ici, sans distinction, de révision critique.

Cette réserve est importante, car elle nous conduit à observer que, bien loin d'avoir le caractère d'une révision critique, le texte de la *Didachè*, dans *H*, porte en général toutes les marques d'une tradition populaire. Le texte du ms. de Bryennios, en effet, représente tout juste ce qu'il est loisible d'attendre d'une transmission privée de contrôle, livrée entre toutes les mains, aujourd'hui à la négligence inculte, demain à la bonne intention entreprenante, toujours à des modifications disparates et désordonnées. Ni les particularités orthographiques et grammaticales, ni les additions, ni les omissions, ni les substitutions ne laissent percer, dans leur ensemble, une intention constante et définie, qu'on pourrait dès lors reconnaître et suivre à la trace. Au contraire, lorsqu'il est permis de présumer qu'il s'agit d'autre chose que de simples erreurs de lecture ou de transcription, on dirait partout de retouches sporadiques, accumulées au cours d'une longue histoire. Moins libre sans doute que celle du fragment d'Oxyrhynque, la recension de *H* est néanmoins de formation analogue. Elle appartient à l'édition commune, et reflète le milieu des petites gens, peu soucieux de la correction et de la pureté des textes, nullement effrayés des conséquences que peuvent avoir le changement d'un temps, l'addition ou l'omission d'un mot, lorsque le sens demeure valable; ne comprenant guère, au surplus, qu'on puisse éprouver des scrupules à introduire à l'occasion une idée nouvelle ou une explication utile.

Le texte du *Hier.*, 54 n'est pas excellent, il n'est même pas très bon : c'est seulement un assez bon texte, sans prétentions, ni littéraires, ni théologiques, il est vrai, mais aussi sans beaucoup d'attention à la parfaite exactitude. Il ne mérite, croyons-nous, aucun des grands éloges qui lui ont été décernés autrefois (1); encore moins mérite-t-il d'être élevé au rang de « texte reçu ». S'il le devient, en fait, pour certaines parties, c'est uniquement parce que les témoins plus anciens font alors défaut. Lorsque ces derniers se trouvent dans de bonnes conditions, et spécialement la version copte, qui n'est pourtant pas impeccable, ils doivent en règle générale prévaloir.

---

(1) Ainsi, A. HARNACK, *Die Lehre*, p. 173 : « Somit dürfen wir mit voller Sicherheit sagen : wir besitzen die alte (Didachè) jetzt in der Gestalt, in welcher sie im 4 Jahrhundert der Bearbeiter (des *Const. apost.*) in Händen hatte, und auch nicht die geringste Spur führt darauf, dass sie in den 200 Jahren, die damals seit ihrer Entstehung verflossen waren, irgend welche Veränderungen erlitten hat. » — De même, J. R. HARRIS, *The Teaching*, p. 62 : « Probably there never was a document which so successfully vindicated its right not to be conjecturally emended as the Teaching. Indeed, we may say that with the exception of one or two merely clerical errors, the text justifies itself almost at every point. » Les nouveaux documents ramenés à la lumière depuis le temps où ces jugements ont été portés, ne permettent plus une si entière confiance dans le ms. de Bryennios, si jamais elle fut permise.

CHAPITRE TROISIÈME

LES TÉMOIGNAGES ANCIENS

Ce n'est pas ici le lieu de dire ce qui peut être retracé de l'histoire ancienne de la *Didachè*. Le problème littéraire doit auparavant recevoir sa propre solution. Mais il sera sans doute utile d'avoir dès ce moment sous la main, largement reproduits, les textes anciens où la *Didachè* apparaît explicitement mentionnée ou citée (1). Aussi bien les discussions ultérieures en seront-elles allégées d'autant.

Il va sans dire, d'autre part, que peu de questions relatives à ces textes peuvent être utilement soulevées ici. Elles viendront plus loin, lorsque le cours naturel de la discussion les appellera. Pour l'instant, il suffira d'ajouter aux textes rapportés de brèves remarques d'intérêt plus immédiat.

***

1. PSEUDO-CYPRIEN (*c.* 300 A. D.)

Adversus aleatores, 4; Hartel (*CSEL*, 3, 3), 96; *PL*, 4, 906.

Et in doctrinis apostolorum : si quis frater delinquit in ecclesia et non paret legi, hic nec colligatur, donec paenitentiam agat, et non recipiatur, ne inquinetur et impediatur oratio vestra.

1. Comp. *Did.*, 14:2, πᾶς δὲ ἔχων τὴν ἀμφιβολίαν μετὰ τοῦ ἑταίρου αὐτοῦ μὴ συνελθέτω ὑμῖν, ἕως οὗ διαλλαγῶσιν, ἵνα μὴ κοινωθῇ ἡ θυσία ὑμῶν, et 15:3, καὶ παντὶ ἀστοχοῦντι κατὰ τοῦ ἑτέρου μηδεὶς λαλείτω μηδὲ παρ'ὑμῶν ἀκουέτω, ἕως οὗ μετανοήσῃ. La citation est d'une liberté quelque peu inquiétante (2). On se demande si l'auteur arrange le texte à son gré, ou si sa version latine de la *Didachè* ne lui offre pas déjà un tel remaniement. La seconde hypothèse

---

(1) Les utilisations ou citations implicites, moins directement engagées dans notre objet immédiat, viendront en leur lieu dans le chapitre spécial consacré à l'histoire ancienne de la *Didachè*.

(2) Voir ZAHN, *Forschungen*, III, p. 284.

n'est peut-être pas tout à fait exclue, mais il faut reconnaître aussi que la citation libre serait bien dans la manière de l'*Adversus aleatores* (1). De toutes façons, on ne peut douter que l'auteur ait connu un écrit intitulé *Doctrinae apostolorum*, traduction, ou recension, latine de celui qu'Eusèbe nous fait connaître sous le titre de Διδαχαὶ τῶν ἀποστόλων (2).

2. Le cadre littéraire de la « citation » révèle, dans une certaine mesure, l'estime dont la *Didachè* jouissait dans la pensée de l'auteur. Nous lisons, d'un côté, une citation libre de 1 *Cor.*, 5:11, à laquelle s'ajoute, sous une vague formule d'introduction (et in alio loco), un texte de provenance inconnue (3); et, de l'autre, une nouvelle citation de Paul, 1 *Cor.*, 5:13.

3. Rendel Harris a noté qu'il ne s'agit explicitement que de la prière, non du sacrifice (4). Mais le terme « oratio » peut être générique, et c'est bien ce que paraît d'abord impliquer « inquinetur ». Le contexte, je crois, lève ce qui peut rester d'incertitude. Le développement où se présente la citation de la *Didachè*, est ainsi introduit : « Apostolus idem Paulus commemorat, quando ad Timotheum docendum et corroborandum in fidei firmitate ne quid Deum fallat et ne malignum orationibus sanctorum intercedat ». Or, il est remarquable qu'à ces « orationes » semblent faire explicitement écho, en conclusion, un « sacrificium Christi » qui n'a plus rien d'ambigu : « quod si per multorum testium unitatem et consonantem monitionem docemur nec cum delinquentibus fratribus... (?) nec cibum quidem vesci, quanto magis debeat et ab sacrificio Christi arceri? » (*Adv. aleat.*, 4; Hartel, 95 s.).

4. Il est intéressant de rapprocher de la citation de l'*Adv. aleat.* un passage de Tertullien : « Coimus ad litterarum divinarum commemorationem, si quid praesentium temporum qualitas aut praemonere cogit aut recognoscere. Certe fidem sanctis vocibus pascimus, spem erigimus, fiduciam figimus, disciplinam praeceptorum nihilominus inculcationibus densamus. Ibidem etiam exhortationes, castigationes et censura divina. Nam et iudicatur magno cum pondere, ut apud certos de dei conspectu, summumque futuri iudicii praeiudicium est, si quis ita deliquerit, ut a communicatione

---

(1) Cf. HARNACK, *Der pseudocyprianische Tractat De aleatoribus* (*TU*, V, 1), Leipzig, 1888, pp. 63 ss.

(2) Ainsi B. ALTANER, *Zum Problem der lateinischen Doctrina apostolorum*, dans *Vig. christ.*, VI (1952) 164 ss.

(3) Apparenté pour le fond à HERMAS, *Mand.*, IV, 1, 9; cf. C. F. M. DEELEMAN, *Adversus aleatores*, dans *Theol. Stud. (Tijdschrift)* XXIV (1906) 341, note *in loc.*

(4) J. R. HARRIS, *The Teaching of the Apostles*, p. 106.

orationis et conventus et omnis sancti commercii relegetur »
(*Apol.*, 39, 3 s.; *CSEL*, 69, 91-92; *PL*, 1, 532). La discipline
des « castigationes » et de la « censura divina » est substantiellement
identique dans les deux textes. Ne pourrait-on pas alors supposer
que c'est la pratique courante de l'église d'Afrique qui a suggéré
à l'*Adv. aleat.* l'adaptation des prescriptions de la *Didachè* (14:2
et 15:3) (1)?

2. EUSÈBE (*c.* 315-325 A. D.).

Hist. eccl., III, 25, 1-7; Schwartz (*GCS*, 9, 1), 250-252; *PG*, 20,
267-272.

Εὔλογον δ'ἐνταῦθα γενομένους ἀνακεφαλαιώσασθαι τὰς δηλωθείσας
τῆς καινῆς διαθήκης γραφάς. καὶ δὴ τακτέον ἐν πρώτοις τὴν ἁγίαν τῶν
εὐαγγελίων τετρακτύν κτλ. καὶ ταῦτα μὲν ἐν ὁμολογουμένοις· τῶν
δ'ἀντιλεγομένων, γνωρίμων δ'οὖν ὅμως τοῖς πολλοῖς, ἡ λεγομένη Ἰακώ-
βου φέρεται καὶ ἡ Ἰούδα ἥ τε Πέτρου δευτέρα ἐπιστολὴ καὶ ἡ ὀνομαζο-
μένη δευτέρα καὶ τρίτη Ἰωάννου, εἴτε τοῦ εὐαγγελιστοῦ τυγχάνουσαι
εἴτε καὶ ἑτέρου ὁμωνύμου ἐκείνῳ. ἐν τοῖς νόθοις κατατετάχθω καὶ τῶν
Παύλου Πράξεων ἡ γραφὴ ὅ τε λεγόμενος Ποιμὴν καὶ ἡ Ἀποκάλυψις
Πέτρου καὶ πρὸς τούτοις ἡ φερομένη Βαρναβᾶ ἐπιστολὴ καὶ τῶν ἀποστόλων αἱ λεγόμεναι Διδαχαὶ ἔτι τε, ὡς ἔφην, ἡ Ἰωάννου Ἀποκάλυψις,
εἰ φανείη· ἥν τινες, ὡς ἔφην, ἀθετοῦσιν, ἕτεροι δὲ ἐγκρίνουσιν τοῖς ὁμολο-
γουμένοις. ἤδη δ'ἐν τούτοις τινὲς καὶ τὸ καθ'Ἑβραίους εὐαγγέλιον
κατέλεξαν, ᾧ μάλιστα Ἑβραίων οἱ τὸν Χριστὸν παραδεξάμενοι χαίρουσιν.
ταῦτα δὲ πάντα τῶν ἀντιλεγομένων ἂν εἴη, ἀναγκαίως δὲ καὶ τούτων
ὅμως τὸν κατάλογον πεποιήμεθα, διακρίνοντες τάς τε κατὰ τὴν ἐκκλη-
σιαστικὴν παράδοσιν ἀληθεῖς καὶ ἀπλάστους καὶ ἀνωμολογημένας γρα-
φὰς καὶ τὰς ἄλλως παρὰ ταύτας, οὐκ ἐνδιαθήκους μὲν ἀλλὰ καὶ ἀντιλεγο-
μένας, ὅμως δὲ παρὰ πλείστοις τῶν ἐκκλησιαστικῶν γινωσκομένας,
ἵν'εἰδέναι ἔχοιμεν αὐτάς τε ταύτας καὶ τὰς ὀνόματι τῶν ἀποστόλων
πρὸς τῶν αἱρετικῶν προφερομένας ἤτοι ὡς Πέτρου καὶ Θωμᾶ καὶ
Ματθία ἢ καὶ τινων παρὰ τούτους ἄλλων εὐαγγέλια περιεχούσας ἢ

---

(1) Comp. CYPRIEN, *Lettres*, 4, 4; Hartel, 476 : « (il s'agit de l'affaire des
vierges) si cum isdem in una domo et sub eodem tecto simul habitaverint,
graviore censura eiciantur nec in ecclesiam postmodum tales facile recipiantur »;
De dom. orat., 18; Hartel, 280 : « quando ergo dicit (Christus) in aeternum vivere
si quis ederit de ejus pane, ut manifestum est eos vivere qui corpus eius adtin-
gunt et eucharistiam iure communicationis accipiunt, ita contra timendum
est et orandum, ne dum quis abstentus separatur a Christi corpore remaneat
a salute comminante ipso et dicente : nisi ederitis carnem filii hominis et
biberitis sanguinem eius, non habebitis vitam in vobis »; voir aussi HIPPOLYTE,
Trad. apost., III, 5; ORIGÈNE, *Contra Celsum*, 3, 51; *Didasc. apost.*, VI s. (comp.
Const. apost., II, 16 ss.); J. H. SRAWLEY, *The Early History of the Liturgy*,
Cambridge, 1947, p. 191.

ὡς Ἀνδρέου καὶ Ἰωάννου καὶ τῶν ἄλλων ἀποστόλων πράξεις· ὧν οὐδὲν
οὐδαμῶς ἐν συγγράμματι τῶν κατὰ τὰς διαδοχὰς ἐκκλησιαστικῶν τις
ἀνὴρ εἰς μνήμην ἀγαγεῖν ἠξίωσεν, πόρρω δέ που καὶ ὁ τῆς φράσεως
παρὰ τὸ ἦθος τὸ ἀποστολικὸν ἐναλλάττει χαρακτήρ, ἥ τε γνώμη καὶ ἡ
τῶν ἐν αὐτοῖς φερομένων προαίρεσις πλεῖστον ὅσον τῆς ἀληθοῦς ὀρθο-
δοξίας ἀπάδουσα, ὅτι δὴ αἱρετικῶν ἀνδρῶν ἀναπλάσματα τυγχάνει,
σαφῶς παρίστησιν· ὅθεν οὐδ'ἐν νόθοις αὐτὰ κατατακτέον, ἀλλ'ὡς ἄτοπα
πάντη καὶ δυσσεβῆ παραιτητέον.

1. Notons d'abord que la traduction de Rufin (*in loc.*; Schwartz,
253) passe du pluriel, τῶν ἀποστόλων αἱ λεγόμεναι Διδαχαί, au
singulier, « Doctrina quae dicitur apostolorum ». On pouvait s'y
attendre. Le même parti de facilité avait d'ailleurs été pris auparavant par la version syriaque. Le singulier se retrouve dans les
deux manuscrits connus de cette version, dont l'un est daté de
462 A. D., et dont l'autre est assigné au VIe siècle pour des raisons
paléographiques. Il est d'autant plus curieux d'observer alors que
le traducteur arménien (avant 430, d'après Merx), qui se basait
sur un manuscrit syriaque sensiblement antérieur au plus ancien
que nous possédions, nous offre le pluriel au lieu du singulier,
supposant ainsi le διδαχαί du grec, que cependant il ignorait.
Est-ce la transmission syriaque qui, en perdant contact avec l'original, a été de bonne heure altérée? Peut-être. Mais il se peut aussi
que le témoignage de la version arménienne n'ait pas ici beaucoup
de valeur. Il suffit de consulter les variantes recueillies par Merx
pour se rendre compte que la version est particulièrement flottante sur la distinction du singulier et du pluriel. Ainsi, par exemple,
l'*Épître* de Barnabé est-elle désignée au pluriel, dans le passage
même qui nous occupe (1).

2. Il faut avouer ensuite que la division d'Eusèbe est, à première
vue, plutôt indécise. S'agit-il de trois ou de quatre catégories?
La distribution en trois classes peut fort bien être défendue (2).

(1) Cf. W. WRIGHT et N. McLEAN, *The Ecclesiastical History of Eusebius in
Syriac, with a collation of the ancient Armenian version by A. Merx*, Cambridge,
1898, pp. v et 155. Jusqu'à ce qu'un manuscrit nous assure de son existence, il
faut résister à la tentation de supposer une version arménienne de la *Didachè*,
connue du traducteur de l'*Hist. eccl.*, à qui elle eût permis de restituer le pluriel. Les quelques indices signalés par Conybeare, à propos d'un rituel des
Pauliciens d'Arménie, sont malheureusement beaucoup trop fuyants pour
apporter un appui sérieux à la conjecture (voir F. C. CONYBEARE, *The Key of
Truth*, Oxford, 1898, pp. XII S., LXXVII, LXXXIII, CLXIII, CLXXXI SS.).
(2) Cf. B. F. WESTCOTT, *On the Canon of the New Testament*, Londres, 7 éd.,
1896, pp. 428 ss. Voir, en sens contraire, M.-J. LAGRANGE, *Histoire ancienne
du Canon du Nouveau Testament (Études bibliques)*, Paris, 1933, pp. 106-107;
pour le cas spécial de la *Didachè*, voir HARNACK, *Die Lehre*, pp. 5-8.

Je l'admets ici. La première classe, celle des écrits homologués, c'est-à-dire universellement reçus comme sacrés dans l'usage des églises, n'entre pas dans notre considération. Il en est de même de la troisième, celle des écrits d'origine et de caractère hérétiques, que toute l'église rejette. Nous restons avec la classe litigieuse, celle des écrits qu'Eusèbe appelle, tantôt contestés (ἀντιλεγόμενα), en se plaçant au point de vue du fait, et tantôt adultérés (νόθα), en se plaçant au point de vue du droit. Il est clair, en effet, que si un certain nombre d'ἐκκλησιαστικοί rejettent des écrits comme l'épître de Jacques, celle de Jude, etc., ils le font au nom d'un certain principe engagé dans les faits. Ils pensent effectivement reconnaître, dans ces écrits, un vice originel : leur provenance apostolique n'est pas à leurs yeux absolument sûre. De là la double dénomination : contestés-adultérés. Sur quelles raisons précises, d'autre part, les doutes s'appuyaient-ils, Eusèbe n'en souffle mot. Nous sommes sur ce point laissés dans l'ignorance.

Quant à la *Didachè*, elle est rangée parmi les adultérés, et donc, aussi bien, parmi les contestés. Elle partage de façon plus immédiate le sort des *Actes de Paul*, du *Pasteur* d'Hermas, de l'*Apocalypse de Pierre*, de l'*Épître* de Barnabé, et, auprès de quelques-uns à tout le moins, de l'*Apocalypse* de Jean, sans parler de l'*Évangile selon les Hébreux*, mis lui aussi par quelques-uns au nombre des adultérés. Mais, au delà de ceux-ci, en remontant, semble-t-il, vers une situation un peu plus privilégiée, elle rejoint l'épître de Jacques, celle de Jude, la seconde de Pierre, la deuxième et la troisième de Jean.

D'après la classification d'Eusèbe, la *Didachè* était donc, au début du ive siècle, un écrit connu du plus grand nombre, tenu cependant en dehors du recueil officiel. On constatait son attribution aux apôtres : de là, semble-t-il, l'expresse réserve sous laquelle Eusèbe nous donne son titre, τῶν ἀποστόλων αἱ λεγόμεναι Διδαχαί, et de là également sa place parmi les adultérés. Sur quoi le doute s'appuyait-il? Il eût été du plus grand intérêt pour nous de l'apprendre, s'il s'agissait par hasard de solides critères externes. Mais de nouveau le silence d'Eusèbe nous abandonne à nos propres moyens.

3. SAINT ATHANASE (367 A. D.).

Lettres festales, 39; Zahn, *Geschichte des neutestamentlichen Kanons*, II, 1, pp. 211 s.; *PG*, 26, 1437-1440.

Τὰ δὲ τῆς καινῆς (διαθήκης) πάλιν οὐκ ὀκνητέον εἰπεῖν· ἔστι γὰρ ταῦτα· Εὐαγγέλια κτλ. Εἶτα καὶ μετὰ ταῦτα Πράξεις ἀποστόλων καὶ

Ἐπιστολαὶ καθολικαὶ καλούμεναι τῶν ἀποστόλων ἑπτὰ οὕτως· Ἰακώ-
βου μὲν μία κτλ. — Ταῦτα πηγαὶ τοῦ σωτηρίου, ὥστε τὸν διψῶντα
ἐμφορεῖσθαι τῶν ἐν τούτοις λογίων· ἐν τούτοις μόνοις τὸ τῆς εὐσεβείας
διδασκαλεῖον εὐαγγελίζεται. μηδεὶς τούτοις ἐπιβαλλέτω μηδὲ τούτων
ἀφαιρείσθω τι. περὶ δὲ τούτων ὁ κύριος Σαδδουκαίους μὲν ἐδυσώπει
λέγων « πλανᾶσθε μὴ εἰδότες τὰς γραφάς », τοῖς δὲ Ἰουδαίοις παρήνει
« ἐρευνᾶτε τὰς γραφάς, ὅτι αὐταί εἰσιν αἱ μαρτυροῦσαι περὶ ἐμοῦ ». —
Ἀλλ'ἕνεκά γε πλείονος ἀκριβείας προστίθημι καὶ τοῦτο, γράφων ἀναγκαίως ὡς ὅτι ἐστὶ καὶ ἕτερα βιβλία τούτων ἔξωθεν, οὐ κανονιζόμενα
μέν, τετυπωμένα δὲ παρὰ τῶν πατέρων ἀναγινώσκεσθαι τοῖς ἄρτι
προσερχομένοις καὶ βουλομένοις κατηχεῖσθαι τὸν τῆς εὐσεβείας λόγον·
Σοφία Σολομῶντος καὶ Σοφία Σιρὰχ καὶ Ἐσθὴρ καὶ Ἰουδὶθ καὶ Τωβίας
καὶ Διδαχὴ καλουμένη τῶν ἀποστόλων καὶ ὁ Ποιμήν. Καὶ ὅμως, ἀγαπη-
τοί, κἀκείνων κανονιζομένων καὶ τούτων ἀναγινωσκομένων, οὐδαμοῦ
τῶν ἀποκρύφων μνήμη, ἀλλὰ αἱρετικῶν ἐστιν ἐπίνοια, γραφόντων μὲν
ὅτε θέλουσιν αὐτά, χαριζομένων δὲ καὶ προστιθέντων αὐτοῖς χρόνους,
ἵνα ὡς παλαιὰ προσφέροντες πρόφασιν ἔχωσιν ἀπατᾶν ἐκ τούτου τοὺς
ἀκεραίους.

1. Le titre est ici au singulier (διδαχή), mais il n'y a pas de
doute qu'il s'agisse de l'écrit déjà mentionné par Eusèbe. D'autant
que si l'on était d'accord sur l'authenticité athanasienne du *De
Virginitate*, il serait clair alors que l'auteur en avait une connaissance directe (1). Mais ce point, qui seul nous intéresse ici, est déjà
plus que probable par ailleurs. Car on n'imagine pas que s. Athanase, dans une circonstance qu'il jugeait si grave pour son église,
ait approuvé solennellement, pour l'instruction des catéchumènes,
un écrit dont il n'avait pas lui-même une connaissance sérieuse.
Au surplus, la transition qui introduit le passage où la *Didachè*
est nommée, implique d'une façon générale que tout y est mûrement
pesé et réfléchi : « Mais, pour plus d'exactitude, j'ajoute encore
ceci, qu'il est nécessaire d'écrire, etc. ».

2. La situation ecclésiastique de la *Didachè* est ici beaucoup plus
nette qu'elle ne l'était chez Eusèbe. Comme chez ce dernier, elle
est tenue en dehors (ἔξωθεν) du groupe des écrits canoniques
(lit., « canonisés »). Ce que nous apprenons, c'est qu'elle entre dans
un nouveau groupe, où elle se trouve de toutes manières en excellente compagnie, entre la *Sagesse*, l'*Ecclésiastique*, *Esther*, *Judith*

---

(1) Cf. O. BARDENHEWER, *Gesch. der altchristl. Lit.*, III, p. 66; A. PUECH,
Hist. de la litt. gr. chrét., III, pp. 116 ss.; B. ALTANER, *Patrologie*, 2 éd., 1950,
p. 234.

et *Tobie*, d'une part, et le *Pasteur* d'Hermas, d'autre part. Tous ces ouvrages, dit s. Athanase, ont été édités autrefois par les Pères, « pour être lus à ceux qui viennent maintenant à nous, et veulent être instruits de la doctrine de piété » (1). C'est assez reconnaître qu'ils sont bons en eux-mêmes, et que les raisons qui les font écarter de la liste des écrits régulateurs ne viennent pas de la qualité douteuse de leur contenu. Dans la pensée de s. Athanase, c'est plutôt la tradition qui le veut ainsi.

3. Sous la formule, διδαχὴ καλουμένη τῶν ἀποστόλων, on sent moins que chez Eusèbe, il me semble, la pointe dubitative tournée vers l'origine apostolique. Les sept épîtres catholiques, parmi les écrits « canonisés », sont présentées dans les mêmes termes : ἐπιστολαὶ καθολικαὶ καλούμεναι τ. ἀ. Non pas évidemment que s. Athanase ait dû admettre, dans le même sens, l'origine apostolique de la *Didachè*; seulement, il pouvait interpréter le titre de celle-ci dans un sens large, et cela à la rigueur suffisait à mettre son contenu à l'abri de tout soupçon.

4. La *Didachè*, aux yeux du patriarche d'Alexandrie, n'avait donc rien d'un apocryphe, dans le sens où lui-même prend l'expression : produit fabriqué au gré de l'imagination des hérétiques, antidaté pour être présenté comme ancien et servir de prétexte à tromper les simples (2).

---

(1) Comp. AUGUSTIN, *De praedest. sanctorum*, 27 (*PL*, 44, 980) : « Quae cum ita sint, non debuit repudiari sententia libri Sapientiae, qui meruit in Ecclesia Christi de gradu lectorum Ecclesiae Christi tam longa annositate recitari, et ab omnibus Christianis, ab episcopis usque ad extremos laicos fideles, poenitentes, catechumenos, cum veneratione divinae auctoritatis audiri. »

(2) On apporte d'ordinaire, après le témoignage de s. Athanase, celui de Rufin. Mais son texte n'est pas sûr au point crucial : « Sciendum tamen est, quod et alii libri sunt, qui non canonici, sed ecclesiastici a maioribus appellati sunt, ut est Sapientia Salomonis, etc.; in novo testamento libellus, qui dicitur Pastoris sive Hermae, et is, qui appellatur duae viae, vel iudicium secundum Petrum, quae omnia legi quidem in ecclesiis voluerunt, non tamen proferri ad auctoritatem ex his fidei confirmandam » (*Comm. in Symb. Apost.*, 38; ZAHN, *Geschichte*, II, 1, p. 241 ss.; *PL*, 21, 347 s). D'après les listes antérieures d'Eusèbe et de s. Athanase, on attendrait, dans le voisinage du *Pasteur*, un titre comme *Doctrina apostolorum* (trad. de l'*Hist. eccl.*, III, 25, 4). Nous nous trouvons, au contraire, mis en présence d'un *Duae viae*, vel *Iudicium secundum Petrum*. Zahn adopte « secundum Petrum » plutôt que « Petri », qui semble avoir été la forme connue de s. Jérôme (*De viris ill.*, 1; *PL*, 23, 609). Mais l'une et l'autre leçon a ses difficultés. Un point plus important est celui de la signification à donner à « vel ». Zahn s'est décidé pour un sens conjonctif : *vel-et*. Ce n'est pas impossible en soi, mais, dans une liste comme celle de Rufin, où l'on cherche naturellement à éviter la confusion, ce n'est guère probable (Et ideo quae sunt novi ac veteris instrumenti volumina..., competens videtur in hoc loco evidenti numero, sicut ex patrum monumentis accepimus, designare; 36). J'adopte le sens alternatif, naturel en l'occurrence, suivant l'exemple tout proche du double titre du *Pasteur* : « libellus, qui dicitur Pastoris sive Hermae ». Mais qu'est-ce que ce *Duae viae*, qu'on appelle aussi, moins commu-

4. PSEUDO-ATHANASE (?) (*c. 500 A. D.*).

Synopsis Sacrae Scripturae, 76; ZAHN, *Geschichte*, II, 1, p. 317; *PG*, 28, 432.

Τῆς νέας πάλιν διαθήκης ἀντιλεγόμενα ταῦτα· Περίοδοι Πέτρου, Περίοδοι Ἰωάννου, Περίοδοι Θωμᾶ, εὐαγγέλιον κατὰ Θωμᾶ (*sic*), Διδαχὴ ἀποστόλων, Κλημέντια. ἐξ ὧν μετεφράσθησαν ἐκλεγέντα τὰ ἀληθέστερα καὶ θεόπνευστα. ταῦτα τὰ ἀναγινωσκόμενα. — Ταῦτα πάντα ἐξετέθησαν μὲν ὅσον πρὸς εἴδησιν, παραγεγραμμένα δέ εἰσι πάντως καὶ νόθα καὶ ἀπόβλητα, καὶ οὐδὲν τούτων, τῶν ἀποκρύφων μάλιστα, ἔγκριτον ἢ ἐπωφελές, ἐξαιρέτως τῆς νέας διαθήκης· ἀλλὰ πάντα δίχα τῶν ἀνωτέρω διαληφθέντων καὶ ἐγκριθέντων παρὰ τοῖς παλαιοῖς σοφοῖς καὶ πατράσιν, ἀποκρυφῆς μᾶλλον ἢ ἀναγνώσεως ὡς ἀληθῶς ἄξια, τά τε ἄλλα καὶ αὐτὰ τὰ καλούμενα ἐν αὐτοῖς εὐαγγέλια, ἐκτὸς τῶν παραδοθέντων ἡμῖν τεσσάρων τούτων.

1. D'après Zahn, cette *Synopse* du Pseudo-Athanase dépendrait directement de l'écrit du même nom du Pseudo-Chrysostome, de la *Lettre festale* 39 de s. Athanase, d'une liste canonique palestinienne aujourd'hui perdue (ve siècle), et vraisemblablement aussi de s. Épiphane (*De mens. et pond.*, 14-18; *PG*, 43, 259-268). Mais, en réalité, des quatre rapports que Zahn s'est efforcé d'établir, un seul — le premier — concerne la *Synopse* proprement dite. Les trois autres n'engagent que la matière additionnelle dans laquelle se trouve comprise la liste dont nous nous occupons. Il me semble assez évident, en effet, que les §§ 76-78 qui suivent le résumé de l'*Apocalypse*, ne sont qu'un remplissage de manuscrit, qui peut

nément, *Iudicium secundum Petrum (Petri)*? S'agit-il de notre *Didachè*? La question doit être remise. Elle sera considérée avec plus d'avantages lorsque nous disposerons d'une solution générale au problème littéraire. Quant à s. Augustin, il est impossible de croire qu'il ait réellement cité *Did.*, 1:6, περὶ τούτου δὲ εἴρηται· ἱδρωσάτω ἡ ἐλεημοσύνη σου εἰς τὰς χεῖράς σου, μέχρις ἂν γνῷς τίνι δῷς. Lorsque, après avoir rappelé *Lc.*, 6:30 : « omni petenti te da », il ajoute : « et in alio loco Scriptura dicit : Sudet eleemosyna in manu tua, quousque invenies justum, cui eam tradas » (*Enarr. in Ps.*, 146, 17; *PL*, 37, 1911; comp. 102, 12; *PL*, 37, 1326; 103, 3, 10; *PL*, 37, 1367), il donne clairement à entendre qu'il emprunte sa recommandation à l' « Écriture » elle-même. Qu'il n'y ait rien de tel dans le texte que nous lisons de l'Ancien Testament, n'exclut en aucune manière la possibilité que s. Augustin ne l'y ait effectivement trouvé au ve siècle. L'*Ecclésiastique*, en particulier, pour ne nommer que celui-ci parmi les sapientiaux, s'est prêté à un assez grand nombre de manipulations de toutes sortes, au cours de sa transmission, pour autoriser la conjecture (voir, pour notre cas, 12:1 ss.). Il est plus sûr de s'en remettre à la référence de s. Augustin lui-même que de supposer qu'il ait connu une version latine de la *Didachè* (en sens contraire, B. ALTANER, *Zum Problem der lateinischen Doctrina apostolorum*, dans *Vig. christ.*, VI (1952) 165 s.; voir ci-dessous le comm. sur 1:6).

être attribué à qui l'on voudra, mais qui n'a rien à voir avec l'auteur de la *Synopse*. Les notices sur les versions grecques de l'Ancien Testament (*Synopse*, 77), par exemple, que Zahn fait remonter sans plus au *De mens. et pond.* de s. Épiphane, se retrouvent textuellement en appendice à un certain nombre de manuscrits des Septante, dans plusieurs chaînes bibliques, chez Théodoret, Nicétas d'Héraclée, Euthyme Zigabène, Nicéphore Blemmyde, et encore ailleurs (1). Je les ai moi-même identifiées, grâce à une indication de mon ami H. de Riedmatten, sur un folio détaché d'un manuscrit (xie siècle?) et maintenant relié, avec des papiers de Patrick Young, dans le *Smith* 34 de la Bodleian à Oxford. Si l'on nous permet l'expression, les listes canoniques sont les « classiques » par excellence du remplissage des manuscrits bibliques : on ne peut s'étonner qu'une *Synopsis Sacrae Scripturae* en ait recueilli sa part.

2. La *Didachè* figure d'abord dans un groupe d'écrits contestés (ἀντιλεγόμενα), dont, si je comprends bien, on ne lit que des extraits convenablement retouchés. Mais la suite ne ruine-t-elle pas aussitôt cette demi-concession? Il n'y est plus question que d'adultérés (νόθα-παραγεγραμμένα), inutiles, plus dignes de l'obscurité que des honneurs de la lecture. On pourrait se préoccuper de ce petit problème, si les appendices de la *Synopse* étaient d'une composition moins artificielle et moins disparate. La condamnation globale représente bien plus, ici, l'érudition brouillonne et les lectures mal digérées du copiste qu'un usage réel de l'église. On ne saurait en aucune manière la mettre sur le même pied que le témoignage d'un document tel que la *Lettre festale* de s. Athanase.

5. *Liste des soixante livres canoniques* (c. 600 A. D.).

Zahn, *Geschichte*, II, 1, pp. 290-292.

Περὶ τῶν ξ′ βιβλίων καὶ ὅσα τούτων ἐκτός.
... καὶ ὅσα ἀπόκρυφα·
α′ Ἀδάμ κτλ.
ις′ Πέτρου ἀποκάλυψις
ιζ′ Περίοδοι καὶ διδαχαὶ τῶν ἀποστόλων
ιη′ Βαρνάβα ἐπιστολή
ιθ′ Παύλου πρᾶξις (?)
κ′ Παύλου ἀποκάλυψις

(1) Cf. G. Mercati, *Note di letteratura biblica e cristiana antica* (*Studi e testi*, 5), Rome, 1901, pp. 28 s.

κα′ Διδασκαλία Κλήμεντος
κϛ′ Ἰγνατίου διδασκαλία κτλ.

1. La *Didachè* se trouve de nouveau parmi de francs apocryphes, presque liée aux *Périodoi*. Quelle est la portée de ce fait? — Dans la liste, « apocryphe » signifie : « hors du catalogue des écrits sacrés ». Mais, au delà de cette notion toute négative, nous n'apercevons plus rien. Le jugement positif nous échappe. A-t-il suffi de la mention des apôtres dans le titre de la *Didachè* pour qu'elle aille aussitôt rejoindre les compositions frauduleuses qui cherchaient, sous de grands noms, à surprendre la bonne foi des humbles? Comment expliquer d'une autre manière l'accolement aux *Périodoi*? La nature et le sens véritable du petit écrit sont complètement perdus.

2. Le titre est au pluriel (διδαχαί), comme chez Eusèbe et le Pseudo-Cyprien. Il n'est cependant pas nécessaire d'en inférer, comme l'a fait Zahn, qu'il s'agit réellement de plusieurs écrits distincts réunis sous un titre commun (1). Ce peut être le cas des *Périodoi*, dont nous savons qu'il y avait un assez grand nombre, mais la *Didachè* ne doit assurément pas être expliquée d'après ce voisinage.

6. NICÉPHORE DE CONSTANTINOPLE († 829).

Stichométrie; Zahn, *Geschichte*, II, 1, pp. 297-301; *PG*, 100, 1060.

Καὶ ὅσαι εἰσὶ θεῖαι γραφαὶ ἐκκλησιαζόμεναι καὶ κεκανονισμέναι καὶ ἡ τούτων στιχομετρία οὕτως·
α′ Γένεσις στιχ. ͵δτ′, κτλ.
"Οσα τῆς νέας διαθήκης ἀπόκρυφα·
α′ Περίοδος Παύλου στιχ. ͵γχ′
β′ Περίοδος Πέτρου στιχ. ͵βψν′
γ′ Περίοδος Ἰωάννου στιχ. ͵βφ′
δ′ Περίοδος Θωμᾶ στιχ. ͵αχ′
ε′ Εὐαγγέλιον κατὰ Θωμᾶν στιχ. ͵ατ′
ζ′ Διδαχὴ ἀποστόλων στιχ. σ′

1. La *Stichométrie* doit à la tradition manuscrite son attribution à Nicéphore. On la trouve, en effet, dans un certain nombre de mss., attachée en appendice à la *Chronographie* de cet écrivain (2). Elle aurait revêtu sa forme actuelle à Jérusalem, vers 850, mais elle

---

(1) Th. Zahn, *Die « Lehre der zwölf Apostel »*, dans *Forschungen*, III, pp. 284 s.
(2) Cf. K. Krumbacher, *Geschichte der byzantinischen Literatur (Handb. der klass. Altertums-Wiss.*, 9, 1), Munich, 2 éd., 1897, pp. 350 ss.

recueille à n'en pas douter beaucoup d'éléments empruntés à des listes antérieures. Il n'est donc pas nécessaire de supposer, de la part de son dernier auteur, une connaissance directe de tous les ouvrages énumérés. De fait, ces sortes de listes ont traversé, au cours de leur transmission, des milieux où les ouvrages qu'elles nommaient avaient, en partie au moins, depuis longtemps cessé d'être lus, s'amalgamant au petit bonheur les unes avec les autres lorsqu'il leur arrivait de se rencontrer.

2. La *Didachè* est comptée parmi les apocryphes. Mais que peut signifier cette qualification, lorsqu'elle s'applique à des écrits aussi divers que les *Périodoi* des apôtres, l'*Évangile de Thomas*, les *Épîtres* de Clément, d'Ignace et de Polycarpe, et le *Pasteur* d'Hermas? Le fait que, dans la liste, « apocryphe » se distingue de « pseudépigraphe » n'est pas très éclairant. On ne voit pas bien, en effet, pourquoi le *Livre d'Hénoch*, le *Testament* et l'*Assomption de Moïse*, etc., seraient appelés pseudépigraphes, lorsque les *Périodoi* des apôtres sont nommés apocryphes. Lightfoot adopte prudemment le sens large de « non-canonique », abstraction faite de toute question d'authenticité (1). Mais cette solution ne satisfait qu'à demi. Pourquoi frapper tous ensemble des écrits dont le seul tort commun serait de « n'être pas canoniques »? Nous restons plutôt avec l'impression que l'auteur, ou le compilateur de la liste, n'a pas vu très clair dans une partie des matériaux qu'il avait entre les mains. Le témoignage de la *Stichométrie*, de toutes manières, ne peut entrer sérieusement en ligne de compte pour apprécier le jugement de l'antiquité chrétienne sur la *Didachè*.

3. Le nombre de stiques est de 200, ce qui nous conduit à peine aux deux tiers de l'écrit (300 stiques environ). Savi en a conclu, après un calcul plus ingénieux que persuasif, que la *Stichométrie* ne voulait probablement parler que des six premiers chapitres (2). Mais, de fait, ceux-ci ne donnent que 130 stiques, en prenant pour mesure du stique 16 syllabes, 36 lettres, longueur moyenne dans la prose grecque (3). Les 70 stiques additionnels, en suivant le ms. de Constantinople, nous mèneraient plutôt jusqu'à 11:3, c'est-à-dire exactement au point où commencent les instructions relatives au ministère de la parole. On pourrait donc supposer que cette partie était omise par un certain nombre de mss. Mais il faudrait tenir

(1) J. B. LIGHTFOOT, *The Apostolic Fathers*, II, 1, p. 353.
(2) P. SAVI, La «*Dottrina dei dodici apostoli*» (*Studi e documenti di storia e diritto*, 13), Rome, 1892, pp. 241-243.
(3) Cf. E. M. THOMPSON, *An Introduction to Greek and Latin Palaeography*, pp. 67 ss.

compte alors des observations de Zahn, qui a montré que les estimés de la *Stichométrie* étaient souvent sujets à caution, et quelquefois franchement erronés (1).

7. JEAN ZONARAS († *c.* 1120 A. D.).

Comm. ad Athan. epist. pasch. 39; RHALLIS-POTLIS, *Syntagma*, IV, 80 s.; *PG*, 138, 564.

Ἔστι καὶ ἕτερα βιβλία τούτων ἔξωθεν, οὐ κονονιζόμενα μὲν, ἀναγινωσκόμενα δὲ, ἅτινα λέγει εἶναι τὴν Σοφίαν Σολομῶντος, καὶ τὴν Σοφίαν Σιρὰχ, Ἐσθὴρ, Ἰουδὴθ, καὶ Τωβίτ· καὶ Διδαχὴν καλουμένην τῶν ἀποστόλων, καὶ Ποιμένα. Τὴν Διδαχὴν δὲ τῶν ἀποστόλων τινὲς λέγουσιν εἶναι τὰς διὰ τοῦ Κλήμεντος συγγραφείσας τῶν ἀποστόλων Διατάξεις, ἃς ἡ λεγομένη ἕκτη σύνοδος ἀναγινώσκεσθαι οὐ συγχωρεῖ, ὡς νοθευθείσας καὶ παραφθαρείσας ὑπὸ αἱρετικῶν.

Ce témoignage provient d'un milieu où, de toute évidence, on n'a plus de la *Didachè* qu'une connaissance indirecte. On ne sait plus trop si elle se distingue des *Const. apost.* Ce que l'attestation a de valable répète simplement la *Lettre festale* de s. Athanase (2).

---

(1) Th. ZAHN, *Geschichte*, II, 1, pp. 403-404.

(2) Même confusion et même information tout entière de seconde main chez Blastarès (xivᵉ siècle) : τὴν Διδαχὴν τῶν ἁγίων ἀποστόλων· ταύτην δὲ καὶ ἡ ἕκτη σύνοδος ἠθέτησεν (*Syntagma alphabeticum*, 11; RHALLIS-POTLIS, *Syntagma*, VI, 146; *PG*, 144, 1141). Il n'y a rien à tirer non plus de la mention que Nicéphore Calliste fait de la *Didachè* dans son *Hist. eccl.* (ii, 46; *PG*, 145, 888). L'auteur nous avertit lui-même, au début de son paragraphe, qu'il emprunte une partie de ses renseignements à Eusèbe (*Hist. eccl.*, iii, 25). Rien n'indique, d'autre part, qu'il ait une connaissance personnelle de la *Didachè* en particulier. Voici néanmoins le texte : ἐν νόθοις καὶ ἡ Βαρνάβα φερομένη ἐπιστολή, καὶ αἱ λεγόμεναι τῶν ἀποστόλων διδαχαί.

CHAPITRE QUATRIÈME

LE TITRE

Un écrit peut toujours à la rigueur se comprendre indépendamment de son titre. Un bon nombre de ceux qui nous sont familiers n'en ont pas eu originellement. La remarque est surtout vraie sans doute des ouvrages relevant d'un genre littéraire vivant dans le milieu auquel ils sont destinés. La situation change, en effet, dès qu'il s'agit d'ouvrages appartenant à des formes étrangères ou mortes. Si alors le titre comprend, comme il est naturel, une indication du genre littéraire dans lequel l'écrit a été coulé, il va de soi qu'on ne peut l'interpréter à la hâte, sans du même coup risquer d'assimiler l'écrit lui-même à un genre littéraire avec lequel il avait peut-être peu de chose à voir dans la pensée de son auteur.

En toute hypothèse, le titre de la *Didachè* indique un genre littéraire qui ne nous est plus familier, et nous savons aujourd'hui que le secret de ces choses depuis longtemps perdues ne se retrouve pas sans peine. Au moment de la découverte, on a rapproché le nouveau document d'autres écrits déjà connus, dont la belle époque a été le IIIe, le IVe et le Ve siècle. Un *Enseignement des douze apôtres*, ou un *Enseignement du Seigneur aux gentils par le ministère des douze apôtres*, n'est-ce pas l'exact équivalent, pour le genre littéraire, de la *Didascalie des apôtres : Didascalia (doctrina catholica) duodecim apostolorum et sanctorum discipulorum salvatoris nostri*? N'est-il pas loisible, aussi bien, de songer aux *Constitutions apostoliques* : Διαταγαὶ τῶν ἁγίων ἀποστόλων διὰ Κλήμεντος? — C'est, en réalité, toute la question, et elle est assurément trop grave, dans l'ensemble du problème littéraire, pour qu'il soit permis de la résoudre sur des ressemblances de première vue.

Déjà urgente et sérieuse en elle-même, la question du titre le devient encore bien davantage du fait de la récente histoire de l'interprétation. Il n'est pas exagéré de dire que Harnack a tiré tout l'essentiel de sa conception littéraire de la *Didachè* du titre même qu'il a accepté comme original, le titre long du *Hier.* 54. Considérée

dans son ensemble, non dans le cas particulier des relations de
Barnabé et de la *Didachè*, toute la construction de Robinson et de
ceux qui l'ont suivi repose en dernier lieu sur le même fondement :
le titre long annonce tout juste la « fiction apostolique » que l'analyse
nous révèle dans l'écrit lui-même ; il exprime clairement l'intention
de l'auteur et le genre littéraire dans lequel il a choisi de dire sa
pensée. Robinson et Harnack représentent les positions extrêmes,
celles qui ont fait sortir au principe toutes ses implications (1).
Tout le monde n'est pas allé aussi loin, mais, en général, on s'est
tenu dans la même voie (2).

C'était, cependant, une impasse, comme l'a bien montré l'expérience. Une grande partie des obstacles auxquels se sont heurtées
la question littéraire, d'une part, et l'interprétation du texte, d'autre
part, est venue d'une critique insuffisante du double titre donné
par le ms. de Bryennios. Il était, du reste, impossible d'échapper
aux conséquences de ce défaut initial. Dans le cas présent, le
problème de l'authenticité du titre engage indirectement tout le
problème ultérieur du genre littéraire. Une erreur sur l'un est déjà
le commencement d'une erreur sur l'autre. La question du titre
demande à être révisée complètement.

*
* *

Le mieux est sans doute de commencer par mettre les faits en
pleine lumière : ils parleront d'eux-mêmes. Nous suivons l'ordre
chronologique.

1. *Circa* 300 A.D. — Pseudo-Cyprien : *Doctrinae apostolorum*.
2. *Circa* 315-325 A.D. — Eusèbe : Διδαχαὶ τῶν ἀποστόλων
(Rufin : *Doctrina apostolorum*; de même le traducteur syriaque ;
la version arménienne, Διδαχαί?).
3. 367 A.D. — Saint Athanase : Διδαχὴ τῶν ἀποστόλων (3).

(1) Pour Harnack, voir ci-dessus, pp. 6-9, et pour Robinson, pp. 15-16;
aussi, *The Problem of the Didache*, dans *JTS*, XIII (1912) 339-356; *Barnabas,
Hermas and the Didache*, Londres, 1920, pp. 45-46.
(2) Je dois me contenter d'un petit nombre de références aux travaux plus
récents : R. KNOPF, *Die Lehre der zwölf Apostel*, pp. 3 s.; K. BIHLMEYER, *Die
apostolischen Väter*, p. XIII; B. H. STREETER, *The Primitive Church*, Londres,
1929, pp. 37 s.; J. MUILENBURG, *The Literary Relations of the Epistle of Barnabas
and the Teaching of the Twelve Apostles*, Marbourg, 1929, pp. 82 ss.; F. E. VO-
KES, *The Riddle of the Didache*, pp. 208, 214 s.; E. J. GOODSPEED, *A History of
Early Christian Literature*, Chicago, 1942, pp. 164 s.; J. A. KLEIST, *The Didache
(Ancient Christian Writers*, 6), Westminster (Maryland), 1948, pp. 3, 153 s.
(3) Il est malheureusement impossible d'utiliser ici avec sécurité le témoignage des *Constitutions apostoliques*. Quel(s) titre(s) le compilateur a-t-il eu(s)

4. *Circa* 500 A.D. — Pseudo-Athanase : Διδαχὴ ἀποστόλων.

5. *Circa* 600 A.D. — *Liste des* 60 *livres canoniques* : Διδαχαὶ τῶν ἀποστόλων.

6. *Circa* 850 A.D. — *Stichométrie* : Διδαχὴ ἀποστόλων.

7. 1056 A.D. — *Hier.* 54 : au-dessus du texte, et commençant par une minuscule, διδαχὴ τῶν δώδεκα ἀποστόλων; dans le texte, et commençant par une majuscule : Διδαχὴ κυρίου διὰ τῶν δώδεκα ἀποστόλων τοῖς ἔθνεσιν.

Plusieurs observations s'imposent de prime abord. Le témoignage du *Hier.* 54 vient en dernier lieu dans l'ordre chronologique. Il est accompagné, il est vrai, de la version géorgienne, qui doit être sensiblement antérieure au xie siècle. Mais la version peut être difficilement regardée comme un témoin indépendant : elle ne fait qu'unir sa voix à celle de *H*, au nom d'un courant de tradition commun. D'autre part, l'unique témoignage manuscrit que nous ayons, est celui de *H*, toujours accompagné de la version géorgienne, qui amplifie, ou qui traduit librement, à son habitude, mais qui ne suppose pas d'autres titres que ceux de *H* lui-même : « Lehre der zwölf Apostel, geschrieben im Jahre 90 oder 100 nach dem Herrn Christus : Lehre des Herrn, die durch die zwölf Apostel der Menscheit gelehrt worden ist. » On remarquera, en outre, que les deux attestations les plus anciennes, celles du Pseudo-Cyprien et d'Eusèbe, portent le pluriel : *Doctrinae* — Διδαχαί. Il faut leur adjoindre la mention de la *Liste des* 60 *livres can.*, qui peut être aussi tardive que le viie siècle, mais qui repose sans doute sur des listes antérieures. Comme il n'apparaît pas que la *Liste* soit, en général, sous l'influence d'Eusèbe, elle constitue, pour le titre pluriel, un troisième témoin indépendant. La première mention du titre singulier est donc celle de s. Athanase, suivie d'abord de celle de Rufin (trad. d'Eusèbe), puis de celle du Pseudo-Athanase, et enfin de celle de la *Stichométrie*. Il est difficile de s'assurer si la mention du Pseudo-Athanase (?) n'est pas, sur le point qui nous intéresse, une simple répétition de l'une de ses sources indirectes, la *Lettre festale* 39 de s. Athanase lui-même (1). Mais Rufin et la *Stichométrie*, de toutes

sous les yeux? Rien de reconnaissable n'en transparaît dans le remaniement à l'endroit où l'on en attendrait quelque vestige (vii, 1, 1-3). Rendel Harris a attiré l'attention sur vii, 28, 2 : ἐὰν δὲ ἄλλην διδαχὴν κηρύσσῃ παρ' ἣν ὑμῖν παρέδωκεν ὁ Χριστὸς δι' ἡμῶν (*The Teaching of the Apostles*, p. 97). L'allusion au titre long du *Hier.* 54 est probable, mais, en toute rigueur, elle peut aussi n'être qu'apparente. La formule se ressent de la phraséologie courante dans le reste des *Const. apost.* (cf. i, *Prol.*, ii, 6, 6; 20, 8; 21, 5; 26, 7; iii, 6, 2).

(1) Voir Zahn, *Geschichte*, II, 1, pp. 307 s.

manières, doivent être indépendants. Nous restons donc avec trois
(ou quatre) attestations valables pour le titre singulier, et avec
trois pour le titre pluriel. Le cas du traducteur syriaque de l'*Hist.
eccl.* d'Eusèbe est assimilable à celui de Rufin. Notons, enfin,
qu'en dehors de *H* et de la version géorgienne, aucune attestation
ne comprend la mention des Douze.

Avant d'entrer dans la discussion, cependant, il me semble utile
de produire encore un certain nombre de faits, qui, par le *Duae viae*,
concernent la *Didachè* de manière indirecte, et à qui, pour cette
raison, il était préférable de faire une place à part (1).

1. Le *Sangermanensis orient. syr.* 62, *olim* 38 (Paris, Biblioth.
Nat.) contient des extraits de l'*Octateuque syriaque* (fol. 90-102),
parmi lesquels se trouve (III) une recension courte des *Canons
ecclésiastiques* (1-14). P. de Lagarde a édité le texte de ces extraits
dans ses *Reliquiae iuris ecclesiastici antiquissimae syriace* (Leipzig,
1856). Dans la préface aux *Reliquiae iuris ecclesiastici antiquissimae
graece* (p. XVII), l'éditeur note, d'après le colophon du ms., que sa
recension des *Canons eccl.* était connue sous le titre : *Doctrina
postolorum (qua verba illa continentur, quae singuli apostoli
locuti sunt)* (2).

2. Trois autres mss. de l'*Octateuque* : *Cantabr.* O. o. 1, 2 (Cambridge,
Univ. Libr.), *Mosul.* (Mossoul, Biblioth. metropolitana syr. cath.)
et *Borg. syr.* 148 (Bibl. Vat.), *olim* Mus. Borg. *Elenc. sep.* 5 (Rome,
S. Congr. de Prop. Fide), offrent la variante : *Doctrina duodecim
apostolorum*, en omettant : *qua verba illa* etc. (3). Il est à noter que

---

(1) Schermann a esquissé un jour une « histoire » du titre des *Canons ecclésiastiques* (Th. SCHERMANN, *Eine Elfapostelmoral oder die X-Rezension der
«beiden Wege»*, Munich, 1903, pp. 18 ss.; voir aussi *Ein Weiherituale der römi-
schen Kirche am Schlusse des ersten Jahrhunderts*, Munich-Leipzig, 1913,
pp. 52 ss.). Le propos était ambitieux, trop sans doute pour les moyens dont
nous disposons. Il n'y a pas d'explication « généalogique » possible des titres
des *Canons ecclésiastiques*, parce que, tout simplement, le parallélisme a peut-être
plus d'importance dans leur genèse que la dépendance et la continuité. Il est
sans issue de postuler une unité originelle autre que ce fait négatif : un *Duae
viae* sans titre au sortir des mains de son auteur. À partir de ce point, dès l'origine, peut commencer la diversité, en ligne parallèle aussi bien qu'en ligne de
dépendance. Tout ne s'explique donc pas, et un certain nombre de faits doivent
demeurer en état de dispersion, ou ne recevoir que des explications partielles.
C'est assez dire que mon intention n'est pas de m'engager ici en quoi que ce soit
qui ressemble à une « histoire » des titres des *Canons ecclésiastiques*, ce qui
d'ailleurs nous ferait sortir de notre objet.
(2) Je mets entre parenthèses ce qui me paraît être une explication du
copiste. Le titre : *Doctrina apostolorum* ne figure pas dans le texte lui-même.
(3) Sur les deux premiers, cf. J. P. ARENDZEN, *An Entire Syriac Text of the
« Apostolic Church Order »*, dans *JTS*, III (1902) 74; I. E. RAHMANI, *Testamentum Domini Nostri Jesu Christi*, Mayence, 1899, p. x; sur le troisième, A. BAUMS-

la recension des *Can. eccl.*, dans ces trois derniers mss., n'est pas la recension courte de P. de Lagarde, can. 1-14 [= « *Recension*-X » de Schermann, d'après trois mss. : Vat. gr. *Ottob.* 408, *Paris. gr.* 1555A (Biblioth. Nat.) et *Napol.* ii C 34 (Bibliot. Naz.), auxquels vient se joindre le *Mosquensis* 125 (Biblioth. synodale, maintenant au Musée Historique)], mais la recension longue, can. 1-30, du *Vindebonensis hist. gr.* 7 (Nationalbibliothek) (1).

3. D'autre part, les deux mss. latins, *Mellicensis* Q. 52 = 914 (ixᵉ-xᵉ siècle, Benediktiner-Abtei) et *Monacensis lat.* 6264 (xiᵉ siècle, Bayerische Staatsbibliothek), donnent respectivement à leur *Duae viae* le titre de *Doctrina apostolorum* et *De doctrina apostolorum* (2).

Nous pouvons faire dès maintenant deux remarques sur ce dernier groupe d'attestations.

1. Un premier fait est d'abord certain : le titre de la *Didachè* a été transféré au moins une fois à un écrit apparenté, qui devait alors être le *Duae viae*, originellement sans titre (3), plutôt que les *Can. eccl.*, qui, en toute hypothèse, ont dû porter, déjà sous leur première forme distinctive, un titre quelconque. En outre, selon toutes vraisemblances, le transfert a dû s'opérer, non seulement avant la traduction du *Duae viae* (iiiᵉ siècle) (4) et des *Can. eccl.* en latin et en syriaque, mais avant même ce premier remaniement du *Duae viae* qui devait conduire, à travers deux recensions successives, à la formation des *Can. eccl.* (iiiᵉ siècle au plus tard). Autrement, l'idée même qui, dans toutes les recensions, donne leur forme littéraire distinctive aux *Can. eccl.*, devient inexplicable. Cette idée de la distribution des parties du *Duae viae* entre les douze apôtres ne pouvait absolument pas, en effet, être suggérée au remanieur par la teneur de l'enseignement qu'il avait sous les yeux dans le corps de l'écrit. Il faut donc qu'elle lui soit venue à l'esprit par un titre comme

TARK, *Die syrische Übersetzung der apostolischen Kirchenordnung*, dans Στρωμά-τιον ἀρχαιολογικόν, Rome, 1900, pp. 16 s.

(1) Pour plus de détails, voir Th. SCHERMANN, *Die allgemeine Kirchenordnung, frühchristliche Liturgien und kirchliche Überlieferung. I. Die allgemeine Kirchenordnung des zweiten Jahrhunderts*, Paderborn, 1914, pp. 1 ss.

(2) Cf. J. SCHLECHT, *Doctrina XII Apostolorum. Die Apostellehre in der Liturgie der katholischen Kirche*, Fribourg-en-Br., 1901, p. 16.

(3) Le fait ressort assez de la désignation ancienne de l'écrit par son *incipit* latin : *Duae viae* (Rufin, *Comm. in Symb. apost.*, 38), et de la façon dont Optat de Milève s'y réfère : « et in capitibus mandatorum » (*De schism. Donat.*, i, 21; *CSEL*, 26, 23; *PL*, 11, 926).

(4) Sur la date de la version latine du *Duae viae*, cf. L. WOHLEB, *Die lateinische Übersetzung der Didache* (*Stud. z. Gesch. und Kult. des Altertums*, VII, 1), Paderborn, 1913, pp. 83 ss. (pas plus tard que le iiiᵉ siècle); voir aussi B. ALTANER, *Zum Problem der lateinischen Doctrina apostolorum*, dans *Vig. christ.*, VI (1952) 167.

Doctrina apostolorum déjà transféré de la *Didachè* au *Duae viae;*
ce qui s'accorde au mieux avec le fait de l'existence d'une version
latine du *Duae viae* dès le iiiᵉ siècle, portant le titre de *Doctrina
apostolorum*, à côté du même écrit demeuré sans titre, ou affublé
du *Iudicium Petri* de Rufin et de Jérôme.

2. De plus, il est bien probable, d'après le *Duae viae* latin et ce
qui est peut-être la plus ancienne des deux recensions des *Can. eccl.*
traduites en syriaque, celle du *Sangermanensis* éditée par de Lagarde, que le titre transféré de la *Didachè* au *Duae viae* grec était
simplement : Διδαχὴ τῶν ἀποστόλων, sans mention des Douze.
On ne comprendrait pas autrement que les *Can. eccl.* en soient venus
à l'omettre (le *Sangermanensis* 62). S'ils ont l'Égypte pour patrie,
ils seraient donc sortis, comme il était naturel, d'un *Duae viae* qui
portait le titre de la *Didachè* tel qu'il est attesté, au ivᵉ siècle seulement, il est vrai, par s. Athanase.

Tels sont les faits. La question qu'ils posent, dans leur ensemble,
est celle de la valeur comparative de la transmission indirecte.

On peut d'abord raisonner sur une analogie tirée de l'histoire
textuelle du Nouveau Testament. La tendance générale a été d'amplifier les titres et les suscriptions, non pas de les diminuer (1).
Les titres les plus simples se trouvent donc dans les mss. les plus
anciens : *Vaticanus, Sinaiticus*, etc. Pour les *Actes*, par exemple,
le titre varie, dans les mss., entre Πράξεις τῶν ἀποστόλων *(S B D)*
et Πράξεις τῶν ἁγίων ἀποστόλων. Mais si la transmission n'avait
été surveillée, et si la tradition en conséquence ne s'était si tôt
affermie, il n'y a guère de doute qu'on eût dépassé les limites d'une
aussi modeste addition (ἁγίων). S. Cyrille de Jérusalem, donnant
la liste des livres reconnus comme inspirés, nomme ainsi les *Actes :*
Πράξεις τῶν δώδεκα ἀποστόλων (2). S. Jean Damascène, dans la
même occurrence, leur donne le titre suivant : Πράξεις τῶν ἁγίων
ἀποστόλων διὰ Λουκᾶ τοῦ εὐαγγελιστοῦ (3).

Mais précisément, si la tendance générale était à l'amplification
dans une transmission surveillée comme celle du Nouveau Testa-

---

(1) Voir F. H. A. Scrivener, *A Plain Introduction to the Criticism of the
N. T.*, Londres, 4 éd. (Miller), 1894, I, pp. 65 s.

(2) *Catéch.*, iv, 36; *PG*, 33, 500.

(3) *De Fide orthod.*, iv, 16; *PG*, 94, 1180. Une autre analogie, dans la transmission de l'anaphore syriaque des (douze) apôtres; cf. A. Raes, *Anaphora
syriaca Duodecim apostolorum prima*, dans *Anaphorae syriacae*, Rome, 1940,
I, 2, p. 208.

ment, la même tendance devait être beaucoup plus forte dans une transmission aussi libre que celle de la *Didachè*, l'écrit le plus galvaudé peut-être de toute l'antiquité chrétienne. *A priori*, on ne peut donc s'attendre qu'à une chose de la part d'un ms. de l'âge du *Hier*. 54 : à un développement des titres plus anciens que nous fait connaître la transmission indirecte.

D'autre part, il est sûr que le titre de la *Didachè* se trouvait de toutes manières bien mieux à l'abri des déformations dans la transmission indirecte que dans la tradition manuscrite. Il était facile à n'importe quel copiste de la production commune, ayant devant soi un minuscule codex de la *Didachè*, d'ajouter à son titre dans la transcription : hausser habilement l'autorité de l'écrit ne pouvait que faire valoir la marchandise. La situation n'était plus la même, par exemple, devant l'*Hist. eccl.* d'Eusèbe : normalement, la transcription était surveillée, et, aussi bien, une modification n'avait-elle plus ici d'intérêt immédiat. Il n'est donc pas étonnant que le titre à la fois si simple et si original, Διδαχαὶ τῶν ἀποστόλων, ne semble pas y avoir subi d'altération. Seuls, Rufin et le traducteur syriaque, n'apercevant pas l'intérêt du pluriel, sont allés au plus facile en substituant le singulier. Mais tout s'est arrêté là, et Rufin était un traducteur, non un simple copiste, de même que l'inconnu qui a traduit l'*Hist. eccl.* en syriaque vers la fin du ive siècle.

Dans ces conditions, il faudrait que l'autorité du *Hier*. 54 fût irrécusable pour prévaloir sur la transmission indirecte. Mais, en réalité, elle est loin, en général, d'être aussi grande. C'est donc le témoignage de la transmission indirecte, plus ancienne et plus sûre en elle-même, qu'il convient de recevoir. Son poids ne peut être contrebalancé par *H* et la version géorgienne, qui demeurent seuls de leur côté, et nous parviennent, du point de vue du titre, dans des conditions défavorables.

La tradition indirecte elle-même n'est cependant pas absolument ferme : elle présente une variante, minime à première vue, mais en réalité importante. Le Pseudo-Cyprien, Eusèbe et la *Liste des 60 livres can.* donnent le pluriel (διδαχαί), tandis que le reste, avec s. Athanase, donne le singulier. Les premiers l'emportent pour l'ancienneté. Mais ce critère n'est sans doute pas décisif à lui seul. Rufin et le traducteur syriaque nous indiquent la solution : la tendance, qu'ils ont eux-mêmes suivie, était de passer du pluriel au singulier, mais non inversement. διδαχή était déjà en soi moins facile que διδασκαλία, nettement préféré pour les titres similaires, aussi loin qu'on peut remonter. Le pluriel, qui se justifiait encore de lui-même au sens péjoratif, pouvait, en outre, paraître impropre dans le sens où le terme semblait devoir être pris. Le singulier s'est donc naturellement introduit dans le titre, non sans dommage pour l'intelligence de l'écrit qu'il servait à désigner. Mais on ne peut douter que le titre primitif n'ait été le pluriel διδαχαί.

Cette conclusion est fortement appuyée, quoique de façon indirecte, par la version copte. A 11:2 (col. II, 22 s.) la version suppose : ἐὰν δὲ αὐτὸς ὁ διδάσκων στραφεὶς διδάσκῃ ὑμῖν ἄλλας διδαχάς, au lieu de ἄλλην διδαχήν du *Hier.* 54 et des *Const. apost.* Le pluriel, en cet endroit, c'est-à-dire, comme nous le verrons bientôt, dans la conclusion de l'écrit primitif, ne peut s'expliquer que par un titre également pluriel qui lui réponde au début. Même si nous n'avons plus qu'un fragment de la version copte, son allusion demeure, en effet, très claire. C'est le titre Διδαχαὶ τῶν ἀποστόλων qui a normalement amené en conclusion ἄλλας διδαχάς (1).

Parvenus à ce point, nous pouvons donc affirmer sans crainte que le titre pluriel, supposé par la version copte, donné explicitement par le Pseudo-Cyprien, Eusèbe et la *Liste des* 60 *livres can.*, non seulement prévaut sur le titre du ms. de Bryennios, Διδαχὴ τῶν δώδεκα ἀποστόλων, mais l'emporte en garanties de primitivité sur le titre singulier de s. Athanase et des témoins qui se rangent à ses côtés (2).

Resterait à savoir maintenant s'il est original. Sa simplicité et son naturel constituent déjà en eux-mêmes des signes excellents. Du point de vue interne, nous verrons que le titre Διδαχαὶ τῶν ἀποστόλων répond sans effort à tous les caractères distinctifs de l'écrit qu'il recouvre. Mais s'il fallait un argument décisif, on pourrait de nouveau le demander à la version copte. L'analyse de la composition littéraire montrera, en effet, de façon certaine, croyons-nous, que 11:1-2 a constitué la conclusion de la *Didachè* dans sa forme première. Mais si la leçon qui lui est propre en cet endroit (ἄλλας διδαχάς) suppose le titre pluriel, il est clair que celui-ci doit être de même âge et de même provenance que la conclusion elle-même. Nous ne voyons donc aucune raison de douter que Διδαχαὶ τῶν ἀποστόλων soit le titre original de l'écrit que nous avons pris l'habitude d'appeler *Didachè*.

(1) Voir ci-dessus la discussion de 11:2, pp. 70 s.
(2) Un cas en partie semblable, où le passage du pluriel au singulier peut être saisi sur le vif : le διάλεκτοι du colophon de l'*Entretien d'Origène avec Héraclide* est reporté au singulier en tête de l'écrit par un réviseur (cf. J. SCHÉRER, *Entretien d'Origène avec Héraclide*, (*Public. de la Soc. Fouad I de Pap.; Textes et documents*, 9), Le Caire, 1949, p. 4).

*
* *

Bryennios et Harnack, suivis par le plus grand nombre des éditeurs et interprètes, ont essayé d'expliquer le titre court du *Hier.* 54 en le supposant abrégé du titre long regardé comme original (1). Mais cette explication rencontre de graves difficultés.

Il est bien sûr, du point de vue paléographique, qu'un titre comme Διδαχὴ κυρίου διὰ τῶν δώδεκα ἀποστόλων τοῖς ἔθνεσιν, pouvait être abrégé comme titre courant, à répéter, par exemple, en haut des pages d'un ms., encore qu'il ne faille pas oublier que cet usage de la répétition des titres, qui fut toujours assez libre, s'imposait moins que partout ailleurs dans les petits formats de l'édition populaire à laquelle la *Didachè* était sans doute redevable de la plus grande part de sa diffusion. A supposer qu'on en eût le désir, ou qu'on en sentît le besoin, on ne pouvait, certes, reprendre tel quel indéfiniment le titre long. Mais, de fait, dans le *Hier.* 54, il ne s'agit pas d'un titre qu'on abrège pour la commodité dans la transcription, mais du titre même de l'écrit. Il est bien peu vraisemblable alors que le titre court soit le résultat d'une abréviation, puisque, dans ce cas, la tendance générale allait nettement en sens contraire. D'après les vraisemblances, c'est donc bien plutôt le titre long qui doit être soupçonné d'amplifier le titre plus court.

D'autre part, si l'on acceptait l'explication de Harnack, il faudrait s'y tenir, en premier lieu, pour rendre compte du fait que le titre emprunté par le *Duae viae*, à une date probablement aussi haute que la fin du IIe siècle, ait été, non pas le titre long, mais déjà le titre court, dépouillé au préalable de la précision δώδεκα. On n'y réussirait pas sans peine. Car, si la *Didachè* est du milieu du IIe siècle, comme l'a pensé Harnack (2), il faudra alors précipiter, sans raison spéciale, deux événements de la transmission : d'abord, l'abréviation du titre long (contre toute vraisemblance); puis, dans le nouveau titre abrégé, la suppression de δώδεκα. Autrement, on n'expliquera plus que le *Duae viae* latin, qui doit être du milieu du IIIe siècle, s'intitule simplement *Doctrina apostolorum*, et l'on comprendra encore moins qu'à sa suite, on rencontre régulièrement le titre le plus court, et celui-ci, non

---

(1) Bryennios, Διδαχή,, *Prolég.*, pp. 2 s.; Harnack, *Die Lehre*, pp. 30 s.
(2) Je ne parle pas de ceux qui seraient prêts à admettre une date aussi tardive que la fin du IIe ou le premier quart du IIIe siècle. Il va sans dire que la difficulté de l'explication augmente à mesure qu'on abaisse la date de la mise en circulation de l'écrit.

seulement au singulier, mais au pluriel, alors que la tendance portait normalement en sens contraire.

Au surplus, on voit mal comment l'abréviation ait pu être Διδαχὴ τῶν δώδεκα ἀποστόλων plutôt que Διδαχὴ κυρίου, qui devait pourtant paraître si naturel, et qui avait l'incontestable avantage de laisser l'écrit au niveau d'autorité où prétend l'élever le titre long. D'une manière générale, en effet, il est bien sûr que la transmission n'a pas cherché à rabaisser, mais à élever, souvent jusqu'à la pure invraisemblance, l'autorité des écrits qu'elle croyait avoir quelque chance de se rapprocher des écrits reçus dans le Nouveau Testament. De ce premier point de vue, la supposée abréviation est donc loin de se recommander elle-même. Elle se recommande si peu qu'elle nous invite plutôt à chercher en sens contraire l'explication des faits. Le plus vraisemblable, à s'en tenir aux tendances certaines de la transmission en pareil cas, c'est que le titre long développe le titre court pour hausser l'écrit à un niveau supérieur, non pas que le titre court abrège le titre long avec le résultat d'abaisser l'écrit à un niveau inférieur.

*
* *

Il faut, cependant, reconnaître que le *Hier.* 54, avec son double titre, présente un fait plutôt singulier. Il en est du moins ainsi pour nous. Mais notre impression n'est assurément pas celle du milieu dans lequel le fait s'est produit. Il faut bien, en effet, supposer, de toutes manières, que le double titre a d'abord paru naturel à quelqu'un, puisqu'il est impossible d'en appeler au hasard pour expliquer l'arrivée du titre long en cet endroit. Comment imaginer alors la façon dont les choses ont pu se passer ?

Mais d'abord s'agit-il bien de deux titres de l'écrit, rivaux l'un de l'autre, entre lesquels nous aurions à choisir ? Nous avons dû raisonner jusqu'ici, par hypothèse, comme si la chose allait de soi : un « titre long » et un « titre court ». Mais n'est-ce pas cette simplification même, toute de surface, qui a été ici le premier faux pas de la critique ? Une certaine sensibilité linguistique eût dû avertir, en premier lieu, que διδαχὴ κυρίου n'est pas la même chose que διδαχὴ τοῦ κυρίου. L'absence de l'article, si elle est ici due à une main chrétienne, est un archaïsme caractérisé : c'est le moins qu'on puisse dire (1). Mais cela ne ferait-il pas toute la différence du

_____

(1) Cf. *Affinités littéraires et doctrinales du « Manuel de discipline »*, dans *RB*, LX (1953) 45 ss.

monde si, par hasard, le κύριος, au lieu d'être Jésus, était le « Dieu »
auquel seul pouvait naturellement songer un auteur juif du *Duae
viae*? Or, il est d'ores et déjà extrêmement probable, sinon tout à
fait certain, que le *Duae viae* est, en réalité, un écrit juif (1). De
là à supposer que le « titre long », déchargé de son interpolation
chrétienne, probablement assez tardive : διὰ τῶν δώδεκα ἀποστόλων,
n'est qu'un titre recueilli par le *Duae viae* dans la transmission
juive originelle, il n'y a évidemment qu'un pas. Quelle difficulté
peut-on faire à ce que cette transmission ait de bonne heure pourvu
le *Duae viae* d'un titre comme Διδαχὴ κυρίου τοῖς ἔθνεσιν, alors
que nous savons, par Rufin et Jérôme, que la transmission chrétienne lui a bel et bien donné plus tard celui de *Iudicium Petri?*

Alors tout s'expliquerait sans peine du côté de la *Didachè*.
L'auteur aura fait le fond de son recueil avec une διδαχὴ κυρίου
τοῖς ἔθνεσιν, qu'il trouvait en circulation dans son milieu; il
y aura ajouté les instructions qu'il jugeait convenables aux communautés chrétiennes; il aura, enfin, coiffé son directoire du titre de
Διδαχαὶ τῶν ἀποστόλων. Dans ces conditions, le pluriel διδαχαί
était parfaitement naturel, sinon même nécessaire. On imagine
mal Διδαχὴ τῶν ἀποστόλων immédiatement suivi de Διδαχὴ κυρίου
τοῖς ἔθνεσιν. C'est l'un, ou l'autre? Le pluriel διδαχαί, au contraire,
met tout en ordre : il réfère, d'une part, le premier titre à l'ensemble
du recueil, et il accuse, d'autre part, sa propre distinction du titre
particulier de l'instruction morale. Aussi bien est-ce justement
parce que la transmission a cessé de voir l'intérêt du pluriel, et
lui a en conséquence substitué le singulier, que tout s'est embrouillé
par la suite. Διδαχὴ τῶν ἀποστόλων attirait trop la fausse précision
δώδεκα pour qu'elle n'y vienne pas un jour ou l'autre, et elle y est
venue (2). Mais Διδαχὴ κυρίου τοῖς ἔθνεσιν ne pouvait guère
tenir après Διδαχὴ τῶν (δώδεκα) ἀποστόλων. Les deux titres paraissaient vouloir tous deux couvrir l'ensemble de l'écrit. Un moyen
expéditif, dont toute la littérature canonique avait usé et abusé,
se présentait de lui-même pour réparer le dommage sans doute
commis par inadvertance : διά. On eut donc : Διδαχὴ τῶν δώδεκα
ἀποστόλων, suivi de Διδαχὴ κυρίου διὰ τῶν δώδεκα ἀποστόλων τοῖς
ἔθνεσιν. C'était lourd, médiocre de toutes manières, mais le
désaccord des titres était évité, ce qui paraissait l'essentiel. Le

---

(1) *Art. cité*, LIX (1952) 237 s.; aussi, *infra*, pp. 131-161.
(2) C'était la pente naturelle, qu'a été tenté de suivre le titre des *Actes*
lui-même. Le *Canon de Muratori* porte déjà : *Actus omnium apostolorum* (34;
Lietzmann, dans *Kleine Texte*, 1, p. 6). J'ai cité plus haut s. Cyrille de Jérusalem : πράξεις τῶν δώδεκα ἀποστόλων (*Catéch.*, IV, 36; *PG*, 33, 500).

replâtrage avait cependant une conséquence fâcheuse qu'on n'apercevait pas. L'addition faite au titre de l'instruction morale ne permettait presque plus d'entendre κύριος dans son sens originel : un lecteur chrétien était désormais forcé de penser à Jésus. Seule l'absence de l'article restait maintenant pour témoigner contre les maladresses répétées dont les titres avaient été l'objet. C'est à ce point que la critique récente a trouvé les choses avec le manuscrit découvert par Bryennios. Il faut bien avouer que, dans l'ensemble, elle ne s'y est pas beaucoup mieux reconnue que les copistes des siècles passés.

*
* *

Ainsi, la conclusion demeure de tous côtés fermement établie, que le titre original de la *Didachè* doit être lu : Διδαχαὶ τῶν ἀποστόλων, sans aucune des déformations qui le rendent méconnaissable dans le *Hier.* 54. Διδαχὴ κυρίου τοῖς ἔθνεσιν, du même coup, n'est pas un second titre de la *Didachè*, mais le titre particulier de son instruction morale, le *Duae viae*.

Les conséquences positives et négatives de ce résultat sont considérables. Négativement, il révèle d'abord l'extrême fragilité de toutes les constructions littéraires qui ont demandé au « titre long » du *Hier.* 54 leur principale hypothèse de travail. C'est, en particulier, le cas de Robinson et de Harnack, avec tous ceux qui les ont suivis de près.

Harnack a pu résumer sa conception de la *Didachè* en ces termes : « Rédigé à l'intention des convertis de la gentilité, l'écrit est véritablement, comme le déclare son titre, un précis de l'enseignement reçu du Christ et donné à la communauté (ἐκκλησία) des chrétiens, sur tout ce qui regarde la vie chrétienne et ecclésiale, tel que, dans la pensée de l'auteur, les douze apôtres l'ont eux-mêmes prêché et transmis » (1). Mais tout cela repose en définitive sur cette première affirmation, dont il est maintenant superflu de démontrer la faiblesse : « Des deux titres, c'est naturellement (natürlich) le deuxième, le plus long, qui est le plus ancien » (*op. cit.*, p. 24). Robinson a pu à son tour regarder la *Didachè* comme une pure fiction apostolique : « (L'auteur), de propos délibéré, construit un monument apostolique : il décrit ce qu'il présume avoir été la discipline apostolique imposée aux églises des gentils » (2). Mais, de nouveau, cette

(1) *Die Lehre*, p. 30.
(2) J. A. Robinson, *Barnabas, Hermas and the Didache*, p. 82; voir aussi *The Problem of the Didache*, dans *JTS*, XIII (1912) 340; reproduit en appendice à l'ouvrage cité, p. 87.

hypothèse de travail, maintenant célèbre, ne s'appuie que sur le
« titre long » du ms. de Bryennios, accepté de confiance : « L'*Enseignement des apôtres* est l'œuvre d'un auteur qui a choisi de rester
anonyme. Le titre complet de son ouvrage nous dit la manière dont
il souhaite qu'il soit considéré : 'L'*Enseignement du Seigneur aux
gentils par le ministère des douze apôtres*'. Ce titre remarquable, il l'a
sans doute composé avec les derniers versets de l'évangile de
saint Matthieu sous les yeux » (*op. cit.*, p. 45). C'était faire beaucoup
d'honneur au ms., mais il n'en méritait certes pas autant. La
critique n'en a retiré que des méprises et des embarras. Aussi bien,
les interprètes qui, de notre point de vue, se sont le plus rapprochés
de la vérité, sont-ils ceux qui, pour une raison ou pour une autre, se
sont abstenus de pousser à la limite les implications du « titre
long » du *Hier.* 54.

   Mais l'intérêt de ces conséquences toutes négatives est de beaucoup dépassé, positivement, par les conséquences de la restitution
à la *Didachè* de son titre original. Ces conséquences ressortiront
peu à peu dans la suite. Il n'est donc pas nécessaire d'y insister pour
le moment.

   Il resterait, il est vrai, à donner un sens précis à ce titre original.
Mais, comme la détermination de ce sens engage la question du
genre littéraire, il est préférable de la renvoyer à la fin du chapitre
suivant, où elle trouvera une place naturelle.

CHAPITRE CINQUIÈME

LA COMPOSITION

La *Didachè* a été analysée jusqu'aux détails les plus infimes. Pouvons-nous dire, néanmoins, que la dissection ait réussi à pénétrer le secret qu'il nous importait le plus de connaître : celui que nous mettons ici sous le nom de composition, mais qui, au-delà de celle-ci, implique, en réalité, tout l'épineux et multiforme problème de l'auteur, de son intention, des circonstances dans lesquelles il a écrit et du genre littéraire dans lequel il a voulu s'exprimer?

Il est vrai qu'un certain nombre se déclarent satisfaits, en général, de l'explication proposée par Robinson, suivi de Muilenburg, de Connolly et de Vokes. Mais, quand on a sondé le fondement qui soutient leur hypothèse de travail, on ne peut s'empêcher de concevoir les plus sérieuses inquiétudes au sujet de l'explication qu'ils en ont tirée. Il est bien à craindre qu'elle ne résiste pas longtemps à l'examen. La position de Harnack n'est guère meilleure, puisqu'elle emprunte, elle aussi, sa principale hypothèse de travail au « titre long » du *Hier*. 54, la base la plus faible qui se pouvait choisir. Les positions moyennes occupées par la majorité des interprètes offrent un peu plus de sécurité, mais il faut bien reconnaître aussi qu'elles se sont défendues avec peine contre les récentes attaques des positions extrêmes de Robinson et de son groupe (1).

De fait, l'analyse de la composition de la *Didachè* s'est opérée dans des conditions défavorables. Le « double titre » du ms. de Bryennios, insuffisamment critiqué, indiquait d'abord une route sans issue. Puis, l'incidente interpolée de 7:1 (ταῦτα πάντα προειπόντες βαπτίσατε) venait augmenter, si possible, la confusion déjà créée par le titre, en faisant de l'instruction morale des six premiers chapitres une catéchèse baptismale. D'autre part, la

---

(1) Dans l'ensemble des travaux publiés jusqu'ici, je voudrais distinguer deux essais à qui je dois une contre-preuve utile : J. V. Bartlet(-Cadoux), *Church Life and Church Order during the First Four Centuries*, Oxford, 1943, pp. 53 s.; aussi p. 36; E. J. Goodspeed, *The Didache, Barnabas and the Doctrina*, dans *Angl. Theol. Rev.*, XXVII (1945) 228-247.

section évangélique, 1:3*b*-2:1, a tellement pris pour elle toute l'attention que personne ne s'est avisé que ses conditions particulières dans le chapitre était exactement celles de plusieurs autres sections en d'autres endroits. Enfin, nous allons voir immédiatement qu'un bon nombre d'observations importantes ont échappé à l'analyse, trop lancée dans le détail peut-être pour bien apercevoir les grandes lignes de la construction (1).

*
* *

Nous commencerons encore par mettre en avant les faits. Il suffit qu'ils soient rangés suivant l'ordre qu'ils indiquent euxmêmes, pour que l'obscurité recule avec une étonnante rapidité.

Nous observons, d'abord, qu'en certains passages de la *Didachè*, l'instruction est donnée à la deuxième personne du singulier (passages-tu, *sit venia verbo!*), alors que, dans le reste, elle est donnée à la deuxième personne du pluriel (passages-vous). Il suffit après cela de repérer les passages-tu; ils se présentent dans l'ordre suivant : 1:1-3*a*; 1:4-6; 2:1-4:10; 4:12-5:2*a*; 6:1-3; 7:2-4; 13:3, 5-7 (2).

Cependant, quelques-uns de ces passages doivent pour le moment être mis en réserve : ils constituent un cas spécial. Ainsi, je remets à un examen ultérieur : 1:1-3*a*; 2:2-4:10; 4:12-5:2*a*; 6:1. La raison de ce choix est assez évidente à qui a le texte sous les yeux. Les passages que nous réservons appartiennent tous, de façon certaine, au *Duae viae*, lequel se trouve, comme on sait, du point de vue des sources, dans une situation particulière. Mieux vaut faire passer en tête ce qui est de la situation normale et qui appartient en propre au Didachiste.

On pourrait dire alors que 1:4-6, que nous avons conservé, se trouve aussi dans une situation particulière à cause de ses relations avec les textes évangéliques apparentés. Mais, de fait, ces relations ne sont pas si étroites qu'elles excluent, ou mettent entièrement au compte d'autres causes, les caractères que nous relèverons dans des passages comme 6:2-3; 7:2-4; 13:3, 5-7.

(1) Il doit être entendu, ainsi, que mon propos n'est pas d'entrer dès maintenant dans les plus fines articulations de la structure littéraire de la *Didachè*. C'est la tâche propre du commentaire, qu'il convient de lui laisser. Il suffira à ce chapitre d'introduction d'avoir dégagé les grandes nervures de l'écrit.

(2) Il est bien probable, sinon tout à fait certain, que 13:4, qui passe brusquement au « vous » entre 13:3 et 13:5-7, est un élément intrusif postérieur. Pour des raisons qui apparaîtront peu à peu d'elles-mêmes, il est impossible toutefois d'anticiper ici la démonstration de ce point particulier (voir provisoirement le comm. *in loc.*).

Nous restons donc avec 1:4-6; 6:2-3; 7:2-4; 13:3, 5-7. Pour la commodité de la discussion, je mets les textes sous les yeux, et, afin que tout le monde soit à l'aise, d'après l'édition de Harnack (*Quinta minor*, 1906).

1:4-6

Ἀπέχου τῶν σαρκικῶν καὶ σωματικῶν ἐπιθυμιῶν. ἐάν τις σοι δῷ ῥάπισμα εἰς τὴν δεξιὰν σιαγόνα, στρέψον αὐτῷ καὶ τὴν ἄλλην, καὶ ἔσῃ τέλειος· ἐὰν ἀγγαρεύσῃ σέ τις μίλιον ἕν, ὕπαγε μετ'αὐτοῦ δύο· ἐὰν ἄρῃ τις τὸ ἱμάτιόν σου, δὸς αὐτῷ καὶ τὸν χιτῶνα· ἐὰν λάβῃ τις ἀπὸ σοῦ τὸ σόν, μὴ ἀπαίτει· οὐδὲ γὰρ δύνασαι. παντὶ τῷ αἰτοῦντί σε δίδου καὶ μὴ ἀπαίτει· πᾶσι γὰρ θέλει δίδοσθαι ὁ πατὴρ ἐκ τῶν ἰδίων χαρισμάτων. μακάριος ὁ διδοὺς κατὰ τὴν ἐντολήν· ἀθῷος γάρ ἐστιν. οὐαὶ τῷ λαμβάνοντι· εἰ μὲν γὰρ χρείαν ἔχων λαμβάνει τις, ἀθῷος ἔσται· ὁ δὲ μὴ χρείαν ἔχων δώσει δίκην, ἵνα τί ἔλαβε καὶ εἰς τί· ἐν συνοχῇ δὲ γενόμενος ἐξετασθήσεται περὶ ὧν ἔπραξε, καὶ οὐκ ἐξελεύσεται ἐκεῖθεν μέχρις οὗ ἀποδῷ τὸν ἔσχατον κοδράντην. ἀλλὰ καὶ περὶ τούτου δὴ εἴρηται· ἱδρωσάτω ἡ ἐλεημοσύνη σου εἰς τὰς χεῖράς σου, μέχρις ἂν γνῷς τίνι δῷς.

6:2-3

Εἰ μὲν γὰρ δύνασαι βαστάσαι ὅλον τὸν ζυγὸν τοῦ κυρίου, τέλειος ἔσῃ· εἰ δ'οὐ δύνασαι, ὃ δύνῃ τοῦτο ποίει. περὶ δὲ τῆς βρώσεως, ὃ δύνασαι βάστασον· ἀπὸ δὲ τοῦ εἰδωλοθύτου λίαν πρόσεχε· λατρεία γάρ ἐστι θεῶν νεκρῶν.

7:2-4

Ἐὰν δὲ μὴ ἔχῃς ὕδωρ ζῶν, εἰς ἄλλο ὕδωρ βάπτισον· εἰ δ'οὐ δύνασαι ἐν ψυχρῷ, ἐν θερμῷ· ἐὰν δὲ ἀμφότερα μὴ ἔχῃς, ἔκχεον εἰς τὴν κεφαλὴν τρὶς ὕδωρ εἰς ὄνομα πατρὸς καὶ υἱοῦ καὶ ἁγίου πνεύματος. πρὸ δὲ τοῦ βαπτίσματος προνηστευσάτω ὁ βαπτίζων καὶ ὁ βαπτιζόμενος καὶ εἴ τινες ἄλλοι δύνανται· κελεύσεις δὲ νηστεῦσαι τὸν βαπτιζόμενον πρὸ μιᾶς ἢ δύο.

13:3,5-7

Πᾶσαν οὖν ἀπαρχὴν γεννημάτων ληνοῦ καὶ ἅλωνος, βοῶν τε καὶ προβάτων λαβὼν δώσεις τὴν ἀπαρχὴν τοῖς προφήταις· αὐτοὶ γάρ εἰσιν οἱ ἀρχιερεῖς ὑμῶν... ἐὰν σιτίαν ποιῇς, τὴν ἀπαρχὴν λαβὼν δὸς κατὰ τὴν ἐντολήν. ὡσαύτως κεράμιον οἴνου ἢ ἐλαίου ἀνοίξας τὴν ἀπαρχὴν λαβὼν δὸς τοῖς προφήταις. ἀργυρίου δὲ καὶ ἱματισμοῦ καὶ παντὸς κτήματος λαβὼν τὴν ἀπαρχήν, ὡς ἄν σοι δόξῃ, δὸς κατὰ τὴν ἐντολήν.

Plusieurs observations peuvent être faites dès maintenant. Ces quatre passages-tu, pris à toutes les parties de la *Didachè*, ont en commun certains caractères nettement reconnaissables, par lesquels ils s'opposent aux passages-vous.

1. La formule d'appel à l'autorité divine, κατὰ τὴν ἐντολήν, revient trois fois (1:5; 13:5, 7), en contraste direct avec les formules parallèles des passages-vous : ὡς ἐκέλευσεν ὁ κύριος ἐν τῷ εὐαγγελίῳ αὐτοῦ (8:2); περὶ τούτου εἴρηκεν ὁ κύριος (9:5); κατὰ τὸ δόγμα τοῦ εὐαγγελίου (11:3); ὡς ἔχετε ἐν τῷ εὐαγγελίῳ (15:3); ὡς ἔχετε ἐν τῷ εὐαγγελίῳ τοῦ κυρίου ἡμῶν (15:4).

2. La formule baptismale dans le passage-tu (7:3) omet tous les articles de la même formule dans le passage-vous qui précède immédiatement (7:1) : εἰς (τὸ) ὄνομα (τοῦ) πατρὸς καὶ (τοῦ) υἱοῦ καὶ (τοῦ) ἁγίου πνεύματος.

3. Deux passages-tu au moins manifestent de façon évidente une idée spéciale de la perfection qui ne perce nulle part dans les passages-vous. Cette idée est marquée par la formule καὶ ἔσῃ τέλειος (1:4), τέλειος ἔσῃ (6:2). Elle semble implicite, au surplus, dans tout le passage 13:3, 5-7.

4. Les passages-tu ont, en général, une tournure « casuiste », qui contraste vivement avec la simplicité des passages-vous. Deux exemples précis : le passage-vous, 7:1, prévoit simplement l'usage de l'eau vive pour l'administration du baptême. Mais aussitôt suit le passage-tu, avec tout le détail des cas possibles : si tu n'as pas d'eau vive..., si tu ne peux baptiser dans l'eau froide..., si tu ne disposes ni de l'une ni de l'autre (en quantité suffisante), etc. De même, le passage-vous, 13:1-2, qui demande seulement, avec discrétion, de donner leur nourriture au prophète et au docteur, parce qu'ils la méritent, comme l'ouvrier mérite son salaire, est aussitôt suivi, dans le passage-tu (13:3, 5-7), de toutes les précisions désirables sur la redevance et le don des prémices. Il suffit de lire les autres passages pour se rendre pleinement compte que ce caractère les marque tous sans exception.

5. Les réglementations des passages-tu ont des attaches à la Loi sans parallèles dans les ordonnances des passages-vous. Ces attaches sont particulièrement visibles à 6:2-3 : « Si tu peux porter tout entier le joug du Seigneur (Loi comprise, d'après le sens ordinaire, le contexte immédiat et la direction générale des passages-tu), tu seras parfait; sinon, ce que tu peux, fais-le. Quant aux aliments, prends sur toi (le joug) selon ce que tu en peux porter, mais abstiens-toi absolument de viande offerte aux idoles, car c'est là un culte rendu à des dieux morts »; et à 13:3, 5-7, où la redevance des « prémices », « suivant le commandement », voudrait

être une précision apportée à la simple loi de justice, qui veut que
le travail soit en quelque façon rétribué (*supra*, n. 4). Ce nouveau
trait distinctif des passages-tu correspond, du reste, à ce que nous
avons observé sur les formules de référence à l'autorité divine
(*supra*, n. 1).

6. Une analyse minutieuse pourrait sans doute faire ressortir
quelques particularités stylistiques des passages-tu, en les oppo-
sant une fois de plus aux passages-vous. Mais il n'est pas nécessaire
d'entrer dans ces détails, en eux-mêmes plus difficiles à apprécier,
après tout ce qui vient d'être noté par ailleurs.

L'ensemble des observations qui précèdent nous conduit ainsi
à une première conclusion. Comme il est impossible d'expliquer
par les seuls hasards de la rédaction la totalité des caractères distinctifs des passages-tu, il suit qu'il faut absolument attribuer à tous
ceux-ci une origine commune, distincte en quelque manière de celle
des passages-vous au milieu desquels ils sont dispersés.

Si cette conclusion avait maintenant besoin d'être confirmée,
on pourrait encore observer que les passages-tu ont toutes les
apparences d'additions faites après coup. Ainsi, 2:1 n'est qu'une
cheville de raccordement. De même, 6:2-3, 7:2-4 et 13:3, 5-7, par
cela seul qu'ils introduisent, de façon si abrupte et sans raison spéciale, des ordonnances à la deuxième personne du singulier, alors que
tout autour, dans le contexte, les ordonnances sont uniformément
à la deuxième personne du pluriel, portent sur leur visage même
la marque de leur origine étrangère.

Trois remarques sont cependant requises sur quelques particularités des faits observés jusqu'ici.

1. Tout le *Duae viae* (1:1-3a; 2:2-5:2a; 6:1), sauf deux brèves
exceptions (4:8, 11 et 5:2b), est donné lui aussi à la deuxième personne du singulier. Au premier regard, nous avons donc pu ainsi
le compter, sans distinction, parmi les passages-tu. Mais, de fait,
le *Duae viae* n'édicte pas des ordonnances proprement dites pour
le bien de la communauté elle-même : jusqu'à ce que de nouvelles
précisions puissent être apportées, on reconnaîtra plutôt qu'il
adresse une simple exhortation morale à un auditeur à demi fictif,
suivant l'habitude chère aux « sages » d'Israël (1). D'autre part,
sauf peut-être certaines attaches au judaïsme, il ne présente aucun
des caractères distinctifs des autres passages-tu. Il a ses caractères
propres, et, de ce point de vue, sa situation dans la *Didachè* n'est

_____

(1) Sur cet usage littéraire, voir ci-dessous le comm. sur 3:1.

pas différente de celle du *Pater*, 8:2, et des « prières eucharistiques »,
9-10. Ainsi, il n'y a aucune raison de lui assigner la même origine
qu'aux autres passages-tu. Cette question d'origine peut donc ici
être définitivement renvoyée au chapitre spécial consacré aux
sources.

2. Le principe d'analyse, passages-tu et passages-vous, nous
a amené à laisser en dehors de la considération le début de la section dite évangélique, 1:3*b*. C'est, pour la forme grammaticale,
un passage-vous. Mais ce trait, réduit à ces proportions, peut lui
être accidentel. Sans préjuger en rien des rapports de ce texte à
nos évangiles, il n'y a pas grande difficulté à reconnaître que le
« vous » y a une origine propre, indépendante des habitudes littéraires du rédacteur des autres passages-tu.

Le même principe d'analyse, en revanche, nous a permis de
faire entrer dans l'examen des faits la suite de la section évangélique, 1:4-6. Il y avait là, cependant, une légère imprécision, sans
conséquences, à vrai dire, mais qu'il n'est pas inutile de relever,
pour que toutes choses soient bien au clair. Le passage a été compté
parmi les passages-tu. Il en a effectivement les principaux caractères. Il n'y a donc guère de doute que sa situation dans la *Didachè*
soit, dans l'ensemble, celle des autres passages-tu. Néanmoins, il
faut reconnaître, comme nous l'avons fait pour le début de la section (1:3*b*), que le « tu » doit y avoir, pour une part (1:4-5*a*), une
origine propre et indépendante, et ainsi, accidentelle au point de
vue où nous nous sommes placés dans l'analyse.

La question se pose donc avec netteté : faut-il attribuer toute
la section 1:3*b*-2:1 au responsable des autres passages-tu? C'est,
je crois, le plus probable. Cette conclusion peut s'appuyer, d'abord,
sur une vraisemblance de première vue. La main qui a introduit
les autres additions pouvait contenir aussi bien toute la section
évangélique. Il n'y a pas, d'autre part, de raison positive de lui
en retirer quoi que ce soit. Il est vrai que la transition du pluriel
(1:3*b*) au singulier (1:4-6) est abrupte, mais nulle part cette forme
littéraire un peu choquante pour nos goûts n'a fait reculer l'auteur
des passages-tu. Au surplus, l'alternance du pluriel et du singulier
était déjà dans la tradition évangélique elle-même (cf. *Mt.* 5:43 ss.
et *Lc.*, 6:27-28; 32-36, pour le pluriel; *Mt.*, 5:38-42 et *Lc.*, 6:29-30,
pour le singulier). Enfin, autant qu'on peut savoir, il n'est pas
dans la façon de l'auteur des passages-vous d'introduire des
corps étrangers dans les pièces, déjà composées et complètes
par elles-mêmes, qu'il fait entrer dans son recueil. Ainsi en est-il

en particulier, à ce qu'il semble, du *Duae viae* et des « prières eucharistiques ». Jusqu'à preuve du contraire, nous admettrons donc comme suffisamment établi que toute la section, 1:3*b*-2:1, partage non seulement les caractères, mais l'origine des autres passages-tu de la *Didachè*. Tous ces passages, sauf nuances occasionnelles, doivent en conséquence recevoir une explication commune.

* *

Mais nous ne sommes pas au bout de nos surprises. Une nouvelle série de faits, recueillis sur une deuxième ligne d'observation, achèvera de nous mettre sous les yeux l'essentiel à tout le moins de ce qu'il nous importe de savoir, pour le moment, sur la composition de la *Didachè*. Le détail pourra être ensuite laissé au commentaire.

Le point de départ nous est fourni, cette fois, par 11:1-2. Deux remarques sur le « texte reçu » sont d'abord nécessaires. Il faut en premier lieu retenir avec *H* la conjonction οὖν de 11:1. Elle est attestée par la version copte, qui l'a simplement transcrite, et qui est ici, comme elle l'est assez généralement, de bonne qualité. Par contre, il faut à coup sûr remplacer ἄλλην διδαχήν de *H* par ἄλλας διδαχάς de la version copte. Cette leçon a déjà été discutée (1). On se souviendra qu'elle répond, en cet endroit, au titre pluriel, Διδαχαὶ τῶν ἀποστόλων.

Or, pris dans son sens naturel, 11:1-2 ne peut être que la conclusion générale des dix premiers chapitres. Ce point ne fait pas de difficulté (2). Mais il faut faire un pas de plus. Non seulement 11:1-2 forme la conclusion de tout ce qui précède, dans l'état présent de la *Didachè* : la clausule fut, purement et simplement, à l'origine, la conclusion de la *Didachè*, ou, si l'on veut, celle-ci, dans sa forme originelle, n'allait pas plus loin.

On ne voit pas, en effet, dans l'état actuel de l'écrit, de raison particulière à une conclusion de cette nature en cet endroit. Sa place désignée serait plutôt à la fin du ch. 16, puisque les chapitres intercalaires contiennent des instructions que l'auteur devait normalement estimer, dans l'ensemble, aussi importantes que les instructions antérieures des ch. 1-10.

D'autre part, à en juger par la teneur même de la clausule, on dirait bien que l'auteur a eu l'intention de s'en tenir là. Si, en effet, il avait entré dans son plan de parler, en termes explicites, du minis-

---

(1) Voir ci-dessus, pp. 70-71.
(2) Il a été reconnu, en particulier, par J. V. Bartlet(-Cadoux), *Church Life and Church Order during the First Four Centuries*, p. 35, n. 2.

tere des apôtres, des prophètes et des docteurs, il semble qu'il ne les aurait pas englobés d'abord dans ces formules générales : ὅς ἂν οὖν ἐλθὼν διδάξῃ ὑμᾶς..., ὁ διδάσκων (11:1s.), quitte à faire ensuite une transition forcée avec περὶ δὲ τῶν ἀποστόλων (11:3). On dirait bien plutôt que περὶ δὲ τῶν ἀποστόλων continue après coup un écrit considéré auparavant comme terminé.

Enfin, il y a le témoignage de la transmission, qui, en dépit de ses limites, suffit à lever les derniers doutes, s'il en reste.

La *Stichométrie* de Nicéphore donne une longueur totale de 200 stiques à la *Didachè*, ce qui nous conduit, en comptant 36 lettres pour le stique, exactement à 11:3.

Mais une précaution s'impose avant d'utiliser ce résultat. La coïncidence est, en effet, moins précise en réalité qu'il ne peut sembler à première vue. Car si nous enlevons des dix premiers chapitres, comme notre hypothèse nous oblige à le faire, tout ce qui est additions postérieures (1:3b-2:1; 6:2-3; 7:2-4), nous ne restons plus qu'avec 165 stiques environ (1).

La marge est assez forte de 165 à 200. Mais il faut remarquer que la *Stichométrie* ne donne qu'une seule fois, dans toute la liste (70 item), le chiffre des unités, et sept fois le chiffre des dizaines. Ses estimés doivent donc être pris en chiffres ronds (2). Il n'est plus impossible, alors, que 200 veuille dire en réalité 165. En revanche, nous ne devons pas oublier l'obscurité et l'incertitude qui entourent un certain nombre des données de la *Stichométrie* en dehors du cas particulier de la *Didachè*.

Mais, tout compte fait, l'estimé de la *Stichométrie* fournissant un faible indice externe, les critères internes étant, d'autre part, tous nettement favorables, l'ensemble des données établit, je crois, une première probabilité, suffisante pour le point de départ de l'analyse : 11:1-2 formait originellement la conclusion du petit écrit intitulé Διδαχαὶ τῶν ἀποστόλων (ἄλλας διδαχάς dans la conclusion, 11:2); ce petit écrit a connu une première diffusion sous cette forme brève (ce dont pourrait témoigner la *Stichométrie*); quelque temps après, sous la pression de conditions nouvelles dans la communauté, semble-t-il, la forme primitive a reçu une longue addition (11:3-16:8), dans un certain nombre d'exemplaires, pour rencontrer les nouveaux besoins.

---

(1) Les calculs ont été faits avec 36 lettres en moyenne au stique. On pourrait tout aussi légitimement faire les calculs avec 35, ce qui donnerait quelques stiques additionnels. Mais il vaut mieux ne pas forcer l'argument.
(2) Voir Zahn, *Geschichte*, II, 1, pp. 403 s.

Il nous reste maintenant à suivre le fil conducteur. Pour faciliter la référence, nous désignerons *Did.*, 1:1-11:2 (moins les passages-tu) par *D*1 : Didachiste, forme première plus brève de son écrit, ou *Did.* en son premier état; nous désignerons le reste, 11:3-16:8 (moins le passage-tu) par *D*2 : Didachiste, deuxième forme amplifiée de son écrit, ou *Did.* en son deuxième état. Nous appellerons *I* (Interpolateur) l'auteur des passages-tu, insérés, comme il est clair, dans la forme définitive de la *Didachè*, *D*1 + *D*2, mettant de la sorte celle-ci en son troisième et dernier état.

1. Un premier fait est très frappant. Dans *D*1 les appels à l'autorité du Seigneur se présentent comme suit : 8:2, ὡς ἐκέλευσεν ὁ κύριος ἐν τῷ εὐαγγελίῳ αὐτοῦ ; 9:5, καὶ γὰρ περὶ τούτου εἴρηκεν ὁ κύριος. Dans *D*2, ils se présentent, au contraire, comme suit : 11:3, κατὰ τὸ δόγμα τοῦ εὐαγγελίου; 15:3, ὡς ἔχετε ἐν τῷ εὐαγγελίῳ; 15:4, ὡς ἔχετε ἐν τῷ εὐαγγελίῳ τοῦ κυρίου ἡμῶν. Mettons pour le moment de côté 11:3, qui, de notre point de vue, pourrait être neutre. Nous restons avec 8:2 et 9:5, d'une part, 15:3 et 15:4, d'autre part. Le fait, tout à fait singulier, est celui-ci : dans *D*1, les deux appels sont au passé (aoriste, 8:2, parfait, 9:5), et ne contiennent, au surplus, aucune allusion perceptible à un écrit évangélique; dans *D*2, au contraire, les deux appels font, au présent, ὡς ἔχετε, une allusion directe à un évangile, qui, dans ces conditions, ne peut guère être qu'un évangile écrit. L'inférence se présente alors d'elle-même, et elle est, croyons-nous, inévitable. : *D*1 et *D*2 représentent bien deux temps distincts dans la rédaction de la *Didachè*, et ces deux temps sont, en outre, séparés par un certain intervalle. Autrement, on ne pourra plus d'aucune manière rendre compte d'un changement aussi caractérisé, où la claire conscience qu'a l'auteur des conditions nouvelles que rencontre son écrit, est manifeste. Ce qu'on doit supposer, alors, qui est intervenu entre *D*1 et *D*2, c'est, sinon la rédaction d'un écrit évangélique, du moins sa diffusion dans les communautés auxquelles était destinée la *Didachè*.

Nous verrons en son lieu de quel côté il faudra nous décider. Mais il est clair dès maintenant qu'un fait de cette nature, dûment constaté, est un signe de très haute antiquité pour l'écrit dans lequel il se trouve. Disons-le tout de suite : il faudrait des raisons proportionnellement graves pour aller contre lui, mais il apparaîtra bientôt que ces raisons, de fait, n'existent pas. Ajoutons, pour achever de nous mettre à l'aise : un fait littéraire de la nature de celui que nous venons de constater, est, dans le cas présent, un excellent indice d'authenticité. Un pseudépigraphe peut être habile, mais il y a telle disposition des choses dans un texte devant laquelle il est impossible d'imaginer qu'un archaïsant quelconque ait jamais pu y songer. Robinson, Muilenburg, Connolly et Vokes ont prêté beaucoup de raffinement à l'auteur de la *Didachè* pour le rendre capable d'écrire sa fiction apostolique. On ne lui en prêtera néanmoins jamais assez pour avoir imaginé en chambre de donner à sa compilation artificielle un signe de vraisemblance aussi décisif et aussi caché à la fois, tenant à la substructure même de l'écrit.

Pour échapper à cette conclusion, on ne saurait d'ailleurs supposer que *D*1 et *D*2 pourraient ne pas être d'un seul et même auteur. L'hypothèse est d'abord exclue, aussi loin que la comparaison peut aller, par la parfaite unité de style de *D*1 et *D*2. Aussi bien personne n'a-t-il jamais soupçonné, à ma connaissance, qu'il était possible de reconnaître deux mains distinctes dans les deux parties que nous appelons *D*1 et *D*2. En outre, une formule comme celle-ci, n'équivaut-elle pas, dans le cas présent, à une signature : οὕτως ποιήσατε ὡς ἔχετε ἐν τῷ εὐαγγελίῳ τοῦ κυρίου ἡμῶν (15:4)? On peut comparer dans *D*1 : περὶ δὲ τοῦ βαπτίσματος, οὕτω βαπτίσατε (7:1); μηδὲ προσεύχεσθε ὡς οἱ ὑποκριταί, ἀλλ᾽ὡς ἐκέλευσεν ὁ κύριος ἐν τῷ εὐαγγελίῳ αὐτοῦ, οὕτως προσεύχεσθε (8:2; voir aussi 8:3, 9:1, 10:1). De nouveau, si *D*2 eût été autre que *D*1, on n'imagine pas qu'il se fût appliqué à cette subtile imitation. L'interpolateur nous fournit lui-même une bonne contre-preuve : il ne s'est pas embarrassé d'imiter de point en point la formule courante de *D*. Ainsi, περὶ δὲ τῆς βρώσεως, ὃ δύνασαι βάστασον (6:3). L'introduction avec περί allait comme de soi dans le contexte, mais le rapprochement s'arrête là.

2. Le retour d'une ordonnance sur l'eucharistie (je prends le terme dans un sens vague) à 14:1-3 (*D*2), après tout ce qui en avait été dit à 9-10 (*D*1), a causé beaucoup d'embarras à l'interprétation. Elle se serait épargné la plus grande partie de ses peines, cependant, si la critique littéraire avait au préalable réussi à débrouiller la composition de l'écrit dans son ensemble. *D*2 revient ici sur *D*1, parce que les conditions concrètes, et mouvantes, dans lesquelles l'auteur se trouve, requièrent des déterminations qu'il ne s'était pas cru obligé de donner auparavant. Un certain temps s'est écoulé, durant lequel il a pris conscience de nouvelles nécessités. Non pas que les faits supposés par 14:1-3 représentent une simple évolution des faits supposés par 9-10. La manière dont la *Didachè* a été

composée, n'exige pas ici plus qu'une addition : *D*2 ajoute à *D*1 des précisions, jugées maintenant utiles, sur des faits qui pouvaient tout aussi bien exister auparavant, mais dont on n'avait pas cru nécessaire de parler.

3. Une observation semblable doit être faite au sujet des ordonnances relatives au ministère de la parole. *D*1 s'était contenté d'une recommandation très générale : « Qui donc se présente à vous et enseigne ce qui vient d'être dit, recevez-le. Mais si celui-là même qui enseigne est perverti, et vous donne d'autres instructions, en vue de détruire celles que vous avez reçues, ne l'écoutez pas. Enseigne-t-il, au contraire, en vue de la justice et de la connaissance du Seigneur, recevez-le comme le Seigneur » (11:1-2). *D*2 va beaucoup plus loin dans le particulier, parce que, sans doute, la nécessité, ou la simple utilité, s'en faisait maintenant sentir. Des règles de conduite précises sont déterminées; les premiers délinéaments de l'organisation nécessaire en toute société qui dure se dessinent. Il est à noter que *D*2 commence, lui aussi, par une recommandation générale, mais la différence avec celle de *D*1 qui précède est bien significative : περὶ δὲ τῶν ἀποστόλων καὶ προφητῶν κατὰ τὸ δόγμα τοῦ εὐαγγελίου, οὕτως ποιήσατε. Bien que ce soit moins clair, à première vue, il est difficile de s'empêcher de penser que *D*2 vise ici, comme il le fait à 15:3-4, un écrit évangélique répandu dans la communauté depuis le temps où il écrivait 11:1-2. C'est le sens naturel, quand on a une fois observé la situation impliquée à 15:3-4.

4. Ce n'est pas tout. Les brèves recommandations de 15:3-4 se comprennent sans effort, et viennent à l'endroit le mieux désigné, si *D*2 est de rédaction postérieure à *D*1, mais on n'en saurait dire autant dans l'hypothèse courante d'une rédaction continue. Il suffit de revoir l'ordre des sujets d'instruction dans *D*1 et *D*2 respectivement, pour s'en rendre compte. Dans l'hypothèse de la rédaction continue, 15:3-4 aurait plutôt sa place naturelle après le chapitre 8, concernant les jeûnes (ce qui, dans la pensée ancienne, appelait très naturellement l'aumône, 15:4), et la prière (ce qui appelait, surtout après le *Pater*, tout ce qu'il y avait à dire de la prière elle-même et de la correction fraternelle, 15:3-4). On ne saurait non plus mettre au compte de la maladresse littéraire de l'auteur le défaut de composition que constitue 15:3-4, dans l'hypothèse de la rédaction continue. Quand, au contraire, on a aperçu les deux points à partir desquels s'expliquent toutes les particularités de composition de la *Didachè*, on est amené à

constater que les qualités littéraires de l'auteur n'étaient pas si médiocres.

5. Il ne doit plus être nécessaire d'insister sur le cas de l'exhortation finale. Elle entre aussi harmonieusement que possible dans la ligne de *D2*. S'il est vrai, en effet, que les attaches à la situation mouvante des communautés sont relativement peu sensibles dans *D1*, il faut dire tout le contraire de *D2*. On a nettement l'impression que cette partie relève d'un contact récent avec les conditions du milieu. Ainsi, bien loin d'être une simple variation sur un thème commun, l'exhortation finale, entendue dans le sens où nous invite à la prendre le reste de *D2*, apparaît chargée de références implicites à la vie des communautés. Un exemple peut suffire à le faire voir. Si les chrétiens sont avertis que dans les derniers jours les faux prophètes et les corrupteurs se multiplieront, on peut présumer que l'avertissement n'est pas gratuit : il répond, de fait, à la situation générale qui a motivé les réglementations précises des chapitres 11-13 concernant le ministère de la parole.

Ainsi, sans exception, tous les faits que l'analyse peut utilement relever dans *D2* sont en parfait accord avec la probabilité d'où nous sommes partis, et quelques-uns d'entre eux sont d'une très grande force. Normalement, la conclusion dernière ne saurait être évitée : *D2* (11:3-13:2; 14-16) et *D1* (1:1-3*a*; 2:2-5:2; 7:1; 8:1-11:2) sont bien du même auteur, mais *D2* est de rédaction plus tardive. Au surplus, dans un écrit du genre de la *Didachè*, on peut sans risque présumer une première diffusion de *D1*, indépendante de *D2*. Or, cette présomption est confirmée, en fait, par la transmission elle-même, autant qu'il était loisible de l'attendre des pauvres restes qui sont parvenus jusqu'à nous (*Stichométrie* de Nicéphore). D'autre part, *I* a travaillé sur *D1* et *D2* réunis : ses additions se retrouvent en l'un et en l'autre. Il restera à préciser vers quelle date son intervention s'est produite. Ce point sera capital pour la détermination de la date approximative de la *Didachè* elle-même (*D1* et *D2*). Si, par chance, l'intervention de *I* pouvait être datée approximativement, nous aurions, en effet, pour *D1* et *D2*, un *terminus ad quem*. Mais, dès maintenant, de très forts indices d'authenticité doivent être retenus : ils ont été relevés au cours de l'analyse (en particulier, 1 et 5). Il n'en faut pas davantage, il me semble, pour qu'il nous soit permis de tirer des faits quelques nouvelles implications.

*
* *

C'est ici que le titre de la *Didachè* peut commencer à nous être
utile. Διδαχαὶ τῶν ἀποστόλων : c'est le titre original. A moins de
raison contraire, et l'on n'en voit aucune, il faut naturellement
supposer que la formule correspond à ce que l'auteur a eu conscience
de faire, comme à ce qu'il a fait en réalité. Il est ainsi doublement
important de retrouver la signification exacte des termes.

On ne peut songer, d'abord, à faire de διδαχαί un vague synonyme de la terminologie qui a prévalu dans la littérature des compilations canoniques : διδασκαλία, διαταγαί, διατάξεις, etc. Si διδαχαί
est demeuré, en tête de l'écrit dont nous nous occupons, un cas
isolé, c'est probablement qu'à l'époque où la littérature canonique est née et a prospéré, le terme était déjà ancien, partiellement lié à un autre milieu et tombé en désuétude, du moins au
sens où il doit présentement être pris. Si, en outre, comme nous
l'avons vu, la tradition manuscrite a de bonne heure tendu à substituer le singulier au pluriel, c'est bien probablement pour une
raison identique : un usage ancien était perdu. Aussi bien est-ce
toujours pour cette raison d'éloignement, semble-t-il, que les traducteurs latin et syriaque de l'*Hist. eccl.* d'Eusèbe se sont permis
la même modification dans le texte qu'ils avaient à traduire, Διδαχαὶ
τῶν ἀποστόλων devenant entre leurs mains *Doctrina apostolorum*.

Nous sommes donc invités à faire remonter l'explication vers
une date beaucoup plus haute. Effectivement, pour des raisons qui
apparaissent déjà et qui deviendront plus évidentes dans la suite,
il faut aller jusqu'à l'âge apostolique. Dans la langue du Nouveau
Testament (1), κηρύσσειν, contrepartie de διδάσκειν et de ses
dérivés, s'emploie en règle générale de l'annonce de l'évangile,
c'est-à-dire de la proclamation de l'avènement du règne de Dieu,
à venir mais tout proche (Jean), ou déjà venu (Jésus et ses disciples).
Paul, dans un vigoureux raccourci d'expression, pourra dire qu'il
annonce (κηρύσσειν) le Christ : c'est un sens déjà dérivé, mais en
accord profond avec le sens le plus primitif des récits évangéliques.
De toutes manières, κηρύσσειν se dit surtout de l'annonce d'un fait
nouveau : c'est proprement la proclamation de la « bonne nouvelle »,
dans toute son extension (2).

D'autre part, διδάσκειν a d'abord un sens moins spécial. Dans

_____

(1) Voir G. Friedrich, κηρύσσω, dans *TWNT*, III, 695 ss.
(2) Sur le cas particulier de *Act.*, 15:21 et de *Rom.*, 2:21 s., voir Friedrich,
art. cité, 704; aussi Jackson-Lake, *The Beginnings of Christianity*, IV, 178.

le grec classique, il veut dire simplement enseigner, sans préciser
si la doctrine est nouvelle ou ancienne en elle-même. On ne peut
s'étonner que ce sens très commun se retrouve dans le Nouveau
Testament. Mais διδάσκειν a incliné vers un sens plus particulier,
dans l'équilibre d'ensemble de la parole apostolique, en partie du
fait même du sens spécial qu'avait revêtu κηρύσσειν. Celui-ci s'em-
ployait proprement de l' « annonce » de la « bonne nouvelle », ce qui
touchait à la fois à ce que Jésus avait « fait » (πράσσειν et ποιεῖν),
et à ce qu'il avait « dit » (λέγειν-λαλεῖν et κηρύσσειν-διδάσκειν) (1).
Mais l'enseignement primitif de la communauté ne pouvait se
limiter, et ne s'est jamais limité, de fait, à l' « annonce » proprement dite de l' « évangile ». Tous ceux qui avaient un ministère
d'enseignement n'étaient donc pas non plus pour autant des « prédi-
cateurs ». La « prédication » était la fonction par excellence de
l'apôtre, qui avait reçu « mission » à cet effet (*Rom.*, 10:15). Mais à
côté de la « prédication », et en dépendance de celle-ci, il y avait
place pour d'autres formes d'enseignement, en vue de l' « édification »
et de la « consolation » (οἰκοδομή et παράκλησις) de la communauté (2).
Ce fut particulièrement la parole des prophètes et des docteurs.
Il appartenait cependant à l'apôtre non seulement d' « annoncer »,
mais aussi de fonder et d'organiser. En dernier lieu, la responsabilité des communautés issues de l' « évangile » reposait entre ses
mains. Ainsi, à côté de sa « prédication », et comme conséquence ou
complément de celles-ci, l'apôtre avait-il ses « instructions » particulières (διδαχαί), dans lesquelles il pouvait s'occuper avant tout de
l'ordre des choses à établir ou à restaurer dans les communautés :
c'était, si l'on peut dire, le côté institutionnel de son enseignement.
C'est ce complément de la « prédication » apostolique qui apparaît,
par exemple, dans 1 *Cor.* presque entière. Il s'agit d'un genre litté-

---

(1) « Dire », avec cette nuance particulière, souvent perceptible, de l'expression d'un dessein de Dieu : d'où l'apparentement de ἐντέλλειν -εσθαι avec ce
sens spécial de λέγειν-διδάσκειν, et corrélativement de ἐντολή avec διδαχή (par
exemple *Mt.*, 28:19, πορευθέντες οὖν μαθητεύσατε πάντα τὰ ἔθνη, βαπτίζοντες
αὐτούς..., διδάσκοντες αὐτοὺς τηρεῖν πάντα ὅσα ἐνετειλάμην ὑμῖν). On comparera
avec profit l'usage de Philon, dans H. A. WOLFSON, *Philo*, Cambridge (Mass.),
1947, II, pp. 189 ss. ; 196 s. ; aussi I, pp. 127 ss. ; voir également K. H. RENGS-
TORF, διδάσκω, dans *TWNT*, II, 139 ss.
(2) Friedrich signale avec raison le danger pour nous d'interpréter ici les
écrits apostoliques par une langue qui a subi l'inévitable effet d'un long usage
(*art. cité*, 701 s.) : fixations, déplacements, pertes, et aussi croissances. Nous
sommes constamment guettés par la projection anachronique. Les nuances
distinctives des genres littéraires engagés dans des institutions et une pratique
abolies par le temps risquent toujours de nous échapper, et de fait nous échappent sans doute dans une assez large mesure.

raire complexe, où la simple exhortation se mêle volontiers aux dispositions disciplinaires et aux détails pratiques d'organisation, et ainsi, d'un genre où la « prédication » primitive de l'évangile a pu trouver le complément naturel dont on n'imagine pas qu'elle ait pu se passer (1).

C'est à ce dernier genre que se rattache l'écrit que nous avons sous le titre de Διδαχαὶ τῶν ἀποστόλων (2).

Il doit être clair, d'abord, que διδαχαὶ ne peut se traduire par un singulier comme « enseignement ». On dira très bien en français : « Instructions », entendues au sens passif, conformément au grec. Enseignement, au singulier, est inexact ; au pluriel, il aurait trop d'ampleur et de solennité. Le genre littéraire dont il s'agit, est familier, très simple, direct, sans effort vers l'universalité : il évoquerait plutôt des auditoires formés de groupes restreints et une atmosphère domestique. Les choses sont dites comme entre soi : « Il y a deux voies, l'une de la vie et l'autre de la mort... Au sujet du baptême, baptisez au nom du Père et du Fils et du Saint Esprit, dans l'eau vive... Au sujet de l' « action de grâce », faites-la ainsi... Tout vrai prophète qui veut s'établir parmi vous est digne de (recevoir) sa nourriture... ». Nulle part ne perce l'enflure, la prétention ; celui qui parle, qui doit aussi bien être celui qui écrit, veut seulement être utile. C'est un bon serviteur. On ne montrera pas un seul endroit où il ait sacrifié à d'autres desseins, où il ait servi des « idées de derrière la tête », moins simple et moins dignes. Ceux-là mêmes qui l'ont imaginé rédigeant en secret sa fiction apostolique n'ont trouvé pour appuyer leur supposition que les titres du ms. de Bryennios, mais ils n'étaient pas de lui (3).

---

(1) Je ne fais qu'esquisser ici des déterminations sur lesquelles le commentaire devra revenir bien des fois dans la suite. Quelques remarques suggestives de C. H. DODD, *The Johannine Epistles (Moffatt N. T. Comm.)*, Londres, 1946, p. XXXI ; aussi *The Apostolic Preaching and its Developments*, Londres, 1936, pp. 3 ss. ; dans le même sens, J. V. BARTLET(-CADOUX), *Church Life and Church Order*, pp. 18 s.

(2) Voir, dans le comm., les remarques sur le double titre de la *Didachè* et du *Duae viae*.

(3) J. A. ROBINSON, *The Didache*, dans *JTS*, XXXV (1934) 225 : « L'auteur prétend lui-même avoir consigné ce que les apôtres ont transmis comme étant cet « enseignement du Seigneur », qu'il leur enjoint, dans ses paroles d'adieu, de donner à leurs convertis de la gentilité. D'autres écrivains, qui déclaraient vouloir présenter à leurs lecteurs les enseignements non-écrits de Notre Seigneur, ont cherché à faire valoir leurs inventions par la description d'une scène où le Christ s'entretient avec ses disciples après la résurrection ; ou encore, ils ont audacieusement attribué leur œuvre à un apôtre ou à un disciple des apôtres. Notre auteur n'affecte rien de tel. Il préfère être anonyme. Il se contente d'abandonner son œuvre à ses propres mérites : elle est l' « Enseignement du Seigneur aux gentils par le ministère des douze apôtres ». Et sans préambule, il passe ».

Quant aux apôtres nommés dans le titre, il n'y a plus à songer aux Douze. Rien dans l'écrit ne permet de supposer que l'auteur a quelque part spécialement pensé à eux. Il ne reste alors qu'à se tourner vers ceux dont il s'agit à 11:3-6. Le document s'interprète par lui-même. Nous sommes en présence d'un recueil (1) d'instructions de ces apôtres, qui, autant que nous pouvons savoir, ont tenu leur mission de l'église-mère autour de laquelle ils rayonnaient, parlant en son nom avec autorité, établissant ses usages, faisant connaître sa pensée dans les circonstances difficiles, exhortant à la fidélité en toutes choses à l'évangile du Seigneur.

L'auteur de ce recueil pourrait, en soi, être un simple chrétien, qui aurait eu l'idée de réunir sous une forme brève ce qu'il avait entendu de la bouche des apôtres visitant sa communauté. Mais la composition nous conduit à une explication différente. Les caractères distinctifs de *D2* comparé à *D1*, la rédaction en deux temps, l'intervalle que supposent les conditions et les nécessités nouvelles des communautés, inclinent plutôt à penser que l'auteur est un apôtre lui-même. On pourrait alors rendre compte des particularités de la composition de façon très naturelle.

L'auteur est un apôtre. Il part de l'église-mère visiter les communautés de son expansion et de son influence. S'inspirant de la vie et des usages de son église, il a rédigé un petit recueil d'instructions (*D1*) : il l'emporte avec lui. Ce recueil, il l'a voulu bref, peut-être pour qu'il pût aisément être transcrit en entier pendant son court séjour dans chaque groupement local. Une double utilité en résultera : d'une part, la première instruction (*Duae viae*) pourra à l'occasion, servir de thème à l'exhortation, tandis que le reste fixera la conduite à tenir sur des points d'une importance particulière; d'autre part, on aura une règle certaine, quoique très générale, pour juger des instructions des intrus, ou des faux prophètes (11:1-2). Son voyage terminé, l'apôtre est revenu à son point de départ. Paul lui-même, dont le zèle embrassait pourtant des espaces beaucoup plus vastes, faisait ainsi : à plusieurs reprises, nous le retrouvons à cette église d'Antioche d'où il était parti pour la première fois en compagnie de Barnabé (*Act.*, 13:1-3). Mais, après un intervalle de temps qu'il est impossible de préciser, un an peut-

---

(1) Je préfère « recueil » à « compilation » pour éviter de suggérer un certain caractère artificiel de l'écrit, qui tendrait à le fondre dans la masse composite et disparate de la littérature canonique postérieure. Un « recueil » peut être né très simplement des nécessités quotidiennes et n'avoir pas d'autre ambition que de les satisfaire.

être, notre apôtre inconnu, auteur de la *Didachè*, repart lui aussi pour une nouvelle visite. Son dernier contact sans doute, ou des renseignements reçus dans l'intervalle, lui ont fait voir des besoins qu'il n'avait pas envisagés avant la tournée précédente, et pour lesquels rien n'était prévu dans son premier recueil. Il y ajoute donc quelques nouvelles instructions (*D*2). Elles seront laissées dans les églises où il pourra de nouveau s'arrêter. Mais entre temps un écrit évangélique a été répandu; il le connaît (ayant dû à tout le moins passer par l'église-mère, s'il n'y a pas été rédigé), et il le suppose connu. Il peut donc maintenant s'en remettre à lui, d'une manière générale, pour tout ce qu'il ne dit pas lui-même (11:3; 15:4). Pour le reste, il transmet toujours les usages, les décisions et la pensée de l'église dont il a reçu sa mission.

Mais il y a un interpolateur. Il faut avouer, d'abord, que le nom ne lui rend pas justice, car, de fait, tout nous incline à croire qu'il est lui aussi un apôtre. Il pourrait être alors de la même église que l'auteur lui-même. Mais il avait ses goûts et ses idées. Il les a fait passer dans son propre exemplaire des *Instructions*, et il l'a répandu. C'est l'exemplaire ainsi remanié qui semble avoir prévalu, comme il était naturel, dans la transmission, signe certain de sa très haute antiquité.

Le développement de cette hypothèse doit être arrêté ici. Pour prendre une force décisive, il lui manquerait en ce moment les précisions de temps et de lieu. Mais on ne peut aborder les problèmes que posent celles-ci avant d'avoir donné une solution à l'épineux problème des sources.

CHAPITRE SIXIÈME

LES SOURCES

C'est une question fort débattue, spécialement en ce qui concerne les rapports de la *Didachè* avec l'*Épître* de Barnabé. On peut dire que ce dernier point a polarisé la meilleure partie des recherches. Assez longtemps, néanmoins, les opinions sont demeurées dans la plus complète divergence. Le consentement partiel qu'avait obtenu, au début du siècle, l'hypothèse de la source juive commune pour *Did.*, 1-6 et *Barn.*, 18-20 (Taylor-Harnack), a été ruiné par les derniers travaux (Robinson-Muilenburg-Connolly). Un autre consentement partiel se dessine maintenant en faveur de la nouvelle explication. Mais il reste des opposants très résolus, dont les objections ne manquent pas de force (Streeter-Creed). D'autre part, il y a ceux que n'a jamais persuadés, ni l'hypothèse de la source juive commune, ni l'hypothèse de l'attribution du *Duae viae* à Barnabé, et qui tiennent, avec Funk, sans cependant le dire maintenant très haut, à l'originalité du Didachiste pour toute cette partie comme pour le reste.

Dans l'ensemble, cependant, les relations avec les écrits du Nouveau Testament ont paru plus claires : la dépendance à l'égard de *Mt.* et de *Lc.*, en particulier, a semblé comme une évidence de première vue. De son côté, le cas d'Hermas a été résolu en des sens divers, suivant la conclusion à laquelle on était parvenu à l'endroit de Barnabé. De toutes façons, en effet, les rapports de la *Didachè* avec celui-ci créent une présomption pour ses rapports avec celui-là. Hermas n'est pas à lui seul très décisif. Quant aux rapports avec les écrits de l'Ancien Testament et du judaïsme, ils n'étaient pas d'un intérêt majeur pour le problème littéraire de la *Didachè*. Leur situation relative demeure, en effet, inchangée en toute hypothèse, et ainsi, ils n'entrent pas eux-mêmes en première ligne de compte, avec les questions plus graves de Barnabé, d'Hermas et du Nouveau Testament. On a donc été justifié de ne leur accorder qu'un traitement accidentel dans l'ensemble du problème littéraire, et d'en remettre le principal à l'interprétation.

Nous entrons ainsi dans un champ qui a été retourné en tous sens. Il serait exagéré, et injuste, de prétendre que tant de labeur a été sans profit, s'il est vrai qu'il y a eu beaucoup d'échecs, et qu'en définitive, il n'y a pas encore de solution pleinement satisfaisante. Nos observations antérieures nous invitent, néanmoins, à suivre une voie en partie nouvelle. Au point où nous en sommes, il ne nous est peut-être pas interdit d'espérer des résultats meilleurs que ceux qu'il a été possible d'obtenir jusqu'ici.

1. LA *DIDACHÈ* ET L'*ÉPITRE* DE BARNABÉ

Nous nous trouvons, au départ, devant une explication à première vue impressionnante (1). Proposée en 1920, dans les *Donnellan Lectures* (Dublin), la démonstration de Robinson a été ensuite amplifiée par Muilenburg (1929) et Connolly (1932), avant d'être reprise, en dernière instance, par Robinson lui-même (articles posthumes, 1934). A travers toutes les amplifications, cependant, la ligne essentielle de la preuve est demeurée telle qu'elle se trouvait primitivement dans l'étude de Robinson. Il ne sera donc pas nécessaire d'instituer ici une discussion séparée des analyses minutieuses de Muilenburg. Une seule exception devra être faite à propos d'une observation de Connolly, qui a paru à Robinson particulièrement heureuse pour ses conclusions.

La force de l'argument, dans son ensemble, est cumulative. Tout résumé doit ainsi être manié avec précautions. Mais, cette réserve faite, je ne crois pas trahir la pensée de Robinson en la présentant brièvement comme suit :

La partie morale de l'*Épître* de Barnabé (ch. 18-20) a été regardée par un certain nombre de critiques comme une « addition d'origine étrangère » (spurious addition), empruntée à un manuel d'instruction morale déjà existant (*Duae viae*). Mais on peut montrer, par une lecture et une analyse continues de l'*Épître*, que celle-ci est toute d'une seule et même main. Partout, c'est le même esprit, les mêmes maladresses de composition, la même façon d'utiliser les mêmes sources littéraires, la même habitude de répéter en diverses occasions les formules déjà employées. *A priori*, il n'y a donc de ce

(1) Les grandes lignes de la discussion qui va suivre ont déjà été présentées dans un article de la *RB*, LIX (1952) 220 ss. : *Affinités littéraires et doctrinales du « Manuel de discipline »*.

côté aucune raison d'imaginer que la partie morale de l'*Épître* soit d'un auteur plus ancien. Au contraire, toute l'évidence de la critique interne tend à montrer que le *Duae viae* est l'œuvre originale de Barnabé lui-même (1).

D'autre part, si le *Duae viae* de la *Didachè* diffère sensiblement de celui de Barnabé, toutes les différences s'y expliquent par les propres habitudes littéraires et la propre intention du Didachiste. Après avoir emprunté le thème, celui-ci le traite avec la plus grande liberté : il l'amplifie par des préceptes tirés de l'Ancien Testament, du Sermon sur la montagne, du *Pasteur* d'Hermas et d'autres sources plus obscures; il l'ordonne, l'interprète, l'éclaircit, le débarrasse de quelques phrases moins heureuses ou inutiles. Dans l'ensemble, il vise à produire la catéchèse baptismale dont il a besoin pour répondre, d'après *Mt.*, 28:19-20, à l'intention qu'il a exprimée dans le titre : *Enseignement du Seigneur aux gentils par le ministère des douze apôtres* (2).

De part et d'autre, il demeure donc établi que l'*Épître* est tout entière du même auteur, et qu'il n'y a pas de raison valable de mettre en question son « unité littéraire » : « The description of the Two Ways is an integral part of the document » (3).

Avec tout l'appareil d'analyses qui la supportent, cette démonstration a pu sembler inattaquable. En réalité, cependant, je ne crois pas qu'elle résiste à un examen approfondi (4).

---

(1) Cf. *The Epistle of Barnabas and the Didache*, dans *JTS*, XXXV (1934) 132, 142, 146.
(2) Cf. *Barnabas, Hermas and the Didache*, p. 70.
(3) *Art. cité*, p. 146.
(4) C'était déjà, en 1922, le sentiment de Dom Capelle. Ses remarques, fermes et pertinentes, méritent d'être rappelées ici : « M. Robinson consacre un long chapitre à cette comparaison (*Barn.-Did.*, pour les *Deux voies*), mais croyant la partie gagnée, il fait presque aussitôt tourner l'enquête en jugement : le « Didachiste » a continuellement altéré, sans les comprendre, les enseignements de l'honnête Barnabé. Les arguments apportés pour étayer cette interprétation ne sont pas très probants. Ainsi, dès la première maxime de Barnabé sur l'amour de Dieu, il faudrait supposer que le Didachiste a d'abord supprimé le développement jugé un peu oratoire, puis, l'ayant remplacé par le précepte évangélique de l'amour du prochain, il a estimé son texte encore trop court et a rétabli l'équilibre par l'adjonction de la Règle d'or du sermon sur la montagne, dans la forme négative! Pareil tour de force littéraire, — le mot est de Robinson — se rencontrerait à chaque pas. La réalité doit être plus simple... Création du Didachiste aussi la fameuse interpolation chrétienne (1,3-11,1). C'est vrai, mais ici M. Robinson s'est mis dans une impasse. En effet, l'interpolation est omise non seulement par Barnabé mais par la version latine, la *Constitution apost. égyptienne*, le *Syntagma* d'Athanase, la *Fides Nicaena* et la *Vie de Schnoudi*. Penser avec M. Robinson que tous les témoins indépendants, qui offrent généralement le texte de *Did.*, omettent 1, 3-11, 1 parce qu'ils ne le trouvaient pas dans Barnabé, c'est supposer une coïncidence absolument incroyable. L'explication est très simple : ces témoins utilisent le texte non

On peut essayer de mesurer, en premier lieu, la portée idéale d'une preuve comme celle de Robinson. Elle s'appuie principalement sur les affinités qui relient entre elles les deux parties de l'*Épître* de Barnabé (ch. 1-17 et 18-20, ou 21). Mais, en mettant toutes choses au mieux, qu'est-ce que prouvent par elles-mêmes ces affinités dans la question des sources? Très peu de chose, si elles prouvent quelque chose. Car il est clair, dès qu'on y pense, que les faits relevés par Robinson pourraient être exactement les mêmes dans l'hypothèse d'une source utilisée de mémoire et connue depuis longtemps. Qu'est-ce qui empêcherait cette source (le *Duae viae*), dont l'auteur aurait eu la tête pleine bien avant que d'écrire la première ligne de sa lettre, d'avoir elle-même établi, dans les 17 premiers chapitres, les affinités de pensée et de style qui les relient aux deux chapitres suivants? L'utilisation massive, dans les ch. 18-20, ne fait aucun obstacle à une utilisation sporadique et partielle, dans les chapitres antérieurs. Un mot, une expression, un tour de composition ou de style, une idée caractéristique, peuvent se retrouver ici et là; mais ils ne prouvent qu'une chose, dont il était bien naturel de se douter, c'est que l'auteur n'a pas fait soudain la connaissance de la source utilisée dans les ch. 18-20, juste au moment où il eut fini d'écrire le chapitre 17. Ainsi, plus on relèvera d'affinités de toutes sortes entre les deux parties de l'*Épître*, plus on aura montré que la source possible de la dernière partie était déjà familière à l'auteur de la première partie. Mais, ce faisant, on aura laissé intact le problème d'une dépendance du *Duae viae* de l'*Épître* par rapport au *Duae viae* de la *Didachè*, ou, peut-être, par rapport au *Duae viae* indépendant qui serait la source commune de l'un et de l'autre.

Il y a, d'autre part, une équivoque à engager ensemble, comme le fait Robinson, la question de l'unité littéraire de l'*Épître* et la question de ses sources. Démontrer que l'*Épître* procède tout entière d'une seule et même main n'équivaut pas évidemment à démontrer que l'auteur a tout tiré de son propre fonds. La question de l'unité littéraire est une question préalable; au-delà, demeure ouverte la question des sources. Ainsi, une démonstration par les affinités,

interpolé des *Deux voies*, circulant indépendamment de la Didachè. Cette circulation indépendante que tout suggère, M. R(obinson) s'est interdit de l'admettre lorsqu'il a vu dans les *Deux voies* l'œuvre de Barnabé utilisée directement par le Didachiste. De là son embarras » (recension de J. A. ROBINSON, *Barnabas, Hermas and the Didache*, dans *Rev. bén.*, XXXIV (1922) 71 ss. Le dernier argument vient d'être repris, de façon indépendante, par B. ALTANER, *Zum Problem der lateinischen Doctrina apostolorum*, dans *Vig. christ.*, VI (1952) 161.

telle que la présente Robinson, serait absolument efficace pour
résoudre la question de l'unité littéraire, si elle se posait encore,
mais elle ne dit rien par elle-même sur la question des sources.
Barnabé peut avoir utilisé un *Duae viae* qui n'était pas de lui, comme
il a utilisé l'Ancien Testament, sans que pour cela soit mise en
doute l'unité d'auteur. Ces choses-là sont claires. On se demande
aussi bien comment un critique de la qualité de Robinson a pu
tomber dans cette confusion (1).

La démonstration de Robinson met à profit, au surplus, ce qui
n'est qu'un effet de perspective. Elle travaille sur un *Duae viae*
qu'elle suppose et qu'elle prévoit être de Barnabé. Elle y décèle
un certain nombre d'affinités avec le reste de l'*Épître*. Mais, alors,
justement, elle a commencé par écarter sans raison la possibilité
que le *Duae viae* de Barnabé soit en réalité un *Duae viae* utilisé,
et donc, déjà rendu conforme aux goûts, aux habitudes littéraires,
et aux idées personnelles de l'auteur de l'*Épître*. Personne, aujour-
d'hui, ne songe à nier que le *Duae viae* soit passé par les mains de
Barnabé : c'est tout autre chose de montrer que celui-ci en est purement et simplement l'auteur. Les affinités sont trompeuses : elles
peuvent provenir, au moins en partie, aussi bien du fait que Barnabé
a utilisé le *Duae viae* que du fait qu'il en serait l'auteur. Pour que
la démonstration demeure pleinement efficace, il faudrait pouvoir
séparer avec une suffisante certitude les affinités qui relèvent de l'une
et de l'autre cause. Mais la critique interne n'a aucun moyen d'opérer
ce partage, de sorte que si l'on évite de se laisser tromper, on se
retrouve, comme au point de départ, en face d'une question à
résoudre, non pas d'une question résolue. Nous nous demandons
toujours si Barnabé n'a pas utilisé un *Duae viae* préexistant, auquel
il aurait imprimé sa marque propre.

Les affinités ne sont, du reste, pas seules à considérer. Il y a le
contrepoids d'incontestables ruptures littéraires de la première à
la seconde partie de l'*Épître*. La plus apparente est celle du passage
abrupt de la deuxième personne du pluriel à la deuxième personne

---

(1) La confusion est manifeste dans un passage comme celui-ci, qu'à dessein
je m'abstiendrai de traduire : « If this point shall seem to have been somewhat
unreasonably laboured, it should be borne in mind that the literary unity of the
Epistle has been called in question in recent controversy and the latter portion
which we are now considering (le *Duae viae* des ch. 18-20) has been regarded by
some critics as a spurious addition derived from an already existing manual
of instruction. But in view of what has been here said, can any one doubt that
the passages which we have cited are all by one hand? » (*art. cité*, dans *JTS*,
XXXV (1934) 132). Même équivoque chez Muilenburg (cf. *The Literary
Relations*, pp. 9 et 166), et chez M. Vokes (*The Riddle*, pp. 42-47).

du singulier, au ch. 19, avec retour à la deuxième personne du pluriel pour le ch. 21. Dans l'hypothèse de Barnabé auteur du *Duae viae*, comme le voudrait Robinson, un pareil procédé littéraire ne s'explique pas sans peine, même en faisant appel aux habitudes de la diatribe, qui est d'ailleurs, en réalité, complètement hors de cause. Certes, on comprendrait une courte réflexion, ou encore, une interrogation, dans cette forme. Mais un long développement de cette nature, au cours d'une épître, on se demande comment l'idée a pu en venir à son auteur, si elle ne lui a pas été comme imposée du dehors. Aussi bien, dans tous les endroits où il est sûr que Barnabé est laissé à lui-même, est-ce le pluriel qui apparaît, comme il est naturel. Ainsi en est-il, en particulier, pour le ch. 21, qui continue l'exhortation morale des ch. 18-20. Selon toutes apparences, Barnabé y revient à ses propres habitudes, un moment délaissées pour une raison accidentelle.

Il n'est plus nécessaire, après cela, croyons-nous, de discuter séparément tous les détails de l'analyse de Robinson. On pourrait, cependant, pratiquer un sondage, en prenant comme champ d'expérience une observation que Robinson lui-même a estimée être spécialement favorable à son hypothèse. Il s'agit de *Barn.*, 19:7, sur les devoirs de la vie domestique : ὑποταγήσῃ κυρίοις ὡς τύπῳ θεοῦ ἐν αἰσχύνῃ καὶ φόβῳ· οὐ μὴ ἐπιτάξῃς δούλῳ σου ἢ παιδίσκῃ ἐν πικρίᾳ, τοῖς ἐπὶ τὸν αὐτὸν θεὸν ἐλπίζουσιν, μή ποτε οὐ μὴ φοβηθήσονται τὸν ἐπ'ἀμφοτέροις θεόν· ὅτι οὐκ ἦλθεν κατὰ πρόσωπον καλέσαι, ἀλλ'ἐφ'οὓς τὸ πνεῦμα ἡτοίμασεν. Robinson met en parallèle *Éph.*, 6:5, 9, οἱ δοῦλοι, ὑπακούετε τοῖς κατὰ σάρκα κυρίοις μετὰ φόβου καὶ τρόμου ἐν ἁπλότητι τῆς καρδίας ὑμῶν ὡς τῷ χριστῷ, μὴ κατ'ὀφθαλμοδουλίαν ὡς ἀνθρωπάρεσκοι, ἀλλ'ὡς δοῦλοι χριστοῦ ποιοῦντες τὸ θέλημα τοῦ θεοῦ,... καὶ οἱ κύριοι, τὰ αὐτὰ ποιεῖτε πρὸς αὐτούς, ἀνιέντες τὴν ἀπειλήν, εἰδότες ὅτι καὶ αὐτῶν καὶ ὑμῶν ὁ κύριός ἐστιν ἐν οὐρανοῖς, καὶ προσωποληψία οὐκ ἔστιν παρ'αὐτῷ. Après avoir comparé les textes, Robinson conclut : « il ne peut y avoir aucun doute raisonnable que, dans ce passage sur les devoirs sociaux, Barnabé utilise consciemment l'épître de s. Paul aux Éphésiens; de plus, les parallèles avec cette épître que nous avons relevés dans le *Duae viae* et ailleurs, fournissent une nouvelle indication, et une très forte, montrant que dans l'*Épître* de Barnabé nous avons affaire, d'un bout à l'autre, à l'œuvre originale d'un seul auteur » (*art. cité*, p. 138).

La comparaison avec *Éph.*, 6:5,9, n'est assurément pas dépourvue d'intérêt, et, de toutes manières, il faudra y revenir en son lieu. Mais elle fait ici oublier un parallèle beaucoup plus rapproché et plus significatif. Il a été signalé depuis longtemps par Turner, qui y trouvait une raison assez forte pour décider à elle seule du caractère secondaire du *Duae viae* de Barnabé. Voici l'argument, que je me permets de reproduire en entier :

« Nous nous contenterons d'attirer l'attention sur un seul parallèle, qui nous a toujours paru en lui-même décisif :

Did. IV, 10,11 : « Tu ne commanderas pas avec aigreur à ton esclave ou à ta servante qui espèrent dans le même Dieu que toi; pour vous, esclaves, vous serez soumis à vos maîtres comme à des représentants de Dieu, avec respect et crainte. »

Barn. XIX, 7 : « Tu te soumettras à tes maîtres comme à des représentants de Dieu, avec respect et crainte. Tu ne commanderas pas avec aigreur à ton esclave ou à ta servante, qui espèrent dans le même Dieu que toi. »

Que le chrétien individuel à qui s'adresse l'exhortation dans la *Didachè*, soit averti de ses devoirs envers ses esclaves, et qu'ensuite, par une transition facile, l'auteur se tourne vers les esclaves, pour leur rappeler leurs obligations envers leurs maîtres, c'est assez naturel. Ce qui n'est pas naturel, c'est que Barnabé considère son auditeur individuel, dans la première phrase, comme un esclave, et dans la seconde, comme un maître : et qu'il parle de ses maîtres au pluriel lorsqu'il le prend comme un esclave, et de ses esclaves au singulier lorsqu'il le prend comme un maître. Ce n'est pas naturel, mais c'est explicable, dès qu'on suppose que la *Didachè* se trouve à la base. Barnabé a simplement changé l'ordre des phrases en omettant de changer de sujet » (1).

Il n'y a guère moyen d'échapper à cette sagace observation de Turner. Barnabé est ici, non seulement maladroit, comme on a coutume de le reconnaître avant de lui faire les honneurs de l'originalité : il est proprement artificiel, et manifeste ainsi à l'évidence son caractère secondaire par rapport à un *Duae viae* préexistant, qui devait être, en toute hypothèse, quelque chose comme celui de la *Didachè* elle-même. Le moins qu'on puisse dire, c'est qu'il n'y a rien, dans tout le parallèle établi par Robinson avec *Éph.*, 6:5,9, qui puisse contrebalancer cette observation, dont la portée réelle dépasse, à coup sûr, de beaucoup le passage qu'elle touche directement.

(1) C. H. TURNER, *Studies in Early Church History*, Oxford, 1912, pp. 3-4. Turner suppose ici la *Didachè* à la base du *Duae viae* de Barnabé. Mais, comme il est clair par la suite de son texte, il ne s'agit dans sa pensée que d'une hypothèse provisoire. En fait, il s'est rallié à une explication par une source commune.

Enfin, il y a une remarque déjà ancienne de Zahn sur l'opinion de Bryennios, qui conserve, dans l'ensemble du problème, une valeur permanente. Si l'on admet que le *Duae viae* de Barnabé représente la forme originale, il restera à expliquer la manière dont les formes secondaires ont pu en sortir, à commencer par celle de la *Didachè*. On n'y réussira pas.

Il est d'abord tout à fait invraisemblable que le Didachiste, écrivant par hypothèse vers le milieu, sinon à la fin du IIe siècle, ou même au début du IIIe (Robinson), ait trouvé utile de s'appliquer à débrouiller la masse chaotique de Barnabé, en ressuscitant, sous une forme parfaite, un genre littéraire qui, autant que nous sachions, n'avait jamais eu cours dans les exhortations morales spécifiquement chrétiennes (1). D'autre part, et c'est proprement la remarque de Zahn, il est incroyable qu'un écrivain aussi peu raffiné que le Didachiste ait réussi le tour de force de tirer son *Duae viae* de celui de Barnabé. L'entreprise était non seulement anachronique et gratuite, elle était en outre à peu près sans espoir. On comprendrait un remaniement qui suivrait pas à pas son texte de base, et s'efforcerait de l'améliorer. Mais il s'agit ici de tout autre chose. Le texte de Barnabé n'est pas suivi, il est complètement déplacé, phrase par phrase, pour être ensuite rendu à un ordre que tout le monde s'accorde à trouver meilleur. Il n'est pas seulement amélioré par des retouches occasionnelles, il a tout l'air de retrouver dans la *Didachè* une forme naturelle qu'il aurait par accident perdue. A l'inverse, le désordre de Barnabé s'explique sans effort à partir d'un *Duae viae* comme celui de la *Didachè*. Il suffit de comparer un certain nombre de ses utilisations de l'Ancien Testament avec la teneur des textes originaux, pour se rendre compte que Barnabé pourrait bien ne s'être pas comporté d'une autre manière avec le *Duae viae*. Il déplace, il retranche, il ajoute, il amalgame, il paraphrase, mais il a bien rarement, si jamais, la main heureuse, lorsqu'il s'écarte de la source qu'il utilise, et un rien suffit à le mettre hors de la voie (2).

Une observation particulière de Connolly se présente ici, qu'il convient de discuter brièvement, avant de passer à l'examen d'une autre hypothèse (3). Si l'on compare *Did.*, 5:1 et *Barn.*, 20:1, on

---

(1) Sur la fiction littéraire de la « tradition » de père en fils, cf. A.-J. FESTU-GIÈRE, *La révélation d'Hermès Trismégiste*, I, p. 332 ss.; ci-dessous, comm. sur 1:2 et 3:1.

(2) Voir l'étude détaillée de W. SANDAY, *The Gospels in the Second Century*, Londres, 1876, pp. 31-36.

(3) R. H. CONNOLLY, *The Didache in Relation to the Epistle of Barnabas*, dans *JTS*, XXXIII (1932) 246-248.

s'aperçoit bientôt que les deux listes sont en divergence considérable quant à l'ordre suivi et aux vices, ou aux péchés, contenus dans l'énumération. Dès qu'on passe à *Did.*, 5:2 et à *Barn.*, 20:2, l'accord des deux textes se rétablit presque entièrement, Barnabé n'ayant que deux additions par rapport à la *Didachè*, avec quelques autres menues différences textuelles. Le fait a paru étonnant à Connolly, qui en a conclu aussitôt que les deux textes devaient être en relation directe entre eux. La conséquence n'est cependant pas nécessaire. L'hypothèse d'une source commune n'est pas exclue, aussi longtemps qu'il n'a pas été démontré impossible que cette source commune ait été substantiellement identique, dans le passage en question, à l'un et à l'autre textes : *Did.*, 5:2 et *Barn.*, 20:2.

Il n'y a, du reste, pas à s'étonner outre mesure du fait que la mémoire de Barnabé, jusque-là si défaillante, soit devenue soudain si heureuse. En réalité, ces reprises et ces défaillances lui sont coutumières, comme on peut s'en rendre compte en examinant les citations que Barnabé a faites de l'Ancien Testament dans la première partie de son *Épître*. Les nombreuses citations d'*Isaïe*, par exemple, sont de toutes les qualités, depuis l'exactitude parfaite jusqu'à l'extrême limite de divergence où un texte peut encore être reconnaissable. Un passage simple et familier comme celui de *Gen.*, 1:26, après avoir été cité une première fois sous une forme assez rapprochée de celle des *LXX* (*Barn.*, 6:12), reparaît quelques lignes plus loin (6:18) partiellement amalgamé, sans raison apparente, sous une forme nouvelle, avec *Gen.*, 1:28. On pourrait relever d'autres curiosités de cette sorte. Mais ce sont des curiosités : rien de plus. Celle qui est tombée, par hasard, sous l'observation de Connolly à 20:2, ne saurait en aucune manière être tournée en garantie d'originalité. La possibilité d'utilisation d'une source de la part de Barnabé ne se trouve pas écartée pour si peu.

Ainsi, tout compte fait, il me semble que les travaux de Robinson et de ceux qui l'ont suivi ont laissé intact le véritable problème de la provenance et de la forme originale du *Duae viae*. Il n'est aucunement démontré que Barnabé en soit lui-même l'auteur, encore moins que le Didachiste n'en soit qu'un éditeur secondaire et tardif. Une seule chose a été mise au clair, et celle-là, parfaitement : l'unité littéraire de l'*Épître* de Barnabé. C'est tout ce qu'on pouvait démontrer, de façon directe, dans la ligne d'analyse où l'on s'était engagé, et c'est tout ce qui a été démontré effectivement. Néanmoins, de manière indirecte et implicite, deux autres points ont été rendus plus probables qu'ils ne l'étaient auparavant : Barnabé, au moment de la rédaction de la première partie de son épître, connaissait déjà depuis longtemps le thème du *Duae viae* qu'il développe à sa manière dans la seconde partie; l'influence diffuse du *Duae viae* sur la première partie de l'épître trouve là son explication la plus naturelle; en outre, Barnabé a dû mettre par écrit, dans la seconde partie de son épître, le thème du *Duae viae* tel qu'il l'avait présent à l'esprit et tel qu'il avait l'habitude de le traiter dans ses instructions coutumières, gardant, comme il est naturel, à son égard, la même liberté qu'il pratiquait à l'endroit des thèmes fournis à sa réflexion par l'Ancien Testament. Pour l'ensemble du problème littéraire, l'acquis des derniers travaux s'arrête là. Le reste ne peut profiter qu'au détail de l'interprétation.

La voie est libre. Une seconde hypothèse, défendue autrefois par Funk (1), pourrait donc être envisagée ici, attribuant le *Duae viae* original, y compris *Did.*, 1:3*b*-2:1, au Didachiste lui-même.

Mais cette explication se heurte dès l'abord à de trop graves difficultés pour que nous nous arrêtions longuement à son examen. Il va sans dire, en premier lieu, que notre analyse de la composition de la *Didachè* ne nous permet pas d'accepter dans le *Duae viae* le présence de 1:3*b*-2:1. L'addition est postérieure à la rédaction des deux parties que nous avons appelées *D*1 et *D*2. D'autre part, les habitudes littéraires certaines de l'auteur du corps principal de la *Didachè* s'opposent avec force à ce qu'il soit aussi l'auteur de son *Duae viae* : une instruction morale appartenant, sans conteste, à un genre littéraire plus ancien, s'adressant, au surplus, à la deuxième personne du singulier à un auditeur fictif qui ne réapparaît plus en aucune façon, lorsqu'il est sûr que l'auteur de la *Didachè* est laissé à lui-même. En outre, il est tout à fait invraisemblable que l'auteur de la *Didachè*, se plaisant, dans tout le reste de son écrit, à en appeler à l'évangile, ait pu commencer par rédiger spontanément une instruction morale, Διδαχὴ κυρίου τοῖς ἔθνεσιν, où l'on ne discerne pas une seule trace certaine de l'enseignement

---

(1) Pour l'opinion de Funk, voir, en plus de son édition séparée de la *Didachè* (*Doctrina duodecim apostolorum, Canones apostolorum ecclesiastici ac reliquae doctrinae de duabus viis expositiones veteres*, Tubingue, 1887, pp. VIII ss.), les introductions aux éditions successives des Pères apostoliques : *Opera Patrum apostolicorum*, Tubingue, 1887, 1901, pp. IX ss.; *Der Barnabasbrief und die Didache*, dans *Theol. Quartalschr.*, LXXXIX (1897) 636 ss.; *Didascalia et Constitutiones apostolorum*, Paderborn, 1906, I, p. II.

évangélique. Enfin, la situation littéraire du *Duae viae*, dans l'ensemble de la *Didachè*, ne diffère pas de celle du *Pater* ou des « prières eucharistiques ». Le *Duae viae* est dans la *Didachè*, mais il ne suit pas que l'auteur du recueil soit lui-même l'auteur de tout ce qu'il a cru bon d'y faire entrer.

De nouveau, nous avons donc le champ libre, et, cette fois, il n'y a plus lieu d'hésiter. Nous n'avons plus devant nous qu'une seule issue : chercher une explication des faits par une source commune au *Duae viae* de la *Didachè* et de Barnabé. L'hypothèse, en soi, n'est pas nouvelle. On ne peut, cependant, songer à la reprendre sans modification de Taylor, de Harnack, de Warfield, de Hennecke ou de Savi. Après les travaux de Robinson, il est devenu nécessaire de la mettre au point. En réalité, les tentatives anciennes laissaient un travail considérable d'ajustement à accomplir, dont je voudrais maintenant, pour ma part, offrir les résultats (1).

Le point de départ nous est fourni par un caractère particulier de la *Doctrina apostolorum* de Schlecht. Le *Duae viae* de la *Didachè* respire le judaïsme dans son genre littéraire, dans un bon nombre de ses formes d'expression et dans son contenu spirituel. Il y a longtemps que ce trait de sa physionomie a été remarqué, et, dans une large mesure, il n'est pas contestable. Ce que personne n'a eu l'idée de faire, à ma connaissance, c'est la comparaison, envisagée du point de vue du judaïsme, du *Duae viae* de la *Didachè* et de la *Doctrina apostolorum* de Schlecht. Celle-ci est censée, d'après son titre, et suivant l'opinion courante, être la traduction de celui-là. Mais, quand on y regarde de près, on se trouve mis en présence

---

(1) L'hypothèse de la source commune a été reprise récemment encore par E. J. Goodspeed (*The Didache, Barnabas and the Doctrina*, dans *Angl. Theol. Rev.*, XXVII (1945) 228 ss.), contre Muilenburg, Vokes et Laistner. Mais on remarquera que le *Duae viae* de Goodspeed est un écrit chrétien du début du IIe siècle ayant déjà pour titre Διδαχὴ τῶν ἀποστόλων (= *Doctrina apostolorum* de Schlecht) : ce qui me semble embrouiller inextricablement les choses dès le point de départ. En refusant de reconnaître au *Duae viae* son origine juive et en omettant de critiquer le titre de *Doctrina apostolorum* sur lequel il s'appuyait, Goodspeed s'est trouvé perdre en grande partie le bénéfice de son observation fondamentale : celle de l'identité substantielle de la *Doctrina apostolorum* et du *Duae viae* primitif. Dans le même sens, quoique d'un autre point de vue, et de façon plus juste, B. ALTANER, *Zum Problem der lateinischen Doctrina apostolorum*, dans *Vig. christ.*, VI (1952) 160 s. et 167.

d'un fait bien singulier pour une version : au lieu que le traducteur ait tiré à soi le texte à traduire, comme il était naturel, il y a toute apparence qu'il a mis ses soins à le faire remonter vers ses lointaines origines, de sorte que la soi-disant version du *Duae viae* de la *Didachè* apparaît plus fortement teintée de judaïsme que ne l'est le *Duae viae* de la *Didachè* elle-même.

Voici, de ce point de vue, les faits les plus significatifs.

1:2

La *Didachè* porte : τὸν θεὸν τόν ποιήσαντά σε, expression qui reproduit fidèlement, pour le qualificatif donné à Dieu, *Eccli.*, 7:30. On lit, d'autre part, dans la *Doctrina* : « deum aeternum qui te fecit ». La formule, « deum aeternum », ne cause évidemment aucun embarras à la foi d'un chrétien, et dans l'hypothèse où la *Doctrina* serait la traduction d'un *Duae viae* extrait de la *Didachè*, il ne serait pas impossible, à cet égard, que nous la devions à la plume d'un traducteur chrétien (ou d'un copiste chrétien : le cas est ici le même) ajoutant à son texte. Mais, cela dit, il n'en reste pas moins que l'expression, considérée du côté de son usage, et dans un contexte qui ne l'appelait pas d'une façon particulière, évoque, non pas le Nouveau Testament, où elle ne se trouve qu'une fois (*Rom.*, 16:26, dont les attaches au reste de l'épître, comme on sait, ne sont pas tout à fait claires), mais l'Ancien Testament et les inclinations naturelles de la pensée juive ancienne (1). Ainsi, à supposer qu'il s'agisse d'une addition de la part du traducteur chrétien, il faudrait admettre à tout le moins qu'il a fait un choix plutôt inattendu de l'attribut donné au Créateur. « Omnipotens » pourrait se comprendre, mais « aeternum » ne va plus aussi naturellement, et soulève un premier doute sur les attaches véritables de la version qui le contient.

3:7

La *Did.* porte : ἐπεὶ οἱ πραεῖς κληρονομήσουσι τὴν γῆν, ce qui reproduit, à peu de chose près, *Ps.*, 36:11, οἱ δὲ πραεῖς κληρονομήσουσι γῆν. De nouveau, la *Doctrina* présente une addition d'un caractère assez insolite, mais tout à fait dans la ligne de celle que nous avons déjà observée à 1:2 : « quia mansueti possidebunt sanc-

---

(1) Cf. *Gen.*, 21:33; *Bar.*, 4:8, 10, etc. (ὁ Θεὸς αἰώνιος); *Dan.*, 13:42; voir aussi l'usage de Philon : ὁ ἀίδιος θεός, *De virt.* (*De nobil.*), 204; *De spec. leg.*, I, 28; IV, 73; — ὁ θεὸς αἰώνιος, *De plant.*, 74, 89; également, 3 *Macc.*, 6:12; *Or. sibyl.*, III, 15, 101; fragm., III, 17.

tam terram ». Dans le contexte immédiat et général du *Duae viae*, on ne fera pas de difficulté à reconnaître, croyons-nous, la saveur de piété et d'espérance proprement juives de l'expression « sanctam terram » (1). Il reste à expliquer l'addition, ou la supposée addition, du traducteur (sanctam). Il ne s'est assurément pas inspiré de *Mt.*, 5:3, qui n'offre rien de semblable. Son texte eût porté à retrancher « sanctam », par souci d'harmonisation, plutôt qu'à l'ajouter. Mais s'agit-il bien d'une addition au *Duae viae* extrait de la *Didachè?* La question se pose. Car tout s'expliquerait sans peine si la soi-disant version partielle de la *Didachè* était, en réalité, la version du *Duae viae*, non pas tel que nous le trouvons incorporé à la *Didachè*, mais tel qu'il a pu circuler indépendamment de son insertion tout accidentelle dans celle-ci. Les additions d'un caractère si particulier que nous relevons dans la *Doctrina* n'auraient plus alors à être traitées comme additions, mais comme parties du texte original. La difficulté qu'elles présentent s'évanouit. Si le *Duae viae* provient du judaïsme, il n'y a plus rien d'étonnant à ce que la très ancienne version latine qui nous l'aurait par bonheur conservé, accuse, par endroits, les origines spirituelles de l'écrit de façon plus nette que le *Duae viae* incorporé au recueil de la *Didachè* elle-même.

4:1

Did., τὸν λόγον τοῦ θεοῦ. La *Doctrina* offre une expression complexe : « uerbum domini dei ». Nous nous trouvons encore une fois devant un fait bien curieux pour une version sortie, par hypothèse, d'une main chrétienne. ὁ λόγος τοῦ θεοῦ, c'est l'expression préférée du Nouveau Testament, à la place de la formule plus ancienne des *LXX* : ὁ λόγος (τοῦ) κυρίου. En outre, comme il était naturel, la tendance de la transmission du texte du Nouveau Testament a été d'harmoniser dans le sens de l'usage chrétien postérieur : ὁ λόγος τοῦ κυρίου (le Seigneur : Jésus); ainsi, pour *Act.*, 12:24; 13:44, 48; 16:32, où les hésitations des meilleurs mss. témoignent, en général, de cette tendance (2). ὁ λόγος τοῦ θεοῦ n'a pas été sans causer quelque surprise aux copistes et aux correcteurs. La tentation a été de substituer τοῦ κυρίου (Jésus) à τοῦ

(1) 1 *Hénoch*, 27, 1; CHARLES, *Pseudepigrapha*, p. 205; 2 *Baruch*, 29, 2, avec les notes de l'éditeur, *ibid.*, p. 497.
(2) Un phénomène analogue dans la transmission d'Hermas; cf. *Affinités littéraires et doctrinales du « Manuel de discipline »*, dans *RB*, LX (1953) 48 ss.; J. DUPONT, *Notes sur les Actes des Apôtres*, dans *RB*, LXII (1956) 47-49.

θεοῦ. On s'attendrait donc à trouver, dans la *Doctrina* comme dans la *Didachè*, « uerbum dei ». D'où vient alors cette addition, « domini », qui nous fait retourner à la formule des *LXX*, au rebours des tendances propres à l'usage chrétien? La question reste sans réponse. Mais il se peut, ici comme dans les cas précédents, qu'il s'agisse non pas d'une addition, mais du texte original (1).

4:8b

La *Doctrina* est seule : « omnibus enim dominus dare uult de donis suis ». S'agit-il d'une addition? Un chrétien eût plutôt écrit « Deus », comme l'a fait Hermas (*Mand.*, 2, 4), sinon ὁ πατήρ, comme l'a fait l'interpolateur de la *Didachè* (1:5), en reprenant le thème à son compte. « Dominus » porte avec soi une suffisante garantie d'authenticité, et nous invite, une fois de plus, à remonter au delà de l'évangile.

4:9,10

Une remarque semblable doit être faite sur trois autres cas : 4:9, *Did.*, τὸν φόβον τοῦ θεοῦ; *Doctr.*, timorem domini; — 4:10*a*, *Did.*, ἐπὶ τὸν αὐτὸν θεόν; *Doctr.*, in eundem dominum; — 4:10*b*, *Did.*, οὐ μὴ φοβηθήσονται τὸν ἐπ'ἀμφοτέροις θεόν; *Doctr.*, timeat utrumque, dominum et te.

4:11

Did., ὡς τύπῳ θεοῦ; *Doctr.*, « tamquam formae dei ». La leçon « deus » doit être, cette fois, correcte dans les deux cas. Il s'agit des devoirs des esclaves envers leurs maîtres (κύριοι) : l'auteur a pu vouloir éviter l'équivoque en mettant, ὡς τύπῳ θεοῦ, au lieu de ὡς τύπῳ κυρίου.

4:12

Did., τῷ κυρίῳ; *Doctr.*, « deo ». Il est possible que la leçon de la *Doctrina* résulte ici de la tendance chrétienne à substituer « deus » à « dominus » en pareille occasion. La *Did.* est supportée par la recension courte des *Can. eccl.* de Schermann : elle reprend donc, par exception, l'avantage sur la *Doctrina* pour la teinte juive de son texte.

---

(1) Il est vrai que la leçon pourrait être aussi une leçon agglutinante, comme celle d'HERMAS, *Sim.*, VII, 6, κυρίῳ θεῷ (*Pap. Mich.* 129). Le parallèle de *Barn.*, 19:9, τὸν λόγον (τοῦ, *Hier.* 54) κυρίου pourrait, en soi, être un indice en ce sens. Mais il est contrebalancé par celui des *Can. eccl.*, 12, τὸν λόγον τοῦ θεοῦ. Dans ces conditions, il est plus naturel de supposer, comme nous venons de le faire, que la transmission du *Duae viae* s'est divisée sur une expression complexe, κυρίου τοῦ θεοῦ, dont elle aura adopté tantôt la première et tantôt la seconde partie.

6:4-5

La *Doctrina* est seule : « haec in consulendo si cottidie feceris,
prope eris uiuo deo; quod si non feceris, longe eris a ueritate. haec
omnia tibi in animo pone et non deceperis de spe tua. sed per haec
sancta certamina peruenies ad coronam. per dominum etc. » —
Pour la pensée et l'expression, c'est le thème des récompenses
promises à ceux qui auront été fidèles à observer la Loi. On ne peut
discerner, dans cette supposée addition au *Duae viae* de la *Didachè*,
un seul trait spécifiquement chrétien. Ce n'est pas tout. Le *Duae
viae* de la *Didachè* se termine par cette dernière recommandation,
d'abord, au pluriel : ῥυσθείητε, τέκνα, ἀπὸ τούτων ἁπάντων *(H)* ;
puis, au singulier : ὅρα μή τις σε πλανήσῃ ἀπὸ ταύτης τῆς ὁδοῦ τῆς
διδαχῆς, ἐπεὶ παρεκτὸς θεοῦ σε διδάσκει. Comparons maintenant
le texte correspondant de la *Doctrina* : « abstine te, fili, ab istis
omnibus et uide ne quis te ab hac doctrina auocet, et si minus extra
disciplinam doceberis ». Il est inconcevable que, dans une première
opération, on ait extrait le *Duae viae* de la *Didachè*, puis, longtemps
après, qu'un traducteur (que nous devons bien supposer chrétien)
soit venu, non seulement donner à la finale du texte séparé une suite
et une apparence plus naturelles, mais la dépouiller d'abord de
son καρεκτὸς θεοῦ, remplacé par « extra disciplinam », aussi
humblement attaché à la Loi qu'il est possible, pour lui ajouter
ensuite ce que nous lisons à 6:4-5, d'une inspiration nettement
anachronique par rapport à l'évangile. Au reste, de pareilles interventions, autant que nous pouvons savoir, sont étrangères aux goûts
et aux habitudes du traducteur, qui ne paraît en aucun endroit
avoir voulu améliorer ou modifier de cette manière le texte à traduire. La traduction est littérale, presque mécanique.

La solution est simple, quoique l'opinion courante ne l'attende
pas : selon toutes apparences, la *Doctrina apostolorum* de Schlecht
n'a rien à voir, en tant que version, avec le *Duae viae* de la *Didachè*.
Elle représente un texte du *Duae viae* indépendant de celui de la
Didachè, mieux caractérisé que celui-ci, en de nombreux endroits,
du point de vue du judaïsme, qui doit être alors le judaïsme de ses
origines.

Il se peut, cependant, qu'il faille ici tenir compte d'une certaine
marge d'erreur : le *Duae viae* de la *Didachè* a pu être « christianisé »
au cours de la transmission par des retouches occasionnelles, de
manière à offrir aujourd'hui quelques points de comparaison qui ne
seraient plus de première valeur. Mais, compte tenu des erreurs
possibles, la totalité des faits que l'analyse a relevés, ne saurait

être expliquée par là. Nous restons donc avec une forte probabilité pour que la *Doctrina apostolorum* de Schlecht ne soit rien d'autre qu'une ancienne traduction latine du *Duae viae*, incorporée, sous une forme quelconque, mais indépendante, au recueil des instructions contenues dans la *Didachè*.

Le titre, *Doctrina apostolorum*, ne fait pas de difficulté sérieuse à cette explication. Comme le *Duae viae*, d'une part (attesté sous ce titre par Rufin), n'avait pas de titre propre, et comme, d'autre part, il figurait en tête d'un écrit portant le titre (déformé) de *Doctrina apostolorum* (Διδαχή τῶν ἀποστόλων), il a pu suffire que les deux écrits se croisent au cours de leur diffusion dans les mêmes milieux pour que le titre de la *Didachè* passe au *Duae viae* grec, et, de celui-ci, à sa version latine (1).

Une remarque analogue peut être faite sur l'invocation finale : « per dominum etc. », que nous devons à la seule piété d'un copiste. Le titre et l'invocation représentent aux deux extrémités du texte de simples et très compréhensibles additions. Ce serait, d'ailleurs, les deux seuls traits spécifiquement chrétiens de la *Doctrina apos-*

---

(1) On peut se faire une idée de la liberté dont se prévalait la transmission à l'égard des attributions et des titres de cette littérature gnomique par un exemple emprunté au monde grec. Les *Préceptes delphiques*, dont il existe plusieurs recensions, ont d'abord été un recueil anonyme. En dépit de l'oracle apollinien qui les avait tirés à soi, ils ont ensuite été attribués en bloc aux Sept Sages, puis répartis en tranches pour être mis sous cette forme au compte de chacun de ceux-ci (cf. DITTENBERGER, *Sylloge*, III³, 1268, notes de Diels). Le *Duae viae* a subi exactement le même sort. D'abord anonyme, il a bientôt reçu du judaïsme un premier titre : Διδαχή κυρίου τοῖς ἔθνεσιν, puis il a été, dans sa transmission chrétienne, attribué respectivement à Pierre et aux Douze (le *Iudicium Petri* de Rufin et de s. Jérôme, et la *Doctrina apostolorum* de Schlecht), pour être, enfin, comme il se devait, divisé en petites sections et distribué entre les apôtres (recension des *Canons ecclésiastiques*). J'ajoute, pour achever la ressemblance, que les *Préceptes delphiques*, passant dans la tradition gnomique égyptienne, ont été mis sous le patronage local d'Amenhotep, tout comme le *Duae viae* devait plus tard, en passant du judaïsme au christianisme, être mis sous le nom des « maîtres de sagesse » de ce dernier. On pourrait apporter bien d'autres exemples d'un semblable traitement. C'est une grave illusion, de la part de Goodspeed, d'avoir accepté, dans son hypothèse littéraire, la suggestion du titre de la *Doctrina apostolorum*. Je m'étonne également qu'il se soit persuadé si facilement qu'il fallait en ignorer le judaïsme (*The Didache, Barnabas and the Doctrina*, dans *Angl. Theol. Rev.*, XXVII (1945) 228 ss.; *A History of Early Christian Literature*, p. 32). Taylor, qui était sensible à ces choses, et qui n'était pas un mauvais juge, avait dès la première heure pensé bien autrement (*The Teaching of the Twelve Apostles, with illustrations from the Talmud*, Cambridge, 1886). Et Taylor n'est pas resté isolé. Goodspeed le reconnaît, mais il ajoute que les « historiens de la littérature juive » n'ont pas reçu le *Duae viae*. Je ne saurais dire au juste ce que peut viser cette allusion, qui ne va certes pas sans quelque inexactitude (cf. *Jew. Encycl.*, IV, 585 ss.; *Encycl. judaica*, III, 11 ss.; G. F. MOORE, *Judaism*, I, p. 188). Au reste, et à la rigueur, il suffit, pour se faire là-dessus un jugement quelque peu motivé, de lire, par exemple, à la suite le *Duae viae* dans la recension de la *Doctrina apostolorum* (= Διδαχή κυρίου τοῖς ἔθνεσιν) et les *Testaments des douze patriarches*.

tolorum de Schlecht : ils lui sont tous deux adventices.
Mais nous ne sommes qu'au point de départ. Rien de plus n'est
exigé ici pour établir solidement notre hypothèse de travail. Si
la *Doctrina apostolorum* représente, en traduction latine, un *Duae
viae* de transmission indépendante, il suit immédiatement qu'on
peut la mettre en comparaison entre le *Duae viae* de la *Didachè*,
d'une part, et le *Duae viae* de Barnabé, d'autre part, pour savoir
s'ils ne s'y rattachent pas l'un et l'autre comme à une source commune. A supposer que les résultats soient ceux que nous pouvons
maintenant prévoir, la conclusion s'imposerait d'une manière
définitive : l'auteur du recueil des *Instructions des apôtres* et Barnabé ne se rencontrent, pour leur *Duae viae* respectif, que dans le
Duae viae qu'ils ont connu indépendamment l'un de l'autre.

Il est nécessaire maintenant de tirer les faits au clair. Ils parleront
d'eux-mêmes. On comprendra, d'autre part, que, dans une question
aussi controversée, nous ayons tenu à entrer dans le plus grand
détail.

Je mets d'abord sur trois colonnes parallèles les textes complets
du *Duae viae* de la *Didachè*, de la *Doctrina apostolorum* et de l'*Épître*
de Barnabé. En règle générale, tout ce qu'ils ont en commun,
soit trois ensemble, soit deux seulement, se trouve disposé sur une
même ligne. Ce qui est propre à l'un ou à l'autre des trois textes
apparaît sur une ligne particulière. Cependant, là où la différence
des trois textes, ou des deux textes, n'est que partielle, ou ressort
assez d'elle-même, ou n'a que peu d'importance, il m'est arrivé
de conserver la disposition sur une même ligne, comme si tout était
absolument commun. Aucun inconvénient sérieux n'en peut
provenir pour la clarté de la comparaison. Les éléments textuels
comparés sur chaque ligne sont assez réduits pour qu'aucune
variation ne puisse échapper à une lecture attentive.

De plus, comme Barnabé suit un ordre propre, il a été nécessaire
de lui attribuer une deuxième colonne *(Barn.-Did.)*, où son texte
apparaît, avec référence, dans l'ordre de la *Didachè* et de la *Doctrina
apostolorum*. Grâce à cette quatrième colonne, la comparaison à
trois termes restera toujours possible. D'autre part, nous aurons
ainsi obvié à l'inconvénient d'imposer au texte de Barnabé, pour
les besoins de la comparaison, une physionomie qu'il n'a pas en
réalité.

Pour la *Didachè* et l'*Épître* de Barnabé, je suis le texte de Harnack (*Quinta minor*, 1906), comme indépendant de l'hypothèse;
pour la *Doctrina apostolorum*, le texte du ms. de Freisingen décou-

vert par Schlecht (aujourd'hui, *Monacensis* 6264), d'après l'édition de L. Wohleb, *Die lateinische Übersetzung der Didache* (*Studien z. Gesch. u. Kult. des Altertums*, VII, 1), Paderborn, 1913, pp. 90-102. Il a paru préférable de prendre ici, pour notre comparaison, un texte où la critique des éditeurs ne soit pas intervenue (1).

Did.	Doctr.	Barn.	Barn.-Did.
1¹. Ὁδοὶ δύο εἰσί,	1¹. Uiae duae sunt in saeculo,	18¹. Ὁδοὶ δύο εἰσὶν	
		διδαχῆς καὶ ἐξουσίας,	
μία τῆς ζωῆς καὶ μία τοῦ θανάτου,	uitae et mortis,		
	lucis et	ἥ τε τοῦ φωτὸς καὶ ἡ	
	tenebrarum. in his constituti sunt angeli duo, unus aequitatis, alter iniquitatis.	τοῦ σκότους.	
			ἐφ'ἧς μὲν γάρ εἰσιν τεταγμένοι φωτα-γωγοὶ ἄγγελοι τοῦ θεοῦ, ἐφ'ἧς δὲ ἄγ-γελοι τοῦ σατανᾶ.
διαφορὰ δὲ πολ-λὴ	distantia autem magna est	διαφορὰ δὲ πολ-λὴ	
μεταξὺ τῶν δύο ὁδῶν.	duarum uia-rum.	τῶν δύο ὁδῶν. ἐφ'ἧς μὲν γάρ εἰσιν τεταγμέ-νοι φωταγωγοὶ ἄγγελοι τοῦ θεοῦ, ἐφ'ἧς δὲ ἄγγελοι τοῦ σα-τανᾶ.	

(1) Pour plus de sécurité, à la comparaison principale *Doctr.-Did.-Barn.*, nous ajouterons, en cours de discussion, lorsque l'occasion s'y prêtera, les deux recensions majeures des *Canons ecclésiastiques*. Pour la recension courte (= *Epitomé*, titre des mss.), je suis le texte édité par Th. Schermann, *Eine Elfapostelmoral oder die X-Rezension der « beiden Wege »*, Munich, 1903, pp. 16-18. Le texte de la recension longue des *Can. eccl.* (*Duae viae*) est également celui de Schermann, *Die allgemeine Kirchenordnung, frühchristliche Liturgien und kirchliche Überlieferung* (*Studien z. Gesch. und Kultur des Altertums*, III, 1). Paderborn, 1914, pp. 15-22.

Did.	Barn.	Doctr.	Barn.-Did.
		18². καὶ ὁ μέν ἐστιν κύριος ἀπὸ αἰώνων καὶ εἰς τοὺς αἰῶνας, ὁ δὲ ἄρχων καιροῦ τοῦ νῦν τῆς ἀνομίας.	
1². Ἡ μὲν οὖν ὁδὸς τῆς ζωῆς	1². uia ergo uitae	19¹. Ἡ οὖν ὁδὸς	
ἐστιν αὕτη·	haec est:	τοῦ φωτός ἐστιν αὕτη· ἐάν τις θέλων ὁδὸν ὁδεύειν ἐπὶ τὸν ὡρισμένον τόπον, σπεύσῃ τοῖς ἔργοις αὐτοῦ. ἔστιν οὖν ἡ δοθεῖσα ἡμῖν γνῶσις τοῦ περιπατεῖν ἐν αὐτῇ τοιαύτη.	
πρῶτον, ἀγαπήσεις τὸν θεὸν	primo diliges deum aeternum,	19². ἀγαπήσεις	
τὸν ποιήσαντά σε,	qui te fecit,	τὸν ποιήσαντά σε, φοβηθήσῃ τόν σε πλάσαντα, δοξάσεις τόν σε λυτρωσάμενον ἐκ θανάτου· ἔσῃ ἁπλοῦς τῇ καρδίᾳ καὶ πλούσιος τῷ πνεύματι· οὐ κολληθήσῃ μετὰ τῶν πορευομένων ἐν ὁδῷ θανάτου, μισήσεις πᾶν ὃ οὐκ ἔστιν ἀρεστὸν τῷ θεῷ, μισήσεις πᾶσαν ὑπόκρισιν· οὐ μὴ ἐγκαταλίπῃς ἐντολὰς κυρίου.	
δεύτερον, τὸν πλησίον σου ὡς σεαυτόν· πάντα δὲ ὅσα	secundo proximumtuum ut te ipsum. omne autem,		

Did.	Barn.	Doctr.	Barn.-Did.
	quod		
ἐὰν θελήσῃς μὴ γίνεσθαί σοι	tibi fieri non uis,		
καὶ σὺ ἄλλῳ μὴ ποίει.	alio non feceris.		
	1³. interpretatio autem		
1³. Τούτων δὲ τῶν λόγων ἡ διδαχή ἐστιν αὕτη· [εὐλογεῖτε...	horum uerborum haec est:		
2¹. Δευτέρα δὲ ἐντολὴ τῆς διδαχῆς·].			
		19³. οὐχ ὑψώσεις σεαυτόν, ἔσῃ δὲ ταπεινόφρων κατὰ πάντα· οὐκ ἀρεῖς ἐπὶ σεαυτὸν δόξαν. οὐ λήμψῃ βουλὴν πονηρὰν κατὰ τοῦ πλησίον σου· οὐ δώσεις τῇ ψυχῇ σου θράσος.	
		19⁴. οὐ πορνεύσεις,	
	2². non moechaberis,		
2². οὐ φονεύσεις,	non homicidium facies,		
οὐ μοιχεύσεις,		οὐ μοιχεύσεις,	
	non falsum testimonium dices,		
οὐ παιδοφθορήσεις,	non puerum uiolaueris,	οὐ παιδοφθορήσεις.	
οὐ πορνεύσεις, οὐ κλέψεις,	non fornicaberis,		
οὐ μαγεύσεις,	non magica facies,		
οὐ φαρμακεύσεις,	non medicamenta mala facies,		
		οὐ μή σου ὁ λόγος τοῦ θεοῦ ἐξέλθῃ ἐν ἀκαθαρσίᾳ τινῶν. οὐ λήμψῃ πρόσωπον ἐλέγξαι τινὰ ἐπὶ παραπτώματι. ἔσῃ πραΰς, ἔσῃ ἡσύ-	

Did.	Doctr.	Barn.	Barn.-Did.
		χιος, ἔσῃ τρέμων τοὺς λόγους οὓς ἤκουσας. οὐ μνησικακήσεις τῷ ἀδελφῷ σου. 19⁵. οὐ μὴ διψυχήσῃς πότερον ἔσται ἢ οὔ. οὐ μὴ λάβῃς ἐπὶ ματαίῳ τὸ ὄνομα κυρίου. ἀγαπήσεις τὸν πλησίον σου ὑπὲρ τὴν ψυχήν σου.	
οὐ φονεύσεις τέκνον ἐν φθορᾷ	non occides filium in abortum	οὐ φονεύσεις τέκνον ἐν φθορᾷ.	
οὐδὲ	nec	οὐδὲ πάλιν	
γεννηθέντα ἀποκτενεῖς,	natum succides,	γεννηθὲν ἀποκτενεῖς. οὐ μὴ ἄρῃς τὴν χεῖρά σου ἀπὸ τοῦ υἱοῦ σου ἢ ἀπὸ τῆς θυγατρός σου, ἀλλὰ ἀπὸ νεότητος διδάξεις φόβον θεοῦ.	
οὐκ ἐπιθυμήσεις	non concupisces		
		19⁶. οὐ μὴ γένῃ ἐπιθυμῶν	
τὰ τοῦ πλησίον.	quicquam de re proximi tui.	τὰ τοῦ πλησίον σου, οὐ μὴ γένῃ πλεονέκτης· οὐδὲ κολληθήσῃ ἐκ ψυχῆς σου μετὰ ὑψηλῶν, ἀλλὰ μετὰ ταπεινῶν καὶ δικαίων ἀναστραφήσῃ. τὰ συμβαίνοντά σοι ἐνεργήματα ὡς ἀγαθὰ προσδέξῃ, εἰδὼς ὅτι ἄνευ θεοῦ οὐδὲν γίνεται.	
2³. οὐκ ἐπιορκήσεις, οὐ ψευδομαρ-	2³. non periurabis,		

Did.	Doctr.	Barn.	Barn.-Did.
τυρήσεις, οὐ κακολογή- σεις, οὐ μνησικακή- σεις.	non male loque- ris, non eris memor malorum fac- torum,		οὐ μνησικακήσεις τῷ ἀδελφῷ σου (19: 4).
2⁴. οὐκ ἔσῃ διγνώ- μων οὐδὲ δίγλωσσος·	2⁴. non eris duplex in consilium dandum neque bilinguis;	19⁷. οὐκ ἔσῃ δι- γνώμων οὐδὲ γλωσσώ- δης.	
παγὶς γὰρ θανά- του	tendiculum enim mortis est		παγὶς γὰρ τὸ στό- μα θανάτου (19: 8).
ἡ διγλωσσία.	lingua.		
2⁵. οὐκ ἔσται ὁ λόγος σου ψευδής, οὐ κενός,	2⁵. non erit uerbum tuum uacuum nec mendax.		
ἀλλὰ μεμεστω- μένος πράξει.			
2⁶. οὐκ ἔσῃ πλεο- νέκτης	2⁶. non eris cupi- dus nec auarus		οὐ μὴ γένῃ πλεο- νέκτης (19:6).
οὐδὲ ἅρπαξ οὐδὲ ὑποκριτὴς	nec rapax nec adolator nec contentio- sus		
οὐδὲ κακοήθης οὐδὲ ὑπερήφα- νος,	nec mali moris.		
οὐ λήψῃ βουλὴν πονηρὰν κατὰ τοῦ πλησίον σου.	non accipies consilium ma- lum aduersus proximum tuum.		οὐ λήμψῃ βουλὴν πονηρὰν κατὰ τοῦ πλησίον σου (19:3).
2⁷. οὐ μισήσεις πάν- τα ἄνθρωπον,	2⁷. neminem homi- num odieris,		
ἀλλὰ οὓς μὲν ἐλέγξεις, οὓς δὲ ἐλεήσεις, πε- ρὶ δὲ ὧν προσ- εύξῃ,			
οὓς δὲ ἀγαπή- σεις ὑπὲρ τὴν ψυχήν σου.	quosdam ama- bis super animam tuam.		ἀγαπήσεις τὸν πλη- σίον σου ὑπὲρ τὴν ψυχήν σου (19:5).
3¹. Τέκνον μου, φεῦγε ἀπὸ παντὸς πονηροῦ	3¹. fili, fuge ab homine malo		

Did.	*Doctr.*	*Barn.*	*Barn.-Did.*
καὶ ἀπὸ παντὸς ὁμοίου αὐτοῦ.	et homine simili illius.		
3². μὴ γίνου ὀργίλος·	3². noli fieri iracundus, quia iracundia		
ὁδηγεῖ γὰρ ἡ ὀργὴ πρὸς τὸν φόνον·	ducit		
μηδὲ	ad homicidium.		
ζηλωτὴς	nec		
μηδὲ ἐριστικὸς	appetens eris		
μηδὲ θυμικός·	malitiae		
ἐκ γὰρ τούτων	nec animosus,		
ἁπάντων	de his enim		
φόνοι	omnibus		
	irae		
γεννῶνται.	nascuntur.		
3³. τέκνον μου, μὴ γίνου ἐπιθυμητής· ὁδηγεῖ γὰρ ἡ ἐπιθυμία πρὸς τὴν πορνείαν· μηδὲ αἰσχρολόγος μηδὲ ὑψηλόφθαλμος· ἐκ γὰρ τούτων ἁπάντων μοιχεῖαι γεννῶνται.			
3⁴. τέκνον μου, μὴ γίνου οἰωνοσκόπος· ἐπειδὴ ὁδηγεῖ εἰς τὴν εἰδωλολατρίαν· μηδὲ ἐπαοιδὸς	3⁴. noli esse		
μηδὲ μαθηματικὸς	mathematicus		
μηδὲ περικαθαίρων,	neque delustrator,		
μηδὲ θέλε αὐτὰ βλέπειν· ἐκ γὰρ τούτων			
	quae res ducunt ad		
ἁπάντων εἰδωλολατρία γεννᾶται.	uanam superstitionem dere neca udire· nec uelis ea ui-		
3⁵. τέκνον μον, μὴ γίνου ψεύστης, ἐπειδὴ	3⁵. noli fieri mendax, quia		

Did.	*Doctr.*	*Barn.*	*Barn.-Did.*
	mendacium		
ὁδηγεῖ	ducit		
τὸ ψεῦσμα			
εἰς τὴν κλοπήν·	ad furtum;		
μηδὲ φιλάργυ-	neque amator		
ρος	pecuniae		
μηδὲ κενόδοξος.	nec uanus;		
ἐκ γὰρ τούτων	de his enim		
ἁπάντων κλοπαὶ	omnibus furta		
γεννῶνται.	nascuntur.		
3⁶. τέκνον μου,			
μὴ γίνου γόγγυ-	3⁶. noli fieri mu-		
σος·	muriosus,		
ἐπειδὴ ὁδηγεῖ	quia ducit		
εἰς τὴν βλασφη-	ad maledictio-		
μίαν·	nem.		
μηδὲ			
	noli fieri		
αὐθάδης	audax		
μηδὲ πονηρό-	nec male sa-		
φρων·	piens;		
ἐκ γὰρ τούτων	de his enim om-		
ἁπάντων βλα-	nibus maledic-		
σφημίαι γεννῶν-	tiones nascun-		
ται.	tur.		
3⁷. ἴσθι δὲ πραΰς,	3⁷. esto autem		ἔσῃ πραΰς (19:4).
	mansuetus,		
ἐπεὶ οἱ πραεῖς	quia mansueti		
κληρονομήσουσι	possidebunt		
	sanctam		
τὴν γῆν.	terram.		
3⁸. γίνου μακρόθυ-	3⁸. esto patiens et		
μος	tui negotii		
καὶ ἐλεήμων			
καὶ ἄκακος			
καὶ ἡσύχιος			
καὶ ἀγαθὸς	bonus		
καὶ τρέμων	et tremens		ἔσῃ τρέμων
	omnia		
τοὺς λόγους	uerba,		τοὺς λόγους
διὰ παντός,			
οὓς ἤκουσας.	quae audis.		οὓς ἤκουσας (19:4).
3⁹. οὐχ ὑψώσεις σε-	3⁹. non altiabis te		οὐχ ὑψώσεις σε-
αυτὸν			αυτόν (19:3).
οὐδὲ	nec		
	honorabis te		
	apud homines		
	nec		
δώσεις τῇ ψυχῇ	dabis animae		οὐ δώσεις τῇ ψυχῇ
	tuae		
σου θράσος.	superbiam.		σου θράσος (19:3).
οὐ κολληθήσεται	non iunges		οὐδὲ κολληθήσῃ
ἡ ψυχή σου	te animo		ἐκ ψυχῆς σου

Did.	Doctr.	Barn.	Barn.-Did.
μετὰ ὑψηλῶν, ἀλλὰ μετὰ δικαίων καὶ ταπεινῶν ἀναστραφήσῃ. 3¹⁰.τὰ	cum altioribus, sed cum iustis humilibusque conuersaberis. 3¹⁰. quae tibi contraria		μετὰ ὑψηλῶν, ἀλλὰ μετὰ ταπεινῶν καὶ δικαίων ἀναστραφήσῃ. τὰ
συμβαίνοντά σοι ἐνεργήματα ὡς ἀγαθὰ προσδέξῃ, εἰδὼς ὅτι	contingunt, pro bonis excipies, sciens nihil		συμβαίνοντά σοι ἐνεργήματα ὡς ἀγαθὰ προσδέξῃ, εἰδὼς ὅτι
ἄτερ θεοῦ οὐδὲν γίνεται. 4¹. Τέκνον μου, τοῦ λαλοῦντός σοι	sine deo fieri. 4¹. qui loquitur tibi		ἄνευ θεοῦ οὐδὲν γίνεται (19:6). ἀγαπήσεις ὡς κόρην τοῦ ὀφθαλμοῦ σου
τὸν λόγον τοῦ θεοῦ	uerbum domini dei,		πάντα τὸν λαλοῦντά σοι τὸν λόγον τοῦ κυρίου.
μνησθήσῃ	memineris		μνησθήσῃ ἡμέραν κρίσεως
νυκτὸς καὶ ἡμέρας, τιμήσεις δὲ αὐτὸν ὡς κύριον· ὅθεν γὰρ ἡ κυριότης λαλεῖται, ἐκεῖ κύριός ἐστιν.	die ac nocte, reuereberis eum quasi dominum; unde enim dominica procedunt, ibi et dominus est.		νυκτὸς καὶ ἡμέρας
4². ἐκζητήσεις δὲ καθ'ἡμέραν	4². require autem		καὶ ἐκζητήσεις καθ'ἐκάστην ἡμέραν
τὰ πρόσωπα τῶν ἁγίων, ἵνα ἐπαναπαῇς τοῖς λόγοις αὐτῶν.	facies sanctorum, ut te reficias uerbis illorum.		τὰ πρόσωπα τῶν ἁγίων (19:9-10).
4³. οὐ ποιήσεις σχίσμα, εἰρηνεύσεις δὲ μαχομένους· κρινεῖς δικαίως,	4³. non facies dissensiones, pacifica litigantes, iudica iuste sciens quod tu iudicaberis. non deprimes quem-		κρινεῖς δικαίως. οὐ ποιήσεις σχίσμα, εἰρηνεύσεις δὲ μαχομένους συνα-

Did.	Doctr.	Barn.	Barn.-Did.
	quam in casu suo.		γαγών (19:11-12).
οὐ λήψῃ πρόσωπον ἐλέγξαι			οὐ λήψῃ πρόσωπον ἐλέγξαι τινὰ
ἐπὶ παραπτώμασιν.			ἐπὶ παραπτώματι (19:4).
4⁴. οὐ διψυχήσεις, πότερον ἔσται ἢ οὔ.	4⁴. non dubitabis uerum (?) erit an non erit.		οὐ διψυχήσῃς πότερον ἔσται ἢ οὔ (19:5).
4⁵. μὴ γίνου πρὸς μὲν	4⁵. noli esse ad		μὴ γίνου πρὸς μὲν
τὸ λαβεῖν ἐκτείνων τὰς χεῖρας, πρὸς δὲ τὸ δοῦναι συσπῶν.	accipiendum extendens manum et ad reddendum subtrahens.		τὸ λαβεῖν ἐκτείνων τὰς χεῖρας, πρὸς δὲ τὸ δοῦναι συσπῶν (19:9).
4⁶. ἐὰν ἔχῃς	4⁶. si habes		ἢ διὰ λόγου κοπιῶν καὶ πορευόμενος εἰς τὸ παρακαλέσαι καὶ μελετῶν εἰς τὸ σῶσαι
διὰ τῶν χειρῶν σου δώσεις λύτρωσιν ἁμαρτιῶν σου.	per manus tuas redemptionem peccatorum,		τὴν ψυχὴν τῷ λόγῳ. ἢ διὰ τῶν χειρῶν σου ἐργάσῃ εἰς λύτρον ἁμαρτιῶν σου. οὐ δισ-
4⁷. οὐ διστάσεις δοῦναι οὐδὲ διδοὺς γογγύσεις· γνώσῃ γάρ, τίς ἐστιν ὁ τοῦ μισθοῦ καλὸς ἀνταποδότης.	4⁷. non dubitabis dare nec dans murmuraberis, sciens quis sit huius mercis [mercedis] bonus redditor.		τάσεις δοῦναι οὐδὲ διδοὺς γογγύσεις· γνώσῃ δὲ τίς ὁ τοῦ μισθοῦ καλὸς ἀνταποδότης (19:10-11).
		19⁷. ὑποταγήσῃ κυρίοις ὡς τύπῳ θεοῦ ἐν αἰσχύνῃ καὶ φόβῳ. οὐ μὴ ἐπιτάξῃς δούλῳ σου ἢ παιδίσκῃ ἐν πικρίᾳ, τοῖς ἐπὶ τὸν αὐτὸν θεὸν ἐλπίζουσιν, μήποτε οὐ μὴ φοβηθήσονται τὸν ἐπ᾽ ἀμφοτέροις θεόν· ὅτι ἦλθεν οὐ κατὰ πρόσωπον καλέσαι, ἀλλ᾽ ἐφ᾽ οὓς τὸ	

Did.	Doctr.	Barn.	Barn.-Did.
		πνεῦμα ἡτοίμα-σεν.	
4⁸. οὐκ ἀποστρα - φήσῃ τὸν ἐνδεόμενον, συγκοινωνήσεις δὲ πάντα τῷ ἀδελφῷ σου	4⁸. non auertes te ab egente, communicabis autem omnia cum fratribus tuis	19⁸. κοινωνήσεις ἐν πᾶσιν τῷ πλησίον σου	
καὶ οὐκ ἐρεῖς ἴδια εἶναι· εἰ γὰρ ἐν τῷ ἀθανάτῳ κοινωνοί ἐστε	nec dices tua esse; si enim mortalibus socii sumus,	καὶ οὐκ ἐρεῖς ἴδια εἶναι· εἰ γὰρ κοινωνοί ἐστε ἐν τῷ ἀφθάρτῳ	
πόσῳ μᾶλλον ἐν τοῖς θνητοῖς.	quanto magis	πόσῳ μᾶλλον ἐν τοῖς φθαρ- τοῖς;	
	hinc initiantes esse debemus! omnibus enim dominus dare uult de donis suis.		
4⁹. οὐκ ἀρεῖς τὴν χεῖρά σου ἀπὸ τοῦ υἱοῦ σου ἢ ἀπὸ τῆς θυγα- τρός σου,	4⁹. non tolles manum		οὐ μὴ ἄρῃς τὴν χεῖρά σου ἀπὸ τοῦ υἱοῦ σου ἢ ἀπὸ τῆς θυγα- τρός σου,
ἀλλὰ ἀπὸ νεό- τητος διδάξεις	a filiis, sed a iuventute docebis eos		ἀλλ'ἀπὸ νεότητος διδάξεις
τὸν φόβον τοῦ θεοῦ.	timorem domini.		φόβον θεοῦ (19:5).
4¹⁰. οὐκ ἐπιτάξεις δούλῳ σου ἢ παιδίσκῃ,	4¹⁰. seruo tuo uel ancillae,		οὐ μὴ ἐπιτάξῃς δούλῳ σου ἢ παιδίσκῃ ἐν πικρίᾳ
τοῖς ἐπὶ τὸν αὐ- τὸν	qui in eundem sperant		τοῖς ἐπὶ τὸν αὐτὸν
θεὸν ἐλπίζουσιν, ἐν πικρίᾳ σου,	dominum in ira tua non imperabis,		θεὸν ἐλπίζουσιν
μήποτε οὐ μὴ φοβηθήσονται τὸν ἐπ' ἀμφο-			μήποτε οὐ μὴ φοβηθήσονται τὸν ἐπ'ἀμφοτέροις

Did.	Doctr.	Barn.	Barn.-Did.
τέροις			
θεόν·	timeat utrumque, dominum et te.		θεόν·
οὐ γὰρ ἔρχεται κατὰ πρόσωπον καλέσαι, ἀλλ'ἐφ'οὓς τὸ πνεῦμα ἡτοίμασεν.	non enim uenit ut personas inuitaret, sed in quibus spiritum inuenit.		ὅτι ἦλθεν οὐ κατὰ πρόσωπον καλέσαι, ἀλλ'ἐφ'οὓς τὸ πνεῦμα ἡτοίμασεν (19:7).
4[11]. ὑμεῖς δὲ οἱ δοῦλοι ὑποταγήσεσθε	4[11]. uos autem, serui, subiecti dominis		ὑποταγήσῃ
τοῖς κυρίοις ὑμῶν	uestris estote,		κυρίοις
ὡς τύπῳ θεοῦ	tamquam formae dei,		ὡς τύπῳ θεοῦ
ἐν αἰσχύνῃ καὶ φόβῳ.	cum pudore et tremore.		ἐν αἰσχύνῃ καὶ φόβῳ (19:7).
4[12]. μισήσεις πᾶσαν ὑπόκρισιν	4[12]. oderis omnem affectationem		μισήσεις
καὶ πᾶν ὃ μὴ ἀρεστὸν τῷ κυρίῳ.	et quod deo non placet, non facies.		πᾶν ὃ οὐκ ἔστιν ἀρεστὸν τῷ θεῷ. μισήσεις πᾶσαν ὑπόκρισιν (19:2).
		19[8]. οὐκ ἔσῃ πρόγλωσσος· παγίς γὰρ τὸ στόμα θανάτου. ὅσον δύνασαι, ὑπὲρ τῆς ψυχῆς σου ἁγνεύσεις.	
		19[9]. μὴ γίνου πρὸς μὲν τὸ λαβεῖν ἐκτείνων τὰς χεῖρας, πρὸς δὲ τὸ δοῦναι συσπῶν. ἀγαπήσεις ὡς κόρην τοῦ ὀφθαλμοῦ σου πάντα τὸν λαλοῦντά σοι τὸν λόγον κυρίου.	
		19[10]. μνησθήσῃ ἡμέραν κρίσεως νυκτὸς καὶ ἡμέρας, καὶ	

Did.	Doctr.	Barn.	Barn.-Did.
		ἐκζητήσεις καθ'ἑκάστην ἡμέραν τὰ πρόσωπα τῶν ἁγίων, ἢ διὰ λόγου κοπιῶν καὶ πορευόμενος εἰς τὸ παρακαλέσαι καὶ μελετῶν εἰς τὸ σῶσαι ψυχὴν τῷ λόγῳ, ἢ διὰ τῶν χειρῶν σου ἐργάσῃ εἰς λύτρον ἁμαρτιῶν σου.	
		19¹¹. οὐ διστάσεις δοῦναι οὐδὲ διδοὺς γογγύ - σεις· γνώσῃ δέ, τίς ὁ τοῦ μισθοῦ καλὸς ἀνταποδότης.	
4¹³. οὐ μὴ ἐγκαταλίπῃς ἐντολὰς κυρίου, φυλάξεις δὲ	4¹³. custodi ergo, fili,	φυλάξεις	οὐ μὴ ἐγκαταλίπῃς ἐντολὰς κυρίου (19:2).
ἃ παρέλαβες		ἃ παρέλαβες,	
	quae audisti,		
μήτε προστιθείς	neque appones	μήτε προστιθείς	
	illis contraria		
μήτε ἀφαιρῶν.	neque diminues.	μήτε ἀφαιρῶν.	
		εἰς τέλος μισήσεις τὸ πονηρόν. κρινεῖς δικαίως.	
		19¹². οὐ ποιήσεις σχίσμα, εἰρηνεύσεις δὲ μαχομένους συναγαγών.	
4¹⁴. ἐν ἐκκλησίᾳ ἐξομολογήσῃ τὰ παραπτώ - ματά σου		ἐξομολογήσῃ	
		ἐπὶ ἁμαρτίας σου.	
καὶ οὐ προσελεύσῃ ἐπὶ προσευχήν	4¹⁴. non accedas ad orationem	οὐ προσήξεις ἐπὶ προσευχὴν	

Did.	Doctr.	Barn.	Barn.-Did.
σου ἐν συνειδήσει	cum conscientia	ἐν συνειδήσει	
πονηρᾷ. αὕτη ἐστὶν ἡ ὁδὸς τῆς ζωῆς.	mala. haec est uia uitae.	πονηρᾷ. αὕτη ἐστὶν ἡ ὁδὸς τοῦ φωτός.	
5¹. Ἡ δὲ τοῦ θανάτου	5¹. mortis autem		
		20¹. Ἡ δὲ τοῦ μέλανος	
ὁδός ἐστιν αὕτη·	uia est	ὁδός ἐστιν	
πρῶτον πάντων πονηρά ἐστι	illi contraria. primum nequam		
		σκολιὰ	
καὶ κατάρας μεστή·	et maledictis plena:	καὶ κατάρας μεστή· ὁδὸς γάρ ἐστιν θανάτου αἰωνίου μετὰ τιμωρίας, ἐν ᾗ ἐστὶν τὰ ἀπολλύντα τὴν ψυχὴν αὐτῶν· εἰδωλολατρεία, θρασύτης, ὕψος δυνάμεως, ὑπόκρισις, διπλο - καρδία,	
φόνοι, μοιχεῖαι,	moechationes, homicidia,	μοιχεία, φόνος,	
	falsa testimonia,		
ἐπιθυμίαι, πορνεῖαι, κλοπαί,	fornicationes,		
	desideria mala,		
εἰδωλολατρίαι,			εἰδωλολατρεία (20:1).
		ἁρπαγή, ὑπερηφανία, παράβασις, δόλος, κακία, αὐθάδεια	
μαγεῖαι, φαρμακίαι,	magicae, medicamenta iniqua,	φαρμακεία,	μαγεία (20:1).

Did.	Doctr.	Barn.	Barn.-Did.
	furta, uanae superstitiones,		
ἁρπαγαί,	rapinae,		ἁρπαγή (20:1).
ψευδομαρτυ -ρίαι,			
ὑποκρίσεις,	affectationes, fastidia,		ὑπόκρισις (20:1).
διπλοκαρδία,			διπλοκαρδία (20:1).
	malitia,		
δόλος,			δόλος (20:1).
ὑπερηφανία,	petulantia,		ὑπερηφανία (20:1).
κακία,			κακία (20:1).
αὐθάδεια,			αὐθάδεια (20:1).
		μαγεία,	
πλεονεξία,	cupiditas,	πλεονεξία,	
αἰσχρολογία,	impudica loquela,		
ζηλοτυπία,	zelus,		
	audacia,		
θρασύτης,	superbia,		θρασύτης (20:1).
ὕψος,	altitudo,		ὕψος δυνάμεως (20:1).
ἀλαζονεία.	uanitas, non timentes,	ἀφοβία θεοῦ.	
5². διῶκται ἀγαθῶν,	5². persequentes bonos,	20². διῶκται τῶν ἀγαθῶν,	
μισοῦντες ἀλήθειαν,	odio habentes ueritatem,	μισοῦντες ἀλήθειαν,	
ἀγαπῶντες ψεῦδος,	amantes mendacium,	ἀγαπῶντες ψεύδη,	
οὐ γινώσκοντες μισθὸν δικαιοσύνης,	non scientes mercedem ueritatis,	οὐ γινώσκοντες μισθὸν δικαιοσύνης,	
οὐ κολλώμενοι	non applicantes se	οὐ κολλώμενοι	
ἀγαθῷ,	bonis,	ἀγαθῷ,	
οὐδὲ κρίσει	non habentes iudicium iustum,	οὐδὲ κρίσει	
δικαίᾳ.	tum,	δικαίᾳ, χήρᾳ καὶ ὀρφανῷ οὐ προσέχοντες,	
ἀγρυπνοῦντες οὐκ εἰς τὸ ἀγαθόν,	peruigilantes non in bono,	ἀγρυπνοῦντες	
		οὐκ εἰς φόβον θεοῦ,	
ἀλλ᾽εἰς τὸ πονηρόν·	sed in malo.	ἀλλ᾽ἐπὶ τὸ πονηρόν,	

Did.	Doctr.	Barn.	Barn.-Did.
ὧν μακρὰν	quorum longe est	ὧν μακρὰν	
		καὶ πόρρω	
πραΰτης	mansuetudo	πραΰτης	
καὶ ὑπομονή,		καὶ ὑπομονή,	
	et superbia proxima,		
		ἀγαπῶντες	
μάταια		μάταια,	
ἀγαπῶντες,			
διώκοντες	persequentes	διώκοντες	
ἀνταπόδομα,	remuneratores,	ἀνταπόδομα,	
οὐκ ἐλεοῦντες	non miserantes	οὐκ ἐλεοῦντες	
πτωχόν,	pauperum,	πτωχόν,	
οὐ πονοῦντες	non dolentes	οὐ πονοῦντες	
ἐπὶ καταπονου-	pro dolente,	ἐπὶ καταπονου-	
μένῳ,		μένῳ,	
		εὐχερεῖς ἐν	
		καταλαλιᾷ,	
οὐ γινώσκοντες	non scientes	οὐ γινώσκον-	
		τες	
τὸν ποιήσαντα	genitorem suum,	τὸν ποιήσαντα	
αὐτούς,		αὐτούς,	
φονεῖς τέκνων,	peremptores fi- liorum suorum, abortuantes,	φονεῖς τέκνων,	
φθορεῖς πλάσ-		φθορεῖς πλάσ-	
ματος θεοῦ,		ματος θεοῦ,	
ἀποστρεφόμε -	auertentes se	ἀποστρεφόμε -	
νοι		νοι	
	a bonis operi- bus,		
τὸν ἐνδεόμενον,		τὸν ἐνδεόμενον	
		καὶ	
καταπονοῦντες	deprimentes	καταπονοῦντες	
τὸν θλιβόμενον,	laborantem, aduocationem iustorum deui- tantes.	τὸν θλιβόμενον,	
π λ ο υ σ ί ω ν		π λ ο υ σ ί ω ν	
π α ρ ά κ λ η τ ο ι,		π α ρ ά κ λ η τ ο ι,	
πενήτων ἄνομοι		πενήτων ἄνο - μοι	
κριταί,		κριταί,	
πανθαμάρτητοι.		πανθαμάρ- τητοι.	
ῥυσθείητε,			
	abstine te,		
τέκνα,			
	fili,		
ἀπὸ τούτων ἁ- πάντων.	ab istis omni- bus.		

Did.	Doctr.	Barn.	Barn.-Did.
6¹. ὅρα μή τις σε πλανήσῃ ἀπὸ ταύτης τῆς ὁδοῦ τῆς διδαχῆς, ἐπεὶ παρεκτὸς θεοῦ σε διδάσκει.	6¹. et vide ne quis te ab hac doctrina auocet, et si minus extra disciplinam doceberis.		
	6⁴. haec in consulendo si cottidie feceris, prope eris uiuo deo; quod si non feceris, longe eris a ueritate. 6⁵. haec omnia tibi in animo pone et non deceperis de spe tua. sed per haec sancta certa - mina peruenies ad coronam. per dominum etc.		

1. Prenons une première tranche : *Did.*, 1:1-3*a*; *Doctr.*, 1:1-3; *Barn.*, 18:1-2; 19:1-2.

La comparaison permet de constater, au premier regard, que les trois textes ne sont pas de tous points identiques. Chacun d'eux a quelque chose en propre, Barnabé, comme on pouvait s'y attendre, ayant sa grosse part d'éléments personnels. De plus, il n'y a pas un seul mot qui fasse supposer une communication directe de la *Did.* à *Barn.*, ou de *Barn.* à la *Did.* Si l'on tient compte du genre littéraire de la *Did.*, d'une part, qui est un recueil, et du tempérament littéraire si caractérisé de Barnabé, d'autre part, toutes les ressemblances et toutes les différences de leur texte respectif s'expliquent, au contraire, sans exception, de la façon la plus naturelle, par un moyen terme comme la *Doctrina*. La conclusion s'impose : la

Doctrina représente, à sa manière, le texte d'une source commune, que la *Did.* a absorbée en bloc (c'est un recueil), et que Barnabé a utilisé de sa façon habituelle.

Il serait difficile d'aller contre cette évidence massive, car celui qui voudrait le faire se trouverait aussitôt dans l'obligation, et aussi bien, croyons-nous, dans l'impossibilité, de donner une explication convenable aux faits suivants :

A. Si la *Doctr.* ne représente pas, à sa manière indépendante, un texte commun, c'est alors, disons, la *Did.* qui dérive de *Barn.* Mais, dans cette hypothèse, nous demandons :

a) Comment se fait-il que le Didachiste soit allé chercher les déterminatifs de ses deux voies (vie et mort) dans un texte qui ne les offrait que d'une manière implicite (*Barn.*, 19:2), alors que le même *Barn.* lui mettait en pleine évidence (18:1) deux autres déterminatifs, d'égale valeur littéraire et religieuse (lumière et ténèbres), qu'il a cependant négligés? On peut estimer, en effet, que les avantages de l'un et l'autre couples étaient égaux pour le développement littéraire. De fait, les deux métaphores ne fournissent qu'un cadre sommaire et commode à un double développement qui les ignore en lui-même de façon aussi complète que possible. Il est beaucoup plus naturel de penser, dans ces conditions, que *Barn.*, à 19:2, revient de façon implicite (ἐν ὁδῷ θανάτου) à un élément négligé d'abord à 18:1, mais qui se trouve, en propres termes, dans la *Doctrina*, et qui devait se trouver, aussi bien, dans le *Duae viae* qu'il a lui-même connu. D'autre part, si, comme nous devons le supposer, la *Doctrina* ne représente qu'une forme particulière du *Duae viae*, il n'y a pas de difficulté au fait que le *Duae viae* incorporé à la *Didachè* n'offre pas les deux couples de métaphores de la *Doctrina* (vie et mort; lumière et ténèbres). Rien, au contraire, n'interdit au *Duae viae* d'avoir eu ses variantes, indépendamment des interventions possibles du Didachiste et de Barnabé sur les textes utilisés par eux (1).

b) Comment se fait-il, d'autre part, que la *Doctrina*, issue par hypothèse de la *Didachè*, soit arrivée à récupérer, au cours de sa propre transmission, tout juste ce que nous pouvons supposer qu'il était nécessaire pour servir de point de départ aux développements personnels de Barnabé, c'est-à-dire, « lucis et tenebrarum; in his constituti sunt angeli duo, unus aequitatis, alter iniquitatis »

---

(1) Le *Duae viae* est le type même des écrits dont la fortune était liée, comme de soi, à toutes les insuffisances et à toutes les libertés de l'édition commune.

(comp. *Barn.*)? Il eût fallu, d'abord, non seulement une dextérité, mais une retenue extraordinaire, pour réussir pareille vraisemblance. Et à quoi ensuite l'entreprise aurait-elle servi? On ne lui voit aucun motif particulier.

B. Mais il y a une autre hypothèse. Si la *Doctrina* ne représente pas une source commune, et si la *Did.* ne dépend pas de *Barn.*, il reste que celui-ci dépende de la *Did.* Mais alors nous demandons de nouveau : comment se fait-il que la *Doctrina* issue de la *Did.* en soit venue à récupérer au cours de sa transmission tout juste ce qu'il fallait pour inspirer à Barn. ses développements personnels de 18:1*b*-2, ou, si l'on veut, tout juste ce qu'il fallait pour qu'elle ait toutes les apparences d'une source commune à *Barn.* et à la *Did.*, sans l'être en réalité? A ce point, tout essai d'explication devient une gageure.

Nous pouvons donc nous en tenir avec sécurité à notre conclusion. Aussi bien est-elle confirmée par l'*Épit.*, et les *Can. eccl.* Si la *Doctrina* représente, comme nous croyons l'avoir démontré, un texte du *Duae viae* indépendant, on peut aussitôt présumer qu'il faille dire la même chose de l'un ou l'autre à tout le moins des documents apparentés qu'il serait possible de mettre en parallèle. Or, il suffit de comparer les textes pour se rendre compte que la présomption n'est pas gratuite. De fait, l'*Épit.* et les *Can. eccl.* représentent, à leur tour, comme la *Doctrina* elle-même, deux recensions voisines, mais non pas identiques du *Duae viae.* Dans ces conditions, il ne me semble aucunement nécessaire de faire appel à une influence de *Barn.* pour expliquer, dans les *Can. eccl.*, la présence de δοξάσεις τὸν λυτρωσάμενόν σε ἐκ θανάτου. Le *Duae viae* connu de Barnabé pouvait tout autant offrir cette particularité. Il est vrai que la salutation initiale des *Can. eccl.* fait, d'autre part, songer à celle de l'*Épître* de Barnabé. Mais elle ne lui est pas identique, et pour ce que l'une et l'autre ont en commun, il n'y a guère lieu d'en appeler à une influence directe. La formule allait comme de soi : Χαίρετε, οἱοὶ καὶ θυγατέρες, ἐν ὀνόματι κυρίου. Aussi bien la ressemblance entre les deux salutations s'arrête-t-elle juste au moment où *Barn.* commence à se montrer plus personnel, et où l'on quitte la phraséologie commune.

On peut d'ailleurs s'en remettre aux aveux suffisamment explicites de Barnabé lui-même. Il écrit (19:1), dans la phrase qui achève d'introduire la description de la voie de la lumière : ἔστιν οὖν ἡ δοθεῖσα ἡμῖν γνῶσις τοῦ περιπατεῖν ἐν αὐτῇ τοιαύτη. Que signifie δοθεῖσα? Faut-il s'arrêter à un sens général, ou à un sens particulier? Le sens général est certes possible. Mais il me semble plus probable qu'il faut s'arrêter à un sens particulier. Lorsque Barnabé, dans la première partie de son épître, veut introduire l'Écriture, il use de formules comme celles-ci : « Dieu... le prophète..., le prophète Moïse... dit ». Mais, devant un écrit de vague provenance comme le *Duae viae*, qu'il savait ne pas appartenir à l'Écriture, ne lui suffisait-il pas d'écrire, pour être parfaitement compris dans son milieu : « Voici donc la connaissance qui nous a été donnée de la façon de cheminer (sur cette voie) »? Nous entendons : donnée par la tradition, à nous qui avons part à l'enseignement (1).

2. Nous pouvons maintenant prendre en bloc : *Did.*, 2:1-4:14; *Doctr.*, 2:1-4:14; *Barn.*, 19:3-12.

Au préalable, l'absence de la section évangélique de la *Did.* (1:3*b*-6) dans la *Doctrina* et dans l'*Épître*, d'une part, aussi bien que dans les *Can. eccl.* et l'*Épit.*, d'autre part, ne nous fait aucune difficulté, puisque l'analyse de la composition de la *Did.* elle-même a déjà pu montrer par ailleurs, avec autant de certitude qu'il est loisible d'en exiger en ces matières, que cette section était due à un interpolateur travaillant sur les deux parties originales de la *Did.* réunies. *Did.*, 2:1 n'est qu'une soudure.

Mais, cette remarque faite sur un point particulier, les conditions générales des trois textes demeurent celles que nous avons déjà observées. Il n'y a donc pas lieu de modifier notre explication.

Barn., il est vrai, omet 3:1-6 de la *Did.* et de la *Doctr.*, mais on ne peut rien tirer de cette omission pour les rapports mutuels des trois textes. Le *Duae viae* connu de *Barn.* ne contenait peut-être pas cette section, dont les caractères distinctifs ont été depuis longtemps observés. Nous montrerons, en effet, que le passage est

(1) On serait tenté de demander une confirmation de cette interprétation à un passage, sensiblement postérieur, il est vrai, de Clément d'Alexandrie : « L'évangile suppose deux voies, comme font aussi bien les apôtres et tous les prophètes. Ils appellent la première étroite et difficile : c'est celle qui est bordée par les commandements et les défenses; et celle qui lui est opposée, conduisant à la destruction, ils la nomment large et spacieuse, ouverte aux plaisirs et à la violence (*Strom.*, v, 5, 31; Stählin, p. 346). Le sens de ce texte dépend de l'extension que Clément a voulu donner aux deux termes : apôtres et prophètes (distingués de l'évangile!). Par malheur, il est impossible d'arriver sur ce point à la certitude. Mais, comme il est sûr que le *Duae viae* était connu de Clément (il l'appelle même « Écriture », en un sens plutôt vague, cf. *Strom.*, I, 20, 100; Stählin, p. 64), il y a une certaine probabilité pour une signification assez large des deux termes apôtres et prophètes. La remarque de Clément témoignerait, alors, d'une large et déjà ancienne diffusion du *Duae viae* en Égypte (déjà sous le titre emprunté de Διδαχὴ τῶν ἀποστόλων?), patrie présumée de Barnabé lui-même. Il n'y aurait rien que de naturel, dans ces conditions, à ce que Barnabé, pour sa part, avoue que la connaissance lui en a été « donnée », au profit de ses destinataires : δοθεῖσα ἡμῖν.

de composition et d'origine indépendantes. Il est toujours possible
que certaine forme du *Duae viae* ne l'ait pas contenu dans le milieu
de Barnabé. Mais celui-ci a pu également l'omettre.

Sur deux points, en particulier, le caractère secondaire de *Barn.*
devient sensible. On peut comparer d'abord, *Did.*, 2:7, οὓς δὲ ἀγαπήσεις ὑπὲρ τὴν ψυχήν σου; *Doctr.*, 2:7, « quosdam amabis super ani-
mam tuam »; *Barn.*, 19:5, ἀγαπήσεις τὸν πλησίον σου ὑπὲρ τὴν
ψυχήν σου. *Barn.* a jugé à propos d'enlever au précepte toute
limite (1); la *Did.* et la *Doctr.* ont apparemment laissé subsister
le texte tel qu'elles le trouvaient. Il serait ici bien difficile de faire
sortir la *Did.* et la *Doctr.* de *Barn.* Celui-ci, en revanche, s'explique
fort bien à partir de la *Doctrina*, qu'il accommode à ses sentiments.
L'explication de Robinson n'est qu'ingénieuse (2). D'autre part,
la *Did.* porte, 4:10, οὐ γὰρ ἔρχεται (ὁ θεὸς) κατὰ πρόσωπον καλέσαι.
Barn. offre le passé au lieu du présent (la *Doctr.* est ambivalente,
« uenit »). Il est difficile d'imaginer, devant cette variation de forme,
que la pensée de *Barn.* ne s'est pas reportée vers Jésus, l'inclinant
ainsi à modifier, dans un sens chrétien, un texte qui, de ce point de
vue, restait neutre (ἔρχεται).

3. La dernière tranche, *Did.*, 5:1-2; *Doctr.*, 5:1-2; *Barn.*, 20:1-2,
permet d'ajouter une utile nuance à nos conclusions.

Connolly a cru remarquer, en instituant une comparaison directe,
d'abord, entre *Barn.*, 19:1 et *Did.*, 5:1, puis entre *Barn.*, 19:2 et
Did., 5:2, que, dans l'hypothèse où *Barn.* dépendrait de la *Did.*,
il devenait « incroyable » que sa mémoire, si défaillante à 19:1, se
soit ensuite montrée si heureuse à 19:2 (3). La force de l'argument
n'est qu'apparente. D'abord, nous ne savons pas, en fait, quelle
est la liste que *Barn.* a connue, pour juger aujourd'hui sur ce point
de la qualité de ses souvenirs. Il y a déjà de très sensibles déplacements dans la liste de la *Doctr.* elle-même. Le fait, à lui seul,
donnerait de nouveau à penser que le *Duae viae* n'a pas échappé
au sort commun, qui soumet de tels écrits au phénomène protéi-
forme de la recension. C'est en tout cas une erreur de raisonner à
leur sujet comme s'ils eussent dû nous parvenir à travers une pure

---

(1) Comp. *Syntagma doctr.*, 3:6, ἀγάπα πάντα ἄνθρωπον καὶ εἰρήνευε μετὰ πάντων, καὶ μεθ' ὧν οὐκ εὔχῃ, εἰ δυνατὸν τὸ ἐκ σοῦ, χωρὶς αἱρέσεως (BATIFFOL, *Studia
patristica*, 2, p. 124). La retouche chrétienne est sensible dans le πάντα ἄνθρωπον.
Elle ne l'est guère moins dans le τὸν πλησίον σου de Barnabé.

(2) Cf. *The Epistle of Barnabas and the Didache*, dans *JTS*, XXXV (1934)
240.

(3) R. H. CONNOLLY, *The Didache in Relation to the |Epistle of Barnabas*
dans *JTS*, XXXIII (1932) 241-248.

ligne de descendance manuscrite. L'hypothèse répond mal à la
réalité, beaucoup plus mouvante et complexe. Ce n'est que lorsqu'ils
sont morts, ou qu'ils ne jouissent plus que d'une vie diminuée de
bibliothèque, que des écrits comme le *Duae viae* commencent à
bénéficier des scrupules professionnels des copistes, et des « biblio-
thécaires » qui les emploient! Aussi longtemps qu'ils sont vivants,
et donc qu'ils rencontrent les désirs et les goûts du milieu qui leur
a donné naissance, ils tendent au contraire à proliférer librement
en formes diverses, toujours reconnaissables, bien sûr, mais plus
ou moins divergentes les unes par rapport aux autres. Mais, à ce
moment, *Barn.* ne fait plus aucune difficulté. Compte tenu à la fois,
et de son tempérament littéraire, et des conditions propres dans
lesquelles pouvait se trouver le *Duae viae* parvenu jusqu'à lui, on
comprendrait sans peine les caractères qui marquent son texte
en présence de celui de la *Didachè*, de la *Doctrina* et des autres écrits
apparentés. L'argument de Connolly se réduit alors à rien (s'il en
reste encore quelque chose après ce qui en a déjà été dit d'un autre
point de vue), et avec lui, ce doit être le dernier obstacle sérieux qui
s'écroule.

Une seule solution d'ensemble demeure donc possible, et elle
apparaîtra, nous l'espérons, aussi satisfaisante qu'il était raisonnable de l'attendre ici : 1. La *Did.* et *Barn.* demeurent indépendants
pour leur *Duae viae* respectif. 2. La *Doctrina apostolorum* de
Schlecht n'a rien à voir avec une traduction partielle de la *Didachè* ;
elle nous apporte simplement, à sa manière indépendante, le *Duae
viae* qui est entré, d'une part, dans le recueil des *Instructions des
apôtres*, et qui a été utilisé, d'autre part, par Barnabé, conformément à ses propres habitudes. 3. Le *Duae viae* a connu, sans doute
dans la première période de son histoire (pré-chrétienne?), une
phase recensionnelle assez active, au cours de laquelle il a recueilli,
non seulement un certain nombre de variantes, mais de véritables
formes particulières, dispersées dans les divers représentants
arrivés jusqu'à nous. 4. Au moment de la rédaction de son épître,
Barnabé connaissait, et utilisait, sans doute, depuis longtemps,
à sa guise, le thème du *Duae viae* qu'il développe dans ses ch. 18-20
(conclusion des travaux de Robinson). 5. L'interpolateur de la
Didachè, vivant dans le même milieu que l'auteur, a pu, de son côté,
s'inspirer en partie du *Duae viae* qu'il connaissait et utilisait personnellement pour introduire son addition de *Did.*, 6:2-3, et pour
développer son exhortation sur l'aumône à *Did.*, 1:5*b* (cf. *Doctr.*,
4:8*b*).

Or, par une chance inattendue, ces conclusions sont aujourd'hui pleinement et directement confirmées par le *Manuel de discipline* de la Communauté de l'alliance (1). Le cadre littéraire de l'instruction morale du *Manuel* (III, 13-IV, 26) est, en effet, étroitement apparenté à celui du *Duae viae* et les deux écrits suivent une ligne de développement presque identique : rappel de la création, distinction de deux lignages dans l'humanité correspondant à une double qualité de voies morales dans la vie, voies de lumière et voies de ténèbres, inspirées par deux esprits opposés, esprit de fidélité et esprit de perversion; présidées par deux anges ennemis, prince des lumières et ange des ténèbres; conduisant respectivement par la justice et l'iniquité, à la vie ou à la mort (2). Dans l'ensemble, les points de rencontre littéraire qu'on peut relever entre l'intruction du *Manuel* et le *Duae viae* sont tels qu'ils ne permettent guère de douter que celui-ci doive à celle-là, d'une manière ou d'une autre, tout le cadre de son développement. Le *Duae viae* (propre et originel) n'est qu'une variation sur un thème connu.

Où son auteur en avait-il recueilli l'idée? On ne saurait évidemment le dire. Il n'est pas impossible qu'il ait lui-même appartenu à la Communauté de l'alliance. Mais il n'est pas nécessaire d'aller si loin. Si l'on ne suppose pas une source commune, aujourd'hui perdue, il suffirait qu'il soit venu en contact avec la Communauté de l'alliance, ou qu'il ait seulement connu une partie de ses écrits réservés. L'instruction que nous lisons dans le recueil du *Manuel de discipline* n'est d'ailleurs qu'assez lâchement liée à celui-ci. Elle a donc pu circuler seule, d'autant que son intérêt était plus

---

(1) Cf. M. BURROWS, *The Dead Sea Scrolls of St. Mark's Monastery*, II, 2, *Plates and Transcription of the Manual of Discipline*, New Haven, 1951; W. H. BROWNLEE, *The Dead Sea Manual of Discipline* (*Bull. of the Amer. Sch. of Or. Res.*, Suppl. Stud., 10-12), New Haven, 1951 (traduction anglaise et notes); J. VAN DER PLOEG, *Le « Manuel de Discipline » des rouleaux de la Mer Morte*, dans *Bibl. orient.*, VIII (1951) 113 ss.; G. LAMBERT, *Le Manuel de Discipline de la Grotte de Qumrân*, dans *Nouv. rev. théol.*, LXXIII (1951) 938 ss.; A. DUPONT-SOMMER, *Aperçus préliminaires sur les manuscrits de la Mer Morte* (*L'Or. anc. ill.*, 4), Paris, 1950, pp. 57 ss.; *Observations sur le Manuel de discipline découvert près de la Mer Morte*, Paris, 1951; *Nouveaux aperçus sur les Manuscrits de la Mer Morte* (*L'Or. anc. ill.*, 5), Paris, 1953, pp. 85 s. Pour une bibliographie plus complète, cf. H. H. ROWLEY, *The Zadokite Fragments and the Dead Sea Scrolls*, Oxford, 1952, pp. 89 ss.; W. BAUMGARTNER, *Der palästinische Handschriftenfund*, dans *Theol. Rundsch.*, N. F. XVII (1949) 329 ss.; XIX (1951) 97 ss.; J. DECROIX, *Les manuscrits de la Mer Morte. Essai de bibliographie*, dans *Mél. de sc. rel.*, X (1953) 107 ss.; G. VERMÈS, *Les manuscrits du désert de Juda*, Paris-Tournai, 1953, pp. 39 ss., 135 ss.,; M. BURROWS, *The Dead Sea Scrolls*, New York, 1955, pp. 419-435.

(2) Pour le détail de la comparaison, on pourra voir J.-P. AUDET, *Affinités littéraires et doctrinales du « Manuel de discipline »*, dans *RB*, LIX (1952) 226 ss.

général que celui de la règle proprement dite. Un Juif sachant l'hébreu et le grec a pu s'en emparer, quitte à mettre ensuite l'idée à profit d'une manière qui, tout en respectant un cadre littéraire établi par l'usage, était nouvelle dans le traitement des préceptes particuliers. Aussi bien, selon toutes apparences, le *Duae viae* a-t-il été originellement écrit en grec, non en hébreu. Il n'était donc vraisemblablement pas destiné à la Communauté de l'alliance. N'en sortait-il pas justement, et pour toucher un autre milieu? On s'expliquerait par là, d'une manière positive, qu'il ait délesté le thème de son eschatologie et de sa doctrine des esprits, pour adopter le genre d'exhortation morale dont nous avons des exemples si typiques dans les *Testaments des douze patriarches* (1). Comparé à l'instruction du *Manuel de discipline*, c'est, de toutes manières, un pas vers l'universalité, dont la reconnaissance littéraire explicite se trouve pour nous dans le titre porté par le *Duae viae* en une partie au moins de sa transmission première : Διδαχὴ κυρίου τοῖς ἔθνεσιν.

(1) Le témoignage des *Testaments* sera plusieurs fois invoqué au cours du commentaire. Une étude récente de M. de Jonge, généralement bien accueillie, oblige à prendre de nouveau position à leur égard (M. DE JONGE, *The Testaments of the Twelve Patriarchs. A Study of their Text, Composition and Origin*, Assen, 1953). On avait assez communément admis jusqu'ici, sur la foi des travaux et des éditions de Charles surtout, que les *Testaments* étaient un écrit d'origine juive, dont la composition trahissait déjà plusieurs couches rédactionnelles, et que des mains chrétiennes avaient plus ou moins incliné vers l'évangile au cours de sa transmission. Cette explication semblait raisonnable et, dans l'ensemble, solide. Elle reposait, non seulement sur un examen détaillé de la transmission du texte, mais, du point de vue littéraire, sur l'analogie qui liait implicitement le destin des *Testaments* à toute la production similaire de l'époque. Charles avait une vaste expérience de cette littérature particulièrement touffue et il pouvait équilibrer son jugement sur le détail par sa connaissance de l'ensemble. Cependant, dans l'intervalle, un article de J. W. Hunkin (*The Testaments of the Twelve Patriarchs*, dans *JTS*, XVI (1915) 80-97), s'en était pris à ses principales conclusions textuelles et avait contesté que la préférence dût être donnée à la famille α (dont le texte est ordinairement plus court, et moins christianisé), plutôt qu'à la famille β (dont le texte, plus long, a aussi une touche chrétienne plus sensible). C'est dans cette voie que s'est engagé à son tour M. de Jonge, en poussant toutefois la pointe beaucoup plus loin : préséance générale de la famille β (spécialement, ms. *b*), retour à l'édition de Sinker (1869), flanquée de l'apparat critique de Charles, beaucoup plus riche, et à l'opinion qui reconnaissait jadis une origine chrétienne aux *Testaments*, compte tenu, il va sans dire, de l'utilisation par l'auteur de matériaux juifs errant dans son milieu. Sans vouloir me prononcer ici sur la solidité de chacun des principaux étais de cette construction, il me semble légitime, cependant, de poser une question préalable. Il me paraît fort douteux, en effet, qu'il soit loisible d'appliquer la méthode généalogique à une transmission comme celle des *Testaments*, du moins avec une confiance aussi candide. Pouvons-nous parler ici sérieusement de « familles » de manuscrits, sans trop de réserves, et fonder ensuite sur leur opposition presque toute la donnée du problème littéraire? Une transmission manuscrite n'est pas une entité abstraite. Il n'y a pas « une » transmission manuscrite planant quelque part au ciel de la critique comme une idée de Platon, et pour laquelle les méthodes

Mais, dans ces conditions, reste-t-il encore quelque chance un peu sérieuse que Barnabé soit l'auteur du *Duae viae*, comme le voulait Robinson? Comment remonter du *Duae viae* latin de Schlecht à celui de la *Didachè*, puis à celui de Barnabé, puis enfin à celui du *Manuel de discipline*? Autant dire que c'est impossible. La recension la plus étroitement apparentée à la source première par ses caractères internes en serait en même temps la plus éloignée en date et la plus indirectement dérivée! Tous les faits s'ordonnent, au contraire, de façon naturelle si l'on descend du *Manuel de discipline* à un *Duae viae* juif, indépendant de la *Didachè* et de Barnabé, qui serait représenté au mieux pour nous par la *Doctrina apostolorum* de Schlecht.

Mais, à ce moment, Barnabé soulève un dernier doute. Un court passage de son *Épître*, en dehors du *Duae viae*, a en effet donné bien du mal à l'opinion de ceux qui ont voulu tenir à l'indépendance de la *Did.* et de *Barn.* pour le *Duae viae* lui-même. S'ils sont indépendants pour cette partie, comment expliquer qu'ils entrent ensuite en relation directe l'un avec l'autre (*Did.*, 16:2 et *Barn.*,

d'analyse seraient à peu près partout les mêmes : il y a « des » transmissions manuscrites, comme il y a des manuscrits, qui sont fonction les uns et les autres, non seulement de la qualité strictement professionnelle des copistes (et des traducteurs), mais encore du genre littéraire des écrits et de leur milieu naturel de diffusion. Des écrits comme les *Testaments*, par leur genre littéraire même comme par les habitudes et les goûts corrélatifs de leur milieu naturel, tendent à créer, à leur naissance, non seulement des « familles », en pure descendance légitime de manuscrits, mais des « recensions », plus ou moins mêlées et plus ou moins ambitieuses, ce qui est tout autre chose. Ce n'est qu'à un âge souvent avancé que ces sortes d'écrits, devenus « sages », ont pu se limiter à donner, dans la transmission, de véritables « familles », soucieuses de leur légitimité et relativement stables. Mais, justement, c'est qu'alors ils ne vivaient plus que d'une vie diminuée, plus ou moins artificielle et léthargique de bibliothèque, le plus souvent hors du milieu natal où ils avaient connu leur première faveur. C'est donc le problème qui ne me semble pas exactement posé dans l'étude, d'ailleurs parfaitement consciencieuse, de M. de Jonge. Tirer des conclusions littéraires quelque peu étendues d'un repérage problématique de « familles » manuscrites et de la préséance critique qui reviendrait à l'une d'entre elles, dans un cas comme celui des *Testaments*, dont les témoins les plus anciens ne remontent pas au delà du xe siècle, ne me paraît pas beaucoup plus sûr que de demander à un vieillard amnésique de raconter ses souvenirs d'enfance et de jeunesse. Mieux vaut essayer de se renseigner par ailleurs. En tout cas, il faut être continuellement en défiance et contrôler. Du point de vue littéraire tout au moins, je crois donc toujours préférable de m'en tenir, dans l'ensemble, à l'opinion de Charles (Qumrân n'a malheureusement donné que très peu de choses jusqu'ici qui puisse véritablement aider à la solution du problème; voir, à ce propos, la remarque de J. T. Milik, dans *RB*, LXII (1955) 298 et 405 s., où l'auteur me paraît cependant abuser de l'argument du silence; aussi D. Barthélemy et J. T. Milik, *Discoveries in the Judaean Desert. I. Qumran Cave I*, Londres, 1955, pp. 87-91; P. Grelot, *Notes sur le Testament araméen de Lévi (Fragment de la Bodleian Library, colonne a)*, dans *RB*, LXIII (1956) 391-406).

4:9), soit que *Barn.* dépende de la *Did.* (Taylor, etc.), soit, à l'inverse,
que la *Did.* dépende de *Barn.* (Harnack)?

Voici d'abord les deux textes dont il s'agit :

Did., 16:2

πυκνῶς δὲ συναχθήσεσθε ζητοῦντες τὰ ἀνήκοντα ταῖς ψυχαῖς ὑμῶν· οὐ γὰρ ὠφελήσει ὑμᾶς ὁ πᾶς χρόνος τῆς πίστεως ὑμῶν, ἐὰν μὴ ἐν τῷ ἐσχάτῳ καιρῷ τελειωθῆτε.

Barn., 4:9

διὸ προσέχωμεν ἐν ταῖς ἐσχάταις ἡμέραις· ουδὲν γὰρ ὠφελήσει ἡμᾶς ὁ πᾶς χρόνος τῆς ζωῆς καὶ τῆς πίστεως ἡμῶν, ἐὰν μὴ νῦν ἐν τῷ ἀνόμῳ καιρῷ καὶ τοῖς μέλλουσιν σκανδάλοις, ὡς πρέπει υἱοῖς θεοῦ, ἀντιστῶμεν.

La leçon de *Barn.*, τῆς ζωῆς καὶ τῆς πίστεως ἡμῶν, ne peut être
acceptée qu'avec défiance. Du point de vue diplomatique, la
balance des probabilités penche du côté de la leçon courte du
Sinaiticus (omission de τῆς ζωῆς καὶ; ainsi, Gebhardt-Harnack et
Lightfoot). Celle-ci se recommande d'ailleurs par sa qualité
intrinsèque.

Du point de vue littéraire, on hésite à se prononcer sur un texte
à qui l'on a tant de fois demandé un témoignage contradictoire.
Le caractère secondaire de Barnabé me paraît cependant indé-
niable (1). Lorsque l'auteur de la *Didachè* parle aux chrétiens
de sa génération du « temps de leur foi », l'expression est naturelle
(sur le sens précis de πίστις, voir le comm. *in loc.*). Ceux qui étaient
venus à l'évangile lorsqu'ils avaient déjà un certain âge et qui
espéraient un retour du Seigneur avant que la mort ne vienne les
enlever à la vie, pouvaient comprendre sans peine celui qui les
avertissait, dans cette perspective, de veiller avec soin à ne pas
laisser se perdre, pour le dernier jour tout proche, les avantages
acquis pendant « tout le temps de leur foi ». Dans les circonstances
spéciales où il vivait, l'auteur ne pouvait s'exprimer avec plus de
naturel, de force et de vérité (2).

C'est ce que Barnabé ne semble pas avoir compris, ou a compris
autrement. Lorsqu'il a ajouté νῦν ἐν τῷ ἀνόμῳ καιρῷ à sa condition-
nelle, il a certainement énervé l'expression de la *Didachè*, ὁ πᾶς χρόνος
τῆς πίστεως ὑμῶν, en ramenant soudain les perspectives de la
pensée au cours ordinaire de la vie. La tradition manuscrite l'a

(1) Cette conclusion limitée, mais provisoirement suffisante, réserve la possibilité que le Didachiste ait lui-même emprunté la substance de son exhortation finale à une source qui aurait pu venir à la connaissance de Barnabé par
une voie indépendante; voir ci-dessous, pp. 180-183.
(2) Voir ci-dessus, p. 115.

peut-être senti. Elle aurait cherché à se débarrasser d'un poids
mort, tantôt par l'addition, tantôt par la substitution de ζωῆς
à πίστεως.

Au surplus, a-t-on assez pris garde, à propos de ces deux textes
(*Did.*, 16:2 et *Barn.*, 4:9), à l'objet propre de l'exhortation en chacun
d'eux? Il n'est pas tout à fait le même. La *Didachè* demande de
« faire des réunions fréquentes », avec le désir de rechercher, comme
en hâte, ce qui pourra assurer la perfection pour le jour où le
Seigneur viendra : on ne dispose que « du temps de la foi ». Barnabé
presse avant tout ses lecteurs d'éviter le mal, la contagion du temps
présent, et de veiller. Ce n'est que parmi le reste qu'il recommande
de rechercher, dans les assemblées, ce qui pourra être utile à tous
(ἐπὶ τὸ αὐτὸ συνερχόμενοι συνζητεῖτε περὶ τοῦ κοινῇ συμφέροντος,
4:10). Il me semble incroyable que le Didachiste, à une époque
relativement tardive, ait eu besoin d'aller cueillir, dans la harangue
diffuse de Barnabé, un écho du participe συνερχόμενοι pour en
faire son idée principale : πυκνῶς δὲ συναχθήσεσθε ζητοῦντες τὰ
ἀνήκοντα ταῖς ψυχαῖς ὑμῶν, tandis qu'on voit très bien Barnabé
diluer à sa manière la recommandation précise de la *Didachè*.

2. LA *DIDACHÈ* ET LE *PASTEUR* D'HERMAS

Comme Barnabé, Hermas a été inlassablement sollicité tour à
tour dans un sens et dans l'autre (1). Un tel flottement enlève le
goût de faire le compte des suffrages comme d'ajouter une unité aux
urnes de la critique. Mais le problème se pose pour nous dans des
conditions en partie nouvelles.

Les rapprochements les plus communément suggérés entre les
deux écrits n'engagent, du côté de la *Didachè*, que les six premiers
chapitres (2), c'est-à-dire, en substance, le *Duae viae*. Or, tout
le monde l'admettra sans peine, rien, dans ces rapprochements,
n'impose, même de loin, de penser au *Duae viae* de la *Didachè*

---

(1) Parmi les travaux plus récents, en faveur d'une dépendance de la
Didachè par rapport au *Pasteur*, voir Robinson, *Barnabas, Hermas and the
Didache*, pp. 34-37; 53-56; F. E. Vokes, *The Riddle of the Didache*, pp. 51 ss.;
en sens contraire, parmi les travaux de la première heure, C. Taylor, *The
Didache compared with the Shepherd of Hermas*, dans *Journ. of Philol.*, XVIII
(1890) 297 ss. (beaucoup de rapprochements, mais le plus souvent trop recher-
chés pour apporter une utile contribution à la solution du problème).
(2) *Mand.*, xi, 16 et *Did.*, 11:8 ne méritent pas d'être retenus. Les deux
textes ne se rencontrent que dans la règle commune du discernement des
vrais et des faux prophètes. Il suffit de citer, après les évangiles (*Mt.*, 7:15-20;

plutôt qu'au *Duae viae* commun de la transmission indépendante. La question, à partir de ce point, ne nous concerne plus.

Il faut, néanmoins, faire une place à part à un texte de toutes manières plus caractérisé, *Mand.*, ii, 4-6, dont on peut rapprocher *Did.*, 1:5.

Did., 1:5	*Mand.*, ii, 4-6
	ἐργάγου τὸ ἀγαθὸν, καὶ ἐκ τῶν κόπων σου ὧν ὁ θεὸς διδωσίν σοι
παντὶ τῷ αἰτοῦντί σε δίδου καὶ μὴ ἀπαίτει·	πᾶσιν ὑστερουμένοις δίδου ἁπλῶς,
	μὴ διστάζων, τίνι δῷς ἢ τίνι μὴ δῷς.
	πᾶσιν δίδου.
πᾶσι γὰρ θέλει δίδοσθαι ὁ πατὴρ ἐκ τῶν ἰδίων χαρισμάτων.	πᾶσιν γὰρ ὁ θεὸς δίδοσθαι θέλει ἐκ τῶν ἰδίων δορημάτων.
	οἱ οὖν λαμβάνοντες ἀποδώσουσιν λόγον τῷ θεῷ, διατί ἔλαβον καὶ εἰς τί· οἱ μὲν γὰρ λαμβάνοντες θλιβόμενοι οὐ δικασθήσονται, οἱ δὲ ἐν ὑποκρίσει λαμβάνοντες τίσουσιν δίκην.
μακάριος ὁ διδοὺς κατὰ τὴν ἐντολήν· ἀθῷος γάρ ἐστιν.	ὁ οὖν διδοὺς ἀθῷός ἐστιν.
	ὡς γὰρ ἔλαβεν παρὰ τοῦ κυρίου τὴν διακονίαν τελέσαι, ἁπλῶς αὐτὴν ἐτέλεσεν, μηθὲν διακρίνων, τίνι δῷ ἢ μὴ δῷ (1).
οὐαὶ τῷ λαμβάνοντι· εἰ μὲν γὰρ χρείαν ἔχων λαμβάνει τις, ἀθῷος ἔσται· ὁ δὲ μὴ χρείαν ἔχων δώσει δίκην, ἵνα τί ἔλαβε καὶ εἰς τί. ἐν συνοχῇ δὲ γενόμενος ἐξετασθήσεται περὶ ὧν ἔπραξε, καὶ οὐκ ἐξελεύσεται ἐκεῖθεν, μέχρις οὗ ἀποδῷ τὸν ἔσχατον κοδράντην.	

12:33 s.; *Lc.*, 6:43 s.), Tertullien, qui exprime sur ce point, avec sa vigueur habituelle, la pensée commune : « Adeo et de genere conversationis qualitas fidei aestimari potest : doctrinae index disciplina est » (*De praescr. haeret.*, 43, 2; éd. Labriolle, p. 92).

(1) Le texte de la dernière phrase est très instable dans les divers témoins de la transmission, mais les variantes, importantes en soi, n'affectent pas sensi-

On remarquera que le texte de la *Didachè* appartient à l'interpolateur, et qu'ainsi il doit être de même date que 6:2-3; 7:2-4 et 13:3, 5-7. Est-il vraisemblable, dans ces conditions, que la dépendance soit de son côté? On voit très mal de pareilles intrusions (1), non seulement se produire, mais s'imposer souverainement, dans la seconde moitié du IIe siècle, à la transmission d'un écrit assez connu déjà pour tenter la main d'un interpolateur, et donc aussi, à ce qu'il semble, pour échapper, au moins sporadiquement, à l'infiltration des corps étrangers (2). Il faudrait, d'autre part, que l'entreprise tout entière de l'interpolateur ne fût pas trop anachronique. Mais ne le devient-elle pas très nettement dès l'instant qu'on suppose que 6:2-3; 7:2-4 et 13:3, 5-7 n'ont dû pénétrer dans la *Didachè* qu'à une époque aussi tardive peut-être que la fin du IIe siècle? Pourquoi, au surplus, l'interpolateur serait-il allé demander son code de l'aumône à Hermas, alors que le judaïsme commun, dont il avait certes plus que des clartés, lui en offrait tous les éléments à bien meilleur compte (3)? Enfin, un détail de style, deux fois reproduit, me paraît décisif. Après avoir exhorté son lecteur à donner du fruit de son travail indistinctement à quiconque est dans le besoin, selon la volonté même de Dieu, Hermas continue : « Ceux-là donc (οἱ οὖν) qui reçoivent rendront compte à Dieu... (suit une explication introduite par γάρ). Celui donc (ὁ οὖν) qui donne, est exempt de reproche (suit de nouveau une explication introduite par γάρ, qui rejoint, par-dessus le développement sur les bénéficiaires, οἱ λαμβάνοντες, le point de départ de l'exhortation, δίδου ἁπλῶς, πᾶσιν δίδου) ». Cette sorte de composition renversée n'est pas naturelle. Elle s'explique cependant sans difficulté si l'auteur est sous l'influence du texte de la *Didachè*, qu'il utilise de mémoire, et dont les deux éléments les plus saillants, « Heureux...

---

blement ici le problème littéraire (cf. C. BONNER, *A Papyrus Codex of the Shepherd of Hermas*, Ann Arbor, 1934, pp. 131 ss.).

(1) Sur leurs caractères internes, voir ci-dessus pp. 106 ss. On notera, du point de vue de la forme littéraire, la forte coloration juive de 1:5, en particulier, le parallélisme antithétique bénédiction-malédiction : « Heureux celui..., Malheur à celui... ».

(2) L'omission de 1:5-6 par la version géorgienne n'offre aucun argument valable contre cette observation. Ou elle est accidentelle, ou elle s'explique par la nature même du texte omis. Elle ne saurait prévaloir, en tout cas, contre l'accord de *CA* et de *H*. Voir, pour la comparaison, les omissions de 2:2-3 et de 13:5-7 (partie d'un autre texte de l'interpolateur).

(3) Sur la pratique de l'aumône dans le judaïsme contemporain, cf. J. BONSIRVEN, *Le judaïsme palestinien*, II, pp. 255 ss.; et déjà *Eccli.*, 12:1 ss. La tentative de Robinson d'expliquer *Did.*, 1:5 à partir de *Lc.*, 6:30, du Sermon sur la montagne de *Mt.*, de 1 *Cor.*, 7:7 et de *Mand.*, II, 4-6, est d'un courage admirable (cf. *Barnabas, Hermas and the Didache*, pp. 52 ss.).

Malheur... », s'imposaient à son souvenir. Le double οὖν d'Hermas, si abrupt lorsqu'on le prend en lui-même, heurte moins, et en tout cas s'explique, s'il est un écho affaibli (et retourné!) du μακάριος- οὐαί de la *Didachè*.

3. LA *DIDACHÈ* ET LES ÉVANGILES

M. Vokes n'a pas craint d'affirmer naguère encore qu'on pouvait tenir pour certain que la *Didachè* cherchait ses appuis dans « la totalité de notre Nouveau Testament, à l'exception possible de la très tardive 2 *Pierre*, et d'écrits sans importance comme Marc et Philémon » (1). C'est une exagération manifeste. Autant chercher dans Marx ce qui s'écrit aujourd'hui du communisme. Il suffit de vivre à une certaine époque et dans un certain milieu, de participer à un certain état de culture et à un certain état de conscience pour parler de certaines choses d'une certaine façon. Les déterminations sont ici premièrement sociologiques, non littéraires. La critique perd pied dès que, à force de s'en distraire, elle devient insensible à ce fait fondamental.

Les communautés chrétiennes primitives n'ont pas échappé à tous les déterminismes sociaux. Il est vain en tout cas, en ce qui les concerne, de prétendre expliquer sans plus les écrits par les écrits. Des idées communes, des expressions approximativement identiques ne sont pas de soi des idées et des expressions « empruntées ». Certes, tout le monde conviendra que la ligne de partage entre l'emprunt, et donc la parenté, littéraires directs, d'une part, et la simple résultante littéraire de l'homogénéité du milieu, d'autre part, n'est pas facile à tracer. Il serait même périlleux de vouloir la tracer avec une précision exclusive : ici commence la parenté littéraire directe, et ici la parenté littéraire indirecte. En fait, il en est de ces choses comme des saisons. On sait bien ce qu'est l'hiver et ce qu'est le printemps. Mais où est la ligne de partage? Malgré qu'on en ait, et quoi qu'on imagine à première vue, il n'est guère plus aisé de fixer une frontière réelle entre un écrit et son milieu d'origine. Or, il suffit de penser, en particulier, au message primitif et aux conditions dans lesquelles sont nés les quatre évangiles de notre Nouveau Testament, pour mesurer la

---

(1) F. E. Vokes, *The Riddle of the Didache*, p. 119. Dans le même sens, mais avec une prépondérance très nette donnée à *Mt.*, É. Massaux, *Influence de l'Évangile de saint Matthieu sur la littérature chrétienne avant saint Irénée*. Louvain, 1950, pp. 604 ss.

portée de cette remarque sur le problème qui nous occupe (1).

C'est le fond solide sur lequel repose la distinction entre la rencontre et la parenté littéraires. Très exactement, notre question est donc celle-ci : les rencontres observées entre la *Didachè* et l'un ou l'autre des évangiles se présentent-elles à l'analyse dans de telles conditions qu'elles exigent par surcroît, pour s'expliquer, un lien de parenté direct et immédiat?

Il est vrai que la question, même ainsi posée, perdrait une partie de son intérêt s'il était par ailleurs certain, comme beaucoup le croient depuis Robinson, que l'emprunt méthodique dissimulé était de l'intention expresse de l'auteur et appartenait comme naturellement au genre littéraire qu'il avait adopté. Car alors la moindre rencontre pourrait être comptée, par présomption, comme un appui volontairement discret demandé par le Didachiste au recueil des écrits apostoliques. En fait, il est facile de voir que cette présomption d'emprunt a pesé d'un poids considérable sur le jugement des critiques qui ont le plus libéralement multiplié les emprunts certains, probables ou possibles de la *Didachè* au Nouveau Testament (2). Elle paraissait justifier en principe le peu de peine qu'on se donnait, devant les cas particuliers, pour passer de la simple rencontre à la véritable parenté littéraire. Mais, tout est là : sur quoi reposait cette présomption elle-même? Sur une interprétation de l'intention de l'auteur et du parti littéraire adopté par celui-ci dont le principal sinon l'unique indice était à son tour pris à l'un ou l'autre des titres de la *Didachè* tel qu'ils apparaissent dans le manuscrit de Bryennios. Or, on sait maintenant que cet indice, sous-produit de la transmission, ne peut en aucune manière

---

(1) D. B. Botte, qui s'est montré particulièrement sensible à ma recension d'un ouvrage de M. Massaux (dans *RB*, LVIII (1951) 600-608), nous avertit que « chercher des sources indépendantes quand on se trouve en présence de textes harmonisés ou fusionnés est une utopie » (*Bull. de théol. anc. et méd.*, VII (1954) 8). Certes! Mais encore faut-il que le fait de l'harmonisation ou de la fusion soit d'abord lui-même avéré. C'est le point, sans doute, où la question commence à se compliquer un peu et à se refuser aux solutions trop simples. Car, bon gré mal gré, nous sommes ramenés, au fond, devant le problème, vaste et infiniment complexe, de la formation de la tradition évangélique, écrits compris, et des relations dans lesquelles les individus et les communautés se sont peu à peu trouvés engagés, consciemment ou inconsciemment, à l'égard de cette tradition, jusqu'à la fin du IIᵉ siècle. Cela n'est point seulement affaire de textes mis en colonnes pour la plus grande commodité de comparaisons abstraites.

(2) Voir, en particulier, J. A. Robinson, *Barnabas, Hermas and the Didache*, pp. 45 ss.; *The Didache*, dans *JTS*, XXXV (1934) 225 ss.; F. E. Vokes, *The Riddle of the Didache*, pp. 117 ss.; É. Massaux, *Influence de l'Évangile de saint Matthieu sur la littérature chrétienne avant saint Irénée*, pp. 604 s., 644; déjà Harnack, *Die Lehre*, pp. 63 ss.

porter la construction critique édifiée sur lui. Il n'existe, en réalité, aucune présomption de la nature de celle qu'a imaginée Robinson.

Au contraire, il est, je crois, certain que l'auteur a voulu simplement transmettre un petit nombre d' « instructions des apôtres », qu'il regardait comme plus immédiatement utiles. « Instructions », διδαχαί, le terme est précis. Il désigne un genre littéraire distinct de l' « évangile » (εὐαγγέλιον), qu'il complète et présuppose, soit à l'état de simple « prédication » (κήρυγμα), soit même à l'état d'écrit (1). Ce à quoi on doit s'attendre effectivement, ce n'est donc pas que la *Didachè* emprunte à tout propos à l' « évangile » comme si elle voulait se substituer à lui, ni encore moins qu'elle dissimule ses relations avec lui comme si elle visait, avec une idée de derrière la tête, à se parer de son prestige; mais bien plutôt qu'elle prenne modestement place à sa suite en reconnaissant à tous égards sa priorité. On verra que cette présomption initiale, suggérée à l'analyse par le genre littéraire et l'intention de l'auteur, tels qu'ils ressortent du titre authentique de la *Didachè*, n'est en aucun cas démentie par les faits.

Mais, avant d'entrer dans le détail, une dernière remarque s'impose. Elle concerne la composition de la *Didachè*. Il est clair, en effet, que le problème des sources « évangéliques » ne se pose pas de la même façon en toutes les parties de l'écrit. La distinction de *D*1 et de *D*2 est à cet égard capitale. Il faut aussi faire une place à part à l'interpolateur (2). Quant au *Duae viae*, il n'a pas à entrer en ligne de compte. Il est accidentel pour lui qu'il ait été recueilli par la *Didachè*. L'histoire de ses origines littéraires en est indépendante (3). Il faudrait faire une observation semblable, quoique sans doute avec une certaine réserve, à propos des éléments littéraires majeurs dont on a lieu de croire qu'ils ont été incorporés presque sans changements par la *Didachè*. C'est le cas, en particulier, du *Pater* et des « prières eucharistiques ». Il est plus difficile de décider de l'exhortation finale. Il me semble assez probable cependant que, sauf le début (16:1-2), le Didachiste l'a trouvée à peu près dans la forme où il lui a fait place dans son

---

(1) Voir C. H. DODD, *History and the Gospel*, Londres, 1947, p. 51; A. M. HUNTER, *The Unity of the New Testament*, Londres, 1943, pp. 21 s. C'est ce sens rare (et ancien) de διδαχαί qui s'est, dans l'usage postérieur, à peu près entièrement résorbé dans διδασκαλία; voir ci-dessus, pp. 116-118; aussi, à propos du genre littéraire *didachè*, le comm. sur le titre.

(2) Je ne puis que renvoyer ici, pour les justifications requises, à l'étude spéciale qui a été faite de la composition dans le chapitre qui lui est réservé.

(3) On pourra voir, sur ce problème, *Affinités littéraires et doctrinales du « Manuel de Discipline »*, dans *RB*, LIX (1952) 320 ss.

recueil (1). Dans ces conditions, une exclusion pure et simple serait certainement excessive, mais il va de soi qu'en prenant ces divers éléments littéraires en considération, nous ne pourrons raisonner à leur sujet comme s'ils étaient tout entiers sous la responsabilité du Didachiste (2).

D1

Did., 1:2, πάντα δὲ ὅσα ἐὰν θελήσῃς μὴ γίνεσθαί σοι, καὶ σὺ ἄλλῳ μὴ ποίει. C'est la Règle d'or, sous forme négative (3). Robinson (4), parmi beaucoup d'autres, et plus récemment, M. Massaux (5), ont cherché à la mettre en rapport avec *Mt.*, 7:12, où la forme est positive : πάντα οὖν ὅσα ἐὰν θέλητε ἵνα ποιῶσιν ὑμῖν οἱ ἄνθρωποι, οὕτως καὶ ὑμεῖς ποιεῖτε αὐτοῖς. La question est résolue, il me semble, de façon décisive par la présence de la même formule négative de la Règle d'or (au singulier ou au pluriel) dans tous les témoins du *Duae viae* indépendants de la *Didachè* (6). Selon toutes apparences, l'auteur de celle-ci ne l'a donc pas insérée de sa propre inspiration dans le *Duae viae* incorporé à son recueil. On sait, du reste, qu'au temps de Jésus, la forme négative était bien connue des docteurs de la Loi. La tradition rabbinique en fait honneur à Hillel : « Ce qui est odieux pour toi-même, ne le fais pas à ton prochain : c'est toute la Loi, le reste est commentaire » (7). Il est inutile d'aller plus loin. Le problème littéraire de la Règle d'or de *Did.*, 1:2, comparée à celle de *Mt.*, 7:12, ne concerne, directement, que le *Duae viae*. C'est du point de vue de l'origine de celui-ci qu'il doit être considéré. Mais alors tout change.

---

(1) Voir ci-dessus, p. 115 et ci-dessous, pp. 180 ss; aussi le comm. *in loc.*

(2) Je voudrais renvoyer ici à l'article que Lake a consacré à notre problème, au nom du Comité d'Oxford, dans *The New Testament in the Apostolic Fathers* (Oxford, 1905), ouvrage depuis longtemps classique, publié sous la responsabilité d'un comité spécial de l'Oxford Society of Historical Theology. L'étude, qui comprend douze pages à peine, est encore excellente en beaucoup de points.

(3) La Règle d'or se trouve dans des conditions quelque peu spéciales à l'égard du *Duae viae*. C'est pourquoi je crois devoir faire exception, en sa faveur, au principe d'exclusion qui vient d'être posé.

(4) J. A. ROBINSON, *The Didache*, dans *JTS*, XXXV (1934) 228-230.

(5) É. MASSAUX, *Influence de l'Évangile de saint Matthieu*, pp. 607 s.

(6) Th. SCHERMANN, *Die allgemeine Kirchenordnung*, I, p. 15.

(7) *Shabb.*, 31a.

Did., 8:1

αἱ δὲ νηστεῖαι ὑμῶν μὴ ἔστωσαν
μετὰ τῶν ὑποκριτῶν· νηστεύουσι
γὰρ δευτέρᾳ σαββάτων καὶ πέμ-
πτῃ· ὑμεῖς δὲ νηστεύσατε τετράδα
καὶ παρασκευήν.

Mt., 6:16

ὅταν δὲ νηστεύητε, μὴ γίνεσθε ὡς
οἱ ὑποκριταὶ σκυθρωποί· ἀφανί-
ζουσιν γὰρ τὰ πρόσωπα αὐτῶν
ὅπως φανῶσιν τοῖς ἀνθρώποις νησ-
τεύοντες· ἀμὴν λέγω ὑμῖν, ἀπέχου-
σιν τὸν μισθὸν αὐτῶν.

Certes, de part et d'autre, il est question du jeûne. Mais l'objet
précis des deux textes est-il identique pour autant? Dans le premier, il s'agit du « temps » du jeûne (μετά); dans le second, de la
« manière » de jeûner (ὡς). Ce sont deux choses distinctes, et parfaitement discernables au premier regard. Aussi longtemps qu'on
s'abstient de les confondre, il est évident que la *Didachè* ne suppose
aucune dépendance littéraire à l'égard de *Mt.* Des deux côtés, il
est vrai, la question du jeûne amène l'évocation des « hypocrites »
(ὑποκριταί). L'habitude prévaut de donner au terme une portée
à peu près exclusivement morale. Mais ce n'est pas le sens originel,
et ce n'est pas non plus le sens exclusif de la période qui nous
occupe (1). Même dans *Mt.*, la désignation revêt souvent une
nuance sociologique, qui donne à penser que si les pharisiens ont
été qualifiés d' « hypocrites », ce ne fut pas d'abord, nécessairement,
en raison du travers moral que leur a si vivement reproché Jésus,
mais plutôt en raison de leur fonction sociale d'interprètes et de
docteurs de la Loi (2). Il est en tout cas impossible de prendre
les « hypocrites » de *Did.*, 8:1 comme une catégorie uniquement
morale : la qualification est avant tout sociologique. On ne voit
pas autrement ce que viendrait faire là une séparation sur les
« jours » de jeûne. D'un point de vue moral, on n'échappe pas plus
à l' « hypocrisie » le mercredi que le mardi. Ce n'est évidemment
pas ce que l'auteur veut insinuer. Sa pensée se meut dans un ordre
différent de celui de *Mt.*, 6:16, où, cette fois, l'implication pre-

---

(1) ὁ ὑποκριτής, c'est, dans la langue classique, « celui qui répond », qui
donne la réplique : l'acteur, le déclamateur, l'orateur; mais c'est aussi celui
qui sait répondre à une question difficile : d'où le sens d' « interprète », en parlant des songes (Lucien), des oracles (Platon).
(2) Voir, en particulier, *Mt.*, 15:7; 24:51. Le fait linguistique est ici beaucoup moins simple que ne le laissent supposer les analyses courantes, telles
qu'on peut les lire, par exemple, dans P. Joüon, *ΥΠΟΚΡΙΤΗΣ dans l'Évangile
et hébreu HANÉF*, dans *Rech. de sc. rel.*, XX (1930) 312 ss.; A. Descamps,
*Les Justes et la Justice dans les évangiles et le Christianisme primitif hormis la
doctrine proprement paulinienne*, Louvain, 1950, pp. 200 ss.; G. F. Moore,
Judaism, II, 190 ss.

mière de la qualification d' « hypocrites » est morale. Mais, justement, *Mt.* parle des dispositions dans lesquelles il convient de jeûner, non des jours de jeûne. Ainsi, tout se tient en chacun des deux textes. Mais ils n'en apparaissent que plus éloignés l'un de l'autre en leur intention. Ce qui les rapproche est trop réduit, et trop commun, pour qu'il soit permis de parler d'une dépendance littéraire quelconque. Tout s'explique assez bien par une certaine communauté de milieu. Il suffit que la tradition évangélique représentée par *Mt.* ne soit pas trop éloignée, dans le temps et dans l'espace, de celle à laquelle, dans une certaine mesure, participe la *Didachè.*

Did., 8:2s.	*Mt.*, 6:5, 9-13
μηδὲ προσεύχεσθε ὡς οἱ ὑποκριταί, ἀλλ'ὡς ἐκέλευσεν ὁ κύριος ἐν τῷ εὐαγγελίῳ αὐτοῦ, οὕτω προσεύχεσθε· πάτερ ἡμῶν ὁ ἐν τῷ οὐρανῷ, ἁγιασθήτω τὸ ὄνομά σου, ἐλθέτω ἡ βασιλεία σου, γενηθήτω τὸ θέλημά σου ὡς ἐν οὐρανῷ καὶ ἐπὶ γῆς· τὸν ἄρτον ἡμῶν τὸν ἐπιούσιον δὸς ἡμῖν σήμερον, καὶ ἄφες ἡμῖν τὴν ὀφειλὴν ἡμῶν, ὡς καὶ ἡμεῖς ἀφίεμεν τοῖς ὀφειλέταις ἡμῶν, καὶ μὴ εἰσενέγκῃς ἡμᾶς εἰς πειρασμόν, ἀλλὰ ῥῦσαι ἡμᾶς ἀπὸ τοῦ πονηροῦ· ὅτι σοῦ ἐστιν ἡ δύναμις καὶ ἡ δόξα εἰς τοὺς αἰῶνας. τρὶς τῆς ἡμέρας οὕτω προσεύχεσθε.	καὶ ὅταν προσεύχησθε οὐκ ἔσεσθε ὡς οἱ ὑποκριταί· ὅτι φιλοῦσιν ἐν ταῖς συναγωγαῖς καὶ ἐν ταῖς γωνίαις τῶν πλατειῶν ἑστῶτες προσεύχεσθαι, ὅπως φανῶσιν τοῖς ἀνθρώποις... οὕτως οὖν προσεύχεσθε ὑμεῖς· πάτερ ἡμῶν ὁ ἐν τοῖς οὐρανοῖς, ἁγιασθήτω τὸ ὄνομά σου, ἐλθέτω ἡ βασιλεία σου, γενηθήτω τὸ θέλημά σου ὡς ἐν οὐρανῷ καὶ ἐπὶ γῆς· τὸν ἄρτον ἡμῶν τὸν ἐπιούσιον δὸς ἡμῖν σήμερον· καὶ ἄφες ἡμῖν τὸ ὀφειλήματα ἡμῶν, ὡς καὶ ἡμεῖς ἀφήκαμεν τοῖς ὀφειλέταις ἡμῶν· καὶ μὴ εἰσενέγκῃς ἡμᾶς εἰς πειρασμόν, ἀλλὰ ῥῦσαι ἡμᾶς ἀπὸ τοῦ πονηροῦ.

La suite jeûne-prière, ou prière-jeûne, était classique dans le judaïsme. On ne saurait s'appuyer sur elle pour définir ici les relations littéraires de *Mt.* et de la *Didachè.* Aussi bien l'ordre est-il inversé de part et d'autre, ce qui introduirait plutôt une présomption d'indépendance. Mais le point sensible n'est pas là. On remarquera d'abord qu'en dépit des apparences, l'intention des textes n'est pas tout à fait la même dans la *Didachè* et dans *Mt.* Celui-ci, conformément au propos général du Sermon sur la montagne, se préoccupe avant tout des dispositions à apporter à la prière : il faut éviter l'indiscrétion tapageuse et encombrante

des « hypocrites »; il ne faut pas non plus se répandre en paroles,
à la manière des « gentils », comme si l'on doutait d'être correctement entendu (6:5-9). C'est dans ce contexte que se présente le
Pater : il fixe des sentiments bien plus qu'une formule. La *Didachè*
est un recueil d' « instructions » (διδαχαί). S'il lui arrive, elle aussi,
de fixer des sentiments, son propos distinctif est de régler une
manière d'agir. De là le caractère propre de son « instruction » sur
le jeûne : vous jeûnerez le mercredi et le vendredi, non le mardi
et le jeudi. Il y a tout lieu de penser que l' « instruction » sur la
prière, qui la suit, est du même ordre : elle détermine une façon
de faire. Vous prierez « trois fois le jour » (8:3), et non dans la forme
pratiquée par les « hypocrites » (1), mais dans celle qu'a « ordonnée
le Seigneur dans son évangile » (8:2, ὡς οἱ ὑποκριταί, ὡς ἐκέλευσεν ὁ
κύριος; 8:3, οὕτω προσεύχεσθε). Ainsi les « hypocrites » de 8:2
sont-ils, comme on pouvait d'ailleurs s'y attendre, les mêmes que
ceux de 8:1 : l'implication immédiate de la catégorie est moins
morale que sociologique. Il n'est pas question, du moins directement, des dispositions convenables à apporter dans la prière : ce
qui était le point de vue de *Mt.* L'orientation respective des textes
est donc divergente : chacun des auteurs suit sa propre voie,
conformément à son intention générale et au genre littéraire adopté
par lui. Rien jusqu'ici ne vient donc suggérer une dépendance de
la *Didachè* par rapport à *Mt.* Au contraire, les indices normalement
les plus décisifs invitent à supposer l'indépendance.

Mais il y a le texte même du *Pater*, pratiquement identique de
part et d'autre. On observe pourtant quelques menues variantes :
ἐν τῷ οὐρανῷ au lieu de ἐν τοῖς οὐρανοῖς; ὀφειλήν au lieu de
ὀφειλήματα; ἀφίεμεν au lieu de ἀφήκαμεν, et la doxologie, intrusive
dans *Mt.* mais probablement originale dans la *Didachè.* Ailleurs,
de telles variantes pourraient être sans portée. Mais le *Pater*, de
quelque manière qu'on veuille préciser la qualification, est un
texte liturgique, témoin, ici même, la doxologie finale. Si le Didachiste l'avait emprunté à *Mt.*, est-il vraisemblable qu'il ait voulu
le modifier? et sur des détails en soi aussi insignifiants! Par hypothèse, il serait allé contre un usage reçu, et contre le plus tenace
des usages, l'usage liturgique. Mais à quelle fin? Un changement
qui eût touché au fond se comprendrait encore. Mais une altération
de pure forme? En fait, on ne peut regarder les variantes du *Pater*
de la *Didachè* comme des modifications intentionnelles du *Pater*

---

(1) Tout s'expliquerait au mieux si l'auteur pensait ici au *Shema'* et aux
Bénédictions de la prière synagogale et domestique.

de *Mt.* sans rejeter l'auteur de la *Didachè* dans l'artificiel et sans
le mettre en contradiction avec lui-même (1). Évidemment, on
peut toujours se rabattre sur l'imprévisibilité fréquente de la
transmission manuscrite pour chercher aux faits une explication
convenable. Mais la tendance de la transmission était certainement
d'harmoniser le *Pater* de la *Didachè* avec celui de *Mt.*, non inversement. Si les variantes de la *Didachè* ont subsisté en présence de *Mt.*
(et ont-elles toutes subsisté?), c'est qu'elles avaient de très solides
appuis dans leur propre transmission. On revient donc au point
de départ. Les variantes offertes par le *Pater* de la *Didachè* constituent, par leur gratuité même, un précieux indice d'indépendance
à l'égard de *Mt.*

Au reste, il n'est que de nous en remettre à l'auteur lui-même,
à qui il appartient, s'il lui plaît, de dire ce qu'il a voulu faire. Le
Pater se trouve au chapitre 8 de la *Didachè*, c'est-à-dire dans *D1*,
rédigé à un moment où aucun écrit évangélique ne s'était encore
imposé dans le milieu auquel l'auteur destinait son recueil. C'est
ce qui ressort, comme nous l'avons déjà montré, de la comparaison
des formules de référence à l'autorité du Seigneur dans *D1* et *D2*
respectivement. Nous avons ici, ὡς ἐκέλευσεν ὁ κύριος ἐν τῷ εὐαγγελίῳ αὐτοῦ. La formule ne fait appel qu'à l'évangile annoncé
d'abord par le Seigneur et transmis ensuite par les apôtres, conformément à l'usage de εὐαγγέλιον dans la langue du Nouveau
Testament. Il n'y a donc pas lieu d'établir ici une relation directe
de la *Didachè* à *Mt.* Les deux écrits ne se rencontrent que dans
une tradition commune, qui suffit à les expliquer d'une manière
satisfaisante.

Did., 9:5, μὴ δῶτε τὸ ἅγιον τοῖς κυσί. *Mt.*, 7:6 présente la même
formule. Mais on ne peut conclure, sans plus, de l'identité des textes
à leur dépendance. La formule d'introduction est analogue à celle
du *Pater* : καὶ γὰρ περὶ τούτου εἴρηκεν (parfait) ὁ κύριος. Nous
sommes toujours dans *D1*. On remarquera, au surplus, qu'il s'agit,
originellement, et pour le fond, d'une prescription rituelle antérieure à l'évangile, et indépendante de lui (2). On ne donne pas
aux chiens (animaux impurs) les viandes offertes en sacrifice

---

(1) Pourquoi, au surplus, le Didachiste aurait-il tenu à reproduire le *Pater*
s'il avait déjà été connu par *Mt.*, et à le reproduire en lui imposant les modifications de forme que les variantes du *Hier.* 54 nous permettent encore d'observer? Le cas n'est pas le même s'il reproduit un usage. Car alors il a pu viser
à l'affermir, à le préciser, et à le répandre.
(2) Cf. O. Michel, κύων, κυνάριον, *TWNT*, III, 1101 s.

(τὰ ἅγια). L'extension métaphorique de la prescription, dont témoigne *Mt.*, 7:6, suppose le sens propre. Le proverbe n'est ici qu'une application figurée du précepte (1). Dans un milieu et dans un temps où les sacrifices d'animaux étaient familiers, aucun écrit n'était nécessaire pour que la formule parvienne à l'auteur de la *Didachè*, qui l'a d'ailleurs utilisée en un autre sens que *Mt.* *Did.*, 9:5 évoque de plus près la signification originelle que *Mt.*, 7:6, quoique l'emploi de la formule demeure métaphorique de part et d'autre.

Did., 9-10. Il est peu probable que l'auteur de la *Didachè* ait rédigé lui-même les « prières eucharistiques » des chapitres 9-10. Il n'a voulu faire, et il n'a fait en réalité, qu'un recueil d' « instructions », extrêmement réservé, dans *D*1 surtout, quant à l'expression d'idées personnelles. Les instructions de la première partie sont réduites au minimum de détails possible. Données, d'autre part, sur le ton de l'autorité la plus simple, on doit croire qu'elles s'imposaient par cela seul que l'apôtre apportait aux communautés locales, non pas sa pensée personnelle, mais la pensée et les usages de l'église qui l'avait accrédité. Nous aurons, du reste, l'occasion de montrer, dans le commentaire, que l'analyse interne des « prières eucharistiques » conduit à la même conclusion. Elles devaient être depuis quelque temps au moins en usage, lorsque l'auteur de la *Didachè* les a reçues dans son recueil (2). Mais il se peut aussi, après tout, que le Didachiste ait une part personnelle dans les « prières » de 9-10. Comme, en outre, on a souvent trouvé à ces « prières » certaines affinités de langue et de pensée avec le quatrième évangile, c'est de ce point de vue, et dans cette mesure, que nous devons les considérer ici (3).

Did., 9:3, εὐχαριστοῦμέν σοι, πάτερ ἡμῶν, ὑπὲρ τῆς ζωῆς καὶ γνώσεως, ἧς ἐγνώρισας ἡμῖν διὰ ἰησοῦ τοῦ παιδός σου. La révélation de la « vie » et de la « connaissance » par Jésus rappelle *Jn.*, et en particulier *Jn.*, 17:3 : « La vie éternelle, c'est qu'ils te connaissent, toi, le seul vrai Dieu, et celui que tu as envoyé, Jésus Christ ».

---

(1) Comp. *Bek.*, 15*a* : « On ne peut racheter les choses offertes en sacrifice (הקדשים = τὰ ἅγια) pour donner à manger aux chiens ».

(2) Comp. les autres formules empruntées à l'usage courant : *Duae viae*, rite baptismal (7:1, dégagé des surcharges du *Hier.* 54; on se souviendra, d'autre part, que 7:2-4 appartient à l'interpolateur), *Pater*.

(3) En particulier, A. GREIFF, *Das älteste Pascharituale der Kirche, Did.* 1-10, *und das Johannes evangelium* (*Johanneische Studien*, 1), Paderborn, 1929, pp. 163 ss.; en sens contraire, W. v. LOEWENICH, *Das Johannes-Verständnis im zweiten Jahrhundert* (*Beihefte zur ZNTW*, 13), Giessen, 1932, pp. 18-22.

En revanche, la qualification de Jésus comme « serviteur » de
Dieu (Yahvé), παῖς (1), plus importante même que tout autre
élément dans l'équilibre du texte, serait plutôt un indice d'indépendance. Il est difficile d'emprunter à *Jn.* le thème de la « vie »
et de la « connaissance » en substituant au thème corrélatif du
Verbe-Christ et Fils de Dieu celui du « serviteur ». En réalité, le
thème de la « vie », de la « connaissance », de la « foi et de l'immortalité » (*Did.*, 10:2) est un bien commun du messianisme sapientiel
dont *Jn.* lui-même est immédiatement tributaire. Il est abusif de
le qualifier purement et simplement de « johannique ». Son expression la plus éclatante se trouve dans *Jn.* : c'est tout ce qu'on peut
dire. Il n'est pas permis de partir de ce fait pour établir des filiations littéraires. Le messianisme sapientiel déborde sensiblement
le quatrième évangile. Il est actif dans les épîtres de la captivité.
On le retrouve à toutes les pages dans les *Odes de Salomon* (2).
Il est même assez nettement discernable, pour une part, dans le
Manuel de discipline (3). La situation des « prières eucha-
tiques » de la *Did.*, à cet égard, n'est pas différente. Rien n'oblige
même à parler de « cercles johanniques » à leur propos (4). Si elle
veut être précise, la limite est déjà trop étroite. En fait, la *Didachè*
n'est ici, parmi d'autres témoins, que l'héritière du messianisme
sapientiel commun de son milieu et de son époque. Une parenté
littéraire directe avec *Jn.* ne s'impose en aucune façon.

Des remarques analogues devraient être faites sur *Did.*, 9:4,
qu'on a souvent rapproché de *Jn.*, 11:52 : la rencontre ne va pas
au delà du thème messianique commun du rassemblement des
dispersés. *Did.*, 10:2, εὐχαριστοῦμέν σοι, πάτερ ἅγιε, ὑπὲρ τοῦ ἁγίου
ὀνόματός σου, οὗ κατεσκήνωσας ἐν ταῖς καρδίαις ἡμῶν, offre une
parenté encore plus éloignée avec *Jn.*, 17:26, 1:14, καὶ ἐγνώρισα αὐτοῖς
τὸ ὄνομά σου καὶ γνωρίσω... — καὶ ὁ λόγος σὰρξ ἐγένετο καὶ ἐσκή-
νωσεν ἐν ἡμῖν, que *Did.*, 9:3 et *Jn.*, 17:3: il n'y a pas lieu
d'insister. La pensée est différente. C'est à peine s'il reste deux
mots auxquels il serait théoriquement loisible de nouer un rapport
littéraire.

(1) Comp. David, à 9:2, qualifié aussi de « serviteur »; voir également, pour
Jésus, 9:2, 10:2,3.
(2) Voir, en particulier, *Odes*, 10; éd. Harris-Mingana, II, 263 s.
(3) *Man.*, IV, 18-22; sur le sens messianique de ce passage, analysé en fonction d'Hermas, cf. *Affinités littéraires et doctrinales du « Manuel de discipline »*,
dans *RB*, LX (1953) 74 ss.; voir aussi *Man.*, IX, 12-XI, 22; W. H. BROWNLEE,
The Servant of the Lord in the Qumran Scrolls. II, dans *BASOR*, 135 (1954)
33 ss.
(4) HARNACK, *Die Lehre*, Proleg., p. 81.

D2

La situation est différente dans *D2* (11:3-16:8). Quand on sait
que cette partie de la *Didachè* est de composition légèrement plus
tardive que *D1*, les formules d'appel à l'autorité du Seigneur y
prennent toute leur force : ὡς ἔχετε ἐν τῷ εὐαγγελίῳ (15:3);
ὡς ἔχετε ἐν τῷ εὐαγγελίῳ τοῦ κυρίου ἡμῶν (15:4); κατὰ τὸ δόγμα
τοῦ εὐαγγελίου (11:3, formule moins décisive en elle-même, mais
suffisamment déterminée par le voisinage de 15:3,4). Un écrit
évangélique a été répandu dans le milieu originel de la *Didachè*
depuis la rédaction et la diffusion de sa première partie (*D1*).
L'auteur y renvoie donc de façon très naturelle : « comme vous
l'avez (c'est-à-dire, maintenant, ou désormais) dans l'évangile (de
notre Seigneur) ». La précision et la discrétion de la touche sont
inimitables : on peut être assuré qu'aucun pseudépigraphe du
IIe ou du IIIe siècle n'aurait eu cette habileté. Il s'agit d'un écrit,
en grec, qui règle sans plus, tout comme le κήρυγμα (*D1*), la vie
des communautés, et qui les unit entre elles : c'est le même écrit
pour toutes les églises auxquelles pense, dans sa rédaction, l'auteur
de la *Didachè*. Cette diffusion uniforme s'explique au mieux, d'autre
part, si l'on suppose, à l'origine, l'initiative et l'influence d'une
communauté plus grande et plus ancienne, jouant à l'égard des
communautés environnantes le rôle d'une église-mère. Si, comme
il est probable, l'auteur des *Instructions des apôtres* est un apôtre
lui-même, accrédité par l'église-mère auprès des communautés de
sa mission, il va comme de soi, alors, qu'il s'exprime comme s'il
connaissait parfaitement le contenu de l'évangile auquel il renvoie
ceux à qui il destine son propre écrit : « Pour vos prières, pour
vos aumônes et pour toute votre conduite, faites ainsi que vous
l'avez dans l'évangile de notre Seigneur » (15:4; comp. 15:3 et 11:3).

L'« évangile » auquel pense le Didachiste, en *D2*, est une quantité
définie, connue, acceptée. On ne s'expliquerait pas, autrement, sa
manière de s'exprimer. Mais quel était cet écrit évangélique apparu
dans le milieu où écrit l'auteur de la *Didachè*, depuis la rédaction
de la première partie de son recueil? Il faut d'abord comparer
quelques textes.

Did., 11:7

πᾶσα γὰρ ἁμαρτία ἀφεθήσεται, αὕτη δὲ ἡ ἁμαρτία οὐκ ἀφεθήσεται.

Mt., 12:31

πᾶσα ἁμαρτία καὶ βλασφημία ἀφεθήσεται τοῖς ἀνθρώποις, ἡ δὲ τοῦ πνεύματος βλασφημία οὐκ ἀφεθήσεται (comp. Mc., 3:28; Lc., 12:10).

Did., 13:1-2

πᾶς δὲ προφήτης ἀληθινός, θέλων καθῆσθαι πρὸς ὑμᾶς, ἄξιός ἐστι τῆς τροφῆς αὐτοῦ· ὡσαύτως διδάσκαλος ἀληθινός ἐστιν ἄξιος καὶ αὐτὸς ὥσπερ ὁ ἐργάτης τῆς τροφῆς αὐτοῦ.

Mt., 10:10

ἄξιος γὰρ ὁ ἐργάτης τῆς τροφῆς αὐτοῦ. (comp. Lc., 10:7, ἄξιος γὰρ ὁ ἐργάτης τοῦ μισθοῦ αὐτοῦ (aussi 1 Tim., 5:18).

Did., 15:3

ἐλέγχετε δὲ ἀλλήλους μὴ ἐν ὀργῇ, ἀλλ'ἐν εἰρήνῃ, ὡς ἔχετε ἐν τῷ εὐαγγελίῳ· καὶ παντὶ ἀστοχοῦντι κατὰ τοῦ ἑτέρου (ἑταίρου?) μηδεὶς λαλείτω μηδὲ παρ' ὑμῶν ἀκουέτω, ἕως οὗ μετανοήσῃ.

Mt., 18:15-17

ἐὰν δὲ ἁμαρτήσῃ ὁ ἀδελφός σου, ὕπαγε ἔλεγξον αὐτὸν μεταξὺ σοῦ καὶ αὐτοῦ μόνου. ἐὰν σου ἀκούσῃ ἐκέρδησας τὸν ἀδελφόν σου· ἐὰν δὲ μὴ ἀκούσῃ, παράλαβε μετὰ σοῦ ἔτι ἕνα ἢ δύο, ἵνα ἐπὶ στόματος δύο μαρτύρων ἢ τριῶν σταθῇ πᾶν ῥῆμα· ἐὰν δὲ παρακούσῃ αὐτῶν, εἰπὸν τῇ ἐκκλησίᾳ. ἐὰν δὲ καὶ τῆς ἐκκλησίας παρακούσῃ, ἔστω σοι ὥσπερ ὁ ἐθνικὸς καὶ ὁ τελώνης (comp. Mt., 5:23s.).

Did., 16:1

γρηγορεῖτε ὑπὲρ τῆς ζωῆς ὑμῶν· οἱ λύχνοι ὑμῶν μὴ σβεσθήτωσαν, καὶ αἱ ὀσφύες ὑμῶν μὴ ἐκλυέσθωσαν, ἀλλὰ γίνεσθε ἕτοιμοι· οὐ γὰρ οἴδατε τὴν ὥραν, ἐν ᾗ ὁ κύριος ἡμῶν ἔρχεται.

Mt., 24:42, 44

γρηγορεῖτε οὖν, ὅτι οὐκ οἴδατε ποίᾳ ἡμέρᾳ ὁ κύριος ὑμῶν ἔρχεται... καὶ ὑμεῖς γίνεσθε ἕτοιμοι· ὅτι ᾗ ὥρᾳ οὐ δοκεῖτε ὁ υἱὸς τοῦ ἀνθρώπου ἔρχεται (comp. 25:13; aussi Lc., 12:35).

Did., 16:3-4

ἐν γὰρ ταῖς ἐσχάταις ἡμέραις πληθυνθήσονται οἱ ψευδοπροφῆται καὶ

Mt., 24:10-12, 24

καὶ τότε σκανδαλισθήσονται πολλοὶ καὶ ἀλλήλους παραδώσουσιν καὶ

Did., 16:3-4 | *Mt.*, 24:10-12, 24

οἱ φθορεῖς, καὶ στραφήσονται τὰ πρόβατα εἰς λύκους· καὶ ἡ ἀγάπη στραφήσεται εἰς μῖσος· αὐξανούσης γὰρ τῆς ἀνομίας μισήσουσιν ἀλλήλους καὶ διώξουσιν καὶ παραδώσουσι, καὶ τότε φανήσεται ὁ κοσμοπλανὴς ὡς υἱὸς θεοῦ καὶ ποιήσει σημεῖα καὶ τέρατα καὶ ἡ γῆ παραδοθήσεται εἰς χεῖρας αὐτοῦ, καὶ ποιήσει ἀθέμιτα, ἃ οὐδέποτε γέγονεν ἐξ αἰῶνος.

μισήσουσιν ἀλλήλους· καὶ πολλοὶ ψευδοπροφῆται ἐγερθήσονται καὶ πλανήσουσιν πολλούς· καὶ διὰ τὸ πληθυνθῆναι τὴν ἀνομίαν ψυγήσεται ἡ ἀγάπη τῶν πολλῶν. — ἐγερθήσονται γὰρ ψευδόχριστοι καὶ ψευδοπροφῆται, καὶ δώσουσιν σημεῖα μεγάλα καὶ τέρατα, ὥστε πλανῆσαι, εἰ δυνατόν, καὶ τοὺς ἐκλεκτούς.

Did., 16:6 | *Mt.*, 24:30-31

καὶ τότε φανήσεται τὰ σημεῖα τῆς ἀληθείας· πρῶτον σημεῖον ἐκπετάσεως ἐν οὐρανῷ, εἶτα σημεῖον φωνῆς σάλπιγγος, καὶ τὸ τρίτον ἀνάστασις νεκρῶν.

καὶ τότε φανήσεται τὸ σημεῖον τοῦ υἱοῦ τοῦ ἀνθρώπου ἐν οὐρανῷ, καὶ τότε κόψονται πᾶσαι αἱ φυλαὶ τῆς γῆς καὶ ὄψονται τὸν υἱὸν τοῦ ἀνθρώπου ἐρχόμενον ἐπὶ τῶν νεφελῶν τοῦ οὐρανοῦ μετὰ δυνάμεως καὶ δόξης πολλῆς· καὶ ἀποστελεῖ τοὺς ἀγγέλους αὐτοῦ μετὰ σάλπιγγος μεγάλης, καὶ ἐπισυνάξουσιν τοὺς ἐκλεκτοὺς αὐτοῦ ἐκ τῶν τεσσάρων ἀνέμων ἀπ᾽ ἄκρων οὐρανῶν ἕως [τῶν] ἄκρων αὐτῶν (comp. 1 *Thess.*, 4:14-16).

Did., 16:8 | *Mt.*, 24:30

τότε ὄψεται ὁ κόσμος τὸν κύριον ἐρχόμενον ἐπάνω τῶν νεφελῶν τοῦ οὐρανοῦ. | Cf. *supra.*

Les similitudes sont multiples, et tout à fait évidentes, quoiqu'il ne faille pas les exagérer : il y a aussi de nombreuses divergences de détail. On pourrait dire, certes, que l'auteur de la *Didachè* utilise librement un écrit évangélique, qui doit être alors notre *Mt.* Mais cette inférence de première vue rencontre un obstacle, et celui-ci renverse, à lui seul, toutes les probabilités. C'est que l'auteur

de la *Didachè* se tenait tout aussi près de *Mt.*, s'il ne s'en rappro-
chait pas davantage, dans la première partie de son recueil (*D*1),
où tout se passe comme s'il ne connaissait aucun écrit évangélique.
Il n'est donc pas plus nécessaire d'en appeler à *Mt.* dans *D*2 qu'il
ne l'était dans *D*1. La *Didachè* s'explique assez par elle-même et
par la tradition de son milieu d'origine.

Au reste, en admettant provisoirement qu'un recours à *Mt.*
pourrait rendre compte d'un certain nombre d'éléments dans les
textes qui viennent d'être cités, que ferait-on du résidu? Suivant
le principe d'explication adopté, il faudrait poursuivre les rapprochements. *Did.*, 11:7 ne se présente pas comme une citation, du
moins comme une citation expresse, mais comme une justification
qui porte son évidence avec soi. Le moins qu'on puisse dire, c'est
donc que le Didachiste n'était pas spécialement inquiet de se
chercher ici un appui explicite dans l'évangile. La circonstance
n'est certes pas favorable à l'hypothèse d'un véritable rapport
littéraire avec *Mt.*, 12:31. Les disparités de style fortifient dans
le même sens toutes les probabilités. En fait, tel qu'il est formulé
dans la *Did.*, le principe est si dépouillé de particularités stylistiques individuelles qu'il tourne à l'axiome. Il est bien difficile, dans
ces conditions, de le faire sortir de *Mt.*, 12:31, d'autant plus difficile
que *Mc.*, 3:28 et *Lc.*, 12:10 sont là, d'autre part, pour attester que
l'idée était fermement établie dans la tradition évangélique commune. Le blasphème contre l'Esprit, refus de Dieu en ses œuvres
les plus éclatantes, est le péché irrémissible.

Did., 13:1 se tient très près de *Mt.*, 10:10. Mais on remarquera
que la *Did.* ne prétend citer ici personne. La réflexion est plutôt
introduite comme un axiome de justice élémentaire, admis par
tous. On peut d'ailleurs se demander si le « car » de *Mt.*, 10:10 n'a
pas le même sens. La règle revient, en tout cas, à *Lc.*, 10:7, avec
une légère modification : μισθοῦ au lieu de τροφῆς. 1 *Tim.*, 5:18,
identique à *Lc.* pour la forme, présente l'axiome comme « Écriture »,
à la suite de *Deut.*, 25:4 : « Tu ne muselleras pas le bœuf qui foule
le grain ». On s'est naturellement demandé si 1 *Tim.* ne citait pas
Lc., 10:7 (1). C'est possible, mais non assuré. Quoi qu'il en soit,
une chose est certaine : quelle qu'ait pu être son origine, l'axiome
était largement répandu dans la tradition chrétienne primitive.
Dans les conditions générales où se présentent les relations de la

(1) C. SPICQ, *Saint Paul. Les épîtres pastorales* (*Études bibliques*), **Paris,**
1947, p. 177.

Didachè avec nos évangiles, il n'est donc pas ici requis de faire intervenir *Mt.* nommément.

Did., 15:3 concerne la correction fraternelle. C'est *Mt.*, 18:15-17 qu'il convient de comparer à ce texte, plutôt que *Mt.*, 5:23-24, qui regarde la réconciliation. *Mt.*, 18:15-17 est sans parallèle dans les évangiles. Mais on lit quelque chose d'apparenté, quant au fond, dans le *Manuel de discipline* (v,24-vi,1). La correction, s'il y a lieu, passe par trois étapes : un avertissement seul à seul, une admonition devant témoins, une dénonciation devant les « grands » (1). Le *Man.* insiste sur la première étape. *Mt.* lui donne sans doute aussi la préférence, mais sans appuyer. La *Did.* se limite à elle, en ajoutant, toutefois, un renvoi à « l'évangile ». Il est naturel de supposer que celui-ci contenait davantage en la matière. Il semble, cependant, que 15:3*b*, καὶ παντὶ ἀστοχοῦντι κτλ., soit propre à la *Did.* Tels sont les faits. Considérés dans leur ensemble, suggèrent-ils une relation littéraire de la *Did.* à *Mt.*? Les apparentements de pensée, sinon de forme, nous reporteraient bien plutôt du côté du *Man.* En celui-ci comme dans la *Did.*, l'attention va principalement aux conditions dans lesquelles la correction mutuelle des membres de la « communauté » doit être faite : douceur et paix (*Did.*), vérité, humilité, bonté, douceur et discrétion (*Man.*). De part et d'autre, on se préoccupe d'écarter la « colère » : ἐν ὀργῇ de *Did.*, 15:3 a son correspondant exact dans באף de *Man.*, v, 25. Et certes, je n'irai pas prétendre pour autant que la *Didachè* dépende du *Manuel de discipline* ! Elle renvoie elle-même à ce qu'elle nomme « l'évangile ». Il n'est donc, en réalité, qu'une issue : « l'évangile » connu de *D*2 n'est pas notre *Mt.*, qui est ici muet sur ce qui fait le point de vue distinctif et de la *Didachè* et du *Manuel de discipline* (2).

Did., 16:1 offre un certain nombre de points de ressemblance avec *Mt.*, 24:42 (44). Mais, de nouveau, ils ne sont pas seuls à considérer, et ce qu'il faut expliquer, en définitive, ce ne sont pas des éléments abstraits du texte, mais le texte dans son ensemble. L'exhortation à la vigilance, sous l'image de la veille, dans l'attente du retour du Seigneur, est un thème commun aux trois Synop-

---

(1) הרבים, sans être l'équivalent de היחד (*Man.*, i, 1 etc.), n'est peut-être pas très éloigné, en fait, de l'ἐκκλησία de *Mt.*, 18:17, terme rare dans les Synoptiques, comme chacun sait (*Mt.*, 16:18 et 18:17 seulement).

(2) Pour le dire en passant, *Did.*, 15:3 est l'un des cas où il est devenu clair, par la découverte du *Manuel de discipline*, que la comparaison des textes avait souvent été établie sur des bases trop étroites. Il y a bel et bien quatre quantités en présence là où naguère encore beaucoup se seraient refusés à en voir plus de deux : *Mt.*- *Did.* Nous avons désormais : *Man.* — *Did.* — « évangile » *D*2- *Mt.*, ce qui exige une solution à la fois plus complexe et plus souple.

tiques. Non qu'ils se soient simplement passé la main les uns aux autres : chacun traite le sujet avec assez de liberté, au contraire, pour autoriser l'hypothèse (si elle ne s'imposait par ailleurs!) que le thème était, en réalité, un bien commun de la tradition évangélique elle-même. La *Didachè* est-elle vraiment, par rapport à celle-ci, dans d'autres conditions? Quelques éléments, il est vrai, évoquent *Mt.* : γρηγορεῖτε..., γίνεσθε ἕτοιμοι· οὐ [γὰρ] οἴδατε... ... τὴν ὥραν... ὁ κύριος [ἡμῶν] ἔρχεται. En contrepartie, on observera, cependant, que les présumés emprunts sont non seulement dispersés, mais qu'ils s'entrecroisent sans cesse les uns les autres : ils vont de 24:42 à 24:44, retournent à 42, puis à 44, puis de nouveau à 42, puis encore à 44. Ce n'est pas tout. A ce chassé-croisé s'entremêleraient, pour achever la combinaison, quelques emprunts faits à *Lc.*, 12:35 : l'image des reins ceints et des lampes allumées, en ordre inverse. Le reste serait la part du Didachiste (*D2*). Mais s'il s'agit, d'un point de vue littéraire, d'expliquer l'origine du texte, et non des éléments du texte de *Did.*, 16:1, à qui fera-t-on croire que celui-ci puisse résulter de *Mt.* et de *Lc.* par la voie qui vient d'être décrite? Un Tatien pouvait, dans une certaine mesure, composer de cette manière. Mais il avait un but, qui était de fondre les quatre évangiles en un. Le projet, et le procédé, eussent été absurdes sur une échelle réduite comme le serait l'instruction finale de la *Didachè*. Car il est impossible d'imaginer un auteur sensé, devant *Mt.* et *Lc.*, se livrant au petit jeu littéraire que représenterait *Did.*, 16:1 si les éléments en avaient été empruntés directement aux écrits que nous connaissons. A quelle fin? Il est parfaitement gratuit de faire passer l'image de la ceinture après celle de la lampe, en ordre inverse de *Lc.*, 12:35, comme il est gratuit d'entrecroiser *Mt.*, 24:42,44 de la manière requise par l'hypothèse de l'emprunt. Le rédacteur de l'instruction finale de la *Didachè* n'est pas celui qui a dépensé sa peine à cette puérilité.

Mais ne pourrait-on pas, du moins, en jetant juste assez de lest, parler d'une « citation de mémoire », amenant ce curieux mélange de nos « textes » de *Mt.* et *Lc.* que nous constatons à *Did.*, 16:1? C'est un compromis. Sa faiblesse est de continuer à porter les noms de deux évangiles. Pourquoi *Mt.* et *Lc.* seraient-ils expressément engagés? Ils ne sont plus qu'un poids mort. L'hypothèse d'une utilisation libre de souvenirs de lecture de la part du Didachiste n'offre, en réalité, aucune raison interne de nommer *Mt.* et *Lc.* plutôt que la tradition commune, qui, elle, a l'avantage positif de s'imposer d'elle-même, à l'époque et dans le milieu auxquels appartient le texte concerné. Plus fluide, mais aussi plus diversifiée et plus riche que les évangiles où ce qu'elle avait de meilleur, sans doute, se survit encore à nos yeux, la tradition évangélique primitive, avec tout ce qu'elle pouvait déjà contenir d'écrits mineurs aujourd'hui perdus, fournit la seule explication naturelle au phénomène littéraire observé à *Did.*, 16:1.

La suite n'oblige d'ailleurs pas à modifier sensiblement cette conclusion. Ce sont les mêmes affinités de pensée et de langue avec *Mt.*, en particulier, mais aussi les mêmes écarts, inexplicables dans l'hypothèse d'une filiation littéraire directe. Autant qu'à 16:1, les divergences paraissent gratuites. Il faudrait des raisons positives pour charger de ce genre faux la conscience littéraire du rédacteur. Il me semble clair que ces raisons n'existent pas. Tout ce qu'il est permis de dire, c'est donc, de nouveau, que la *Didachè* hérite, pour une part dont la mesure est fixée par les textes, d'une tradition évangélique nettement apparentée à celle de *Mt.*, sans cependant connaître *Mt.* lui-même (1).

Il importerait, néanmoins, de préciser ici les formes sous lesquelles la *Didachè* reçoit cet héritage. *D*2, contrairement à *D*1, connaît, en effet, un écrit auquel il est donné le nom d' « évangile ». D'autre part, la « tradition » de *D*1, autant qu'on puisse en juger, offre une parfaite unité de caractère avec l' « évangile » de *D*2. Nous avons exprimé ce caractère, d'une manière relative, en disant que la « tradition » aussi bien que l' « évangile » étaient apparentés à notre *Mt.* C'est un point acquis. Mais, quel était le contenu de cet « évangile » auquel renvoie *D*2? La *Didachè* ne nous donne naturellement sur lui que des aperçus. Lorsqu'elle y réfère ses lecteurs, on peut d'abord supposer qu'elle le prend par le côté, assez particulier, à vrai dire, où son propos se rencontre avec le sien. Suivant son intention et son genre littéraire propres, la *Didachè* (en fait, *D*2) demande à son « évangile », non pas l'annonce de la bonne nouvelle (κήρυγμα), mais les δόγματα qui peuvent servir à régler la vie des communautés. A cet égard, le renvoi de 11:3 est significatif : « Au sujet des apôtres et des prophètes, κατὰ τὸ δόγμα τοῦ εὐαγγελίου οὕτως ποιήσατε, agissez suivant la règle de l'évangile ». C'est le δόγμα, non le κήρυγμα, qui est l'objet distinctif de la διδαχή (2).

---

(1) Dans le même sens, Lake, dans *The New Testament in the Apostolic Fathers*, pp. 31 ss. Le commentaire nous donnera l'occasion de revenir sur le détail. Il nous suffit, pour l'instant, d'avoir considéré ce qui nous paraissait le plus immédiatement utile à la solution du problème littéraire.

(2) Sur le sens de δόγμα impliqué ici (disposition disciplinaire pour guider la conduite et pour établir un certain ordre de choses), voir G. Kittel, δόγμα,

Ce sont donc les δόγματα τοῦ εὐαγγελίου qui font normalement
l'objet des διδαχαὶ τῶν ἀποστόλων (titre). La formule fixe avec
exactitude, il me semble, le rapport idéal de la διδαχή à l'εὐαγγέλιον,
mais en même temps elle nous avertit, dans le cas particulier qui
nous occupe, de la discrétion avec laquelle il convient de juger
du contenu de « l'évangile du Seigneur » utilisé par *D2*. Il serait
hasardeux d'en arrêter les limites aux δόγματα auxquels, de son
point de vue, s'est intéressé le Didachiste.

Ces δόγματα sont pourtant la seule connaissance positive que
nous en ayons. « Pour vos prières, pour vos aumônes, et pour
toutes vos actions (πάσας τὰς πράξεις), lisons-nous à 15:4, faites
ainsi que vous l'avez dans l'évangile du Seigneur ». La perspective
demeure restreinte au genre littéraire dans lequel nous sommes
entrés dès la première « instruction ». Elle ne s'ouvre, effectivement,
que sur les πράξεις, ordonnées par les δόγματα, objets des διδαχαὶ
τῶν ἀποστόλων. Nous apprenons ainsi, néanmoins, qu'il y avait,
dans cet « évangile du Seigneur », de quoi fixer, pour le principal,
la conduite des individus et des communautés, en diverses circonstances : prières, aumônes (15:4), accueil aux apôtres et conduite
à l'égard des prophètes (11:3), correction fraternelle (15:3). C'est
quelque chose, sans doute, mais bien peu. Au delà, nous ne savons
plus. Car il n'est pas du tout sûr que l'instruction finale sur le
retour de Jésus soit tirée de « l'évangile » dont il est fait mention
dans *D2*. Il semble plutôt que le Didachiste ait ajouté à son recueil
cette « instruction » d'un caractère particulier pour satisfaire à
un besoin que n'avait sans doute pas envisagé aussi expressément
le rédacteur de « l'évangile ». Le Didachiste n'a pas dû, en tout cas,
faire double emploi. Il est très sobre d'ordonnances et de paroles.
Là où il peut s'en remettre à l'évangile existant, il le fait avec
simplicité : il n'écrit pas pour écrire, mais pour être utile. Nous
savons, d'autre part, qu'à défaut de « l'évangile du Seigneur »,
la tradition commune ne manquait pas, sur le sujet, d'une ample
réserve où le Didachiste pouvait à loisir puiser la matière de son
instruction.

I

Reste le cas particulier de l'interpolateur (*I*). Le texte à examiner
est *Did.*, 1:3*b*-5. Comme on a habituellement expliqué ce texte

---

dans *TWNT*, II, 233 s.; pour l'usage philonien, ajouter H. A. WOLFSON,
Philo, I, p. 190; II, p. 6. Comp. IGNACE, *Ad. Magn.*, 13:1, σπουδάζετε οὖν βεβαιω-
θῆναι ἐν τοῖς δόγμασιν τοῦ κυρίου καὶ τῶν ἀποστόλων, ἵνα πάντα ὅσα ποιεῖτε...

par un mélange de *Mt.* et de *Lc.*, il faut cette fois citer les deux Synoptiques.

Did., 1:3*b*-5	*Mt.*, 5:38-46	*Lc.*, 6:27-32
εὐλογεῖτε τοὺς κατα- ρωμένους ὑμῖν καὶ προσεύχεσθε ὑπὲρ τῶν ἐχθρῶν ὑμῶν, νησ- τεύετε δὲ ὑπὲρ τῶν διωκόντων ὑμᾶς· ποία γὰρ χάρις, ἐὰν ἀγα- πᾶτε τοὺς ἀγαπῶντας ὑμᾶς; οὐχὶ καὶ τὰ ἔθνη τοῦτο ποιοῦσιν; ὑμεῖς δὲ φιλεῖτε τοὺς μισοῦντας ὑμᾶς, καὶ οὐχ ἕξετε ἐχθρόν... ἐάν τις σοι δῷ ῥάπισ- μα εἰς τὴν δεξιὰν σια- γόνα, στρέψον αὐτῷ καὶ τὴν ἄλλην, καὶ ἔσῃ τέλειος· ἐὰν ἀγγα- ρεύσῃ σε τις μίλιον ἕν, ὕπαγε μετ᾽ αὐτοῦ δύο· ἐὰν ἄρῃ τις τὸ ἱμάτιόν σου, δὸς αὐτῷ καὶ τὸν χιτῶνα· ἐὰν λάβῃ τις ἀπὸ σοῦ τὸ σόν, μὴ ἀπαίτει· οὐδὲ γὰρ δύ- νασαι. παντὶ τῷ αἰ- τοῦντί σε δίδου καὶ μὴ ἀπαίτει.	ἐγὼ δὲ λέγω ὑμῖν μὴ ἀντιστῆναι τῷ πονηρῷ ἀλλ᾽ ὅστις σε ῥαπίζει εἰς τὴν δεξιὰν σιαγόνα [σου], στρέψον αὐτῷ καὶ τὴν ἄλλην· καὶ τῷ θέλοντί σοι κριθῆναι καὶ τὸν χιτῶνά σου λαβεῖν, ἄφες αὐτῷ καὶ τὸ ἱμάτιον· καὶ ὅστις σε ἀγγαρεύσει μίλιον ἕν, ὕπαγε μετ᾽ αὐτοῦ δύο. τῷ αἰτοῦντί σε δός, καὶ τὸν θέλοντα ἀπὸ σοῦ δανείσασθαι μὴ ἀποστραφῇς. ἠκού- σατε ὅτι ἐρρέθη· ἀγα- πήσεις τὸν πλησίον σου καὶ μισήσεις τὸν ἐχθρόν σου. ἐγὼ δὲ λέ- γω ὑμῖν, ἀγαπᾶτε τοὺς ἐχθροὺς ὑμῶν καὶ προσεύχεσθε ὑπὲρ τῶν διωκόντων ὑμᾶς· ὅπως γένησθε υἱοὶ τοῦ πατρὸς ὑμῶν τοῦ ἐν οὐρανοῖς, ὅτι τὸν ἥλιον αὐτοῦ ἀνατέλλει ἐπὶ πονηροὺς καὶ ἀγαθοὺς καὶ βρέχει ἐπὶ δικαίους καὶ ἀδίκους. ἐὰν γὰρ ἀγαπήσητε τοὺς ἀγα- πῶντας ὑμᾶς, τίνα μισθὸν ἔχετε; οὐχὶ καὶ οἱ τελῶναι τὸ αὐτὸ ποιοῦσιν;	ἀλλὰ ὑμῖν λέγω τοῖς ἀκούουσιν· ἀγαπᾶτε τοὺς ἐχθροὺς ὑμῶν, καλῶς ποιεῖτε τοῖς μι- σοῦσιν ὑμᾶς, εὐλο- γεῖτε τοὺς καταρω- μένους ὑμᾶς, προσεύ- χεσθε περὶ τῶν ἐπη- ρεαζόντων ὑμᾶς. τῷ τύπτοντί σε ἐπὶ τὴν σιαγόνα πάρεχε καὶ τὴν ἄλλην, καὶ ἀπὸ τοῦ αἴροντός σου τὸ ἱμάτιον καὶ τὸν χιτῶ- να μὴ κωλύσῃς. παντὶ αἰτοῦντί σε δίδου, καὶ ἀπὸ τοῦ αἴροντος τὰ σὰ μὴ ἀπαίτει. καὶ καθὼς θέλετε ἵνα ποι- ῶσιν ὑμῖν οἱ ἄνθρω- ποι, ποιεῖτε αὐτοῖς ὁμοίως. καὶ εἰ ἀγαπᾶ- τε τοὺς ἀγαπῶντας ὑμᾶς, ποία ὑμῖν χάρις ἐστίν; καὶ γὰρ οἱ ἁμαρ- τωλοὶ τοὺς ἀγαπῶν- τας αὐτοὺς ἀγαπῶ- σιν.
οὐκ ἐξελεύσεται ἐκεῖ-	5:26, οὐ μὴ ἐξέλθῃς	

θεν, μέχρις οὗ ἀποδῷ | ἐκεῖθεν ἕως ἂν ἀπο-
τὸν ἔσχατον κοδράν- | δῷς τὸν ἔσχατον κο-
την. | δράντην.

On peut d'abord s'arrêter à l'ordre intérieur des textes. Si l'on
prend la *Didachè* comme base de comparaison, et si l'on met des
nombres à la place des éléments naturels dans lesquels se divisent
les trois passages, on obtient le tableau suivant (1) :

Did., 1 2 3 4 5 6 7 8 9 10 11 12.
Mt. 8 10 9 12 add. 6 2 add. 4 5.
Lc. 6 add. 1 2 8 10 12 add. 11 4 5.

L'ordre de la *Didachè* est, comme on peut voir, tout autre que
celui des deux Synoptiques. Si l'interpolateur avait connu à la fois
Mt. et *Lc.*, et s'il avait trouvé bon de les utiliser tous les deux, il
aurait vraisemblablement pris d'abord un parti, *Mt.* ou *Lc.*, et
il aurait travaillé sur cette base. Ce n'est certes pas ce que les faits
nous mettent sous les yeux. Si l'on ne considérait que l'ordre des
idées, on conclurait plutôt à l'indépendance de l'interpolateur.
Il est impossible d'imaginer comment il aurait pu travailler sur
Mt. et *Lc.* pour arriver à son texte. Et quel profit aurait-il cherché?
On n'en voit aucun.

Si l'on passe des idées à leur expression littéraire, les probabilités
vont dans le même sens. Il suffira de trois exemples, les premiers,
en fait, où la comparaison à triple terme est possible, soit, dans
notre numérotation, 4, 5 et 6.

4. *Did.*, ποία γὰρ χάρις, ἐὰν ἀγαπᾶτε τοὺς ἀγαπῶντας ὑμᾶς;
   Mt., ἐὰν γὰρ ἀγαπήσητε τοὺς ἀγαπῶντας ὑμᾶς, τίνα, μισθὸν ἔχετε;
   Lc., εἰ ἀγαπᾶτε τοὺς ἀγαπῶντας ὑμᾶς, ποία ὑμῖν χάρις ἐστίν;
5. *Did.*, οὐχὶ καὶ τὰ ἔθνη τὸ αὐτὸ ποιοῦσιν;
   Mt., οὐχὶ καὶ οἱ τελῶναι τὸ αὐτὸ ποιοῦσιν;
   Lc., καὶ γὰρ οἱ ἁμαρτωλοὶ τοὺς ἀγαπῶντας αὐτοὺς ἀγαπῶσιν.
6. *Did.*, ὑμεῖς δὲ ἀγαπᾶτε τοὺς μισοῦντας ὑμᾶς, καὶ οὐχ ἕξετε ἐχθρόν.
   Mt., ἀγαπᾶτε τοὺς ἐχθροὺς ὑμῶν, καὶ προσεύχεσθε κτλ.
   Lc., ἀγαπᾶτε τοὺς ἐχθροὺς ὑμῶν, καλῶς ποιεῖτε τοῖς μισοῦσιν ὑμᾶς.

On remarquera, d'abord, que nous avons donné, pour la *Did.*,
le texte de Harnack, c'est-à-dire, en fait, le texte du *Hier.* 54. Mais,
comme nous l'avons déjà montré (2), c'est un texte harmonisé

---

(1) Pour la commodité de la comparaison, je laisse de côté *Did.*, 1:5*b* et
Mt., 5:26, qui n'offrent d'ailleurs pas d'intérêt spécial du point de vue où nous
nous plaçons ici.
(2) Voir ci-dessus, pp. 53 s.

avec *Mt.* et *Lc.* Pour juger correctement des similitudes dans les
expressions, il faudrait donc commencer par faire ici la part du feu,
et tenir compte d'une certaine mesure d'harmonisation. Mais, ceci
fait, le texte de la *Didachè* ne représente plus qu'une variation sur
un thème commun à toute la tradition évangélique.

Du point de vue interne, il n'y a donc lieu de faire intervenir ni
Mt. ni *Lc.* Nous allons maintenant voir que la date approximative
où l'interpolateur a fait à la *Didachè* ses additions, ne permet guère
de songer à un mélange textuel provenant des deux Synoptiques.

CHAPITRE SEPTIÈME

LA DATE ET LE LIEU D'ORIGINE

L'ensemble des résultats antérieurs renouvelle toute la question de la date et du lieu d'origine des *Instructions des apôtres*. Indépendante des écrits du Nouveau Testament, la *Didachè* offre, par ailleurs, tous les signes de la plus haute antiquité. Le sentiment de Lightfoot était juste : « De toute évidence, l'ouvrage remonte à une date très ancienne » (1).

Au point où nous sommes parvenus, il ne paraît plus nécessaire de discuter l'opinion de ceux qui ont proposé une date plutôt tardive (iie et iiie siècles). Il est clair, en effet, que si la *Didachè* ne dépend, ni du Nouveau Testament, ni de Barnabé, ni d'Hermas, c'est la base même sur laquelle on a toujours cherché à s'appuyer qui se désagrège. Les arguments positifs suffisent, du reste, à se défendre par eux-mêmes.

On peut d'abord mettre en avant un certain nombre d'indices, en soi indépendants les uns des autres, qui suggèrent vaguement une date plus haute que le iie siècle. Leur convergence constitue un argument dont la force ne doit pas être sous-estimée.

1. Il y a, en premier lieu, le titre, *Instructions des apôtres*, Διδαχαὶ τῶν ἀποστόλων. Si le recueil était du milieu du iie siècle, comme on l'a souvent prétendu, et comme certains seraient encore prêts à l'admettre, il y a bien des chances que διδασκαλίαι, sinon même διδασκαλία, aurait pris la place de διδαχαί, qui, au sens où il est pris dans le titre, demeure isolé au milieu de la première littérature chrétienne. On sait, du reste, combien le pluriel διδαχαί, qui avait une implication directe du côté du genre littéraire du recueil, et donc aussi du côté de l'intention de l'auteur, a eu de peine à se maintenir dans la transmission. Vers 150, était-il encore exactement

---

(1) Lightfoot, *The Apostolic Fathers*, p. 215.

compris? La suite de l'histoire oblige à en douter. La tendance de l'usage était nettement vers διδασκαλία, en attendant qu'apparaissent les διαταγαί et les διατάξεις de la littérature canonique postérieure (1). C'est διδασκαλία qui a effectivement prévalu dans les titres, et dans la langue, de plusieurs compilations, à commencer par celle que nous appelons *Didascalie des Apôtres*, laquelle doit être du milieu du iiie siècle et corrige probablement, pour son propre compte, le titre de la *Didachè* dont elle s'inspire. La tendance du vocabulaire est inscrite dans cette correction (2), comme elle est inscrite dans le passage non moins significatif du pluriel au singulier. Il y a une bonne tranche de développement de la conscience et des institutions chrétiennes entre διδαχαί, tel qu'il se rencontre dans le titre de la *Didachè*, et διδαχή-διδασκαλία, tel qu'il apparaît déjà au iie siècle, au moment où se prépare le développement de la littérature canonique des siècles postérieurs (3).

2. Selon toutes apparences, le *Duae viae* incorporé par le Didachiste à son recueil portait déjà, dans une partie au moins de sa transmission propre, le titre de Διδαχὴ κυρίου τοῖς ἔθνεσιν. Sans article, κύριος, c'est ici le Seigneur, Yahvé, Dieu d'Israël, non le Seigneur Jésus, comme semble l'avoir compris la transmission postérieure de la *Didachè* (4), et comme l'a entendu, à sa suite, la critique récente, depuis Bryennios. Aussi bien le contenu même du *Duae viae* impose-t-il cette interprétation de διδαχὴ κυρίου (5). En sa forme primitive, représentée au mieux par la *Doctrina apostolorum* de Schlecht, l'instruction ne porte pas un mot qui puisse

---

(1) L'évolution de διδαχή vers διδασκαλία dans les titres reflète sans doute une tendance de l'usage commun des deux termes. Les Pères apostoliques et les Apologètes hésitent encore entre διδαχή et διδασκαλία, avec, peut-être, une légère préférence pour celle-ci (voir Goodspeed, *Index apostolicus* et *Index apologeticus, s. vv.*). On notera, au passage, Papias, *Fragm.*, II, 15 : (Pierre), ὃς πρὸς τὰς χρείας ἐποιεῖτο τὰς διδασκαλίας, qu'on pourra comparer à l'usage des écrits du Nouveau Testament, où διδασκαλία est du vocabulaire de Paul seul (voir, en particulier, *Act.*, 2:42). Clément d'Alexandrie emploie habituellement διδασκαλία (διδαχή, 5 fois seulement). Sur l'usage de διδασκαλία chez Origène, cf. R. P. C. Hanson, *Origen's Doctrine of Tradition*, dans *JTS*, XLIX (1948) 22.

(2) Connolly n'a pas vu dans quel sens l'évolution du vocabulaire s'est faite, lorsqu'il a écrit : « The full title therefore (celui de la *Didascalie*) may have been something as follows : Καθολικὴ διδασκαλία τῶν δώδεκα ἀποστόλων τοῦ σωτῆρος. The choice of *Didascalia* was determined, we may surmise, by the fact that the more obvious word for doctrine, *Didache*, was already in requisition for the title of an older work » (*Didascalia apostolorum*, Oxford, 1929, p. xxviii).

(3) Comp. Grenfell-Hunt, *The Amherst Pap.*, I, 1, p. 2.

(4) On ne s'expliquerait guère autrement l'interpolation du διὰ τῶν δώδεκα ἀποστόλων

(5) Comp. παρεκτὸς θεοῦ de 6:1. L'expression est exactement corrélative de la διδαχή κυρίου du titre, et pourrait, au besoin, en fixer le sens.

faire penser nommément à l'évangile en l'un quelconque de ses
éléments distinctifs. Dans l'intention du titre, elle était donc au
service du prosélytisme juif, et elle s'adressait aux gentils (τοῖς
ἔθνεσιν). Mais, les choses étant ainsi, est-il vraisemblable que
l'incorporation au recueil de la *Didachè* n'ait eu lieu qu'au IIᵉ siècle?
Il est extrêmement difficile d'imaginer le Didachiste, contemporain
de s. Irénée, de s. Justin, ou même de s. Ignace, faisant cet emprunt
déclaré aux réserves littéraires de la mission juive auprès des gentils.
Barnabé a utilisé le *Duae viae*, mais celui-ci n'est pas, ou n'est plus,
chez lui une διδαχὴ κυρίου τοῖς ἔθνεσιν. La transmission du
Duae viae connue de nous est tout entière chrétienne. Mais n'est-il
pas significatif que cette transmission chrétienne se soit préoccupée,
de divers côtés et par divers moyens, de faire oublier que l'écrit
avait été originellement une διδαχὴ κυρίου τοῖς ἔθνεσιν? En
réalité, l'emprunt du Didachiste, dans les conditions où il a été fait,
ne s'explique, de façon naturelle, qu'à une époque relativement
très ancienne, sensiblement antérieure même au IIᵉ siècle. Il était
trop aisé de faire disparaître le titre que le *Duae viae* porte dans la
Didachè pour que sa conservation soit aujourd'hui dénuée de sens.
Cette conservation nous reporte à un moment où le judaïsme et le
christianisme, si je puis dire, vivaient encore l'un dans l'autre. A ce
moment, une διδαχὴ κυρίου τοῖς ἔθνεσιν, en usage dans son milieu
originel, pouvait, sans l'étonner, tenter le zèle évangélique d'un
chrétien, parce que le prosélytisme chrétien profitait encore du
prosélytisme juif et continuait à s'adresser aux conquêtes faites
par lui dans la gentilité.

3. Les « prières d'action de grâce » de *Did.*, 9-10 sont très anciennes.
Ce point est assez généralement reconnu, semble-t-il, pour que nous
nous dispensions d'en faire ici la preuve. Le substrat théologique
est en vérité primitif. Jésus est le « serviteur » de Dieu(1). Le vieil
idéal prophétique du rassemblement des dispersés dans le royaume,
si profondément enraciné dans l'âme juive, est encore très actif
dans la conception de l'ἐκκλησία (9:4; 10:5). Si la leçon, « Hosanna
à la maison de David » est, comme nous le croyons, la leçon authentique de 10:6, nous ne pouvons pas être bien éloignés, ni dans le
temps ni dans l'espace, de la tradition qui a fourni la même acclamation, aujourd'hui perdue, à *Mt.*, 21:15 (2). La formule est à peu

---

(1) παῖς. On notera la séquence : δαυὶδ τοῦ παιδός σου...ἰησοῦ τοῦ παιδός σου
de 9:2. Comp. τὸν παῖδα αὐτοῦ ἰησοῦν (*Act.*, 3:13; aussi 3:26; 4:27, 30) et δαυὶδ
παιδός σου (*Act.*, 4:25; aussi *Lc.*, 1:69).
(2) Voir ci-dessus, pp. 62-67, et comm. *in loc.*

près impensable après les événements de 70. Mais tous ces traits, dont il serait facile d'allonger la liste, ne concernent, à vrai dire, que les « prières » elles-mêmes. Comme il est peu probable que le Didachiste soit du tout au tout l'auteur de celles-ci, on ne peut utiliser, sans plus, ces indices d'antiquité, si excellents qu'ils soient, pour déterminer l'âge de la *Didachè*. L'âge d'un recueil est, au mieux, celui de ses éléments les plus récents, non celui de ses éléments les plus anciens. Cela est clair. Aussi est-ce à un raisonnement de cette nature qu'ont eu recours ceux qui, tout en reconnaissant l'antiquité réelle des « prières d'action de grâce », ont fixé l'apparition de la *Didachè* à la fin du IIe ou au début du IIIe siècle.

Mais, s'il est probable que le Didachiste n'est pas l'auteur des « prières d'action de grâce », on ne saurait, en revanche, lui refuser, à leur endroit, une certaine activité « éditoriale ». Elle est évidente dans les formules de présentation de 9:1 et de 10:1, dans la rubrique de 10:7 et dans la restriction mise à la participation à la table chrétienne de 9:5. Or, on rencontre, en ce dernier passage, une expression dont l'archaïsme est de tous points comparable à celui des prières d'actions de grâce dans leur ensemble. « Que personne ne mange ni ne boive de votre eucharistie, écrit l'auteur du recueil, hormis ceux qui ont été baptisés εἰς ὄνομα κυρίου. » L'absence de l'article devant κύριος, absence qui s'est maintenue en dépit des tendances contraires de la transmission, est ici extrêmement remarquable (1). Elle l'est d'autant plus que le sens de l'expression ὄνομα κυρίου, en milieu chrétien comme en milieu juif, portait primitivement à moins d'ambiguïté. De part et d'autre, on ne pouvait l'entendre, en soi, que du Seigneur-Dieu (2). Être baptisé εἰς ὄνομα

---

(1) On ne saurait écarter le fait en le mettant au compte d'un certain flottement dans l'usage de l'article devant κύριος. Car la formule ὄνομα κυρίου ne se trouve pas, purement et simplement, dans les conditions communes de κύριος en ce qui regarde l'usage de l'article, et donc le sens. Elle n'est pas, d'abord, une création chrétienne, et, au moins jusqu'au temps de s. Irénée, elle ne spécifie pas non plus le christianisme. On la rencontre 110 fois dans les versions alexandrines de l'Ancien Testament et les deutéro-canoniques, et toujours sans article [trois exceptions apparentes, qui se résolvent, en réalité, par les manuscrits : *Gen.*, 13:4; *2 Sam.*, 6:2; *1 Esdr.*, 1:48 (46)]. ὄνομα κυρίου est donc à tous égards une formule très ferme, la plus nettement frappée peut-être de toute la phraséologie consacrée par le judaïsme d'expression grecque. Pour le sens, elle est étroitement apparentée aux formules : τὸ ὄνομα μου κύριος (*Ex.*, 6:3), κύριος ὄνομα αὐτῷ (*Ex.*, 15:3), ὄνομά σοι κύριος (*Ps.*, 83:19), dans lesquelles il est clair que κύριος était senti de quelque manière comme le nom propre de Dieu, Yahvé. Un chrétien qui voulait parler de Jésus ne pouvait, dans ces conditions, omettre l'article sans donner tête baissée dans l'équivoque. Le Didachiste, à coup sûr, connaissait assez l'usage pour ne point commettre cette méprise.
(2) Ce point a été traité ailleurs en détail, en regard du double usage du judaïsme hellénistique et de la littérature chrétienne des deux premiers siècles.

χυρίου, ne devrait donc équivalemment signifier qu'être baptisé au nom de « Dieu ». Pour donner un autre sens à la formule, et voir Jésus dans le κύριος (sans article), il faut s'en remettre au contexte. Il est certain, du reste, qu'il n'y a pas à chercher là une révélation sur le sens du rite baptismal dans le milieu auquel appartenait l'auteur. C'est, d'un point de vue particulier, et sous une forme archaïque, une expression de la foi et de la pratique qu'on nous fait connaître par ailleurs : « baptisez au nom du Père et du Fils et du Saint Esprit » (*Did.*, 7:1). Pour comprendre que cette expression ait pu un temps paraître naturelle, il suffit peut-être de se rappeler que, dans la pensée de tous, le « nom » par excellence demeurait le nom de « Dieu », le Père, Yahvé-κύριος (1). Un rite auquel étaient pareillement liés les noms du Père, du Fils et de l'Esprit pouvait, de ce point de vue, être spécifié par le « nom du Seigneur ». Les formules des *Actes :* ἐν τῷ ὀνόματι ἰησοῦ χριστοῦ (2:38), et εἰς τὸ ὄνομα τοῦ κυρίου (19:5), ne sont-elles pas elles-mêmes, d'un autre point de vue particulier, des expressions diffé-rentes, et partielles, d'une foi et d'un usage identiques? Il y avait donc, en réalité, deux voies ouvertes quand on désirait parler de ces choses. Le Didachiste a suivi la première (2). Est-il maintenant vraisemblable que, de son mouvement spontané, il ait pu prendre un tel parti théologique et littéraire à une époque relativement tardive? On jugera plutôt que, l'archaïsme étant du même goût que tous ceux qu'on rencontre dans les « prières d'action de grâce », sa présence dans une intervention rédactionnelle du Didachiste

On pourra voir *Affinités littéraires et doctrinales du « Manuel de discipline »*, dans *RB*, LX (1953) 49 ss.

(1) Justin nous permet d'entrevoir assez bien, semble-t-il, le sentiment primitif commun, lorsqu'il explique, justement à propos de la formule baptis-male : « (tandis qu'il est) dans l'eau, on prononce sur celui qui veut être régénéré et qui se repent de ses fautes le nom de Dieu père et seigneur de l'univers (τὸ τοῦ πατρὸς τῶν ὅλων καὶ δεσπότου θεοῦ ὄνομα), et c'est ce nom seul (αὐτὸ τοῦτο μόνον) que choisit le ministre qui conduit au bain celui qui doit être lavé. Au Dieu ineffable, personne, en effet, ne peut prétendre donner un nom, et oser dire qu'il en ait un serait faire preuve d'une irrémédiable folie ». Il est d'autant plus remarquable, après cela, que Justin ajoute, mais sans commentaire sur la grandeur du nom de Jésus : « et au nom de Jésus Christ, qui fut crucifié sous Ponce Pilate » (1 *Apol.*, 61:10-11, 13). Derrière cette phraséologie, il y a plus que le désir occasionnel d'être compris des païens. En aucune rencontre, pour-tant, on n'imagine l'apologiste écrivant, sans plus, que les chrétiens étaient baptisés εἰς ὄνομα κυρίου, et c'est là, dans l'attache directe de la formule à la tradition juive, sans le moindre souci apparent de la préciser en regard de Jésus, que l'archaïsme de *Did.*, 9:5 est sensible.

(2) Également Hermas (*Vis.*, III, 7, 3), quoique ce dernier ait dû, en cela, obéir aux inclinations de sa théologie personnelle bien plus qu'à un usage contemporain; cf. *Affinités littéraires et doctrinales du « Manuel de discipline »*, dans *RB*, LX (1953) 55 s.

doit fixer approximativement l'époque où le recueil a été composé (1). Si donc l'on admet que les « prières d'action de grâce » ne peuvent guère être postérieures à 70, on reconnaîtra aussi que leur entrée dans la *Didachè* ne doit pas avoir eu lieu à une date beaucoup plus basse.

4. Le document que nous avons entre les mains est sans arrière-pensée. Du moins ne voyons-nous plus de raison sérieuse de le soupçonner du contraire. C'est en vain qu'on lui a cherché une intention de fiction archaïsante. Il reste à le prendre tel qu'il est. Or, nous sommes encore, avec lui, au temps du ministère des « apôtres », des prophètes et des docteurs (11:3-12 et 13:1-2), tel qu'il apparaît, en particulier, dans les récits des *Actes* et dans les épîtres pauliniennes (2). L'analogie institutionnelle est évidente (3). Sans doute n'oblige-t-elle pas à un alignement chronologique absolu de la *Didachè* sur les textes auxquels elle est ainsi comparée. Un certain écart est toujours possible. Les institutions ecclésiales primitives n'ont point avancé partout du même pas. Mais on ne saurait étendre la marge d'erreur, qui n'est, après tout, que théoriquement possible, au delà d'une certaine limite. C'est une autre entreprise sans espoir de tenir la *Didachè* pour un document authentique et de ramener ses chapitres 11:3-12 et 13:1-2 quelque part vers le milieu du IIe siècle. La marge qu'on peut regarder, en fait, comme raisonnable, compte tenu de ce que nous savons par ailleurs du développement des institutions ecclésiales primitives et de leurs attaches au judaïsme originel, est assez étroite. Les dernières décades du Ier siècle nous mettent à l'extrême bout des probabilités. Le ministère des docteurs, de soi le plus susceptible d'adaptation, a pu, en se transformant, subsister sous des formes plus ou moins reconnaissables dans les siècles postérieurs. Mais celui des « apôtres » et des prophètes, sociologiquement très lié à la composante juive des premières communautés chrétiennes, ne peut, du point de vue institutionnel, être reporté trop loin des origines. Il constituait, celui des apôtres surtout, la partie la moins « plastique » de l'institution. Le temps et les conditions nouvelles des communautés l'ont conduit assez vite à son déclin.

(1) *D1* tout au moins. Mais comme *D2* a dû suivre de près la composition de *D1*, il importe peu de distinguer, pour l'instant, les deux parties.

(2) Il suffit de rappeler quelques références classiques, dont tout le monde peut avoir les textes à la mémoire : *Act.*, 11:19-28; 13:1-3; 1 *Cor.*, 12:28; *Eph.*, 4:11. — *Did.*, 12 est une instruction générale sur l'hospitalité, qui n'a rien à voir avec les apôtres, les prophètes et les docteurs.

(3) L'analogie vaut d'ailleurs mieux ici que l'identité. Elle est plus naturelle et plus significative.

Hermas, bien sûr, en Italie sinon à Rome même, connaît encore
des prophètes (1). Mais Hermas, qui est probablement juif, hérite
d'une tradition particulière, et sa communauté paraît vivre en
marge (2). Quant aux apôtres, il ne pense manifestement plus qu'à
ceux du passé (3). Un texte du *Martyrium Polycarpi*, sensiblement
contemporain (4), marque beaucoup mieux les distances. Après
avoir raconté le martyre, le narrateur prononce l'éloge : εἷς (τῶν
ἐκλεκτῶν) καὶ οὗτος γεγόνει ὁ θαυμασιώτατος μάρτυς Πολύκαρπος, ἐν
τοῖς καθ' ἡμᾶς χρόνοις διδάσκαλος ἀποστολικὸς καὶ προφητικὸς γενόμενος, ἐπίσκοπος τῆς ἐν Σμύρνῃ καθολικῆς ἐκκλησίας. πᾶν γὰρ ῥῆμα,
ὃ ἀφῆκεν ἐκ τοῦ στόματος αὐτοῦ, ἐτελειώθη καὶ τελειωθήσεται (5).

(1) *Mand.*, xi, 7, 15.
(2) *Affinités littéraires et doctrinales du « Manuel de discipline »*, dans *RB*,
LX (1953) 80 s.; E. Peterson, *Die Begegnung mit dem Ungeheuer. Hermas,
Visio IV*, dans *Vig. christ.*, VIII (1954) 70 s.
(3) *Vis.*, iii, 5, 1; *Sim.*, ix, 15, 4; 16,5.
(4) Il n'est pas nécessaire à notre propos que la date du martyre de Polycarpe, et, par suite, celle de sa relation, soient fixées d'une façon précise. Sau-
rons-nous jamais? M. Grégoire nous a invités récemment à revenir au « système
d'Eusèbe » (cf. H. Grégoire, avec la coll. de P. Orgels, *La véritable date du
martyre de s. Polycarpe (23 février 177) et le « Corpus Polycarpianum »*,
dans *Anal. boll.*, LXIX (1951) 1 ss.). Mais le malheur est que le « système
d'Eusèbe » est inexistant. M. Grégoire nous distrait du problème lorsqu'il
entreprend de nous rassurer sur « l'exactitude » avec laquelle Eusèbe utilise et
cite habituellement ses sources (pp. 1-4). Ce point n'est pas en question. C'est
de la chronologie d'Eusèbe qu'il s'agit, et ses mérites ne sont pas à juger par
les qualités de l'œuvre en d'autres matières. Or, il est manifeste, par la notice
de la *Chronique* comme par l'*Histoire*, qu'Eusèbe ne savait rien de l'année du
martyre de Polycarpe. Empressons-nous d'ajouter, à son honneur, qu'il n'a
rien voulu non plus nous en dire. Là-dessus, l'analyse de Lightfoot demeure
intacte (*Apostolic Fathers*, II, 1 (1889), pp. 646 ss.). Tout ce qu'on peut dire,
c'est qu'Eusèbe croyait que le martyre avait eu lieu sous Marc-Aurèle, et,
naturellement, avant celui des confesseurs de Vienne et Lyon. Les appuis de
cette approximation ne nous sont pas connus, mais ils ne devaient pas sortir de
l'ordre des simples vraisemblances, dans le cadre plus général de quelques
points regardés comme plus ou moins fixes. Retourner au « système d'Eusèbe »,
nous le voulons bien, mais le vrai « système d'Eusèbe » n'est pas celui qui nous
est proposé. M. Grégoire en sait trop. Eusèbe, semble-t-il, ne se trouvait point
trop mal d'ignorer à demi. Peut-être aussi était-ce nécessaire sagesse. Car
j'avoue que la notice chronologique du § 21 du *Martyrium Polycarpi* me laisse
bien des inquiétudes. Je ne sais si la page dans laquelle Lightfoot en a défendu
l'authenticité est, comme le dit M. Grégoire, « la page la plus faible de son
immense ouvrage » (p. 18). L'argument principal (rapport avec 1 *Clem.*) n'en
est pourtant pas sans force, et M. Grégoire, en nous renvoyant à la doxologie
du scribe Euarestos (20), manque à noter quelques différences significatives.
Il n'est pas du tout sûr que le § 21 soit authentique, mais il ne l'est pas davantage qu'il soit du Pseudo-Pionius. L'addition pourrait être beaucoup plus proche
de l'événement et garder ainsi une certaine valeur. On satisferait de cette
manière à l'observation principale de Lightfoot. Mais on ne peut s'attendre, de
ce côté, à une certitude exclusive de toute autre hypothèse. En dernier lieu,
il resterait donc à revenir au « système d'Eusèbe », c'est-à-dire à une raisonnable approximation (on pourra voir aussi les observations de W. Telfer,
The Date of the Martyrdom of Polycarp, dans *JTS*, N. S. III (1952) 79 ss.).
(5) *Mart. Polyc.*, 16:2.

La titulature est significative. Le titre principal de Polycarpe est son titre « institutionnel » d' « évêque (ἐπίσκοπος) de l'église unverselle qui est à Smyrne ». « Docteur » (διδάσκαλος) lui est un titre secondaire, et personnel, justifié, semble-t-il, par la qualité de sa parole (πᾶν γὰρ ῥῆμα...). A ces deux traits caractéristiques, la phraséologie de l'auteur ajoute celui de renvoyer ἀποστολικὸς καῖ προφητικός en simple qualification de διδάσκαλος. L'équilibre respectif des divers éléments de cette titulature reflète, sans le chercher, une longue histoire. « Apôtres » et « prophètes » offrent bien encore, dans les œuvres et dans le souvenir qui en demeurent, une image idéale sur laquelle on juge du ministère de Polycarpe, mais il est évident que cette image est déjà lointaine. D'autre part, celui qu'on juge ainsi, est avant tout un « évêque », s'il est vrai que le « docteur » survit assez en lui pour mériter la qualification d' « apostolique et de prophétique ». Les transformations subies par la phraséologie ancienne permettent de mesurer un peu ici le chemin parcouru, assez, à coup sûr, pour qu'il soit impossible de croire que l'état de choses représenté par *Did.*, 11:3-12 et 13:1-2 soit encore à proximité (1).

5. Il est difficile de préciser l'intention de *Did.*, 15:1-2. Les communautés sont incitées à se choisir « des évêques et des diacres » (ἐπισκόπους καὶ διακόνους). Jusqu'ici, tout est clair. Ce qui embrouille quelque peu la perspective, à ce point, c'est que l'instruction continue en énumérant les qualités qu'il sera souhaitable de trouver chez ceux qu'on voudra élire (ἀξίους τοῦ κυρίου, κτλ.). A quoi pense principalement le Didachiste : au fait même de l'élection d'évêques et de diacres, ou à sa modalité?

Cette précision est d'ailleurs moins byzantine qu'il ne pourrait peut-être sembler à première vue. Car c'est l'interprétation du texte qui en dépend. Il serait exagéré de prêter pour fin à l'instruction de 15:1-2, dans son ensemble, d' « instaurer » l'épiscopat et le diaconat dans les communautés auxquelles est destinée la *Didachè*. La double institution existe, au contraire, au moins sporadiquement, et elle est connue. Mais il importe qu'elle demeure saine, et qu'elle s'intègre harmonieusement à l'institution plus ancienne, et plus largement établie, des apôtres, des prophètes et des docteurs. Celle-ci, pour des causes qui apparaîtront mieux dans la suite (voir le comm. *in loc.*), requiert, dans une certaine mesure, une suppléance.

_____

(1) Voir également *Did.*, 15:1-2, véritable image renversée de *Mart. Polyc.*, 16:2.

Mais, comme il est naturel, la suppléance est encore peu différenciée. Ainsi les qualités souhaitées par l'auteur chez les candidats à l'épiscopat et au diaconat sont-elles pour une part celles qui devaient recommander le ministère des apôtres, des prophètes et des docteurs aux communautés dans les instructions antérieures (11 et 13) : qu'ils soient « dignes du Seigneur » (comp. 11:8), remplis de mansuétude, désintéressés (comp. 11:6, 12), véridiques et d'une conscience éprouvée (comp. 11:11; 13:1-2). Un passage de l'instruction est d'ailleurs, à cet égard, tout à fait explicite : ὑμῖν γὰρ λειτουργοῦσι καὶ αὐτοὶ (les évêques et les diacres) τὴν λειτουργίαν τῶν προφητῶν καὶ τῶν διδασκάλων (dans le même sens, 15:2). Il n'y a donc pas de doute : nous sommes ici à un point de transition du ministère des prophètes et des docteurs à celui des évêques et des diacres.

On retiendra, cependant, que la transition est une transition de suppléance parallèle, non une transition d'exclusion. Il est clair, en effet, par tout le contexte, que l'institution des évêques et des diacres, telle qu'elle est demandée par l'instruction de 15:1-2, n'est en aucune manière dirigée contre le ministère des prophètes et des docteurs (11:7-12; 13:1-2). Celui-ci est censé demeurer comme auparavant (15:2, αὐτοὶ...... μετὰ τῶν προφητῶν καὶ διδασκάλων). Le seul inconvénient auquel 15:1-2 semble sensible, à son sujet, est celui de son irrégularité. A cet égard, on ne saurait trop faire attention à la place occupée par l'instruction de 15:1-2. Elle suit immédiatement, non pas les instructions relatives aux apôtres, prophètes et docteurs, mais l'instruction relative à l'eucharistie dominicale de 14:1-3, à laquelle elle est liée par « donc » (15:1). La seule interprétation naturelle, dans ces conditions, est celle qui verrait dans le retour régulier de la synaxe dominicale la circonstance qui a fait le plus vivement sentir le défaut du ministère (λειτουργία, 15:1,2) intermittent et irrégulier des apôtres, des prophètes et des docteurs. Suivant des modalités diverses, apôtres et prophètes à tout le moins sont pour la plupart, semble-t-il, des ἐρχόμενοι (11:4), des « survenants », qui vont et viennent sans qu'on puisse toujours compter sur eux. Les évêques et les diacres rempliront « donc » (15:1) la même λειτουργία, mais avec l'avantage, en cette occasion particulière, d'être toujours disponibles. Bref, c'est la liturgie dominicale naissante qui commande ici, dans ses causes les plus immédiates, l'évolution dans la composition du ministère de l'église.

Or, un tel fait ne peut être reporté au delà des dernières décades du Ier siècle. On a plutôt l'impression d'être dans le voisinage des conjonctures historiques reflétées, indépendamment, par l' « instruction » de 1 *Tim.*, 3:1-8 et par celle de *Tit.*, 1:5-9. De part et d'autre, les communautés apostoliques passent d'une manière analogue à l'institution des évêques et des diacres, et ce passage est spirituellement soutenu par un même souci d'assurer la dignité, l'ordre et la paix aux conditions nouvelles en voie de s'établir. La *Didachè*, cependant, plus organique, permet de mieux apercevoir la complexité de la transition. D'autre part, le fait qu'elle emprunte spontanément à l'ordre plus ancien des apôtres, des prophètes et des docteurs la mesure de son jugement sur l'ordre nouveau, pourrait constituer, par surcroît, s'il était nécessaire, un excellent indice à la fois d'antiquité réelle et d'ingénue sincérité. Enfin, le lien, très peu dégagé mais d'autant plus digne d'attention, qui, dans la *Didachè*, unit l'affermissement de la liturgie dominicale à l'évolution du ministère primitif vers l'épiscopat et le diaconat, est un trait original qui permet moins que tout le reste, peut-être, de descendre l'instruction de 15:1-2 à une date relativement basse.

6. Nous avons déjà analysé la remarquable expression de *Did.*, 16:2, ὁ πᾶς χρόνος τῆς πίστεως ὑμῶν (1). Elle ne se comprend au naturel que dans la perspective très spéciale des toutes premières générations, venues à l'évangile comme en cours de route et espérant pour le proche avenir une entrée collective dans le royaume du Seigneur. C'est cette espérance qui inspire, dans les « prières d'action de grâce », la demande que l'église soit réunie des quatre vents « dans le royaume » (2). Elle fait le thème de la dernière instruction en entier, et sous une forme beaucoup plus spécifique. C'est le sentiment que suppose, de son côté, 2 *Thess.*, 2:1-17, pour ne rappeler ici que ce texte bien connu. Comme il y a toutes raisons de penser que l'auteur de la *Didachè* a voulu terminer par cette instruction particulière la seconde partie de son recueil (*D*2) en raison même des sentiments qui, semble-t-il, occupaient encore l'âme des communautés connues de lui, nous n'avons qu'à interpréter de nouveau le document tel qu'il se présente et à recevoir son témoignage. Si le document suppose, de façon nette, les conditions spirituelles des toutes premières générations chrétiennes, il n'y a pas lieu de s'en écarter.

7. Enfin, la simplicité archaïque des ordonnances de notre petit

---

(1) Voir ci-dessus, pp. 115, 162.
(2) *Did.*, 9:4; aussi le *Maranatha* de 10:6, avec les souhaits qui précèdent.

recueil des *Instructions des apôtres* constitue un bon indice général en faveur de la période de la vie de l'église coïncidant avec la première expansion dans la gentilité. L'exemple le plus saisissant de cette caractéristique me semble donné par l'instruction sur le baptême. Le Didachiste avait écrit : « Pour ce qui est du baptême, baptisez au nom du Père et du Fils et du Saint Esprit, dans une eau courante » (7:1). On ne pouvait être plus dépouillé sur un point plus important. Il est vrai que ce que nous lisons dans le recueil actuel est un peu plus étendu. Mais, sans parler du trouble introduit par la transmission dans 7:1 (addition de ταῦτα πάντα προειπόντες), nous savons maintenant que 7:2-4 appartient à l'interpolateur de *D1-D2* et reflète plus ou moins ses goûts particuliers (1). Un « apôtre » qui, dans une instruction sur le baptême, se contente de dire de baptiser « dans l'eau courante, au nom du Père et du Fils et du Saint Esprit », sans autre précision, ni de ministre, ni de rite, ni de conditions, ni de préparation, ni de sens, ne donne sûrement pas à penser qu'il écrit dans le recul d'un long développement sacramentel. Cette simplicité franche et directe parle d'elle-même.

Quoi qu'il en soit des hésitations que chacun de ces indices pourrait encore laisser, et quoi qu'il en soit aussi des précisions de détail qu'il serait possible d'apporter pour réduire les doutes, l'ensemble des observations qui viennent d'être faites offre une évidence cumulative à laquelle il n'est que raisonnable de s'en remettre avec quelque sécurité. Deux observations particulières, cependant, méritent une place à part. Leur rencontre au même point me paraît décisive.

8. La *Didachè* est contemporaine des premiers écrits évangéliques. Dans le milieu auquel appartient le recueil des *Instructions des apôtres*, un évangile, apparenté à la tradition de *Mt.* sans être *Mt.* lui-même, a été composé et diffusé de l'église-mère dans les communautés de son influence, dans l'intervalle relativement réduit qui a séparé la rédaction des deux parties de la *Didachè*, *D1* et *D2*. L'idée de la rédaction de cet évangile est peut-être venue d'ailleurs dans le milieu originel de la *Didachè*, mais, autant qu'on peut savoir, l'écrit évangélique auquel renvoient les *Instructions des apôtres* a été formé directement à partir de la tradition locale. L' « évangile » de *D2* paraît, en effet, homogène à la « tradition » de *D1*, et continu avec elle. Or, cette tradition, caractérisée par son affinité particulière avec celle de *Mt.*, et l'écrit issu d'elle au temps même de la

_____

(1) Voir ci-dessus, pp. 107 s.

composition de la *Didachè* (intervalle *D1-D2*), nous reportent tous
deux normalement à une période « prématthéenne », vers les confins
inférieurs de la génération apostolique. La *Didachè*, de son côté,
ne saurait donc être plus tardive. Les probabilités sont à ce moment
égales, et deviennent au surplus interchangeables, de part et
d'autre.

9. J'emprunterai ma dernière observation à l'interpolateur, qui,
on s'en souvient, a connu *D1* et *D2* réunies. Son intervention marque
une date ultime dans la composition de la *Didachè*. *Did.*, 6:3 lui
appartient : περὶ δὲ τῆς βρώσεως, ὃ δύνασαι, βάστασον· ἀπὸ δὲ τοῦ
εἰδωλοθύτου λίαν πρόσεχε· λατρεία γάρ ἐστι θεῶν νεκρῶν (1).
On remarquera, en premier lieu, la rapidité de la référence au problème visé par l'instruction : περὶ δὲ τῆς βρώσεως. Cela est dit
comme si l'on devait saisir la question au mot. Manifestement, dans
le milieu et dans le temps où l'interpolateur intervient dans les
Instructions des apôtres, la difficulté de conscience posée par la loi
des « aliments » n'est pas une difficulté théorique. Le problème agite
les communautés dans leur vie profonde. Un mot suffit à l'évoquer (2). Précisons, à notre usage, que le problème de la βρῶσις,
ou des βρώματα, est, en fait, le vieux problème judéo-hellénistique
de la distinction entre aliments purs et impurs, avec les infinies
ramifications qu'il avait développées, autour du 1er siècle de notre
ère, dans les pratiques abstentionnistes et les ségrégations sociales.
Ce Protée, par surcroît, avait une forme particulièrement repous-
sante à la conscience juive, et à la conscience chrétienne, dans les
viandes offertes aux idoles : ce dont s'occupe notre interpolateur, dans sa brève instruction, à 6:3*b* (ἀπὸ δὲ τοῦ εἰδωλοθύτου
κτλ.).

Mais l'étonnant, c'est que, sur un problème de cette envergure,
et d'une incidence si concrète, l'interpolateur soit si laconique :
ὃ δύνασαι, βάστασον· ἀπὸ δὲ τοῦ εἰδωλοθύτου λίαν πρόσεχε· λατρεία
γάρ ἐστι θεῶν νεκρῶν. Son parti est strictement incompréhensible, non seulement en dehors d'une période de la vie de l'église
où la question des « aliments » s'est vraiment posée, mais encore
à un moment où une solution beaucoup plus complexe, plus

---

(1) *Did.*, 6:2 regarde vers 6:1, et au delà, vers le *Duae viae* (noter le γάρ) :
il n'a rien à voir avec 6:3, qui doit être pris en lui-même. La transition est
d'ailleurs nette (περὶ δέ).

(2) Comp. les « instructions » de Paul, introduites de la même manière :
περὶ δὲ ὧν ἐγράψατε (1 *Cor.*, 7:1); περὶ δὲ τῶν παρθένων (7:25); περὶ δὲ τῶν
εἰδωλοθύτων (8:1); περὶ τῆς βρώσεως οὖν εἰδωλοθύτων (8:4); περὶ δὲ τῶν πνευματι-
κῶν (12:1); περὶ δὲ τῆς λογείας (16:1); περὶ δὲ Ἀπολλῶ (16:12).

nuancée et plus précise pouvait être universellement connue par ailleurs. L'interpolateur, qui était un homme sensé, n'aurait pas pris la peine, à une époque tardive, d'évoquer la loi (morte) de la pureté et de l'impureté des aliments simplement pour dire d'en observer les prescriptions de son mieux, alors qu'il était loisible à chacun de savoir ce qu'en disent, entre autres, les grandes épîtres pauliniennes. Un tel parti, de sa part, n'est qu'une inutile absurdité. Comme il n'est point permis de charger de cette entreprise la mémoire de l'interpolateur des *Instructions des apôtres*, qui est probablement, du reste, un « apôtre » lui-même, il n'est qu'une issue : admettre que l'instruction de l'interpolateur, *Did.*, 6:3, vise une situation réelle à un moment où, dans sa brièveté même, cette instruction pouvait la servir, et donc prendre elle-même un sens. Or, si l'on retourne au point de convergence fixé par les indices relevés jusqu'ici, on n'a aucune peine à découvrir ce moment et cette situation : nous sommes dans la première génération chrétienne née de la mission aux gentils, à peu de distance, semble-t-il, dans le temps, sinon dans l'espace, de 1 *Cor.*, 8-10; *Rom.*, 14; *Col.*, 2:16, 20-23 et 1 *Tim.*, 4:3, quelque part entre 50 et 70, compte tenu d'une certaine marge d'erreur possible à la limite inférieure.

Cette date paraîtra-t-elle trop haute? — Certainement, si l'on juge sur d'autres bases que celles qui l'appuient en réalité (1). Mais, justement, tout est là. Il est parfaitement oiseux de discuter de la date de la *Didachè* sur des arguments ramassés à fleur de terre et à portée de la main. Elle est une résultante. Pour une part, les indices qui y conduisent peuvent être isolés. Mais on ne saurait demander à ces indices, provisoirement détachés de l'ensemble, de porter tout le poids de la preuve. Celle-ci repose, en fait, sur une base beaucoup plus étendue et plus profonde. Car, pour une autre part, les indices dont résulte l'âge approximatif des *Instructions des apôtres* demeurent diffus dans l'interprétation générale de l'écrit. En dernier lieu, tout est commandé par la solution du problème textuel et littéraire. Au terme d'une discussion complexe et d'une longue analyse, il arrive donc qu'on rencontre une certaine date. Mais elle se propose d'elle-même, et il serait vain de faire le premier pas avec le propos de la dépister. Elle n'est pas quelque

---

(1) J'avoue ne pas être trop effrayé par l' « impertinence » qu'il y aurait, en soi, si je comprends bien Bardy, à faire de la *Didachè* un écrit contemporain des épîtres de s. Paul (*Didachè*, dans *Dict. de dr. can.*, IV, 1216). Il faut en juger sur les faits. Aucun des écrits du Nouveau Testament n'a été pourvu, à sa naissance, d'un droit de priorité ou d'exclusion.

part, elle est partout. C'est donc sur l'ensemble du recueil, dans toutes les conditions où il nous arrive après des siècles d'histoire et quelque soixante-quinze ans de critique, qu'il convient d'en juger.

Peut-être, cependant, et malgré tout, sera-t-il bon d'écarter ici brièvement quelques difficultés particulières, qui, à un moment ou à l'autre, dans l'histoire de la critique, ont pu paraître imposer une date relativement basse.

On a souvent pensé que les déterminations détaillées de *Did.*, 7:2-4, concernant l'administration du baptême, supposaient un certain recul par rapport à la pratique tout à fait primitive. Ce n'est pas niable, et nous le concéderons volontiers, pourvu qu'on ne nous demande pas, pour ce développement du rituel, un trop long intervalle. Toutes les précisions de 7:2-4, en effet, appartiennent à l'interpolateur, dont l'esprit casuiste et quelque peu féru de loi est assez connu par les autres passages sortis de sa main (1:5-6, mais surtout 13:3-7). Tout cela est, pour une bonne part, de sa tendance personnelle. Quant au reste, qui pourrait être, jusqu'à un certain point, de la pratique commune (baptême par infusion en certaines circonstances, 7:3; jeûnes préparatoires à l'administration et à la réception, 7:4), il n'implique pas, en soi, une date plus tardive que celle qui nous paraît s'imposer pour l'ensemble de la *Didachè*. Aucun document ne nous oblige non plus à une autre interprétation. Au surplus, 7:2-4 est équilibré par 7:1, qui est de la plus pure et de la plus archaïque simplicité.

Il est à prévoir, d'autre part, que l'atmosphère, à notre goût, assez tâtillonne, qui entoure les instructions relatives au discernement des apôtres, des prophètes et des docteurs (11 et 13), feront quelque difficulté. On s'est étonné de cette réglementation : elle a paru inspirée par la défiance. Mais s'il en est ainsi, ne sommes-nous pas, en réalité, en un temps où le ministère primitif de la parole avait fini par attirer bon nombre de recrues indésirables et s'était en partie corrompu? Il faudrait alors s'éloigner sensiblement des origines.

En fait, l'explication est simple, au moins dans sa ligne générale, et elle se prend beaucoup moins dans le temps que dans l'espace. C'est affaire de milieu. A cet égard, la figure de Simon le Magicien est typique (*Act.*, 8:9-24). Luc, qui nous a raconté la déconvenue du Samaritain, accompagne son récit d'un petit discours de Pierre. Il y a lieu de penser, suivant les habitudes de l'auteur, que l'inten-

tion en est plus générale qu'il ne pourrait sembler à première vue (1).
Le reproche, et la malédiction, de l'apôtre, dépassent de beaucoup
l'anecdote qui leur donne occasion. Simon le Magicien n'est qu'une
variante individuelle d'une espèce qui, autour du premier siècle de
notre ère, pullulait dans le monde gréco-romain, et plus qu'ailleurs,
semble-t-il, en bordure de l'Asie occidentale : en Asie Mineure, en
Syrie et en Palestine (2). Mais pour un Simon qui rencontrait un
Pierre, combien de trafiquants et de parasites circulaient sans être
démasqués ! En cas d'échec ou de rebuffade, leur mobilité même leur
offrait toutes les possibilités de reprise.

Il va sans dire, d'autre part, que les apôtres, les prophètes et les
docteurs, et, d'une façon plus générale, les communautés chrétiennes
elle-mêmes, ne formaient pas un corps imperméable. Bien des
infiltrations pouvaient se produire. On sait assez qu'il s'en produisit
effectivement. L'intention n'était d'ailleurs pas toujours perverse.
Un zèle sincère pouvait, avec une égale promptitude, s'emparer
d'un « nom » et d'un enseignement nouveaux. Le phénomène n'était
nullement propre au christianisme. Il relevait de l'une des composantes les plus profondes de la conscience collective du milieu et de
l'époque. Marc et Luc rapportent, à ce propos, quoique dans une
autre intention, un incident significatif. Jean vient avertir Jésus
qu'un individu quelconque, sans être des disciples, s'est mis à
chasser les démons « en son nom » (*Mc.*, 9:38-40; *Lc.*, 9:49-50). La
réponse du maître, réaliste et souple, suppose une situation générale
où le fait pourra aisément se reproduire : « Qui n'est pas contre
nous est pour nous » (*Mc.*, 9:40; comp. *Lc.*, 9:50). On peut croire,
d'autre part, que la tradition primitive, qui a conservé ce souvenir,
lui avait trouvé un intérêt actuel.

Mais les choses, à vrai dire, ne tournaient pas toujours bien dans
l'attrait que l'évangile, et le ministère évangélique, exerçaient,
aux confins de la communauté chrétienne, sur le milieu dans
lequel celle-ci se développait. Paul enseignait à Éphèse et Dieu
faisait beaucoup de prodiges par ses mains. De simples objets qui
lui avaient appartenu suffisaient, par attouchement, à guérir
les maladies et à chasser les démons. « Or, quelques exorcistes juifs
ambulants s'essayèrent, eux aussi, à prononcer le nom du Seigneur
Jésus sur ceux qui avaient des esprits mauvais. Leur formule était :
Je vous adjure par le Jésus que Paul annonce. C'étaient les sept

(1) Comp. *Act.*, 19:13-17.
(2) Voir F. CUMONT, *Les religions orientales dans le paganisme romain*,
Paris, 1929, pp. 96-101.

fils d'un certain Scéva, grand prêtre juif, qui faisaient ainsi. Mais l'esprit mauvais leur répliqua : Je connais Jésus, et je sais qui est Paul, mais vous, qui êtes-vous? Et se jetant sur eux, l'homme possédé de l'esprit mauvais se rendit maître de tous et les terrassa de si belle manière qu'ils s'enfuirent de cette maison nus et blessés. Le fait fut connu de tous ceux, Juifs et Grecs, qui habitaient à Éphèse; la crainte tomba sur eux, et le nom du Seigneur Jésus en fut glorifié » (*Act.*, 19:13-17). L'aventure est bien dans le style du milieu et de l'époque. On notera que les « exorcistes » sont des itinérants (περιερχόμενοι). Ils vont de maison en maison, suivant l'occasion qui leur est offerte d'exercer leur mystérieux pouvoir. En route, la renommée leur apporte un « nom » nouveau, dont l'efficacité paraît irrésistible. La formule est vite trouvée. Mal en prit aux usurpateurs, du moins pour cette fois, mais tous les intrus n'avaient sans doute pas, même une fois dans leur carrière, le sort humiliant des fils de Scéva.

Tel était le milieu, éminemment prompt à tous les syncrétismes (1). Il est inutile, dans de telles conditions, d'imaginer, sur la base des instructions de *Did.*, 11 et 13, un ministère primitif irréprochable et un ministère tardif plus ou moins dégénéré. C'est un mythe. En réalité, les motifs qui justifiaient les instructions de *Did.*, 11 et 13, dans la pensée de leur auteur, existaient déjà avant l'évangile, et ont continué d'exister, indépendamment de lui, après sa diffusion. Ces motifs étaient principalement le trafic du sacré, avec toutes les confusions et toutes les surprises auxquelles un tel trafic pouvait donner lieu, et le parasitisme, son allié. Il n'était nullement nécessaire que le Didachiste vive au IIe siècle pour être averti de ces choses, dont on était couramment témoin à la génération apostolique. Il faudrait même dire que les dangers de surprise, de la part des communautés chrétiennes, devaient normalement être plus grands à l'origine qu'à une époque postérieure, où les cadres institutionnels, en se développant, avaient déjà diminué la perméabilité du groupe aux infiltrations. Il suffit, après cela, de relire les instructions de *Did.*, 11 et 13 pour se rendre compte que la « défiance » de l'auteur à l'égard des apôtres, des prophètes et des docteurs n'est, en réalité, que l'élémentaire prudence qu'exigeait de lui un milieu qu'il ne pouvait ignorer. En pratique, du reste, les règles de discernement et de conduite données

---

(1) Je me suis contenté de citer ici les sources néotestamentaires, comme plus apparentées à la *Didachè*. Il serait aisé de compléter le tableau par la documentation générale de l'époque. Mais ces choses-là sont connues.

par le Didachiste demeurent assez communes. Si l'on met à part
11:1-2, qui appartient à *D1*, 11:3-12 et 13:1-2 sont un mélange de
l'épreuve évangélique de sincérité : Vous les jugerez à leurs
œuvres (*Act.*, 7:16-18), et des principaux usages par lesquels le
judaïsme avait essayé de garantir contre le parasitisme la pratique
de l'hospitalité : séjour limité, viatique réduit à la nourriture nécessaire, etc. (1).

Il est remarquable, au surplus, que la *Didachè* se rencontre ici
de nouveau, en partie du moins, avec *Mt.* Des Synoptiques, c'est
Mt., en effet, qui manifeste le plus d'inquiétude à l'égard des « séduc-
tions » de l'extérieur (2). Tout un monde de charlatans et de
mystificateurs circule dans son horizon, faux-prophètes et faux-
messies. Cette rencontre n'est probablement pas fortuite. Rapportée
aux nombreux indices déjà recueillis par ailleurs, elle suggère bien
plutôt que les deux écrits partagent les mêmes conditions de
milieu. Il n'y a pas plus de raison d'un côté que de l'autre de chercher dans l'éloignement des origines l'explication désirée. Il suffit
de savoir où l'on est, selon le lieu et selon l'esprit.

Bardy écrivait naguère encore au sujet de *Did.*, 15:1-2 : « Ces
dernières prescriptions sont d'une invraisemblance criante, car
jamais, même à l'époque apostolique, dans aucune des Églises
telles que nous les connaissons, la direction de la communauté n'a
été confiée à des charismatiques » (3). L'observation croit prendre
la *Didachè* en flagrant délit de fiction apostolique, ce qui, il va sans
dire, insinue une date plutôt basse.

Mais d'abord rien dans la *Didachè* ne permet d'affirmer que la
« direction » de la communauté ait été, de son point de vue, confiée
à des « charismatiques ». Ce qui est dit des prophètes ne doit pas
être étendu sans plus aux docteurs, et ce qui est dit de l'un et de
l'autre de ces deux groupes, doit encore moins être mis au compte
des apôtres. Quoi qu'on en ait dit, les trois fonctions, dans l'intention de l'auteur, sont parfaitement différenciées. A moins qu'on ne
soit résolu à le faire parler pour ne rien dire, lorsqu'il écrit apôtres,
prophètes et docteurs, il faut entendre apôtres, prophètes et
docteurs. Certes, les différenciations impliquées dans les termes

---

(1) Pour le premier point, comp. *Act.*, 20:29-36; *Rom.*, 16:17 s. Pour le
second, voir S. KRAUSS, *Talmudische Archaeologie*, Leipzig, 1912, III, pp. 25 s.;
ci-dessous, le commentaire sur 11:5-6, 12:1-5, 13:1-2.

(2) A cet égard, la comparaison de *Mt.*, 7:16-18 avec *Lc.*, 6:43-45 est révélatrice; voir également 7:22-23, propre à *Mt.*, ainsi que 24:10-12.

(3) G. BARDY, *La Théologie de l'Église de saint Clément de Rome à saint Irénée Unam sanctam*, 13), Paris, 1945, pp. 136 s.

sont moins nettes pour nous qu'elles ne l'étaient pour lui. Mais il écrivait pour une utilité immédiate, dans un milieu qui était dans les conditions normales pour le comprendre. Il est de bonne critique de tenir de notre côté la responsabilité d'une certaine indistinction, pour ce qui en reste. C'est nous qui venons tard, et qui sommes désavantagés. Le peu de soin que l'auteur prend d'instruire la postérité devrait plutôt être porté à son crédit. On commencerait à se défier de lui, justement, s'il entreprenait d'éclairer par le menu les générations futures sur les distinctions de ministère. Mais d'un tel dessein, on ne fera pas voir la moindre trace. Nous sommes manifestement en présence d'un homme dont l'écriture rapide, brève et directe, compte sur un bon nombre de suppléances de la part des lecteurs. Il n'est que juste de le lire aujourd'hui en fonction de son milieu, et de lui donner le bénéfice de précisions que nous ne saisissons plus qu'à demi.

Au reste, on a bien souvent, autour de ces textes fameux, accumulé les ombres à plaisir, et en premier lieu, peut-être, faute d'avoir compris le genre littéraire du recueil dans son ensemble, ce qui, au delà, n'allait jamais sans conséquences pour l'intention même de l'auteur. La *Didachè* est un recueil d'instructions « apostoliques », à l'usage des communautés elles-mêmes. Il n'est que de la lire pour apercevoir ce que pouvait être, en réalité, dans la pensée de l'auteur, la fonction de l' « apôtre ». Or, il est clair que, s'il faut parler de « direction », c'est à l' « apôtre » avant tout qu'elle appartient. Mais l' « apôtre », dans la *Didachè*, n'est pas un « charismatique ». Du moins n'y a-t-il pas un mot qui le donne à penser. Tout ce qu'on a pu écrire à ce propos a été lu entre les lignes, et de cela, évidemment, l'auteur ne saurait être tenu de tous points responsable. A ce sens général du recueil, en ce qui concerne les « apôtres », et donc la « direction » des communautés, l' « instruction » particulière de 15:1-2 ne change d'ailleurs rien. Donnée par un « apôtre », son silence à leur sujet ne peut signifier que la permanence de l'état de choses établi. La coexistence des évêques et des diacres avec les prophètes et les docteurs, les rapports mutuels des deux groupes, tels qu'ils sont envisagés par le Didachiste, ne supposent aucunement que les « charismatiques » aient jamais eu la « direction » des communautés. Au contraire, le silence de l'instruction de 15:1-2 sur les « apôtres » exclut une telle « direction », pour le passé comme pour le présent et le proche avenir. De la part d'un « apôtre », ne rien dire, en cette occasion, du ministère apostolique équivalait, en effet, à mettre celui-ci hors de cause, et au-dessus des changements introduits, au niveau inférieur, par l'établissement des évêques et des diacres. Avant comme après 15:1-2, dans la perspective de la *Dida-chè*, ce sont donc les « apôtres » qui ont, en définitive, la « direction » des communautés, et les « apôtres » ne sont point des « charisma-tiques ». L'observation de Bardy me semble ainsi dénuée de fondement.

Au surplus, c'est faire un abus très certain de l'élasticité des textes que de projeter sur la *Didachè* ce que Paul a pu écrire des « charismes » dans sa première lettre aux Corinthiens (ch. 12-14). L' « instruction » de Paul lui-même, d'ailleurs, est d'une pensée théologique un peu plus complexe qu'on ne paraît souvent le sup-poser. Mais ce n'est pas ici notre propos. En fait, la *Didachè* ne contient aucune instruction sur les « charismes », et dans les trois chapitres 11, 13 et 15 qui nous occupent spécialement ici, il n'est fait mention de l' « Esprit » qu'au sujet des prophètes (11:7-12) (1). Mettons que ceux-ci, en un sens commun, et indépendamment de la pensée de Paul, soient des « charismatiques » en raison de leur « inspiration ». En est-il ainsi des apôtres et des docteurs? Si la *Didachè*, comme tout écrit autonome, doit en dernière analyse s'expliquer par elle-même, il est bien sûr que la réponse ne peut être que négative. Il n'y a pas le moindre indice un peu sérieux que, dans la pensée de l'auteur, les apôtres et les docteurs aient été, eux aussi, à la façon des prophètes, des hommes de l' « Esprit » (2).

(1) Et encore que, dans la pensée de Paul, il ne faille pas lier trop exclusi-vement le « charisme » à l' « Esprit ».

(2) Le fait que les apôtres soient deux fois implicitement mis en corréla-tion avec les « faux-prophètes » (11:5, 6), ne permet pas de supposer que la cor-rélation, et l'équivalence, positives : apôtres — prophètes, existaient dans la pensée de l'auteur. Paul eût peut-être écrit, en l'occurrence, « faux-apôtre » au lieu de faux-prophète » (cf. 1 *Cor.*, 11:13). C'est possible. Mais il serait arbi-traire d'inférer de l'usage de Paul (réduit à un seul exemple, d'ailleurs) que le Didachiste aurait dû, lui aussi, écrire « faux-apôtre » au lieu de « faux-prophète », si apôtres et prophètes avaient été, pour lui, réellement distincts les uns des autres. Outre qu'une simple qualification négative avait ici moins de nécessité de rechercher la précision que la désignation positive correspon-dante, il est bien certain, en effet, que « faux-prophète » avait, dans l'usage, un sens générique, qui lui ouvrait un champ d'application plus étendu que n'aurait dû le permettre, en stricte rigueur, la suggestion étymologique ori-ginelle. C'est ainsi, par exemple, que Luc qualifie de « faux-prophète », ψευδοπρο-φήτης, un homme dont la désignation professionnelle était « magicien », μάγος (*Act.* 13:6; comp. HERMAS, *Mand.*, XI, même sens; il y a, semble-t-il, un élargissement de sens analogue dans le couple « faux-prophète » — « faux-docteur », à 2 *Pi.*, 2:1 ss.; d'un point de vue plus général, on pourra voir E. FASCHER, *ΠΡΟΦΗΤΗΣ, Eine sprach- und religionsgeschichtliche Unter-suchung*, Giessen, 1927, pp. 183 s.). Sans compter que le Didachiste peut tou-jours avoir voulu dire, encore plus simplement, qu'un « faux-apôtre » n'est, en réalité, qu'un « faux-prophète », en se plaçant dans le type de relations Pierre-Simon le Magicien (*Act.*, 8:9-24; la même opposition indirecte paraît impliquée dans *Mt.*, 7:15-23 et 24:23-26, qui s'éclairent mutuellement).

Le silence, là-dessus, n'équivaut pas à une affirmation, ni non plus le simple voisinage littéraire. Ce n'est qu'au prix d'une lecture incorrecte de 1 *Cor.*, 12:28, ultérieurement projetée sur la *Didachè*, que la séquence apôtres-prophètes-docteurs peut, en celle-ci, avoir l'air de constituer une « hiérarchie charismatique ». Mais de tels procédés n'ont plus grand-chose à voir avec une interprétation prudente des textes. Ce qu'il faut dire avec franchise, c'est que la « hiérarchie charismatique » de la *Didachè* n'a jamais existé ailleurs que dans l'imagination de ses interprètes. Elle a, depuis sa naissance, créé assez de faux problèmes pour qu'on n'ait point maintenant pour elle trop de tendresse. Il est temps qu'elle soit renvoyée au musée des mythes. Il se trouvera sans doute encore quelqu'un pour l'y garder.

*
* *

La patrie des *Instructions des apôtres* est déjà partiellement impliquée dans leur date. Car l'aire géographique où les prem ières vraisemblances nous invitent à choisir, se rétrécit à mesure qu'on remonte dans le temps. L'Égypte, qui n'a aucun indice interne en sa faveur, est exclue. De même sont exclues les églises pauliniennes, auxquelles la *Didachè* n'est rattachée par aucun lien distinctif. Rome n'entre pas en ligne de compte. Quant aux églises d'Asie Mineure, si elles ne sont pas écartées par des évidences tout à fait immédiates, rien non plus ne les recommande spécialement à l'attention. On ne peut donc vraiment hésiter qu'entre la Syrie et la Palestine.

Celle-ci n'est pas éliminée par le simple fait de la langue. Car le grec y était, en réalité, assez largement connu pour qu'un écrit comme la *Didachè* puisse, à tous égards, y voir le jour (1). Il est même probable, quoi qu'il en soit de l'ensemble du recueil, que les

---

(1) N'a-t-on pas découvert récemment, dans une grotte du désert de Juda, les restes d'une version grecque des Douze petits prophètes (cf. D. BARTHÉLEMY, *Redécouverte d'un chaînon manquant de l'histoire de la Septante*, dans *RB*, LX (1953) 18 ss.; les critères paléographiques datent le manuscrit de la fin du Ier siècle avant notre ère)? Le fait est limité, mais il demeure suggestif. Il se rencontre, au surplus, avec celui des transcriptions et des titres grecs de la liste canonique du *Hier.* 54, qui est probablement palestinienne et d'un demi-siècle postérieur environ (cf. *A Hebrew-Aramaic List of Books of the Old Testament in Greek Transcription*, dans *JTS*, N. S. I (1950) 135 ss.). Il faut ranger dans la même ligne de faits les divers textes grecs sortis de Murabba'at (cf. R. DE VAUX, *Les grottes de Murabba'at et leurs documents*, dans *RB*, LX (1953) 262). Sur le problème général de la connaissance du grec en Palestine à l'époque romaine, voir les travaux de S. LIEBERMAN, *Greek in Jewish Palestine*, New York, 1942, pp. 2 s., 39 ss., 47 ss.; *Hellenism in Jewish Palestine*, New York, 1950, pp. 100 ss.; pour la période séleucide, voir F.-M. ABEL, *Histoire de la Palestine*. I, pp. 265 ss.

« prières d'action de grâce » des ch. 9-10 sont d'origine palestinienne. Le thème du rassemblement des fils dispersés de l' « église » dans le royaume (9:4 et 10:5), dérivé de l'ancien thème prophétique du retour (*Is.*, 40 ss.), serait peu naturel en dehors de la suggestion toute proche du vieil héritage du peuple de Dieu. L'évocation de « la vigne de David » (9:2), pointe dans la même direction. Il faudrait en dire autant de l'acclamation « Hosanna à la maison de David ! » (10:6). En revanche, l'appui qu'on a souvent demandé à l'image du blé semé sur les montagnes (9:4) me paraît, en soi, moins décisif (1). Il n'a de réelle valeur que dans le cadre d'indices plus déterminés.

Il se peut, d'autre part, que le *Duae viae* marque, dans les *Instructions*, une seconde attache palestinienne. Mais on ne saurait être beaucoup plus affirmatif. Car il n'est pas nécessaire, pour expliquer ses relations littéraires avec le *Manuel de discipline*, que son auteur ait lui-même appartenu à la Communauté de l'alliance. Des relations moins directes peuvent suffire. C'est rappeler de nouveau que le *Duae viae* n'était pas destiné à la Communauté de l'alliance. Sa destination extra-palestinienne expliquerait, d'une façon définitive, qu'il ait délesté le thème originel des deux voies de son eschatologie et de sa doctrine des esprits, pour adopter, de préférence, le genre d'exhortation morale que nous lui connaissons. Comparé à l'instruction du *Manuel de discipline*, le *Duae viae* incorporé par la *Didachè* signifie de toutes manières un pas vers l'universalité.

De ce point de vue, le titre d'*Instruction du Seigneur aux gentils* ne fait que déclarer en propres termes une intention impliquée par le contenu de l'écrit. Cette déclaration expresse est néanmoins précieuse en ce qu'elle nous situe, sans équivoque, dans un milieu où le prosélytisme juif cherche à conquérir la gentilité. Sans doute, en soi, une telle détermination demeure-t-elle très vague. Dans l'hypothèse, elle réduit pourtant les possibilités de la Palestine. Elle écarte encore plus nettement toute suggestion d'origine judéochrétienne. C'est un paradoxe de faire sortir d'un judéo-christianisme attardé un recueil d'instructions qui s'ouvre par un appel aux païens (38).

(1) Sans sortir des limites de l'hypothèse, l'image demeure vraisemblable, au nord de la Palestine, sur toute la bande côtière jusqu'à Antioche (voir F. M. HEICHELHEIM, *Roman Syria*, dans TENNEY FRANK, *An Economic Survey of Ancient Rome*, IV, pp. 127 ss.).
(2) Encore récemment, Gregory Dix : « The (probably late second century) 'Nazarene' apocryphon known as the *Didache* » (*Jew and Greek. A Study in the Primitive Church*, Westminster, 1953, p. 65).

J'hésite à dire qu'une précision ultérieure nous est fournie par la parenté de la *Didachè* avec la tradition évangélique de *Mt.* Où celle-ci a-t-elle revêtu sa forme définitive? En Syrie plutôt qu'en Palestine, d'où pouvait venir, cependant, le *Mt.* araméen. Mais au delà? En particulier, notre connaissance des origines du premier évangile nous permet-elle de prononcer le nom d'Antioche? La suggestion, certes, en vaut une autre. On pourrait même faire valoir, en sa faveur, un bon nombre de vraisemblances. Leur faisceau créerait une certaine probabilité (1).

Mais, en ce qui concerne la *Didachè*, l'indice négatif est peut-être, de nouveau, plus immédiatement important que l'indice positif. La parenté étroite, et évidente, de la *Didachè* avec la tradition matthéenne exclut, en effet, l'hypothèse d'une origine obscure en quelque coin perdu de l'église. Si *Mt.* a vu le jour à Antioche, il n'y a par ailleurs aucun motif sérieux qu'une discrimination théologique ou littéraire refoule ensuite les *Instructions des apôtres* vers la périphérie de l'expansion chrétienne, sur qui l'on est convenu de se décharger de l'inattendu, de l'attardé et de l'insolite. Sans être dans des conditions égales, les deux écrits ne peuvent être nés à une telle distance l'un de l'autre. L'écart possible de leur origine est limité par l'identité du milieu auquel ils appartiennent, ou, si l'on préfère, ils n'ont pas hérité d'une même tradition évangélique à une distance où cette tradition ne devrait plus être normalement reconnaissable.

Mais ce qui est ainsi défini, il est à peine besoin de l'ajouter, ne peut être cerné avec précision sur une carte. La Syrie fait naturellement penser à Antioche. Jusqu'à quel point cette localisation exacte risque-t-elle d'être illusoire, je ne saurais dire. L'évidence avec laquelle elle paraît s'imposer, résulte, en partie, des limites de nos sources de renseignements. Les *Actes* ne sont pas plus une « histoire de l'église primitive » que les évangiles ne sont des « biographies de Jésus ». Compte tenu de l'état de la documentation, il semble, cependant, que l'hypothèse antiochienne puisse expliquer au mieux, dans la *Didachè*, tous les éléments afférents au lieu d'ori-

---

(1) Voir l'essai de G. D. Kilpatrick, *The Origins of the Gospel according to St. Matthew*, Oxford, 1946, pp. 130 ss. M. Kilpatrick hésite à se prononcer, et on le comprend. Ce que je comprends moins, c'est qu'en écartant Antioche, à la fin, il exprime une préférence pour la Phénicie, en suggérant même Tyr ou Sidon (quelques remarques utiles, à ce propos, dans B. H. Streeter, *The Four Gospels*, Londres, 1930, pp. 500 ss.). Mais le problème mériterait peut-être encore d'être repris, sur une base en partie renouvelée.

gine (1) : 1. Le titre du recueil dans son ensemble, *Instructions des apôtres*, supposant un ministère apostolique actif et entreprenant; 2. Le titre de la première instruction, *Instruction du Seigneur aux gentils*, supposant une église plongée en plein milieu païen et tournée vers sa conquête; 3. Le *Duae viae* lui-même, supposant, par sa présence et son usage dans cette église, une composante juive importante, passée directement, avec ses moyens d'action, du prosélytisme mosaïque au prosélytisme évangélique; 4. L'instruction de 6:3 (interpolateur), sur les aliments et les idolothytes, supposant de nouveau un milieu mixte, spirituellement comparable du point de vue de l'obligation des observances légales, à celui que laissent entrevoir les événements racontés par Luc au ch. 15 des *Actes*; 5. Le rite baptismal, offert à tous, sans restriction, et accompli « au nom du Père et du Fils et du Saint Esprit » (7:1,3), supposant une église de la tradition représentée par *Mt.*, 28:19-20, tradition qu'on peut croire antiochienne; 6. La double instruction sur le jeûne et la prière (8:1-3), supposant une communauté chrétienne déjà différenciée et consciente de soi, mais en même temps contiguë à un judaïsme demeuré fermement en dehors de l'évangile; 7. L'instruction sur l' « action de grâce » (9-10), supposant un héritage palestinien riche et profond, et donc, dans une certaine mesure, une église spécialement apparentée, selon l'esprit, avec l'église-mère de Jérusalem; 8. L'initiative de la rédaction d'un « évangile » qu'on peut penser avoir été dans la tradition matthéenne (*D*2), supposant, non seulement une communauté marchante, comme l'a sûrement été Antioche, mais encore, de nouveau, semble-t-il, une communauté dotée, à un titre particulier, de l'héritage palestinien (peut-être ici sous la forme précise du *Mt.* araméen dont parle Papias); 9. Les instructions relatives aux apôtres, prophètes et docteurs (11,13), supposant une communauté considérable et en

---

(1) Sur les conditions générales du milieu, on pourra voir, en particulier, F. Cumont, *Syria, Arabia and the Empire*, dans *Cambr. Anc. Hist.*, XI, pp. 613 ss.; *Les religions orientales dans le paganisme romain*, Paris, 1929, pp. 95 ss.; A. H. M. Jones, *The Cities of the Eastern Roman Provinces*, Oxford, 1937, p. 244; M. Rostovtzeff, *The Social and Economic History of the Hellenistic World*, I, pp. 480 s.; *Storia economica e sociale dell'Impero romano*, Florence (1946), p. 312, n. 19; F. M. Heichelheim, *Roman Syria*, dans Tenney Frank, *An Economic Survey of Ancient Rome*, IV, pp. 127 ss. ; J. Mattern, *A travers les villes mortes de la Haute Syrie* (*Mél. de l'Univ. Saint-Joseph*, 17), Beyrouth, 1933, pp. 136 ss.; J. Juster, *Les Juifs dans l'Empire romain*, Paris, 1914, I, pp. 179 ss.; II, 153 ss.; S. W. Baron, *A Social and Religious History of the Jews*, New York, 1952, I, pp. 250 ss.; C. Karalevskij, *Antioche*, dans *Dict. d'hist. et de géogr. eccl.*, III, 563 ss., Pour les sources anciennes. cf. A. Wilhelm, *Antiocheia*, dans Pauly-Wissowa, *Real-Encycl.*, I, 2442 ss,

pleine expansion, dont l'autorité et les usages s'imposent, autour d'elle, dans une large sphère d'influence (les *Instructions des apôtres*) ; 10. L'institution ministérielle elle-même, dont la composition rencontre parfaitement la scène de l'envoi d'Antioche, telle qu'elle est décrite par Luc (*Act.*, 13:1-3); 11. L'instruction concernant l'élection des évêques et des diacres (15:1-2), enfin, supposant l'initiative antérieure, l'exemple et, de nouveau, l'autorité d'une grande église, vivante et hardie, spirituellement située à la pointe du progrès de l'évangile et capable d'en promouvoir les institutions.

Tous ces traits ne suffisent sans doute pas à imposer le nom d'Antioche comme lieu d'origine des *Instructions des apôtres*. Du moins entrent-ils sans heurts dans le cadre propo sé par l'hypothèse Nous ne sommes dans la condition ni de promettre ni d'exiger davantage.

CHAPITRE HUITIÈME

L'HISTOIRE ANCIENNE DES « INSTRUCTIONS DES APÔTRES »

Streeter a opposé aux conclusions de Robinson une difficulté globale tirée de l'histoire ancienne de la *Didachè*. Son argument n'est pas sans force. Il mérite d'être résumé ici (1). Il nous servira de point de départ, et indiquera aussi bien le sens général de nos propres conclusions.

Après avoir rappelé la conception que Robinson s'était formée de la *Didachè* (fiction apostolique de date plutôt tardive, cherchant à représenter ce que l'auteur s'imaginait — faussement — être l'état de choses existant dans l'église primitive : donc, projection dans le passé d'un idéal actuel), Streeter avoue carrément ne pas arriver à prendre pareille explication au sérieux. Puis, il continue : Qu'un écrivain relativement récent, de tendance montaniste, cédant à son admiration pour l'église primitive, ait entrepris d'en présenter un tableau retouché à son goût — la *Didachè* elle-même — c'est possible : car, en aucun temps, il n'y a de limite aux fantaisies du tempérament individuel. Mais, ce qui est incroyable, c'est que, avec un tel dessein et une réalisation correspondante — absolument contraires à l'idéal et aux tendances de son temps — il soit parvenu à assurer à son œuvre l'influence et le prestige dont témoigne toute l'histoire de la *Didachè* dans l'antiquité chrétienne. Il y a toujours en ce monde des gens empressés à donner des conseils inutiles : beaucoup plus rares sont ceux qui se déclarent prêts à les accepter avec enthousiasme. La *Didachè* n'aurait jamais atteint à la popularité étendue dont elle a joui, en fait, si, au temps même où elle est arrivée aux églises, les avis qu'elle donne n'avaient répondu à un besoin réellement ressenti. Or, le temps où des églises comme Antioche et Alexandrie ont pu ressentir un besoin comme celui qui

_____

(1) B. H. Streeter, *The Primitive Church*, Londres, 1929, append. C, *Origin and Date of the Didache*, pp. 284-287.

est supposé par les ordonnances de la *Didachè*, ne peut pas avoir beaucoup dépassé 110 A.D. L'invasion de la littérature pseuda-postolique, d'origine gnostique pour la plus grande part, commence aux environs de 130. Mais, déjà vers 250, toute cette production, où les grandes églises n'étaient certes pas consentantes à reconnaître le véritable enseignement des apôtres, était officiellement discréditée. La *Didachè* a néanmoins imposé le respect, en dépit du tableau qu'elle offrait d'une organisation que les églises eussent violemment refusé de regarder comme apostolique. Le fait est difficile à expliquer, si l'on ne suppose pas que l'écrit en question était connu de temps immémorial, et s'était répandu dans les grandes églises à peu près en même temps que les écrits du Nouveau Testament lui-même.

Les critères externes sont donc contraires à une date beaucoup plus récente que 100 A.D. D'autre part, comme la *Didachè* se réfère à *Mt.* comme à une autorité reçue (1), on ne peut la reculer elle-même beaucoup plus haut que 90.

C'était la conclusion de Streeter en ce qui concerne la date de composition. Pour le lieu d'origine, il développait un argument parallèle. Une autre conception, dit-il, voudrait que la *Didachè* représente un état de choses ayant réellement existé à une date ancienne, mais seulement dans quelque église isolée, se tenant, par sa position même, en dehors du mouvement qui entraînait le corps principal de la grande église. Cette conception n'est pas aussi intrinsèquement absurde que la précédente. Elle va, cependant, se briser contre ce fait que l'influence d'un aussi mince ouvrage que la *Didachè* sur la littérature canonique postérieure a été plus grande peut-être que celle de tout autre écrit en dehors de ceux du Nouveau Testament. Quels que soient le lieu et la date de sa composition, il faut que l'écrit ait été accepté comme une autorité, et cela, presque dans le même temps par les plus importantes églises de Syrie et d'Égypte. Mais, de nouveau, ceci n'a pu se produire que si l'état de choses supposé par la *Didachè* a réellement existé dans ces églises, de telle façon que les instructions données par le document aient correspondu à un besoin vraiment ressenti.

Tels sont les arguments développés par Streeter (2). Nous n'avons

---

(1) Streeter s'est expliqué sur ce point dans *The Four Gospels. A Study of Origins*, Londres, 1930, pp. 507 ss.

(2) Dans le même sens, C. H. TURNER, dans C. GORE, *The Church and the Ministry*, Londres, 1919, pp. 377 ss.; A. J. MACLEAN, *The Doctrine of the Twelve Apostles*, Londres, 1922, p. XXXV; C. J. CADOUX, dans J. V. BARTLET, *Church Life and Church Order during the First Four Centuries*, Oxford, 1943, p. 56, note.

pas vu qu'on leur ait jamais opposé une réponse satisfaisante.
Peut-être, à l'état isolé, n'ont-ils pas semblé d'une grande force.
A la vérité, Streeter ne disposait pas d'une solution au problème
littéraire déjà consistante en elle-même, pour laquelle il eût pu
alors présenter ses remarques à titre de confirmation d'ensemble.
A ses yeux, ses observations posaient plutôt le problème, et invitaient à le reconsidérer, qu'elles n'achevaient de le résoudre. De
notre point de vue, il va sans dire qu'il s'agit d'une confirmation.
Mais, pour prendre toute sa vigueur, celle-ci a besoin de s'appuyer
sur le détail de l'histoire ancienne des *Instructions des apôtres.*

*
* *

Si les *Instructions* ont vu le jour à Antioche, et si elles peuvent
être antérieures à une partie des écrits du Nouveau Testament,
il ne serait pas impossible *a priori* que ces derniers portent quelque
part la trace de leur existence. On pense, alors, à Paul surtout, qui
aimait revenir à Antioche, et qui a fait là plusieurs séjours assez
prolongés avant et pendant ses grandes tournées apostoliques (1).
Mais, de fait, ni dans les épîtres pauliniennes ni ailleurs, le petit
recueil des *Instructions des apôtres* n'a laissé de vestiges (2). Auprès
de lui, la pensée et la tradition vivantes étaient assez riches pour
qu'on ne se sentît point dans la nécessité d'avoir recours à un écrit
tel que la *Didachè,* d'un dessein, sinon d'un genre littéraire, d'ailleurs assez particulier (3).

Turner (4) et Streeter (5) ont suggéré que s. Ignace d'Antioche
ait connu la *Didachè.* De notre point de vue, la chose serait en soi
naturelle. Mais les textes ne sont pas très décisifs. Turner compare
Polyc., 4:2, πυκνότερον συναγωγαὶ γινέσθωσαν (dans le même
sens, *Éph.,* 13:1; comp. 2 *Clém.,* 17:3, et aussi *Hébr.,* 10:25) à

(1) *Act.,* 13:1-3; 14:25; *Gal.,* 2:11-21; *Act.,* 15:35-39; 18:22 s. (?).
(2) Le cas du *Duae viae,* comme toujours, doit être considéré à part. On
pourra se former un jugement, sur ce point, en utilisant les matériaux d'analyse recueillis par P. DREWS, *Untersuchungen zur Didache,* dans *ZNTW,* V
(1904) 53 ss.
(3) A. GREIFF (*Das älteste Pascharituale der Kirche,* pp. 163 ss.) a pensé à
une dépendance de *Jn.* par rapport aux « prières d'action de grâce » de la *Didachè* (9-10). Rien de cela n'est démontrable. L'auteur rapproche une vingtaine
d'expressions de la *Did.* et de *Jn.* Mais tout demeure dans les limites de la
simple possibilité théorique. Aucune expression commune aux deux écrits ne
va jusqu'à imposer un rapport littéraire entre eux, dans un sens ou dans l'autre.
L'ensemble de la comparaison n'est guère plus impressionnant.
(4) C. H. TURNER, *Studies in Early Church History,* p. 8, note 1.
(5) B. H. STREETER, *The Primitive Church,* pp. 279 s.

Did., 16:2, πυκνῶς δὲ συναχθήσεσθε, mais l'expression est trop commune pour imposer à elle seule un rapport direct. Peut-être, cependant, la constance de la phraséologie dans laquelle l'évêque d'Antioche semble revenir sur la fréquence des réunions, trahit-elle un vieux thème d' « instruction », depuis longtemps fixé, qui pourrait avoir quelque chose à voir avec le ch. 16 de la *Didachè*.

C'est le curieux Barnabé, écrivant, semble-t-il, sous Hadrien, vers 130 (mais peut-être aussi sensiblement plus tôt), qui nous offre le premier indice quelque peu assuré de l'existence de la *Didachè* (*Barn.*, 4:9), encore qu'il ne l'ait peut-être connue qu'en partie (*D2*). Avec lui, il est convenu de supposer que nous sommes en Égypte, dans le rayonnement spirituel d'Alexandrie. Nous aimerions davantage savoir dans quelle estime Barnabé tenait le document qu'il utilisait. Mais il ne nous en a rien dit. Il n'a même pas déclaré son emprunt par une formule quelconque. Aussi bien ne s'est-il servi que d'un bref passage de couleur évangélique.

S. Justin était originaire de Palestine (Naplouse), et il avait voyagé, avant d'arrêter sa demeure et de fonder son école dans la capitale de l'empire. Rendel Harris voudrait qu'il ait connu la *Didachè* (1). Il eût pu la connaître, mais il faut bien avouer que la démonstration en est impossible. Les rapprochements textuels ne sont pas caractérisés (*Dial.*, 35:1-2; comp. *Did.*, 6:3 et tit.; 111:2; comp. 16:5). Il est vrai que le plan général de la première *Apologie* rappelle, dans une certaine mesure, la suite des matières dans la *Did.* : enseignement, baptême précédé par le jeûne et suivi de la participation à l' « eucharistie ». Mais il est clair, d'autre part, que l'apologiste n'avait à se référer en cela qu'à l'ordre de choses qu'il avait sous les yeux. La rencontre avec la *Didachè* peut être alors tout accidentelle.

Le cas de Clément d'Alexandrie serait plus favorable, si les textes à comparer n'appartenaient presque tous au *Duae viae* (2). Il a sûrement connu celui-ci, mais il faut être beaucoup plus réservé sur la *Didachè*. Une expression comme « sang de la vigne de David » (*Quis dives*, 29,4; comp. *Did.*, 9:2) ne suffit pas à établir une relation (voir le comm. *in loc.*).

La même prudence doit être observée à l'égard des *Oracles sibyllins* et du Pseudo-Phocylide. Rendel Harris ne rapproche pas

(1) *The Teaching of the Apostles*, pp. 36 s.
(2) Cf. F. R. M. HITCHCOCK, *Did Clement of Alexandria know the Didache?*, dans *JTS*, XXIV (1923) 397-401.

moins de 34 textes différents, pris à toutes les parties de la *Didachè* (1). Mais lui-même ne conclut qu'à une possibilité. De fait, le détail et l'ensemble restent neutres.

Il faut donc attendre la *Didascalie des apôtres*, vers le milieu du IIIe siècle, pour retrouver avec certitude, après Barnabé, une trace laissée par la *Didachè* dans la littérature chrétienne. Il n'y a pas à revenir sur la démonstration de Connolly, qui est satisfaisante (2). L'auteur de la *Didascalie* a connu, et il a utilisé à ses propres fins, la *Didachè* telle que nous la connaissons. Il nous ramène ainsi d'Égypte en Syrie septentrionale, le lieu d'origine même de la *Didachè*. Avec cette utilisation, et surtout cette imitation massive, le petit recueil des *Instructions des apôtres* entre de force dans l'espèce de littérature qui a le plus fait pour le discréditer et le perdre. La signification et la destination originelles de la *Didachè* se sont, en effet, trouvées automatiquement compromises par le voisinage qui lui était désormais imposé, avec des écrits comme la *Didascalie* elle-même et, plus tard, les *Constitutions apostoliques*. Ses critères internes d'authenticité étaient trop délicats et trop cachés à la fois pour opposer une défense efficace. La tradition qui accompagnait la transmission ne devait pas non plus, en ce temps-là, être assez forte pour empêcher le détournement. L'aventure était sans issue. Les *Constitutions apostoliques* n'ont fait que la rendre plus malheureuse, en absorbant en bloc, à travers toutes les retouches du remaniement, le texte lui-même (dernier quart du IVe siècle).

Cependant, il semble que la *Didachè* continua alors à jouir de la faveur populaire en Égypte, et même en Afrique. Les fragments d'Oxyrhynque sont de la fin du IVe siècle. La version copte, qui représente un texte beaucoup plus pur, doit être sensiblement antérieure (fin du IIIe — première moitié du IVe). La version latine, attestée en Afrique par l'*Adversus aleatores* (fin du IIIe siècle), avec le titre, *Doctrinae apostolorum*, doit être encore plus ancienne, et il se peut que son texte lui soit venu alors d'Égypte, dans un manuscrit qui avait conservé, comme celui sur lequel a été faite la version copte, le titre pluriel original.

S. Athanase nous permet d'entrer ici dans quelque précision. A côté des livres reçus comme canoniques, il autorise la lecture publique de certains autres livres à ceux qui se présentent pour

(1) *The Teaching*, pp. 40 ss.
(2) R. H. CONNOLLY, *The Use of the Didache in the Didascalia*, dans *JTS*, XXIV (1923) 147 ss.

être instruits de la doctrine de piété : ce sont, nommément, la *Sagesse de Salomon*, la *Sagesse de Sirach, Esther, Judith, Tobie*, le livre appelé *Enseignement des apôtres*, et le livre du *Pasteur* (*Lettre festale* 39 : A. D. 367). Tous ces écrits sont donc approuvés comme bons et utiles. La raison de cette approbation solennelle est donnée : ils ont été reçus des « Pères », et « transmis » par eux, précisément à cette fin d'être lus à ceux qui veulent recevoir les premiers éléments de la doctrine. Athanase se réfère explicitement à une tradition, qui devait être alors avant tout celle de son église d'Alexandrie. Le fait donne à penser qu'en dehors et au-dessus de la transmission populaire, attestée pour la même période par les fragments d'Oxy-rhynque, la *Didachè* a connu de bonne heure en Égypte une cer-taine transmission proprement ecclésiale, officielle, contrôlée, dans le voisinage des écrits de l'Ancien et du Nouveau Testament. Il faut donc supposer qu'elle y était tenue de temps immémorial en très haute estime, et qu'aucun doute sérieux ne pesait sur elle quant à son intention dernière.

Depuis l'étude de von der Goltz, la critique a tendance à restituer à s. Athanase le *De virginitate* qui nous est parvenu sous son nom (1). Le chapitre 13 de ce petit ouvrage utilise, en les adaptant, les « prières eucharistiques » de la *Didachè* (ch. 9-10), comme action de grâce des repas quotidiens. Si l'on admet l'authenticité athana-sienne, c'est un nouveau témoignage de l'estime dans laquelle l'église d'Alexandrie a tenu la *Didachè* au IVe siècle (2).

Toutefois, la signification du fait ne doit pas être exagérée. L'uti-lisation d'une idée heureuse n'équivaut pas, en soi, à une déclara-tion générale sur l'écrit. Supposé que le *De virginitate* ne soit pas de s. Athanase, dont la pensée sur la *Didachè* nous est connue par ailleurs, l'emprunt fait à *Did.*, 9:4 pourrait toujours être regardé comme occasionnel. L'image du blé semé sur les montagnes, puis

---

(1) E. VON DER GOLTZ, *De virginitate. Eine echte Schrift des Athanasius* (*TU*, 29), Leipzig, 1905, pp. 114 ss., texte, p. 47; cf. B. ALTANER, *Patrologie*, pp. 234; aussi L.-Th. LEFORT, *Un nouveau « De virginitate » attribué à s. Atha-nase*, dans *Anal. boll.*, LXVII (1949) 142 ss.

(2) Le *Syntagma doctrinae ad monachos* et la *Fides Nicaena* sont sans rap-port avec la *Didachè* et n'intéressent que l'histoire littéraire du *Duae viae*. Batiffol, il est vrai, étend la comparaison du *Syntagma* à deux passages exté-rieurs au *Duae viae* : *Did.*, 8:1, sur le jeûne (comp. *Synt.*, 2:10), et 13:3-4, sur l'offrande des prémices (comp. *Synt.*, 6:6). Mais les rapprochements demeurent trop généraux pour assurer une conclusion positive (cf. P. BATIFFOL, *Studia patristica. Études d'ancienne littérature chrétienne*, 2, Paris, 1890, pp. 148 ss.; voir aussi *Didascalia CCCXVIII Patrum pseudepigrapha*, Paris, 1887. Les textes ont été réunis et présentés pour la première fois par J. R. HARRIS, *The Teaching of the Apostles*, pp. 49-51.

rassemblé dans l'unité du pain sur lequel on faisait l' « action de grâce », était assez frappante en elle-même pour avoir sa propre fortune en dehors de la *Didachè*. Elle l'a eue, en effet (1), et jusque-là qu'elle a pu survivre au vieillissement du petit ouvrage qui l'avait portée à l'origine. Il se peut ainsi que l'anaphore de Sérapion (milieu du IVe siècle) soit en contact littéraire immédiat avec *Did.*, 9:4 (2). Mais il se peut également que l'évêque de Thmuis reproduise, sur ce point même, un usage déjà ancien, comme c'est le cas, par exemple, pour les anaphores égyptiennes postérieures du papyrus de Dêr-Balizeh (VIe siècle) et de la liturgie de s. Grégoire (3). Nous ignorons, en réalité, par quelles voies *Did.*, 9:4 a pu entrer dans l'anaphore eucharistique égyptienne. L'ampleur historique du fait nous échappe également. Sérapion ne marque pas, de toute nécessité, un point de départ, et Thmuis n'est pas davantage une limite. Il faut bien, cependant, qu'à un moment ou à l'autre le transfert de l'image de son contexte primitif à l'anaphore se soit produit comme naturellement. Mais, même réduit à l'indétermination de l'anonymat, le fait suffirait encore à montrer que la *Didachè* était alors en possession paisible du milieu dans lequel elle était transmise.

La mention d'Eusèbe dans son *Histoire ecclésiastique* (III, 25, 4) ne peut avoir une signification très différente (*c.* 315-325 A. D.).

(1) S. Cyprien a-t-il connu les *Doctrinæ apostolorum* citées, vers la fin du IIIe siècle, par l'homéliste de l'*Adversus aleatores*? Il est difficile de le dire. L'image semble, néanmoins, être arrivée jusqu'à lui. On lit dans sa lettre à Cecilius : « Quo et ipso sacramento populus noster ostenditur adunatus, ut quemadmodum grana multa in unum collecta et conmolita et conmixta panem unum faciunt, sic in Christo qui est panis caelestis unum sciamus esse corpus, cui coniunctus sit noster numerus et adunatus » (*Lettres*, 63, 13; éd. Bayart, p. 208). Un développement semblable revient dans la lettre 69, à Magnus : « Denique unianimitatem christianam firma sibi adque inseparabili caritate conexam etiam ipsa dominica sacrificia declarant. Nam quando Dominus corpus suum panem vocat de multorum granorum adunatione congestum, populum nostrum quem portabat indicat adunatum; et quando sanguinem suum vinum appellat de botruis atque acinis plurimis egressum adque in unum coactum, gregem item nostrum significat commixtione adunatae multitudinis copulatum » (éd. Bayart, pp. 242 s.). Ce n'est plus *Did.*, 9:4, et l'évêque de Carthage pouvait fort bien trouver l'idée par lui-même, si toutefois elle ne lui a pas été plutôt suggérée par une anaphore familière (dominica sacrificia). Quoi qu'il en soit, la rencontre demeure, je crois, assez remarquable pour permettre de lui supposer une lointaine suggestion de la part des « prières d'action de grâce » de la *Didachè*.

(2) *Euchol. Ser.*, 13:13; éd. Funk, p. 174 (*Didascalia et Constitutiones apostolorum*, II, *Testimonia et scripturae propinquae*, Paderborn, 1905); le texte de Funk est reproduit par QUASTEN, *Monumenta eucharistica et liturgica vetustissima* (*Flor. patr.*, 7,1), Bonn, 1935 (p. 62).

(3) Voir C. H. ROBERTS et B. CAPELLE, *An Early Euchologium. The Dêr-Balizeh Papyrus Enlarged and Reedited* (*Bibl. du Muséon*, 23), Louvain, 1949, pp. 27 et 45 ss.

La *Didachè* s'y trouve rangée parmi les écrits discutés, à côté des écrits canoniques sur lesquels tout le monde est d'accord. Sur quoi les doutes étaient-ils fondés et quel en était le sens exact? On l'aperçoit à peine à travers les ambiguïtés fameuses du texte d'Eusèbe. Nous serions porté à croire, pour notre part, que le sens primitif de l'écrit était déjà depuis longtemps perdu. S'il conservait, en Palestine et, sans doute, d'une manière générale, dans l'Orient grec, un prestige considérable, c'est que les conditions mêmes dans lesquelles il était transmis dans les églises devaient par elles-mêmes imposer le respect.

Mais un hommage extérieur et bientôt de pure forme ne pouvait durer toujours. La méprise était facile et l'incompréhension toute proche. Pourquoi d'abord ce titre au pluriel, si l'on veut parler de l' « enseignement » des apôtres? Rufin, traduisant Eusèbe, n'en voit plus l'intérêt et lui substitue le titre singulier, dont il avait, d'ailleurs, peut-être eu connaissance pendant le séjour de quelques années qu'il avait fait en Égypte. Le traducteur syriaque avait déjà, de son côté, pris le même parti (milieu du ive siècle) (1).

La confusion augmente à mesure que l'écrit sort de l'usage courant et se transmet comme un document désaffecté, livré maintenant sans contrepoids à la fantaisie et au mauvais goût des pseudépigraphes, des compilateurs et des remanieurs. C'est ainsi que trois ou quatre lambeaux du vieux recueil sont allés finalement grossir la recension éthiopienne des *Canons ecclésiastiques (Statuta apostolorum* de Ludolph et de Horner). Les compilateurs des listes canoniques du vie au ixe siècle n'ont pas eu la main plus heureuse. Tout ce qu'on ne lit plus, et qu'on ne veut plus lire, est entassé pêle-mêle dans la catégorie des apocryphes, dès qu'il apparaît seulement qu'il peut s'agir d'un pseudépigraphe. Le Pseudo-Athanase, ou plutôt l'inconnu, qui a pris sur lui de remanier un document aussi grave que la *Lettre festale* 39 du patriarche d'Alexandrie, n'a su que pervertir et jeter dans l'inconséquence le texte qu'il utilisait. La *Liste des 60 livres canoniques* connaît le titre original de la *Didachè*, mais c'est par hasard : elle accole l'écrit à la masse des *Itinéraires* des apôtres. La *Stichométrie* de Nicéphore aligne, après quatre *Itinéraires* apostoliques et un évangile apocryphe selon Thomas, la *Didachè*, 1 et 2 *Clément*, les épîtres ignatiennes, l'épître de Polycarpe et le *Pasteur*.

(1) Voir E. NESTLE, *Die Kirchengeschichte des Eusebius aus dem Syrischen übersetzt (TU*, N.F., 6), Leipzig, 1901, pp. v ss.; BAUMSTARK, *Geschichte der syrischen Literatur*, pp. 58 s.

Il n'y a pas à s'étonner, après cela, que la version géorgienne et le ms. de Bryennios se présentent à nous avec ces titres prétentieux : *Enseignement des douze apôtres, Enseignement du Seigneur aux gentils par le ministère des douze apôtres.* Mais ces titres ne peuvent rien contre le recueil des *Instructions des apôtres* que les premiers siècles ont connu. Ils ne reflètent que la confusion dans laquelle était tombée la transmission du texte et la tradition qui l'accompagnait.

Les témoignages de s. Athanase et d'Eusèbe demeurent, et, dans les conditions où ils se présentent, ils suffisent. Nous avons en eux l'attestation, explicite chez s. Athanase, et implicite chez Eusèbe, que les *Instructions des apôtres* faisaient partie de l'héritage littéraire de la plus haute antiquité chrétienne, et, pour le patriarche d'Alexandrie à tout le moins, il faut ajouter que la tradition ne lui apportait rien sur les origines de l'écrit qui ne fût de tous points recommandable. Comme ces grands témoins sont tous deux du IVe siècle, et comme ils parlent tous deux pour de larges et importantes portions de l'église, il est peu vraisemblable qu'ils ne représentent que le résultat de l'engouement général pour un écrit d'origine tardive et obscure; et il est encore moins vraisemblable qu'ils ne représentent que l'aboutissement d'une erreur commune sur une simple fiction que son auteur destinait à promouvoir le montanisme.

Les faits essentiels de l'histoire ancienne de la *Didachè*, sa diffusion et l'estime qu'on en a eue, ne s'expliquent bien que si l'on suppose au recueil une origine très reculée dans une église dont l'autorité et les traditions se sont imposées insensiblement, de proche en proche, avec l'expansion même de l'église universelle. Pour des raisons qui valent assez en elles-mêmes, nous nous sommes arrêté à Antioche : c'est là que les *Instructions des apôtres* ont dû voir le jour entre les années 50-70.

TEXTE
ET
TRADUCTION

SIGLES

H   *Hierosolymitanus* 54 : A. D. 1056; texte complet, sauf quelques mots perdus à la fin, et qui manquaient déjà dans l'exemplaire dont procède le manuscrit.

O   *Pap. d'Oxyrhynque* 1782 : deux fragments, fin du ive siècle; *Did.*, 1:3*b*-4*a*; 2:7*b*-3:2*a*.

c   Version copte, Br. Mus., *Or.* 9271 : un fragment, ve siècle; *Did.*, 10:3*b*-12:2*a*.

e   Version éthiopienne = *Can. apost.*, 52 : manuscrits du xve au xviiie siècle (édition du texte et traduction anglaise de G. HORNER, *The Statutes of the Apostles or Canones ecclesiastici*, Londres, 1904, pp. 193, 7-194, 28); *Did.*, 11:3-13:7; 8:1-2*a*, dans cet ordre.

g   Version géorgienne complète, connue par une collation (allemande) de G. PERADZE, *Die « Lehre der zwölf Apostel » in der georgischen Überlieferung*, dans *ZNTW*, XXXI (1932) 111-116; collation faite sur l'édition de Harnack (1884), d'après une copie récente d'un manuscrit du xixe siècle (Constantinople?).

CA   *Const. apost.*, VII, 1-32 : remaniement du troisième quart du ive siècle, étendu à toute la *Didachè*, mais inégalement selon ses diverses parties; citées d'après FUNK, *Didascalia et Constitutiones apostolorum*, Paderborn, 1905, I, pp. 386-422.

<>   Mots restitués par conjecture.

[ ]   Additions de l'Interpolateur de la *Didachè*, contemporain de l'auteur.

[[ ]]   Interpolations (plus tardives) intérieures aux additions de l'Interpolateur.

L'APPARAT

Le *Duae viae* n'appartient à la *Didachè* que dans la recension que celle-ci en a recueillie. L'apparat critique est donc normalement limité ici à cette recension. Par suite, dans l'apparat, les recensions sœurs (*Barn.*, *Can. eccl.*, *Elfapostelmoral* de Schermann, *Doctr.* de Schlecht) ne sont citées que de l'extérieur, entre ( ), pour appuyer en un sens ou en l'autre les leçons des témoins propres de la *Didachè* là où ceux-ci sont divergents ou soulèvent un doute. S'il en est besoin, on complétera l'apparat du *Duae viae* de la *Didachè* par les éditions de Th. SCHERMANN, *Eine Elfapostelmoral oder die X-Rezension der « beiden Wege » (Veröffentlichungen aus dem kirchenshistorischen Seminar*, 2 série, 2), Munich, 1903 (abréviation : *Elf.*); *Die allgemeine Kirchenordnung, frühchristliche Liturgien und kirchliche Überlieferung. I. Die allgemeine Kirchenordnung des zweiten Jahrhunderts (Stud. z. Gesch. und Kult. des Altertums*, III, 1), Paderborn, 1914, et de L. WOHLEB, *Die lateinische Übersetzung der Didache kritisch und sprachlich untersucht (Stud. z. Gesch. und Kult. des Altertums*, VII, 1), Paderborn, 1913.

En outre, un choix s'imposait dans la notation des variantes de deux des témoins propres de la *Didachè* : *g* et *CA*. La version géorgienne est trop libre pour qu'on puisse supposer un texte grec réel derrière chacune de ses gloses et de ses amplifications. Il a paru inutile d'embarrasser l'apparat critique avec des rétroversions qui ne représenteraient, en fait, et au mieux, que les fantaisies du traducteur géorgien. Seules, quelques leçons de ce genre ont été notées au début pour rappeler la physionomie propre de la version parmi les autres témoins. Pour plus de détails, on pourra se reporter à la collation complète de Péradzé, reproduite pp. 47-50. Une règle semblable a été appliquée au remaniement des *Const. apost.* De celui-ci, l'apparat ne retient donc que les leçons qui ont quelque chance de représenter le texte de base du remaniement. En revanche, la notation des variantes des autres témoins, *H*, *O*, *c*, *e*, est complète, sauf, pour *H*, les leçons qui ne sont que de banales erreurs de copiste, et pour les versions, celles qui ne paraissent relever que des tournures idiomatiques du copte et de l'éthiopien, et pour *e* spécialement, là où il est clair que le traducteur ou le remanieur en prend à son aise avec le texte.

Enfin, j'avoue avoir longtemps hésité à doubler l'apparat critique d'un apparat des sources, en fait, l'Écriture seule. Le trompe-l'œil y est inévitable. Car, d'une part, les attaches réelles des diverses instructions de la *Didachè* à l'Écriture ne sont pas limitées à ce qui en peut figurer dans l'apparat, et d'autre part, ce qui figure dans l'apparat sous forme de référence à l'Écriture n'en provient pas nécessairement. L'équivoque est continuelle. Réflexion faite, cependant, il est possible que ce système de références indistinctes, qui tait souvent ce qu'il faudrait dire et qui, dans ce qu'il dit, ramène presque tout à une même qualité et à un même niveau, rende encore quelque service. Je ne le perpétue ici que pour cette raison de commodité relative et sous la réserve expresse des précisions de toute nature apportées dans l'introduction et le commentaire.

ΔΙΔΑΧΑΙ ΤΩΝ ΑΠΟΣΤΟΛΩΝ

Διδαχὴ κυρίου τοῖς ἔθνεσιν. — **1.** Ὁδοὶ δύο εἰσί, μία τῆς ζωῆς καὶ μία τοῦ θανάτου, διαφορὰ δὲ πολλὴ μεταξὺ τῶν δύο ὁδῶν.

[2]Ἡ μὲν οὖν ὁδὸς τῆς ζωῆς ἐστιν αὕτη· πρῶτον ἀγαπήσεις τὸν θεὸν τὸν ποιήσαντά σε, δεύτερον τὸν πλησίον σου ὡς σεαυτόν· πάντα δὲ
5 ὅσα ἐὰν θελήσῃς μὴ γίνεσθαί σοι, καὶ σὺ ἄλλῳ μὴ ποίει. [3]Τούτων δὲ τῶν λόγων ἡ διδαχή ἐστιν αὕτη· [Εὐλογεῖτε τοὺς καταρωμένους ὑμῖν καὶ προσεύχεσθε ὑπὲρ τῶν ἐχθρῶν ὑμῶν, νηστεύετε δὲ ὑπὲρ τῶν διωκόντων ὑμᾶς· ποία γὰρ χάρις, ἐὰν φιλῆτε τοὺς φιλοῦντας ὑμᾶς; Οὐχὶ καὶ τὰ ἔθνη τοῦτο ποιοῦσιν; Ὑμεῖς δὲ φιλεῖτε τοὺς μισοῦντας ὑμᾶς καὶ
10 οὐχ ἕξετε ἐχθρόν. [4][[Ἀπέχου τῶν σαρκικῶν ἐπιθυμιῶν.]] Ἐάν τις σοι δῷ ῥάπισμα εἰς τὴν δεξιὰν σιαγόνα, στρέψον αὐτῷ καὶ τὴν ἄλλην, καὶ ἔσῃ τέλειος· ἐὰν ἀγγαρεύσῃ σέ τις μίλιον ἕν, ὕπαγε μετ' αὐτοῦ δύο· ἐὰν ἄρῃ τις τὸ ἱμάτιόν σου, δὸς αὐτῷ καὶ τὸν χιτῶνα· ἐὰν λάβῃ τις ἀπὸ σοῦ τὸ σόν, μὴ ἀπαίτει· οὐδὲ γὰρ δύνασαι. [5]Παντὶ τῷ αἰτοῦντί σε δίδου καὶ
15 μὴ ἀπαίτει· πᾶσι γὰρ θέλει δίδοσθαι ὁ πατὴρ ἐκ τῶν ἰδίων χαρισμάτων. Μακάριος ὁ διδοὺς κατὰ τὴν ἐντολήν· ἀθῷος γάρ ἐστιν. Οὐαὶ τῷ λαμβάνοντι· εἰ μὲν γὰρ χρείαν ἔχων λαμβάνει τις, ἀθῷος ἔσται· ὁ δὲ μὴ χρείαν ἔχων δώσει δίκην, ἵνα τί ἔλαβε καὶ εἰς τί· ἐν συνοχῇ δὲ γενόμενος ἐξετασθήσεται περὶ ὧν ἔπραξε καὶ οὐκ ἐξελεύσεται ἐκεῖθεν, μέχρις οὗ ἀποδῷ
20 τὸν ἔσχατον κοδράντην. [6]Ἀλλὰ καὶ περὶ τούτου δὲ εἴρηται· Ἱδρωσάτω ἡ ἐλεημοσύνη σου εἰς τὰς χεῖράς σου, μέχρις ἂν γνῷς, τίνι δῷς. **2.** Δευτέρα

---

1 *Jer.*, 21:8; *Deut.*, 5:32 s.; 11:26-28; 30:15-20; *Eccli.*, 15:15-17 **3** *Deut.*, 6:5; 10:12 s.; *Eccli.*, 7:30; cf. *Mt.*, 22:37 par. **4** *Lev.*, 19:18 || *Tob.*, 4:15; cf. *Mt.*, 7:12; *Lc.*, 6:31 **6** *Cf. Mt.*, 5:44, 46 s.; *Lc.*, 6:27 s., 32 **10** *Cf. Mt.*, 5:39; *Lc.*, 6:29 **12** *Cf. Mt.*, 5:41 || *Cf. Mt.*, 5:40; *Lc.*, 6:29 **14** *Cf. Mt.*, 5:42; *Lc.*, 6:30 **18** *Cf. Mt.*, 5:25 s.; *Lc.*, 12:58 s. **20** *Eccli.*, 12:1 (*vide infra, comm. in loc.*)

Inscriptio libelli : Διδαχαὶ Eus., *Catal.* 60 *lib. can.*, Ps.-Cypr. (*Doctrinae*); cf. 11:2] Διδαχὴ H g Eus. lat., Athan., Ps.-Athan., *Stich.* || τῶν] δώδεκα add. H g **1** *Inscriptio Duae viae* : Διδαχὴ κυρίου cf. pp. 100 ss.] διὰ τῶν δώδεκα ἀποστόλων add. H g **6** ὑμῖν H] ὑμᾶς CA **8** φιλῆτε CA] ἀγαπᾶτε H || φιλοῦντας CA] ἀγαπῶντας H **7** τούτο O CA] τὸ αὐτὸ H || φιλεῖτε O CA] ἀγαπᾶτε H **10** ἐχθρόν H g] ακουε τι σε δει ποιουντα σωσαι σου το πνευμα· πρωτον παντων add. O || σαρκικῶν O] καὶ σωματικῶν add. H g; καὶ κοσμικῶν CA **12** τις H g] ἐν ὀνόματι χριστοῦ add. g **14** δύνασαι H] τοῦτο ποιεῖν καὶ τῆς πίστεως ἕνεκα add. g || παντὶ... δῷς (5-6) H] om. g. **20** ἱδρωσάτω edd. post. Bryennios] ἱδρωτάτω H

INSTRUCTIONS DES APÔTRES

Instruction du Seigneur aux gentils. — **1.** Il y a deux chemins, un de la vie et un de la mort. L'écart est grand entre ces deux chemins.

[2]Voici donc quel est le chemin de la vie : Tu aimeras d'abord Dieu qui t'a fait; puis, ton prochain comme toi-même; et ce que tu ne voudrais pas qu'il te soit fait, toi non plus ne le fais pas à autrui. [3]Or, voici l'instruction relative à ces commandements : [Bénissez ceux qui vous maudissent, priez pour vos ennemis, jeûnez pour vos persécuteurs. Quel gré vous saura-t-on, en effet, d'aimer ceux qui vous aiment? Est-ce que les païens eux-mêmes n'en font pas autant? Pour vous, aimez ceux qui vous haïssent; vous n'aurez pas d'inimitié. [4][[Garde-toi des convoitises charnelles.]] Quelqu'un te donne-t-il un soufflet sur la joue droite, tends-lui aussi l'autre, et tu seras parfait. Quelqu'un te requiert-il pour un mille, fais-en deux avec lui. Quelqu'un t'enlève-t-il ton manteau, donne-lui même ta tunique. Quelqu'un te prend-il ton bien, ne réclame pas; — aussi bien n'en as-tu pas la faculté. [5]Donne à quiconque te demande, sans exiger de retour. Car la volonté du Père, c'est qu'on donne à même ses propres dons. Heureux celui qui donne, selon le commandement, car il est à l'abri de tout reproche! Malheur à celui qui reçoit! Certes, si le besoin l'oblige à recevoir, il est exempt de blâme, mais s'il n'est pas dans la nécessité, il passera en jugement sur le motif et la fin pour lesquels il a reçu. Envoyé en détention il ne sortira pas de là qu'il n'ait rendu jusqu'au dernier sou. [6]A ce propos, il est vrai, il a été aussi dit : « Que ton aumône sue à tes mains jusqu'à ce que tu saches à qui tu donnes ». **2.** Deuxième commandement de l'instruction :] [2]Tu ne tueras point, tu ne com-

δὲ ἐντολὴ τῆς διδαχῆς·] ²οὐ φονεύσεις, οὐ μοιχεύσεις, οὐ παιδοφθο-
ρήσεις, οὐ πορνεύσεις, οὐ κλέψεις, οὐ μαγεύσεις, οὐ φαρμακεύσεις,
οὐ φονεύσεις τέκνον ἐν φθορᾷ οὐδὲ γεννηθὲν ἀποκτενεῖς, οὐκ ἐπιθυμήσεις
τὰ τοῦ πλησίον. ³Οὐκ ἐπιορκήσεις, οὐ ψευδομαρτυρήσεις, οὐ κακολο-
5 γήσεις, οὐ μνησικακήσεις. ⁴Οὐκ ἔσῃ διγνώμων οὐδὲ δίγλωσσος· παγὶς
γὰρ θανάτου ἡ διγλωσσία. ⁵Οὐκ ἔσται ὁ λόγος σου ψευδής, οὐ κενός,
ἀλλὰ μεμεστωμένος πράξει. ⁶Οὐκ ἔσῃ πλεονέκτης οὐδὲ ἅρπαξ οὐδὲ
ὑποκριτὴς οὐδὲ κακοήθης οὐδὲ ὑπερήφανος. Οὐ λήψῃ βουλὴν πονηρὰν
κατὰ τοῦ πλησίον σου, ⁷οὐ μισήσεις πάντα ἄνθρωπον, ἀλλὰ οὓς μὲν
10 ἐλέγξεις, περὶ δὲ ὧν προσεύξῃ, οὓς δὲ ἀγαπήσεις ὑπὲρ τὴν ψυχήν σου.

3. Τέκνον μου, φεῦγε ἀπὸ παντὸς πονηροῦ καὶ ἀπὸ παντὸς ὁμοίου
αὐτοῦ. ²Μὴ γίνου ὀργίλος· ὁδηγεῖ γὰρ ἡ ὀργὴ πρὸς τὸν φόνον· μηδὲ
ζηλωτὴς μηδὲ ἐριστικὸς μηδὲ θυμικός· ἐκ γὰρ τούτων ἁπάντων φόνοι
γεννῶνται. ³Τέκνον μου, μὴ γίνου ἐπιθυμητής· ὁδηγεῖ γὰρ ἡ ἐπιθυμία
15 πρὸς τὴν πορνείαν· μηδὲ αἰσχρολόγος μηδὲ ὑψηλόφθαλμος· ἐκ γὰρ
τούτων ἁπάντων μοιχεῖαι γεννῶνται. ⁴Τέκνον μου, μὴ γίνου οἰωνοσκόπος, ἐπειδὴ ὁδηγεῖ εἰς τὴν εἰδωλολατρίαν· μηδὲ ἐπαοιδὸς μηδὲ μαθηματικὸς μηδὲ περικαθαίρων, μηδὲ θέλε αὐτὰ βλέπειν μηδὲ ἀκούειν·
ἐκ γὰρ τούτων ἁπάντων εἰδωλολατρία γεννᾶται. ⁵Τέκνον μου, μὴ γίνου
20 ψεύστης, ἐπειδὴ ὁδηγεῖ τὸ ψεῦσμα εἰς τὴν κλοπήν· μηδὲ φιλάργυρος
μηδὲ κενόδοξος· ἐκ γὰρ τούτων ἁπάντων κλοπαὶ γεννῶνται. ⁶Τέκνον
μου, μὴ γίνου γόγγυσος, ἐπειδὴ ὁδηγεῖ εἰς τὴν βλασφημίαν· μηδὲ αὐθά-
δης μηδὲ πονηρόφρων· ἐκ γὰρ τούτων ἁπάντων βλασφημίαι γεννῶνται.

⁷Ἴσθι δὲ πραΰς, ἐπεὶ οἱ πραεῖς κληρονομήσουσι τὴν γῆν. ⁸Γίνου
25 μακρόθυμος καὶ ἐλεήμων καὶ ἄκακος καὶ ἡσύχιος καὶ ἀγαθὸς καὶ τρέ-

---

11 *Ex.*, 20:13-17; *Deut.*, 5:17-21   **4** *Ex.*, 20:7 ;*cf.*ˈ*Mt.*, 5:33   **24** *Ps.*, 37:11;
cf. Mt., 5:5   **25** *Ps.*, 34:14 s.   ‖ *Is.*, 66:2

---

1 οὐ μοιχεύσεις *H CA*] *om.*g   **2** οὐ πορνεύσεις *H CA*] *om.* g   **3** γεννηθὲν *CA* (*Barn.*, *Can. eccl.*)] γεννηθέντα *H*   **4** οὐ κακολογήσεις *H CA*] *om.* g
6 ψευδής, οὐ κενός *H*] κενὸς οὐδὲ ψευδής *CA* (*Can. eccl.*, *Doctr.*)   **7** ἀλλὰ
μεμεστωμένος πράξει *H*] *om. CA? (Can. eccl., Doctr.)*   **10** περὶ δὲ ὧν *H*]
περι ων δε *O (Can. eccl., Elf.)*   ‖ οὓς δὲ *H O*] πάντας δὲ g ‖ ἀγαπήσεις *H O*]
ἐν (τῷ) κυρίῳ add. g   **12** παντὸς *H CA*] πραγματος add. *O* ‖ ἀπὸ παντὸς
H CA] *om. O*   **13** ὁδηγεῖ γὰρ *H*] επειδη οδηγει *O*   **14** τέκνον *H* g]
*vv.*3-4 *transp. CA*   **16** τέκνον μου *H*] μου *om.* g   **18** μηδὲ ἀκούειν g *(Can.*
eccl., Doctr.)] *om. H*   **21** τέκνον μου *H*] μου *om.* g

mettras pas d'adultère. Tu ne t'adonneras ni à la pédérastie, ni à la fornication, ni au vol, ni à la magie, ni à la sorcellerie. Tu ne supprimeras pas l'enfant par avortement et tu ne tueras point l'enfant déjà né. Tu ne convoiteras pas ce qui est à ton prochain. [3]Tu ne seras point parjure, tu ne porteras pas de faux témoignage; tu ne seras pas méchante langue et tu ne garderas rancune à personne. [4]Tu n'useras de duplicité ni en pensée ni en parole : la fourberie est un piège fatal. [5]Ta parole sera exempte de mensonge comme de vains mots, mais au contraire empreinte de sincérité et de sérieux. [6] Tu ne seras ni cupide, ni rapace, ni perfide, ni méchant, ni hautain. Tu ne nourriras pas de mauvaise intention contre ton prochain, [7]tu ne haïras personne, mais tu reprendras ceux-ci, prieras pour ceux-là, d'autres encore tu les aimeras plus que toi-même.

3. Mon fils, évite tout ce qui est mal et tout ce qui en aurait jusqu'à l'apparence. [2]Ne sois pas rageur : la colère conduit au meurtre; ni non plus jaloux ni batailleur ni emporté : c'est de tout cela que naissent les homicides. [3]Mon fils, ne sois pas coureur de femmes : la convoitise conduit à la fornication; ni non plus ordurier ni lorgneur : c'est de tout cela que naissent les adultères. [4]Mon fils, ne sois pas adonné à la divination : elle conduit à l'idolâtrie; ni non plus aux incantations ni à l'astrologie ni aux purifications, ne cherche ni à voir ni à entendre ces choses : c'est de tout cela que naît l'idolâtrie. [5]Mon fils, ne sois pas menteur : le mensonge conduit au vol; ni non plus cupide ni vaniteux : c'est de tout cela que naît la maraude. [6]Mon fils, ne sois pas amer : l'amertume conduit à la diffamation; ni non plus insolent ni malveillant : c'est de tout cela que naissent les calomnies.

[7]Fais de toi un doux, car les doux recevront la terre en héritage. [8]Sois longanime, accessible à la pitié, dénué de malveillance, paisible et bon. Garde en toute révérence l'instruction entendue.

μων τοὺς λόγους διὰ παντός, οὓς ἤκουσας. ⁹Οὐχ ὑψώσεις σεαυτὸν
οὐδὲ δώσεις τῇ ψυχῇ σου θράσος. Οὐ κολληθήσεται ἡ ψυχή σου μετὰ
ὑψηλῶν, ἀλλὰ μετὰ δικαίων καὶ ταπεινῶν ἀναστραφήσῃ. ¹⁰Τὰ συμ-
βαίνοντά σοι ἐνεργήματα ὡς ἀγαθὰ προσδέξῃ, εἰδὼς ὅτι ἄτερ θεοῦ
5 οὐδὲν γίνεται. 4. Τέκνον μου, τοῦ λαλοῦντός σοι τὸν λόγον τοῦ θεοῦ
μνησθήσῃ νυκτὸς καὶ ἡμέρας, τιμήσεις δὲ αὐτὸν ὡς κύριον· ὅθεν γὰρ ἡ
κυριότης λαλεῖται, ἐκεῖ κύριός ἐστιν. ²Ἐκζητήσεις δὲ καθ' ἡμέραν τὰ
πρόσωπα τῶν ἁγίων, ἵνα ἐπαναπαῇς τοῖς λόγοις αὐτῶν. ³Οὐ ποιήσεις
σχίσμα, εἰρηνεύσεις δὲ μαχομένους· κρινεῖς δικαίως, οὐ λήψῃ πρόσωπον
10 ἐλέγξαι ἐπὶ παραπτώμασιν. ⁴Οὐ διψυχήσεις, πότερον ἔσται ἢ οὔ. ⁵Μὴ
γίνου πρὸς μὲν τὸ λαβεῖν ἐκτείνων τὰς χεῖρας, πρὸς δὲ τὸ δοῦναι συσ-
πῶν. ⁶Ἐὰν ἔχῃς διὰ τῶν χειρῶν σου, δὸς εἰς λύτρωσιν ἁμαρτιῶν σου.
⁷Οὐ διστάσεις δοῦναι οὐδὲ διδοὺς γογγύσεις· γνώσῃ γὰρ τίς ἐστιν ὁ τοῦ
μισθοῦ καλὸς ἀνταποδότης. ⁸Οὐκ ἀποστραφήσῃ τὸν ἐνδεόμενον, συγ-
15 κοινωνήσεις δὲ πάντα τῷ ἀδελφῷ σου καὶ οὐκ ἐρεῖς ἴδια εἶναι· εἰ γὰρ ἐν
τῷ ἀθανάτῳ κοινωνοί ἐστε, πόσῳ μᾶλλον ἐν τοῖς θνητοῖς. ⁹Οὐκ ἀρεῖς
τὴν χεῖρά σου ἀπὸ τοῦ υἱοῦ σου ἢ ἀπὸ τῆς θυγατρός σου, ἀλλὰ ἀπὸ
νεότητος διδάξεις αὐτοὺς τὸν φόβον τοῦ θεοῦ. ¹⁰Οὐκ ἐπιτάξεις δούλῳ
σου ἢ παιδίσκῃ, τοῖς ἐπὶ τὸν αὐτὸν θεὸν ἐλπίζουσιν, ἐν πικρίᾳ σου,
20 μήποτε οὐ μὴ φοβηθήσονται τὸν ἐπ'ἀμφοτέροις θεόν· οὐ γὰρ ἔρχεται
κατὰ πρόσωπον καλέσαι, ἀλλ'ἐφ'οὓς τὸ πνεῦμα ἡτοίμασεν. ¹¹Ὑμεῖς δὲ
οἱ δοῦλοι ὑποταγήσεσθε τοῖς κυρίοις ὑμῶν ὡς τύπῳ θεοῦ ἐν αἰσχύνῃ καὶ
φόβῳ. ¹²Μισήσεις πᾶσαν ὑπόκρισιν καὶ πᾶν ὃ μὴ ἀρεστὸν τῷ κυρίῳ.
¹³Οὐ μὴ ἐγκαταλίπῃς ἐντολὰς κυρίου, φυλάξεις δὲ ἃ παρέλαβες, μήτε
25 προστιθεὶς μήτε ἀφαιρῶν. ¹⁴Ἐν ἐκκλησίᾳ ἐξομολογήσῃ τὰ παραπτώ-
ματά σου, καὶ οὐ προσελεύσῃ ἐπὶ προσευχήν σου ἐν συνειδήσει πονηρᾷ. —
Αὕτη ἐστὶν ἡ ὁδὸς τῆς ζωῆς.

5. Ἡ δὲ τοῦ θανάτου ὁδός ἐστιν αὕτη· πρῶτον πάντων πονηρά ἐστι
καὶ κατάρας μεστή· φόνοι, μοιχεῖαι, ἐπιθυμίαι, πορνεῖαι, κλοπαί, εἰδωλο-

---

5 Cf. Hebr., 13:7   9 Prov., 31:9   10 Eccli., 4:31   14 Eccli., 4:5
15 Cf. Act., 4:32; Hebr., 13:16   ‖ Cf. Rom., 15:27   16 Cf. Eph., 6:1-9;
Col., 3:20-22   24 Deut., 4:2; 13:1

1   ἤκουσας H] νῦν add. g   8 ποιήσεις CA (Barn., Can. eccl., Doctr.)]
ποθήσεις H   9 σχίσμα H (Barn., Elf.)] σχίσματα CA (Can. eccl., Doctr.)
10 παραπτώμασιν H] παραπτώματι CA (Barn., Elf., Doctr.)   12 δὸς εἰς
CA (Elf.)] δώσεις H g (Can. eccl.)   13 δοῦναι H CA] ἐλεημοσύνην add. g
14 καλὸς H (Barn., Can. eccl.)] om. CA ‖ συγκοινωνήσεις H (Can. eccl.)]
κοινωνήσεις CA (Barn.)   18 αὐτοὺς CA (Doctr.)] om. H g (Barn.) ‖ θεοῦ
H (Barn.)] κυρίου g (Doctr.)   23 τῷ κυρίῳ H] κυρίῳ CA (Elf.)   29
μοιχεῖαι H] ἐπιορκίαι add. CA (cf. 2:3) ‖ ἐπιθυμίαι H] παράνομοι add. CA

⁹Tu ne chercheras pas à t'élever toi-même et tu n'abandonneras pas ton cœur à l'insolence. Tu ne lieras pas ta vie au monde des grands, mais à la voie des justes et des humbles. ¹⁰Tu accueilleras les événements de la vie comme autant de biens, sachant que Dieu n'est étranger à rien de ce qui arrive. **4.** Mon fils, de celui qui te propose la parole de Dieu, tu te souviendras nuit et jour et tu l'honoreras comme le Seigneur, car là où sa souveraineté est proclamée, là le maître est présent. ²Tu rechercheras chaque jour la compagnie des saints, pour trouver appui dans leurs paroles. ³Tu ne causeras point de division : tu rétabliras plutôt la paix entre ceux qui se disputent. Tu jugeras avec justice, tu ne feras pas acception des personnes dans la correction des fautes. ⁴Tu ne t'arrêteras pas à te demander ce qui en adviendra ou non pour toi. ⁵N'aie pas toujours les mains tendues pour recevoir, mais repliées au moment de donner. ⁶Si tu possèdes quelque chose grâce au travail de tes mains, donne pour être délivré de tes péchés. ⁷Tu n'hésiteras pas à donner et en donnant, tu te retiendras de maugréer, car tu reconnaîtras un jour qui est le vrai dispensateur de la récompense. ⁸Tu ne retourneras pas l'indigent avec une rebuffade, tu mettras toutes choses en commun avec ton frère et tu ne déclareras pas qu'elles sont à toi, car si vous partagez les biens de l'immortalité, à combien plus forte raison devez-vous le faire pour les biens corruptibles ⁹ Tu n'auras pas la main trop légère à l'égard de ton fils ou de ta fille, mais dès leur jeune âge tu les instruiras dans la crainte de Dieu. ¹⁰Tu ne commanderas pas, sous l'effet de la colère, à ton serviteur ni à ta servante qui espèrent dans le même Dieu que toi, de peur qu'ils ne perdent la crainte du Dieu qui est au-dessus de tous. Il ne va pas venir inviter, en effet, suivant la qualité de la personne, mais suivant la préparation de l'esprit. ¹¹Quant à vous, serviteurs, vous serez soumis à vos maîtres comme s'ils étaient une image de Dieu, avec respect et révérence. ¹²Tu détesteras toute impiété et tout ce qui n'est pas agréable au Seigneur. ¹³En aucun cas, tu ne déserteras les commandements du Seigneur et tu garderas ce que tu as reçu, sans y rien ajouter ni en rien retrancher. ¹⁴Dans l'assemblée, tu confesseras tes fautes et tu n'entreras pas en prière avec une conscience mauvaise. — Tel est le chemin de la vie.

5. Voici maintenant quel est le chemin de la mort. En premier lieu, il est mauvais et rempli de malédictions : meurtres, adultères, convoitises, fornications, vols, idolâtries, pratiques magiques, sorcel-

λατρίαι, μαγεῖαι, φαρμακίαι, ἁρπαγαί, ψευδομαρτυρίαι, ὑποκρίσεις,
διπλοκαρδία, δόλος, ὑπερηφανία, κακία, αὐθάδεια, πλεονεξία, αἰσχρο-
λογία, ζηλοτυπία, θρασύτης, ὕψος, ἀλαζονεία, ἀφοβία <θεοῦ>·

²διῶκται ἀγαθῶν, μισοῦντες ἀλήθειαν, ἀγαπῶντες ψεῦδος, οὐ γινώς-
5 κοντες μισθὸν δικαιοσύνης, οὐ κολλώμενοι ἀγαθῷ οὐδὲ κρίσει δικαίᾳ,
ἀγρυπνοῦντες οὐκ εἰς τὸ ἀγαθόν, ἀλλ' εἰς τὸ πονηρόν· ὧν μακρὰν πραΰτης
καὶ ὑπομονή, μάταια ἀγαπῶντες, διώκοντες ἀνταπόδομα, οὐκ ἐλεοῦντες
πτωχόν, οὐ πονοῦντες ἐπὶ καταπονουμένῳ, οὐ γινώσκοντες τὸν ποιήσαντα αὐτούς, φονεῖς τέκνων, φθορεῖς πλάσματος θεοῦ, ἀποστρεφόμενοι
10 τὸν ἐνδεόμενον, καταπονοῦντες τὸν θλιβόμενον, πλουσίων παράκλητοι,
πενήτων ἄνομοι κριταί, πανθαμαρτητοί. — Ῥυσθείητι, τέκνον, ἀπὸ
τούτων ἁπάντων.

6. Ὅρα μή τίς σε πλανήσῃ ἀπὸ ταύτης τῆς ὁδοῦ τῆς διδαχῆς, ἐπεὶ
παρεκτὸς θεοῦ σε διδάσκει. ²[Εἰ μὲν γὰρ δύνασαι βαστάσαι ὅλον τὸν
15 ζυγὸν τοῦ κυρίου, τέλειος ἔσῃ· εἰ δ'οὐ δύνασαι, ὃ δύνῃ, τοῦτο ποίει.
³Περὶ δὲ τῆς βρώσεως, ὃ δύνασαι, βάστασον· ἀπὸ δὲ τοῦ εἰδωλοθύτου
λίαν πρόσεχε· λατρεία γάρ ἐστι θεῶν νεκρῶν.]

7. Περὶ δὲ τοῦ βαπτίσματος, οὕτω βαπτίσατε, εἰς τὸ ὄνομα τοῦ
πατρὸς καὶ τοῦ υἱοῦ καὶ τοῦ ἁγίου πνεύματος ἐν ὕδατι ζῶντι. ²[Ἐὰν
20 δὲ μὴ ἔχῃς ὕδωρ ζῶν, εἰς ἄλλο ὕδωρ βάπτισον· εἰ δ'οὐ δύνασαι ἐν ψυχρῷ,
ἐν θερμῷ. ³Ἐὰν δὲ ἀμφότερα μὴ ἔχῃς, ἔκχεον εἰς τὴν κεφαλὴν τρὶς
ὕδωρ εἰς ὄνομα πατρὸς καὶ υἱοῦ καὶ ἁγίου πνεύματος. ⁴Πρὸ δὲ τοῦ
βαπτίσματος προνηστευσάτω ὁ βαπτίζων καὶ ὁ βαπτιζόμενος καὶ εἴ
τινες ἄλλοι δύνανται· κελεύεις δὲ νηστεῦσαι τὸν βαπτιζόμενον πρὸ μιᾶς
25 ἢ δύο.]

---

18 *Cf. Mt.*, 28:19   22 *ibid.*

---

2 διπλοκαρδία *H*] διπλοκαρδίαι *CA*   3 ὕψος *H*] ὑψηλοφροσύνη *CA* ‖ ἀφοβία
CA] om. *H* g ‖ <θεοῦ> coni. (*Barn.*)] om. *CA*   10 τὸν ἐνδεόμενον *H* (*Barn.*)]
ἐνδεόμενον *CA*   ‖ τὸν θλιβόμενον *H* (*Barn.*)] θλιβόμενον *CA*   11 ἄνομοι
κριταί *H* (*Barn.*)] ὑπερόπται *CA* ‖ ῥυσθείητι, τέκνον coni. (*Doctr.*)] ῥυσθείητε,
τέκνα *H CA*   18 βαπτίσατε *CA*] ταῦτα πάντα προειπόντες add. *H* g   21
ἔχῃς *H*] ἀρκούντως add. g

leries, rapines, faux témoignages, perfidies, duplicité, ruse, orgueil, méchanceté, arrogance, cupidité, langage ordurier, jalousie, insolence, extravagance, vantardise, absence de toute crainte ‹de Dieu›;

[2]persécuteurs des bons, ennemis de la vérité, amateurs du mensonge, ignorants de la récompense de la justice, détachés du bien et du juste jugement, vigilants non pour le bien mais pour le mal, étrangers à la douceur et à la patience, friands de vanité, coureurs de rétribution, impitoyables au pauvre, insouciants à l'égard de l'épuisé, aveugles pour celui qui les a faits, tueurs d'enfants, destructeurs de l'œuvre de Dieu, rebuffeurs de l'indigent, oppresseurs de l'affligé, défenseurs des riches, juges iniques des gagne-petit, pécheurs sans foi ni loi. — Mon fils, tiens-toi loin de tout cela.

6. Veille à ce que nul ne te détourne de cette voie de l'*Instruction*, car celui-là te propose un enseignement étranger à Dieu. [2][Si, en réalité, tu peux porter tout entier le joug du Seigneur, tu seras parfait; sinon, ce qui t'est possible, fais-le. [3]Quant aux aliments, prends sur toi ce que tu pourras porter, mais abstiens-toi absolument des viandes offertes aux idoles : c'est un culte de dieux morts.]

7. Au sujet du baptême, baptisez ainsi, au nom du Père et du Fils et du Saint Esprit, dans une eau courante. [2][Si toutefois tu n'as pas d'eau courante, baptise dans une autre eau, et si l'eau froide est exclue, dans de l'eau chaude. [3]A défaut de l'une et de l'autre, verse trois fois de l'eau sur la tête, au nom du Père et du Fils et du Saint Esprit.[4] Avant le baptême, que le baptisant, le baptisé et d'autres qui le pourraient, observent d'abord un jeûne; au baptisé, tu dois imposer un jeûne préalable d'un ou deux jours.]

8. Αἱ δὲ νηστεῖαι ὑμῶν μὴ ἔστωσαν μετὰ τῶν ὑποκριτῶν· νηστεύουσι γὰρ δευτέρᾳ σαββάτων καὶ πέμπτῃ· ὑμεῖς δὲ νηστεύσατε τετράδα καὶ παρασκευήν. ²Μηδὲ προσεύχεσθε ὡς οἱ ὑποκριταί, ἀλλ᾽ ὡς ἐκέλευσεν ὁ κύριος ἐν τῷ εὐαγγελίῳ αὐτοῦ, οὕτως προσεύχεσθε· Πάτερ ἡμῶν
5 ὁ ἐν τῷ οὐρανῷ, ἁγιασθήτω τὸ ὄνομά σου, ἐλθέτω ἡ βασιλεία σου, γενη-
θήτω τὸ θέλημά σου ὡς ἐν οὐρανῷ καὶ ἐπὶ γῆς· τὸν ἄρτον ἡμῶν τὸν
ἐπιούσιον δὸς ἡμῖν σήμερον, καὶ ἄφες ἡμῖν τὴν ὀφειλὴν ἡμῶν, ὡς καὶ
ἡμεῖς ἀφίεμεν τοῖς ὀφειλέταις ἡμῶν, καὶ μὴ εἰσενέγκῃς ἡμᾶς εἰς πει-
ρασμόν, ἀλλὰ ῥῦσαι ἡμᾶς ἀπὸ τοῦ πονηροῦ· ὅτι σοῦ ἐστιν ἡ δύναμις
10 καὶ ἡ δόξα εἰς τοὺς αἰῶνας. ³Τρὶς τῆς ἡμέρας οὕτω προσεύχεσθε.

9. Περὶ δὲ τῆς εὐχαριστίας, οὕτως εὐχαριστήσατε· ²πρῶτον περὶ
τοῦ ποτηρίου· Εὐχαριστοῦμέν σοι, πάτερ ἡμῶν, ὑπὲρ τῆς ἁγίας ἀμπέλου
Δαυὶδ τοῦ παιδός σου, ἧς ἐγνώρισας ἡμῖν διὰ Ἰησοῦ τοῦ παιδός σου·
σοὶ ἡ δόξα εἰς τοὺς αἰῶνας. ‹Ἀμήν›. ³Περὶ δὲ τοῦ κλάσματος· Εὐχαρισ-
15 τοῦμέν σοι, πάτερ ἡμῶν, ὑπὲρ τῆς ζωῆς καὶ γνώσεως, ἧς ἐγνώρισας
ἡμῖν διὰ Ἰησοῦ τοῦ παιδός σου· σοὶ ἡ δόξα εἰς τοὺς αἰῶνας. ‹Ἀμήν›.
⁴Ὥσπερ ἦν τοῦτο ‹τὸ› κλάσμα διεσκορπισμένον ἐπάνω τῶν ὀρέων καὶ
συναχθὲν ἐγένετο ἕν, οὕτω συναχθήτω σου ἡ ἐκκλησία ἀπὸ τῶν περάτων
τῆς γῆς εἰς τὴν σὴν βασιλείαν· ὅτι σοῦ ἐστιν ἡ δόξα καὶ ἡ δύναμις εἰς
20 τοὺς αἰῶνας. ‹Ἀμήν›. ⁵Μηδεὶς δὲ φαγέτω μηδὲ πιέτω ἀπὸ τῆς εὐχαριστίας ὑμῶν, ἀλλ᾽ οἱ βαπτισθέντες εἰς ὄνομα κυρίου· καὶ γὰρ περὶ τούτου
εἴρηκεν ὁ κύριος· Μὴ δῶτε τὸ ἅγιον τοῖς κυσί.

10. Μετὰ δὲ τὸ ἐμπλησθῆναι οὕτως εὐχαριστήσατε· ²Εὐχαριστοῦμέν
σοι, πάτερ ἅγιε, ὑπὲρ τοῦ ἁγίου ὀνόματός σου, οὗ κατεσκήνωσας ἐν
25 ταῖς καρδίαις ἡμῶν, καὶ ὑπὲρ τῆς γνώσεως καὶ πίστεως καὶ ἀθανασίας,
ἧς ἐγνώρισας ἡμῖν διὰ Ἰησοῦ τοῦ παιδός σου· σοὶ ἡ δόξα εἰς τοὺς αἰῶνας.
‹Ἀμήν›. ³Σύ, δέσποτα παντοκράτορ, ἔκτισας τὰ πάντα ἕνεκεν τοῦ

---

4 Cf. Mt., 6:9-13   12 Cf. Is., 55:3; Act., 13:34   22 Cf. Mt., 7:6

---

1 μετὰ H g] ὡς e   4 αὐτοῦ H g] om. e   5 οὐρανῷ H] οὐρανοῖς CA   9
ἡ δύναμις καὶ ἡ δόξα H] ἡ βασιλεία CA   14 ‹ἀμήν›] om. H g; cf. 10:4, 5,
6 et pp. 401 s.; item 9:3, 4; 10:2   17 τοῦτο ‹τὸ› κλάσμα] τὸ om. H   19
δύναμις CA; cf. 10:5] διὰ ἰησοῦ χριστοῦ add. H g   20 ‹ἀμήν› CA?] om.
H g   26 ἡμῖν H] om. g   26 ἀμήν c] om. H g

8. Que vos jeûnes n'aient pas lieu en même temps que ceux des hypocrites; ils jeûnent, en effet, le deuxième et le cinquième jour de la semaine; pour vous, jeûnez le quatrième ainsi que le jour de la préparation. ²Ne priez pas non plus comme font les hypocrites, mais comme le Seigneur l'a demandé dans son évangile; priez ainsi : Notre Père qui es dans le ciel, que ton nom soit sanctifié, que ton règne arrive, que ta volonté soit faite sur la terre comme au ciel. Donne-nous aujourd'hui notre pain quotidien, et remets-nous notre dette comme nous-mêmes remettons à nos débiteurs, et ne nous fais pas entrer dans l'épreuve, mais délivre-nous du mal. Car à toi appartiennent la puissance et la gloire pour les siècles! ³Priez ainsi trois fois le jour.

9. Au sujet de l'eucharistie, bénissez ainsi. ²D'abord pour la coupe : Nous te bénissons, notre Père, pour la sainte vigne de David, ton serviteur, que tu nous as révélée par Jésus, ton serviteur; à toi la gloire pour les siècles ! ‹Amen›. ³Puis, pour le pain rompu : Nous te bénissons, notre Père, pour la vie et la connaissance que tu nous as révélées par Jésus, ton serviteur; à toi la gloire pour les siècles ! ‹Amen›. ⁴De même que ce pain rompu, d'abord semé sur les collines, une fois recueilli est devenu un, qu'ainsi ton église soit rassemblée des extrémités de la terre dans ton royaume; car à toi appartiennent la gloire et la puissance pour les siècles ! ‹Amen›. ⁵Que personne ne mange ni ne boive de votre eucharistie, si ce n'est les baptisés au nom du Seigneur. Aussi bien est-ce à ce propos que le Seigneur a dit : « Ne donnez pas aux chiens les choses sacrées ».

10. Après vous être rassasiés, bénissez ainsi : ²Nous te bénissons, Père saint, pour ton saint nom que tu as fait habiter dans nos cœurs, et pour la connaissance, la foi et l'immortalité que tu nous as révélées par Jésus, ton serviteur; à toi la gloire pour les siècles! ‹Amen›. ³C'est toi, maître tout-puissant, qui as créé toutes choses à

ὀνόματός σου, τροφήν τε καὶ ποτὸν ἔδωκας τοῖς υἱοῖς τῶν ἀνθρώπων
εἰς ἀπόλαυσιν, ἵνα σοι εὐχαριστήσωσιν, ἡμῖν δὲ ἐχαρίσω πνευματικὴν
τροφὴν καὶ ποτὸν εἰς ζωὴν αἰώνιον διὰ Ἰησοῦ τοῦ παιδός σου. ⁴Πρὸ
πάντων εὐχαριστοῦμέν σοι, ὅτι δυνατὸς εἶ· σοὶ ἡ δόξα εἰς τοὺς αἰῶνας.
5 Ἀμήν. ⁵Μνήσθητι, κύριε, τῆς ἐκκλησίας σου, τοῦ ῥύσασθαι αὐτὴν ἀπὸ
παντὸς πονηροῦ καὶ τελειῶσαι αὐτὴν ἐν τῇ ἀγάπῃ σου, καὶ σύναξον
αὐτὴν ἀπὸ τῶν τεσσάρων ἀνέμων, τὴν ἁγιασθεῖσαν, εἰς τὴν σὴν βασιλείαν, ἣν ἡτοίμασας αὐτῇ· ὅτι σοῦ ἐστιν ἡ δύναμις καὶ ἡ δόξα εἰς τοὺς
αἰῶνας. Ἀμήν. ⁶Ἐλθέτω χάρις καὶ παρελθέτω ὁ κόσμος οὗτος. Ἀμήν·
10 ὡσαννὰ τῷ οἴκῳ Δαυίδ. Εἴ τις ἅγιός ἐστιν, ἐρχέσθω· εἴ τις οὐκ ἐστι, μετα-
νοείτω· μαραναθά. Ἀμήν. ⁷Τοῖς δὲ προφήταις ἐπιτρέπετε εὐχαριστεῖν,
ὅσα θέλουσιν.

11. Ὃς ἂν οὖν ἐλθὼν διδάξῃ ὑμᾶς ταῦτα πάντα τὰ προειρημένα,
δέξασθε αὐτόν· ²ἐὰν δὲ αὐτὸς ὁ διδάσκων στραφεὶς διδάσκῃ ἄλλας
15 διδαχὰς εἰς τὸ καταλῦσαι, μὴ αὐτοῦ ἀκούσητε· εἰς δὲ τὸ προσθεῖναι
δικαιοσύνην καὶ γνῶσιν κυρίου, δέξασθε αὐτὸν ὡς κύριον.

³Περὶ δὲ τῶν ἀποστόλων καὶ προφητῶν κατὰ τὸ δόγμα τοῦ εὐαγγελίου, οὕτως ποιήσατε. ⁴Πᾶς δὲ ἀπόστολος ἐρχόμενος πρὸς ὑμᾶς δεχθήτω
ὡς κύριος· ⁵οὐ μενεῖ δὲ εἰ μὴ ἡμέραν μίαν· ἐὰν δὲ ᾖ χρεία, καὶ τὴν
20 ἄλλην· τρεῖς δὲ ἐὰν μείνῃ, ψευδοπροφήτης ἐστίν. ⁶Ἐξερχόμενος δὲ ὁ
ἀπόστολος μηδὲν λαμβανέτω εἰ μὴ ἄρτον, ἕως οὗ αὐλισθῇ· ἐὰν δὲ ἀργύ-
ριον αἰτῇ, ψευδοπροφήτης ἐστίν.

---

10 Cf. Mt., 21:15 (vide infra, comm. in loc.)   **11** Cf. 1 Cor., 16:22; Apoc.,
22:20

---

1 υἱοῖς τῶν ἀνθρώπων c] ἀνθρώποις H CA?   **2** ἵνα σοι εὐχαριστήσωσιν H]
om. c   **3** Ἰησοῦ c g] om H ‖ πρὸ H] περὶ c   **4** δυνατὸς H c] καὶ ἀγαθὸς
add. g ‖ σοὶ c g] σὺ H   **5** ἀμήν c] om. H g   **7** τὴν ἁγιασθεῖσαν H g] om. c
8 αὐτῇ H c] αὐτῷ g   **9** ἀμήν c] om. H g ‖ χάρις H] ὁ κύριος c   ‖ ἀμήν
c] om. H g   **10** οἴκῳ c] θεῷ H g; υἱῷ CA   **11** μαραναθά H CA] ὁ κύριος
ἦλθεν? c g   **12** ὅσα H] ὡς c ‖ θέλουσιν H g] περὶ δὲ τοῦ λόγου (τ. λ. om.
CA) τοῦ μύρου οὕτως εὐχαριστήσατε λέγοντες (λ. om. CA)· εὐχαριστοῦμέν σοι,
πάτερ (θεὲ δημιουργὲ τῶν ὅλων, καὶ CA) ὑπὲρ (τῆς εὐωδίας add. CA) τοῦ
μύρου (καὶ ὑπὲρ τοῦ ἀθανάτου αἰῶνος add. CA), οὗ ἐγνώρισας ἡμῖν διὰ Ἰησοῦ τοῦ
παιδός σου· σοὶ (ὅτι σοῦ ἐστιν CA) ἡ δόξα (καὶ ἡ δύναμις CA) εἰς τοὺς αἰῶνας·
ἀμήν add. c CA   **14** ἄλλας διδαχὰς c] ἄλλην διδαχὴν H g   **15** καταλῦσαι
H] τὰς πρώτας add. c; τὰ προειρημένα g   ‖ αὐτοῦ H g] τοῦ τοιούτου e
17 δόγμα H e g] ῥῆμα c   **18** δὲ H] om. c   ‖ δεχθήτω ὡς κύριος H g]
om. c? (cf. Lefort, p. 33, n. 15) e   **19** οὐ... εἰ μὴ e] om. c; εἰ μὴ om. H ‖
δὲ H] om. c   ‖ μίαν H c] ἢ τὴν ἄλλην add. e ‖ καὶ τὴν ἄλλην H] δύο ἡμέρας? c; καὶ τὴν τρίτην e   **20** τρεῖς δὲ ἐὰν μείνῃ H] τρεῖς ἡμέρας? c; περισσότερον δὲ ἐὰν μείνῃ e   **22** αἰτῇ H g] λαμβάνῃ c

la gloire de ton nom, et qui as donné en jouissance nourriture et boisson aux enfants des hommes, afin qu'ils te bénissent; mais à nous, tu as fait la faveur d'une nourriture et d'une boisson spirituelles et de la vie éternelle par Jésus, ton serviteur. 4Par-dessus tout, nous te bénissons de ce que tu es puissant; à toi la gloire pour les siècles! Amen. 5Souviens-toi, Seigneur, de ton église, pour la délivrer de tout mal et la parfaire dans ton amour. Rassemble-la des quatre vents, cette église sanctifiée, dans ton royaume que tu lui as préparé; car à toi appartiennent la puissance et la gloire pour les siècles! Amen. 6Que la grâce vienne et que ce monde passe! Amen : Hosanna à la maison de David! Que celui qui est saint, vienne; que celui qui ne l'est pas, se repente : Maranatha! Amen. 7Laissez les prophètes prononcer la bénédiction à leur gré.

11. Si quelqu'un, donc, se présente à vous avec des instructions conformes à tout ce qui vient d'être dit, recevez-le; 2mais si celui-là même qui enseigne est perverti et propose d'autres instructions, dans le but de démolir, ne lui prêtez pas attention; enseigne-t-il, au contraire, en vue d'accroître la justice et la connaissance du Seigneur, recevez-le comme le Seigneur.

3Au sujet des apôtres et des prophètes, suivez la règle de l'évangile. 4Ainsi, que tout apôtre qui se présente à vous soit reçu comme le Seigneur; 5mais il ne restera qu'un seul jour, et s'il en est besoin, le jour suivant; s'il reste trois jours, c'est un faux prophète. 6A son départ, que l'apôtre ne reçoive rien, si ce n'est son pain jusqu'à l'étape; s'il demande de l'argent, c'est un faux prophète.

[7]Καὶ πάντα προφήτην λαλοῦντα ἐν πνεύματι οὐ πειράσετε οὐδὲ διακρινεῖτε· πᾶσα γὰρ ἁμαρτία ἀφεθήσεται, αὕτη δὲ ἡ ἁμαρτία οὐκ ἀφεθήσεται. [8]Οὐ πᾶς δὲ ὁ λαλῶν ἐν πνεύματι προφήτης ἐστίν, ἀλλ᾽ ἐὰν ἔχῃ τοὺς τρόπους κυρίου. ἀπὸ οὖν τῶν τρόπων γνωσθήσεται ὁ ψευδο
5 προφήτης καὶ ὁ προφήτης. [9]Καὶ πᾶς προφήτης ὁρίζων τράπεζαν ἐν πνεύματι, οὐ φάγεται ἀπ᾽ αὐτῆς, εἰ δὲ μήγε, ψευδοπροφήτης ἐστίν. [10]Πᾶς δὲ προφήτης διδάσκων τὴν ἀλήθειαν, εἰ ἃ διδάσκει οὐ ποιεῖ, ψευδοπροφήτης ἐστίν. [11]Πᾶς δὲ προφήτης δεδοκιμασμένος ἀληθινός, ποιῶν εἰς μυστήριον κοσμικὸν ἐκκλησίας, μὴ διδάσκων δὲ ποιεῖν, ὅσα
10 αὐτὸς ποιεῖ, οὐ κριθήσεται ἐφ᾽ ὑμῶν· μετὰ θεοῦ γὰρ ἔχει τὴν κρίσιν· ὡσαύτως γὰρ ἐποίησαν καὶ οἱ ἀρχαῖοι προφῆται. [12]῝Ος δ᾽ ἂν εἴπῃ ἐν πνεύματι· δός μοι ἀργύρια, ἢ ἕτερά τινα, οὐκ ἀκούσεσθε αὐτοῦ· ἐὰν δὲ περὶ ἄλλων ὑστερούντων εἴπῃ δοῦναι, μηδεὶς αὐτὸν κρινέτω.

12. Πᾶς δὲ ὁ ἐρχόμενος πρὸς ὑμᾶς ἐν ὀνόματι κυρίου δεχθήτω,
15 ἔπειτα δὲ δοκιμάσαντες αὐτὸν γνώσεσθε (σύνεσιν γὰρ ἔχετε) δεξιὰν καὶ ἀριστεράν. [2]Εἰ μὲν παρόδιός ἐστιν ὁ ἐρχόμενος, βοηθεῖτε αὐτῷ, ὅσον δύνασθε· οὐ μενεῖ δὲ πρὸς ὑμᾶς εἰ μὴ δύο ἢ τρεῖς ἡμέρας, ἐὰν ᾖ ἀνάγκη. [3]Εἰ δὲ θέλει πρὸς ὑμᾶς καθῆσθαι, τεχνίτης ὤν, ἐργαζέσθω καὶ φαγέτω. [4]Εἰ δὲ οὐκ ἔχει τέχνην, κατὰ τὴν σύνεσιν ὑμῶν προνοήσατε,
20 πῶς μὴ ἀργὸς μεθ᾽ ὑμῶν ζήσεται χριστιανός. [5]Εἰ δ᾽ οὐ θέλει οὕτω ποιεῖν, χριστέμπορός ἐστι· προσέχετε ἀπὸ τῶν τοιούτων. **13.** Πᾶς δὲ προφήτης ἀληθινός, θέλων καθῆσθαι πρὸς ὑμᾶς, ἄξιός ἐστι τῆς τροφῆς αὐτοῦ. [2]Ὡσαύτως διδάσκαλος ἀληθινός ἐστιν ἄξιος καὶ αὐτὸς ὥσπερ ὁ ἐργάτης τῆς τροφῆς αὐτοῦ. [3][Πᾶσαν οὖν ἀπαρχὴν γεννημάτων ληνοῦ καὶ

---

2 *Cf. Mt.*, 12:31

---

1 διακρινεῖτε *H g*] διψυχεῖτε περὶ αὐτοῦ *c* **3** δὲ *H*] *om. c* **4** γνωσθήσεται ... προφήτης *H g*] γνώσεσθε τὸν προφήτην, εἰ ἀληθινός ἐστιν *c* ‖ γνωσθήσεται] πᾶς *add. e* **5** ἐν πνεύματι *H e*] *om. c*; ἁγίῳ *add. g* (*item* 11:7) **6** εἰ δὲ μήγε *H*] εἰ οὐ φάγεται ἀπ᾽ αὐτῆς? *c*; ὁ τοιοῦτος *add. c* **7** πᾶς δὲ *H*] καὶ πᾶς *c* ‖ τὴν ἀλήθειαν *H c g*] *om. e* ‖ ποιεῖ *H g*] αὐτῇ *c*; τὴν ἀλήθειαν *e* **8** πᾶς δὲ *H*] *om. c* ‖ ἀληθινός ... ποιεῖ *H g*] διδάσκων καὶ μαρτυρῶν παράδοσιν κοσμικὴν ἐν τῇ ἐκκλησίᾳ *c*; ποιῶν εἰς ἐκκλησίαν ἀνθρώπων καὶ ποιῶν παρανόμως *e* **10** μετὰ θεοῦ γὰρ *H*] ἀλλὰ μετὰ θεοῦ *c* **11** γὰρ *H*] *om. c* **12** ἀργύρια *H c g*] χρυσᾶ ‖ ἄλλων *H g*] τινῶν *c*; ἄλλῳ *e* **13** ὑστερούντων *H c g*] *om. e* **14** πρὸς ὑμᾶς *CA c e g*] *om. H* (*cf.* 11:2, 3) **15** γὰρ *H CA*] *om. c* ‖ ἔχετε *CA c e*] ἕξεται *H* (ἕξετε *g?*) **16** εἰ μὲν *H*] εἰ δὲ *c* **20** χριστιανός *H g*] *om. e*

[7]D'autre part, vous ne mettrez à l'épreuve ni ne jugerez aucun prophète parlant sous l'inspiration, car tout péché sera remis, mais ce péché-là ne le sera point. [8]Tout chacun, cependant, qui parle sous l'inspiration, n'est pas prophète, mais celui qui a la manière du Seigneur. C'est donc à son style de vie que vous reconnaîtrez le faux du vrai prophète. [9]En outre, tout prophète qui, sous l'inspiration, ordonne de dresser une table, doit s'abstenir d'y manger; autrement, c'est un faux prophète. [10]Tout prophète qui enseigne la vérité sans mettre en pratique ce qu'il enseigne, est un faux prophète. [11]Par contre, tout prophète éprouvé et reconnu authentique qui représente le mystère cosmique de l'église sans demander qu'on fasse avec lui tout ce qu'il fait, ne sera pas jugé par vous, car c'est devant Dieu qu'il a son jugement. Ainsi firent, au surplus, les anciens prophètes eux-mêmes. [12]Mais quiconque vous dit sous l'inspiration : Donne-moi de l'argent, ou quelque autre chose, vous ne l'écouterez pas. Si toutefois c'était pour d'autres dans le besoin qu'il vous sollicitait, que personne ne le juge.

12. Que tout passant qui se présente à vous au nom du Seigneur soit accueilli. Ensuite, après l'avoir sondé, vous saurez bien discerner la droite de la gauche : vous avez votre jugement. [2]Si l'hôte est un voyageur à l'étape, aidez-le de votre mieux; mais il ne demeurera chez vous que deux ou trois jours, s'il est nécessaire. [3]S'il a l'intention de s'établir parmi vous, et qu'il ait un métier, qu'il travaille pour sa nourriture. [4]S'il est sans métier, voyez à son cas selon votre jugement, de façon à ne pas laisser un chrétien vivre parmi vous dans l'oisiveté. [5]S'il refuse de se conformer, c'est un trafiquant du Christ : gardez-vous de telles gens. **13.** D'autre part, tout prophète authentique désirant s'établir parmi vous mérite sa nourriture. [2]De même, le docteur authentique est digne, lui aussi, comme l'ouvrier, de sa nourriture. [3][Tu prendras donc, du pressoir et de l'aire,

ἅλωνος, βοῶν τε καὶ προβάτων λαβὼν δώσεις τοῖς προφήταις· αὐτοὶ
γάρ εἰσιν οἱ ἀρχιερεῖς ὑμων. ⁴[[Ἐὰν δὲ μὴ ἔχητε προφήτην, δότε τοῖς
πτωχοῖς.]] ⁵Ἐὰν σιτίαν ποιῇς, τὴν ἀπαρχὴν λαβὼν δὸς κατὰ τὴν ἐντολήν.
⁶Ὡσαύτως κεράμιον οἴνου ἢ ἐλαίου ἀνοίξας, τὴν ἀπαρχὴν λαβὼν δὸς
5 τοῖς προφήταις. ⁷Ἀργυρίου δὲ καὶ ἱματισμοῦ καὶ παντὸς κτήματος
λαβὼν τὴν ἀπαρχήν, ὡς ἄν σοι δόξῃ, δὸς κατὰ τὴν ἐντολήν.]

14. Καθ' ἡμέραν δὲ κυρίου συναχθέντες κλάσατε ἄρτον καὶ εὐχαριστήσατε, προεξομολογησάμενοι τὰ παραπτώματα ὑμῶν, ὅπως
καθαρὰ ἡ θυσία ὑμῶν ᾖ. ²Πᾶς δὲ ἔχων τὴν ἀμφιβολίαν μετὰ τοῦ ἑταίρου
10 αὐτοῦ μὴ συνελθέτω ὑμῖν, ἕως οὗ διαλλαγῶσιν, ἵνα μὴ κοινωθῇ ἡ θυσία
ὑμῶν. ³Αὕτη γάρ ἐστιν ἡ ῥηθεῖσα ὑπὸ κυρίου· Ἐν παντὶ τόπῳ καὶ
χρόνῳ προσφέρειν μοι θυσίαν καθαράν· ὅτι βασιλεὺς μέγας εἰμί, λέγει
κύριος, καὶ τὸ ὄνομά μου θαυμαστὸν ἐν τοῖς ἔθνεσι. **15.** Χειροτονήσατε
οὖν ἑαυτοῖς ἐπισκόπους καὶ διακόνους ἀξίους τοῦ κυρίου, ἄνδρας πραεῖς
15 καὶ ἀφιλαργύρους καὶ ἀληθεῖς καὶ δεδοκιμασμένους· ὑμῖν γὰρ λειτουργοῦσι καὶ αὐτοὶ τὴν λειτουργίαν τῶν προφητῶν καὶ διδασκάλων.
²Μὴ οὖν ὑπερίδητε αὐτούς· αὐτοὶ γάρ εἰσιν οἱ τετιμημένοι ὑμῶν μετὰ
τῶν προφητῶν καὶ διδασκάλων.

³Ἐλέγχετε δὲ ἀλλήλους μὴ ἐν ὀργῇ, ἀλλ' ἐν εἰρήνῃ, ὡς ἔχετε ἐν τῷ
20 εὐαγγελίῳ· καὶ παντὶ ἀστοχοῦντι κατὰ τοῦ ἑτέρου μηδεὶς λαλείτω
μηδὲ παρ' ὑμῶν ἀκουέτω, ἕως οὗ μετανοήσῃ. ⁴Τὰς δὲ εὐχὰς ὑμῶν καὶ
τὰς ἐλεημοσύνας καὶ πάσας τὰς πράξεις οὕτως ποιήσατε, ὡς ἔχετε
ἐν τῷ εὐαγγελίῳ τοῦ κυρίου ἡμῶν.

16. Γρηγορεῖτε ὑπὲρ τῆς ζωῆς ὑμῶν· οἱ λύχνοι ὑμῶν μὴ σβεσθήτωσαν,
25 καὶ αἱ ὀσφύες ὑμῶν μὴ ἐκλυέσθωσαν, ἀλλὰ γίνεσθε ἕτοιμοι· οὐ γὰρ
οἴδατε τὴν ὥραν, ἐν ᾗ ὁ κύριος ἡμῶν ἔρχεται. ²Πυκνῶς δὲ συναχθήσεσθε
ζητοῦντες τὰ ἀνήκοντα ταῖς ψυχαῖς ὑμῶν· οὐ γὰρ ὠφελήσει ὑμᾶς ὁ
πᾶς χρόνος τῆς πίστεως ὑμῶν, ἐὰν μὴ ἐν τῷ ἐσχάτῳ καιρῷ τελειωθῆτε.

---

11 Mal., 1:11,14   **24** Cf. Mt., 24:42,44; 25:13; Lc., 12:35

---

1 λαβὼν CA? g] τὴν ἀπαρχὴν add. H e   **3** ἐὰν σιτίαν... δόξῃ, δὸς κατὰ τὴν
ἐντολήν H CA e] om. g   **4** ἐλαίου H] καὶ μέλιτος add. CA e   **6** ἐντολὴν H]
τοῦ κυρίου add. e   **7** καθ' ἡμέραν δὲ κυρίου CA? g (cf. p. 72 s.)] κατὰ κυριακὴν
δὲ κυρίου H   **8** προεξομολογησάμενοι edd.] προσεξ. H   **9** ὑμῶν CA g] ἡμῶν H
20 ἑτέρου H] ἑταίρου coni. Harris, Klauser (cf. 14:2)   **25** ὑμῶν edd.] ἡμῶν H

des bœufs et des brebis, les prémices de tous les produits pour les donner aux prophètes : ils sont vos grands prêtres. [4][[Au cas où vous n'auriez pas de prophète, donnez-les aux pauvres.]] [5]Si tu prépares une fournée, prélève les prémices et donne-les, selon le commandement. [6]De même, si tu ouvres une jarre de vin ou d'huile, prélèves-en les prémices et donne-les aux prophètes. [7]Sur ton pécule, ta garde-robe et n'importe quel bien, prélève les prémices, suivant ton appréciation, et donne-les, selon le commandement.]

14. Le jour du Seigneur, assemblez-vous pour la fraction du pain et l'eucharistie, après avoir d'abord confessé vos péchés pour que votre sacrifice soit pur. [2]Mais que celui qui a un différend avec son compagnon ne se joigne pas à votre assemblée avant de s'être réconcilié, afin que votre sacrifice n'en souffre pas de souillure. [3]Ce sacrifice est bien, en effet, celui dont a parlé le Seigneur : « Qu'en tout lieu et en tout temps, on m'offre un sacrifice pur, car je suis un grand roi, dit le Seigneur, et merveilleux est mon nom chez les nations ». **15.** Choisissez-vous donc des évêques et des diacres dignes du Seigneur, hommes doux, désintéressés, véridiques et sûrs, car ils remplissent, eux aussi, auprès de vous, l'office des prophètes et des docteurs. [2]Ne les prenez donc pas de haut : ils comptent parmi vos notables, avec les prophètes et les docteurs.

[3]Reprenez-vous les uns les autres, non avec colère, mais dans la paix, comme vous l'avez dans l'évangile; aussi, à qui que ce soit qui aurait commis un écart à l'endroit de son prochain, que personne ne parle et que lui-même ne reçoive pas un mot de votre part jusqu'à ce qu'il se soit repenti. [4]Pour vos prières, vos aumônes et toutes vos actions, faites comme vous l'avez dans l'évangile de notre Seigneur.

16. Veillez sur votre vie, ne laissez ni s'éteindre vos lampes ni se dénouer la ceinture de vos reins, mais soyez prêts, car vous ignorez l'heure où notre Seigneur va venir. [2]Assemblez-vous fréquemment, cherchant l'intérêt de vos âmes, car tout le temps de votre foi ne vous servira de rien, à moins qu'au dernier moment vous ne soyez devenus parfaits. [3]Dans les derniers jours, en effet, les

³Ἐν γὰρ ταῖς ἐσχάταις ἡμέραις πληθυνθήσονται οἱ ψευδοπροφῆται καὶ
φθορεῖς, καὶ στραφήσονται τὰ πρόβατα εἰς λύκους, καὶ ἡ ἀγάπη στραφήσεται εἰς μῖσος· ⁴αὐξανούσης γὰρ τῆς ἀνομίας μισήσουσιν ἀλλήλους
καὶ διώξουσιν καὶ παραδώσουσι καὶ τότε φανήσετα ὁ κοσμοπλανὴς
5 ὡς υἱὸς θεοῦ καὶ ποιήσει σημεῖα καὶ τέρατα καὶ ἡ γῆ παραδοθήσεται
εἰς χεῖρας αὐτοῦ, καὶ ποιήσει ἀθέμιτα, ἃ οὐδέποτε γέγονεν ἐξ αἰῶνος.
⁵Τότε ἥξει ἡ κτίσις τῶν ἀνθρώπων εἰς τὴν πύρωσιν τῆς δοκιμασίας,
καὶ σκανδαλισθήσονται πολλοὶ καὶ ἀπολοῦνται· οἱ δὲ ὑπομείναντες ἐν
τῇ πίστει αὐτῶν σωθήσονται ἀπ' αὐτοῦ τοῦ καταθέματος. ⁶Καὶ τότε φανή-
10 σεται τὰ σημεῖα τῆς ἀληθείας· πρῶτον σημεῖον ἐκπετάσεως ἐν οὐρανῷ,
εἶτα σημεῖον φωνῆς σάλπιγγος, καὶ τὸ τρίτον ἀνάστασις νεκρῶν· ⁷οὐ
πάντων δέ, ἀλλ' ὡς ἐρρέθη· Ἥξει ὁ κύριος καὶ πάντες οἱ ἅγιοι μετ' αὐτοῦ. ⁸Τότε ὄψεται ὁ κόσμος τὸν κύριον ἐρχόμενον ἐπάνω τῶν νεφελῶν
τοῦ οὐρανοῦ...

---

2 *Cf. Mt.*, 7:15; 24:10-13   4 *Cf. Mt.*, 24:24; 2 *Thess.*, 2:4, 9   8 *Cf. Mt.*,
24:10, 13   11 *Cf. Mt.*, 24:31; 1 *Cor.*, 15:52, 1 *Thess.*, 4:16   12 *Zach.*, 14:5
13 *Cf. Mt.*, 24:30; 26:64

---

9 ἀπ' g] ὑπ' H ‖ αὐτοῦ τοῦ καταθέματος H] τούτου τοῦ ἀναθέματος? g   14 οὐρανοῦ...CA g] *ultima verba desiderantur in* H (*cf. pp.* 73 s.)*; vide infra, comm.
in loc.*

faux prophètes et les corrupteurs se multiplieront, les brebis se changeront en loups et l'amour se tournera en haine. [4]Avec les progrès de l'iniquité, les hommes se haïront, se poursuivront et se trahiront les uns les autres, et alors paraîtra le séducteur du monde, se donnant pour fils de Dieu. Il fera des signes et des prodiges, si bien que la terre passera entre ses mains, et il commettra des crimes tels qu'il ne s'en est jamais vu depuis le commencement du monde. [5]Alors toute créature humaine entrera dans le feu de l'épreuve : beaucoup succomberont et périront, mais ceux qui auront persévéré dans leur foi seront sauvés du tombeau lui-même. [6]Et alors paraîtront les signes de la vérité : d'abord, le signe de l'ouverture dans le ciel, puis, le signe du son de la trompette, et le troisième signe, celui de la résurrection des morts, [7]non point de tous, cependant, mais selon ce qui a été dit : « Le Seigneur viendra et tous les saints avec lui ». [8]Alors le monde verra le Seigneur venir sur les nuées du ciel...

COMMENTAIRE

COMMENTAIRE

Le titre du recueil : *INSTRUCTIONS DES APÔTRES*

Ce fut une lourde erreur, de la part de la critique, d'accepter le titre du *Hier.* 54. La confiance excessive dont on l'a honoré s'est avérée ruineuse à tous égards. Il est bien sûr qu'il faut lire Διδαχαὶ τῶν ἀποστόλων, comme le suppose la vers. copte (11:2) et comme en témoignent expressément la vers. latine connue du Pseudo-Cyprien (*Adv. aleat.*, 4), le catalogue des écrits canoniques du N. T. dressé par Eusèbe au début du IVe siècle (*Hist. eccl.*, III, 25, 4) et la *Liste des 60 livres can.* (vers. 600). Ni Διδαχὴ τῶν ἀποστόλων (Athanase, Rufin, Eusèbe syriaque, Pseudo-Athanase, *Stichométrie* dite de Nicéphore), ni encore moins Διδαχὴ τῶν δώδεκα ἀποστόλων ne peuvent légitimement prétendre à l'authenticité (voir dans l'introduction, le ch. spécial consacré au titre).

Il va sans dire, au surplus, que chaque détail du titre authentique importe à une exacte intelligence du genre littéraire de l'écrit et de l'intention de l'auteur. Le pluriel limite l'ambition de l'ouvrage. Celui-ci ne prétend pas reproduire l' « enseignement » des « apôtres » (διδαχή), comme on lui en a toujours prêté le dessein, mais leurs « instructions » (διδαχαί), ce qui est autre chose. Le singulier est, en soi, plus absolu que le pluriel, et par là se prête moins que celui-ci à un sens partitif. Διδαχαί ne déterminant rien en soi ne revêt, en fait, que l'extension réelle de l'écrit. Ainsi, rien dans le titre n'oblige à penser, dès l'abord, que l'auteur a formé le projet de faire connaître absolument « les instructions » des apôtres. Les Διδαχαί sont donc, en réalité, « des instructions », toutes celles, sans doute, dont la présence dans l'ouvrage a semblé requise par les circonstances concrètes et définies de sa composition, mais rien de plus.

Le pluriel, en outre, fait tout de suite penser à un recueil. Le genre de composition auquel nous devons nous attendre, d'après le titre, n'est donc pas celui du développement continu, mais celui de pièces détachées, rapportées individuellement à un même objet et à une même fin. Nous sommes ainsi avertis de ne point presser les transitions. Un recueil peut être fort bien composé comme recueil sans avoir cherché à combler tous les vides.

L'histoire de l'interprétation récente montre assez en fait, que c'est courir gros risque que de lire à perte de vue « entre » chacune des instructions particulières de la *Did.* A cet égard, on ne saurait trop se défier de la tendance commune à convertir en « Church Order » ce qui se donne beaucoup plus simplement comme un recueil d' « instructions des apôtres ». Le point de vue de l'auteur n'est pas, directement, celui de l' « église », mais celui du ministère « apostolique » auprès des « églises » auxquelles il porte lui-même un intérêt particulier. Quoi qu'on en ait pensé, les deux perspectives ne se recouvrent pas entièrement. Il est inexact d'écrire, par exemple, qu' « à la considérer dans son ensemble (la *Did.*) a pour objet de régler, aussi complètement que possible, la vie d'une communauté chrétienne » (A. Puech, *Hist. de la litt. gr. chrét.*, II, p. 11). C'est beaucoup trop dire, et c'est déplacer l'intention de l'auteur. Si important qu'ait été le ministère des « apôtres » dans la vie des « communautés » primitives, on ne passe pas indifféremment du ministère apostolique aux communautés et des communautés au ministère apostolique, et il est bien probable que la *Did.* aurait été sensiblement différente de ce qu'elle a été en fait si elle avait été conçue d'un point de vue « ecclésial ». La *Did.* n'est pas un « Church Order », assimilable à la littérature « canonique » des siècles postérieurs, où le cadre apostolique justement n'est plus qu'une fiction.

Précisons d'ailleurs que, si notre analyse de la composition du recueil est exacte, le titre Διδαχαὶ τῶν ἀποστόλων n'a dû primitivement couvrir que *D*1, en fonction de laquelle il faut croire qu'il a été conçu. C'est donc par *D*1 avant tout (*Did.*, 1:1-11:2, moins 1:3*b*-2:1; 6:2-3; 7:2-4) qu'il convient de mesurer sa portée exacte dans l'intention de l'auteur. Les *Instructions des apôtres*, ce ne fut d'abord que le *Duae viae*, suivi d'une très brève instruction sur le baptême, d'une double instruction de même style sur le jeûne hebdomadaire et la prière quotidienne, d'une cinquième instruction tout aussi dépouillée sur l' « action de grâce », et d'un avertissement final destiné à mettre les « églises » à l'abri du zèle des « étrangers ». Cela ne fait certes pas, de la part d'un auteur, un propos extravagant. On ne saurait prétendre non plus que l'addition de *D*2 ait jeté le recueil originel dans une ambition excessive. La *Did.*, dans son état actuel, même après les surcharges de l'interpolateur, est très convenablement désignée par son titre d'*Instructions des apôtres*. Il est à sa mesure.

Il faut prendre garde, cependant, que l'addition de *D*2 a quelque

peu altéré la situation primitive du titre par rapport au recueil.
On remarquera, en effet, que *D*1 ne fait aucune mention expresse
des « apôtres » auxquels se réfère le titre. Celui-ci n'a donc pu primitivement paraître clair que dans le milieu où le premier recueil
a vu le jour. Il est évident que l'auteur y a compté. Chacun savait
qui étaient ces « apôtres »; il n'était pas requis de les présenter ni
même de les nommer à l'occasion (noter les termes très généraux
dans lesquels fut rédigé 11:1-2). Soulignons, au passage, que cette
retenue est un très sûr indice d'antiquité. La précision littéraire
apportée au titre par 11:3-6, depuis l'addition de *D*2, n'est donc pas
originelle. Il va sans dire, néanmoins, qu'elle nous est maintenant
indispensable. C'est 11:3-6 qui nous fixe aujourd'hui sur la qualité
des « apôtres » nommés par le titre.

Reste ainsi à définir chacun des termes. On ne peut d'abord se
contenter de faire entendre dans une traduction facile qu'une
διδαχή est une « doctrine » ou un « enseignement ». J'ai traduit
par « instruction », qui, il me semble, suggère mieux ce dont il s'agit,
surtout au pluriel, mais qui demande quand même à être précisé.

La διδαχή est un genre littéraire. Très pratiquée à l'âge apostolique, en contrepartie et en complément du κήρυγμα, elle est
abondamment représentée dans le Nouveau Testament (C. H. Dodd
est souvent revenu sur cette distinction de la διδαχή et du κήρυγμα à
l'âge apostolique, en se plaçant, toutefois, du côté de celui-ci plutôt que de celle-là; voir, entre autres, *The Apostolic Preaching and
its Developments*, New-York, 1951, pp. 1 ss.; *History and the Gospel*,
Londres, 1938, pp. 51 ss.). On trouvera d'excellents exemples
de ce genre littéraire particulier dans les ch. 7-14 de la première
aux Corinthiens, qui ne sont qu'une suite de διδαχαί sur des sujets
divers (noter, à 15:1, le retour au κήρυγμα : « Je vous rappelle,
frères, l'évangile que je vous ai annoncé... »; d'autres exemples
typiques du genre διδαχή à *Col.*, 4:9-12; *Éph.*, 4:1-6:17; 2 *Jn.*, 4-11;
sur la pratique même de la διδαχή dans la communauté de Corinthe,
voir 1 *Cor.*, 14:6,26).

Comme tout genre littéraire, la διδαχή se définit, autant que ces
choses peuvent l'être, par sa forme et son objet. Son ordre de préoccupations propre est celui du περιπατεῖν (dans les *LXX*, trad. de
l'hébr. הָלַךְ), du ποιεῖν, de la πρᾶξις (*Did.*, 15:4; comp. *Éph.*, 4:1,
transition très nette du κήρυγμα à la διδαχή, après la doxologie
de 3:20-21). Dans l'imagerie du περιπατεῖν, marcher, la διδαχή vise
à fixer une direction, à montrer une « voie » (ὁδός, 1 *Cor.* 4:17;
12:31; *Did.*, 1:1,2, etc.), en indiquant, d'une part, ce qu'il convient

d'y poursuivre et ce qu'il faut y éviter (« voie de la vie » et « voie de
la mort », *Did.*, 1:1), et en faisant entrevoir, d'autre part, au terme
de la route, une issue heureuse ou malheureuse, suivant la manière
dont on s'y sera conduit (*Did.*, 16, dernière διδαχή du recueil,
développe pour lui-même le thème de l'issue dans la perspective
eschatologique chrétienne; comp. *Doctr.*, 6:4-5, même thème, dans
la perspective du judaïsme propre au *Duae viae*). Dans le champ
du ποιεῖν et du πράσσειν, la διδαχή détermine plus simplement une
manière de « faire », une ligne de « conduite », en invitant volontiers
à imiter des « exemples » et des « modèles », dont la perfection peut
revêtir, au regard de l'espérance, une valeur de fin, ou, au contraire,
en détournant d'imiter des « exemples » et des « modèles » dont on
pourrait éventuellement partager les déceptions et la ruine (voir,
par ex., les διδαχαί de *Éph.*, 4-6; en particulier, 4:17,32; 5:1-2,
21-32; aussi 1 *Cor.*, 4:16; 11:1; 1 *Thess.*, 1:6; 2:14; *Phil.*, 3:17-4:1;
Col., 3:5-10, 12-13, 22-25; 4:1).

La forme de la διδαχή résulte, comme il est naturel, à la fois de la
matière dont elle s'occupe : περιπατεῖν, ποιεῖν, πρᾶξις, à tous les
niveaux d'extension (individu, famille, communauté locale, église
universelle, etc.) et du but qu'elle se propose : amener effectivement
ceux auxquels elle s'adresse à choisir une certaine orientation, à
adopter une certaine manière de faire, à tenir une certaine conduite.
Le style passe par toutes les nuances du précepte, de la recommandation et du conseil (sur l'emploi des termes concernés, cf. A. PEL-
LETIER, *Le vocabulaire du commandement dans le Pentateuque des
LXX et dans le Nouveau Testament*, dans *Rech. de sc. rel.*, XLI (1953)
519 ss.; H. A. WOLFSON, *Philo*, I, p. 128). On va ainsi, de l'ἐπιταγή,
à l'extrémité supérieure de l'obligation, à la simple γνώμη à son
extrémité inférieure (cf. 1 *Cor.*, 7:6,25,40; 2 *Cor.*, 8:8,10; *Tit.*, 2:15).
En général, cependant, la διδαχή apostolique se tient dans le
registre intermédiaire de l'ἐντολή, qui prévoit une certaine liberté
d'initiative de la part de celui à qui son obligation incombe (voir
Did., 6:2-3a, très caractéristique, avec le passage à un véritable
précepte à 3b; comp. les κατὰ τὴν ἐντολήν de 1:5; 13:5,7). Elle fait
alors des recommandations, elle donne des instructions et des
directives, sans prétendre, au moins dans la forme, au niveau supérieur de la « loi », νόμος (pour une comparaison avec la *halakhah*
juive, en son rapport avec le « commandement », voir D. DAUBE,
The New Testament and Rabbinic Judaism, Londres, 1956, p. 97).
De là le glissement assez habituel de la διδαχή à l' « exhortation »,
(παραίνεσις-παράκλησις, *Act.*, 13:15; 1 *Thess.*, 2:3; 1 *Tim.*, 4:13;

voir, en particulier, la διδαχή déjà citée de *Éph.*, 4:1 ss. : παρακαλῶ οὖν ὑμᾶς κτλ.), à travers laquelle elle rejoint les bases sur lesquelles elle s'appuie, le κήρυγμα et la foi. C'est le retour à l' « évangile ». Non que la διδαχή veuille absorber celui-ci : du point de vue théologique, son idéal est plutôt de maintenir sa conformité à son égard (κατά), et du point de vue pratique, d'amener chacun à vivre d'une manière digne (ἀξίως) de sa « vocation » (*Éph.*, 4:1 ; *Phil.*, 1:27). La διδαχή apostolique est « selon l'évangile » (κατὰ τὸ εὐαγγέλιον), mais elle n'est pas l' « évangile » lui-même. Sa position est subordonnée.

Les Διδαχαὶ τῶν ἀποστόλων sont un recueil d' «instructions» de ce genre. Bien que l'élément parénétique y soit relativement pauvre, elles entrent sans effort dans le cadre général de la διδαχή apostolique. Dans l'ensemble, leur nuance propre est celle de l'ἐντολή, dont il convient de mesurer avec précaution la force impérative. La *Did.* n'est pas une « loi ». Sans doute, elle entendait que ses instructions soient prises au sérieux, mais, dans le temps et dans le milieu où elle est née, chacun pouvait en juger spontanément par l'équilibre général des usages et des institutions, et marquer des limites. La critique moderne, pour qui l'écrit n'est plus qu'un document, a incliné, au contraire, à majorer l'intention de l'auteur, faute d'avoir véritablement compris, entre autres choses, le genre littéraire dans lequel celui-ci s'est exprimé. Le moment venu des solutions de désespoir, on n'en fut que plus à l'aise pour jeter le manche après la cognée, en faisant au responsable de cet « apocryphe » le procès de ses ruses et de ses prétentions.

Il y a peu de chose à dire, pour l'instant, sur les « apôtres » mentionnés par le titre (voir, ci-dessous, le comm. sur 11:3-6). Nous savons qu'il n'y est pas question des Douze : cette précision négative suffit à orienter correctement l'interprétation de *D*1. D'autre part, l'article donne au terme sa plus grande extension, mais il n'est pas nécessaire de penser que l'auteur ait réellement eu en vue d'autres apôtres que ceux de son milieu immédiat. Le titre du recueil est limité ici par les circonstances de sa composition. On peut remarquer, enfin, que le génitif est un génitif d'attribution plutôt qu'un génitif d'auteur. Les « instructions » introduites par le titre (*D*1) sont censées représenter les directives et l'enseignement communs des apôtres sur un certain nombre de points importants, comme il est clair par la mise en garde de 11:1-2. A l'occasion, le recueil servira ainsi de règle pour juger des écarts. Mais aucun indice positif interne ne permet de supposer que sa rédaction elle-même a été couverte par la responsabilité collective des apôtres dont il reproduit et transmet les instructions. Il va sans dire, cependant, que la possibilité n'en est pas exclue.

Le titre du *Duae viae* : *Instruction du Seigneur aux gentils*.

L'histoire de ce titre partiel est inséparable de celle du titre général de la *Did*. Les transformations subies par celui-ci ont eu leur contre-coup sur celui-là. La question d'authenticité a été traitée, du point de vue textuel, dans un chapitre spécial de l'introduction (ch. 4). Il n'y a pas lieu d'y revenir, sauf pour rappeler ce qui est nécessaire à la détermination du sens. Il est à peu près certain que le *Duae viae* a d'abord circulé sans titre. Assez tôt, cependant, avant de passer, en tout cas, dans l'usage chrétien, l'écrit a reçu, dans une partie tout au moins de son aire de diffusion (Palestine-Syrie?), un titre qui répondait à une destination possible sinon à sa destination originelle : *Instruction du Seigneur aux gentils*. C'est avec ce titre que le *Duae viae* est entré dans le recueil des *Instructions des apôtres*.

Le sens de la formule a dû être clair aussi longtemps qu'on n'a pas imaginé que le « Seigneur », κύριος, était Jésus et que le titre devait couvrir tout le recueil. On avait perdu la véritable signification du titre du *Duae viae* lorsqu'on lui ajouta διὰ τῶν δώδεκα ἀποστόλων (*H g*), pour le mettre censément en harmonie avec le titre général, lui-même déjà bouleversé par l'addition de δώδεκα, et probablement aussi par le passage du pluriel au singulier, διδαχαί étant devenu διδαχή. La proximité des deux titres, tout au long de ce développement, avait favorisé leur assimilation. Cette assimilation était pourtant une erreur profonde, dont les conséquences devaient se faire sentir fatalement sur la représentation qu'on se faisait du genre littéraire de l'écrit et de l'intention de son auteur. Le recueil tout entier devenait une διδαχὴ κυρίου (Jésus) τοῖς ἔθνεσιν, et dès lors, les appuis immédiats de cet enseignement ne pouvaient être que les premiers disciples de Jésus, les Douze. Mais, à ce moment, les deux titres unissaient leur voix pour suggérer au lecteur, du côté de l'écrit, un genre littéraire, et de la part de l'auteur, une intention tout autres que le genre littéraire et l'intention originels. Du point de vue du genre littéraire, la tendance était d'interpréter le recueil comme un κήρυγμα, et du point de vue de l'intention de l'auteur, il devenait presque nécessaire de penser à la pseudépigraphie. D'un côté, l'extravagance; de l'autre, la fiction.

A tous égards, la situation était désormais fausse et l'on nageait dans une confusion inextricable. Lorsque l'écrit fut découvert, à la fin du dernier siècle, personne ne s'attacha sérieusement à retracer l'histoire des titres avec une vision nette de ce que cette histoire pouvait impliquer pour l'interprétation du recueil. Il était entendu que la *Did.* avait « deux titres », un titre long et un titre court, et la seule question qui semblait se poser à leur propos était celle d'une préférence relative à accorder à l'un ou à l'autre. C'est ainsi que la critique récente a pu recueillir comme un héritage, et à son insu, la confusion même dans laquelle la *Did.* avait autrefois perdu son crédit. De là, en bonne partie, depuis Bryennios, le perpétuel balancement des opinions entre le « document » authentique et la « fiction » du pseudépigraphe.

En fait, cependant, si l'on évite de se laisser tromper par le ms. et la version géorgienne, il n'y a rien que de très naturel dans le titre de Διδαχὴ κυρίου τοῖς ἔθνεσιν que le *Duae viae* a reçu d'une partie de sa transmission. La perspective du titre est celle du judaïsme, comme, du reste, la perspective originelle de l'écrit lui-même. Le κύριος n'est donc pas ici Jésus mais Yahvé, et, du point de vue du genre littéraire, la διδαχή n'est pas non plus la διδαχή apostolique, κατὰ τὸ εὐαγγέλιον (contrairement à la suggestion du διὰ τῶν δώδεκα ἀποστόλων de *H g*), mais la διδαχή du prosélytisme synagogal, κατὰ τὴν γραφήν, — étant bien entendu, par ailleurs, cela va sans dire, que, dans la pensée du premier auteur du recueil (*Did.*, 1:1-11:2), l' « évangile » était continu avec l' « Écriture ».

Tous les problèmes particuliers que soulève la présence du *Duae viae* dans la *Did.*, se résolvent sans peine à partir de là. Les « apôtres » mentionnés par le titre de la *Did.* auront d'autant plus volontiers recueilli le *Duae viae* dans l'usage du prosélytisme juif que leurs liens personnels avec la synagogue étaient probablement encore loin d'être entièrement rompus au moment où le petit recueil a vu le jour. Peu de traits de l'antiquité chrétienne montrent mieux de quelle manière s'est opérée concrètement la filiation du judaïsme au christianisme en terre païenne (sur la pratique de la διδαχή synagogale et son objet, on verra l'importante inscription de la synagogue dite des Affranchis, découverte en 1914, sur l'Ophel; cf. *Suppl. epigr. Graec.*, VIII, 1, 170; L.-H. Vincent, *Découverte de la « synagogue des affranchis » à Jérusalem*, dans *RB*, XXX (1921) 251 s. : Théodote a construit la synagogue εἰς ἀν[άγν]ωσ[ιν] νόμου καὶ εἰς [δ]ιδαχ[ὴ]ν ἐντολῶν, « pour la lecture de la Loi et pour l'instruction dans les commandements »; comp. Philon, *Vit. Mos.*, ii, 216, surtout *De spec. leg.*, ii, 62-63, remarquablement proche de l'idée de fond du *Duae viae* : « Ainsi, les jours de sabbat, s'offrent (à nous) quantité d'écoles (διδασκαλεῖα) de prudence, de tempérance, de courage, de justice et des autres vertus... Mais, dans le nombre presque infini des commandements et des directives particulières (λόγων καὶ δογμάτων), deux choses ressortent très nettement et viennent en tête : ce qu'on doit à Dieu, dans la piété et la sainteté, et ce qu'on doit aux hommes, dans la bienveillance (φιλανθρωπία; pour le sens exact, voir Wolfson, *Philo*, II, 218 s.) et la justice, chacune donnant occasion à de multiples développements, tous fort louables »; aussi *Rom.*, 13:8-10).

---

1. *Il y a deux chemins, un de la vie et un de la mort. L'écart est grand entre ces deux chemins.*

Le texte est celui de *H*, implicitement soutenu par la version géorgienne (*CA* δύο ὁδοί εἰσιν, μία τῆς ζωῆς καὶ μία τοῦ θανάτου... πολὺ γὰρ διάφορον). Les diverses recensions du *Duae viae* n'entrent pas en ligne de compte. Il serait, en effet, arbitraire, dans l'état présent de notre documentation, de supposer que la recension incorporée à la *Did.* ait été autre que celle dont témoigne en réalité le *Hier.* 54. La transmission de la *Did.* doit être jugée sur ses propres mérites, et la transmission du *Duae viae* sur les siens. Nous n'avons aucun moyen de réduire ces deux transmissions l'une à l'autre. Il était, en effet, dans la nature même de l'écrit de donner naissance à des recensions, et c'est bien ce qui s'est produit en fait (*Affinités littéraires et doctrinales*, pp. 236 s.). Mais ceci constaté, rien ne nous assure plus que la recension effectivement incorporée à la *Did.* ait été celle que nous pourrions juger être en soi la meilleure. Pour tout le *Duae viae*, lorsque le *Hier.* 54 est seul, il n'y a donc qu'à le prendre tel qu'il est, sauf à tenir compte, à l'occasion, d'évidentes erreurs de copiste. La leçon à laquelle nous nous arrêterons ne sera pas nécessairement la meilleure possible. Il suffira que ce soit la leçon la plus probable portée par la recension du *Duae viae* à laquelle l'auteur de la *Did.* a fait place dans son recueil.

Il n'était pas superflu de préciser ces choses, il me semble, car elles fixent de façon nette les limites dans lesquelles doit se tenir, du point de vue littéraire, la comparaison de la *Did.* et du *Manuel de discipline.* Ce n'est pas, en effet, le *Duae viae* de la *Did.* qui, pour le fond, est le plus étroitement apparenté à l'instruction sur les deux esprits du *Manuel de discipline* (iii, 13-iv, 26), mais le *Duae viae* latin de la recension Gebhardt-Schlecht (pour la comparaison de ce dernier avec l'instruction du *Manuel,* on verra *Affinités littéraires et doctrinales,* pp. 226-232). La distance entre ces deux recensions du *Duae viae* est sensible, et si l'on pose, en particulier la question du dualisme, il est impossible d'aligner indifféremment l'une ou l'autre sur l'instruction du *Manuel,* comme si, à cet égard, elles étaient toutes deux dans les mêmes conditions. La question du dualisme ne se pose, en réalité, qu'à propos du *Duae viae* latin et du remaniement de Barnabé (18:1-20:2). Le *Duae viae* incorporé à la *Did.* est hors de cause. Il n'y a donc pas lieu de lui supposer, sur ce point, une filiation directe par rapport à l'instruction du *Manuel de discipline* (à cet égard, il faut regretter que la plupart des rapprochements suggérés par la critique entre le *Manuel* et la *Did.* n'aient pas pris soin, au préalable, de se reconnaître dans les diverses recensions du *Duae viae*; il en est résulté de nouvelles confusions dans un domaine qui avait pourtant déjà sa large part de complications et de difficultés; je pense spécialement à un article par ailleurs suggestif de J. DANIÉLOU, *Une source de la spiritualité chrétienne dans les manuscrits de la Mer Morte : la doctrine des deux esprits,* dans *Dieu vivant,* 25 (1953) 127 ss., et à une recension de J. VAN DER PLOEG, dans *Bibl. orient.,* XI (1954) 155 ss.).

Nous restons donc, du point de vue de l'interprétation, avec le texte du *Duae viae* tel qu'il est donné, pour la *Did.,* par le *Hier.* 54, et ainsi avec l'image très simple, classique en Israël, et nullement dualiste en soi, des « deux chemins », qualifiés respectivement, en regard de la rétribution, par la « vie » et la « mort » (voir *Ps. Sal.,* 14). C'est, en effet, en regard de la rétribution que l'image des deux chemins doit être comprise dans la recension du *Duae viae* incorporé par la *Did.,* encore qu'il soit exact que la même image, telle qu'elle est qualifiée par le *Duae viae* latin (Viae duae sunt in saeculo, vitae

et mortis, lucis et tenebrarum; in his constituti sunt angeli duo,
unus aequitatis, alter iniquitatis), puisse être projetée, en outre,
sur le problème antérieur de l'incitation au mal, donnant ainsi lieu
à la question dualiste (sur ce point, on verra J. Daniélou, *art.
cité*, p. 127).

On saisit la différence des points de vue, encore plus marquée si
l'on compare directement le *Duae viae* de la *Did.* à l'instruction du
Manuel (iii, 17-iv, 1) : d'un côté, la représentation ancienne de la
loi, issue de Dieu, offerte à l'homme pour lui assurer la connaissance
du bien et du mal, mettant du même coup celui-ci devant l'espérance de la bénédiction et la menace du châtiment, en dernier lieu,
devant la vie et la mort (ainsi, spécialement, *Deut.*, 30:15-20;
comp., dans un sens analogue, l'arbre de la connaissance du bien
et du mal, associé à l'arbre de vie et à la menace de la mort, *Gen.*,
2:9; 3:2-3); de l'autre, le glissement déjà sensible de la conscience
vers une inquiétude réflexe, portée à sonder les sources intimes
(subjectives) du bien et du mal autant, et plus peut-être, qu'à
recueillir de confiance la loi de Dieu. Deux points de vue distincts,
quoique non absolument exclusifs, cela va sans dire, deux âges
aussi de l'âme d'Israël : ne faudrait-il pas dire, plus universellement? — de l'âme antique, dont nous sommes, à des degrés divers,
les lointains héritiers. Côte à côte, en deux recensions du même
écrit, une survivance remarquablement pure d'une très vieille
représentation de la loi, et un indice encore vague, mais perceptible, en présence de cette loi, de l'avènement de notre « liberté »
(pour jalonner la route, un peu au delà du temps où nous sommes,
on verra *Hom. clém.*, xx, 2-3). Sur l'image des deux chemins dans
le judaïsme, voir *Test. Aser*, 1:3-4, *Jud.*, 20:1, avec le chapitre que
Moore a consacré à l'origine du péché dans son *Judaism*, I, 474-496;
sur l'image apparentée du chemin de vie, dans la tradition des sages,
voir B. Couroyer, *Le chemin de vie en Égypte et en Israël*, dans
RB, LVI (1949) 412 ss.; sur l'image des deux chemins dans le monde
grec, cf. O. Becker, *Das Bild des Weges und verwandte Vorstel-
lungen im frühgriechischen Denken (Hermes, Einzelschriften*, 4),
Berlin, 1937; Knopf, *Die Lehre*, p. 4; sur sa transposition dans
l'au-delà et son application aux destinées de l'âme après la mort,
F. Cumont, *Lux perpetua*, Paris, 1949, pp. 278-281.

1:2 Voici donc quel est le chemin de la vie : Tu aimeras d'abord Dieu qui t'a fait; puis, ton prochain comme toi-même; et ce que tu ne voudrais pas qu'il te soit fait, toi non plus ne le fais pas à autrui.

Le « chemin de la vie » est celui de la fidélité aux commandements, et le « chemin de la mort » celui de la transgression. On reconnaît, dans cette représentation du destin que la liberté (le « conseil », pouvoir de délibérer et de choisir entre le bien et le mal, *yéṣer*, διαβούλιον, décrit dans *Eccli.*, 15:11-17; comp. *Ps. Sal.*, 9:7-9, aussi 3:5-16; *Test. Lev.*, 19:1; Philon, *Quod Deus sit immut.*, x, 46-50) fait à l'homme, l'ancien idéal de la « justice », infléchi du côté de la Loi, surtout depuis l'exil, avec l'espérance qui avait peu à peu grandi autour de cet idéal (la « résurrection », 2 *Macc.*, 7:9-24; 12:43; l' « immortalité », *Sag.*, 1:15; 6:17-20; de part et d'autre, la « vie » auprès de Dieu et l'accès à sa « gloire »; comp. *Duae viae* lat., 6:5 : la « couronne »).

Toute l'ordonnance intérieure de l'écrit se dessine à partir de ce point. Sous une forme desséchée, réduite, à vrai dire, au plus bas niveau de la formule, c'est la composition même de la partie principale du *Deutéronome*, 11:26-30:20. Non que le *Duae viae*, bien sûr, ait emprunté directement à ce dernier son canevas : il n'y avait lieu de chercher ni si haut ni si loin. Certaines lignes de composition littéraire deviennent spontanées dans un certain état de conscience, dont elles sont justement le reflet. Il n'était pas sans intérêt cependant de souligner, en faveur d'un écrit tardif, sa continuité profonde avec un passé déjà lointain. Dans son cadre, rongé et poli par l'usage, l'auteur aligne, sans se donner beaucoup de peine, commandements et transgressions.

Du point de vue du genre littéraire, il me semble qu'on n'a pas assez remarqué, à ce propos, dans le *Duae viae*, la confluence des deux traditions anciennes de la loi et de la sagesse. Cette rencontre porte, en effet, la marque d'une époque. *Did.*, 1:2; 2:2-7 est coulé dans la forme la plus dépouillée du style « légal » : « tu aimeras... », 1:2; « tu ne tueras point, tu ne commettras pas d'adultère », 2:2, etc., avec, toutefois, une nuance de réflexion sapientielle jetée sur cet ensemble par la Règle d'or : « ce que tu ne voudrais pas qu'il te soit fait, toi non plus ne le fais pas à autrui », 1:2 (noter que, en ce qui regarde le judaïsme, la Règle d'or fait sa première apparition dans le « testament » sapientiel de Tobit; cf. *Tob.*,

4:15 : ce n'est évidemment pas un hasard). *Did.*, 2:4 est également dans le goût des sages (παγὶς γάρ...), mais ce n'est qu'à partir de 3:1 que le style sapientiel commence vraiment à se faire sentir de façon continue. A des degrés variables, il sera ensuite perceptible jusqu'à la fin (comp. 3:1-6 et 3:7-4:14). De façon très significative, c'est à 3:1 que nous rencontrons, pour la première fois, l'expression de cette intimité fictive dont les sages aimaient à entourer la révélation des secrets de leur expérience : τέκνον μου, « mon fils » (sur ce trait distinctif de la sagesse, voir, ci-dessous, le comm. sur 3:1). C'est à ce point également, après la recommandation générale de 3:1, que la simple proposition du commandement (1:2; 2:2-7, sauf 2:4) commence à incliner d'une façon plus sensible vers l'exhortation et à se montrer du même coup soucieuse de se justifier par l'expérience de la vie. 3:2 est, à cet égard, très caractéristique et peut servir d'exemple pour le développement qu'il introduit, surtout 3:1-6, à un degré moindre 3:7-4:14 : « Ne cède pas à l'emportement, car la colère conduit au meurtre, etc. ». Ὁδηγεῖ γάρ..., c'est la manière des sages, leur recours spontané aux trésors de savoir-vivre et de savoir-faire accumulés par leur tradition propre pour appuyer leurs invitations au bien, leurs conseils et leurs mises en garde. La nuance saute aux yeux si l'on compare ce style de pensée et d'expression aux impératifs de la loi.

A considérer le *Duae viae* dans son ensemble, cependant, il est clair que nous sommes devant un genre mixte, où se mêlent suivant des proportions diverses, et dans un équilibre quelque peu instable (comp. 3:1-6 et 3:7-4:14), deux genres littéraires dont la vie, pendant des siècles, avait été au plus haut point indépendante. Il y aurait beaucoup à dire sur ce phénomène de rapprochement et de fusion (partielle), dont témoigne, pour sa part, et modestement, le *Duae viae*. Son analyse formerait l'un des chapitres les plus importants d'une histoire de l'évolution des genres littéraires dans l'antiquité juive. Mais il suffit à notre propos de remarquer que la confluence littéraire de la loi et de la sagesse, telle qu'elle apparaît dans le *Duae viae*, n'est pas un fait si banal qu'il puisse être déplacé au petit bonheur, et à volonté, dans le temps et dans l'espace. Cette seule observation, au besoin, pourrait encore barrer la route à un certain nombre d'hypothèses abstraites, et irréelles, en ce qui regarde l'origine du *Duae viae*. Du point de vue du genre littéraire, nous sommes en plein judaïsme. Comme, d'autre part, *Did.*, 1:2 ne saurait être séparé du reste du *Duae viae*, il est impossible, quant au sens, de lui faire des conditions d'exception. Il n'y a donc qu'à reconnaître le fait : le rapprochement du « premier » et du « second » commandement, d'après *Deut.*, 6:5 (partie du *Shema‘*) et *Lév.*, 19:18, était déjà opéré dans le judaïsme au moment où le *Duae viae* a fait son apparition, c'est-à-dire, au plus tard, au cours du second quart du Ier siècle de notre ère (dans le même sens, *Lc.*, 10:25-28; implicitement, *Mc.*, 12:28-34, et de façon moins décisive, *Mt.*, 22:34-40; comp. PHILON, *De virt.*, IX, 55; XVIII, 95; sur l'amour du prochain en regard de la Loi, comp. *Rom.*, 13:8-10; *Gal.*, 5:14; *Jac.*, 2:8; voir aussi C. SPICQ, *Agapè. Prolégomènes à une étude de théologie néo-testamentaire*, Louvain-Leiden, 1955, pp. 134 s.; sur le rappel de la création dans le premier commandement, τὸν θεὸν τὸν ποιήσαντά σε, comp. *Eccli.*, 7:30; MÉNANDRE L'ÉG., *Sent.*, 65 : « Ne méprise pas le Dieu qui t'a fait »; voir aussi J. BON-SIRVEN, *Le judaïsme palestinien*, I, pp. 136 ss.; J.-B. FREY, *Dieu et le monde d'après les conceptions juives au temps de J.-C.*, dans *RB*, N. S. XIII (1916) 33 ss.).

Ajoutons que l'évangile n'a aucunement besoin de réclamer cette initiative pour assurer son originalité, sans compter qu'il serait peu évangélique de faire valoir les titres du christianisme « contre » l'ordre ancien, tel que le judaïsme le représentait encore légitime-ment et valablement au temps de Jésus, comme s'il se fût produit là une rupture dans l'accomplissement des desseins de Dieu. En réalité, comme toujours, l'essentiel est dans l'esprit, non dans la lettre, ou plutôt, ici, dans les conditions véritablement nouvelles que l'évangile se trouvait créer aux deux grands commandements de l'amour de Dieu et du prochain, en regard de l'espérance et de la foi. C'est ce qu'a admirablement compris, en particulier, l'auteur du IVe évangile.

La Règle d'or, d'autre part, est donnée par le *Duae viae* sous sa forme négative. On sait que la tradition évangélique, de son côté, a retenu de l'enseignement de Jésus une forme positive de la même Règle d'or (*Mt.*, 7:12; *Lc.*, 6:31). Les mérites respectifs des deux formulations ont souvent été pesés dans des balances fort subtiles, mais sans beaucoup de profit véritable. La forme négative semble bien avoir la priorité dans le temps. Est-ce à dire que la forme posi-tive, venant après, aurait eu l'intention de la corriger et de marquer un pas vers une plus grande perfection? De la part de Jésus, cela fait probablement un peu trop de calcul sur les vertus de la lettre. En réalité, la forme positive aussi bien que la forme négative relève de la réflexion sapientielle et repose sur l'expérience. Ainsi la Règle d'or n'a-t-elle pas été conçue à l'origine comme un commandement dans une loi, mais comme un conseil ajouté de l'extérieur à la loi pour témoigner, dans une certaine mesure, de l'expérience globale de sa mise en pratique, en ce qui regarde les relations avec le prochain. Il n'apparaît même pas qu'elle ait eu au premier moment le relief qui lui fut donné à l'époque où le *Duae viae* nous reporte. Dans le « testament » sapientiel de Tobit, sa situation n'est aucunement privilégiée (*Tob.*, 4:15). C'est nous qui l'y distinguons après coup et qui lui attribuons par avance une fortune qu'elle n'eut, en fait, que dans la suite.

Mais si ces observations sont exactes, il est clair que c'est une méprise de vouloir donner à la Règle d'or une valeur absolue. En réalité, la valeur de la Règle d'or, sous l'une ou l'autre forme, est toujours relative à l'ensemble auquel elle se subordonne concrètement, dans l'expérience religieuse et morale (*Mt.*, 7:12 : « la Loi et les Prophètes »). C'est dire que nous n'avons pas d'autre moyen de juger de la Règle d'or du *Duae viae* que le *Duae viae* lui-même, en tenant compte toutefois de sa subordination immédiate, dans la pensée de l'auteur, au « commandement » de l'amour du prochain. Mais quelle était justement, dans la pensée de l'auteur, le sens de cet amour? De nouveau nous sommes renvoyés au *Duae viae* lui-même en son ensemble. Le reste est conjecture. — Une littérature considérable s'est développée autour de la Règle d'or. Outre les commentaires classiques sur *Mt.*, 7:12; *Lc.*, 6:31 et *Did.*, 1:2, on pourra voir A. RESCH, *Ausserkanonische Paralleltexte zu den Evangelien*. III. *Lucas* (*TU*, X, 2), Leipzig, 1895, pp. 80 s.; G. RESCH, *Das Aposteldecret nach seiner ausserkanonischen Textgestalt* (*TU*, XXVIII, 2), Leipzig, 1905, pp. 132-143; K. F. PROOST, *De Bergrede*, Amsterdam, 1914, pp. 153-155; W. H. P. HATCH, *A Syriac Parallel to the Golden Rule*, dans *Harv. Theol. Rev.*, XIV (1921) 193 ss.; G. F. MOORE, *Judaism*, II, pp. 86 ss.; J.-P. AUDET, *La Sagesse de Ménandre l'Égyptien*, dans *RB*, LIX (1952) 69, n. 40, avec la note.

1:3 *Or, voici l'instruction relative à ces commandements :* [*Bénissez
ceux qui vous maudissent, priez pour vos ennemis, jeûnez pour vos
persécuteurs. Quel gré vous saura-t-on, en effet, d'aimer ceux qui vous
aiment? Est-ce que les païens eux-mêmes n'en font pas autant? Pour
vous, aimez ceux qui vous haïssent; vous n'aurez pas d'inimitié.*

La transition, 3*a*, introduisait primitivement 2:2 ss., comme en
témoigne encore le *Duae viae* latin. Parallèle, pour la forme à 2*a*, et
présente, au moins à l'état de vestige, dans les principales recensions,
elle n'a pas été affectée par l'intrusion de 3*b*-6, sinon pour le sens.
Il est assez évident, en effet, que le sens n'est pas tout à fait le
même, selon que la transition recouvre 3*b*-6, comme dans la *Did.*,
ou 2:2 ss. comme dans le *Duae viae* original.

Il ne sera d'ailleurs pas superflu de préciser ce point, car il touche
de nouveau à la question, toujours délicate, du genre littéraire.
Les traductions paraissent toutes entendre διδαχή dans un sens
vague : l'enseignement, la doctrine, the teaching, the lesson, die
Lehre, etc. (« Et voici l'enseignement signifié par ces paroles »,
Hemmer). Le sens est, au contraire, défini. Il se rapporte à des habitudes littéraires et à des traits institutionnels suffisamment fermes
pour être reconnaissables sur un large espace de temps dans l'histoire du judaïsme, autour de l'ère chrétienne. La διδαχή dont il est
question ici n'est pas un « enseignement » quelconque, mais la
διδαχὴ ἐντολῶν que la pratique synagogale contemporaine semble
avoir liée, d'une façon assez générale, et subordonnée, à la « lecture
de la Loi », ἀνάγνωσις νόμου (cf. inscr. de Théodote, *Suppl. epigr.
Graec.*, VIII, 1, 170; L.-H. Vincent, *Découverte de la « synagogue
des affranchis »* à Jérusalem, dans *RB*, XXX (1921) 251 s.; Philon,
De spec. leg., ii, 62-63).

Quoique bien des détails nous échappent, du point de vue institutionnel, c'est une fonction régulière. Du point de vue littéraire,
le genre est apparenté au *pésher* dont les écrits de Qumrân nous ont
récemment révélé plusieurs exemples (en particulier le *Commentaire
d'Habacuc* et le fragment de commentaire sur le psaume 37 que
vient de publier J. M. Allegro, *A Newly Discovered Fragment of
a Commentary on Psalm XXXVII from Qumrân*, dans *Pal. Explor.
Quart.*, LXXXVI (1954) 69 ss.; aussi Barthélemy-Milik, *Qumran
Cave I*, nn. 14-16; pour un supplément d'inventaire, voir *Le travail d'édition des fragments manuscrits de Qumrân*, dans *RB*, LXIII

(1956), communication de J. M. Allegro, pp. 62-64). Le *pésher*
se développe parallèlement à une lecture plus ou moins analytique
du texte dont il s'occupe : c'est une sorte de glose (« apocalyptique »)
continue qui suppose, pour demeurer intelligible, la présence toute
proche de chacun des éléments de l'écrit pour lesquels elle offre une
« explication » (*pésher*). La διδαχή, plus détachée du texte, en est
aussi, pour la forme et le sens, beaucoup plus indépendante. Mais
l'un et l'autre genre littéraire sont pareillement nés de la « lecture » :
la διδαχή, peut-être, d'une manière plus spécifique, de la « lecture
de la Loi », et le *pésher*, de la « lecture des prophètes », celui-ci étant
corrélativement plus ouvert aux initiatives et aux inspirations
individuelles, celle-là, dans une certaine mesure, plus soumise aux
multiples encadrements institutionnels du milieu (la synagogue).

De là, semble-t-il, l'analogie d'articulation du *pésher* et de la
διδαχή à la « parole » : dans le cas du *pésher*, « son explication
concerne », « son explication, c'est que », équivalent à : « l'explication
de cette parole, c'est que » (ainsi 1*QpHab.*, V, 3), et dans le cas de
notre διδαχή, « l'instruction relative à ces commandements est
celle-ci », encore plus sensible en grec : τούτων δὲ τῶν λόγων ἡ
διδαχή ἐστιν αὕτη. Une fois soulignée la parenté des formules, il
me paraît nécessaire de préciser, cependant, en ce qui regarde
Did., 1:3*a*, que les λόγοι auxquels se rapporte l' « instruction » ne
sont pas simplement les « paroles » mais les « commandements »
du Seigneur, ἐντολαὶ κυρίου (comp. le titre Διδαχὴ κυρίου), selon
un sens classique de λόγος dans le judaïsme d'expression grecque,
depuis les premières versions alexandrines (sur λόγος = ἐντολή,
commandement, on pourra voir *Ex.*, 34:28; *Deut.*, 10:4; Philon,
De spec. leg., ɪ, 1; *De decal.*, 32; Fl. Josèphe, *Ant.*, ɪɪɪ, 6, 5 (178);
Mt., 15:6; *Mc.*, 7:13; *Rom.*, 13:9; *Gal.*, 5:14; sur la proximité de
λόγος pris en ce sens, et de ποιεῖν, matière propre de la διδαχή,
voir *Ex.*, 24:3; *Deut.*, 12:28; *Mt.*, 7:24; *Lc.*, 6:47; 8:21; *Jac.*, 1:22;
comp. aussi le sens de דבר dans le *Man. de disc.*, analysé par M. Del-
cor, *Contribution à l'étude de la législation des sectaires de Damas et
de Qumrân*, dans *RB*, LXI (1954) 452).

C'est dire, si cette interprétation est exacte, qu'il n'y a pas lieu
de distinguer ici entre l'amour de Dieu et l'amour du prochain, en
s'appuyant sur un sens général de λόγος-parole, comme si l' « instruction » ne devait porter que sur le « second commandement ».
En fait les « paroles » auxquelles pensait l'auteur du *Duae viae*,
ne pouvaient guère, normalement, être autre chose, en langage précis, que les deux « commandements » de l'amour de Dieu et du pro-

chain, entendus dans la relation que leur supposait, sinon le décalogue, du moins une interprétation postérieure de la Loi dominée dans une mesure importante par le *Deutéronome*. Quelles que soient les limites qu'on ait pu y mettre, l' « amour » du prochain devenait inséparable de l' « amour » de Dieu dès là qu'il tendait réellement à absorber le reste de la Loi. De l'un et de l'autre il ne pouvait y avoir, dans ces conditions, qu'une seule fidélité.

C'est le sens profond du « chemin de la vie » tel qu'il devait apparaître dans le *Duae viae* primitif : deux grands commandements, le second déjà éclairé par la Règle d'or, dont tout le reste n'est que l' « instruction », la διδαχή. On remarquera que c'est aussi le sens profond du *Shema'* dans l'ensemble de l'institution synagogale ancienne.

Mais on comprend, d'autre part, que la διδαχή originelle du « chemin de la vie » dans le *Duae viae* (1:3a, 2:2 ss.) ait pu de bonne heure sembler, jusqu'à un certain point, trahir par défaut l'idéal évangélique. C'est à ce défaut, sans doute, que l'interpolateur a voulu suppléer. Le propos est intéressant à beaucoup d'égards, mais en premier lieu peut-être, du point de vue où nous nous plaçons en ce moment, par la manière même dont l'auteur l'a tenu. Ce que ce dernier a introduit dans le *Duae viae* des *Instructions des apôtres*, en effet, c'est un enseignement évangélique, certes, mais moins à l'état de κήρυγμα qu'à l'état de διδαχή. La différence est, pour une part, dans le contenu, mais également, semble-t-il, dans le genre littéraire.

Aussi bien cette différence est-elle importante, car elle nous permet de saisir sur le vif l'un des phénomènes qui ont le plus contribué à fixer le Sermon sur la montagne, fond et forme, dans l'ensemble de la tradition évangélique primitive. Ce n'est pas le lieu d'entrer ici dans le détail de ces problèmes. Mais il sera utile d'observer, au passage, que l'interférence de la διδαχή dans le κήρυγμα, à l'intérieur de la tradition évangélique, n'a été nulle part plus active, et n'est aussi nulle part plus sensible, que dans le Sermon sur la montagne. A cet égard, on pensera naturellement à la recension de *Mt.* plus encore qu'à celle de *Lc.* Il s'en faut, néanmoins, que nos deux évangélistes représentent là-dessus le phénomène dans toute sa complexité et son ampleur. En dehors de *Mt.* et de *Lc.*, et à commencer par le texte même dont nous nous occupons, il y a bien des indices, en effet, que l'implication du Sermon sur la montagne dans les pratiques courantes de la διδαχή a été pour une grande part dans la naissance et le développement

des multiples formes que le discours a revêtues, avant que cette
production secondaire ne soit progressivement et finalement éliminée par la prééminence de nos évangiles actuels (on pourra voir,
en particulier, sur ce point, 1 *Clém.*, 13:1-3 : noter les termes significatifs, du point de vue du genre littéraire, λόγος-ἐντολή-παράγ-
γελμα, διδάσκω-εἰς τὸ πορεύεσθαι; sur ce texte, la discussion
de CARLYLE dans *The New Testament in the Apostolic Fathers*, du
Comité de l'Oxford Society of Historical Theology, pp. 58-61;
aussi celle de L. VAGANAY, *Le problème synoptique*, Paris-Tournai,
1954, pp. 330-333; également JUSTIN, 1 *Apol.*, 15:9-10, avec les
observations de É. MASSAUX, *Le texte du Sermon sur la montagne
de Matthieu utilisé par saint Justin*, dans *Ephem. theol. Lov.*, XXVIII
(1952) 429-431).

Ainsi *Did.*, 1:3*b*-6 n'est-il pas simplement, comme on l'a dit,
une « section », mais une « instruction » évangélique, candidement
et massivement insérée dans une « instruction » préexistante dont
la référence spirituelle fondamentale allait à l'Écriture; intérieurement conditionnée, au surplus, par un genre littéraire et des pratiques institutionnelles qui dépassent de beaucoup l'accident, qui
pourrait être banal en soi, d'une interpolation. Le « texte » de
Did., 1:3*b*-6 ne doit donc pas non plus être simplement aligné
sur *Mt.* et *Lc.* pour être ensuite jugé en regard d'eux comme une
pure quantité littéraire abstraite. La comparaison, si elle se propose
d'examiner la possibilité de rapports de dépendance, est tenue à
quelques précautions de surcroît, et à la plus vigilante réserve à
l'égard des apparences littéraires de surface. En fait, il y a très
peu de probabilité que l' « instruction » évangélique de la *Did.*
dépende de *Mt.* et de *Lc.*, et doive, dans son ensemble, s'expliquer
par eux (introd., pp. 183-186).

Au reste, par eux-mêmes, l'unité et le rythme intérieurs de *Did.*,
1:3*b* n'invitent certainement pas à penser à un démarquage littéraire des Synoptiques. Nous sommes en plein style oral, comme
nous pouvions d'ailleurs nous y attendre si le polissage de ces
« textes » s'est principalement effectué dans la pratique de la διδαχή
(comp. 1 *Clém.*, 13:1*b*-2, et voir, à ce propos, les observations de
L. VAGANAY, *Le problème synoptique*, pp. 133 s.). Dans ce passage,
deux éléments seulement paraissent secondaires, mais non par
rapport à *Mt.* et à *Lc.* νηστεύετε δὲ ὑπὲρ τῶν διωκόντων ὑμᾶς et
καὶ οὐχ ἕξετε ἐχθρόν ressemblent fort, en effet, à des surcharges.
Mais alors, ce qui est en cause, ce ne sont pas les Synoptiques, qui
ont leur rythme, leur forme et leur contenu propres, mais le seul

résidu de 1:3*b*, une fois enlevés, par hypothèse, les éléments perturbateurs.

Du point de vue du sens, il est évident que 1:3*b* prolonge tout spécialement le « tu aimeras ton prochain comme toi-même » de 1:2 (même relation dans *Mt.*, 5:43-47). Il faut l'emporter sur la haine en faisant du bien à ses ennemis, par le désir, la prière, le jeûne, et, d'une façon générale, par tout ce qui peut être témoignage effectif d'amour. L'invitation à jeûner (d'un soir à l'autre!) pour ses persécuteurs est propre à l'instruction de la *Did.* Elle s'explique assez, cependant, comme une extension des liens qui, avec l'aumône, unissaient déjà la prière et le jeûne dans la conscience d'Israël (voir Moore, *Judaism*, II, pp. 259 s.; J. Behm, νῆστις, dans *TWNT*, IV, 928-932; J. Schümmer, *Die altchristliche Fastenpraxis*, Munster, 1933, pp. 222 s.; 2 *Clém.*, 17:4). La prière, accompagnée du jeûne, accroîtra son instance et témoignera d'une manière plus vive de la sincérité des sentiments (comp., à une époque postérieure, *Didasc.*, v, 18-24). Il faut reconnaître, cependant, que la conception du jeûne impliquée dans cette exhortation s'éloigne des idées communes à l'époque. Ainsi, « quant à vous, aimez, φιλεῖτε, ceux qui vous haïssent, καὶ οὐχ ἕξετε ἐχθρόν, et vous n'aurez pas d'ennemi », non pas en fait peut-être, et en dehors de vous, mais dans votre cœur. Le futur doit s'entendre d'un impératif, conformément au contexte (sur la nuance plus affective de φιλέω par rapport à ἀγαπάω, voir C. Spicq, *Le verbe ἀγαπάω et ses dérivés dans le grec classique*, dans *RB*, LX (1953) 393 ss.; Trench, *The New Testament Synonyms*, 12, pp. 38-42; mais le parallélisme avertit de ne pas trop presser une telle nuance dans le texte qui nous occupe).

1:4 [[*Garde-toi des convoitises charnelles.*]] *Quelqu'un te donne-t-il un soufflet sur la joue droite, tends-lui aussi l'autre, et tu seras parfait. Quelqu'un te requiert-il pour un mille, fais-en deux avec lui. Quelqu'un t'enlève-t-il ton manteau, donne-lui même ta tunique. Quelqu'un te prend-il ton bien, ne réclame pas; — aussi bien n'en as-tu pas la faculté.*

Il n'y a guère que des idées paradoxales ou bizarres à attribuer à l'interpolateur si l'on veut à tout prix mettre un lien entre 1:3

et 1:4*b* en passant par *4a* (« garde-toi des convoitises charnelles »), et ainsi laisser la recommandation à son compte, pour inattendue qu'elle soit dans le contexte. On peut, sans forfaire à une critique réservée, enlever la responsabilité d'un tel coq-à-l'âne à l'interpolateur. Un écrit comme la *Did.*, porté principalement sinon exclusivement par un courant de transmission populaire, n'avait pas de limites gardées avec soin et demeurait exposé à bien des intrusions. Un régime de frontière ouverte appartenait plus ou moins au genre et aux conditions générales de diffusion de tels écrits. *4a* est un bloc erratique qu'on peut à peine qualifier de glose.

Son entrée dans le texte est néanmoins très ancienne, à en juger seulement pas sa présence dans le remaniement des *Const. apost.* et dans la version géorgienne. Elle est sûrement antérieure au texte de *O*, qui est lui-même de la fin du ɪᴠᵉ siècle, puisque l'ἄκουε τί σε δεῖ κτλ. de celui-ci paraît bien s'y être ajouté comme une nouvelle surcharge. Mais c'est montrer assez de respect à son antiquité et faire raisonnablement droit en même temps à l'unanimité des témoins (*H O CA g*) que de la maintenir en place, quitte à signaler son caractère adventice par les crochets.

Du point de vue littéraire, les conditions de 1:4*b* par rapport à *Mt.*, 5:39-41 et à *Lc.*, 6:29 reproduisent à bien peu de chose près celles que nous avons rencontrées à 1:3. Ce sont les mêmes similitudes (noter le passage du « vous » au « tu ») mais aussi les mêmes divergences (ordre respectif des éléments, forme, additions, croisements), le même style oral, avec sa répétition régulière d'une formule essentielle (ἐάν τις suivi d'un impératif; noter la juxtaposition des phrases et l'absence des particules, qui individualisent si nettement 1:4 par rapport à 1:3 et à 1:5-6) et avec son rythme intérieur, évoquant de façon beaucoup plus directe la pratique effective de la διδαχή que le remaniement artificiel et purement littéraire des textes (par hypothèse, *Mt.* et *Lc.*).

Une dépendance de la *Did.* par rapport aux Synoptiques ne s'impose donc pas plus ici que là. Nous sommes à l'intérieur d'une tradition du Sermon sur la montagne, orale ou écrite, relativement uniforme quant à l'expression et relativement homogène quant au contenu : c'est tout ce qu'il est possible d'affirmer sur la base de l'ensemble des faits, et cela suffit. Ce n'est pas vraiment serrer la question de plus près que de faire entrer ici de force le texte de l'interpolateur dans le cadre des écrits évangéliques qui nous sont restés, comme si ces derniers s'étaient imposés à la tradition primitive de la même manière qu'ils se sont imposés, en fait, à la tradition postérieure. La solution la meilleure n'est pas toujours, en soi, la solution la plus précise. S'il faut s'abstenir d'inscrire les noms de *Mt.* et de *Lc.* en filigrane dans le texte qui nous occupe, c'est qu'en réalité les éléments définis de solution dont nous pouvons disposer ne sont pas coextensifs aux données réelles du problème.

Du point de vue du sens, on doit avouer que l'arrière-fond sur lequel se projette ici l'instruction de l'interpolateur se laisse moins facilement ramener à l'unité que ne le feraient d'abord supposer le parallélisme et la régularité mêmes de la forme, ce qui, pour le dire en passant, souligne une fois de plus la relative autonomie du phénomène littéraire (voir les remarques faites ci-dessus à propos du genre διδαχή). 1:3 visait une situation plus ou moins permanente de haine, avec ses suites naturelles, malédictions (devant Dieu) et persécutions (parmi les hommes). 1:4 envisage plutôt des occasions particulières de mauvais traitements et d'ennuis, dans sa personne et dans ses biens : le soufflet qui irrite et la réquisition qui importune, l'attaque sournoise qui résulte dans la privation de son manteau et le vol (dissimulé) d'un bien quelconque. L'exhortation revêt, pour s'exprimer, les mêmes formes volontiers hyperboliques que *Mt.* et *Lc.* nous ont rendues familières. Elle recommande des actes sans doute, mais surtout un esprit, qu'on pourra étendre à d'autres circonstances : la douceur, l'oubli de soi, la patience, la générosité, le détachement, l'amour de la paix (dans le κήρυγμα, signes, parmi d'autres, de l'accomplissement de la grande promesse messianique de la paix, dérivés ici, par la διδαχή, du côté d'un idéal beaucoup plus « intemporel » de perfection; noter le « et tu seras parfait » de la première recommandation, à cet égard très caractéristique). Tout cela est bien dans la ligne d'une « instruction » évangélique sur le premier et le second commandement (1:2), telle que nous en avons analysé l'intention dans le verset qui précède (comp. *Man.*, ix, 17 s. : « Je ne rétribuerai personne en mal; en bien je poursuivrai chacun, puisqu'il appartient à Dieu de juger tous les vivants et que lui-même rendra à tout homme selon son dû; aussi *Ahik.*, 3:25,28; *Dam.*, ix, 2-7; *Test. Gad*, 6-7, *Jos.*, 18:2, *Benj.*, 4:2-3).

Il est bien probable, d'autre part, que le καὶ ἔσῃ τέλειος qui accompagne la première recommandation représente une intervention personnelle de l'interpolateur dans son « instruction », sans préjudice évidemment d'autres interventions moins faciles à déceler (voir, ci-dessus, 1:3, les remarques faites à propos d'interventions semblables, νηστεύετε δὲ..., καὶ οὐχ ἕξετε ἐχθρόν). C'est

de son goût et de son style (comp. 6:2). Ne pas opposer la
colère à la violence est la perfection du « commandement ». Cela
est dit avec une pointe d'hyperbole bien sémitique, mais on voit
assez que le sens est limité par le contexte (comp. IGNACE, *Philad.*,
1:2, avec la relation très significative de τέλειος à τὸ ἀόργητον, en
parlant de l'évêque de Philadelphie; aussi *Éph.*, 15:2; un emploi
semblable de τέλειος dans *Jac.*, 3:2; par contre, le sens de *Mt.*,
5:48 est beaucoup plus large et ne paraît nulle part avoir affecté
de façon perceptible la pensée de l'interpolateur).

οὐδὲ γὰρ δύνασαι, sur quoi se termine la dernière recommandation, semble bien trahir de nouveau la main de l'interpolateur
dans la petite unité littéraire formée par 1:4. En apparence tout
au moins, la remarque nous fait descendre d'une façon plutôt
brusque de l'idéal dans une situation concrète où serait de quelque
manière engagée l'efficacité même du système judiciaire en vigueur.
L'exhortation à ne pas réclamer son bien, en cas de vol, demeure
en l'air si d'abord on n'en a pas la possibilité effective. Mais on
peut toujours faire de nécessité vertu. L'allusion à l'expérience,
si elle était dans la pensée de l'interpolateur, n'est pas facile à
saisir. Peut-être aussi l'idée est-elle simplement que réclamer
(ἀπαιτέω) revient à chercher une compensation, et que chercher
une compensation, même dans l'ordre de la propriété, ne va pas
sans un secret retour au vieil équilibre : « Œil pour œil, dent pour
dent », ce qui s'accorderait avec le contexte (*Lév.*, 24:19; comp.
Mt., 5:38-42; sur l'extension de la loi du talion au dommage causé
dans les biens, cf. M. FRIEDLÄNDER, *Damage*, dans *Jew. Encycl.*,
IV, 415).

1:5 *Donne à quiconque te demande, sans exiger de retour. Car la
volonté du Père, c'est qu'on donne à même ses propres dons. Heureux
celui qui donne, selon le commandement, car il est à l'abri de tout
reproche! Malheur à celui qui reçoit! Certes, si le besoin l'oblige à
recevoir, il est exempt de blâme, mais s'il n'est pas dans la nécessité
il passera en jugement sur le motif et la fin pour lesquels il a reçu.
Envoyé en détention, il subira l'interrogatoire sur sa conduite et il ne
sortira pas de là qu'il n'ait rendu jusqu'au dernier sou.*

L'omission de tout le passage (1:5-6) par la version géorgienne
n'a aucune signification particulière du point de vue textuel, si

ce n'est en regard des fréquentes libertés que prend cette version à l'égard de son texte. Il est vrai qu'une omission, dans son cas, serait en soi plus à considérer qu'une addition. Sa tendance générale est, en effet, d'aplanir les expressions rugueuses, de conformer les archaïsmes de toute nature à l'usage contemporain, d'expliciter ce qui paraît vague et d'expliquer ce qui semble obscur, toutes pratiques qui ne vont pas sans un certain consentement de principe et de fait à l'amplification. Mais elle omet également 13:5-7, écourtant ainsi un autre texte de l'interpolateur, sans que l'omission permette cette fois de mettre en doute le texte de *H*, garanti en substance et par la version éthiopienne et par les *Const. apost.* (comp. IV, 3; sur ce texte, J. H. ROPES, *Die Spruche Jesu* (*TU*, XIV), Leipzig, 1896, pp. 64 ss.). Il est néanmoins piquant d'observer que ce soit l'interpolateur qui ait dû être victime des deux omissions les plus notables de la version géorgienne. C'était un commencement de compensation, conduit avec sûreté, pourrait-on dire, par l'espèce de justice immanente qui s'est depuis toujours exercée dans les transmissions manuscrites.

Dans la pensée de l'interpolateur, il est clair que l'exhortation à donner à quiconque demande sans attendre de retour, se liait principalement à ce qui suit, non à ce qui précède. C'était l'introduction d'une « instruction » particulière sur l'aumône (noter le γάρ). Mais à plusieurs critiques, ce lien a paru artificiel et secondaire. A leurs yeux, *Did.*, 1:5a n'était que *Lc.*, 6:30 à peine modifié dans l'intérêt d'une utilisation personnelle. Il leur paraissait alors que *Did.*, 1:4-5a avait pu à tout le moins s'imposer à l'auteur, ou à l'interpolateur, comme une unité littéraire déjà formée, indépendante du développement que nous lui connaissons maintenant. N'était-ce pas un fragment d' « harmonie » ?

Ce qui venait à la pensée dans ces conditions, c'était naturellement le *Diatessaron* de Tatien (on verra spécialement G. DIX, *Didache and Diatessaron*, dans *JTS*, XXXIV (1933) 242 ss.; en sens contraire, une remarque pertinente de R. H. CONNOLLY, *ibid.*, p. 347). Celui-ci présente, en effet, une combinaison *Mt.-Lc.* qui, pour l'orientation générale, n'est pas sans affinité avec *Did.*, 1:4-5a (cf. *Diat.*, IX, 6-11). Mais une similitude d'orientation suffit-elle à établir ici une parenté littéraire ? Une simple lecture du texte du *Diatessaron* permet de se rendre compte du parti adopté par Tatien. Comme toujours, et comme il s'imposait dans son propos, l'harmoniste prend comme base, parmi les quatre évangiles, la forme la plus pleine à laquelle il ajoute, aux endroits convenables,

ce que les autres peuvent offrir de particulier. L'idéal est que,
dans l'ensemble, rien ne soit perdu. Or, il est évident que, dans
le cas du Sermon sur la montagne, c'était *Mt.* qui devait former
la trame de l'harmonisation. La contribution de *Lc.*, beaucoup
plus réduite, ne pouvait venir qu'en second lieu, à titre de supplément. De là la suite habituelle *Mt.-Lc.* Nous n'avons rien de plus
ici. *Lc.*, 6:30-31 complète *Mt.*, 5:38-42. L'analogie des thèmes de
Mt., 5:42 et *Lc.*, 6:30 assure une transition acceptable au point
de suture. Tatien s'explique donc par lui-même.

Ainsi la similitude d'orientation générale de *Diat.*, ix, 6-11 et
de *Did.*, 1:4-5a peut-elle être tout à fait accidentelle d'un côté
comme de l'autre, si rien n'indique par ailleurs que le second texte
doive dépendre du premier. Mais, à cet égard, ni l'ordonnance ni
la forme de *Did.*, 1:4-5a n'obligent à penser au *Diat.* plus qu'à *Mt.*
et à *Lc.* séparément (voir, dans l'introd., pp. 183-186). Nous revenons ainsi à une démonstration qui a déjà été faite. La situation
n'est pas réellement différente selon qu'on prend *Did.*, 1:4 seul
(voir ci-dessus), ou *Did.*, 1:4-5a. Si l'on veut, une combinaison *Mt.-
Lc.*, éventuellement dépendante de Tatien, ne s'impose pas plus
que la simple dépendance par rapport à l'un ou l'autre des Synoptiques. Il va sans dire, au surplus, que la date respective du *Diatessaron* et de la *Didachè* (dans son état actuel) exclut, à nos yeux,
toute possibilité de dépendance de celle-ci par rapport à celui-là.
Mais la date de la *Did.* n'étant que la résultante d'un certain nombre
d'indices majeurs dispersés dans le texte, il est d'une méthode
prudente de ne pas la considérer dès l'abord comme acquise une
fois pour toutes à propos de n'importe quel problème.

On remarquera, d'autre part, du point de vue de la forme, que
1:5a est simplement juxtaposé à 1:4, tout comme 1:4 était juxtaposé à 1:3 sans que la moindre particule vînt trahir un effort quelconque en vue de ménager la transition. Le décousu littéraire peut
difficilement être regardé comme fortuit lorsqu'on observe, en
outre, qu'il coïncide avec une homogénéité interne de 1:3, 4 et 5
au moins aussi sensible que leur juxtaposition elle-même dans
l'ensemble de l' « instruction » prévue par l'interpolateur. Chacune
de ces petites unités a ses formes, son rythme et son équilibre
distinctifs. Les analyses précédentes l'ont déjà souligné à propos
de 1:3 et 4, mais, à cet égard, 1:5 n'est pas moins caractérisé. On
notera spécialement, avec la relative complication de la forme
fondamentale du parallélisme, l'usage des particules.

Ces faits, qui sont de pure forme, et qui ne relèvent probable-

ment pas d'une intention littéraire bien consciente, ne sont guère
explicables si l'on imagine l'interpolateur, en présence de *Mt.*
et de *Lc.*, dans la fonction d'un quelconque assembleur de textes.
Pourquoi, de sa part, cette disjonction des trois composantes
principales de l' « instruction » venant comme consacrer juste à
point leurs différences littéraires internes? Hasard? Imprévisibilité normale d'une réaction strictement individuelle devant des
sources, peut-être utilisées de mémoire? Il est d'autant plus malaisé
de se contenter de pareilles explications que le phénomène est
constant, et non unique. Les faits suggèrent bien plutôt qu'au-delà
de l'interpolateur, s'il y a une ou plusieurs sources, ce ne sont ni
Mt. ni *Lc.*, mais un ou plusieurs autres témoins aujourd'hui perdus
de la tradition évangélique primitive. L'interpolateur a dû recueillir
à peu près tels quels 1:3 et 1:4, sauf quatre additions qui, à un
degré quelconque, peuvent lui appartenir en propre : νηστεύετε
δὲ ὑπὲρ τῶν διωκόντων ὑμᾶς, καὶ οὐχ ἕξετε ἐχθρόν (1:3); καὶ ἔσῃ
τέλειος..., οὐδὲ γὰρ δύνασαι (1:4).

Le cas de 1:5 est plus difficile à juger, faute de terme de comparaison suffisamment proche. Il se peut que la part de l'interpolateur y soit plus grande qu'elle ne nous a semblé l'être pour 1:3 et 4.
Mais on ne saurait, dans le détail, fixer une limite tant soit peu
précise à sa contribution personnelle, si ce n'est pour la formule
κατὰ τὴν ἐντολήν, qui est de son style (voir introd., p. 107).
Comme κατὰ τὴν ἐντολήν est pratiquement inséparable de μακάριος
ὁ διδούς (du moins dans l'état actuel du texte), lié à son tour, par
le parallélisme, à οὐαὶ τῷ λαμβάνοντι, il est probable, cependant,
que la responsabilité littéraire de l'interpolateur ne s'arrête pas
ici à sa formule caractéristique.

Au surplus, ces observations rendent du même coup extrêmement précaire, il me semble, du simple point de vue interne, la
possibilité d'une dépendance de la *Did.* à l'endroit d'Hermas
(voir introd., pp. 163-166). Ce qu'il s'agit d'apprécier, en effet, ce
n'est pas seulement *Did.*, 1:5*b*, considéré d'une manière tout abstraite,
en présence de *Mand.*, ii, 4-6, mais *Did.*, 1:5*b* en ses conditions
littéraires concrètes dans l'ensemble de la contribution de l'interpolateur à la formation du texte actuel de la *Did.* Mais on n'imagine
pas sans difficulté le responsable de *Did.*, 1:3, 4*b*; 6:2-3; 7:2-4 et
13:3,5-7 occupé à tirer 1:5*b* de *Mand.*, ii, 4-6, en vue de développer
à sa manière ce qu'on a pensé, à tort, être une simple forme remaniée de *Lc.*, 6:30 (*Did.*, 1:5*a*). Le propos serait, de sa part, assez paradoxal, comme, du reste, par voie d'association, toute son entreprise.

On ne voit pas, en particulier, comment, de ὁ οὖν διδοὺς ἀθῷός ἐστιν (*Mand.*, ii, 6), l'interpolateur serait spontanément passé à la forme « macarismique » de *Did.*, 1:5, μακάριος ὁ διδοὺς κατὰ τὴν ἐντολήν· ἀθῷος γάρ ἐστιν, dûment contrastée par οὐαὶ τῷ λαμβάνοντι. Le macarisme et sa contrepartie, appels respectifs à la bénédiction et à la malédiction de Dieu, ou simple constatation d'une situation de fait jugée heureuse ou malheureuse, fut l'une des formes littéraires les plus expressives et les plus spontanées de la conscience juive ancienne (voir A. Descamps, *Les justes et la justice dans les évangiles et le christianisme primitif*, pp. 165 s. ; J. Dupont, *Les béatitudes*, Louvain, 1954, pp. 107 s. ; aussi R. Bultmann, *Die Geschichte der synoptischen Tradition*, 2 éd., p. 117 ; il sera intéressant de comparer, en outre, lorsqu'il sera connu, avec le recueil sapientiel de la grotte 4 de Qumrân, dont l'édition a été confiée à M. Starcky ; ce recueil contient une « série de macarismes pour ceux qui accomplissent les commandements ('šry...), et la description des tourments qui attendent les impies » ; cf. *Le travail d'édition des fragments manuscrits de Qumrân*, dans *RB*, LXIII (1956) 67). Une telle forme littéraire était parfaitement homogène à l'ensemble des caractères que présente la part de l'interpolateur (probablement juif) dans la *Did.* Mais personne ne lui donnera jamais une explication plausible sous la plume d'un simple lecteur d'Hermas, disons, pour mettre les choses au mieux, vers le troisième quart du iie siècle. Aussi longtemps qu'on se contente de comparer des « idées » et des « styles » (individuels), il est peut-être permis d'hésiter. Mais il s'agit de formes, sinon de genres, littéraires, et le facteur est ici décisif. Les genres littéraires participent aux conditions d'unicité et d'irréversibilité de l'histoire. La comparaison des textes ne peut les déplacer à sa guise dans le temps et dans l'espace, comme si leur naissance et leur destin ne relevaient que de rencontres fortuites.

G. Dix, qui prisait très haut les analyses, à mon avis, artificielles de Robinson, ne pensait pas grand bien de la composition de *Did.*, 1:5-6 (G. Dix, *Didache and Diatessaron*, dans *JTS*, XXXIV (1933) 244, 249, n. 1 ; avec renvoi général à J. A. Robinson, *Barnabas, Hermas and the Didache;* du même Robinson, mais un an après l'article de Dix, *The Didache*, dans *JTS*, XXXV (1934) 233-238). L'instruction lui paraissait, sur plus d'un point, obscure et incohérente jusqu'à la franche contradiction. On peut, il me semble, porter un jugement moins sévère, sans pour autant faire de l'interpolateur un écrivain. Du moins n'est-il pas un absurde gribouilleur et sait-il ce qu'il dit, ce qui autorise sans doute à chercher patiemment à le comprendre.

La pensée principale est exprimée en premier lieu. Idéalement, il faudrait donner à quiconque demande, sans compter sur le retour. C'est en effet la volonté de Dieu, inscrite dans sa bienfaisance même, que nous soyons toujours disposés à distribuer ses biens, et aussi à les rendre véritablement communs, lorsque la nécessité s'en fait sentir. En soi, la demande de l'indigent, quels que soient les abus qui puissent la corrompre, demeure l'indice normal de cette nécessité. « Donne à quiconque te demande, sans exiger de retour. Car la volonté du Père, c'est qu'on donne à même ses propres dons. » Une idée semblable se trouvait, toute proche, dans le *Duae viae* (4:5-8). En partie tout au moins, et sous une forme moins impérative, elle était déjà entrée depuis longtemps dans la tradition des sages (cf. *Prov.*, 3:27 s.; *Tob.*, 4:7, et, en particulier, la très belle exhortation du Siracide, *Eccli.*, 4:1-6; comp. *Deut.*, 15:7-11, tout entier fondé sur la foi en la création, et, de façon plus immédiate, sur le « don » initial fait par Yahvé de la « terre », — le pays de la promesse et de la bénédiction, — à son peuple; aussi *Prov.*, 19:17; *Ahik.*, 3:31). Quelle que soit sa responsabilité personnelle dans le détail, l'interpolateur ne fait que prolonger ici, avec l'évangile, la ligne la plus haute de la tradition ancienne sur la conduite à tenir à l'égard du pauvre.

On remarquera, du reste, qu'en dépit d'une identité partielle dans la forme (μὴ ἀπαίτει), la pensée de *Lc.*, 6:30 n'est pas la même. L'instruction de l'interpolateur demande qu'en donnant au pauvre on n'attende pas de retour (même soin à prévenir une déception possible, très humaine, dans *Eccli.*, 12:2; *Ahik.*, 3:31). *Lc.*, au contraire, suppose qu'on a été injustement dépouillé de son bien : « à qui te prend ton bien ne réclame pas ». Du point de vue textuel, l'omission de παντί par *CA* n'est que l'effet d'un glissement intentionnel, de la part du remanieur, du texte de la *Did.* à celui de *Mt.*, 5:42. Le changement est d'ailleurs sans portée pour le fond. La forme est seulement plus tranchée avec παντί.

Il est clair, d'autre part, d'après le contexte, que « le Père » doit s'entendre ici en regard de la création (comp. 2 *Cor.*, 1:3, « le Père des miséricordes »; *Éph.*, 1:17, « le Père de la gloire »; *Jac.*, 1:17, « le Père des lumières », les astres; « le Père de l'univers », expression fréquente dans Philon; noter qu'Hermas, qui n'emploie jamais « Père » en ce sens, a spontanément substitué θεός à πατήρ là où il se rapproche pourtant le plus de la *Did.*; voir ci-dessus).

Les χαρίσματα sont donc simplement les biens répandus par Dieu dans la création pour le bénéfice commun de tous les hommes (Hermas, δωρήματα). Il est vrai que χάρισμα est plutôt rare en ce sens (cependant, PHILON, *Leg. all.*, iii, 78), mais il est excessif de prétendre avec Robinson (*art. cité*, p. 235), en prenant appui sur le seul usage paulinien, qu'il faut comprendre grâce (charisme, « endowment of grace for a particular purpose »), plutôt que don. Il y a assez de difficultés réelles sans en créer comme à plaisir.

Suivant nos goûts, le passage à la bénédiction et à la malédiction qui suivent est plutôt heurté (Dix : « something of a bathos »). Ce n'est pourtant pas une complète discordance, et les formes arrondies de notre prose ne sont pas non plus une règle universelle de l'expression jugée convenable. Nous sommes ici dans le monde littéraire sémitique, où volontiers ce que l'on conçoit bien s'énonce fortement. On voit l'idée de l'interpolateur. Il faut toujours être disposé à répondre généreusement à quiconque demande, et heureux qui agit ainsi, selon le commandement! En regard de la Loi (comp. θέλει... ὁ πατήρ), et de l'intention divine qui s'y manifeste, quel reproche lui ferait-on? Celui qui donne dans cet esprit et de cette manière est béni de Dieu (impliqué dans « heureux », qui est une formule de bénédiction souhaitée et espérée, regardée aussi comme partiellement acquise; c'est le macarisme sapientiel; pour la forme, voir *Eccli.*, 25:7-11, et pour le fond, *Prov.*, 19:17; *Eccli.*, 7:32). Mais l'expérience de l'aumône oblige à regarder en même temps les choses par un autre côté. Le changement de point de vue est marqué par le contraste violent de la bénédiction et de la malé- diction, encore qu'il y ait probablement là, par un effet naturel d'usure, une part de formule simplement littéraire. La malédiction est le revers de la bénédiction, comme la situation de celui qui reçoit est à l'inverse de la situation de celui qui donne. De là, en prenant les choses d'une façon globale, le « Malheur à celui qui reçoit! ». Il faut comprendre, et la suite explique avec les distinctions néces- saires. La demande doit être sincère comme le don doit être généreux. De même que la générosité attire la faveur de Dieu sur celui qui donne, ainsi l'abus de confiance, de la part de celui qui reçoit, devrait-elle lui faire craindre son jugement et sa condamnation.

La pensée du jugement de Dieu amenait facilement, dans l'ex- pression, l'imagerie parabolique de la comparution devant le tribunal et de l'emprisonnement pour dettes (comp. *Mt.*, 5:26). C'est le châtiment pour escroquerie. Ceux qui ont vécu en Orient, et qui ont rencontré, concrètement, presque à chaque sortie dans la rue, le problème de l'aumône individuelle, ne trouveront sans doute, dans l'instruction de l'interpolateur, rien de déraisonnable, ni non plus rien qui ressemble à une petite dissertation inutile ou à un mauvais exercice de littérature.

Dans le détail, il ne me semble d'ailleurs pas qu'il faille compléter « selon le commandement » par une référence précise à ce qui précède (1:5a), ou à un autre passage déterminé de l' « Écriture » (A.T.). ἐντολή désigne moins ici un « commandement » en une expression particulière quelconque, que ce qui résulte, en qualité de « commandement », de l'ensemble de l'enseignement de l' « Écriture » sur le point particulier de l'aumône (comp. 2:1; 13:5, 7; aussi *Eccli.*, 29:1, 9; sur cet emploi élargi de l'appel à l' « Écriture », voir, par exemple, FL. JOSÈPHE, *Contre Apion*, II, 24, 202).

Selon l'usage classique, généralement maintenu dans la koinè, δίδωμι δίκην voudrait plutôt dire purger une sentence déjà prononcée, être puni, subir le châtiment. Mais le contexte (περί) suggère une nuance, avec un sens prégnant : passer en jugement et (très certainement) encourir la peine. On ne peut s'attendre ici à une langue beaucoup plus correcte. συνοχή, dans le sens de prison, est probablement aussi de la langue populaire (ἐν συνοχῇ δὲ γενόμενος, comp. le français familier « coffrer »).

1:6 *A ce propos, il est vrai, il a été aussi dit : « Que ton aumône sue à tes mains jusqu'à ce que tu saches à qui tu donnes ».*

La transition par ἀλλὰ καί peut introduire une addition qui, tout en maintenant ce qui précède, veut néanmoins attirer l'attention sur une considération précédemment omise, et, par là, exprimer une réserve en se plaçant à un point de vue en partie nouveau (voir, par ex., *Lc.*, 24:22). C'est assez bien la nuance du français « il est vrai ». ἀλλὰ καί viserait ainsi, en premier lieu, παντὶ τῷ αἰτοῦντί σε δίδου καὶ μὴ ἀπαίτει, qui domine toute l'instruction de 1:5. Ce serait un repentir d'auteur, un retour quelque peu tardif sur ce qu'il a écrit en vue d'en modifier l'équilibre. En tout cas, ce n'est pas, de nécessité, comme on l'a dit, une « contradiction » ouverte (DIX, *art. cité*, p. 249, n. 1; E. PETERSON, *Ueber einige*

Probleme der Didache-Ueberlieferung, dans *Riv. di archeol. crist.*, XXVII (1951) 38).

J'ai bien peur, cependant, que cette explication ne soit un peu trop favorable et ne parvienne pas à calmer tous les soupçons qui ont pesé sur l'authenticité de *Did.*, 1:6 (encore récemment, Peterson, *art. cité*, p. 39 : glose marginale qui aurait pénétré dans le texte, avec une intention polémique dirigée contre l'idéal de perfection de 1:4). On a beau retourner le texte pour ménager ses attaches possibles avec 1:5, il survient décidément un peu tard, bien que, à propos d'une composition comme celle-ci, très sémitique d'allure, nous devions plutôt nous défier de la rigidité de notre logique. Comme, d'autre part, nous ignorons, dans le détail, quelle a été la responsabilité rédactionnelle de l'interpolateur à l'égard de 1:5, il est toujours possible que l'instruction se soit offerte à lui, en substance, telle que nous la lisons dans la *Did.*, et que 1:6 représente justement, après coup, une réaction personnelle, utilisant d'ailleurs une donnée préexistante. De toutes manières, 1:6 constitue par rapport à 1:5 une « retouche » insolite, dont la modalité précise nous échappe (comp., sous ce rapport de l'opposition de *Did.*, 1:5 et 1:6, la double série de conseils de *Eccli.*, 4:1-6 et 12:1-7).

D'autre part, εἴρηται ne peut normalement annoncer qu'une citation de l'Écriture (comp. 9:5; 16:7). L'embarras est que cette citation ne peut être repérée dans le texte courant ni des éditions imprimées ni des manuscrits. Au premier moment, la critique eut la facile ressource d'écarter la référence d'un revers de main, sans scrupule. Au mieux, la citation pouvait provenir d'un apocryphe quelconque, aujourd'hui perdu. Mais peu à peu on a dû au moins reconnaître que la maxime avait connu une curieuse diffusion dans le monde latin, toujours citée comme partie de l'Écriture, et chose remarquable, sous une forme qui pouvait laisser croire qu'elle était indépendante de la *Did.* (voir les textes rassemblés par C. H. Turner, *Adversaria patristica*, dans *JTS*, VII (1906) 593-595; ajouter C. A. Kneller, *Zum 'schwitzenden Almosen'*, dans *Zeitschr. f. kath. Theol.*, XXVI (1902) 779s.).

Il a donc fallu commencer à prendre des précautions. La sentence pouvait, après tout, avoir été accrochée quelque part à la transmission latine de l'A. T. La frappe était nettement sapientielle. C'est donc du côté des sages qu'on était invité à regarder. Parmi eux, *Eccli.*, 12:1-7 offrait, par l'analogie de la pensée, l'occasion idéale pour une intrusion de cette sorte (ἐὰν εὖ ποιῇς, γνῶθι τίνι ποιεῖς, 12:1). C'est là qu'elle se trouve, en effet, comme en témoigne encore

la *Postille* de Hugues de Saint-Cher (1231-1235), ou du moins c'est
là qu'elle s'est trouvée pendant très longtemps, quoique les éditions imprimées ne l'aient pas recueillie (HUGUES DE SAINT-CHER,
Post., in loc.; éd. de Venise, II, 194). Kneller, qui a le premier
signalé le texte de la *Postille*, n'a pas réussi, à ma connaissance,
à attirer l'attention des interprètes de la *Did.* (sauf Schermann).
Lui-même n'a pas vu, d'ailleurs, les implications du très intéressant phénomène qu'il avait sous les yeux et il n'a fait que soupçonner, à ce qu'il semble, qu'une explication utile à plus d'un point
de vue pouvait être cherchée dans cette voie. Mais c'était déjà un
mérite d'avoir fourni le point de départ.

Pour aller plus loin, il eût fallu, à vrai dire, se représenter dans
leur ensemble les lignes essentielles de l'histoire du texte de l'*Ecclésiastique*. On sait que cette histoire est particulièrement enchevêtrée. Le petit problème posé par *Did.*, 1:6 n'est qu'un détail dans
une question infiniment complexe. Il ne m'appartient évidemment
pas d'ouvrir ici de nouveaux sentiers dans cette forêt. Il est cependant nécessaire à mon propos de n'en pas rester à une vague indication de solution possible. Comme on verra, *Did.*, 1:6 est probablement le plus ancien témoin que nous possédions, dans la tradition
indirecte, d'un type de texte de l'*Eccli.* autre que celui qui est principalement représenté pour nous par les grands onciaux des *LXX*.
L'attestation indépendante d'un tel type de texte, quelque part
en Syrie-Palestine, dès le milieu du Ier siècle de notre ère, n'est
certes pas un fait négligeable (je voudrais mettre ici, à l'arrière-plan
de la discussion, l'article fondamental de D. DE BRUYNE, *Étude sur
le texte latin de l'Ecclésiastique*, dans *Rev. bén.*, XL (1928) 5-48,
dont j'adopte en majeure partie les conclusions).

Il faut partir du texte de la *Postille* de Hugues de Saint-Cher
sur *Eccli.*, 12:1. Après avoir introduit le thème par la première partie du verset, il continue : « *Scito cui feceris*, id est, antequam des,
attende cui des. Unde infra eodum secundum aliam translationem : *Desudet eleemosyna in manu tua, donec invenias, cui des vel
cui dare debes*. Monet autem auctor attendere, cui dandum etc. »
(éd. de Venise, II, 194).

Il est clair, d'abord, que « *Desudet eleemosyna in manu tua, donec
invenias, cui des vel cui dare debes* », malgré quelques variantes de
détail, représente le texte plusieurs fois cité par les latins comme
venant de l'Écriture : « *(De)sudet eleemosyna in manu tua, donec
(quousque) invenias iustum cui des (eam tradas)* ». Desudet (Aug.,
1 fois, Cassiod., 2 fois, Bern. et Pierre le Mang. chacun 1 fois) pour

sudet (Aug., 2 fois, Grég., Abél., Gontier de Païris, 1 fois chacun), et *quousque* (Aug., 1 fois) pour *donec* (tous, sauf Grég., qui ne cite que le premier membre), sont des variantes dont la signification peut être négligée ici, de même que *eam tradas* (Aug. et Cassiod., 2 fois chacun) au lieu de *des*. L'addition de *vel cui dare debes* par la *Post.* est évidemment une glose, dont l'intention probable est de rétablir l'équilibre du texte troublé par l'omission (accidentelle) de *iustum* (tous, sauf Abél., *qui dignus sit*, autre glose, qu'elle soit due à la liberté de la citation ou qu'elle remonte à une source manuscrite). Nous reviendrons dans un instant sur *iustum*, la variante de beaucoup la plus significative. Débarrassé de sa glose, et compte tenu de l'omission, probablement involontaire, de *iustum*, le texte de la *Post.* rejoint ainsi de très près, lorsqu'il ne leur est pas identique, les citations d'Aug., Cassiod., Grég., Abél., Bern., Pierre le Mang., et Gontier de Païris : *Desudet eleemosyna in manu tua, donec invenias (iustum) cui des*. Il n'y a donc pas de doute que les auteurs qui, à partir de s. Augustin, ont cité ce dit sapientiel en le rapportant à l'Écriture *(scriptum est, Scriptura)*, le lisaient réellement dans un texte biblique qu'ils pouvaient avoir sous les yeux.

Le service que nous rend en outre la *Post.*, c'est de nous préciser que la sentence se lisait immédiatement après *Eccli.*, 12:1 *(infra eodem)*, et dans un type de texte que Hugues appelle une *alia translatio*. Il serait sans profit d'épiloguer sur cette qualification en pressant ses termes. Les maîtres médiévaux, sauf exception (Roger Bacon) n'avaient que des idées très confuses sur l'histoire de leur Bible latine (voir H. H. GLUNZ, *History of the Vulgate in England from Alcuin to Roger Bacon*, Cambridge, 1933, pp. 281 ss.; aussi les catégories « critiques » dans lesquelles ont été élaborées les *correctoria* du xiiie siècle, dans B. SMALLEY, *The Study of the Bible in the Middle Ages*, New York, 1952, pp. 335 s.; *Some Thirteenth Century Commentaries on the Sapiential Books*, dans *Dom. Stud.*, III (1950) 250-253). Nous ne pouvons songer à retracer après coup la ligne de partage qui a séparé, à leurs yeux, les *diversae translationes* (HUGUES DE SAINT-VICTOR, *De Script. et script.*, 9; *PL.*, 175,18) que l'usage, plutôt qu'une étude systématique, leur permettait de discerner. Habitués à une *littera communis* qui voulait être la Vulgate hiéronymienne, c'est par rapport à celle-ci naturellement qu'ils jugeaient du reste. Tout ce qui errait autour de cette quantité relativement stable était compris dans le groupe mal défini des *aliae translationes*. C'est quelque part dans ce groupe

non-conformiste que Hugues de Saint-Cher a recueilli l'addition
que beaucoup d'autres avant lui avaient connue et qui circulait
encore très librement dans les grandes écoles du XIIIe siècle. [Je
ne puis qu'avertir ici d'un mot, à la correction des épreuves,
que le « secundum aliam translationem » du texte imprimé de
la *Postille* ne se trouve pas dans les manuscrits que j'ai pu
consulter à Paris, à la Bibliothèque Nationale : soit les *lat.* 469,
481, 558, 2524, 2525, 14258. Ces six témoins, dont je ne pouvais
m'attacher à établir les relations, portent tantôt un blanc,
après « eodem », tantôt simplement « infra », sans blanc, et tantôt
« infra » avec une référence à *Eccli.*, 19. Il reste là un petit
problème à élucider. En revanche, la *Postille* d'Étienne Langton
(† 1228) sur l'*Eccli.* esquisse, dans le cours du commentaire sur
12:1, une *quaestio* dont l'un des considérants rejoint de manière
implicite le témoignage du texte imprimé de la *Postille* de Hugues
de Saint-Cher : « Est autem beneficium quod non debet dari
iniusto, etc. Item : Desudet eleemosyna in manu tua donec videas
iustum cui des. Per hanc auctoritatem videtur quod solis iustis
danda sit eleemosyna. *Solutio* : Haec auctoritas non invenitur in
textu Sacrae Scripturae secundum nostram translationem. Esto
tamen quod sit auctoritas etc. » (cité d'après le Paris, Bibl. Nat.,
lat. 485A, fol. 18va; même texte dans le 485B, fol. 22va)].

D'où venait-elle? Certainement pas du texte courant des *LXX*
dont l'ancienne version latine incorporée à la Vulgate hiéronymienne tendait depuis longtemps à se rapprocher (DE BRUYNE,
art. cité, pp. 15 ss., 37; aussi A. WILMART, *Nouveaux feuillets toulou-
sains de l'Ecclésiastique*, dans *Rev. bén.*, XXXIII (1921) 110 ss.).
Pas davantage, il me semble, d'un glossateur latin relativement
tardif quoique antérieur à s. Augustin. Car il deviendrait alors très
difficile, du point de vue des vraisemblances internes, d'expliquer
l'apparition de *iustum*. Les affinités du terme, en pareil contexte,
sont en effet trop nettement juives pour faire songer, de prime abord,
à une main chrétienne. Cette impression est confirmée par le parallélisme littéraire *eleemosyna-iustum*, effacé en latin, mais immédiatement sensible en rétroversion directe du côté de l'hébreu. Si,
comme il est probable, *eleemosyna* traduit *ṣedâqâh*, *iustus* suppose
évidemment *ṣadîq*, ce qui, du coup, restitue aux deux hémistiches
un équilibre littéraire parfait. Or, ce parallélisme, trop caractérisé
pour être le produit du hasard, ne peut guère être né grec ou latin.
L'hébreu, au contraire, en rend compte de la façon la plus naturelle.
L'explication est alors très simple : *Did.*, 1:6 utilise avec une certaine

liberté un *Eccli.* grec apparenté, sinon identique, à celui qui a servi de base à l'une au moins des anciennes versions ou révisions latines du même écrit. Ce type de texte devait être bien connu en Syrie-Palestine dès la première moitié du Ier siècle de notre ère puisque l'interpolateur de la *Did.* a pu lui emprunter, vers ce temps-là, une citation déjà susceptible d'être communément acceptée avec l'autorité de l' « Écriture ». Sans doute représentait-il, au surplus, un hébreu déjà éloigné de l'original et plus ou moins engagé dans la voie des recensions. Une addition comme celle qui nous occupe est un indice. Serait-il téméraire de suggérer, après cela, que l'*Eccli.* grec connu de l'interpolateur de la *Did.* n'ait été rien d'autre, en substance, que le pendant, et le rival, palestinien de la version alexandrine du petit-fils du Siracide, véritable mère du texte qui devait finir par s'imposer le plus universellement dans la transmission?

On a longtemps discuté sur le sens de *Did.*, 1:6. Mais *Eccli.*, 12:1-7, en restituant à la citation ses attaches primitives, devrait enlever toute hésitation. C'est une limite délibérément posée à l'exhortation, très absolue dans la forme, de *Did.*, 1:5*a* : « Donne à quiconque te demande ». Il faut être prêt à donner à tous. En pratique, une certaine discrétion, cependant, s'impose. C'est pourquoi il a aussi été dit : « Que ton aumône sue à tes mains jusqu'à ce que tu saches à qui tu donnes » (comp. *Eccli.*, 4:1-6 et 12:1-7; pour retrouver l'arrière-fond psychologique et social de cette prudence, voir *Eccli.*, 29). Candide contrebalancement de l'évangile par la tradition des sages, assez heurté, à la manière sémitique, et, quoi qu'il en soit en particulier de l'authenticité de 1:6, sûrement très ancien.

---

2. *Deuxième commandement de l'instruction :*]

Sorte de sous-titre intérieur destiné à rétablir, autant que possible, l'ordre primitif de la composition du « chemin de la vie », troublé par l'insertion de 1:3*b*-6. La phraséologie, différente de celle de 1:3*a*, du moins en partie, appartient à l'interpolateur. διδαχή garde cependant le sens du titre principal : instruction, comprise du genre littéraire auquel se réduit tout le recueil, et auquel se rattache le

Duae viae, en particulier, présenté sous son propre titre comme une δıδαχὴ κυρίου (Yahvé). Tout cela n'offre plus maintenant grande difficulté.

C'est plutôt δευτέρα ἐντολή qui est inattendu. Mais l'expression n'étonne que si l'on prend ἐντολή dans un sens étroit et purement théologique. En réalité, le sens est assez large, et surtout, il touche en partie au genre littéraire. L'ἐντολή est moins ici un « commandement » déterminé, en dépit de l'apparence créée par δευτέρα, que l'exhortation beaucoup plus compréhensive dans laquelle se développe, aux yeux de l'interpolateur, toute la « seconde » partie du « chemin de la vie ». En ce sens, l'ἐντολή subdivise la δıδαχή, et en conformité avec celle-ci, dans la ligne du genre littéraire autant que du contenu. On serait tenté de traduire : « Deuxième point de l'instruction ».

Un tel usage n'est d'ailleurs pas spécial au passage qui nous occupe. Il se retrouve en chacune des douze ἐντολαί qui composent la deuxième (?) partie du *Pasteur*. Il suffit de lire les exhortations d'Hermas en regard de leurs titres, simple alignement numérique d'ἐντολαί, pour reconnaître que le sens théologique restreint de « commandements » n'y recouvre pas toute la réalité. La composition des *Mandata* du *Pasteur* ne se conçoit bien, au contraire, que si la division en ἐντολαί résulte de la portée littéraire revêtue par le terme. Il y a beaucoup plus que douze « commandements » dans les douze ἐντολαί du *Pasteur*. Une ἐντολή n'est plus alors tout à fait la même chose qu'un « commandement » : ce peut être, comme ici, une partie d'instruction » dans le genre de l'ἐντολή, ou du « commandement ».

2:2 *Tu ne tueras point, tu ne commettras pas d'adultère. Tu ne t'adonneras ni à la pédérastie, ni à la fornication, ni au vol, ni à la magie, ni à la sorcellerie. Tu ne supprimeras pas l'enfant par avortement et tu ne tueras point l'enfant déjà né. Tu ne convoiteras pas ce qui est à ton prochain.*

Pour bien comprendre tout le passage (2:2-7), il importe en premier lieu de rétablir la suite du *Duae viae*, tel que celui-ci a été originellement incorporé à la *Did.* Ce n'est pas 2:1, transition rendue après coup nécessaire par l'interpolation de 1:3*b*-6, qui introduisait alors le développement de 2:2-7, mais bien 1:3*a*. Après 1:2, il faut donc lire : « Or, voici l'instruction relative à ces commandements (amour de Dieu et du prochain) : Tu ne tueras point, etc. ». Tout devient alors parfaitement naturel (comp. *Mt.*, 22:34-40 par.; 19:16-19 par.).

La restitution de l'ordre primitif est d'autant plus nécessaire ici qu'elle affecte le sens de 2:2-7. A y regarder d'un peu près, il est difficile, en effet, d'échapper à l'impression que, dans l'histoire du *Duae viae*, et peut-être dans sa préhistoire, 2:2-7 ait constitué une unité littéraire, sinon indépendante, du moins assez caractérisée pour être encore aujourd'hui clairement reconnaissable. Son style « légal », très dépouillé, la distingue d'abord aussi nettement que possible du ton « sapientiel » de 3:1-4:14, en général beaucoup moins impératif, pour l'apparenter, au contraire, à la longue et sèche énumération de 5:1-(2). Dans le même sens, il faudrait souligner la différence de structure de conscience reflétée, de part et d'autre, par l'absence et la présence, respectivement, de motifs empruntés à l'expérience de la vie (le savoir-faire et le savoir-vivre de la tradition sapientielle). Ce n'est pas la même chose, du point de vue d'une conscience qui moule spontanément son expression, d'écrire : « Tu ne tueras point » (2:2), et d'écrire ensuite : « Mon fils, ...ne sois pas irascible, car la colère mène au meurtre » (3:2; voir, dans le reste de la partie « sapientielle », les diverses motivations introduites par γάρ, régulières dans 3:1-6; une exception, dans la partie « légale », à 2:4). Dans le premier cas, une relation directe à Dieu est sentie (relation identique, en fait, à celle que présuppose la mise en scène du décalogue, *Ex.*, 20:1-17; *Deut.*, 5:6-21; comp. διδαχὴ κυρίου dans le titre du *Duae viae*), qui ne l'est certes pas au même degré dans le second (« Mon fils... » : c'est le style de l'antique transmission de la sagesse accumulée par les générations, et représentée, en chacune d'elles, par l'autorité du père sur son enfant). En réalité, ce que nous avons ici n'est rien d'autre, à une échelle réduite, qu'une manifestation particulière du phénomène général de la coexistence et du développement parallèle de la loi et de la sagesse à l'intérieur de la tradition juive. Le *Duae viae* est, du reste, en accord avec son époque lorsqu'il opère le rapprochement de la sagesse et de la loi (1:1-2:7 et 3:1-4:14). A sa manière, il prolonge ainsi une orientation déjà sensible dans quelques psaumes tardifs, dans l'*Ecclésiastique* (spécialement, le ch. 24), dans la *Sagesse* surtout et dans Philon (ce dernier des sages n'a-t-il

pas mis tous ses soins à commenter la Loi ? — comp. *Barn.*, 16:9,
ἡ σοφία τῶν δικαιωμάτων, αἱ ἐντολαὶ τῆς διδαχῆς), sans oublier
les *Testaments des douze patriarches*, pour ne rappeler ici que les
témoins les plus connus. Il est remarquable, au surplus, que la
préséance, non seulement littéraire mais théologique, est ici
accordée à la « loi » plutôt qu'à la « sagesse ». Le trait est à
retenir, si l'on veut se faire une représentation exacte de la physionomie spirituelle du *Duae viae*, comme de la complexité de son
allégeance à l'égard du judaïsme. Enfin, 2:7, comparé à 1:2, ressemble assez à l' « inclusion » classique pour confirmer, du point de
de vue de la forme, l'ensemble des observations qui précèdent :
c'est 2:2-7 qui a été primitivement conçu, avec 5:1(-2), comme la
διδαχή de 1:2, et c'est à cette unité littéraire réduite que semble
encore s'appliquer plus directement le titre du *Duae viae* : Διδαχὴ
κυρίου τοῖς ἔθνεσιν.

Le développement « sapientiel », 3:1-4:14, lui-même d'une composition assez complexe, n'a donc dû entrer qu'après coup, quoique
très tôt, évidemment, dans le cadre du *Duae viae* originel tel que
nous venons d'en retracer les limites. A ce propos, il me semble
également significatif que le passage s'ouvre sur une considération
générale qui paraît bien encore, du point de vue littéraire, marquer
une sorte de début : « Mon fils, fuis toute espèce de mal, même tout
ce qui en aurait l'apparence » (3:1).

Si ces observations sont exactes, elles aident à fixer le sens de
2:2-7 dans son ensemble par rapport à 1:2. Nous rappelions il y a
un instant que le style de cette petite « instruction » était aussi
dépouillé que possible, sans la moindre expression de motif ajoutée
au commandement pour l'appuyer. Mais, en réalité, c'est la structure de l' « instruction » qu'il importe de comprendre ici. Cette
structure est identique, au fond, à celle du décalogue (*Ex.*, 20:1-17 ;
Deut., 5:6-21). Les motifs de l' « instruction » restent généraux
(sauf 2:4, pour confirmer la règle). Ils sont tout entiers contenus
dans les deux commandements : « Tu aimeras d'abord Dieu qui t'a
fait, puis ton prochain comme toi-même », — auxquels s'ajoute une
réflexion « sapientielle », de l'ordre de la recommandation inspirée
par un certain savoir-vivre plutôt que du commandement censé
issu directement de Dieu : « Ce que tu ne voudrais pas qu'il te soit
fait, toi non plus ne le fais pas à autrui » (1:2). Au delà, pour déterminer l'action, il suffit à l'auteur d'évoquer d'un mot l'espérance
de la « vie » et la répulsion de la « mort » (1:1). L'articulation théologique de l' « instruction », en dépit de sa sécheresse, rejoint ainsi les

structures de conscience dans lesquelles la majeure partie du
judaïsme contemporain, cherchant sa « justice » dans la loi, parve-
nait, de fait, à une nouvelle espérance de « vie » (dans la tradition
de la loi, voir les textes classiques de 2 *Macc.*, 7:1-38, et dans la
tradition sapientielle, *Sag.*, 1:15, où se lit cette déclaration qui
commande tout le reste : « La justice est immortelle »). Au long et
périlleux cheminement qu'a représenté une telle recherche, le *Duae
viae* offre son témoignage, parmi cent autres, avec ceci de plus
émouvant peut-être, qu'il ait voulu, avec tant de vraie modestie,
porter son espoir au delà des frontières privilégiées d'Israël.

Ces précisions de forme et de contenu nous conduisent déjà loin,
il me semble, de ce que pourrait suggérer la référence, devenue
presque classique, à l'ouvrage de A. VÖGTLE, *Die Tugend- und
Lasterkataloge im Neuen Testament* (Munster, 1936). Le renvoi a
toujours l'air de laisser entendre que *Did.*, 2:2 ss. n'est rien d'autre
qu'une image renversée des « catalogues » de péchés et de vices qu'il
est possible de relever dans la littérature de l'époque, païenne,
juive et chrétienne (Klauser, Kleist; déjà Knopf, qui réfère à
Lietzmann, Resch et Seeberg). Une telle suggestion repose sur un
bon nombre de méprises, auxquelles les minutieuses analyses de
Vögtle n'ont pas su échapper (en particulier, pp. 113-120 en ce qui
regarde le *Duae viae*). Le véritable ancêtre théologique et littéraire
du *Duae viae*, dans sa partie positive, doit être cherché du côté du
décalogue, qui est très loin, dans la tradition juive, d'avoir eu la
forme et le sens d'une « liste » de « vertus ». Les lignes de partage
des genres littéraires doivent être ici observées avec rigueur, sous
peine de laisser échapper les significations d'ensemble, ce qui,
en toute hypothèse, demeure pour nous le principal. Le *Duae viae*
appartient au genre de l' « instruction dans les commandements »,
διδαχὴ ἐντολῶν, tel que le pratiquait le prosélytisme de la synagogue contemporaine, où il voisine avec la « lecture de la Loi »,
ἀνάγνωσις νόμου, à laquelle il est évidemment subordonné et à qui
il emprunte, en définitive, sa destination profonde (voir ci-dessus
le comm. sur le titre du *Duae viae*). On ne peut juger de sa partie
positive par simple confrontation avec sa partie négative, en réunis-
sant l'une et l'autre dans la catégorie commune du « catalogue ».
C'est confondre, sur de simples apparences, ce qui est en réalité
distinct.

Ces précautions prises, il est nécessaire d'entrer maintenant dans
quelque détail. Les commandements sont à la deuxième personne
du singulier, suivant l'exemple du décalogue. C'est Dieu qui est

censé parler (διδαχὴ κυρίου); il s'adresse à l'individu : « Tu ne tueras
point ». Le futur indicatif (avec οὐ), d'autre part, n'a pas ici moins
de force que l'impératif dont il est un substitut courant dans le grec
de la koinè (voir J. H. MOULTON, *Grammar*, I, 177; comp., à partir
de 3:1, les impératifs avec μή; sur l'usage rabbinique contemporain,
voir D. DAUBE, *The New Testament and Rabbinic Judaism*, pp. 90
ss.).

Les omissions de l' « instruction » par rapport au décalogue posent
une difficulté un peu plus délicate. Il n'y a rien sur les images et
leur emploi dans le culte, individuel ou privé, rien sur l'usage
abusif du nom de Dieu (comp. *Barn.*, 19:5) ni sur le repos du sabbat,
rien non plus sur la piété filiale (comp. *Ex.*, 20:4-12). Mais cette
dernière omission suffirait à avertir, au besoin, qu'il serait imprudent
de presser outre mesure la signification négative de celles qui précèdent (sur les devoirs de la piété filiale, dans le monde païen, on
se rappellera seulement le précepte delphique, γονεῖς αἰδοῦ, héri-
tier direct, avec tout le recueil dont il fait partie, du prestige sacré
dont avaient joui les « lois non écrites »; cf. STOBÉE, *Flor.*, III,
173; éd. Hense, III, 125; à une époque plus récente, IIIe siècle de
notre ère, et peut-être justement chez un prosélyte, on pourra voir
encore MÉNANDRE L'ÉG., *Sent.*, 2-5, dans *RB*, LIX (1952) 58 s.,
avec les notes). Pour expliquer ici le silence du *Duae viae*, aucune
hypothèse ne s'impose de façon exclusive. Atmosphère d'époque,
sans doute, créée par des habitudes communes et un certain état
des institutions. Le Nouveau Testament lui-même, si engagé
qu'il ait été, pour sa plus grande part, dans l'entreprise de péné-
tration du monde païen, ne paraît guère se préoccuper, par exemple,
de ce qui aurait été un « problème » des « images » (comp. la question
des idolothytes, 1 *Cor.*, 8:1-10:33; *Act.*, 15:29). On peut donc penser
que la pression institutionnelle et sociale dans laquelle le *Duae viae*
a vu le jour a été consciemment ou inconsciemment ressentie
comme une suffisante indication de la conduite à tenir sur les
points qu'on omettait. Chaque milieu a ses lois non écrites, corrélatives de ses états de conscience.

En fait, nous savons que le sabbat était normalement observé
dans les milieux conquis par le prosélytisme de l'époque, en dehors
de la Palestine, encore que les modalités possibles de cette observance puissent nous échapper en bonne partie (voir les principaux
témoignages anciens dans Th. REINACH, *Textes d'auteurs grecs et
romains relatifs au judaïsme*, index; aussi M. RADIN, *The Jews
among the Greeks and Romans*, Philadelphie, 1915, pp. 246 ss.).

La documentation archéologique, d'autre part, ajoute un témoignage précieux aux rares textes contemporains du *Duae viae* qui nous permettent d'entrevoir l'attitude prise par le judaïsme à l'égard des « images ». Cette attitude, très inclinée vers la réserve sinon vers l'exclusion absolue, vient d'être décrite avec autant de soin que d'érudition par M. Goodenough. Je ne saurais mieux faire que de renvoyer ici à ses conclusions (*Jewish Symbols in the Greco-Roman Period*, IV, 12 : « Apparently Judaism in this period, in Palestine and the diaspora alike, was almost completely aniconic »; voir aussi les suggestions de C. Roth, *An Ordinance against Images in Jerusalem, A.D.* 66, dans *Harv. Theol. Rev.*, XLIX (1956) 169-177).

Comme il est naturel, les additions faites par le *Duae viae* au décalogue reflètent beaucoup plus nettement les préoccupations morales de son milieu et de sa destination. En matière sexuelle et conjugale le décalogue se limitait à l'interdiction de l'adultère, en se plaçant d'ailleurs au point de vue de la justice. Le *Duae viae* ajoute : « Tu ne t'adonneras ni à la pédérastie ni à la fornication » (la double omission de οὐ μοιχ. et de οὐ πορν. par la vers. géorg., accidentelle ou volontaire, n'a pour elle aucune probabilité). παιδοφθορέω et παιδοφθόρος ne se rencontrent nulle part dans le N. T. Ce n'est certes pas que le genre de liaisons auquel les deux mots se rapportent ait dû alors manquer à fournir des exemples. Le couple est d'ailleurs également inconnu du grec classique, dont les préférences, du moins dans la langue polie, allaient à des termes plus « neutres », tels que παιδεραστέω et παιδοφιλέω (sur le vocabulaire de l'amour grec, cf. R. de Pogey-Castries (Meier), *Histoire de l'amour grec*, Paris, 1930, pp. 303-312). Par leur composition même, παιδοφθορέω et παιδοφθόρος supposent un jugement et marquent, au contraire, une réprobation. Il est bien possible qu'ils soient nés en milieu juif, où nous lisons le second d'entre eux pour la première fois (*Test. Lev.*, 17:11), et où les maîtres de morale regardaient volontiers de telles déviations comme une spécialité grecque (Philon, *De spec. leg.*, iii, 7, 37-42; voir aussi les remarques pertinentes de M. Radin, *The Jews among the Greeks and Romans*, pp. 160 et 330; pour une mise au point récente de la part faite à la pédérastie dans l'éducation grecque antique, on lira les pages nuancées que H.-I. Marrou a consacrées à ce problème dans son *Histoire de l'éducation dans l'antiquité*, Paris, 1950, pp. 55 ss.). Il était naturel, en tout cas, que le prosélytisme juif ne voulût point là-dessus, par son silence, entretenir d'ambiguïté (*Lév.*, 18:22; 20:13, à propos de l'homosexualité; comp. *Gen.*, 19:5 ss.). De façon très significative, le *Duae viae* range la pédérastie immédiatement après le meurtre et l'adultère dans la suite de ses commandements, — avant la fornication. Dans les conditions historiques de l'époque, le point de vue est typiquement juif.

L'absolue simplicité de forme du οὐ πορνεύσεις, sa rigueur impérative, ne laisseraient guère soupçonner, d'autre part, l'histoire de ce commandement, qui fut, en réalité, hésitante, sinueuse et surtout fort complexe (sur l'incidence cultuelle dans le problème, on pourra voir brièvement *Nomb.*, 25:1-5; *Deut.*, 23:18-19; *Jér.*, 3:2-9). Il convient de ne pas oublier toutefois que, dans sa netteté et son assurance mêmes, le *Duae viae* recueille ici un héritage péniblement acquis par les sages et les prophètes (voir H. G. MITCHELL, *The Ethics of the Old Testament*, Chicago, 1912, pp. 33 s., 97, 328 s.; comp. *Test. Rub.*, 1:6; 4:6; 1 *Thess.*, 4:3; *Act.*, 15:29).

Faute de contexte, il est impossible, par contre, de donner un sens bien précis à la double interdiction de la μαγεία et de la φαρμακεία (pour une discussion générale du vocabulaire, voir A. D. NOCK, *Paul and the Magus*, dans JACKSON-LAKE, *The Beginnings of Christianity*, V, pp. 164 ss.). Les deux termes, souvent rapprochés par l'usage, recouvraient sans doute, dans la pensée de l'auteur, la plupart des jongleries paracultuelles qui ont parasité le syncrétisme religieux de l'époque, et qui, pour cette raison même, ont revêtu des formes extrêmement variées. On peut se faire aujourd'hui une idée de ce monde pitoyable, et parfois émouvant, d'illusion et de tromperie grâce aux papyrus magiques, dans les recueils bien connus de LEXA, *La magie dans l'Égypte antique de l'ancien empire jusqu'à l'époque copte. II. Les textes magiques*, et de PREISENDANZ, *Papyri Graecae magicae* (sur la valeur religieuse de ces documents, cf. A.-J. FESTUGIÈRE, *L'idéal religieux des Grecs et l'évangile*, pp. 281 ss.). Mais comment un Juif tel que l'auteur du *Duae viae*, contemporain de Philon, jugeait-il ces choses? Certes, il avait derrière lui, pour l'appuyer, sinon toujours les exemples, du moins les condamnations du passé (*Ex.*, 22:18; *Lév.*, 20:27; *Deut.*, 18:9-11). Est-il téméraire de penser, en outre, que la « magie » et la « sorcellerie » représentaient plus spécifiquement, à ses yeux, une forme d'usurpation frauduleuse, grâce à des connivences « démoniaques », et un abus des pouvoirs que Dieu ne donnait, en réalité, qu'à la parole et aux actions de ses « prophètes » (cf. PHILON, *Vita Mos.*, I, 277; comp. *Mt.*, 12:22-32 par.; aussi le cas de Simon, ὁ μαγεύων, dans *Act.*, 8:9, et celui d'Élymas, ὁ μάγος,

13:6-8, ce dernier qualifié de « faux prophète »; sur les dispositions prises par la loi à l'égard de la magie dans le monde gréco-romain, voir H. HUBERT, *Magia*, dans *Dict. des ant. gr. et rom.*, III, 1496*b*-1497*a*, 1500*b*-1501*a*)? Telle était du moins l'idée courante, que reprendra à son tour l'antiquité chrétienne, sous une forme à peine modifiée.

Les deux interdictions suivantes : « Tu ne feras point mourir le fétus par avortement et tu ne tueras point l'enfant déjà né » (γεν-νηθέν = γεννώμενον : non seulement « engendré », et donc conçu, mais né de fait, comme le suppose le parallélisme des situations; comp. *Diogn.*, v, 6, où le sens est clair; voir aussi l'usage des papyrus dans MOULTON-MILLIGAN, *Vocabulary, s. v.*), ont souvent été regardées par les anciens comme une singularité juive (Tacite : « Augendae tamen multitudini consulitur; nam et necare quemquam ex agnatis nefas », *Hist.*, v, 5, 6). Il est à noter, toutefois, qu'Israël avait longtemps partagé cette distinction avec l'Égypte ancienne. Celle-ci n'avait cédé, en fait, que devant la crue de l'hellénisme, non sans réticences d'ailleurs (voir DIODORE DE SICILE, *Bibl. hist.*, I, 80 : τὰ γεννώμενα πάντα τρέφουσιν ἐξ ἀνάγκης ἕνεκα τῆς πολυ-ανθρωπίας; aussi STRABON, *Géogr.*, XVII, 2, 5, qui insinue en passant, sur un indice assez léger, que les Juifs tenaient là-dessus leurs coutumes des Égyptiens, — avec les remarques de P. PER-DRIZET, *Copria*, dans *Rev. des ét. anc.*, XXIII (1921) 90-92, rappelant l'influence persistante, à cet égard, du culte d'Isis, déesse tutélaire de la maternité et de l'enfance). On sait, du reste, quelle était, à l'époque, la pratique du monde gréco-romain. Si l'on est généralement heureux d'avoir un fils, et, à son défaut, une fille, la naissance des fils puînés, susceptibles de diviser le patrimoine, des filles en surnombre, et à plus forte raison des enfants illégitimes, est souvent regardée, au contraire, comme un encombrement domestique tout à fait indésirable. La coutume, principalement appuyée sur le droit immémorial du père de famille, à l'exercice duquel, en cette matière, semble consentir le silence des lois de la cité, offre alors deux issues possibles, également acceptées sinon même jugées normales : ou bien la drogue qui procurera l'avortement, — c'est la solution préférée, — ou bien l' « exposition » du petit être anonyme en nul autre lieu, le plus souvent, que le dépotoir commun, κοπρία (c'est l'allusion du *Duae viae*, dont on peut en outre reconnaître les deux éléments essentiels dans PHILON, *De spec. leg.*, III, 20, 111; pour les renseignements généraux, voir G. GLOTZ, *Études sociales et juridiques sur l'antiquité grecque*, Paris,

1906, pp. 187-227, reproduisant avec quelques retouches les art. *Expositio* et *Infanticidium* du *Dict. des ant. gr. et rom.* ; on lira aussi avec profit les suppléments d'information apportés depuis lors par les papyrus, dans R. TAUBENSCHLAG, *The Law of Greco-Roman Egypt in the Light of Papyri*, New York, 1944, pp. 103 ss., et spécialement les discussions suscitées par la publication du *Gnomon de l'Idiologue*, dont les art. 41 et 107 se rapportent aux enfants recueillis ἐκ κοπρίας : Th. REINACH, *Le Gnomon de l'Idiologue*, dans *Nouv. rev. hist de dr. fr. et étr.*, XLIV (1920) 38-40; F. MAROI, *Intorno all' adozione degli esposti nell'Egitto romano*, dans Festschr.-Lumbroso, Milan, 1925, pp. 375 ss., surtout 384 ss.; J. CARCOPINO, *Le droit romain d'exposition des enfants et le Gnomon de l'Idiologue*, dans *Mém. de la Soc. nat. des ant. de France*, 8 série, VII (1928) 59 ss.). Supprimer l'enfant conçu ou déjà né, c'était, en beaucoup de situations gênantes, la voie des solutions faciles. Sur ce point comme sur beaucoup d'autres, on peut dire que le judaïsme, dans son ensemble, a résisté à l'entraînement de son entourage, moins toutefois en vertu d'une disposition expresse de la loi ancienne, qu'en vertu du respect profond de la vie que toute sa tradition lui avait inspiré (Philon utilise, à ce propos, les implications d'*Ex.*, 21:22). La fécondité est la première des « bénédictions » divines après celle de la longévité. Longévité et fécondité, l'une et l'autre ont longtemps constitué, dans l'âme d'Israël, la meilleure part de cette espérance de la faveur de Dieu que semblait promettre la « justice ». Le moment venu, le prosélytisme n'a pas manqué, on le pense bien, de voir dans cette attitude une supériorité et un avantage, ce en quoi il s'est rencontré avec les apologistes simplement désireux d'expliquer leur particularisme auprès du monde païen. Il a condamné comme un homicide toute pratique attentatoire à la vie de l'enfant (PHILON, *De spec. leg.*, III, 20, 110-120; la τεκνοκτονία par l'avortement ou l'infanticide n'est pas un crime moins grave que l'ἀνδροφονία; dans le même sens, Fl. JOSÈPHE, *Contre Apion*, II, 24, 202; comp. HÉCATÉE D'ABDÈRE, fr. 13, dans REINACH, *Textes*, 9,9; du côté chrétien, TERTULLIEN, *Apol.*, 9, 7-8, avec les notes de Mayor et de Waltzing).

Sur l'ordre suivant lequel les commandements sont présentés par *Did.*, 2:2, on verra le matériel recueilli par A. SEEBERG, *Die beiden Wege und das Aposteldekret*, Leipzig, 1906, pp. 8-9. La question intéresse avant tout l'histoire du *Duae viae* en sa transmission indépendante. Elle échappe ainsi à notre propos.

2:3-5 *Tu ne seras point parjure, tu ne porteras pas de faux témoi-*
gnage; tu ne seras pas méchante langue et tu ne garderas rancune à
personne. ⁴*Tu n'useras de duplicité ni en pensée ni en parole : la*
fourberie est un piège fatal. ⁵ *Ta parole sera exempte de mensonge*
comme de vains mots, mais au contraire empreinte de sincérité et de
sérieux.

Il faut bien reconnaître que οὐκ ἐπιθυμήσεις τὰ τοῦ πλησίον de
2:2 (*Ex.*, 20:17; *Deut.*, 5:21), ainsi écourté, reste un peu en l'air dans
le contexte (comp. 2:6). Mais le genre littéraire n'obligeait pas à
une construction rigoureuse, encore moins à un ordre qui eût pu
répondre à nos goûts. Il est clair que l'auteur ne cherchait pas non
plus l'effet. En revanche 2:3-5 forme une suite très convenablement
liée. L'idée commune sous-jacente à chacun des commandements
paraît être celle du bon usage de la parole : fidélité, justice, réserve,
mansuétude, droiture, sincérité.

Il convenait de mettre en avant la protection de la foi jurée.
Sans parler de ses nombreux usages publics, le serment a présidé,
chez les anciens, à d'innombrables rapports entre individus et
membres d'associations privées. Mais sa fréquence même l'exposait
à bien des violations, ouvertes chez ceux que ne retenait pas,
ou que ne retenait plus, la crainte d'encourir la colère des dieux,
dissimulées chez tous ces habiles qui préféraient prendre à tout
hasard la précaution d'une justification casuistique (serments à
double sens : distinction entre la langue et l'esprit, entre l'esprit et
la lettre, etc.). La loi, du reste, se tenait généralement satisfaite de
laisser aux dieux le soin de venger eux-mêmes l'autorité de leur
nom. En Grèce, il est vrai, il lui arriva de prendre des dispositions
contre le faux témoignage, mais ce fut toujours alors en tant que
faux témoignage, non en tant que parjure (voir G. GLOTZ, *Études*
sociales et juridiques sur l'antiquité grecque, p. 182). Les abus du
serment en vinrent à un point où les esprits les plus éclairés, déses-
pérant d'assainir la pratique, recommandèrent la complète absten-
tion (les pythagoriciens, Platon; comp. *Eccli.*, 23:7; voir cependant
Fl. JOSÈPHE, *Guerre*, II, 8, 7, à propos des Esséniens, et maintenant
Man. de disc., V, 2-13; comp. VI, 27). Ce devait être, comme on sait,
le point de vue de Jésus lui-même (*Mt.*, 5:33-37, repris par *Jac.*,
5:12). Le *Duae viae*, acceptant la pratique courante, païenne et
juive, s'en tient aussi à l'ancienne prescription de la loi (*Lév.*, 19:12) :
si l'on fait serment, que ce ne soit point en vue d'appuyer l'injus-

tice, ce qui implique qu'on devra concrètement demeurer fidèle à la parole donnée.

Le faux témoignage voisine avec le parjure, auquel il offrait souvent, en fait, une occasion particulièrement périlleuse de se glisser (*Ex.*, 20:16; comp. *Mt.*, 19:18). Knopf nous invite, à ce propos, à une comparaison avec *Or. sib.*, ii, 64,68 s. : μαρτυρίην ψευδῆ φεύγειν... μήδ' ἐπιορκήσῃς μήτ' ἀγνὼς μήτε ἑκοντί· ψεύδορκον στυγέει θεός, ὅττι κεν ἄν τις ὁμόσσῃ. Il me paraît bien probable cependant, sinon certain que les *Or.*, comme d'ailleurs le Pseudo-Phocylide (*Gnom.*; éd. Bergk, xi, pp. 28-35), dépendent ici d'une recension du *Duae viae* déjà en circulation. Les rapprochements assez nombreux que ces deux écrits suggèrent avec toute cette partie de l'instruction n'intéressent donc directement, en réalité, que l'histoire du *Duae viae* en sa transmission indépendante. Il faut les prendre comme des témoignages de la lecture et de l'interprétation ancienne de certains détails du *Duae viae*, rien de plus (les textes ont été recueillis et mis en parallèle par RENDEL HARRIS, *The Teaching of the Apostles*, pp. 40-47).

On serait tenté, à première vue, d'entendre οὐ κακολογήσεις dans le sens restreint que suggérerait une comparaison avec *Ex.*, 21:17 : « Qui injurie (*LXX* : κακολογῶν) son père ou sa mère devra être mis à mort » (voir aussi *Prov.*, 20:20; *Ez.*, 22:7; *Deut.*, 27:16 et *Eccli.*, 3:16). Mais l'horizon de l'auteur ne semble pas limité à la famille, et la comparaison qui répondrait le mieux à sa pensée me semble plutôt être quelque chose comme *Eccli.*, 23:12-15 et surtout 28:13-26 : « Fi du bavard et du fourbe : ils ont perdu beaucoup de gens qui vivaient en paix... La langue médisante a fait répudier des femmes parfaites, les dépouillant du fruit de leurs travaux. Qui lui prête l'oreille n'a plus de repos, ne peut plus demeurer dans la paix. Un coup de fouet laisse une marque, mais un coup de langue brise les os. Bien des gens sont tombés par l'épée, mais beaucoup plus ont péri par la langue. » Le rapprochement avec une mise en garde contre la rancœur irait en ce sens (comp. *Eccli.*, 27:30-28:7).

La duplicité couvre sans doute ici toutes les formes plus ou moins bénignes du mensonge (2:5) : elle s'exerce en pensée comme en parole (διγνώμων, διγλωσσία; comp. la γλῶσσα τρίτη de *Eccli.*, 28:14). Le commandement, cette fois, est accompagné d'une réflexion dont l'image quoique depuis longtemps usée, doit probablement garder plus qu'un sens hyperbolique : « la fourberie est un piège fatal », mis sous les pas d'autrui (comp., pour l'image, *Prov.*, 14:27; 21:6, etc.). Nous avons déjà relevé, d'autre part, la significa-

tion littéraire de ce détail : c'est un affleurement occasionnel du
phénomène beaucoup plus général de la rencontre de la loi et de la
sagesse dans les derniers siècles qui ont précédé l'ère chrétienne.
On notera seulement ici, en passant, pour confirmer nos observations, les nombreux liens de l'image du « piège fatal » avec les clichés
du style sapientiel (voir Hatch-Redpath, *Concordance*, παγίς).

Le λόγος ψευδής, c'est le mensonge caractérisé. Le contexte
porterait donc à entendre κενός dans un sens voisin : paroles creuses,
qui ne répondent ni à une pensée réfléchie ni à une intention arrêtée,
et qui ne sont souvent guère moins décevantes pour autrui que le
mensonge lui-même (comp. *Mt.*, 12:36, ῥῆμα ἀργόν). Dans la contrepartie positive, ἀλλὰ μεμεστωμένος πράξει, on attendrait plutôt
ἔργον que πρᾶξις, d'après l'usage (voir *Jac.*, 1:22; *Jn.*, 3:18), mais
même dans le grec classique la différence de sens n'est pas toujours
rigoureusement observée (cf. Trench, *Synonyms of the New Testament*, xcvi; aussi Grimm-Thayer, *Lexicon*, 527*a* et Moulton-
Milligan, *Vocabulary*, 533*b*). Le sens, évidemment, reste clair,
en dépit de cette incorrection possible (πράξει, dat. au lieu du
gén. qui serait aussi plus régulier ; comp. *Hermet.*, xvi, 2, φωναῖς
μεσταῖς τῶν ἔργων, où l'on remarquera, cependant, que l'efficacité
est celle du mot comme tel, dans sa valeur magique, ce dont
Knopf ne semble pas s'être aperçu, et qui à coup sûr nous conduit
fort loin de l'instruction du *Duae viae*). Il se peut, du reste, que la
clausule n'appartienne pas à la rédaction primitive. Elle manque
dans la plupart des témoins du *Duae viae* indépendants de la
Did. (*Barn.*, *Doctr.*, *Can. eccl.*), et, ce qui pourrait être plus grave
pour nous, dans le remaniement des *Const. apost.* Mais il arrive
souvent à celui-ci d'omettre (cette liberté était de son propos),
et comme, dans le cas présent, nous n'avons aucun autre moyen
de juger de la recension incorporée à la *Did.* que le *Hier.* 54, c'est
à ce dernier qu'il convient de s'en tenir.

2:6*a Tu ne seras ni cupide, ni rapace, ni méchant, ni hautain.*

L'instruction aligne, en les liant par οὐδέ, un certain nombre
de commandements dont les deux premiers, à tout le moins, vont
bien ensemble : « Tu ne seras ni cupide », âpre au gain, « ni rapace »

(comp. 1 *Cor.*, 5:10, même rapprochement). Un certain trouble commence avec ὑποκριτής, que tout le monde traduit naturellement par « hypocrite », mais qui semble erratique dans le contexte. Sans demander une rigueur excessive, la difficulté ne vient-elle pas justement de cette traduction influencée par la langue du N. T.? Le voisinage immédiat de « méchant », κακοήθης, et « hautain », ὑπερήφανος, suivis de deux commandements qui visent à écarter la malveillance et la haine, suggère un sens plus général. Ce sens a été, de fait, celui du substrat hébreu de ὑποκριτής, non seulement dans les versions alexandrines (*Job*, 34:30; 36:13, pour autant qu'on puisse être assuré de lire ici le texte des *LXX*), mais dans celles d'Aquila, de Symmaque et de Théodotion, qui sont toutes trois postérieures au *Duae viae*, quoi qu'il en soit de l'arrière-fond sur lequel elles reposent. L'hébreu *hânéf*, traduit par ὑποκριτής, n'a d'abord transmis à celui-ci que le sens général d' « impie », « injuste », « méchant », « endurci », etc. Les synonymes de ὑποκριτής, interchangeables avec lui en traduction, ont pu être ainsi des qualificatifs tout aussi indéterminés que ἀσεβής, ἄνομος et παράνομος (voir *Job*, 15:34: *LXX*, ἀσεβοῦς; comp. Aquila et Théodotion, ὑποκριτοῦ; 20:5: *LXX*, παρανόμων, Aquila, ὑποκριτοῦ; 36:13: *LXX*-Théodotion, ὑποκριταὶ καρδίᾳ, parallèle à ἀσεβεῖς, 12, et opposé au δίκαιος du contexte; surtout *Prov.*, 11:9: *LXX*, ἐν στόματι ἀσεβῶν παγὶς πολίταις; Aquila, Symmaque, Théodotion, ἐν στόματι ὑποκριτὴς διαφθείρει τὸν πλησίον αὐτοῦ; on pourra également voir, à ce propos, une remarque de P. Dhorme, *Le livre de Job*, Paris, 1926, p. 226; aussi P. Joüon, *ΥΠΟΚΡΙΤΗΣ dans l'Évangile et hébreu HÂNÉF*, dans *Rech. de sc. rel.*, XX (1930) 314-316). Il n'est donc aucunement nécessaire de traduire ici ὑποκριτής par « hypocrite », en sous-entendant le sens restreint que nos habitudes de langage ont tiré des évangiles, non sans simplifier d'ailleurs quelque peu les choses (à titre d'indice, voir *Mt.*, 23:28 et noter le rapprochement μεστοὶ ὑποκρίσεως καὶ ἀνομίας; comp., pour la même époque, Philon, *Quod Deus sit immut.*, xxii, 102-103; *De fuga*, vi, 34). Nous y sommes d'autant moins forcés que le sens général dans lequel les anciennes versions grecques ont régulièrement employé ὑποκριτής se retrouve, dans le *Duae viae*, attaché à son corrélatif ὑπόκρισις. La situation littéraire (conclusion de l'instruction sur le « chemin de la vie ») et le parallélisme des formes ne laissent cette fois aucun doute : ὑπόκρισις n'est pas seulement ici l' « hypocrisie », mais « tout ce qui déplaît à Dieu », πᾶν ὁ μὴ ἀρεστὸν τῷ κυρίῳ (4:12; sur les rapports de 3:7-4:14 avec l'ensemble

du *Duae viae*, voir ci-dessous les notes sur 3:7). Nous avons ainsi
recouvré nos franchises : nous ne sommes pas liés une fois pour toutes
à la traduction ὑποκριτής — « hypocrite », comme on a l'air de le
penser. En ce qui concerne *Did.*, 2:6, je prends donc ὑποκριτής dans
le sens d' « endurci », peut-être mieux encore, « perfide », en tenant
à l'arrière-plan l'idée antique, si profondément entrée dans la
tradition d'Israël, que l' « injustice » envers le prochain naît d'une
« impiété » envers Dieu, dont la sollicitude envers l'homme s'exprime, entre autres sinon en premier lieu, dans une « loi ».

οὐ λήψῃ βουλὴν πονηράν, d'autre part, a causé quelque hésitation parmi les traducteurs : plusieurs ont compris que l'instruction
demandait de ne point prêter l'oreille à des conseils préjudiciables
à autrui, ou encore, que de tels conseils ne devaient pas être recher-
chés (Sabatier, Hitchcock-Brown, Schaff). Mais λαμβάνω βουλήν
s'explique à l'analogie de λαμβάνω φόβον, qui équivaut simplement à
φοβέομαι (je suis saisi de crainte), et qui est classique (lat., *capio
consilium*, Funk, Klauser). Ce qui est demandé, c'est donc de ne pas
nourrir d'intention malveillante contre son prochain.

2:6b-7 *Tu ne nourriras pas de mauvaise intention contre ton
prochain,* [7] *tu ne haïras personne, mais tu reprendras ceux-ci, prieras
pour ceux-là, d'autres encore tu les aimeras plus que toi-même.*

La coupure de 2:7, qui tend à séparer οὐ μισήσεις... de οὐ λήψῃ
βουλὴν πονηράν n'est peut-être pas tout à fait heureuse. Il est vrai
que l'auteur n'a lui-même marqué aucun lien, mais, à défaut de la
forme, l'idée suggère une progression dans la gravité : ni intention
malveillante ni haine non plus envers qui que ce soit (noter l'hébraïsme, οὐ πάντα ἄνθρωπον). De façon positive (ἀλλά), l'auteur
veut qu'on songe plutôt à reprendre les uns, à prier pour les autres,
non sans réserver pour d'autres encore, suivant les circonstances
et les conditions propres à chacun, un amour qui pourra même au
besoin l'emporter sur celui qu'on a pour soi-même. L'instruction
nous ramène ainsi à son point de départ, par une inclusion à la fois
négative et positive : « Tu aimeras ton prochain comme toi-même »
(1:2), « Tu ne nourriras aucune intention malveillante contre ton
prochain (comp. la Règle d'or, 1:2), tu n'auras de haine pour per-

sonne... tu aimeras certains plus que toi-même ». Tout cela du point de vue littéraire, rend un son familier : c'est le canevas classique de l'inclusion, ABA', développé dans le cadre du parallélisme (un mouvement littéraire semblable, sur le même thème, dans Fl. Josèphe, *Guerre*, ii, 8, 7, 39). Tout cela donne aussi à penser que nous sommes arrivés de quelque manière à un terme prévu par l'instruction. La suite de l'analyse du *Duae viae* devra nous dire en quel sens.

Quant au fond, la perspective de l'auteur garde, semble-t-il, toute l'amplitude impliquée par la formulation du deuxième commandement (1:2; comp. le titre *Instruction du Seigneur aux gentils*). Je sais bien qu'il faut souvent se défier de ces formules qui ne sont universelles qu'en apparence. Mais, d'autre part, rien dans ce qui précède ne suggère de prendre garde à un arrière-fond de pensée restrictive. Absolument, « Tu ne nourriras point d'intention malveillante contre ton prochain, tu n'auras de haine pour personne ». Il serait parfaitement oiseux, du reste, de spéculer ici sur ce que l'auteur n'a pas senti le besoin de préciser. On ne peut non plus légitimement chercher appui dans son silence pour l'enfermer, coûte que coûte, dans son particularisme national, sauf sans doute à lui savoir gré de son prosélytisme. Tout ce qui est clair, c'est que ses formules négatives n'excluent « personne » dans le cercle concret de relations humaines où pouvaient se mouvoir, en fait, ceux qu'il portait dans sa pensée en écrivant son instruction. On trouvera peut-être que cet universalisme n'est pas le plus ambitieux, ni le plus idéalement beau, mais il n'est pas non plus le moins vrai ni le moins bienfaisant (probablement dans le même sens mais exprimé de façon positive, *Test. Iss.*, 7:6, τὸν κύριον ἠγάπησα καὶ πάντα ἄνθρωπον ἐξ ὅλης τῆς καρδίας μου; comp. *Aboth*, i, 13; ci-dessus 1:3, οὐχ ἕξετε ἐχθρόν).

C'est à une toute simple situation concrète, sans doute, que pense encore l'auteur de l'instruction, plus qu'à la grandeur et à la pureté des principes, lorsque après avoir écarté la malveillance et la haine, il ajoute : « Plutôt, tu reprendras les uns et tu prieras pour les autres ». Je comprends : selon ce que l'espoir permettra. Ceux à qui ton avertissement pourra être utile, reprends-les. Quant aux autres, tu auras toujours la ressource de prier pour eux. Ce sont, si je puis dire, des « idées de la fin », jusqu'à un certain point consacrées en ce genre d'instruction. On lit quelque chose de semblable, en partie tout au moins, dans le post-scriptum de la première épître de Jean : « Quelqu'un voit-il son frère commettre un péché

qui ne va pas à la mort, qu'il prie et il lui donnera la vie » (5:16) ;
et quelque chose de plus proche encore, pour la forme, tout à la
fin de la petite épître de Jude (je m'abstiens de traduire pour mieux
laisser voir la parenté) : καὶ (noter la liaison, qui a l'air de rattraper
un oubli) οὓς μὲν ἐλέγχετε διακρινομένους (?), οὓς δὲ σώζετε ἐκ πυρὸς
ἁρπάζοντες, οὓς δὲ ἐλεᾶτε ἐν φόβῳ, μισοῦντες καὶ τὸν ἀπὸ σαρκὸς ἐσπι-
λωμένον χιτῶνα (22 s., texte malheureusement assez incertain).
C'est le lieu où l'on réserve par avance une pensée à la faiblesse
de ceux qui tombent, où l'on pourvoit aux derniers espoirs. Le
Duae viae propose, pour sa part, l'avertissement et l'intercession,
sans préciser ni modalités ni circonstances, parce que sans doute
cette sobriété fait partie de son propos, mais aussi, devons-nous
croire, parce que les habitudes du milieu suppléaient spontanément
à son laconisme (sur le devoir de la correction fraternelle, comp.
Mt., 18:15-17, remarquablement proche de *Man. de disc.*, v, 23-vi,
1 ; aussi ix, 16-18).

Il faut aborder avec les mêmes précautions la formule restrictive
de la fin, qui autrement risque fort de paraître décevante : « D'autres encore, tu les aimeras plus que toi-même » (comp. de nouveau
1:2). Ce n'est pas un principe, mais un appel à des actes déterminés,
qui prendront normalement leurs contours dans des circonstances
concrètes, variables pour chacun. Il se présente des situations où
il faut être prêt à payer de « soi-même », c'est-à-dire, sans doute, de
sa personne et de ses biens. A qui doivent s'étendre ces dispositions ? L'instruction ne le précise pas. Mais son orientation et ses
perspectives générales (je pense ici à ce qui précède, non à ce qui
suit ; voir ci-dessous le comm. sur 3:1 et 7) parlent assez d'elles-
mêmes. Elles sont assez larges pour que chacun, s'il le veut, puisse
être à l'occasion le « bon Samaritain » de celui qu'il trouvera dans
la nécessité. Les principes, en cet ordre de choses surtout, sont
mieux préservés par ceux qui les mettent en pratique que par ceux
qui ne font que soulever des questions autour d'eux. On remarquera,
à ce propos, que c'est très exactement le point de vue implicite
de la parabole, *Lc.*, 10:25-37, qui s'appuie sur un fait regardé non
seulement comme possible dans un idéal projeté sur le futur, mais
comme déjà observable dans le présent et le passé (sur le sens de cet
amour, voir C. Spicq, *Agapè*, pp. 135 ss., à propos des *Testaments des
douze patriarches*, avec deux réserves, cependant, que je crois devoir
marquer : d'abord, je ne vois aucune raison sérieuse de révoquer
en doute l'authenticité « juive » de *Test. Iss.*, 7:6, cité ci-dessus, le
texte ne dépassant pas d'une ligne la position spirituelle du *Duae*

viae, qui n'a été retouché là-dessus que par l'interpolation « évangélique » de 1:3-5 ; en outre, on aura, me semble-t-il, beaucoup de peine à reconnaître une validité autre que purement abstraite à la limite posée par l'auteur lorsqu'il écrit : « Désormais la charité envers le Seigneur s'étendra à tout prochain, fût-il l'ennemi. Le motif, toutefois, n'en est pas pleinement désintéressé et s'inspire davantage des prescriptions de la justice ou de la loyauté que des exigences internes de l'amour », p. 138 ; comp. 1 *Pi.*, 3:8-12, qui suffit, à cet égard, à mettre toutes choses en place et à rendre à chacun selon son dû).

---

3. *Mon fils, évite tout ce qui est mal et tout ce qui en aurait jusqu'à l'apparence.*

Tout le monde a reconnu, il va de soi, la symétrie intérieure de 3:1-6. C'est un petit morceau extrêmement concerté, qui attire l'attention avec d'autant plus de facilité qu'il a pris place dans une composition relativement libre. Il ne semble pas, cependant, que tout le détail ait été bien observé, ni non plus qu'on en ait tiré les véritables implications (la meilleure analyse est celle de R. H. CONNOLLY, *The Didache in Relation to the Epistle of Barnabas*, dans *JTS*, XXXIII (1932) 241 s.). Le moyen le plus simple de nous rendre compte des faits sera d'extraire du texte tous ses éléments symétriques et de les disposer suivant leur ordre.

D'abord, une introduction générale : τέκνον μου, φεῦγε ἀπὸ παντὸς πονηροῦ καὶ ἀπὸ παντὸς ὁμοίου αὐτοῦ (3:1). Puis, cinq petites unités toutes construites sur le même canevas :

3:2, τέκνον μου, μὴ γίνου... ὁδηγεῖ γάρ...
μηδέ... μηδέ... (μηδέ, *H*)
ἐκ γὰρ τούτων ἁπάντων... γεννῶνται.

3:3, — — ὁδηγεῖ γάρ...
μηδέ... μηδέ...
ἐκ γὰρ τούτων ἁπάντων... γεννῶνται.

3:4, — — ἐπειδὴ ὁδηγεῖ...
μηδέ... μηδέ... μηδέ... μηδέ...
ἐκ γὰρ τούτων ἁπάντων... γεννᾶται.

3:5, — — ἐπειδὴ ὁδηγεῖ...
μηδέ... μηδέ...
ἐκ γὰρ τούτων ἁπάντων... γεννῶνται.

3:6,   —   —   ἐπειδὴ ὁδηγεῖ...

μηδέ... μηδέ...

ἐκ γὰρ τούτων ἁπάντων... γεννῶνται.

La régularité des retours de formule est parfaite, sauf pour le passage de γάρ à ἐπειδή (3:2-3 et 4-6) et de γεννῶνται à γεννᾶται (3:4). Dans de telles compositions, ce sont naturellement les discordances qu'il importe de souligner en premier lieu. Il faut s'assurer qu'elles ne peuvent être réduites. Dans le cas qui nous occupe, la première doit être prise telle quelle, aucun des témoins du texte, dans les diverses voies de transmission du *Duae viae*, n'offrant de variante susceptible de rétablir la symétrie. Le détail est d'ailleurs infime et n'a de valeur que du point de vue littéraire, où nous nous plaçons en ce moment. γεννῶνται-γεννᾶται doit probablement aussi être retenu sauf à noter, peut-être, pour rendre compte de l'écart, que le changement survient juste au centre de la composition, où l'auteur s'est permis, comme nous allons voir, une autre menue liberté. C'est un cas spécial, et je crois qu'il faut résister à la tentation de corriger ici d'après la transmission indépendante, d'ailleurs inconsistante avec elle-même (voir l'apparat de Schermann).

Reste le cas des μηδέ, qui occupent toujours les mêmes positions, mais varient en nombre. On a, d'après *H*, 3,2,4,2,2. Remarquons d'abord qu'il se peut très bien que le *Duae viae* soit entré en cet état dans la *Did.* En conséquence, nous nous abstiendrons de nouveau de corriger le *Hier.* 54 grâce à une variante qui paraît pourtant excellente en elle-même et qui s'offre à nous dans la *Doctr.* de Schlecht (omission de μηδὲ ἐριστικός à 3:2). Mais cette concession faite à la pauvreté de la tradition manuscrite de la *Did.*, il n'est pas moins clair que le canevas originel de l'instruction a dû être : 2,2,4,2,2, si l'on compte pour un seul membre μηδὲ θέλε αὐτὰ βλέπειν μηδὲ ἀκούειν (3:4), — ou encore : 2,2,5,2,2, si l'on compte, au contraire, pour deux membres cette même clausule de 3:4. Dans le premier cas, les 4 μηδέ équivalent à la somme de ceux qui précèdent et qui suivent respectivement, tandis que, dans le second, les 5 μηδέ donnent la somme des unités littéraires dont se compose l'ensemble de l'instruction.

Je ne me serais pas arrêté à cette arithmétique enfantine ni à cet étalage consciencieux de chevilles et de trucs, si, comme on le pense bien, une telle analyse n'avait eu une signification au delà d'elle-même. La symétrie est trop volontaire, en effet, et trop minutieusement calculée pour ne pas répondre à une intention définie de la part de l'auteur. Toute sa composition est mnémotechnique. J'en conclus que l'instruction elle-même n'a pas été conçue pour être transmise par l'écrit, mais par l'enseignement et le contact directs. Cette observation suffirait déjà à la mettre à part du reste du *Duae viae*, qui n'a certainement pas été composé avec le même souci.

Or, l'observation est confirmée, en fait, par toutes les données de forme et de fond qui individualisent 3:1-6 dans l'ensemble du *Duae viae*. Il n'y a qu'à reprendre en les complétant ici les résultats de l'analyse de Connolly, qui, à partir de ce point, demeure toujours valide. Pour une part, l'instruction de 3:1-6 est un doublet de celle des 2:2-7. L'arrière-fond commun de l'une et de l'autre est le décalogue, en ses éléments négatifs : interdiction du meurtre, de l'adultère, de la fornication, de l'idolâtrie, du mensonge (faux témoignage), du vol et du « blasphème ». Les accents me paraissent toutefois différents, de part et d'autre. L'instruction de 3, 1-6 semble tournée avant tout contre l'impiété, sous la forme principale de l'idolâtrie. On peut souligner, à cet égard, que l'interdiction se trouve, du point de vue littéraire, en situation emphatique : centre (plus développé). L'instruction de 2:2-7, directement rattachée au commandement de l'amour du prochain par 1:3*a*, et par l'intermédiaire de celui-ci, au commandement de l'amour de Dieu, est plutôt dirigée, pour sa part, contre la violence, l'injustice et la haine. L'idée occupe non seulement toutes les positions emphatiques; elle semble à peine perdue de vue tout au long du développement. On notera, toutefois, la rencontre de 2:2 et de 3:2, à propos du meurtre dans la même position littéraire. Mais j'attire l'attention sur des accents, non sur des oppositions absolues.

Il y a, en outre, des différences de vocabulaire assez frappantes entre les deux instructions. Connolly a remarqué que sur vingt-cinq mots servant à désigner des fautes ou des vices, dans 3:1-6, dix-neuf ne se rencontraient pas ailleurs dans la *Did*. Mais le point où cette différence de langue est le plus sensible se trouve sans doute dans les termes qui ont trait aux pratiques paracultuelles : οὐ μαγεύσεις, οὐ φαρμακεύσεις (2:2); μὴ γίνου μαθηματικὸς μηδὲ περικαθαίρων (3:4, qui à la magie ajoute d'ailleurs la divination). La signification de ces variations de vocabulaire est renforcée par des modifications de style plus évidentes encore : au lieu du futur impératif de la première instruction, imité du décalogue, et si chargé de sens religieux dans la conscience juive, toujours sensible à l'origine divine de la loi, on a, dans la seconde, l'impératif, beaucoup plus intime, plus enveloppé aussi de chaleur humaine, et à mon sens, plus « relatif », de la tradition des sages : τέκνον μου, μὴ γίνου. Ce sont deux atmosphères de conscience, que je ne saurais mieux définir ici, encore une fois, qu'en les rapportant aux composantes fondamentales de la tradition d'Israël.

Dans l'ensemble, de tels faits imposent, pour s'expliquer, l'hypothèse d'une véritable dualité d'origine des deux petites instructions que nous lisons maintenant à la suite l'une de l'autre dans la *Did.* C'est la conclusion à laquelle Connolly était déjà parvenu (*art. cité*, p. 242). Mais là où il s'est trompé, c'est lorsqu'il a suggéré, pour cet emprunt, des sources écrites dont 3:1-6 serait un extrait. Il a même nommé les *Testaments*. Non : la composition si minutieusement mnémotechnique de l'instruction nous oriente d'un autre côté. Le morceau n'a pas été taillé pour entrer dans un livre, où il serait bien inutile de l'y chercher : il a été fait pour vivre de sa vie indépendante, dans une transmission d'enseignement oral, et pourvu, à cet effet, de tous les moyens de défense appropriés. C'est la fonction de sa rigoureuse symétrie, qui n'intéressait pas seulement le τέκνον mais aussi le διδάσκαλος. Il serait assez paradoxal que le maître ait « lu » un tel texte pendant que le disciple se serait efforcé de le retenir par cœur.

Il n'empêche qu'un jour l'instruction a reçu l'hospitalité de l'écrit, et c'est à celui-ci, en définitive, que nous devons sa conservation. Quand le *Duae viae* s'est-il prêté à cet office : avant, après son incorporation dans la *Did.*? Il est impossible de le dire avec une absolue certitude. La présence de 3:1-6 dans tous les témoins de la transmission de la *Did.* met cependant les probabilités du côté de la première hypothèse. Mais ces témoins ne forment pas un chœur bien puissant, et une possibilité contraire reste toujours ouverte. Quoi qu'il en soit, il est certain que l'instruction de 3:1-6 est entrée très tôt dans le *Duae viae*. De tous les témoins de celui-ci (*Doctr.*, *Can. eccl.* de toutes recensions), *Barn.* est seul à ne pas le connaître, du moins à garder le silence à son endroit.

Au reste, en pénétrant dans le *Duae viae*, l'instruction de 3:1-6 y demeurait, par son intention profonde, plus ou moins comme une étrangère, confinée à l'espace qui lui avait été fait pour l'accueillir. Il y a, en effet, dans l'instruction de 2:2-7, un souci perceptible d'adapter la loi au monde païen, et à cet égard, le titre très ancien d'*Instruction du Seigneur aux gentils*, s'il n'est pas original, ne fait certes pas violence à l'idée qui a présidé à sa rédaction. Mais on n'en saurait dire autant de 3:1-6 dont l'horizon ne paraît pas, au con-

traire, dépasser le monde juif. A première vue, l'avertissement
relatif à l'idolâtrie, qui pourrait être le trait le plus significatif à cet
égard (comp. 1 *Cor.*, 10:14, φεύγετε ἀπὸ τῆς εἰδωλολατρείας; aussi
Gal., 5:20; 1 *Pi.*, 4:3-4), semblerait devoir ouvrir l'horizon sur le
paganisme. Mais il se trouve sous des formes semblables, par exemple,
dans les *Testaments des douze patriarches*, où les gentils sont si peu
envisagés comme des recrues possibles du prosélytisme que leur
impiété sert de repoussoir à la bonne conscience du prédicateur :
πολλὴ δὲ λύπη μοί ἐστι, τέκνα μου, διὰ τὰς ἀσελγείας καὶ γοητείας
(καὶ εἰδωλολατρείας, addition de la recension β de Charles, 2 mss.,
auxquels s'ajoutent la vers. arm. et la première recension slavone)
ἃς ποιήσετε εἰς τὸ βασίλειον, ἐγγαστριμύθοις ἐξακολουθοῦντες κληδόσι
καὶ δαίμοσι πλάνης· τὰς θυγατέρας ὑμῶν μουσικὰς καὶ δημοσίας
ποιήσετε, ἐπιμιγήσεσθε δὲ ἐν βδελύγμασιν ἐθνῶν (*Test. Jud.*, 23:1-2;
les verbes au futur font évidemment partie de la fiction littéraire de
l'écrit et doivent être compris du présent). Il paraît donc plus
probable que l'instruction de 3:1-6 a été purement et simplement
conçue en fonction du judaïsme, ce qui, il va de soi, ne pouvait
l'empêcher, le jour venu, de passer telle quelle dans l'outillage
de la διδαχή chrétienne primitive. C'est ainsi qu'elle nous est
parvenue.

Pour achever de caractériser cette brève composition, si remarquable à beaucoup d'égards, je la définirais comme une adaptation
sapientielle du décalogue, sous la forme et l'extension que celui-ci
avait revêtues dans le judaïsme contemporain du *Duae viae*. Ce
n'est pas, du moins au sens propre, une « haie » plantée autour de
la Loi, comme l'a d'abord suggéré Taylor *(The Teaching of the Twelve
Apostles*, pp. 23-25). La « haie » protectrice, telle qu'elle est connue
par la *Mishnah* (*Aboth*, I, 1) et le judaïsme postérieur, a un caractère légal et officiel beaucoup plus accusé : elle est constituée, non
par des exhortations du genre de celles que nous avons ici, mais par
des décisions et des décrets tranchant une question d'observance,
visant généralement soit à adapter la loi ancienne aux conditions
nouvelles, soit à redresser une situation jugée irrégulière ou simplement périlleuse (*gezérâh* et *taqqânâh;* voir JASTROW, *Dictionary,*
s. vv.). Au reste, ce n'est pas non plus autour de commandements
comme ceux dont s'occupe notre instruction qu'on a senti le plus
vivement le besoin de dresser des sauvegardes, mais plutôt autour de
commandements comme ceux de la dîme, de l'observance sabba-
tique, de la pureté alimentaire, etc., toutes choses dont il n'est
pas question ici. Faut-il ajouter une fois de plus, après cela, qu'il ne

s'agit pas davantage d'un « catalogue de vices » (Knopf, *in loc.*)?
C'est tout simplement, et au sens propre, une διδαχὴ ἐντολῶν, une
« instruction dans les commandements », tel que le genre était
pratiqué à l'époque et tel que nous en avons un exemple indépendant à proximité dans ce *Duae viae* lui-même qui nous l'a
conservé (1:1-3*a*; 2:2-7), avec cependant une importante nuance
théologique recueillie dans la tradition des sages : motivations
puisées dans les antiques trésors du savoir-vivre selon la « crainte de
Dieu ».

Des compositions de ce genre et de cette étendue n'ont guère,
dans leur milieu, de sources littéraires précises. Ainsi notre instruction de 3:1-6 est-elle faite des matériaux les plus répandus :
quelques traits du style propre aux sages, anciens et plus récents, à
qui l'on a très humblement demandé, pour l'occasion, de revêtir
un certain nombre de lieux communs ramassés autour de l'enseignement populaire du décalogue, peut-être dans le cadre domestique de l'éducation des enfants : τέκνον μου, « mon fils », l'impératif d'intimité, μὴ γίνου, l'image familière des « chemins » du mal,
ὁδός-ὁδηγεῖ, et des « filiations » du péché, γεννῶνται. Je prends
quelques exemples à portée de la main en dehors du *Duae viae*,
pour faire voir les procédés et les rattacher en même temps à leur
milieu et à leur époque : *Test. Jud.*, 14:1, καὶ νῦν λέγω, τέκνα μου,
μὴ μεθύσκεσθε οἴνῳ (c'est l'exhortation, par l'impératif, plus intime
que le futur tel qu'employé par la loi) ὅτι (pour introduire l'expérience du « sage ») ὁ οἶνος διαστρέφει τὸν νοῦν ἀπὸ τῆς ἀληθείας καὶ
ἐμβάλλει ὀργὴν ἐπιθυμίας, καὶ ὁδηγεῖ εἰς πλάνην τοὺς ὀφθαλμούς;
19:1, τέκνα μου, ἡ φιλαργυρία πρὸς εἰδωλολατρείαν ὁδηγεῖ, ὅτι ἐν
πλάνῃ ἀργυρίου τοὺς μὴ ὄντας θεοὺς ὀνομάζουσιν κτλ. (on pourra
voir aussi *Ahik.*, 3:1 ss.; du point de vue du genre littéraire, comp. la
discussion bourrée de souvenirs d'école de 4 *Macc.*, 1:13-3:19;
on notera, en passant, chez celui-ci, cette admirable formule qui
dit à peu près tout ce qu'il faut comprendre ici des rapports de la
sagesse et de la loi : la sagesse est une νόμου παιδία, δι' ἧς τὰ θεῖα
σεμνῶς καὶ τὰ ἀνθρώπινα συμφερόντως μανθάνομεν, 1:17).

**

La formule d'adresse, τέκνον μου, n'est pas exclusive à la tradition des sages d'Israël, il est à peine besoin de le dire, mais c'est
à elle seule qu'il faut ici la rapporter. Si l'on ne tient pas à embrouil-

ler les choses, il est inutile d'évoquer, à son propos, les usages de la mystagogie, de la gnose et des thiases, comme le fait Knopf, sans souci des différences de nature et de date des éléments ainsi rapprochés : ils n'ont rien à voir avec notre instruction (sur ces usages, on pourra voir la riche documentation analysée par A.-J. FESTU-GIÈRE, *La Révélation d'Hermès Trismégiste*, I, pp. 332 ss.). Ce que nous avons dit, d'autre part, autour du problème littéraire de l'instruction de 3:1-6 dans son ensemble, enlève ici tout fondement à une suggestion ancienne, reprise aussi par Knopf, que le τέκνον μου réponde à une destination catéchétique du *Duae viae* et revête ainsi un sens baptismal d'initiation et de nouvelle naissance. Le *Duae viae* de la *Did.*, dont la formation est beaucoup plus complexe qu'on ne l'a cru, n'a jamais été conçu, à aucun stade de son développement, comme une catéchèse chrétienne devant conduire, de près ou de loin, au baptême. Je considère ce point comme acquis. Il me semble avoir assez montré ailleurs, au surplus, que l'usage baptismal qui a été fait du *Duae viae* à une époque ultérieure de l'histoire de la *Did.*, ne préjugeait en rien de la destination originelle de l'instruction dans le recueil (voir, dans l'introd., la discussion de 7:1, ταῦτα πάντα προειπόντες, pp. 58-62).

Le τέκνον μου qui revient cinq fois dans 3:1-6, n'a donc pas d'autre sens ici que celui que lui avait donné la tradition des sages d'Israël : pour une part, c'est une fiction littéraire, mais, pour une part aussi, c'est l'expression authentique d'une conception et d'un mode de transmission de la sagesse. Ses présupposés les plus lointains sont ceux du cadre domestique de l'expérience de la vie, de l'enrichissement de cette expérience de génération en génération, de sa maturation dans l'individu avec le progrès de l'âge, et, pour finir, de sa transmission par les « anciens ». Concrètement, dans cette perspective, les « sages » sont des vieillards, et le plus souvent sinon toujours, des vieillards qui, étant en même temps des « patriarches », laissent le dépôt du savoir-faire et du savoir-vivre de préférence à leurs propres descendants, comme un héritage. La mise en scène des « testaments » est, à cet égard, aussi révélatrice qu'on peut le souhaiter (en plus des *Testaments des douze patriarches*, qui sont les classiques du genre, voir *Ahik.*, 2:1-8 et *Tob.*, 4:1-21).

Enfin, ne devrions-nous pas nous défier de l'anachronisme ? Je ne suis pas sûr que plusieurs n'y soient pas involontairement tombés. On ose à peine attirer l'attention sur des choses aussi banales. Nos écoles, avec leur type de savoir et leur mode de transmission de ce savoir, n'ont pas toujours existé, de même que n'a pas toujours existé non plus notre confiance assez unilatérale dans les vertus créatrices de la jeunesse. En Israël, encore à l'époque du *Duae viae*, il convenait à un jeune homme de mettre un doigt sur sa bouche en présence des « anciens », de qui l'on continuait à attendre la « sagesse ». Sur leurs lèvres, la « loi » n'en avait que plus d'autorité : on croyait qu'il était meilleur d'entendre la « loi » de la bouche d'un « sage » que de la lire soi-même dans un livre (voir ARISTÉE, *Lettre*, 127, τὸ γὰρ καλῶς ζῆν ἐν τῷ τὰ νόμιμα συντηρεῖν εἶναι· τοῦτο δὲ ἐπιτελεῖσθαι διὰ τῆς ἀκροάσεως πολλῷ μᾶλλον ἢ διὰ τῆς ἀναγνώσεως; aussi 131; comp. *Did.*, 4:2,9). C'est notre instruction.

Taylor a observé que le mot d'introduction générale à l'instruction : φεῦγε ἀπὸ παντὸς πονηροῦ καὶ ἀπὸ παντὸς ὁμοίου αὐτοῦ, se retrouvait à peu près textuellement dans le Talmud (*Hull.*, 44*b*; C. TAYLOR, *The Teaching of the Twelve Apostles*, p. 24). Dans le contexte, la discussion des docteurs porte sur le pur et l'impur, et l'argument est invoqué comme une donnée traditionnelle des sages : dans l'observance d'un commandement, il faut prendre, en cas de doute, le parti le plus sûr, de peur d'être amené à son insu à transgresser la Loi. C'est une règle de sécurité : ce qui « ressemble » à l'objet du précepte (négatif) doit être évité comme l'objet lui-même. Mais ce n'est pas tout à fait le sens ici, où l'instruction demande plutôt d'éviter les fautes moindres pour ne pas être insensiblement entraîné à des péchés plus graves, qui seraient, cette fois, une violation directe du commandement de Dieu (comp. *Mt.*, 5:19, avec sa distinction implicite des grands et des « moindres » commandements, ἐντολαί, et sa référence explicite à l'importance de l'enseignement de ces derniers, ce en quoi, pour le dire en passant, notre instruction pourrait être un bon exemple, dans les limites du judaïsme, il va sans dire).

Knopf suggère, de son côté, une comparaison avec une expression de Chrysippe dans un fragment rapporté par STOBÉE, *Flor.*, II, 70, 21 (καὶ τὰ ὅμοια, pour terminer quelques exemples; καὶ τὰ παραπλήσια, même usage), à quoi il ajoute CICÉRON, *Tuscul.*, IV, 7,16 (et cetera eius modi) ; II, 26 (et si qua similia), *Gal.*, 5:21 (καὶ τὰ ὅμοια τούτοις), etc. Mais il est clair que la similitude de ces expressions avec celle de *Did.*, 3:1, καὶ ἀπὸ παντὸς ὁμοίου αὐτοῦ, est plus apparente que réelle : la comparaison est hors de propos. C'est confondre une vue sur les choses avec le plus banal procédé de style.

Il importe, en revanche, de saisir la nuance exacte de l'impératif, qui fait ici son apparition pour la première fois (sauf, dans la première instruction du *Duae viae*, la Règle d'or, qui est justement dans le goût et le style des sages, 1:2*b*). L'impératif domine dans toute l'instruction de 3:1-6; dans 3:7-4:14, il alterne avec le futur, auquel il communique sa nuance propre. La tendance générale de l'interprétation a été, il me semble, de durcir cet impératif en l'orientant vers le précepte, auquel on ne se privait d'ailleurs pas toujours de l'assimiler purement et simplement. C'est une méprise. La nuance de l'impératif est ici fixée par son usage dans la tradition sapientielle. C'est un impératif didactique, non pas juridique, ou légal. En dépit des apparences, il est beaucoup moins fort que le futur dont nous avons un exemple dans le décalogue, et que nous avons vu dominer dans toute la première instruction du *Duae viae* (1:1-3*a*; 2:2-7; je souligne de nouveau le titre Διδαχὴ κυρίου). Il est aussi moins impersonnel. Même lorsqu'il se rencontre avec la « loi », il garde son orientation profonde vers l'exhortation plutôt que vers le précepte, et il demeure chargé d'expérience et d'intimité humaines. C'est, si l'on me passe cette opposition, un mode « éducatif » plus qu'un mode « volitif ». Il a toute la souplesse et toute la variété d'approche de l'éducation, comparées au nivellement et à la nécessaire rigidité de la loi. A cet égard, on ne saurait trop souligner le rapport d'individu à individu créé par l'adresse « mon fils », qui, en dépit de son caractère à demi fictif et de l'irrégularité de son emploi, demeure l'un des traits les plus utiles à observer à qui veut vraiment comprendre la tradition des sages. Pour apprécier ces choses, je ne connais d'ailleurs pas d'autre moyen qu'une lecture assidue des textes (on peut lire au hasard, mais avant tout peut-être, *Tob.*, 4:1-5:1; comp. les impératifs de 1 *Tim.*, 4:11-16; voir aussi les très justes remarques de D. DAUBE, *Participle and Imperative in I Peter*, dans E. G. SELWYN, *The First Epistle of St. Peter*, pp. 484 ss.; *The New Testament and Rabbinic Judaism*, p. 96).

3:2-6 *Ne sois pas rageur : la colère conduit au meurtre; ni non plus jaloux, ni batailleur, ni emporté : c'est de tout cela que naissent les homicides.* [3]*Mon fils, ne sois pas coureur de femmes : la convoitise conduit à la fornication; ni non plus ordurier ni lorgneur : c'est de tout cela que naissent les adultères.* [4]*Mon fils, ne sois pas adonné à la divination : elle conduit à l'idolâtrie; ni non plus aux incantations*

*ni à l'astrologie ni aux purifications, ne cherche ni à voir ni à entendre
ces choses : c'est de tout cela que naît l'idolâtrie. ⁵Mon fils, ne sois pas
menteur : le mensonge conduit au vol ; ni non plus cupide ni vaniteux :
c'est de tout cela que naît la maraude. ⁶Mon fils, ne sois pas amer :
l'amertume conduit à la diffamation ; ni non plus insolent ni malveillant : c'est de tout cela que naissent les calomnies.*

Le reste de l'instruction, à quelques remarques près, se passe de
commentaire. « La colère conduit au meurtre. » Chacun voit, sans
peine, par les habitudes du milieu et de l'époque, ce que de telles
suggestions pouvaient donner lorsqu'elles étaient soumises aux
procédés du développement. Ce genre d'exercice foisonne chez
Philon. Du point de vue littéraire, il n'est pas sans intérêt de noter,
3:3, le rétrécissement du sens de μὴ γίνου ἐπιθυμητής (domaine
sexuel) par rapport à οὐκ ἐπιθυμήσεις de 2:2 (propriété) : différence d'usage qui aide à fixer la physionomie des deux instructions.
ὑψηλόφθαλμος n'est signalé qu'ici. Mais le sens est clair par le
contexte et il n'y a pas lieu de suivre de trop près la composition
du mot. Les *Const. apost.* ont substitué ῥιψόφθαλμος, ce qui est
une interprétation exacte (VII, 4; comp. *Eccli.*, 26:9; *Test. Benj.*,
6:3; *Iss.*, 7:2, οὐκ ἐπόρνευσα ἐν μετεωρισμῷ ὀφθαλμῶν μου; 2 *Pi.*,
2:14). Il est possible, du reste, que l'image de la « hauteur » reflète
simplement ici un hébraïsme : avant que la femme de Putiphar ne
fasse des propositions à Joseph, le récit évoque d'un mot les antécédents de l'aventure en disant qu'elle « leva les yeux » sur lui
(*Gen.*, 39:7; comp. *Job*, 31:1, 7).

Le français « auspices » conserve encore le souvenir de la place
importante que l'observation du vol et du cri des oiseaux a occupée
dans la divination antique, publique et privée (*auspicium*, οἰώνισμα).
En soi, οἰωνοσκόπος ne devrait se rapporter qu'à ce mode de divination. Mais l'usage avait peu à peu élargi le sens originel des mots
de cette famille, de sorte qu'il faut probablement entendre ici le
terme de toute divination, suivant ce que suggère le contexte, dont
la perspective ne paraît pas limitée (comp. le sens de οἰωνίζομαι et
de ses dérivés οἰώνισμα et οἰωνισμός dans les *LXX*). L'instruction
ne fait que reprendre ainsi des interdictions déjà anciennes en
Israël, l'auteur estimant sans doute que la vieille tentation n'avait
pas moins d'attrait dans le monde gréco-romain qu'elle n'en avait
eu dans le passé (*Lév.*, 19:20, 31, contre la divination, repris par
Deut., 18:10, 14; comp. *Or. sib.*, III, 224; *Asc. d'Is.*, 2:5).

Divination et magie, au surplus, étaient depuis toujours des alliées naturelles, principalement dans la conscience populaire. La place faite à l' « astrologue », μαθηματικός, entre l'ἐπαοιδός, qui pratique l' « incantation » et le περικαθαίρων, consommé dans l'art des « purifications », s'explique probablement par une incidence de cette nature (sur les imprécisions des termes relatifs à la magie, voir A. D. Nock, *Paul and the Magus*, dans Jackson-Lake, *The Beginnings*, V, pp. 170 s.). Tout ce monde équivoque a d'ailleurs rendez-vous dans les payrus magiques où chacun peut se sentir également chez soi. On pourra lire, dans Preisendanz, *Papyri Graecae magicae*, xxxvi, 135-160, un exemple d'ἀγωγή, charme d'amour à employer contre une femme qui s'est rendue coupable du sacrifice des œufs défendus (probablement de l'ibis). Recette et formule magiques, à répéter sept fois; puis description de la puissance du charme dont rien ne délivre : « ni l'aboiement du chien, ni le braiement de l'âne, ni le galle, γάλλος, ni le purificateur, περικαθάρτης, ni le son de la cymbale ou de la flûte, ni même un phylactère tombé du ciel, bon contre tout : elle est sous l'emprise du πνεῦμα (sur ce charme, on pourra voir le commentaire de S. Eitrem, *Papyri Osloenses. I. Magical papyri*, pp. 59-76; le pap. est paléographiquement daté de la première moitié du ive siècle, mais il reproduit un matériel plus ancien, ce qui donne une proximité assez grande pour notre propos; voir aussi W. L. Knox, *ΠΕΡΙΚΑΘΑΙΡΩΝ (Didache, iii, 4)*, dans *JTS*, XL (1939) 146-149; comp. également les deux lustrations magiques de la περιμάκτρια et du περισκυλαρισμός mentionnées par Plutarque). L'instruction s'efforce, pour finir, de barrer la route à la curiosité. « Ne cherche pas à voir ces choses ni à les entendre.» Le *Hier.* 54 omet, il est vrai, μηδὲ ἀκούειν, mais ce doit être par accident. Son témoignage est contrebalancé par celui de la version géorgienne, qui reçoit l'appui direct des *Can. eccl.* et de la *Doctr.* de Schlecht. Aussi bien le couple βλέπειν-ἀκούειν correspond-il aux deux éléments dont se compose essentiellement toute magie, la πρᾶξις qu'on pouvait « voir » et la κλῆσις qu'on pouvait « entendre ». On sait toutefois que l'accès aux secrets du grand art était interdit aux non-initiés. L'avertissement contre une curiosité dangereuse est ici la contrepartie exacte du soin jaloux que la magie, de son côté, mettait à dérober ses « mystères » (voir A.-J. Festugière, *L'idéal religieux des Grecs et l'évangile*, p. 301, n. 1).

Taylor s'est arrêté à la remarque de l'instruction, suivant laquelle « le mensonge conduit au vol » (3:5), et il a consacré une assez longue discussion à ce petit problème (*The Teaching of the*

Twelve Apostles, pp. 27-32). La psychologie de cette remarque lui a paru étrange et il a essayé d'en rendre compte par un désir de l'auteur de modeler son instruction sur le décalogue. J'avoue que la dissertation de Taylor, peu convaincante en elle-même, me paraît en outre sans objet. Le vol conduit presque infailliblement au mensonge par lequel on cherche à le couvrir, mais l'habitude du mensonge, de son côté, engendre assez de situations fausses pour qu'un jour ou l'autre le vol y soit parfaitement à son aise (comp. *Prov.*, 21:6, ὁ ἐνεργῶν θησαυρίσματα γλώσσῃ ψευδεῖ μάταια διώκει ἐπὶ παγίδας θανάτου).

Sur 3:6, on pourra voir *Ex.*, 22:27; et comp. *Jud.*, 16 (γογγυσταί). Le « blasphème » doit probablement s'entendre ici dans le sens large que lui donnaient les anciens : murmure contre Dieu, mais aussi insolence et amertume à l'égard des hommes, conduisant aisément aux injures, à la diffamation et aux calomnies (voir, pour ce dernier sens, *Éph.*, 4:31-32; 1 *Tim.*, 6:4; 2 *Tim.*, 3:2).

3:7 *Fais de toi un doux, car les doux recevront la terre en héritage.*

Avant d'entrer dans le détail du texte, il importe de débrouiller le reste de la composition du *Duae viae*. Sans qu'il y paraisse, tous les fils de l'écheveau passent entre 3:6 et 3:7. C'est là que nous devons tenter de les saisir.

Notre analyse de l'instruction de 3:1-6 ne nous permet plus de penser que 3:7-4:14 n'en soit que la continuation. Il y a, à 3:6-7, une rupture littéraire analogue à celle que nous avons déjà observée entre 2:7 et 3:1. C'est un fait acquis. Mais si, de cette façon, 3:7-4:14 ne continue 3:1-6 que par l'artifice de leur voisinage actuel dans le *Duae viae* et grâce à une certaine parenté de forme et de fond telle qu'on peut l'attendre d'écrits provenant de milieux largement homogènes, ne pourrait-on pas supposer, alors, que 3:7, à son tour, ne fasse que reprendre le fil de l'instruction interrompue par 3:1-6, qui ne serait qu'une pièce intrusive à laquelle on aurait ménagé de force un espace par une coupure pratiquée après 2:7? C'est, si je comprends bien, l'hypothèse implicite à laquelle s'est arrêté Connolly, qui avait assez bien reconnu les caractères propres de 3:1-6 pour juger tout le morceau adventice dans l'ensemble du développement (R. H. CONNOLLY, *The Didache in Relation to the Epistle of Barnabas*, dans *JTS*, XXXIII (1932) 241 s.).

Mais nous allons constater qu'il n'en est rien. Les choses s'expliquent autrement. C'est d'abord une question d'équilibre littéraire. Personne, à ma connaissance, ne semble s'être inquiété du fait que le « chemin de la vie » occupait environ quatre fois plus d'espace que le « chemin de la mort ». On l'a même trouvé naturel. Sans doute s'est-on dit, comme je me le suis dit moi-même, que cette différence répondait à la nature du sujet, qu'il y avait plus à dire d'un côté que de l'autre, et qu'après tout un auteur n'est pas obligé de percer des fausses fenêtres pour créer des symétries artificielles. En soi, tout cela est incontestable. Le seul embarras, c'est que les faits ne semblent pas tous se prêter à une explication aussi facile. On se demande alors, en effet, ce que peut bien signifier l'inclusion de 2:6*b*-7, qui renvoie très nettement au point de départ de l'instruction (1:2), et qui, normalement, en style hébraïque, marque le terme du développement projeté. Comment 3:7 pourrait-il continuer une instruction qui a justement pris soin de se refermer sur elle-même (voir, ci-dessus, le comm. sur 2:6*b*-7)? L'inclusion reste en l'air.

Ce n'est pas tout. Renversons provisoirement l'hypothèse et mettons que 2:2-7 ait en réalité constitué, dans la pensée de l'auteur primitif, toute l'instruction d'abord prévue pour le « chemin de la vie », on est tout de suite amené à se demander alors si des indices de ce dessein réduit ne seraient pas encore aujourd'hui repérables dans le « chemin de la mort ». Ce ne serait que naturel. Or, de tels indices peuvent être observés dès qu'on éveille sur eux l'attention. Dans son état actuel, le « chemin de la mort » comprend une double liste, dont l'une énumère des péchés, ou des vices, et l'autre des pécheurs. Le passage de la première liste à la seconde est si abrupt qu'on a senti depuis longtemps le besoin de l'expliquer. On a cherché des parallèles en dehors du *Duae viae*, et l'on en a trouvé quelques-uns, plus ou moins probants (le dernier essai est celui de D. DAUBE, *The New Testament and Rabbinic Judaism*, pp. 104 s.) On a également mis la grammaire à contribution pour faire rentrer le phéno-mène dans les voies normales. Mais ce dont personne ne semble avoir vu les implications, c'est la formule inclusive sur laquelle se ferme l'une et l'autre liste. Cette formule est brève, sans doute, comme il convenait à une énumération, mais elle est nette et cer-tainement intentionnelle dans les deux cas. Cela change tout. La première, ἀφοβία (θεοῦ), 5:1, répond par une qualification générale à la qualification également générale qui introduit toute la liste : πρῶτον πάντων πονηρά ἐστι καὶ κατάρας μεστή. Il est vrai, d'autre part, que la seconde, πανθαμάρτητοι, 5:2, n'a pas de correspondance initiale propre. Mais cette irrégularité cesse de surprendre dès qu'on a remarqué qu'elle a un parallèle exact dans le rapport de 4:12-14 à 3:7 : un même parti littéraire a été adopté ici et là. La composition est en forme de dyptique, comme on peut déjà penser qu'elle l'est aussi pour 1:1-3*a*; 2:2-7 et 5:1. Les partis littéraires sont constants dans l'instruction du début comme dans l'instruction de la fin, 3:1-6 gardant, au centre, son caractère plus marqué de pièce intrusive.

Mais ne pressons pas trop ici l'argument. Il convient de faire une pause pour discuter d'abord quelques détails textuels. Le *Hier.* 54, et la version géorgienne, s'il faut en croire la collation de Péradzé, omettent tous deux ἀφοβία. La leçon a été retenue par les *Const. apost.* et la *Doctr.* de Schlecht. On voit bien ce qui s'est passé. En perdant sa valeur littéraire inclusive, ἀφοβία risquait de perdre aussi son sens. Dans la situation qui lui était faite par le prolongement de 5:2, c'était une leçon difficile, devant laquelle on pouvait prendre deux attitudes : celle de l'explication, à l'œuvre dans *Barn.* qui a pris soin d'ajouter θεοῦ (20:1), ou encore celle de l'omission, solution simple à laquelle s'est rangée une partie de la transmission de la *Did.* (*H g*). Mais la leçon difficile, ἀφοβία, est certainement ici la meilleure, bien qu'il ne soit pas exclu non plus que *Barn.* ait, en réalité, conservé l'original. Dans le genre littéraire d'une liste et dans le milieu pour lequel cette liste a dû avoir sa première utilité, ἀφοβία, sans déterminatif, pouvait demeurer suffisamment clair en inclusion : cette position emphatique précisait son sens.

Un autre détail textuel peut être avantageusement discuté ici, qui nous ramènera, du reste, à notre analyse du *Duae viae*. D'après le *Hier.* 54, il faudrait lire, à la fin du « chemin de la mort », ῥυσθείητε, τέκνα (!), ἀπὸ τούτων ἁπάντων. Le pluriel détonne quand on le compare au singulier qui domine de façon exclusive dans le « chemin de la vie » (sauf 4:8*b*, 11, qui sont deux cas spéciaux; voir ci-dessous). Mais la *Doctr.* suppose le singulier, et il n'y a pas lieu de croire qu'elle corrige une anomalie. La valeur générale de *H* n'est pas telle non plus que nous soyons rivés à ses leçons. De toutes manières, singulier ou pluriel, l'anomalie la plus sérieuse n'est pas là. Elle est bien plutôt, d'un point de vue littéraire, dans le sens que prend cette dernière exhortation en regard de 5:2. On n'est pas étonné de l'entendre après une liste de péchés à éviter, mais après une liste de diverses catégories de pécheurs, la chose ne va plus autant de soi, ou alors, quelle hypocrisie! La pointe est à peu près perdue après 5:2, alors qu'elle serait parfaitement bien dirigée si elle venait tout de suite après 5:1. De là à supposer que la liste de pécheurs a été introduite après coup dans le « chemin de la mort » du *Duae viae* originel, il n'y a qu'un pas.

Nous sommes ainsi ramenés aux hypothèses que nous avons laissées en route. Il y a déjà plusieurs indices, dans les limites mêmes du « chemin de la mort », que le projet initial du *Duae viae* n'avait pas l'extension que nous pourrions lui supposer à première vue. 5:1 et 5:2 paraissent former un amalgame littéraire tout aussi artificiel que celui que nous avons pu observer dans le « chemin de la vie », où nous avons déjà distingué, outre l'interpolation chrétienne de 1:3b-2:1, deux instructions : une première, introduite par 1:3a, dont le corps principal se trouve à 2:2-7 ; et une deuxième, insérée sans autre forme de précaution, qui se lit maintenant à 3:1-6. Il nous reste à en dégager une troisième, 3:7-4:14. Pour simplifier l'exposé, on me permettra d'appeler désormais ces trois instructions : l'instruction aux gentils, l'instruction du sage et l'instruction aux pauvres. Les deux premiers titres sont déjà assez justifiés, il me semble, par l'analyse et l'interprétation des textes, telles qu'on a pu les lire dans le commentaire. Le troisième se justifiera de même à mesure que nous avancerons.

Au point où nous sommes parvenus, l'hypothèse qui paraît s'imposer est donc celle-ci : la préhistoire du *Duae viae* a été relativement longue et complexe. Les éléments dont l'écrit se compose dans l'état où nous le fait connaître la *Did.*, occupent une position qui semble correspondre, dans le « chemin de la vie » et le « chemin de la mort » respectivement, à l'ordre de leur incorporation. A la base, une brève instruction en forme de dyptique, en deux parties équilibrées l'une sur l'autre : d'abord la partie positive de l'instruction aux gentils, 1:1-3a; 2:2-7, plus la formule de conclusion du « chemin de la vie » maintenant reportée à la fin de 4:14, par suite de l'addition de la matière intercalaire, αὕτη ἐστὶν ἡ ὁδὸς τῆς ζωῆς; puis 5:1, plus la formule de conclusion du « chemin de la mort », reportée pour le même motif à la fin de 5:2, ῥυσθείητι, τέκνον, ἀπὸ τούτων ἁπάντων, et enfin 6:1, qui répond à 1:1-2, par mode de conclusion générale après l' « instruction » (1:3a) relative au double commandement de l'amour de Dieu et du prochain, ὅρα μή τις σε πλανήσῃ ἀπὸ ταύτης τῆς ὁδοῦ τῆς διδαχῆς, ἐπεὶ παρεκτὸς θεοῦ σε διδάσκει, plus, peut-être, l'addition de la *Doctr.*

de Schlecht : « Haec in consulendo si cottidie feceris, prope eris vivo Deo ; quod si non feceris, longe eris a veritate, haec omnia tibi in animo pone et non deceperis de spe tua, sed per haec sancta certamina pervenies ad coronam » (nous reviendrons en son lieu sur le problème posé par le ch. 6 ; je ne le fais entrer ici en ligne de compte que pour compléter l'image du *Duae viae* originel).

C'est sur cette base que le reste s'est édifié. Assez tôt, semble-t-il, une courte instruction d'un caractère sapientiel très accusé vint s'ajouter à l'instruction primitive du « chemin de la vie ». Du coup, celle-ci se trouvait doublée. C'est l'instruction du sage, 3:1-6, dont l'analyse nous a révélé la minutieuse symétrie. Cette instruction qui emprunte sa matière à l'enseignement familier du décalogue, dut avoir sa petite fortune avant d'entrer dans le *Duae viae*. Peut-être avait-elle été conçue pour l'éducation domestique, ce qui expliquerait assez bien à la fois son caractère et sa diffusion (comp. *Tob.*, 4:1-19 et surtout *Prov.*, 6:16-22, dont l'idée de fond paraît très proche de celle qui a donné naissance à l'instruction du sage dans le *Duae viae* ; noter le canevas des proverbes numériques, du point de vue de la forme, et comp. avec le décalogue pour le fond ; on remarquera aussi les visées éducationnelles de ce petit morceau). Mais ne précisons pas trop ce qu'on ne vérifiera jamais. Il est plus important que nous sachions, négativement, qu'elle n'est pas de même venue que l'instruction aux gentils. C'est le point le plus sûr, car à la rigueur, il se pourrait aussi qu'elle ne soit entrée dans le *Duae viae* qu'après l'instruction aux pauvres. Barnabé, en effet, ne paraît pas l'avoir connue, alors qu'il a utilisé à peu près tout le reste. Mais l'ordre d'incorporation au *Duae viae* est secondaire, et notre hypothèse peut sans inconvénient négliger ce détail.

Quoi qu'il en soit, peut-être avant mais plutôt après l'instruction du sage, le *Duae viae* reçut une nouvelle addition. C'était déjà chose faite, et bien établie dans la transmission, semble-t-il, avant que la *Did.* ne vînt recueillir cet héritage composite. L'auteur de l'instruction aux pauvres, ou, en tout cas, celui qui l'incorpora au *Duae viae*, prit le parti bien naturel de se plier à la composition en forme de dyptique qu'il avait sous les yeux : de là 3:7-4:14 dans le « chemin de la vie », et la contrepartie 5:2, dans le « chemin de la mort ».

Avec cette dernière suggestion, tous les éléments de l'hypothèse sont en place. A un moment ou à l'autre, tous ont aussi déjà reçu au moins un commencement de vérification. Il reste à présenter quelques observations complémentaires. On verra, je crois, qu'un certain nombre d' « énigmes » qui continuent à envelopper la *Did.* n'avaient pas d'autre cause que l'espèce de candeur avec laquelle on a accepté, au point de départ, l'homogénéité littéraire et théologique d'un *Duae viae* dans lequel on ne s'appliquait à discerner que des éléments « juifs » et « chrétiens ». Que n'a-t-on pas écrit sur le « judaïsme » et le « christianisme » du *Duae viae*! Il est clair, à mon avis, que le *Duae viae* de la *Did.*, mise à part l'interpolation de 1:3*b*-2:1, sur l'origine et le caractère de laquelle il ne peut y avoir maintenant l'ombre d'un doute, ne reflète que le judaïsme contemporain, et que, s'il y a des distinctions à faire quant à la forme et quant au fond, c'est dans le judaïsme qu'il faut les chercher, non en dehors de lui. L'erreur a été de prétendre les trouver dans un christianisme qui n'y était pas. La composition du *Duae viae*, comme il est normal, donne pour une bonne part le secret de son interprétation.

Si donc l'instruction aux gentils a été conçue en forme de dyptique, comme nous l'avons déjà partiellement établi, nous devons nous attendre, en outre, à ce que, du point de vue interne, 5:1 réponde à 2:2-7. Or, il en est bien ainsi. Rendel Harris a noté avec sagacité que la liste de 5:1 comprenait 23 noms de fautes ou vices, 22 si l'on écarte ἀφοβία (θεοῦ). La coïncidence avec le nombre des lettres de l'alphabet hébreu lui a paru significative et il s'est mis en quête d'une explication. Il a cru trouver celle-ci dans une dépendance possible à l'égard de formulaires de confession des péchés (*The Teaching of the Apostles*, pp. 82 ss.). Mais l'hypothèse s'accommodait plutôt mal des dates respectives du *Duae viae* et des usages de la synagogue en matière de confession, sans parler du fait qu'en rétroversion l'ordre des initiales de la liste ne pouvait être réconcilié avec la suite des lettres de l'alphabet. Il n'est pas dit cependant qu'elle ne contienne pas une part de vérité.

Sans prétendre tout expliquer, on peut chercher beaucoup plus près une part tout au moins de l'intention de l'auteur, et cette part nous suffit. Si l'on compare, en effet, 2:2-7 et 5:1, en écartant de côté et d'autre l'élément d'inclusion (οὐ μισήσεις κτλ., 2:7 et ἀφοβία, 5:1) en joignant ensemble, dans 2:2-6, ce qui semble n'avoir fait en réalité qu'un seul commandement dans la pensée de l'auteur (οὐ φονεύσεις τέκνον ἐν φθορᾷ οὐδὲ γεννηθὲν ἀποκτενεῖς, 2:2, et οὐκ ἔσῃ διγνώμων οὐδὲ δίγλωσσος, 2:4), on obtient le nombre 22 pour chaque panneau du dyptique. Il est difficile de croire que le phénomène, même réduit à ces proportions, soit dû au hasard (dans le même sens, noter, à 5:1, les 11 pluriels suivis de

11 singuliers!). Il est beaucoup plus naturel de penser que cet artifice de composition, bien connu par ailleurs (par exemple, les psaumes alphabétiques), a été expressément voulu comme tel, ce qui confirme, de façon directe, notre hypothèse sur l'extension primitive du *Duae viae*, et de manière indirecte, tout l'ensemble de notre hypothèse sur la préhistoire de l'écrit.

On fera peut-être remarquer, à l'encontre, que la teneur de la liste des péchés ne correspond pas de tous points à celle de l'instruction sur les commandements (15 correspondances verbales sur les 22 possibilités; 3 ou 4 autres *ad sensum*). N'est-ce pas trop demander? Le parti adopté dans la composition ne conduisait pas forcément à faire du « chemin de la mort » le pur et simple négatif du « chemin de la vie ». L'auteur ne s'était gardé qu'une étroite liberté. Laissons-lui en les avantages. Il est vrai aussi que, dans l'état actuel des choses, l'ordre des lettres de l'alphabet ne peut être recouvré ni dans le « chemin de la vie » ni dans le « chemin de la mort ». Mais le *Duae viae* est pour nous écrit en grec et ce qu'il faut supposer, évidemment, c'est que le parti littéraire de la composition alphabétique, s'il a été pris un jour, n'a dû l'être que par un auteur qui pensait et s'exprimait en hébreu. Le nombre 22 ne serait alors que la survivance partielle d'un état antérieur où cet artifice littéraire pouvait avoir toute son efficacité. Or, le *Man. de disc.* (III, 13-IV, 26) suffit à montrer qu'une telle hypothèse n'est pas entièrement gratuite. Le *Duae viae* est un canevas littéraire qui a eu un jour sa fortune dans la langue où la composition alphabétique pouvait avoir son avantage normal (voir *Affinités littéraires et doctrinales du « Manuel de discipline »*, dans *RB*, LIX (1952) 219-238). Il est impossible de pousser plus loin. Mais c'est assez pour rendre compte des faits que nous avons sous les yeux.

Du coup, l'instruction du sage, 3:1-6, tombe de nouveau en dehors du cadre originel du *Duae viae*. Son addition est une étape dans la préhistoire de l'écrit, avant qu'il ne soit incorporé au plus ample recueil de la *Did.* Du coup aussi, l'instruction aux pauvres, 3:7-4:14, recouvre une relative indépendance. Comme l'instruction du sage, elle représente une phase de la préhistoire du *Duae viae*, antérieure ou postérieure, il importe peu.

Si l'on ajoute maintenant que tous les caractères internes de l'instruction aux pauvres pointent dans la même direction, il sera impossible, je crois, d'échapper à la conclusion que l'hypothèse dont nous sommes partis était effectivement celle à laquelle il fallait

s'arrêter. Mais ici il y a avantage à traiter séparément 3:7-4:14
et 5:2.

Les commentaires courants montrent à quels résultats contra-
dictoires on est conduit lorsqu'on présuppose une continuité littéraire trop étroite entre 3:7-4:14 et la partie antérieure du *Duae
viae*. Il y a discontinuité, relative sans doute, mais importante et
certaine. Cette discontinuité apparaît d'abord dans le style. Le
contraste est très net quand on compare, à cet égard, l'instruction
aux pauvres avec l'instruction aux gentils. Celle-ci est toute dans
le style impératif du décalogue : « tu ne tueras point ». C'est Dieu qui
est censé parler, suivant la représentation ancienne commune à
toute la tradition de la loi (et des prophètes !). Grammaticalement,
les futurs ont, en vertu du genre littéraire, leur sens volitif le plus
fort. L'instruction aux pauvres est, au contraire, coulée dans le
style didactique des sages, plus proche des cheminements de la
conscience humaine, d'une hauteur théologale moins abrupte.
Le ton est donné par un impératif d'exhortation dont nous avons
souligné ailleurs les valeurs d'intimité communicative (voir le
comm. sur 3:1). Les futurs à la deuxième personne, οὐχ ὑψώσεις,
etc., et les recommandations plus impersonnelles à la troisième,
οὐ κολληθήσεται ἡ ψυχή σου μετὰ ὑψηλῶν etc., ont la même couleur
volitive, avec peut-être une nuance un peu plus accusée. C'est la
manière de la sagesse de l'époque, de plus en plus nourrie de loi
et inclinée de ce fait même à en adopter les préoccupations profondes et les habitudes de langage, en dépit de la robustesse avec laquelle l'assimilation était spontanément conduite. Quiconque a
fréquenté ce monde avec une certaine assiduité ne peut s'y méprendre. On aimerait parfois que ces choses puissent être démontrées
par des raisons toutes tangibles. Mais il est de leur nature de relever
en partie de l'expérience. Il vaut mieux, du reste, au fond, qu'il en
soit ainsi.

On ne peut, au surplus, accepter ici la suggestion de Connolly que les impératifs sur lesquels s'ouvre l'instruction aux
pauvres (3:7) et le τέκνον μου de 4:1, ne soient dus qu'à une transmission manuscrite tentée d'imiter le style de l'instruction du
sage, 3:1-6 (R. H. CONNOLLY, *The Didache in Relation to the Epistle
of Barnabas*, dans *JTS*, XXXIII (1932) 242, n. 2). Telle qu'elle
nous est connue, la transmission ne porte aucun indice tendant à
confirmer cette hypothèse, contre laquelle proteste, en outre,
toute l'instruction aux pauvres, jusqu'à la dernière ligne (comp.,
dans la *Doctr.*, la suppression quatre fois répétée de « fili mi » dans

l'instruction du sage, ce qui est tout juste le contraire de ce que Connolly nous invite à admettre).

Le fond, d'autre part, n'est pas moins caractérisé que la forme. Quand on passe de l'instruction aux gentils, et même de l'instruction du sage, à l'instruction aux pauvres, on respire une autre atmosphère, tout aussi reconnaissable que celle qui a permis depuis longtemps de discerner, par exemple, dans le recueil des *Psaumes*, la contribution des ʿanâwîm (ʿaniyyîm). Ceux-ci n'étaient ni un parti ni une secte ni une « communauté » : on n'entrait parmi eux ni par une adhésion publique ni par une agrégation ni par une initiation (comp., du point de vue sémantique, l'usage actuel du mot « prolétaire » et de son dérivé « prolétariat »). On était de leur groupe, diffus dans tout le judaïsme (palestinien), quand on appartenait à un certain niveau économique et social plus ou moins déshérité, quand on se sentait prédestiné, par cette condition même, à porter dans l'impuissance tous les contre-coups des désillusions politiques, quand surtout on avait commencé à faire de cette humilité de condition une humilité de cœur dont se nourrissait quotidiennement tout l'espoir en Dieu, au milieu de la prière et de la fidélité à la Loi, dans l'attente du jugement qui discernera les justes, et de la venue du « royaume ». C'est à ces pauvres que s'est attaché Luc en quelques-uns de ses plus beaux récits, principalement ceux de l'enfance de Jean et de Jésus. C'est à eux qu'est adressée la première béatitude dans *Mt.* et dans *Lc.* On sait aussi, par les lettres de Paul et par les *Actes*, qu'ils ont été à l'origine l'une des composantes majeures de l'église-mère de Jérusalem (pour plus de détails, on pourra consulter A. CAUSSE, *Les « pauvres » d'Israël*, Paris, 1922, pp. 83 ss.; *Les dispersés d'Israël*, Paris, 1929, pp. 116 ss.; J. DUPONT, *Les béatitudes*, pp. 142 ss.; J. VAN DER PLOEG, *Les pauvres d'Israël et leur piété*, dans *Oudtestamentische Studiën*, VII, pp. 236 ss.).

Or, après les sages, c'est à eux en définitive que fait penser également la dernière instruction du *Duae viae*. Le messianisme mis à part (il affleure à peine une ou deux fois), toute leur âme et tout leur idéal se retrouvent là. Comment l'interprétation a-t-elle pu l'ignorer à ce point? J'hésite à choisir, tant il y aurait à citer. On voudrait plutôt renvoyer simplement au texte. Je souligne quelques expressions et quelques mouvements de pensée qui me paraissent particulièrement révélateurs.

Quel début plus distinctif d'une certaine qualité d'âme pouvait-on d'abord souhaiter? ἴσθι δὲ πραΰς, ἐπεὶ οἱ πραεῖς κληρονομήσουσι τὴν γῆν : c'est la mansuétude (πραότης) tant aimée des pauvres, avec le mystérieux héritage (κληρονομία), leur plus grand espoir. On entrevoit déjà ce qui va suivre : l'appel à la longanimité, à la patience, à la pitié, à la paix, à la bonté; l'exhortation à la fidélité à la Loi, sous la forme combien significative de l'accueil à la fois déférent et joyeux à l'égard de la « parole », τρέμων τοὺς λόγους διὰ παντός, οὓς ἤκουσας (3:8); la mise en garde contre l'orgueil et la vanité insolente, qui ne vont guère sans projets trop ambitieux dont souffriraient les démunis, οὐχ ὑψώσεις σεαυτὸν οὐδὲ δώσεις τῇ ψυχῇ σου θράσος, avec la recommandation corrélative de ne pas se lier avec ces ὑψηλοί qui sont tout autant des arrivistes éhontés, et des parvenus, que des gonflés d'eux-mêmes, mais de rechercher plutôt la société des justes, des petits et des humbles, ἀλλὰ μετὰ δικαίων καὶ ταπεινῶν ἀναστραφήσῃ [3:9; noter la conscience et la cohésion de groupe impliquées dans cette dernière recommandation; les ταπεινοί, opposés aux ὑψηλοί et identifiés aux δίκαιοι-ἅγιοι, 4:2 (comp Dan., 3:87), ne sont pas autres, évidemment, que les πτωχοί, pauvres, plus directement reconnaissables sous ce nom dans l'exhortation sur l'aumône, 4:5-8; ajoutons que les versions alexandrines rendent d'ordinaire יָנָו par πραΰς, auquel il leur arrive cependant de substituer ταπεινός, πένης ou πτωχός, avec des nuances souvent à peine perceptibles]. Le reste de l'instruction n'est guère moins décisif, avec ses retours constants sur des valeurs très apparentées, sinon même parfois identiques à celles qui distinguaient en premier lieu les pauvres.

La situation reste la même, pour la forme comme pour le fond, lorsqu'on passe à la contrepartie de 3:7-4:14 dans le « chemin de la mort ». Ce qu'on a regardé comme une anomalie d'abord grammaticale, puis littéraire, entre 5:1 et 5:2, était, en réalité, une rupture littéraire d'abord, et seulement ensuite, par voie de conséquence, une anomalie grammaticale. Ce n'est donc pas par ce bout-ci qu'il fallait prendre les choses. Le *Duae viae* est un recueil de trois instructions d'origine, de destination, de structure et de contenu assez différents pour embarrasser en d'inextricables difficultés quiconque l'aborde avec la présupposition inverse. L'erreur a été de ramener cela de force à une vague unité juive ou chrétienne, ou les deux à la fois, sans formes articulées ni couleurs précises. Dès qu'on a mis en place toutes les autres pièces recueillies d'une façon ou de l'autre par le *Duae viae*, il devient évident, en revanche, que c'est du côté de la composition qu'il faut d'abord chercher l'explication de la bizarre stylistique de 5:1 continué par 5:2.

L'anomalie grammaticale n'est plus ensuite qu'un faux problème, ou plutôt, un témoignage parmi cent autres de la manière dont toute une littérature s'est alors formée, dans des milieux que les scrupules académiques ne tourmentaient pas à l'excès, par collusion d'écrits mineurs gravitant autour de quelques noyaux dont l'attraction se faisait sentir au loin. Ce qu'il faut dire, très simplement, dans le cas qui nous occupe, c'est que deux pièces, 5:1 et 5:2, ont été mises bout à bout sans que le responsable de l'opération se soit plus alarmé des heurts de forme qu'il ne s'est inquiété des différences de contenu. Le procédé, si l'on veut, est d'un art assez approximatif, mais il est clair qu'on ne cherchait pas à faire beau, et qu'on s'accommodait même de l'incorrect, pourvu qu'on fût compris. Il n'y a pas de raison de croire qu'on ne l'était pas.

Pour le fond, la correspondance de 5:2 avec 3:7-4:14 est exactement parallèle à la correspondance de 5:1 et de 2:2-7. Le contraste de 5:2 et de 5:1 est aussi du même ordre que celui de leur contrepartie respective dans le « chemin de la vie ». Il ne me paraît plus nécessaire d'insister. Une fois dégagée dans ses lignes principales, la composition du *Duae viae* s'explique ensuite d'elle-même. Je voudrais, cependant, attirer l'attention sur un point à propos duquel chacun pourra ensuite faire la comparaison avec le « chemin de la mort » tel qu'il avait été conçu pour le *Duae viae* primitif. On sait quels soubresauts, et quels ravages, la conscience de groupe a causés, par ses excès, dans le destin du judaïsme contemporain du *Duae viae*, jusqu'à ce que le pluralisme ancien soit progressivement réduit sinon éliminé tout à fait au profit de l'école pharisienne, après la chute de Jérusalem et la perte des derniers lambeaux d'autonomie nationale. La tendance et le danger étaient pour chacun d'en arriver à se définir avant tout par les oppositions et les pressions qu'il ressentait de l'extérieur. A la limite, il ne restait plus qu'à partager inconsciemment son âme entre l'hypocrisie au-dedans et l'inimitié au-dehors, sauf pour chaque groupe à colorer cette inimitié et cette hypocrisie de la nuance de son choix. En dépit de leur idéal si souvent et si hautement proclamé de mansuétude, d'humilité, de pitié, de pardon et de paix, il est bien sûr que les pauvres eux-mêmes n'ont pas toujours échappé à la déformation à laquelle les exposait leur conscience collective. Je ne sais si, à cet égard, les deux premiers mots du « chemin de la mort », dans l'instruction aux pauvres, auraient pu d'un coup ébranler plus d'illusions. Comme indice d'une certaine qualité de conscience, et d'un certain milieu, ils valent le ἴσθι δὲ πραΰς, ἐπεὶ οἱ πραεῖς κληρονομήσουσι τὴν γῆν sur lequel s'ouvre le chemin de la vie (3:7). Nous savons ainsi de mieux en mieux où nous sommes. La première qualification de ceux qui n'ont voulu être ni des πραεῖς, ni des ταπεινοί, ni des δίκαιοι, ni des ἅγιοι, c'est qu'ils sont des διῶκται ἀγαθῶν, des « persécuteurs des bons », qu'on définit spontanément, non par leur situation devant Dieu, mais par les vexations que vaut aux « saints » leur présence parmi les hommes. Il est permis de trouver, après cela, quelque générosité discrète à la liste plus impersonnelle de l'instruction aux gentils (5:1). Mais ce qui m'importe, pour le moment, c'est la contribution que l'observation d'un tel fait apporte à l'intelligence de la composition du *Duae viae*. On peut relire tout 5:2. Chaque mot, ou peu s'en faut, pourrait servir à marquer d'un point l'invisible frontière qui, dans la conscience de l'auteur, séparait les pauvres de ceux qui ne l'étaient pas.

Ainsi tous les éléments de la démonstration se trouvent-ils enfin réunis. L'isolement littéraire de l'instruction du sage dans le « chemin de la vie », d'une part, les correspondances de fond et de forme du « chemin de la vie » et du « chemin de la mort » dans l'instruction aux gentils et dans l'instruction aux pauvres respectivement, d'autre part, jointes aux différences de contenu et de structure qui opposent ces deux dernières instructions l'une à l'autre en chacune de leurs parties : ces faits pris ensemble ne peuvent s'expliquer que si l'on regarde le *Duae viae* comme un recueil. A partir de là, il n'y a qu'à suivre en sens inverse les indices de composition pour comprendre la manière dont ce recueil a pu se former. A un *Duae viae* primitif, parfaitement équilibré, sont venues s'ajouter, à des intervalles et dans un ordre qui demeurent incertains, deux autres instructions que, d'après leurs caractères internes, nous avons appelées l'instruction du sage et l'instruction aux pauvres. Ce sont ces deux additions successives, très inégales dans le « chemin de la vie » et dans le « chemin de la mort », qui ont donné au *Duae viae* ses proportions et sa physionomie actuelles.

Je ne puis quitter cette longue analyse sans faire en même temps mes adieux à un problème qui fut célèbre : celui des rapports du *Duae viae* de *Barn.* et du *Duae viae* de la *Did.* Nous nous en sommes occupé dans l'introduction, au moment où nous avons examiné la question des sources. Nous avons conclu alors, avec les observations dont nous pouvions disposer, à une source commune aux deux écrits, plus ou moins éloignée déjà de l'instruction du *Man. de disc.* sur les deux voies. L'argumentation qui nous a conduit à ce résultat demeure indépendante et se suffit à elle-même.

Mais nous pouvons maintenant prendre les choses par un autre
côté, pour ceux qui désireraient des assurances de surcroît. Aussi
longtemps qu'on se contente de supposer un auteur de la *Did.*
soucieux de mettre un peu d'ordre dans la masse informe du *Duae
viae* de *Barn.*, on ne lui confie qu'une tâche en soi très acceptable.
Mais là où l'entreprise qu'on voudrait lui faire exécuter devient
absurde, c'est lorsqu'on lui demande de tirer successivement du
Duae viae de *Barn.* les trois instructions que nous savons désormais
constituer le recueil. Il eût fallu, pour y réussir, qu'il se fût renouvelé
trois fois lui-même, changeant à tout coup d'intention, de pensée,
de style, d'attaches à son milieu et à son époque. Et pourquoi tant
de mise en scène puisque, par hypothèse, le résultat devait en être
nul? Non : il est inutile de poursuivre. Ce Protée, comme son antique
modèle, n'a jamais eu d'existence que dans l'imagination de ceux
à qui il ne répugnait pas de la lui prêter. L'auteur de la *Did.* n'est
pas celui qui a mis en ordre le *Duae viae* de *Barn.* Lorsqu'il a incorporé l'écrit à son recueil, son histoire était peut-être déjà assez
longue : il avait eu le temps, en tout cas, de passer par toute une
préhistoire. Ce n'est que plus tard qu'il parvint, par une voie indépendante, jusqu'à Barnabé, qui l'utilise de la façon qu'on sait,
mêlant tout, pigeant au hasard dans les trois instructions, au gré
de sa mémoire ou de sa fantaisie. Mais c'est justement ce qui pour
nous trahit son emprunt.

Ceux qui ont voulu voir dans le *Duae viae* un écrit chrétien, ont
naturellement fait fond sur 3:7, qui leur semblait inspiré de la
troisième béatitude de *Mt.* (5:5). C'était même presque une citation. Mais l'hésitation, si elle fut jamais permise, est désormais
levée par la préhistoire du recueil, qui est probablement toute
antérieure à l'événement évangélique, et qui en est en tout cas
indépendante. Il reste à penser au *Ps.* 37, dont le souvenir, ainsi
que celui du *Ps.* 34 qui précède, semble planer au-dessus de toute
l'instruction aux pauvres. Les deux psaumes sont alphabétiques :
ils s'offraient par leur forme même à la « méditation » des « pieux »,
exercice qui comportait, comme on sait, la lente et affectueuse répétition des paroles. Les pauvres du premier siècle de notre ère
n'avaient aucune peine à se reconnaître en eux. Il est bien significatif, au surplus, que l'instruction du *Duae viae* en ait tout juste
retenu la pensée fondamentale pour en faire son ouverture, non

sans avoir dûment tourné en exhortation ce qui était d'abord une
déclaration d'espoir. C'est un exemple précis de la façon dont les
prières anciennes pouvaient alors se muer en instruction appli-
cable au présent. A cet égard, il est intéressant de remarquer que
la béatitude de *Mt.*, sous sa forme macarismique, ne représente rien
d'autre qu'une seconde possibilité de transformation de la prière
préférée des pauvres en instruction, avec seulement, dans le contexte,
une touche messianique plus accusée.

Did., 3:7, ἴσθι δὲ πραΰς, ἐπεὶ οἱ πραεῖς κληρονομήσουσι τὴν γῆν;
Ps., 37:11, « encore un peu et le pécheur ((ἁμαρτωλός) ne sera plus;
tu t'enquerras de sa demeure et tu ne la trouveras plus; οἱ δὲ
πραεῖς κληρονομήσουσι γῆν, καὶ κατατρυφήσουσιν (noter le choix de
l'image) ἐπὶ πλήθει εἰρήνης; *Mt.*, 5:5, μακάριοι οἱ πραεῖς, ὅτι αὐτοὶ
κληρονομήσουσιν τὴν γῆν (suivi de la béatitude des affamés et des
assoiffés de justice; comp., ci-dessus, le κατατρυφήσουσιν de *Ps.*,
37:11; aussi, pour changer de milieu, 1 *Cor.*, 6:9, ἄδικοι θεοῦ
βασιλείαν οὐ κληρονομήσουσιν, dont on rapprochera, cependant,
les δίκαιοι-ἅγιοι de notre instruction aux pauvres, 3:9 et 4:2).

Quelles rencontres ! d'autant plus saisissantes si l'on songe, d'une
part, que la troisième instruction du *Duae viae* est comme une « Règle
des pauvres », et que, d'autre part, Jésus lui-même semble avoir
appartenu à la « fraternité » des « pauvres » par tradition et par
éducation familiales (ce dernier point sensible surtout chez *Lc.*;
sur la « fraternité » des « pauvres », voir ci-dessous le comm. sur
4:5-8). Sans doute convient-il d'ajouter que c'est le messianisme
qui, en fin de compte, leur donne leur signification. Tout n'est
cependant pas au même niveau. Sur ce point, l'espérance de l'instruction aux pauvres ne dépasse peut-être pas de façon appréciable
celle des psaumes dont il me semble qu'elle s'inspire principalement.
Mais une telle espérance s'y trouve, et la façon dont elle regarde
vers l' « héritage » fait évidemment penser au messianisme. De qui
le pauvre, qui ne possède même pas son petit coin de pays (sens
ancien, *Ex.*, 22:24; 23:10 s.; *Lév.*, 19:10; 23:22), pourrait-il espérer
recevoir la « terre » en « héritage », dans un royaume de véritable
« justice », si ce n'est de Dieu lui-même dont il attend l'intervention?
— Sur l'espérance messianique des pauvres, on pourra comparer
encore le texte d'*Is.*, 61:1-2, cité par Luc au moment où il raconte
l'inauguration de l'enseignement de Jésus dans la synagogue de
Nazareth : « l'Esprit du Seigneur est sur moi, parce qu'il m'a consacré
par l'onction. Il m'a envoyé porter une bonne nouvelle aux pauvres,
εὐαγγελίσασθαι πτωχοῖς, ... proclamer une année de grâce du

Seigneur » (*Lc.*, 4:18 s.). On notera aussi à ce propos, l'intéressante variante de la *Doctr.* de Schlecht : « sanctam terram » (3:7).

3:8 *Sois longanime, accessible à la pitié, dénué de malveillance, paisible et bon. Garde en toute révérence l'instruction reçue.*

Le rapprochement de γίνου μακρόθυμος et de l'évocation de l'espérance messianique qui précède immédiatement peut servir à fixer ici le sens de l'exhortation. L' « héritage » n'est pas encore pour aujourd'hui : il faudra un cœur plié aux longs espoirs pour entrer en sa possession. Ainsi, plus que de la « patience » envers le prochain, comme on l'entend généralement, sans doute s'agit-il ici de la « longanimité » qui permet de supporter une condition pénible en mettant sa confiance en Dieu, ce qui, bien sûr, implique la patience envers les autres, mais aussi la dépasse en lui ouvrant des perspectives au delà d'elle-même. Il y a une nuance eschatologique. Le thème sera repris en ce sens et développé par l'épître de Jacques (*Jac.*, 5:7-11; comp. aussi *Is.*, 57:15, Dieu est celui qui donne à ceux dont l'âme est toute « repliée » de souffrance, ὀλιγοψύχοις, la consolation qui les dilate et leur fait sentir sa bonté, lorsqu'il le veut, διδοὺς μακροθυμίαν).

La suite enchaîne, semble-t-il, avec l'exhortation à la longanimité par le côté où celle-ci était patience à l'égard des hommes. Être ἐλεήμων, c'est être « miséricordieux » bien sûr, mais le sens est probablement ici moins restreint que ne le suggérerait cette traduction. La comparaison avec 5:2, οὐκ ἐλεοῦντες πτωχόν, invite à penser d'abord à une attitude de compréhension et de bienveillance secourable à l'égard du pauvre, plus encore peut-être qu'au pardon, bien que celui-ci ne soit pas exclu, il va sans dire. On n'exerce pas longtemps la pitié si l'on n'a pas appris en même temps à fermer les yeux sur les fautes. Les « purs » ne sont pas ceux à qui l'on peut s'en remettre de l'espoir des malheureux. Concrètement, pardon et pitié sont inséparables, et il n'apparaît pas non plus que la tradition d'Israël les ait jamais séparés : le messianisme, pour ne parler ici que de lui, a été marqué jusqu'au fond par le lien qui les unissait en Dieu, au regard de l'espérance de son règne (comp. *Mt.*,

5:7, la béatitude des « miséricordieux », probablement dans le
même sens que notre instruction aux pauvres; aussi 18:23-35, la
parabole du serviteur impitoyable, et 25:31-46, le jugement de
la fin, conçu suivant l'espérance des pauvres; *Lc.*, 10:25-37, le
Samaritain secourable, à propos du deuxième commandement;
6:20-21, 24-25, bénédictions et malédictions respectives des pauvres
et des riches).

Pour donner un sens un peu net aux trois mots qui suivent,
(γίνου) ἄκακος καὶ ἡσύχιος καὶ ἀγαθός, et pour les rattacher en
même temps au début de l'instruction, je serais tenté de renvoyer
une fois de plus à l'idéal des pauvres, en rappelant le *Ps.* 34, d'après
les *LXX ;* « Craignez le Seigneur, vous tous ses saints, οἱ ἅγιοι αὐτοῦ,
car rien ne manque à ceux qui le craignent. Les riches sont devenus
pauvres et affamés; mais ceux qui cherchent le Seigneur ne seront
privés d'aucun bien. Venez, fils, δεῦτε, τέκνα (noter le style),
écoutez-moi, je vous enseignerai, διδάξω, la crainte du Seigneur.
Quel est celui qui désire la vie, ὁ θέλων ζωήν, qui aimerait voir
de beaux jours ? Garde ta langue du mal (παῦσον, noter l'impératif,
de même que pour les verbes qui suivent), et tes lèvres des paroles
trompeuses; évite le mal et fais le bien, recherche la paix et pour-
suis-la, ἔκκλινον ἀπὸ κακοῦ καὶ ποίησον ἀγαθόν, ζήτησον εἰρήνην καὶ
δίωξον αὐτήν » (10-15). Le psaume poursuit en reprenant son
thème de l'espérance du pauvre, qu'il oppose au sort de l'impie.
L' « instruction » a été brève : elle coïncide pour l'essentiel avec
l'instruction aux pauvres du *Duae viae* (ἔκκλινον ἀπὸ κακοῦ =
ἄκακος, ποίησον ἀγαθόν = ἀγαθός, ζήτησον εἰρήνην καὶ δίωξον αὐτήν
= ἡσύχιος; comp. *Ps.*, 37:27, 29, « les justes, δίκαιοι, recevront la terre en héritage et ils y habiteront pour toujours »,
qu'on rapprochera du début de notre instruction; aussi le v. 34,
sur la « voie » du Seigneur; 37, φύλασσε ἀκακίαν καὶ ἴδε εὐθύτητα,
car il y a une postérité pour le pacifique, ἀνθρώπῳ εἰρηνικῷ).

Il est bien difficile que ces coïncidences soient fortuites, après
un emprunt aussi peu voilé que celui de *Did.*, 3:7. Il me semble
évident, au contraire, que l'instruction aux pauvres du *Duae viae*
procède ici en ligne droite des deux psaumes qui viennent d'être
cités, et dont il serait facile de tirer encore d'autres traits dans le
même sens. C'est une « instruction » qui se développera plus à loisir
que celle du *Ps.* 34 (12-15), qui aura aussi une forme plus consistante
que celle du *Ps.* 36, très diffuse, mais du moins voit-on tout de suite,
par cette première comparaison, à quel genre littéraire elle appartient et dans quel milieu ses exhortations nous transportent. Sans

faire de cette indication un système, il serait imprudent de l'ignorer
dans la suite, lorsque tel ou tel détail paraîtra douteux.

Le *Ps.* 34 introduisait son instruction par un petit protreptique,
invitation enthousiaste à la « crainte du Seigneur » : δεῦτε, τέκνα,
ἀκούσατέ μου, φόβον κυρίου διδάξω ὑμᾶς (12). Le *Duae viae* déplace
l'idée et l'exprime d'une autre manière, mais on la reconnaît
encore dans son (γίνου) τρέμων τοὺς λόγους διὰ παντός, οὓς ἤκουσας.
Dans le milieu des pauvres, la crainte du Seigneur n'est jamais
bien loin de la déférence affectueuse qui les conduit à méditer
et à garder sa parole. La forme rappelle de près *Is.*, 66:2, qui fait
justement de cette qualité l'un des titres des « pauvres » à la
bienveillance divine dans le jugement qui approche : καὶ ἐπὶ
τίνα ἐπιβλέψω ἀλλ' ἢ ἐπὶ τὸν ταπεινὸν (עָנִי pauvre) καὶ ἡσύχιον καὶ
τρέμοντα τοὺς λόγους μου. Il n'est donc pas trop difficile de voir,
au moins en gros, ce à quoi se réfère l'instruction du *Duae viae*. Si
ἀκούω était au présent ou au futur au lieu du passé, on pourrait
préciser ensuite que les « paroles » sont celles de l'instruction elle-
même. Mais le verbe est à l'aoriste. Il reste à donner à l'idée une
portée plus générale. Les « paroles » sont celles de Dieu telles qu'on
les entend des lèvres de ceux qui donnent l'instruction (τρέμων est
l'attitude d'humble déférence et de fidélité empressée à l'égard de
l'instruction reçue, sens de l'hébreu חָרֵד , *Is.*, 66:2, 5, qu'on peut
préciser à l'aide de 2 *Rois*, 4:13, et qui, dans un milieu sensible
aux nuances des traductions, devait transparaître en grec).

3:9-10 *Tu ne chercheras pas à t'élever toi-même et tu n'abandonneras pas ton cœur à l'insolence. Tu ne lieras pas ta vie au monde
des grands, mais à la voie des justes et des humbles.* [10]*Tu accueilleras
les événements de la vie comme autant de biens, sachant que Dieu n'est
étranger à rien de ce qui arrive.*

Pour l'essentiel, tel était l'idéal proposé. Il semble que l'instruction ait voulu ensuite prévenir contre trois écueils : le premier,
intérieur, le deuxième, appartenant au milieu, et le troisième,
susceptible d'être rencontré dans les événements mêmes de la vie
(3:9-10). Pour le pauvre, ταπεινός, tout près des fidélités élémentaires et des nécessités les plus humbles de la condition humaine, la

grande tentation serait de vouloir « s'élever soi-même », d'abandonner son cœur à l'orgueil et à l'« insolence » (θρασύτης), d'entrer
ainsi dans la voie de ces projets insensés et de ces ambitions irréductibles qui font les ὑψηλοί et qui, suivant l'expérience commune,
ne vont jamais sans impiété envers Dieu ni « haine » envers le prochain (le sens de θράσος est assez général; voir *Prov.*, 9:13; 13:17,
où θρασύς rend l'hébreu רָשָׁע ; 28:26 : le θρασύς ou θράσος est d'abord
un ἄφρων qui obéit à toutes ses impulsions; sa « folie » ne peut que
le conduire au malheur; comp. 3 *Macc.*, 2:2, 4, 6, 14, où les associations de mots sont particulièrement instructives). Ce qui est à
craindre pour lui, c'est cette sorte de conversion à rebours, qui ne
peut que tourner en opposition aux deux commandements, et,
par là, à tout le reste (comp. 1:2, 2:6*b*-7). οὐχ ὑψώσεις σεαυτὸν οὐδὲ
δώσεις τῇ ψυχῇ σου θράσος. Si l'on veut, cette manière de « s'élever
soi-même » est l'exact contraire de l'humilité, de la gratitude et de
l'espérance exprimées dans le *Magnificat*, tout entier coulé, en fait,
dans ce que les sentiments des pauvres avaient de plus haut et de
plus pur (*Lc.*, 1:46-55). Aux yeux de Luc, ce que Marie a éprouvé
dans sa maternité messianique, c'est justement le meilleur de la
bénédiction de Dieu sur les pauvres, telle que ceux-ci l'attendaient,
comme présage de la « bonne nouvelle » qui devait leur être bientôt
annoncée (*Lc.*, 4:18).

Le deuxième danger était celui de la contagion des ὑψηλοί.
A leur endroit, l'instruction recommande la séparation, selon une
stratégie diversement appliquée alors par bien d'autres groupes
dans le judaïsme, en particulier par celui des pharisiens et cette
Communauté de l'alliance dont les écrits viennent de nous être
révélés. On peut juger que la manœuvre n'allait pas elle-même
sans péril, mais, à l'époque, pour trouver une autre issue, il eût
fallu être déjà dans les sentiments où Jésus a voulu mettre ses
disciples. Le destin ultérieur de l'évangile a assez montré qu'on ne
s'y élevait pas sans peine. De l'auteur de l'instruction aux pauvres,
on ne pouvait guère attendre que ceci : μετὰ δικαίων καὶ ταπεινῶν
ἀναστραφήσῃ, rectitude repliée sur elle-même, provisoire et menacée.

Le troisième écueil pouvait résider dans le choc des événements de
la vie. C'est l'épreuve de tout espoir retardé. Les sages qui instrui-
saient les pauvres ne disposaient pas tous des perspectives de l' « immortalité ». Le livre de la *Sagesse* n'était que d'hier. Beaucoup,
sans doute, ne trouvaient encore dans le passé que des leçons plus
modestes, toutes proches de celles de *Job* et de *Tobie*. Cela aussi,
en un sens, n'était que provisoire. L'instruction aux pauvres n'a

rien d'autre à offrir, elle non plus, qu'une obscure consolation dans
le présent, où il est sûr que rien n'arrive sans que Dieu l'ait voulu
et où l'on peut être déjà assuré, quoi qu'il en soit des apparences,
qu'aux justes la fidélité divine ne réserve que le bien. C'était à
peu près l'espoir proposé par nos psaumes 34 et 37, pour ce que le
dernier d'entre eux appelle le « temps mauvais », καιρὸς πονηρός
(*Ps.*, 37:19, 39; comp. 34:2, 5-11). Il ne faut pas quitter l'espoir
des pauvres dès qu'on est confronté avec la souffrance. Un tel
espoir ne saurait être déçu (comp. 1 *Pi.*, 5:6 : « Ployez, acceptez
l'humiliation, ταπεινώθητε, sous la puissante main de Dieu, pour
qu'il vous élève au bon moment, ἵνα ὑμᾶς ὑψώσῃ ἐν καιρῷ; de toute
votre inquiétude déchargez-vous sur lui, car il a soin de vous »).

4:1-2 *Mon fils, de celui qui te propose la parole de Dieu, tu te
souviendras nuit et jour, et tu l'honoreras comme le Seigneur, car là
où sa souveraineté est proclamée, là le maître est présent.* ²*Tu rechercheras chaque jour la compagnie des saints, pour trouver appui dans
leurs paroles.*

Après ces recommandations générales, l'instruction passe à des
objets plus particuliers : gratitude et honneur dus au maître d'instruction et fréquentation des saints (4:1-2), dissensions et exercice
de la justice (3-4), aumône et bienfaisance à l'égard des pauvres
(5-8), et enfin gouvernement domestique (9-11).

Les sages ne risquent pas d'être oubliés : c'est à la reconnaissance
et à l'honneur qui leur sont dus que l'instruction pourvoit en premier lieu. Tout cela part, en vérité, d'un très bon naturel. Mais nous
aurions probablement tort de nous montrer plus sévères. L'attitude est commandée en partie par des traits de culture et d'époque
extrêmement profonds : il n'appartenait pas aux individus de s'en
affranchir à leur gré. On notera, du point de vue de la composition,
que le τέκνον μου vient à propos au début du second développement. Son absence à 3:7, par contre, peut s'expliquer par les nombreuses suppléances de 3:1-6. Je n'attirerais d'ailleurs pas l'attention sur un détail aussi infime, exposé à tous les hasards, si
son authenticité n'avait pas été mise en doute (Connolly). Outre
les témoins du texte, il a du moins en sa faveur sa propre vraisemblance interne.

On pourrait trouver excessive, d'autre part, une dette de gratitude qui empêcherait même de dormir. Mais on sait que l'hyperbole est de style lorsque les sages s'occupent des intérêts de la sagesse. La conscience qui inspire cette formule convenue est plus sérieuse. L'instruction dont on doit être reconnaissant aux maîtres qui la donnent est « parole de Dieu », ce qu'il faut vraisemblablement entendre dans le sens large que suggère l'exemple que nous avons devant nous. Il ne s'agit ni d'une répétition ni d'une simple lecture. La continuité avec la « parole de Dieu » peut n'en être pas moins authentique, comme les rapports des *Ps.* 34 et 37 avec la première partie de l'instruction aux pauvres pourraient au besoin servir à le montrer (voir ci-dessus).

L'honneur est grand d'être parmi les sages et de disposer des trésors de la « parole de Dieu ». La comparaison ὡς κύριον, depuis Harnack, a quand même paru forte à un bon nombre d'interprètes, qui la voyaient rejoindre, dans leur pensée, le grave problème de la « hiérarchie charismatique » (voir 11:2; A. HARNACK, *Entstellung und Entwickelung der Kirchenverfassung*, Leipzig, 1910, pp. 57 s.). Il n'y avait toutefois pas lieu de s'émouvoir. L'instruction aux pauvres, d'une part, n'est pas en continuité directe avec *Did.*, 11:2, comme il est maintenant clair pour nous; les λαλοῦντες τὸν λόγον τοῦ θεοῦ ne sont donc pas, ainsi que le voulait Harnack, au premier rang, les prophètes, les docteurs et les apôtres, et au second rang, les évêques et les diacres (*Die Lehre, in loc.*). Ce sont des sages, (comp. la fonction du משכיל dans la Communauté de l'alliance; c'est de ce « sage », qui est pour les siens un « maître », que relève en particulier l'instruction sur les « deux voies », *Man. de disc.*, III, 13; voir aussi IX, 12-21; comp. BARTHÉLEMY-MILIK, *Qumran Cave I*, fr. 28*b*, I, 7; III, 22; V, 20, où ce sont les « bénédictions » qui lui sont attribuées). La comparaison elle-même, d'autre part, semble avoir été commune à l'époque dans le judaïsme. Il n'y a donc lieu de lui donner un sens très particulier ni ici ni à 11:2, sur lequel nous reviendrons (comp. *Aboth*, IV, 15; VI, 3; en termes plus larges, 1 *Thess.*, 5:12 s.; 1 *Tim.*, 5:17, et surtout *Hébr.*, 13:7; extension du thème dans son application à Jésus, très fréquente dans le IVe évangile, *Jn.*, 12:44; 13:20, etc.). L'auteur a du reste pris soin de s'expliquer : Dieu est là où sa parole est entendue, et d'abord sur les lèvres de celui qui la rapporte en son nom (rapport du messager à celui qui l'envoie, avec la portée que revêt un tel rapport dans les conceptions de l'antiquité juive sur la parole). L'idée est ancienne, si la forme en est un peu étonnante à première vue :

ὅθεν γὰρ ὁ κυριότης λαλεῖται, ἐκεῖ κύριός ἐστιν (l'abstrait pour le concret : κυριότης = κύριος; [comp. l'emploi de ἐξουσία, « puissance », pour désigner le dépositaire de l'autorité).

S'ils attendent l'honneur et la gratitude, il faut concéder par ailleurs aux sages qu'ils ouvrent leurs portes avec générosité. « Tu rechercheras chaque jour la société des saints, pour trouver un appui dans leur parole. » Le conseil est dans la meilleure tradition : « Si tu le veux, mon fils, tu t'instruiras et ta docilité te vaudra l'intelligence. Si tu aimes écouter, tu apprendras et si tu prêtes l'oreille, tu seras sage. Tiens-toi dans l'assemblée des vieillards et si tu vois un sage, attache-toi à lui. Écoute volontiers toute parole qui vient de Dieu, que les proverbes subtils ne t'échappent pas. Si tu vois un homme de sens, va vers lui dès le matin, et que tes pas usent le seuil de sa porte. Médite sur les commandements du Seigneur, occupe-toi sans cesse de ses préceptes. C'est lui qui fortifiera ton cœur et la sagesse te sera accordée » (*Eccli.*, 7:32-37; *Aboth*, I, 4, parmi bien d'autres textes qu'on pourrait citer; pour la Communauté de l'alliance, *Man. de disc.*, VI, 6-8, où « nuit et jour » n'est pas une pure hyperbole).

4:3-4 *Tu ne causeras point de division; tu rétabliras plutôt la paix entre ceux qui se disputent. Tu jugeras avec justice, tu ne feras pas acception des personnes dans la correction des fautes.* ⁴ *Tu ne t'arrêteras pas à te demander ce qui en adviendra ou non pour toi.*

Éviter les heurts que créent les dissensions prolongées, apaiser les querelles : ces choses sont de proportions limitées et font partie des rencontres individuelles les plus communes (comp. 3:7, voir, sur tout ceci, les dispositions de la loi ancienne, *Ex.*, 23:1-9; *Lév.*, 19:15-18; *Deut.*, 1:16 s.; 17:18-20). Il faut probablement rester dans cet horizon réduit pour ce qui est du κρινεῖς δικαίως. On pensera donc à l'arbitrage de différends et de désaccords mineurs : questions de vente et achat, de prêt, de dépôt, d'héritage, etc., plutôt qu'à l'exercice d'une juridiction plus élevée, qui, de toutes manières, ne pouvait être le fait que du petit nombre (voir *Baba b.*, 133*b*). Ce sens est d'ailleurs celui qui répond le mieux aux conditions générales du milieu et de l'époque en matière de justice (comp.

1 *Cor.*, 6:1-8). Ajoutons qu'une telle recommandation, en Israël, ne s'adresse pas normalement à des prosélytes, auxquels une relative incapacité juridique demeurait attachée (pour le judaïsme postérieur, voir *Yeb.*, 102*a*; *Baba k.*, 15*a*; aussi, du point de vue des formes légales, *Baba b.*, 167*b*, 168*a*; *Sanh.*, 5*b*-7*a*; pour l'antiquité, *Lév.*, 19:15-18). Le détail est intéressant à relever en regard de la destination première de l'instruction, telle que son auteur l'avait conçue. L'élargissement que lui a valu son incorporation au *Duae viae* ne doit pas être confondu ici avec ses perspectives originelles, qui sont purement juives.

La dernière phrase a mis bien davantage à l'épreuve la sagacité des traducteurs et des critiques. οὐ διψυχήσεις, πότερον ἔσται ἢ οὔ. Que veut dire ce grec, assez rugueux, il faut l'avouer? Les anciens remaniements du *Duae viae*, y compris celui des *Const. apost.*, avaient jeté leur dévolu sur une allusion à la prière, ἐν προσευχῇ σου μὴ διψυχήσεις, πότερον ἔσται ἢ οὔ (*Can. eccl.*). Plus ou moins à contrecœur, un bon nombre de modernes ont accueilli la suggestion. D'autres, au contraire, ont vu une allusion au jugement de Dieu, ce qui les a conduits à donner à la phrase un sens eschatologique, tandis que les prudents, sensibles à la difficulté, préféraient se désister, quitte à traduire les mots matériellement, tels qu'ils se présentent. Il y a longtemps déjà, Sabatier a proposé une solution qui avait du moins le mérite de chercher à s'harmoniser avec le contexte. L'instruction viserait ceux qui, en jugement, se contentaient de donner une réponse évasive, partagés entre le désir d'être droits et celui de déplaire à un riche puissant (P. SABATIER, *La Didachè*, p. 41). J'avoue que cette solution simple m'a un moment séduit. Mais elle a le grave défaut de ne pas tenir compte du futur, ἔσται, qu'elle est bien forcée de réintroduire ensuite subrepticement dans la traduction : « Tu n'hésiteras pas à dire si cela sera ou non ». Le français est aussi incompréhensible que le grec. Au reste, s'il ne s'agit, en somme, que du refus de se prononcer, la pointe de l'instruction est plus que médiocre après un rappel du devoir de la justice et une mise en garde contre l'acception de personne (4:3).

Le contexte me paraît orienté d'un autre côté : celui des torts qu'on pourrait commettre dans un jugement effectif. Il n'y a donc qu'à s'en remettre à cette indication, qui est, en bonne analyse, la voie la plus sûre. D'autant que toute l'instruction aux pauvres est fort bien composée, tout le contraire de cette construction plus ou moins lâche qu'on s'est longtemps représentée et qui permettait aux interprètes de prendre à tout propos la clef des champs. διψυχέω, c'est être dans l'incertitude, l'indécision, mais c'est aussi être partagé en soi-même, s'arrêter à se poser des questions sur une chose dans laquelle on est de quelque manière concerné (Hésychius : διψυχία = ἀπορία). Avec l'interrogation indirecte qui suit, πότερον ἔσται ἢ οὔ, et l'alternative que cette interrogation suppose, cette nuance serait très naturelle. Il suffit ensuite de traduire, en se disant que si l'instruction demande au juge de ne pas s'arrêter à se poser des questions sur les conséquences de son jugement (sens du futur), ce ne peut être évidemment que pour autant qu'il est lui-même concerné. Le verbe principal, en vertu du contexte, revêt un sens moyen. Je traduis donc : « Tu ne t'arrêteras pas à te demander ce qui en adviendra ou non pour toi ». C'est la situation du juge qui, devant les parties, commence à peser les conséquences que son jugement aura pour lui-même. De cette première complaisance à l'acception de personne, le chemin n'est souvent pas bien long : le juge incline la justice du côté du puissant pour s'éviter des ennuis. Le sens de la phrase est alors excellent et la mise en garde de l'instruction vient à propos. C'est un cas particulier de l'acception de personne, en fait, le cas inverse du précédent, où d'après l'usage des termes, on comprend plutôt que la tentation vient du désir de s'attirer une profitable reconnaissance (le cas d'acception de personne inspirée par la crainte est envisagée par *Sanh.*, 6*b*, qui apprécie la façon dont certains juges en l'occurrence se tiraient d'embarras).

4:5-8 *N'aie pas toujours les mains tendues pour recevoir, mais repliées au moment de donner.* [6] *Si tu possèdes quelque chose grâce au travail de tes mains, donne pour être délivré de tes péchés.* [7] *Tu n'hésiteras pas à donner, et en donnant, tu te retiendras de maugréer, car tu reconnaîtras un jour qui est le vrai dispensateur de la récompense.* [8] *Tu ne retourneras pas l'indigent avec une rebuffade, tu mettras toutes choses en commun avec ton frère et tu ne déclareras pas qu'elles sont à toi, car si vous partagez les biens de l'immortalité, à combien plus forte raison devez-vous le faire pour les biens corruptibles!*

Il est au moins curieux d'observer que cette petite exhortation suit le canevas de *Hébr.*, 13:6: τῆς δὲ εὐποιΐας καὶ κοινωνίας μὴ ἐπιλανθάνεσθε. La « bienfaisance », εὐποιΐα (5-8*a*), et « la mise en commun des biens », κοινωνία (8*b*). Une rencontre aussi exacte intrigue d'autant plus qu'elle fait suite, de part et d'autre, à une exhortation sur le « souvenir » dont on doit entourer les dispensateurs de « la parole de Dieu » (*Did.*, 4:1, τοῦ λαλοῦντός σοι τὸν λόγον τοῦ θεοῦ μνησθήσῃ νυκτὸς καὶ ἡμέρας; *Hébr.*, 13:7, μνημονεύετε τῶν ἡγουμένων ὑμῶν, οἵτινες ἐλάλησαν ὑμῖν τὸν λόγον τοῦ θεοῦ), et que tout cela s'encadre, en outre, dans une διδαχή dont le mouvement général n'est pas sans ressemblance dans les deux écrits (*Did.*, 3:7-9; aussi 1:1-3*a*; 2:2-7; *Hébr.*, 13:1-6; noter aussi 13:9, διδαχαῖς ποικίλαις καὶ ξέναις μὴ παραφέρεσθε). Incontestablement, il y a là-dessous plus qu'un certain nombre d'idées communes rassemblées par le jeu du hasard : il y a un même genre littéraire, une même ligne de composition, et il y a un même mouvement. Il serait peut-être excessif, devant ces faits, de parler de rapports directs du *Duae viae* à l'épître aux Hébreux. Mais il ne le serait pas moins de nier que, d'une manière ou d'une autre, l'exemple du premier se soit frayé une voie jusqu'aux habitudes « didactiques » de l'auteur du second (comp. la situation analogue faite au souvenir du *Duae viae* dans *Barn.*, 18-20, assez piquante si l'on fait attention, d'autre part, à la parenté de fond de la première partie de l'épître avec *Hébr.*, 1-12 : simple coïncidence? on a bien l'impression, au contraire, que Barnabé avait de fort bonnes raisons d'en savoir plus que nous sur l'arrière-fond littéraire et historique de l'épître aux Hébreux). Pour autant qu'elles soient reconnaissables, et elles le sont certainement plus qu'on ne l'a cru, les relations littéraires du *Duae viae* et de l'épître aux Hébreux doivent donc être prises en sens inverse de celui dans lequel on a coutume de les prendre (récemment C. SPICQ, *L'Épître aux Hébreux*, Paris, 1952, I, p. 169, où le *Duae viae* n'est d'ailleurs pas distingué de la *Did.*).

L'exhortation à la bienfaisance (εὐποιΐα, ἐλεημοσύνη) développe quelques idées assez communes sur lesquelles il n'est pas nécessaire que nous nous arrêtions (comp. 1:5; voir aussi *Prov.*, 19:17; *Tob.*, 4:7-11; *Eccli.*, 3:30; 4:1-6,31; 29:12). La mise en commun des biens (κοινωνία) constitue un élément beaucoup plus original (8*b*). On remarquera, d'abord, que l'auteur avait bien conscience d'aborder ici un point que son instruction n'avait pas encore touché. La transition est soulignée par δέ. C'est le passage de l'εὐποιΐα, ou ἐλεημοσύνη, à la κοινωνία. Les deux « charités » ne sont pas identiques. L'εὐποιΐα vient au secours du nécessiteux, ἐνδεόμενος, au hasard des circonstances et des rencontres Si l'on a tiré quelque bien de son travail, διὰ τῶν χειρῶν, qu'on donne avec empressement, sans maugréer. D'une façon plus générale, et en mettant les choses au pire, si l'on a soi-même besoin à l'occasion de compter sur la générosité d'autrui, qu'on n'en prenne pas l'habitude de toujours recevoir et de ne faire ses calculs que de ce côté.

Toute aumône est un partage de biens, mais la κοινωνία est un partage qui s'établit suivant des formes plus particulières. Elle concerne d'abord le « frère », ἀδελφός, qui n'est pas tout à fait le même que l'ἐνδεόμενος. On ne voit pas autrement, en effet, quel sens les oppositions marquées dans la phrase pourraient encore conserver : οὐκ ἀποστραφήσῃ τὸν ἐνδεόμενον, συγκοινωνήσεις δὲ πάντα τῷ ἀδελφῷ σου. En outre, si je comprends bien, l'auteur suit une progression d'aisance chez ceux qu'il exhorte à donner : d'abord, le pauvre occasionnel qui tour à tour peut passer de la situation de celui qui demande à celle de celui qui reçoit (5); puis, celui à qui son travail a permis quelques économies et qui est plus en mesure de pratiquer régulièrement l'aumône (6); enfin, semble-t-il, celui qui a à tout le moins un peu de propriétés. Ce dernier, il va sans dire, n'est pas dispensé de l'aumône commune; il ne renverra pas le nécessiteux avec une rebuffade : οὐκ ἀποστραφήσῃ τὸν ἐνδεόμενον. Mais il fera plus, et c'est ici que vient l'exhortation à la κοινωνία.

Il importe d'avoir le texte complet sous les yeux : συγκοινωνήσεις δὲ πάντα τῷ ἀδελφῷ σου καὶ οὐκ ἐρεῖς ἴδια εἶναι· εἰ γὰρ ἐν τῷ ἀθανάτῳ κοινωνοί ἐστε, πόσῳ μᾶλλον ἐν τοῖς θνητοῖς. On peut d'abord préciser le sens d'ἀδελφός. En soi, ce pourrait être l'Israélite par opposition à l'étranger. Ce sens est classique en Israël (Ex., 2:11; 4:18, etc.; aussi Act., 13:15,26, Paul dans la synagogue à Antioche de Pisidie, ἄνδρες ἀδελφοί, υἱοὶ γένους Ἀβραάμ). Mais ce n'est pas celui qu'indique le mouvement de la phrase. Pour entrer dans la sensibilité de l'époque, à cet égard, il suffit de comparer, par exemple, avec 1 Pi., 2:17, où l'on peut observer un mouvement semblable à celui de Did., 4:8 et où le sens est clair : πάντας τιμήσατε, τὸν ἀδελφότητα ἀγαπᾶτε, τὸν θεὸν φοβεῖσθε. La différence des verbes marque la différence des objets et trace autant de lignes de partage (je ne dis pas de « séparation »). Il y a une nuance qui, en ce qui regarde les hommes, correspond évidemment aux structures profondes de la conscience de groupe. L'usage de l'abstrait ἀδελφότης « fraternité », comme collectif, pourrait là-dessus achever de nous rassurer, s'il en était besoin. Cette comparaison, me semble-t-il, confirme le sens « particulariste » que le mouvement de la phrase, au premier coup d'œil, paraît donner à notre texte. Le « frère »

n'est pas ici l'Israélite, mais le membre d'une « fraternité », ἀδελφότης
tout comme la κοινωνία de 8*b* n'est pas non plus la bienfaisance de
4:5-8*a*.

Ce sens ressort, en outre, d'un certain nombre d'autres considérations. Il rend compte, en premier lieu, du passage spontané du
singulier au pluriel dans le motif invoqué par l'instruction : εἰ γὰρ
ἐν τῷ ἀθανάτῳ κοινωνοί ἐστε κτλ. Il a suffi de nommer le « frère »
pour que le groupe prenne aussitôt consistance comme tel dans la
pensée de l'auteur. Ce petit phénomène est d'autant plus intéressant
à observer qu'il est plus rare dans le style très uniforme de l'instruction (une autre fois, à 4:11, en s'adressant aux esclaves). C'est
le sens restreint, d'autre part, qui s'harmonise le mieux avec quelques autres détails significatifs sur lesquels nous avons déjà attiré
l'attention pour leur valeur d'indice d'une conscience de groupe.
Il me suffit de les rappeler brièvement : l'ἀναστροφή avec les « justes »
et les « humbles », ou les pauvres, de 3:9, impliquant non seulement
la fréquentation, mais le partage d'un même style de vie (sens ordinaire dans la langue paulinienne, mais plus distinctif encore des
deux épîtres de Pierre; spécialement 1 *Pi.*, 1:14-15, ὡς τέκνα
ὑπακοῆς, μὴ συσχηματιζόμενοι ταῖς πρότερον ἐν τῇ ἀγνοίᾳ ὑμῶν ἐπι-
θυμίαις, ἀλλὰ κατὰ τὸν καλέσαντα ὑμᾶς ἅγιον καὶ αὐτοὶ ἅγιοι ἐν πάσῃ
ἀναστροφῇ γενήθητε); l'éloignement corrélatif par rapport aux
ὑψηλοί; le jugement porté par les « saints » sur ces derniers
dans le « chemin de la mort », 5:2. Enfin, si le « frère » de 4:8*b* n'est
que le pur et simple Israélite, l'exhortation perd à peu près toute
pointe et retombe dans une vague platitude. Or, on a pu constater,
je crois, que l'instruction aux pauvres est jusqu'ici d'une composition très serrée, sans bavure. Il n'y a pas de raison pour qu'elle
commence ici à démentir sa minutieuse concision.

Puisqu'il n'y a pas d'indice en sens contraire, nous pouvons donc
regarder désormais comme assuré que le « frère » auquel est adressée
l'exhortation de 4:8 est un Israélite qui a conscience de faire partie
d'une « fraternité », ἀδελφότης, dont la cohésion se définit comme
une κοινωνία. Dans les conditions générales où se présente par ailleurs l'instruction, cette « fraternité » ne peut être que celle des
pauvres, répandue dans le judaïsme de l'époque à peu près à la
manière dont un chrétien verra plus tard sa propre « fraternité »
répandue « dans le monde » (1 *Pi.*, 5:9, τῇ ἐν κόσμῳ ὑμῶν ἀδελφότητι).
C'est l'horizon propre de la troisième instruction du *Duae viae*,
qui paraît bien être ainsi, en fait, comme nous l'avons admis, une
instruction aux pauvres, une sorte de « Règle des pauvres ».

Cette « fraternité » avait son style de vie, son ἀναστροφή, comme s'exprime le grec, difficile à rendre en français, style que reflète justement notre instruction. L'un des traits distinctifs de ce style était la pratique d'une κοινωνία. On aimerait bien connaître avec précision les formes dans lesquelles cette κοινωνία était exercée. Mais l'instruction ne crée pas ici une institution nouvelle, non plus qu'ailleurs du reste : elle invite à la fidélité à un ordre de choses plus ancien, à un style de vie déjà fixé par des règles et des habitudes. Nous ne pouvons attendre d'elle plus qu'elle ne s'est proposé de donner (comp. *Hébr.*, 13:16 : même rapidité allusive, même présupposition d'un ordre de choses familier).

Nous devons cependant tirer du texte ce qu'il paraît possible d'y entrevoir. A première vue, le futur, συγκοινωνήσεις, laisserait supposer une règle assez rigide. Mais il s'encadre dans le style exhortatoire de l'ensemble de l'instruction : il ne faut probablement pas le presser. Il exprime un idéal, qui n'est pas un vain mot sans doute, mais qui ne doit pas non plus être une description graphique de la réalité (comp. 4:2, sur l'assiduité « quotidienne » à chercher appui dans la sagesse des « saints »). Dans ces conditions, πάντα revêt naturellement, lui aussi, un sens relatif. Au reste, entendu en un sens absolu, le futur exclut la répétition au moins en ce qui regarde les propriétés (champ, jardin, vigne, dans la campagne; échoppe dans la ville, etc.), et se détruit lui-même. On ne partage pas tous les jours tous ses biens avec tout le monde. Même dans l'idéal, l'instruction doit donc vouloir dire moins qu'il ne semblerait à première vue. Tout ramener, d'autre part, à de pures dispositions intérieures de détachement serait certainement tomber dans un excès contraire et rester non seulement au-dessous de l'idéal mais au-dessous de la réalité.

Il reste donc à penser à des choses plus simples, et aussi plus pratiquables. Aussi bien n'est-il pas permis de supposer que l'auteur, partout si mesuré, ait manqué ici au simple bon sens, ou ait mal vu ce qui se passait autour de lui. Le singulier ἀδελφός est significatif : c'est le « frère » que des circonstances nécessairement mouvantes désigneront au bénéfice de la κοινωνία (comp. ἐνδεόμενος qui précède). Celle-ci s'exercera donc avec souplesse. Elle exigera, cependant, en vertu de cette souplesse même, une disposition de cœur telle que chacun soit prêt, en toute occasion, à partager effectivement l'un quelconque de ses biens avec son « frère », suivant les formes et les mesures qu'inspireront à la fois la nécessité et la conscience de l'union fraternelle (ἀδελφότης; comp. *Gal.*, 6:6, κοινωνείτω δὲ ὁ κατηχούμενος τὸν λόγον τῷ κατηχοῦντι ἐν πᾶσιν ἀγαθοῖς). C'est cette exigence que me paraît traduire le οὐκ ἐρεῖς ἴδια εἶναι. Vouloir préciser davantage serait dépasser le texte.

A son exhortation, l'instruction ajoute un motif, que l'auteur juge sans doute fondamental : « Si, en effet, dit-il, vous êtes associés dans la possession des biens impérissables », et si vous les partagez effectivement, « à combien plus forte raison devez-vous l'être dans celle des biens corruptibles », et les partager de même façon. L'opposition des termes, ἀθάνατον-θνητόν, veut évidemment embrasser, du côté de l'impérissable, tous les biens dont les pauvres s'estiment les héritiers de la part de Dieu : sa parole, sa faveur, son secours, sans oublier la grande espérance qui inspire tout l'amour avec lequel ils s'attachent à leur condition et à leur mode de vie (leur « voie »; comp. *Rom.*, 15:27).

Si je me suis attardé à cette partie de l'instruction, c'est, on le devine, que je la crois importante. L'interprétation courante, persuadée que le *Duae viae* comme la *Did.* elle-même ne peut refléter ici qu'une pratique et des idées chrétiennes, se contente d'ordinaire de renvoyer aux sommaires des *Actes* (2:44; 4:32) et à une allusion de Paul (*Rom.*, 15:27). On ne peut lui reprocher d'être ainsi restée fidèle à elle-même. En revanche, il est clair que tout change lorsque l'individualité littéraire de l'instruction aux pauvres est reconnue et que l'histoire ancienne du *Duae viae* est retracée au moins dans ses grandes lignes.

Il ne m'appartient pas de discuter ici le problème complexe des premiers chapitres des *Actes*. Je dois cependant marquer mes positions en ce qui concerne le *Duae viae*, et, plus spécialement ici, l'instruction aux pauvres. Il ne saurait être question que celle-ci dépende des récits de Luc, ni de près ni de loin. Je ne crois pas non plus que Luc s'appuie sur l'instruction aux pauvres. La parenté n'est pas littéraire. Elle est dans un certain nombre de faits d'importance majeure que les deux écrits reflètent à des moments différents, et de façon également différente, comme il est naturel. La rencontre se produit en dehors d'eux. Elle y est toutefois, et ce fut la faiblesse commune de l'interprétation du *Duae viae* aussi bien que des *Actes* que de ne l'avoir pas su discerner après que la *Did.* nous eut été rendue.

Ne pouvait-on pas, malgré tout, se douter de quelque chose? Luc ne dit nulle part, et son récit n'implique pas non plus, que la κοινωνία, à Jérusalem, ait été une création de la foi en Jésus et de la charité évangélique. C'est nous qui avons mis cet accent dans son texte. En fait, il est désormais assuré, à mon avis, qu'une κοινωνία semblable à celle que ses informations lui ont fait connaître, existait depuis assez longtemps parmi les pauvres. Quand est-elle née? quelle a été la diffusion de ses usages? Je ne saurais dire. L'instruction aux pauvres que nous lisons dans le *Duae viae* n'est pas une charte de fondation. C'est une exhortation qui prend les choses en pleine vie. Il me paraît certain, d'autre part, que cette instruction a été originellement écrite en grec : ce n'est pas une traduction de l'hébreu ni de l'araméen. Mais nous savons qu'à Jérusalem même, au temps de Jésus, il y avait des Juifs « hellénistes » susceptibles de l'entendre (*Act.*, 6:1-6). Le reste de la Palestine n'était pas davantage unilingue. Au reste, au moment où l'instruction aux pauvres a été recueillie par le *Duae viae*, elle devait avoir fourni une bonne partie de sa carrière et s'être acquis un certain prestige dans la διδαχή usuelle des pauvres. Elle n'aurait pas autrement attiré l'attention. Autant dire qu'elle avait répondu et qu'elle répondait encore à des besoins. Elle n'a aucun des caractères d'une création en chambre, et sa survivance prouve que son auteur avait touché juste dans le milieu auquel il pensait.

Ce qui reste à comprendre, après cela, me paraît simple, au moins pour l'essentiel. La communauté chrétienne primitive de Jérusalem et des environs n'a pas créé de tous points la κοινωνία dont parlent les récits des *Actes*. Il est arbitraire aussi de parler à son propos de tentatives de vie commune se résolvant à plus ou moins brève échéance en un échec. En réalité, l'expérience de la communauté chrétienne de Jérusalem pouvait s'appuyer, et ne put que s'appuyer effectivement puisqu'elle en était née, sur une expérience antérieure beaucoup plus large, et, si nous en jugeons par l'instruction aux pauvres, assez profonde et heureuse. L'exhortation du *Duae viae* ne suppose aucune crise. Que l'expérience chrétienne ait connu ses difficultés, nous le savons par les *Actes*, mais ces difficultés n'étaient pas dues à la nouveauté de la tentative. Ce n'était pas une aventure. On serait plutôt porté à croire qu'elles sont venues de son ampleur, jointe à une relative hétérogénéité des groupes « hébreux » et « hellénistes ». Pour ce qu'elles ont pu être, les difficultés, au surplus, ne durent être qu'un épisode. La rupture définitive de la κοινωνία des pauvres, dans le christianisme comme dans le judaïsme, n'a pas été causée par l'inexpérience, mais par les changements profonds qui ont accompagné en Palestine les malheurs de la fin du siècle. Un tel phénomène, à la distance où nous sommes et dans l'état de la documen-

tation, demeure vague. Il est inutile de chercher ici à le préciser.
· Du point de vue littéraire, lorsque le récit de Luc souligne que
les premiers croyants se montraient assidus à la διδαχή des apôtres
(2:42), il constate une ferveur et une fidélité qui ne sont rien d'autre
que celles que désirait l'instruction aux pauvres du *Duae viae* (4:2).
Lorsqu'il ajoute qu'ils s'attachaient à la κοινωνία (2:42) et qu'ils
« avaient tout en commun », vendant « leurs propriétés et leurs
biens » pour en « partager le prix entre tous selon les besoins de
chacun » (44-45), il n'y a pas d'apparence non plus qu'il s'éloigne
beaucoup, en fait, des usages que la même instruction du *Duae viae*
regardait comme établis. La différence, s'il y en avait une, devait
donc être ailleurs. Or, il suffit de le lire avec attention pour se rendre
compte qu'une telle différence s'y trouvait. Elle était dans l'inspiration bien avant d'être dans les formes et les usages. Ajoutons
même, si l'on veut, qu'elle était aussi dans l'extraordinaire ferment
que cette nouvelle inspiration communiquait aux habitudes, aux
formes et aux usages anciens. Mais n'allons pas plus loin. Lorsque
l'instruction du *Duae viae* motive sa κοινωνία dans les biens corruptibles, elle en appelle à la κοινωνία antérieure et beaucoup plus
précieuse des biens impérissables (4:8). C'est sur ce point précis de
la motivation qu'une transformation profonde pouvait se produire
par suite de la foi en Jésus. C'est là aussi qu'elle s'est produite en
fait. On était passé d'une κοινωνία d'attente messianique relativement paisible à une κοινωνία de messianisme réalisé. C'était,
si l'on veut, dans tout le champ d'exercice de la κοινωνία, la transformation même introduite par l'évangile dans l'espérance d'Israël,
avec la nuance particulière qu'une telle transformation devait
normalement revêtir dans l'âme des pauvres. On goûtait ensemble
les prémices de la première béatitude (sur la communauté de biens
qui offre un exemple parallèle, quoique plus lointain, et représente
à Qumrân, une expérience qui s'est voulue beaucoup plus rigide et
radicale, on pourra voir *Man. de disc.*, vi, 18-20; sur les repas en
commun, 2: sur l'étude de la Loi, 6-7).

4:9-11 *Tu n'auras pas la main trop légère à l'égard de ton fils ou
de ta fille, mais dès leur jeune âge tu les instruiras dans la crainte de
Dieu.* [10]*Tu ne commanderas pas, sous l'effet de la colère, à ton ser-*

viteur ni à ta servante qui espèrent dans le même Dieu que toi, de peur
qu'ils ne perdent la crainte du Dieu qui est au-dessus de tous. Il ne
va pas venir inviter, en effet, suivant la qualité de la personne, mais
suivant la préparation de l'esprit. [11]*Quant à vous, serviteurs, vous*
serez soumis à vos maîtres comme s'ils étaient une image de Dieu,
avec respect et révérence.

L'exhortation sur le gouvernement domestique est composée
avec le soin coutumier à l'auteur : éducation des enfants (9), attitude du maître à l'égard de son esclave ou de sa servante (10),
devoir général des esclaves envers leurs maîtres (11 ; comp. l'ordre
de *Barn.*, 19:5*b*, 7*b* et voir, à ce propos, les remarques de Turner
citées dans l'introd., p. 127). On ne peut, du reste, s'étonner de
certains silences. L'instruction n'a rien sur l' « honneur » dû aux
parents (en sens contraire, outre le décalogue, on verra, par exemple,
Tob., 4:3-4). Elle n'a rien non plus sur les devoirs mutuels des époux.
Mais, sur ce dernier point en particulier, l'A. T. lui-même n'est
guère explicite, en dehors de la condamnation de l'adultère, de la
protection de l'épouse répudiée, et des dispositions relatives à
quelques autres situations analogues. L'enseignement positif s'en
remettait au sens général de la justice et aux inclinations naturelles
du cœur humain (avant tout *Gen.*, 2:24, à quoi il faudrait ajouter
tout le sens du *Cantique des cantiques*, en soulignant les réflexions
sapientielles de la fin, 8:6-7; aussi *Prov.*, 5:1-23; *Eccl.*, 9:9; *Eccli.*,
25:13-26:18; le « soyez féconds, multipliez » de *Gen.*, 1:28, répété
à 9:1, est d'abord une « bénédiction », non un « commandement »,
bien qu'il ait été, en fait, entendu comme tel dans le judaïsme
postérieur). Aussi bien la διδαχή apostolique, Paul mis à part,
semble-t-elle être restée là-dessus dans la voie tracée par les habitudes anciennes.

On peut remarquer, en outre, que l'exhortation de l'instruction
aux pauvres, dans le *Duae viae*, colore son enseignement de son
idéal particulier. Son attention aux esclaves est toute dans l'esprit
de « mansuétude » sur lequel elle s'ouvre. On reconnaîtra, je crois,
que les motifs sur lesquels elle s'appuie, d'autre part, sont très beaux:
le partage entre maîtres et esclaves d'une même espérance dernière,
renforcé par la conscience ancienne de la solidarité domestique
(comp. la κοινωνία de 4:8), la communion infrangible dans la
« crainte » du même Dieu, qui ne fait point acception des personnes
et qui réserve ses ultimes consolations indifféremment à tous ceux
qu'une véritable justice du cœur y aura disposés. Compte tenu des

conditions sociales de l'époque, il faut en dire autant du petit mot
que les esclaves reçoivent pour leurs sentiments à l'égard de leurs
maîtres : ceux-ci leur seront comme une image sensible « du Dieu
qui est au-dessus de tous » (sur ce sens d'ἀμφότεροι, « tous », comp.
Act., 19:16; voir aussi la discussion de J.-H. Moulton, *Grammar of
N. T. Greek*, I, p. 80). De tels sentiments purent être développés
par l'évangile; ils n'avaient en aucune manière à être répudiés.

Je ne sais si je dois m'arrêter à quelques difficultés du grec.
La « main », dans l'instruction au père, est évidemment le symbole de
son autorité. L'image fait allusion à un certain désintéressement
paternel dans l'éducation des enfants, désintéressement que ne
devait que trop favoriser un statut familial qui remettait toute
l'enfance aux soins des femmes. Le moment venu, c'est-à-dire
dès le « jeune âge », ἀπὸ νεότητος, le chef de famille y aura la « main »
(comp. *Prov.*, 22:6; *Mc.*, 10:20). Il enseignera la « crainte de Dieu »
à son fils et à sa fille, dans une forme dont les vieux sages entre
autres peuvent nous donner une idée et dont la deuxième instruction du *Duae viae* (3:1-6) nous offre peut-être un exemple contemporain (voir aussi, dans la tradition de la loi, *Deut.*, 6:7; 11:19; à
propos de cet ἀπὸ νεότητος, un texte intéressant, parmi les fragments de la première grotte de Qumrân : c'est à vingt ans que
l'homme est considéré comme sachant « distinguer entre le bien et
le mal »; cf. Barthélemy-Milik, *Qumran Cave I*, n. 28a, i, 6-12;
à coup sûr, et quoi qu'il en soit de la diversité des angles d'appréciation, les anciens n'auraient pas été peu surpris parfois de nous
entendre parler de l' « âge de raison » là où ils auraient plutôt été
disposés à voir « un âge de folie »; il suffit de rappeler *Prov.*, 22:15).

ἔρχεται, en parlant de Dieu, et à propos de l'espérance (ἐλπίζουσιν), ne peut être qu'une allusion eschatologique. Le mot appartient à la phraséologie traditionnelle, dans le mode discret auquel
la tradition des sages pouvait la réduire lorsqu'elle ne se laissait
pas trop gagner elle-même par les récents prestiges de l'apocalyptique. Dans ce contexte, καλέσαι ne doit donc pas être simplement
l' « appel » de Dieu, mais l' « invitation » à partager l' « héritage »
(3:7). τὸ πνεῦμα, sujet de ἡτοίμασεν, est un peu plus difficile à
préciser. Opposé à κατὰ πρόσωπον, qui évoque des grandeurs apparentes auxquelles le jugement de Dieu ne pourra s'arrêter, il doit
avoir un sens semblable sinon identique à celui qui nous est mieux
connu sous une autre forme; par ex., les πτωχοὶ τῷ πνεύματι de *Mt.*,
5:3 (comp. καθαροὶ τῇ καρδίᾳ, 8). C'est, si l'on me permet de forcer
un peu le sens pour mieux nous mettre sur la voie, l'accent mis sur

une justice du cœur ou de « l'esprit », dans une authentique « crainte de Dieu », par opposition à des titres qui n'auraient qu'un faux éclat extérieur (comp. la conclusion attachée à la parabole du festin nuptial, dans *Mt.*, 22:11-14, avec le jeu d'opposition κλητοί-ἐκλεκτοί, cité en forme de proverbe : « Tout le monde invité, peu d'admis », πολλοί, sémitisme; aussi dans la mise en scène de la parabole : « Il en va du royaume des cieux comme d'un roi qui fit un festin de noces pour son fils. Il envoya ses serviteurs convier les invités à la noce, ἀπέστειλεν καλέσαι; voir également les renversements d'invitation au festin du royaume, *Mt.*, 22:2-10; *Lc.*, 14:15-24; sous une forme plus directe, *Mt.*, 8:10-12). L'arrière-fond me paraît être l'image ancienne du festin messianique dans lequel s'exerce un jugement de Dieu (surtout *Is.*, 25:6-12, qui contient déjà en germe l'idée de l'instruction aux pauvres comme de la parabole de Jésus; aussi *Joël*, 3:2). On peut penser que cette image était particulièrement bien en situation dans une exhortation adressée à des maîtres. Nulle part peut-être plus qu'autour de la commensalité la situation inférieure de l'esclave antique ne devenait apparente. Plutôt que certaines scènes monstrueuses de la Rome impériale, on se rappellera ici l'enseignement de Jésus, *Lc.*, 22:24-27, et son geste symbolique, *Jn.*, 13:2-15 : enseignement et geste qui ont porté l'idéal des pauvres à son sommet de grandeur et d'efficacité, quelques regrets que puisse inspirer à cet égard le cours postérieur de l'histoire chrétienne.

L'instruction aux pauvres, on s'en souvient, a été rapprochée ici d'une exhortation paulinienne sur le même sujet (*Éph.*, 6:4-9, et sous une forme plus brève, *Col.*, 3:21-4:1). Mais il est arrivé alors ce qui devait arriver dans les conditions où se trouvaient le *Duae viae* et la *Did.* elle-même au regard de la critique. Écrit juif remanié par une main chrétienne, quand on ne le déclarait pas simplement chrétien dès l'origine, il était entendu que le *Duae viae* ne pouvait que refléter l'enseignement de Paul sur la vie domestique. Du même coup, on admettait assez généralement que les rencontres entre les deux exhortations étaient trop nombreuses et trop précises pour être l'effet du hasard. C'était, en particulier, la position de Robinson, qui attribuait le *Duae viae* original à Barnabé et son remaniement à l'auteur de la *Did.* (J. A. ROBINSON, *The Epistle of Barnabas and the Didache*, dans *JTS*, XXXV (1934) 136-138, 245).

Cette position a paru à la plupart extrêmement confortable, et l'on n'a pas manqué de s'y reposer. Nous pouvons juger maintenant combien elle était précaire. Le *Duae viae* ne vient sûrement pas de

Barnabé. Il n'est pas sorti non plus du calame d'un seul auteur : c'est un recueil. Ce recueil, en ses deux premières instructions, ne contient pas un mot qui permette de croire à une origine chrétienne. Quant à l'instruction aux pauvres, elle est d'une facture si compacte et d'une homogénéité si continue qu'on n'y introduira jamais une lame pour y discerner une retouche christianisante. A ce point, on serait tenté, pour faire court, de considérer l'argumentation commune comme décisive et de renverser simplement la relation. S'il était clair à Robinson et au plus grand nombre que *Barn.* ou la *Did.* mettaient à profit, à leur façon, un enseignement de Paul, la même dépendance littéraire ne doit pas être moins évidente une fois qu'on a montré que la préhistoire du *Duae viae* est antérieure à tous.

Mais il est à craindre maintenant qu'on se montre moins satisfait d'une démonstration comme celle de Robinson. Nous devons donc ajouter ici quelques précisions en nous plaçant à notre point de vue. Il n'est pas sans intérêt de remarquer d'abord que l'instruction paulinienne couvre un champ de considération plus étendu que l'instruction aux pauvres. Elle offre une exhortation aux femmes, aux maris et aux enfants qui est sans parallèle dans le *Duae viae* (*Éph.*, 5:22-6:3; *Col.*, 3:18-20, dans le même ordre). A supposer que Paul ait connu l'instruction aux pauvres, sinon même le *Duae viae* dans son ensemble, il faut donc reconnaître qu'il se sentait parfaitement libre à son égard et qu'il l'utilisait comme un thème. Au reste, on voit mal un Paul enchaîné à un écrit quelconque, y compris les siens.

Mais cela dit, le reste de son exhortation n'en est pas moins significatif quand on le compare à l'instruction aux pauvres. L'ordre d'attention aux divers membres de la communauté domestique, il est vrai, n'est pas tout à fait le même de part et d'autre. Paul s'adresse aux esclaves avant de se tourner vers les maîtres, comme il s'était adressé aux enfants avant de s'adresser aux pères, et aux femmes avant de s'adresser à leurs maris (*Éph.*, 6:5-9; *Col.*, 3:22-4:1). Se plaçant, au départ, du point de vue de la « soumission dans la crainte du Christ » (*Éph.*, 5:21), il est naturel pour lui d'aller de l'inférieur au supérieur. Ce parti une fois pris, il n'y avait pas non plus de raison de s'en écarter. Or, ce n'est pas exactement le propos de l'instruction aux pauvres, qui pense d'abord à la « crainte de Dieu » commune à tous, mais qui devait se sentir plus prompte aussi à recommander la « mansuétude » (3:7) que la soumission dans les rapports maîtres-esclaves. Son ordre maîtres-esclaves correspond à sa préoccupation générale. L'instruction est donc consistante avec elle-même comme Paul l'est de son côté. Ces différences devaient d'abord être soulignées. Les deux instructions ont un mouvement propre, et la marche de l'une n'est pas moins ferme que celle de l'autre.

C'est à partir de ce point, et dans ces limites, que les ressemblances deviennent frappantes. On pourrait penser, cependant, que lorsque Paul met les pères en garde contre le danger d'exaspérer leurs enfants par des corrections et des réprimandes inopportunes ou injustes, et qu'il les exhorte à n'en user que pour ce qui sera convenable dans le Seigneur, il ne dit rien qui ne dût se présenter spontanément à l'esprit en pareille occurrence (*Éph.*, 6:3, ἐκτρέφετε αὐτὰ ἐν παιδείᾳ καὶ νουθεσίᾳ κυρίου; comp. *Did.*, 4:9, ἀπὸ νεότητος διδάξεις αὐτοὺς τὸν φόβον τοῦ θεοῦ). En soi, la supposition est fort plausible. Elle l'est moins toutefois dans le contexte. Passant aux esclaves, la première chose que Paul trouve à leur recommander, c'est la docilité à leurs maîtres « selon la chair », dans la crainte et le respect, μετὰ φόβου καὶ τρόμου, accomplissant ainsi du fond du cœur « la volonté de Dieu ». Que votre service, ajoute-t-il, soit fait comme s'il s'adressait « au Seigneur et non aux hommes », ὡς τῷ κυρίῳ καὶ οὐκ ἀνθρώποις, dans la pensée que chacun recevra de lui en retour selon ce qu'il aura accompli de bien, « esclave ou libre ». « Quant à vous, maîtres, agissez de même à leur égard : laissez de côté la menace, ἀνιέντες τὴν ἀπειλήν, en vous disant que pour eux comme pour vous le maître est dans les cieux et qu'il ne fait point d'acception des personnes, εἰδότες ὅτι καὶ αὐτῶν καὶ ὑμῶν ὁ κύριός ἐστιν ἐν οὐρανοῖς, καὶ προσωπολημψία οὐκ ἐστιν παρ' αὐτῷ » (*Éph.*, 6:5-9).

La comparaison de ces deux derniers développements sur les rapports des esclaves et des maîtres avec les exhortations parallèles de l'instruction aux pauvres ne demande pas de bien laborieux rapprochements. La similitude saute aux yeux à la simple lecture. A quelques nuances près, dues à la transposition chrétienne, toutes les idées de l'instruction aux pauvres se retrouvent dans l'exhortation de Paul, qui ajoute seulement, à l'adresse des esclaves, une recommandation de « simplicité de cœur » dans le service des maîtres (6:5-6). Certes, l'ordonnance n'est pas la même de part et d'autre jusqu'à l'infime détail, plusieurs mots sont remplacés par des synonymes et des expressions importantes sont paraphrasées. Mais nous avons déjà reconnu ailleurs qu'il ne pouvait être question que d'une utilisation libre. En pareil cas, c'est évidemment sur la

similitude des thèmes qu'il faut décider, en dernier lieu, des relations littéraires, plus que sur les différences introduites dans la
forme par une relative liberté de développement. Or, si l'on prend
sa mesure de comparaison dans l'instruction aux pauvres, en
présupposant que le *Duae viae* est plus ancien, la similitude des
thèmes touche presque à l'identité. Pour éviter la conclusion qui
s'impose, il resterait à invoquer la spontanéité de certaines idées
en certaines situations à l'intérieur d'une tradition commune,
suffisamment homogène, et si ces conditions péchaient encore par
défaut, à prier le hasard de bien vouloir achever seul de créer les
apparences contraires. On croira plutôt, me semble-t-il, que les
apparences signifient ici exactement ce qu'elles doivent signifier
dans les conditions normales auxquelles ces sortes de choses sont
soumises. D'une façon ou d'une autre, l'instruction aux pauvres,
sinon le *Duae viae* lui-même s'est trouvée un jour dans l'entourage
de Paul, soit sous sa forme écrite telle que nous la possédons, soit
sous la forme qu'elle pouvait avoir dans la διδαχή locale. Celui à
qui nous devons l'instruction sur la vie domestique dans l'épître
aux Éphésiens et dans l'épître aux Colossiens n'a pas cru que ses
suggestions étaient hors de propos. Il les a mises à profit.

4:12-14 *Tu détesteras toute impiété et tout ce qui n'est pas agréable
au Seigneur.* [13]*En aucun cas, tu ne déserteras les commandements du
Seigneur et tu garderas ce que tu as reçu, sans y rien ajouter ni en
rien retrancher.* [14]*Dans l'assemblée, tu confesseras tes fautes et tu
n'entreras pas en prière avec une conscience mauvaise. — Tel est le
chemin de la vie.*

L'instruction recueille pour finir, d'abord, deux exhortations
générales destinées, la première à clore tout ce qui précède par
une formule inclusive (12), et la seconde, à pourvoir dans une
certaine mesure à une fidélité dont on sait bien qu'elle sera mise
en péril (13); puis, deux autres exhortations qui envisagent le
péché comme un fait, la première demandant qu'il soit « confessé »
dans l' « assemblée », et la seconde, qu'on n'emporte pas sa mauvaise conscience dans la prière (14). Tout cela forme un petit
ensemble très bref, mais net et parfaitement lié. Pas un mot n'est

perdu. Ces humbles qualités ne sont pas les derniers raffinements
de l'art et encore une fois je ne ferai pas de l'auteur un écrivain. Il
est solide, voilà tout. Il me semble bon cependant de lui rendre
justice, ne fût-ce que pour nous assurer de le bien comprendre.

La traduction spontanée de ὑπόκρισις par « hypocrisie » a été
fatale à l'intelligence de 4:12. Les deux parties de la phrase, l'une
particulière et l'autre générale, s'en allaient ensemble à cloche-
pied. Mais cette composition boiteuse n'est pas de l'auteur. Il
suffit de rendre à ὑπόκρισις le sens large que le mot pouvait avoir
à l'époque pour que l'équilibre soit rétabli. Le parallélisme du
second même de la phrase est un sûr indice de la manière dont il
faut entendre le premier. L' « hypocrisie », c'est ici ce que la tradition d'Israël appelait plus généralement l' « impiété », insouciante
de la loi divine, volontiers moqueuse à l'égard de ceux qui dési-
raient sincèrement lui être fidèles. Peut-être pensait-on justement
que l'impie ne pouvait être sincère avec lui-même et que sa désin-
volture à l'égard de Dieu n'était qu'un mensonge et un masque
qu'un juste jugement ôterait un jour (*Ps.*, 14:1; 37:2). Le corrélatif, dans le « chemin de la mort », est πανθαμάρτητοι, qui, du
point de vue littéraire, joue le même rôle que μισήσεις πᾶσαν
ὑπόκρισιν dans le « chemin de la vie » (voir en outre le comm.
sur 2:6). On est heureux de souligner, d'autre part, l'ampleur et
la souplesse de l'idéal proposé. En définitive, la mesure est ce qui
paraît agréable à Dieu, véritable « règle d'or » que l'instruction,
toutefois, formule négativement (comp. ce qui regarde l'amour
du prochain, 1:2). Aucune subtilité excessive dans l'obligation :
seulement des choses simples, élémentaires même, si l'on veut,
mais authentiques et profondes.

On n'est pas étonné de voir paraître à la fin (13) un souvenir
du *Deutéronome* : « Et maintenant Israël, écoute les lois et les
coutumes que je vous enseigne aujourd'hui pour que vous les
mettiez en pratique : afin que vous viviez, et que vous entriez
pour en prendre possession dans le pays que vous donne Yahvé
le Dieu de vos pères (comp. 3:7, début de notre instruction aux
pauvres). Vous n'ajouterez rien à ce que je vous ordonne et vous
n'en retrancherez rien, mais vous garderez les commandements
de Yahvé votre Dieu tels que je vous les prescris » (4:1-2; aussi
5:32-33; 13:1; sur la « transmission » des commandements, ἅ παρέλαβες, dans notre instruction, voir encore *Deut.*, 6:7; 11:19). Ce
haut exemple s'était imposé. Il dominait pour une large part la
διδαχὴ ἐντολῶν de l'époque du *Duae viae*, suggérant des formes

(peut-être le canevas des « deux voies » elles-mêmes, *Deut.*, 30:15-20), quelques idées fondamentales, une certaine qualité de conscience et, par-dessus tout peut-être, un certain espoir (sur le principe d'immuabilité des « commandements », on pourra voir les remarques de D. DAUBE, *The New Testament and Rabbinic Judaism*, p. 99).

Après avoir porté très haut l'idéal avec une si parfaite simplicité, l'instruction révèle son réalisme avec une égale candeur. Il y aura des transgressions. A cet égard, l'auteur se contente de reprendre à sa manière des prescriptions et des usages déjà anciens (*Lév.*, 5:1-5, confession de certaines fautes avant d'offrir le sacrifice de réparation pour le péché; *Job*, 33:27 s.). Il est plus que probable, du reste, qu'ici comme pour la κοινωνία (4:8), l'instruction ne vise à créer aucune pratique nouvelle parmi les pauvres. Elle exhorte à se conformer à ce qui existe déjà.

Ces remarques circonscrivent en partie les formes et le sens de cette confession des péchés. Il est plus difficile de préciser le reste. Il semble certain, cependant, qu'il faut penser à une confession individuelle, renouvelée à intervalles variables suivant le désir ou la conscience de chacun. C'est le sens normal de la phrase (comp., sur ce point, la confession, unique, semble-t-il, dont s'accompagnait le baptême de Jean, *Mt.*, 3:6 et par.). Il n'est pas impossible, d'autre part, que des formules de confession se soient alors trouvées plus ou moins fixées, en fait, par l'usage. De toutes manières, ces aveux devaient demeurer assez généraux, dans le goût des psaumes de repentir (*Ps.*, 32:1-5; 41:5; 51 en entier; comp. la formule de la Communauté de l'alliance, prévue cependant pour une confession collective, *Man. de disc.*, I, 21-II, 1). Un certain vague dans la forme avait dû paraître s'imposer dans une confession publique, ἐν ἐκκλησίᾳ. Les caractères de cette « assemblée », au surplus, nous échappent pour une bonne part. Où se réunissait-on? A quel moment et suivant quel rythme? Quelle fin surtout y était poursuivie et par quels moyens? Le contexte suggère quelques réponses, qu'il n'est pas impossible de préciser dans une certaine mesure par des analogies fournies par l'époque. Mais c'est bien peu pour notre curiosité.

Les pauvres ne formaient pas une communauté du type de celle de Qumrân. Leur cohésion fait plutôt penser à celle des sages, assez grande pour avoir soutenu pendant des siècles une tradition de pensée et d'expression d'une extraordinaire continuité. Cela fait malgré tout un groupe fluide, beaucoup moins, cependant, à ce qu'il semble, que le « mouvement » qui devait se former plus tard autour du Précurseur. Il est significatif, par contre, que celui-ci eut ses « disciples », plus attachés à son enseignement et à sa personne, susceptibles de former déjà auprès et au loin des unités religieuses relativement stables (*Mt.*, 14:12; *Jn.*, 1:35; 3:25; *Act.*, 18:24-19:8). Tel est le style de l'époque. La rencontre du mouvement suscité par Jean et de celui qui prit naissance dans la parole et l'action de Jésus est un autre trait de ce style, de même que le passage des « disciples » du premier au second, lorsque André et son compagnon suivirent leur nouveau « maître » là où il demeurait pour passer la journée avec lui (*Jn.*, 1:35-39). On sait, par ailleurs, à quelles résistances Jésus s'est heurté en face d'autres groupes, très conscients d'eux-mêmes et très compacts. De la Communauté de l'alliance, qui représentait probablement, à l'époque de la formation *Duae viae*, la limite extrême de la conscience et de la discipline collectives, jusqu'aux « foules » dont on aperçoit les flottements autour de Jésus, il y avait donc place pour bien des nuances de cohésions internes, capables de s'exprimer éventuellement sous autant de formes diverses.

Dans ce registre, c'est aux sages que les pauvres semblent s'apparenter le plus comme groupe défini à l'intérieur du judaïsme commun. Cet apparentement, du reste, vers le premier siècle de notre ère, remontait déjà loin dans le passé. Aux sages, les pauvres avaient emprunté, depuis l'exil surtout, non seulement des modes d'expression et des thèmes de pensée, mais encore certains tempéraments d'importance majeure à l'espérance messianique issue de la Loi et des prophètes. Depuis les grandes expériences du VIe siècle, les échanges avaient été profonds et continus. Ce n'est donc pas un hasard si par sa forme et son contenu, l'instruction aux pauvres du *Duae viae* nous a déjà bien des fois ramenés aux traditions de la sagesse.

Il me semble à peu près assuré que c'est dans la même voie qu'il faut chercher à préciser ici l'image de l'ἐκκλησία des pauvres. Son cadre matériel a dû être très flexible, et se plier sans effort aux circonstances des temps et des personnes, avec des fréquences et des assiduités qui pouvaient aller jusqu'aux rencontres quotidiennes (ici même, 4:2). Avec quoi remplir ensuite les heures de l'ἐκκλησία si ce n'est, chez ces fidèles et ces pieux, avec les sages entretiens où s'aiguise l'expérience de la vie, avec la lecture et la « méditation » (orale) de la « parole de Dieu », avec l'enseignement aux disciples (4:1-2), et enfin avec la prière (4:14). C'est tout près

de celle-ci, sans doute, qu'il faut voir en dernier lieu la « confession »
des péchés, puisque l'instruction aux pauvres, suivant une doctrine ancienne (*Ps.*, 32:1-6), enchaîne aussitôt avec une exhortation
à ne pas emporter sa mauvaise conscience dans la « prière ». Ce
dernier détail, au reste, complète pour nous la physionomie de
l'assemblée. La « confession » n'est pas liée au sacrifice pour le
péché (*Lév.*, 5:1-5), en vue d'une « expiation », mais à une « prière »
qui doit être pure (comp. *Did.*, 14:1-3 et voir le comm. *in loc.*).
Nous ne sommes certainement pas dans l'enceinte du temple
(comp. l'ἐκκλησία du Siracide environ deux siècles plus tôt, *Eccli.*,
15:1-10, noter toute l'imagerie domestique au milieu de laquelle
il est fait mention de l'assemblée; 21:17; 24:1-2; 31:5-11, situation
inverse de la « confession » des fautes; 39:10; 44:15).

La dernière phrase, « Tel est le chemin de la vie », renvoie naturellement à 1:1, selon toutes vraisemblances. C'est la conclusion
du *Duae viae* originel (instruction aux gentils : « chemin de la vie »)
repoussée jusqu'ici par l'addition de l'instruction du sage et de
l'instruction aux pauvres (voir l'analyse de la composition ci-
dessus, à 3:7).

5:1-2 *Voici maintenant quel est le chemin de la mort. En premier
lieu, il est mauvais et rempli de malédictions : meurtres, adultères,
convoitises, fornications, idolâtries, pratiques magiques, sorcelleries,
rapines, faux témoignages, perfidies, duplicité, ruse, orgueil, méchanceté, arrogance, cupidité, langage ordurier, jalousie, insolence, extravagance, vantardise, absence de toute crainte (de Dieu);*

[2]*persécuteurs des bons, ennemis de la vérité, amateurs de mensonge,
ignorants de la récompense de la justice, détachés du bien et du juste
jugement, vigilants non pour le bien mais pour le mal, étrangers à
la douceur et à la patience, friands de vanité, coureurs de rétribution,
impitoyables au pauvre, insouciants à l'égard de l'épuisé, aveugles
pour celui qui les a faits, tueurs d'enfants, destructeurs de l'œuvre
de Dieu, rebuffeurs de l'indigent, oppresseurs de l'affligé, défenseurs
des riches, juges iniques des gagne-petit, pécheurs sans foi ni loi. —
Mon fils, tiens-toi loin de tout cela.*

Il reste peu de chose à ajouter à ce que nous avons déjà été
amené à dire du « chemin de la mort ». Pour le fond, il s'explique

presque tout entier par sa contrepartie positive dans les deux instructions en dyptique dont il constitue le second volet. Il suffit donc de renvoyer ici au « chemin de la vie », 2:2-7, dans l'instruction aux gentils, en ce qui regarde 5:1, et 3:7-4:14, dans l'instruction aux pauvres, en ce qui regarde 5:2 (pour la composition, on verra surtout, dans le comm., l'introduction générale à 3:7-4:14).

Il ne sera peut-être pas inopportun, cependant, de préciser le sens général de cette sorte d'écrits. Certes, si l'on veut, ce sont des « listes », et d'un point de vue provisoire et partiel, on est justifié de parler à leur propos de « catalogues de péchés », de les comparer entre elles par le menu, et de les juger aussi par leur contenu analytique (la principale référence est A. VÖGTLE, *Die Tugend- und Lasterkatalogue im Neuen Testament*, en particulier, pp. 113-117; 191-198). Mais il est clair que, dans la pensée de l'auteur, ces « catalogues » n'étaient pas plus des « listes de péchés », ou de pécheurs, que les généalogies de *Mt.*, par exemple, et de *Lc.* surtout, n'étaient des « listes des ancêtres de Jésus » (même phénomène pour les listes des livres de l'A. T. qui font leur apparition à cette époque). En dépit des apparences, ces compositions ont été soulevées en leur temps par une âme et de grands espoirs. Elles ne nous paraissent desséchées que parce que le genre littéraire a cessé de vivre à nos yeux. Pour leur rendre leur vie primitive, c'est le *Deutéronome* sans doute qu'il conviendrait de relire entre tous les livres de l'A. T. Sous les termes rapides de « mal » (πονηρός), de « malédiction » (κατάρα) et de « mort » (θάνατος), tout un état de conscience continue à s'exprimer, où l'on entrevoit l'élection, l'alliance, la loi, et l'immense espérance qui y avait cherché son appui (en particulier, *Deut.*, 26:16-19; 27:14-28:46; comp. *Rom.*, 1:32).

Une différence capitale, cependant, doit être notée. Le *Duae viae* est loin du *Deutéronome*. Dans l'intervalle, de profondes transformations se sont produites dans l'âme d'Israël, qui ont modifié dans la même mesure l'espoir de l'individu à entrer dans les biens de la promesse. Les deux instructions principales du *Duae viae* ne sont pas, et ne pouvaient plus être, des exhortations adressées au « peuple ». Celui-ci sans doute n'est pas oublié, et en définitive, on le sait bien, c'est même toujours lui qui est le dépositaire des engagements. Il reste néanmoins que le choix entre le « chemin de la vie » et le « chemin de la mort », entre la « bénédiction » et la « malédiction », est beaucoup plus que jamais dans le passé ressenti comme relevant de la responsabilité individuelle (pour le cas

spécial de l'instruction aux gentils, comp. *Mt.*, 23:15, sur le prosélytisme). Si cette différence eût été moins grande, à l'époque
du *Duae viae*, ni l'instruction aux gentils ni l'instruction aux pauvres
n'eussent été possibles. Celles-ci témoignent, dans leur forme même,
de la marche irrépressible et déjà de l'éloignement de l'antique
espérance.

Comparer après cela nos « catalogues de péchés » avec des listes
en apparence similaires du monde gréco-romain, c'est à peu près
comme mettre le décalogue en regard des préceptes delphiques
sous prétexte qu'ils se rencontrent sur quelques points. Pris dans
leur ensemble, il s'agit d'autre chose. L'histoire comparée des
religions ne gagne rien à ce jeu. On verra plus utilement l'instruction du *Man. de disc.*, iv, 6, 11-14, où les « bénédictions » et les
« malédictions » sont explicitées pour le « chemin de la vie » et le
« chemin de la mort ». Cette explicitation donne le sens exact du
genre littéraire et le rapporte en même temps à ses véritables
origines. Le nombre des fragments du *Deut.* sortis de Qumrân est
à cet égard révélateur.

Enfin, il est nécessaire, à l'occasion du texte, d'apporter un
dernier complément à ce que nous avons pu dire ailleurs de la
composition de l'instruction aux pauvres. 5:1 est le « chemin de
la mort » de l'instruction aux gentils. Tout le dyptique du *Duae viae*
originel est du même auteur. C'était son propos. Mais la situation
de 5:2 est à cet égard différente. Celui qui a incorporé l'instruction
aux pauvres au *Duae viae* ne la trouvait pas normalement en
forme de dyptique. L'analyse a montré, je crois, qu'elle devait
se terminer, au contraire, avec notre actuel 4:12-14, qui a tous les
caractères d'une conclusion. Dans ces conditions, 5:2 ne peut être
qu'une adaptation de l'instruction aux pauvres au dessein originel
du *Duae viae*, ce qui est confirmé par le texte. On remarquera,
en effet, que 5:2 fait écho à quelques éléments de l'instruction aux
gentils, laissés de côté par le « chemin de mort » qui lui est propre
(5:1). C'est le cas de οὐ γινώσκοντες τὸν ποιήσαντα αὐτούς
(comp. 1:2), de φονεῖς τέκνων et de φθορεῖς πλάσματος θεοῦ
(comp. 2:2). Tout achève ainsi de s'expliquer sans effort. 5:2 est
de la main de celui à qui l'instruction aux pauvres doit son entrée
dans le *Duae viae*. En composant son « chemin de la mort », il
avait sous les yeux tout le reste, y compris probablement 3:1-6.
Comme il était naturel, il s'est avant tout inspiré de l'instruction
aux pauvres, mais il ne pouvait guère penser qu'il était tenu de
s'y limiter absolument. De là, dans 5:2, ces trois souvenirs de l'ins-

truction aux gentils, d'ailleurs groupés, d'une façon qui ne paraît pas tout à fait accidentelle, un peu avant la fin. Ajoutons, pour confirmer cette explication par une remarque d'ensemble, que 5:2, tout en reflétant fidèlement l'instruction aux pauvres pour le fond, est loin de manifester dans la forme le même souci de composition rigoureuse. On le comprend, s'il y a diversité d'origine.

6:1-3 *Veille à ce que nul ne te détourne de cette voie de l'Instruction, car celui-là te propose un enseignement étranger à Dieu. ²[Si, en réalité, tu peux porter tout entier le joug du Seigneur, tu seras parfait; sinon, ce qui t'est possible, fais-le. ³Quant aux aliments, prends sur toi ce que tu pourras porter, mais abstiens-toi absolument des viandes offertes aux idoles : c'est un culte de dieux morts.]*

Le *Duae viae* n'a pas été conçu pour une lecture solitaire. Aussi bien son intérêt primitif a-t-il été, en fait, celui de son utilité dans une fonction. Cette circonstance lui a fait la vie mouvementée dont l'histoire transparaît encore à travers la complexité de sa forme actuelle. Il est remarquable, cependant, que le judaïsme où il est né s'est comporté à son égard d'une tout autre façon que l'antiquité chrétienne. Celle-ci l'a entouré de fictions extravagantes et puériles, elle l'a farci de paraphrase évangélique jusqu'au moindre détail auquel la glose pouvait s'accrocher, elle l'a amputé lorsqu'il lui a plu de ce qui lui paraissait un poids mort, elle l'a traduit en cet état dans toutes les langues littéraires de l'Orient et de l'Occident, elle l'a noyé pour finir dans d'énormes compositions où sa présence continue à rendre un tenace et bizarre témoignage à son ancien prestige. Deux noms résument pour nous ce traitement : les *Canons ecclésiastiques* et l'*Octateuque* clémentin. Quelle étrange destinée pour cette petite feuille qu'un Juif mit un jour dans les plis de son manteau pour aller donner l' « instruction » à un gentil! C'était sa composition. Elle était accordée à son temps et à son milieu. Celui-ci l'estima, à sa manière, qui usait aussi de certaines libertés. Le minuscule *Duae viae* prit là-même, peu à peu, de nouvelles proportions, modestes cependant, et sans plus de faux airs de grandeur qu'il n'en avait eus au premier jour. Ce qui est frappant, c'est que le milieu naturel du *Duae viae* lui ait, justement de cette façon, marqué son respect, ce qui était en même temps signifier qu'il n'avait aucune peine à le comprendre. Au lieu de trufer le détail, il a disjoint l'écrit primitif aux articulations pour y introduire, par masses, les développements qui paraissaient opportuns à ses usagers. C'est ainsi que l'instruction du sage et l'instruction aux pauvres vinrent se joindre au « chemin de la vie » primitif sans que ce dernier n'en soit affecté intérieurement. C'est de cette manière aussi que la seconde partie du « chemin de la mort » est venue répondre, de son côté, à l'instruction aux pauvres. L'interpolateur chrétien de la *Did.*, lui-même juif, encore proche des conditions originelles, adopta à son tour le même parti d'addition globale. Il logea tout ce qu'il avait à dire dans l'une des articulations du petit écrit (1:3b-6), sauf à en ménager une nouvelle pour réparer un léger dommage (2:1). Si, au lieu de cela, tout le détail avait été entamé, comme il devait l'être dans les remaniements chrétiens postérieurs, il est bien certain que la préhistoire du *Duae viae* serait pour nous aujourd'hui perdue.

Elle ne l'est pas. Il reste toutefois à la reconstituer sur un dernier point avant d'entrer dans les instructions propres à la *Did.* La fin du *Duae viae* était par excellence l'endroit où les additions pouvaient être faites avec commodité. L'auteur de la *Did.* plus que personne mit cet avantage à profit, mais un autre lui avait déjà montré la voie, en attendant qu'il trouvât lui-même un imitateur. C'est notre chapitre sixième.

Nous nous en sommes déjà occupés. Je ne reviens pas sur les observations qui ont pu être faites alors (voir, dans l'introd., pp. 105 ss.). La situation est d'ailleurs assez enchevêtrée. Dans le canevas d'une instruction aux gentils, il était normal qu'une place fût faite à la fin à un mot d'espérance (sur l'eschatologie dans le prosélytisme juif, voir les remarques de D. DAUBE, *The New Testament and Rabbinic Judaism*, pp. 133-138, qui valent en partie pour l'époque où nous sommes). Rien de tel ne se lit dans le *Duae viae* de la *Did.*, qui se contente d'une précaution contre d'éventuelles perversions de l'enseignement reçu (6:1). Mais la *Doctr.* de Schlecht ajoute à cette même précaution une discrète ouverture eschatologique, tout à fait dans le ton de ce qui devait normalement être présenté à des païens : « Haec in consulendo si cottidie feceris, prope eris vivo deo; quod si non feceris, longe eris a veritate. haec omnia tibi in animo pone et non deceperis de spe tua, sed per haec sancta certamina pervenies ad coronam » (comp., dans la Communauté de l'alliance, le développement du même thème à la fin de

l'instruction sur les « deux voies », *Man. de disc.*, iv, 6-8, 11-26;
en sens inverse, beaucoup plus proche de la promesse eschatologique
de la *Doctr.*, voir *Sag.*, 3:7-9, et surtout 5:15-16). Cette petite
exhortation a-t-elle été ajoutée après coup au *Duae viae* dans une
partie de sa transmission indépendante, ou au contraire, a-t-elle
été enlevée au *Duae viae* de la *Did.*? Il est difficile de trancher
l'alternative, bien que la seconde hypothèse paraisse en soi beaucoup moins probable. L'eschatologie de la *Doctr.* ne présente,
semble-t-il, aucun caractère interne qui ait pu conduire qui que
ce soit à l'écarter. En revanche, l'addition d'une telle perspective
eschatologique à une instruction sur le « chemin de la vie et de la
mort » serait en soi tout ce qu'il y a de plus normal à l'époque, à
supposer que l'auteur primitif l'eût omise. Il semble donc préférable de croire que le *Duae viae* primitif se terminait avec notre
actuel 6:1.

Cette mise en garde pouvait fort bien, du reste, servir de conclusion. C'est un thème apparenté à celui que nous rencontrons ailleurs
dans des conditions littéraires analogues (comp. 4:13, à la fin de
l'instruction aux pauvres, laissant le soin de l'intégrité de l'enseignement à la fidélité de celui qui l'a reçu; 11:1-2, à la fin de la *Did.*
en son premier état, très proche de 6:1 pour le sens; également
Tob., 4:19, à la fin du « testament » sapientiel laissé par le père à
son fils; *Mt.*, 5:19, qui paraît relever des mêmes traditions didactiques; aussi 1 *Tim.*, 6:2-5; enfin, dans un tout autre genre littéraire, *Apoc.*, 22:18 s.). Il n'est pas sans intérêt, au surplus, de préciser le sens de ce dernier avertissement de l'auteur en regard de
la destination originelle du *Duae viae*. Car l'implication directe
d'une telle mise en garde, c'est évidemment l'utilisation du *Duae
viae* lui-même dans l'instruction courante de l'époque et du milieu.
Dans le détail, on notera, en outre, l'exactitude de la correspondance de 1:2-3*a* et de 6:1, du point de vue de la composition, de
même que celle de παρεκτὸς θεοῦ avec le titre Διδαχὴ κυρίου qu'a
dû recevoir très tôt le *Duae viae* (voir ci-dessus le comm. sur le
titre).

Si l'explication qui précède est acceptée en ce qui regarde 6:1,
il est clair qu'il n'y a pas bien des hésitations à entretenir à l'endroit
de ce qui suit. 6:2-3 ne peut être qu'une addition postérieure, ce
qui est confirmé à la fois par la forme et le contenu. εἰ μὲν γάρ est
une soudure rendue évidente par sa maladresse même. On ne voit
pas, d'autre part, comment celui qui a conçu 6:1 comme une conclusion aurait pu en même temps envisager de terminer une seconde

fois avec des avis du genre de ceux que nous présente 6:2-3.

C'est une autre question de décider du moment où une telle addition a pu être faite. Des affinités de pensée et de style nous ont déjà conduit à l'attribuer à l'interpolateur de la *Did.* (en particulier, 1:4, καὶ ἔσῃ τέλειος, et 6:2, εἰ μὲν γὰρ... τέλειος ἔσῃ; voir, dans l'introd., pp. 107 s). L'analyse du *Duae viae* n'a fait, je crois, que rendre cette position encore plus assurée, en détachant définitivement le passage du reste du recueil. En date, 6:2-3 est donc postérieur, non seulement au *Duae viae*, comme sa situation pourrait le faire croire à première vue, mais à l'ensemble de la *Did.* elle-même.

Le cadre de l'interprétation se trouve par là fixé. Pour comprendre ces deux petites instructions, il faut les rapprocher, non de leur contexte immédiat, qui n'est qu'apparent, mais de la contribution propre à l'interpolateur de la *Did.* en son deuxième état : 1:4-6 surtout, mais aussi 7:2-4 et 13:3, 5-7.

Je voudrais attirer d'abord l'attention sur un trait de la physionomie spirituelle de l'interpolateur qui apparaît ici dans toute sa netteté. Si l'on me permet de présenter la chose de cette façon, c'est un homme qui s'est entiché de la distinction du « nécessaire » et du « possible », pour des raisons à lui, sans doute, mais très probablement aussi en raison des conditions historiques dans lesquelles il a vécu. Si banale que cette distinction puisse nous paraître, nous devons prendre garde, en effet, que dans des circonstances concrètes, elle a pu représenter un jour une authentique conquête sur des tentations de rigidité auxquelles certains faisaient fort bon accueil. Sur huit fois que δύναμαι est employé dans la *Did.*, il ne se trouve pas moins de sept fois dans les textes de l'interpolateur (l'exception est à 12:2). Il suffit ensuite de lire les passages concernés pour se rendre compte qu'il ne s'agit nullement d'une simple habitude de style. C'est un trait de conscience, l'un de ceux, en fait, qui nous ont permis d'identifier le personnage.

Or, il est impossible de lire 6:2-3 sans penser au vaste problème des rapports de l'évangile et de la Loi tel qu'il s'est posé dans la mission aux gentils. De là à croire que l'interpolateur a voulu marquer ici ses positions, qui étaient sans doute aussi bien celles de son église et de son milieu, il n'y a pas très loin. Sa modération devient alors intéressante à observer. Il est d'abord évident par 6:3 que nous sommes dans la mission aux gentils, à qui seuls un problème de pureté d'aliments et de viandes offertes aux idoles devait concrètement se poser, du moins à l'échelle collective. Il est non moins évident, je crois, que l'instruction de l'interpolateur reflète une phase de cette mission aux gentils où les flottements des églises particulières la rendait largement opportune. Faut-il préciser le temps du dernier verbe par un « encore », en songeant, par exemple, à ce qui s'est passé à Antioche, et à quelque chose comme la célèbre rencontre de Jérusalem telle que Luc l'a reconstituée dans les *Actes* (15:1-35)? Bien malin qui pourra le dire. La seule chose assurée, à mon avis, à en juger par 6:2-3, c'est que nous ne pouvons pas être bien éloignés de ces événements, de quelque manière que les choses se soient passées en fait, et à Jérusalem et dans la mission aux gentils. Seule, du reste, cette conclusion s'accorde bien avec les autres données du problème de la date et du lieu d'origine de la *Did.*, telles qu'elles ressortent, en particulier, de l'intervention de l'interpolateur dans le recueil (voir, dans l'introd., le ch. consacré à ce problème).

Ceci dit, il me semble légitime de lire l'instruction de l'interpolateur en regard de la manière dont Luc s'est représenté la rencontre de Jérusalem, s'il est bien entendu que nous demeurons, quant au reste, dans le domaine des possibilités. L'instruction de l'interpolateur, très sobre à tous égards, touche trois points, disposés dans l'ordre de leur extension respective : d'abord, l'obligation de la Loi prise dans son ensemble, ce que l'auteur appelle de l'expression consacrée, « le joug du Seigneur », en songeant vraisemblablement avant tout à ces prescriptions de la Loi qui incommodaient le plus les gentils (le παρενοχλεῖν du discours de Jacques, *Act.*, 15:19), et dont le champ d'application se trouvait, concrètement, assez bien défini par comparaison avec celui du *Duae viae* (2); puis, la question des « aliments », en général (3 *a*), et enfin, la question plus particulière des viandes offertes aux idoles (3*b*).

On remarquera qu'il n'est pas fait mention expresse de la circoncision. On serait tenté d'en conclure que le problème ne se posait pas avec acuité dans le milieu. Le silence de l'auteur incline en ce sens, dès qu'on songe à l'attention qu'il a portée au double problème des aliments et des idolothytes. Mais il convient d'être prudent. Les implications des termes généraux de 6:2 ont fort bien pu comprendre la circoncision avec le reste. Ce serait même normal dans une instruction adressée à des gentils. C'est, en particulier, la manière dont Luc a conduit son récit de la rencontre de Jérusalem. La lettre apostolique, aussi bien que les discours préparatoires de Pierre et de Jacques, ne font aucune mention de la circoncision sur laquelle la « discussion » est censée avoir porté en premier lieu

(au ζυγὸς τοῦ κυρίου de l'instruction de l'interpolateur, comp.,
à cet égard, le ζυγός du discours de Pierre, *Act.*, 15:10). Il peut en
être de même ici. Mais alors l'instruction de la *Did.* se trouve plus
rapprochée qu'il ne semblait au premier abord de l'état de choses
que Luc a évoqué autour de la conférence apostolique, à tel point
que l'arrière-fond paraît presque identique de part et d'autre.

Les nuances d'attitudes n'en sont, après cela, que plus remarquables. L'interpolateur de la *Did.* n'est pas de ceux qui sont prêts
à « imposer » (ἐπιθεῖναι, *Act.*, 15:10) aux gentils le « joug » de la
Loi, et ces derniers n'ont à craindre de sa part aucune « tracasserie »
(παρενοχλεῖν, *Act.*, 15:19). Il n'a pourtant pas renoncé à un
idéal de « perfection » où la Loi, pense-t-il, pourrait du moins trouver
son compte chez les plus généreux (καὶ τέλειος ἔσῃ, *Did.*, 6:2).
Ainsi, au bout du compte, chacun est-il bel et bien laissé libre de
choisir. En principe, personne ne devrait donc être incommodé
pour son option. « Tout est permis » (comp. le principe auquel Paul
se réfère en deux instructions autour du même sujet, principe qu'il
paraît bien supposer connu et admis dans la pratique, non sans
inconvénients d'ailleurs, 1 *Cor.*, 6:12; 10:23; implicite dans *Rom.*,
14:1-23). Une telle directive, à coup sûr, ne répond pas de tous
points à la lettre apostolique si l'on prend celle-ci en rigueur de
termes (ἔδοξεν... ἡμῖν μηδὲν πλέον ἐπιθεῖναι ὑμῖν βάρος πλήν...,
Act., 15:28). Mais, par contre, cela ne ressemble-t-il pas assez fort à
ce qui aurait pu être la « jurisprudence »? Pour y arriver légitimement, il aurait suffi de jouer sur la marge positive de la lettre,
qui laissait, de fait, une issue semblable à celle dans laquelle l'interpolateur de la *Did.* aurait pu juger bon de s'engager. Sauf les quatre
points qu'elle avait spécifiés, la décision apostolique n'imposait
rien, en effet, mais il est clair que, dans l'esprit d'un certain nombre,
cela devait signifier en même temps qu'il n'était pas interdit de
viser à ce qui continuait de paraître une réelle « perfection » (à
propos de « jurisprudence », voir *Act.*, 15:27, 30-32, sur la mission
de Jude et de Silas à Antioche et son rapport avec la lettre de
Jérusalem).

La pureté alimentaire était, dans ce domaine, un cas type. Pour
ne rien laisser dans le vague, l'interpolateur fait à ce cas une application expresse de la directive générale qu'il vient de donner. En
ce qui concerne les aliments, que chacun prenne du joug de la Loi ce
qu'il en pourra porter (6:2*a*). En principe encore, c'était tout beau :
chacun était libre. Mais en pratique, on n'a pas trop de peine à
imaginer ce qu'une telle règle pouvait donner à brève échéance.

L'un fait une différence parmi les aliments, tandis que l'autre n'en fait pas. Au premier, on a dit qu'il était plus « parfait » (6:1) de maintenir l'observance légale. Comment ne serait-il pas tenté, après cela, de « juger » son frère qui croit qu'il peut manger de tout? Or, c'est exactement la situation que Paul suppose à Rome, vers 58, et dans une église qu'il n'a pas encore visitée. Comment cette situation était-elle arrivée à se produire? Qui croira, du reste, qu'elle était purement locale (voir la longue instruction de 1 *Cor.*, 8:1-11:1)? Bien plus, Paul n'envisage pas qu'elle puisse être changée rapidement. Docile au fait, sanctionné ou non, il se contente au contraire d'exhorter à la charité : « A celui qui est faible dans la foi (ἀσθενοῦντα τῇ πίστει; comp. *Did.*, 6:2, τέλειος) soyez accueillants sans entreprendre de discuter les opinions. Tel croit pouvoir manger de tout, tandis que le faible ne mange que des légumes : que celui qui mange ne méprise pas l'abstinent et que l'abstinent ne juge pas celui qui mange! Dieu l'a bien accueilli. Toi, qui es-tu pour juger un serviteur d'autrui? Qu'il reste debout ou qu'il tombe, cela ne concerne que son maître; d'ailleurs il restera debout, car le Seigneur a la force de le soutenir. Celui-ci préfère un jour à un autre (comp. *Did.*, 6:2, directive générale); celui-là les estime tous pareils : que chacun s'en tienne à son jugement » (*Rom.*, 14:1-5). Le moins qu'on puisse dire, c'est que l'instruction de Paul ressemble étrangement à un effort délibéré pour enrayer les conséquences d'une autre instruction qui aurait pu aussi bien être celle de l'interpolateur de la *Did.*

Le seul point où celui-ci donne une règle exclusive est celui des viandes offertes aux idoles (6:3*b*). En cela, il se rencontre sans plus avec l'essentiel de la décision de Jérusalem (*Act.*, 15:29). On remarquera toutefois que son appui n'est pas une décision antérieure émise en haut lieu, du moins son appui déclaré. S'il faut s'abstenir des viandes offertes aux idoles, c'est qu'elles conservent un lien indissoluble, en pratique, avec un culte qui n'est qu'un « culte de dieux morts » (vieil argument antipolythéiste, voir *Ps.*, 115:3-8; *Is.*, 44:12-20; *Sag.*, 15:17; comp. 1 *Cor.*, 8:4; 10:20; *Gal.*, 4:8). S'il croit au « Dieu vivant », à chacun de juger par soi-même de l'inconvenance d'une telle conduite. Le silence de l'interpolateur sur une décision apostolique majeure en cette matière se double, au surplus, d'un autre silence, non moins remarquable, sur « le sang, les chairs étouffées et la fornication » (*Act.*, 15:29). La signification de ce silence répété n'est évidemment pas que l'interpolateur tenait de telles choses pour dénuées d'intérêt, après avoir donné une directive comme celle de 6:2. Paul aussi, à cet égard, ne semble s'être vraiment préoccupé que des idolothytes et de la fornication (*Rom.*, 14:1-23; 1 *Cor.*, 6:12-20; 8:1-11:1; comp. *Apoc.*, 2:14-20). A partir de ce point, chacun est libre de faire l'hypothèse qu'il voudra, dans les limites qu'imposent le reste de l'instruction et les données générales du problème de la date et du lieu d'origine de la *Did.* dans son ensemble. A mon avis, ces limites sont assez étroites.

7:1-4 *Au sujet du baptême, baptisez ainsi, au nom du Père et du Fils et du Saint Esprit, dans une eau courante.* [2][*Si toutefois tu n'as pas d'eau courante, baptise dans une autre eau, et si l'eau froide est exclue, dans de l'eau chaude.* [3]*A défaut de l'une et de l'autre, verse trois fois de l'eau sur la tête, au nom du Père et du Fils et du Saint Esprit.* [4]*Avant le baptême, que le baptisant, le baptisé et d'autres qui le pourraient, observent d'abord un jeûne; au baptisé, tu dois imposer un jeûne préalable d'un ou deux jours.*]

Nous nous représentons difficilement aujourd'hui que les instructions dont se compose le *Duae viae* aient pu connaître un jour une véritable faveur. Nous comprenons un peu mieux que le recueil qui en a été fait se soit dans une certaine mesure imposé. Involontairement, nous en jugeons à un point de vue littéraire. Mais ce n'est certainement pas ainsi qu'on a d'abord apprécié les choses. Si de tels écrits ont retenu l'attention, c'est à leur heureuse adaptation fonctionnelle à leur milieu d'origine qu'ils en ont été principalement redevables. Aussi, lorsque les liens créés par une telle adaptation commencèrent à se dénouer, l'histoire du recueil tourna-t-elle peu à peu d'elle-même en une folle aventure. Nous savons maintenant que cette prétentieuse survivance ne fut, en réalité, qu'un sous-produit d'une efficacité et d'un mérite déjà anciens qui ne pouvaient plus être authentiquement renouvelés. Mais le *Duae viae* ne jouissait pas encore de ce privilège douteux lorsque l'auteur de la *Did.* choisit de mettre ses propres instructions dans son sillage. D'un côté comme de l'autre, les intentions pouvaient être ou demeurer sans artifices, et se satisfaire de la simple et nue réalité. Il n'y a rien d'autre à chercher derrière les instructions qui nous restent à lire : le baptême, 7:1, avec l'addition de l'interpolateur,

sur le même sujet 7:2-4; les jeûnes hebdomadaires, 8:1; la prière
quotidienne, 8:2-3; l' « eucharistie », 9-10, avec la mise en garde
contre des instructions contraires, conclusion de la *Did.*, en son
premier état, 11:1-2; la conduite à tenir à l'égard des apôtres,
11:3-6, des prophètes, 11:7-12; les devoirs de l'hospitalité, 12:1-13:2,
avec l'addition de l'interpolateur sur l'offrande des prémices aux
prophètes, 13:3-7; la synaxe dominicale, 14:1-3; le choix des
évêques et des diacres, 15:1-2; la correction fraternelle, 15:3; la
prière, l'aumône et les autres « pratiques », 15:4; l'attente du retour
du Seigneur, 16, conclusion de la *Did.* en son second état (sur la
composition de la *Did.* dans son ensemble et la distinction des
couches littéraires successives, voir le ch. spécial de l'introd.).

L'instruction sur le baptême occupe la première place, comme
il est naturel. C'est un rite d'entrée, supposant une adhésion et un
accueil, dont le caractère proprement initiatique, toutefois, n'affleu-
rera que plus loin, dans l'instruction sur l' « eucharistie » (9:5). Il
importe de souligner, d'autre part, que l'instruction sur le rite
baptismal n'a été lié au *Duae viae* qui précède que dans une partie
de la tradition manuscrite (*Hier.* 54, vers. géorg.), et encore à une
époque relativement basse, impossible à préciser, mais probablement pas antérieure au IIIe siècle. Le remaniement des *Const. apost.*
ne connaît aucun lien de cette sorte. On peut penser que l'addition
de ταῦτα πάντα προειπόντες (*Hier.* 54, vers. géorg.) remonte, en
fait, à l'usage qui a été fait du *Duae viae* de la *Did.* dans la préparation lointaine au baptême, lorsque le catéchuménat se fut établi.
C'est ce que suggère du moins la *Lettre festale* 39 de s. Athanase
(voir la discussion détaillée de ce problème textuel dans l'introd.,
ch. consacré au texte, *in loc.*). Au reste, le *Duae viae* est une διδαχή,
ou si l'on veut, un recueil de διδαχαί, non un κήρυγμα, et au surplus,
une διδαχή juive. L'auteur de notre *Did.*, bien placé pour discerner
ces choses, n'a pas commis le paradoxe de lier de façon aussi étroite
le rite baptismal de son église à cet enseignement, et la critique
n'est guère excusable, de son côté, de s'être laissée prendre à un
tel piège. La διδαχή chrétienne a été, à l'origine, avant tout post-
baptismale, comme il est clair, en particulier, par la pratique
paulinienne (comp. le lien de la διδαχή ἐντολῶν avec le baptême
des prosélytes dans le judaïsme postérieur, *Yeb.* 47*a-b*; en ce qui
concerne la διδαχή apostolique, voir le comm. sur le titre). Selon
toutes apparences, c'est aussi l'ordre supposé par *Mt.*, 28:19-20,
dont la tradition, comme on a pu voir par ailleurs, n'est pas étrangère au milieu qui a vu naître la *Did.* : « Allez, de toutes les nations

faites des disciples, μαθητεύσατε (c'est le κήρυγμα), les baptisant
au nom du Père et du Fils et du Saint Esprit, leur apprenant à
observer tout ce que je vous ai commandé, διδάσκοντες αὐτοὺς
τηρεῖν πάντα ὅνα ἐνετειλάμην ὑμῖν (c'est l'analogue évangélique
de la διδαχὴ ἐντολῶν telle qu'elle est représentée par le *Duae viae*).
La διδαχή suit, non seulement le κήρυγμα auquel elle est de toutes
manières subordonnée, mais le baptême lui-même, ce qui après tout
n'est que normal, lorsqu'on songe aux conditions de la mission
primitive (par ex., le baptême des trois mille à la Pentecôte, *Act.*,
2:41, et pour les cas individuels, le baptême de l'eunuque de la
reine d'Éthiopie, 8:26-39, celui de Paul, 9:18; à l'échelle domestique,
le baptême de Corneille et des siens, 10:34-42). On voit dans quelle
confusion de genres littéraires, de pratiques et d'institutions la
critique est tombée, lorsqu'elle a proposé de voir dans la *Did.* une
mise en œuvre plus ou moins fictive du célèbre texte de *Mt.* (en
particulier, Robinson, Muilenburg, Vokes et Johnson). Vraiment,
il était difficile d'arriver plus mal à propos.

Cette confusion venait d'ailleurs en recouvrir une autre, aussi
ancienne que l'édition de Bryennios, qui attribuait les yeux fermés
toute l'instruction sur le baptême à l'auteur primitif. La distinction
des couches rédactionnelles est, au contraire, capitale pour l'intelligence du texte. C'est ici l'interpolateur qui a la part du lion (7:2-4).
L'instruction primitive (7:1) était beaucoup plus simple, si simple
même, qu'il est bien impossible, cette fois, que l'auteur y ait dérobé
l'une ou l'autre de ses petites idées de derrière la tête, comme on lui
en a indéfiniment prêté le propos. « Au sujet du baptême, écrit-il,
faites ainsi : baptisez au nom du Père et du Fils et du Saint Esprit,
dans une eau courante » (lit. « baptisez ainsi » : l'auteur ne recule
pas devant ces répétitions dont on verra un autre exemple à 9:1-2).
On a souvent prononcé, autour de ce texte, le mot de liturgie.
C'est un bien grand mot pour ce qui n'est en réalité qu'un rite.
Aucun déploiement n'est indiqué, ni, semble-t-il, prévu : nulle
exigence définie de préparation immédiate, ni de moment du jour,
ni de période de l'année; rien de précisé non plus sur l'accomplissement du rite lui-même. La chose, en outre, se passe forcément à
ciel ouvert, ce qui cependant, dans les habitudes des anciens, pré-
servait sans doute en général une relative intimité (voir, par contre,
à titre d'exemple, les indiscrétions, évidemment calculées, autour
des bains de Pierre, dans *Hom. clém.*, xiv, 1-3). Nous pouvons nous
représenter à volonté un tel baptême au bord d'une rivière, d'un
ruisseau, d'une source plus abondante, comme on en voit en Orient

(*Act.*, 8:36), ou même sur le rivage de la mer. Rien là encore que de naturel. Ces lieux étaient communément estimés les plus propices aux rites de purification. Ils offraient des eaux vierges, aussi exemptes que possible de tout contact humain comme de toute autre cause d'impureté (voir Th. KLAUSER, *Taufet in lebendigem Wasser! Zum religions- und kulturgeschichtlichen Verständnis von Didache 7, 1-3*, dans *Pisciculi* = Festschr.-Dölger, Munster, 1939, pp. 157 ss.). Il n'y a aucune apparence, au surplus, que l'instruction veuille innover ici en quoi que ce soit, ou corriger un usage antérieur. On dirait bien plutôt qu'elle vise à conserver un usage établi et à le répandre en des communautés nouvelles, dans une certaine sphère d'influence où l'évangile est reçu. Une telle retenue s'accorde, enfin, avec tout ce qu'on peut observer dans les instructions suivantes, sur le jeûne hebdomadaire, la prière quotidienne et l' « eucharistie ».

Faudrait-il dire, après cela, que, dans ce rite si simple et d'allure si primitive, la formule baptismale représente malgré tout une « théologie » relativement évoluée? Je concéderai volontiers le nécessaire à cet égard, non sans marquer toutefois quelques limites. Elles s'imposent. Sommes-nous bien sûrs, d'abord, d'être justifiés de parler ici sans réserves d'une formule « trinitaire »? Elle l'est pour nous, sans aucun doute. Mais il n'est pas dit qu'elle l'ait été tout à fait dans le même sens et au même degré à l'origine, où il y a bien des chances que nous soyons ramenés avec l'instruction de la *Did.* Je ferais observer, en premier lieu, que la formule apparaît ici dans un encadrement rituel, et donc pastoral, non dans un encadrement de réflexion savante destinée aux contemplateurs de la nature divine. C'est un indice non seulement d'origine mais de qualité. Selon toutes apparences, la formule n'est pas descendue de la « théologie » vers le rite : elle est montée au contraire du rite, et de l'action pastorale qui l'entourait, vers la « théologie », à mesure que le changement des conditions générales dans l'église s'y est prêté, ou même l'a exigé (comp. l'évolution analogue des confessions de foi primitives, et nommément du *Symbole des apôtres*, vers les symboles conciliaires, jusqu'au symbole pseudo-athanasien inclusivement).

Or, l'action pastorale qui, à l'origine, a entouré, et presque seule, le rite du baptême, n'a été rien d'autre que l'annonce évangélique. Suivant les lois normales, c'est donc l'évangile qui doit se refléter avant tout dans la formule, et il est à présumer que son sens « trinitaire » ne doit pas dépasser non plus celui qu'il était loisible de tirer de l'évangile dans son ensemble. Nous sommes désormais sur un terrain ferme. En dernière analyse, l'évangile a été unanimement compris par les disciples immédiats de Jésus et par les premières générations chrétiennes comme un « évangile de Dieu », entendons, le Père (j'emprunte la formule à Paul, 1 *Thess.*, 2:2, 8; *Rom.*, 1:1, etc., mais elle est implicite partout ailleurs; comp. *Mc.*, 1:14). Toute la tradition ancienne de la « parole de Dieu » poussait d'ailleurs de ce côté. L'analogie, reprise avec une extraordinaire richesse de suggestions par le « prologue » (?) du IVe évangile, a dominé toute la représentation originale du grand événement inauguré par l'action et la parole de Jésus, spécialement par sa mort et sa résurrection. Elle a fixé notamment le cadre de référence ultime dans lequel les relations de Jésus, comme Christ et Seigneur, et « Fils » de Dieu, avec le « Père », ont pu être comprises sans que jamais la prédication et la foi ne perdissent pied par rapport à la destination humaine de l'évangile. Il en a été de même pour l' « Esprit Saint », don par excellence du « Père » en Jésus, en accomplissement de toutes les promesses. Si l'on veut parler de « formule trinitaire » à propos du rite baptismal de la *Did.*, il faut donc préciser aussitôt que l'évangile l'est tout autant à l'époque où l'annonce apostolique nous le fait connaître, et qu'elle ne le serait pas si celui-ci ne l'avait d'abord été.

C'est dire que « baptiser au nom du Père et du Fils et du Saint Esprit » ne revient pas à définir, en première implication, des relations intérieures à la divinité, mais des relations intérieures à ce qu'on a fini par appeler « l'évangile de Dieu », ce qui est assurément autre chose. A ce niveau, et dans cette perspective pastorale, la « formule trinitaire » ne porte pas de toute nécessité sur sa face même la marque d'une époque tardive. Elle peut être contemporaine du moment où l'évangile nous est révélé par les lettres de Paul, comme des temps où la tradition des Synoptiques eux-mêmes s'est fixée, en substance, dans la forme où nous la connaissons. Elle serait assez bien paraphrasée, je crois, par une exhortation paulinienne qui fait justement allusion au baptême : « Ne savez-vous pas, écrit Paul aux Corinthiens, dans une de ses « instructions », que les injustes n'héritent point du royaume de Dieu (le « Père »)? Ne vous y trompez pas! Ni impudiques, ni adultères, ni dépravés, ni gens de mœurs infâmes, ni voleurs, ni cupides, pas plus qu'ivrognes, insulteurs ou rapaces, n'hériteront du royaume de Dieu. Et cela, vous l'étiez bien, quelques-uns. Mais vous avez été lavés, mais vous avez été sanctifiés, mais vous avez été justifiés par le nom du Seigneur Jésus (le) Christ et par l'Esprit de notre Dieu, ἐν τῷ ὀνόματι τοῦ κυρίου ἰησοῦ χριστοῦ καὶ ἐν τῷ πνεύματι τοῦ θεοῦ ἡμῶν (1 *Cor.*, 6:9-11). Il n'est que de transposer cette « instruction » dans l'ordre du rite, suivant la loi de stylisation qui est propre à ces choses, pour obtenir une « formule trinitaire » dont le sens sera du même coup fixé par ses origines (voir encore, *Éph.*, 4:4-6, au début de l'instruction).

Cet exemple nous permet peut-être d'apercevoir, au surplus, une solution possible à un autre problème, dont la difficulté, à coup sûr, n'est pas médiocre. On a depuis longtemps remarqué, il va de soi, que l'instruction sur l' « eucharistie », dans la *Did.*, paraissait supposer, non plus la formule « trinitaire » de l'instruction antérieure (7:1), mais la formule plus simple du baptême « au nom de Jésus », bien connue en particulier par les récits des *Actes* (2:38; 8:16; 10:48; 19:5; 22:16). « Que personne, dit l'instruction, ne mange ni ne boive de votre eucharistie, si ce n'est ceux qui ont été baptisés au nom du Seigneur, εἰς ὄνομα κυρίου » (9:5). Cette divergence a été expliquée de plusieurs façons, inspirées des positions plus générales qu'on tenait sur les rapports de la formule « trinitaire » de *Mt.*, 28:19 avec les formules « plus anciennes », sauf à noter que les deux formules, pour une fois, se rencontraient dans le même écrit, ce qui semblait un bon indice de leur équivalence substantielle.

Je voudrais prendre les choses par un autre biais. Nous avons déjà souligné que l'évangile a été compris, en dernière analyse, comme un « évangile de Dieu », à l'analogie de ce que suggéraient les relations anciennes de Yahvé avec son peuple, relations dans lesquelles sa « parole » entrait pour une si large part. Ce n'était cependant pas le seul point par où on pouvait voir les choses. Il y avait un point de vue pastoralement plus immédiat, qui était celui, corrélatif au premier, de Jésus comme Christ et comme Seigneur, ou Fils de Dieu. De ce second point de vue, l'évangile était l' « évangile de Jésus (le) Christ » (en particulier, *Mc.*, 1:1, à quoi on comp. 1:14-15, pour l' « évangile de Dieu »; aussi *Act.*, 20:18-24; *Rom.*, 1:1 et 9; 15:16, etc.). Or, tout indique que l'alternance, le plus souvent implicite mais explicite chez Paul, de ces deux déterminations différentes d'une même chose, « évangile de Dieu » et « évangile du Christ », obéit, dans le κήρυγμα et la διδαχή, aux mêmes lois que l'alternance des formules baptismales. Celle-ci, de fait, ne paraît être que le reflet rituel de celle-là. La conséquence de cet état de choses est importante. C'est que le baptême « au nom de Jésus » et le baptême « au nom du Père et du Fils et du Saint Esprit » ont été entre eux, dans la conscience chrétienne primitive, dans le même rapport que l'évangile du Christ » et l' « évangile de Dieu ». Dans les deux ordres, on pouvait passer d'un point de vue à l'autre à n'importe quel moment et sans aucune difficulté. Les implications sont immédiates par quelque côté qu'on les prenne. Cela ne veut pas dire, cependant, qu'il n'y ait pas eu, de fait, une préférence originelle, très compréhensible d'ailleurs, pour le point de vue plus immédiat sur le point de vue plus lointain dans l'intelligence de l'évangile, et que par suite, il n'y ait pas eu aussi une antériorité du baptême « au nom de Jésus » sur le baptême « au nom du Père et du Fils et du Saint Esprit ». C'est même ce qui semble s'être produit. Je verrais un signe entre bien d'autres de la marche concrète de ce développement dans l'instruction de Paul citée ci-dessus : « Mais vous avez été lavés, écrit-il, mais vous avez été sanctifiés, mais vous avez été justifiés (cette triple insistance est-elle une pure amplification oratoire?) par le nom du Seigneur Jésus Christ et par l'Esprit de notre Dieu » (1 *Cor.*, 6:11). Le « nom du Seigneur Jésus (le) Christ » occupe le premier plan. On voit, toutefois, que le « nom » du Père et le « nom » de l'Esprit pouvaient s'offrir ensuite d'eux-mêmes et qu'il n'était pas malaisé, à partir de là, de trouver, pour le baptême, l'ordre différent que suggérait l'intelligence commune de l' « évangile de Dieu ». Ainsi, dès le temps de Paul, le baptême « au nom de Jésus » et le baptême « au nom du Père, du Fils et de l'Esprit » ne portaient probablement déjà plus avec eux leur date dans les écrits où nous les retrouvons. Il n'y a rien d'étonnant à ce qu'ils se rencontrent côte à côte dans la *Did.* (7:1 ; 9:5).

On s'en est étonné pourtant, jusqu'à faire révoquer en doute l'authenticité de 7:1 (si je le comprends bien, K. LAKE, dans *The New Testament in the Apostolic Fathers*, p. 27; aussi E. BARNIKOL, *Die triadische Taufformel : Ihr Fehlen in der Didache und im Matthäusevangelium und ihr altkatholischer Ursprung*, dans *Theol. Jahrb.*, IV-V (1936-37) 144-152). Il n'y a pas lieu. 7:3, qui appartient à l'interpolateur, rend la formule solidaire de la triple infusion sur la tête du baptisé. Il est difficile, dans ces conditions, d'imaginer qu'au moment où l'addition fut faite, 7:1 se présentait sous une forme différente de celle dans laquelle nous le lisons aujourd'hui. On ne peut aisément prétendre, d'autre part, que 7:1 aurait été justement mis dans cet état par l'interpolateur. Car on ne s'explique plus alors une divergence de forme comme la présence des trois articles d'un côté et leur absence de l'autre. Tout porte à penser, au contraire, que l'interpolateur est, dans une certaine mesure, un témoin indépendant, quoique sans doute tributaire du même milieu et de la même tradition que l'auteur du recueil dans lequel il est intervenu. Ainsi, nous n'avons pas, comme on l'a cru, deux attestations seulement de la formule à trois termes, celle de *Mt.*, 28:19 et celle de *Did.*, 7:1, nous en avons trois, celle de l'interpolateur de la *Did.* n'étant pas de tous points réductible aux deux autres.

Cette acquisition serait de moindre intérêt, il va sans dire, si ces trois attestations étaient chronologiquement très éloignées les unes des autres. Elles ne le sont pas, comme il ressort de l'ensemble des observations sur lesquelles repose la date de la *Did.*, en l'un ou l'autre de ses états. Il reste néanmoins qu'un problème de dépendance littéraire peut être légitimement soulevé à propos de *Did.*, 7:1 et de *Mt.*, 28:19. Celui-ci est-il la source de celui-là? Nombreux sont ceux qui l'ont pensé. Mais leur raisonnement s'encadrait dans une conception générale du problème littéraire de la *Did.* dont la validité ne me paraît plus pouvoir être admise. Si la *Did.* est un document authentique, sans arrière-pensée, et non une construction littéraire artificielle, une instruction comme celle de 7:1 n'avait pas à chercher son appui dans un texte, auquel elle ne fait d'ailleurs aucune allusion. Elle était sur un terrain beaucoup plus solide auprès de ceux à qui elle s'adressait, en s'appuyant sur un usage établi. C'était le recours le plus spontané, comme il est clair par les instructions suivantes, dont on ne saurait faire remonter le détail à d'autres sources. Il n'y a donc aucune apparence que *Mt.*, 28:19 soit ici en cause.

On n'ignore pas, du reste, que la formule « trinitaire » de *Mt.* offre ses propres difficultés, plus grandes même que beaucoup ne semblent croire. L'unanimité de la tradition manuscrite et la quasi-unanimité de la tradition indirecte sont moins décisives qu'on ne le supposerait à première vue. On s'en rendra compte par la comparaison avec un cas analogue, l' « Hosanna à la maison de David » de *Mt.*, 21:15, où il est certain, grâce au témoignage d'Origène sur les manuscrits connus de lui, qu'une importante leçon, très archaïque, contrecarrée par des tendances assimilatrices à l'intérieur du texte et par la liturgie au-dehors, a bel et bien disparu de toute la transmission sans laisser d'autre trace que deux attestations indirectes (voir le détail dans le chapitre de l'introd. consacré à la critique textuelle, 10:6; aussi le comm. *in loc.;* sur l'usage liturgique de l'*Hosanna in excelsis* et son rapport à l'*Hosanna filio*

David, voir J. A. Jungmann, *Missarum sollemnia*, II, 161-167, spécialement n. 42, p. 166, où l'analyse des faits me semble cependant en partie faussée par le postulat implicite que *Mt.*, 21:15 est un texte sans histoire dans les manuscrits; même postulat chez Baumstark, dans l'article auquel l'auteur se réfère). Il n'y aurait pas grand profit à compliquer ici d'une incertitude de surcroît une solution qui suffit par ailleurs aux données dans lesquelles le problème se pose.

L'essentiel a déjà été dit, d'autre part, à propos de l'addition de l'interpolateur (7:2-4). Il ne sera pas inutile, cependant, de préciser encore quelques points. La transition de 7:1 à 7:2 est normale, et c'est probablement ce qui a endormi la critique sur le reste. La préparation au baptême est ainsi renvoyée à la fin de l'instruction (7:4) : ce qui est plus inattendu. Simplement, la composition s'est adaptée à ce qui existait déjà. Cette petite irrégularité, qui ailleurs pourrait être dépourvue de signification, rejoint ici les autres caractères de fond et de forme auxquels l'interpolateur se reconnaît : le « tu » au lieu du « vous », la multiplication des prévoyances de détail, l'attention, en même temps, aux possibilités concrètes de mise en pratique et une certaine souplesse de directive qui nous est déjà bien connue (6:2-3).

Ainsi, la nouvelle instruction n'envisage plus seulement l' « eau vive », ni non plus la seule immersion, comme modalités régulières du rite baptismal. On a l'impression que la règle primitive, trop simple, toujours valide cependant (7:1), avait conduit à de nombreux embarras pratiques. L'interpolateur pourvoit aux adaptations nécessaires : il tranche dans les hésitations et les scrupules. S'il n'y a pas d'eau courante, qu'on baptise avec une autre eau (puits, citerne, etc.). Si quelque motif recommande, en outre, de baptiser dans une eau plus chaude que la température normale, il n'y a pas non plus à cela de difficulté. Si enfin on ne dispose ni d'eau chaude ni d'eau froide en quantité suffisante, qu'on verse simplement un peu d'eau trois fois sur la tête « au nom du Père et du Fils et du Saint Esprit ». Une telle libéralité, aussi brève et aussi nette, pourrait peut-être justement faire envie à des temps plus rapprochés de nous. Au reste, nous vivons encore de cette prompte adaptation ancienne, dont il est intéressant de relever ici la première trace. Le cadre matériel du rite tend à changer. Il passe du plein air aux intérieurs domestiques. C'est ce transfert qui a rendu possible, en fait, tout le développement liturgique postérieur du rite baptismal (l'échelle de pureté des eaux de *Mikw.*, ɪ, 1-8, qu'on a coutume d'évoquer depuis Sabatier à propos de *Did.*, 7:2-3, n'a qu'un rapport lointain avec l'instruction de l'interpolateur : celle-ci est même orientée en sens inverse des préoccupations de la *Mishnah*; il n'y a rien de bien solide non plus à tirer de textes comme *Act.*, 9:18; 22:16,26, pour la pratique du baptême par infusion).

L'instruction de l'interpolateur se préoccupe, pour finir, de la préparation au baptême (7:4). C'est à cette occasion qu'elle nomme le « baptiseur », ὁ βαπτίζων, sans spécifier du reste autrement sa qualité. Aussi bien son propos est-il en ce moment tout autre que rituel. Ce qu'elle a en vue est un jeûne préparatoire dont elle fait une règle (προνηστευσάτω-κελεύεις), non seulement au futur baptisé mais à celui qui l'accueillera dans l'évangile, et une recommandation à ceux qui, au-delà, « pourraient » manifester de cette manière leur union d'attente et de désir. La durée de ce jeûne n'est fixée que pour le baptisé, avec une certaine latitude, au surplus : « un jour ou deux », ce qui est bien dans la tendance de l'interpolateur. Quant à la signification précise d'une telle pratique en regard du baptême, nous en sommes réduits aux vraisemblances offertes par les idées de l'époque. On ne doit cependant pas être bien éloigné de la pensée de l'auteur, en imaginant derrière son instruction la conception du baptême comme une « pénitence-conversion », μετάνοια. C'était le sens du baptême de Jean, dont le sévère jeûne personnel continuait à impressionner la tradition évangélique (*Mt.*, 3:1-12 et par.). C'est aussi le sens qu'a spontanément revêtu le baptême « au nom de Jésus Christ » lors du premier discours de Pierre à Jérusalem, tel que Luc nous a rapporté l'événement : « D'entendre cela, (les auditeurs) eurent le cœur transpercé, et ils dirent à Pierre et aux apôtres : Frères, que devons-nous faire? — Pierre leur répondit : Repentez-vous, μετανοήσατε, et que chacun de vous se fasse baptiser... » (*Act.*, 2:37 s.; voir encore 3:19,26). On retrouve une idée semblable, sous une forme encore plus proche de notre instruction peut-être, dans le récit du baptême de Corneille. Celui-ci était en « prière » dans sa demeure (le cod. *Bezae* ajoute le jeûne), lorsque l'homme en « vêtements resplendissants » qui lui était apparu, lui dit : « Corneille, ta prière a été exaucée, et de tes aumônes on s'est souvenu auprès de Dieu. Envoie donc quérir à Joppé Simon surnommé Pierre » (*Act.*, 10:31; voir 43 et noter que toute la « maison » du centurion est baptisée ce jour-là, 10:44; 11:14). C'est dans le voisinage de cet état de conscience qu'il faut sans doute comprendre l'instruction de l'interpolateur de la *Did.* sur la préparation baptismale. Par cela qu'il est une entrée dans la foi de l'évangile, le baptême est une μετάνοια, un repentir et une conversion, dont les accompagnements ordinaires, dans une tradition déjà ancienne, sont par excellence la prière et le jeûne (voir *Mt.*, 4:17, dans l'inauguration par Jésus de l'annonce du règne de Dieu; *Mc.*, 1:15; 6:12, dans la mission des disciples; *Lc.*, 11:32, à propos du message de Jonas et de la pénitence des Ninivites; aussi 13:5 et comp. *Act.*, 13:24; 19:4, à propos du baptême de Jean, puis 26:16-20, à propos de la mission de Paul; sur la persistance de cet usage, voir JUSTIN, 1 *Apol.*, 61, 2-3; TERTULLIEN, *De bapt.*, 20, 1; d'une façon générale, J. SCHÜMMER, *Die altchristliche Fastenpraxis*, Munster, 1933, pp. 165 ss.).

8:1-3 *Que vos jeûnes n'aient pas lieu en même temps que ceux des hypocrites; ils jeûnent, en effet, le deuxième et le cinquième jour de la semaine; pour vous, jeûnez le quatrième ainsi que le jour de la préparation.* ²*Ne priez pas non plus comme font les hypocrites, mais comme le Seigneur l'a demandé dans son évangile; priez ainsi : Notre Père qui es dans le ciel, que ton nom soit sanctifié, que ton règne arrive, que ta volonté soit faite sur la terre comme au ciel. Donne-nous aujourd'hui notre pain quotidien, et remets-nous notre dette comme nous-mêmes remettons à nos débiteurs, et ne nous fais pas entrer dans l'épreuve, mais délivre-nous du mal. Car à toi appartiennent la puissance et la gloire pour les siècles!* ³*Priez ainsi trois fois le jour.*

L'instruction sur le jeûne ne paraît pas la mieux inspirée du recueil. Pour diriger des chrétiens dans les voies de l'évangile, elle ne trouve rien de plus judicieux à leur proposer que le périlleux sentiment de la « séparation », triste présage de ce que l'église allait bientôt obtenir, lorsque la mission auprès d'Israël serait remplacée par la littérature *adversus Judaeos*. On préférera sans doute l'espérance qui soulève encore certaines pages de l'épître aux Romains. Aucun schisme ni aucune hérésie ne devaient avoir plus de conséquences pour l'histoire ultérieure du christianisme que les choix obscurs qui se devinent derrière cette sorte d'institutionnalisation brouillonne du nouveau « privilège ». La « justice »

changeait de côté, mais ses instruments de défense demeuraient
identiques. Opposer jours à jours comme on avait opposé circoncision à incirconcision, c'était la tentation du plus facile, très
humaine, quand on est lassé d'une autre espérance. On la reconnaît
ici, à vrai dire, à propos d'une pratique très modeste A la décharge
personnelle de l'auteur, nous pouvons penser, du reste, que son
instruction tient compte d'habitudes déjà prises, auxquelles il se
contente d'imprimer la direction qui lui semble convenable.

Non sans vraisemblance, les « hypocrites » ont été identifiés avec
les « pharisiens ». Mais il n'est pas du tout probable que les doubles
jeûnes hebdomadaires leur aient d'abord été propres et ce n'est
pas, en particulier, l'implication directe de la parabole de Jésus
(*Lc.*, 18:9-14). La désignation peut donc avoir ici un sens plus
général, dans la ligne de l'usage ancien du terme, non encore recou-
vert par la signification plus étroite qui a prévalu dans la suite
(voir ci-dessus, à propos de 2:6 et de 4:12). Le contexte du recueil
invite, en outre, à cette interprétation. Le « pharisaïsme » ne paraît
absolument pas être, en effet, une préoccupation spéciale de l'auteur.
Les « hypocrites », ce doit donc être ici, comme à 8:2, tous ceux des
Juifs, pharisiens ou autres, qui ont refusé et qui refusent encore de
croire en l'évangile. Ce sont parmi eux les « incroyants », ἄπιστοι,
quelle que soit par ailleurs leur étiquette (comp. *Lc.*, 12:46; aussi
le sens de l'expression familière au IVe évangile, lorsqu'il oppose
« les Juifs » à ceux qui croient en Jésus).

L'instruction demande que si l'on jeûne, on le fasse non « avec
les hypocrites », qui jeûnent les deuxième et cinquième jours de
la semaine (noter le datif), mais avec ceux qui ont cru en l'évangile
(8:2, par implication; comp. 15:4), à d'autres jours. L'auteur
spécifie les quatrième et sixième (accusatif), ce dernier, veille du
sabbat. Malheureusement, les motifs précis qui ont inspiré le choix
de ces jours nous échappent, et en pareille matière il serait hasardeux d'invoquer des interprétations tardives (spécialement, la
commémoraison de la passion de Jésus, prise à ses deux extrémités;
voir *Didasc.*, v, 14 et comp. CLÉMENT D'ALEX., *Strom.*, vii, 12,
75, 2-3, qui parle des « énigmes » de ces jours, mais dans un sens
moralisant, apparenté aux « stations » d'HERMAS, *Vis.*, v, 1; en
général, voir I. ELBOGEN, *Der jüdische Gottesdienst in seiner geschichtlichen Entwickelung*, pp. 76 s.; J. SCHÜMMER, *Die altchristliche
Fastenpraxis*, pp. 227-236; C. CALLEWAERT, *La synaxe eucharistique
à Jérusalem*, dans *Sacris erud.*, XXX (1940) 299-302; *De wekelijksche Vastendagen*, *ibid.*, pp. 305-328, spécialement pp. 311-312).

Le plus vraisemblable, c'est qu'ils aient été simplement parallèles à ceux qui liaient le jeûne des « hypocrites » aux deuxième et cinquième jours. Or, celui-ci était un jeûne individuel, en dépit d'une reconnaissance commune des jours les plus propices (sur l'arrière-fond de cette reconnaissance, de part et d'autre, et sur sa relation avec les calendriers en usage dans le judaïsme de l'époque, voir A. JAUBERT, *Le calendrier des Jubilés et les jours liturgiques de la semaine*, dans *Vet. Test.*, VIII (1957) 44-61, surtout 52 et 61). Son motif pouvait être l'expiation d'une faute (*Ps. sal.*, 3:8-9), la recherche d'une plus parfaite « justice » (*Jud.*, 8:6; *Lc.*, 2:37, à propos de la prophétesse Anne), ou simplement le désir de rendre la prière plus instante dans le besoin (*Tob.*, 12:8). Le voisinage de l'instruction sur la prière quotidienne (8:2) pointe ici dans la même direction. Il est plus prudent de ne pas s'écarter de cette voie, sauf à ajouter peut-être que le jeûne du sixième jour suppose un certain détachement possible par rapport au sabbat (comp. 14:1; *Jud.*, 8:6, où l'on voit la pieuse veuve s'abstenir de jeûner « les veilles de sabbat, les sabbats, les veilles de néoménies, les néoménies, ainsi que les jours de liesse de la maison d'Israël »; par contre, *Ta'an.*, II, 7 s.). Une intention de commémorer la mort de Jésus, ainsi qu'on l'a suggéré (Callewaert), a toutes chances d'être anachronique dans le contexte, sans parler de la confusion probable des jeûnes privés et publics (sur ceux-ci, dans le judaïsme postérieur, voir surtout *Ta'an.*, II, 1-9).

Suivant une association traditionnelle dans la piété juive, l'instruction sur la prière (8:2) est étroitement soudée à l'instruction sur le jeûne (μηδέ), et elle respire le même esprit. Des deux côtés, l'usage semble confiné, en sa plus grande extension, au cadre domestique (même implication dans *Mt.* et *Lc.* en ce qui regarde la prière du Seigneur). Il n'y a pas lieu de croire, d'autre part, que l'auteur innove plus dans le second cas que dans le premier. La formule qu'il propose est celle du « Seigneur », telle que sont censés la connaître ceux qui ont reçu « l'évangile ». Consciemment et très simplement, l' « instruction » remplit ici auprès des croyants son rôle de διδαχή post-kérygmatique et post-baptismale. Le ὡς ἐκέλευσεν est intéressant à observer du point de vue des « commandements » que la tradition retrouvait dès lors dans « l'évangile ». Le moins qu'on puisse dire, c'est qu'il ne reste pas en deçà de l'impératif de *Mt.*, 6:9 (προσεύχεσθε, ici même). Il s'éloigne encore davantage de la présentation de *Lc.*, 11:1-2, où ce sont les disciples qui demandent à Jésus de leur apprendre à prier comme

Jean l'a fait pour les siens. C'est à *Mt.*, en revanche, que nous ramène la comparaison avec la manière (ὡς) des « hypocrites », mais toujours avec ce léger déplacement de pointe qui suffit en pareil cas à trahir l'indépendance. Les « gentils » (et pour cause!) se sont effacés devant les « hypocrites », qui restent maintenant seuls pour fournir le contraste (comp. *Mt.*, 6:5 et 7). On ne peut s'empêcher, en outre, de rapprocher le μὴ ὡς οἱ ὑποκριταί de l'instruction sur la prière, du μὴ μετὰ τῶν ὑποκριτῶν de l'instruction sur le jeûne. Les deux formules se rencontrent, non seulement dans les mêmes refus, mais dans la même qualité de comparaison et de séparatisme.

Le *Pater* est celui qui nous est connu par *Mt.*, 6:9-13, sauf quelques menues variations de forme et l'addition de la doxologie. Il n'en faut pas davantage néanmoins pour confirmer, en cette partie du recueil, l'implication de la clausule de recommandation de la prière elle-même : « comme le Seigneur l'a ordonné dans son évangile » (comp., dans le second état, 15:3-4, où « l'évangile » est une chose qu'on possède et qu'on a de quelque manière sous la main; pour la position générale du problème, voir, dans l'introd., les ch. consacrés à la composition et aux sources). Il est tout à fait contraire au genre littéraire d'un recueil d'instructions comme celles-ci de supposer à tout moment que l'auteur a dû s'appuyer sur un « texte ». L'exemple des églises, à l'intérieur de l'héritage évangélique commun et des traditions plus anciennes, n'était assurément pas une source moins abondante, ni moins accessible, ni non plus moins autorisée que celle des écrits, sur des points comme ceux qui nous occupent. Il va sans dire, au surplus, que les chrétiens n'ont pas tous attendu la mise en circulation de *Mt.* pour apprendre la prière du Seigneur, comme si un « texte » eût dû la leur « révéler ». Ces sortes de surprises littéraires sont du goût des apocryphes : elles détonnent dans des écrits aussi étroitement liés à leur milieu et aussi sincères avec lui que le sont nos évangiles. Ceux-ci ne se présentent pas à leurs lecteurs comme des « révélations ». C'est donc bien plutôt *Mt.* qui a recueilli ici une tradition et un usage déjà fixés autour de lui. Tout ce qu'il est raisonnable de conclure, dès lors, c'est que la quasi-identité de forme souligne la proximité d'origine dans un milieu et une tradition relativement homogènes. Cette conclusion rend compte de toutes les données. Ajoutons qu'elle est autant que possible confirmée par la doxologie, qui paraît ici indépendante des diverses formes que cette addition a revêtues dans la tradition manuscrite de

Mt., 6:13, et qui s'harmonise de la façon la plus naturelle avec les usages contemporains (voir 10:5, identique; comp. 9:2, 3; 10:2, 4; aussi *Rom.*, 11:36; 1 *Pi.*, 4:11; *Apoc.*, 1:6).

La demande du « pain de chaque jour » (*Mt.* et *Lc.*) indique assez que la prière a été conçue pour la récitation quotidienne et l'on peut penser que ce fut aussi bien l'usage primitif. S'est-on d'abord contenté de la réciter une seule fois? C'est possible. La triple répétition demandée par l'instruction représenterait alors un développement postérieur. Faudrait-il préciser, en outre, que ce développement a été inspiré par un désir de faire pendant à l'*'Amidah*? Un tel propos paraît jusqu'à un certain point vraisemblable, du moins dans la pensée de l'auteur (comp. 8:1, à propos des jeûnes), encore qu'il convienne de prendre garde, en revanche, à un usage qui devait exister avant lui et qui n'avait probablement pas la coloration qu'il lui donne. La prière aux trois principaux moments du jour est un cadre cultuel trop spontané et trop commun pour qu'on ne tienne pas compte ici de cette possibilité. Mais cela dit, il faut s'arrêter là, si l'on ne tient pas à dépenser ses hypothèses en pure perte. Nous n'avons aucun moyen de déterminer des « heures » précises là où l'instruction s'est contentée d'une référence implicite aux usages courants dans son milieu, et où la liberté individuelle, de toutes manières, devait s'exercer assez largement (voir *Ps.*, 55:18; *Dan.*, 6:11,14; sur l'usage de la Communauté de l'alliance, voir *Man. de disc.*, x, 1-3, 9-11, à propos duquel on pourra consulter J. A. JUNGMANN, *Altchristliche Gebetsordnung im Lichte des Regelbuches von 'En Fešcha*, dans *Zeitschr. f. kath. Theol.*, LXXV (1953) 215 s.; voir aussi C. W. DUGMORE, *The Influence of the Synagogue upon the Divine Office*, pp. 65-67; J. STADLHUBER, *Das Stundengebet des Laien im christlichen Altertum*, dans *Zeitschr. f. kath. Theol.*, LXXI (1949) 131 s.; pour le monde gréco-romain, F. CUMONT, *Astrology and Religion among the Greeks and Romans*, New York, 1912, pp. 162 s., dont la suggestion en regard des « heures » chrétiennes paraît cependant trop précise; sur l'arrière-fond de croyances astrales, *Les religions orientales dans le paganisme romain*, 4e éd., 1929, pp. 163 s.).

9:1-10:7 *Au sujet de l'eucharistie, bénissez ainsi.* [2]*D'abord pour la coupe : Nous te bénissons, notre Père, pour la sainte vigne de David, ton serviteur, que tu nous as révélée par Jésus, ton serviteur; à toi la gloire pour les siècles! <Amen.>* [3]*Puis, pour le pain rompu : Nous te bénissons, notre Père, pour la vie et la connaissance que tu nous as révélées par Jésus, ton serviteur; à toi la gloire pour les siècles! <Amen.>* [4]*De même que ce pain rompu, d'abord semé sur les collines, une fois recueilli est devenu un, qu'ainsi ton église soit rassemblée des extrémités de la terre dans ton royaume; car à toi appartiennent la gloire et la puissance pour les siècles! <Amen.>* [5]*Que personne ne mange ni ne boive de votre eucharistie, si ce n'est les baptisés au nom du Seigneur. Aussi bien est-ce à ce propos que le Seigneur a dit :* « *Ne donnez pas aux chiens les choses sacrées* ».

10. *Après vous être rassasiés, bénissez ainsi :* [2]*Nous te bénissons, Père saint, pour ton saint nom que tu as fait habiter dans nos cœurs, et pour la connaissance, la foi et l'immortalité que tu nous a révélées par Jésus, ton serviteur; à toi la gloire pour les siècles! <Amen.>* [3]*C'est toi, maître tout-puissant, qui as créé toutes choses à la gloire de ton nom, et qui as donné en jouissance nourriture et boisson aux enfants des hommes, afin qu'ils te bénissent; mais à nous tu as fait la faveur d'une nourriture et d'une boisson spirituelles et de la vie éternelle par Jésus, ton serviteur.* [4]*Par-dessus tout, nous te bénissons de ce que tu es puissant; à toi la gloire pour les siècles! Amen.* [5]*Souviens-toi, Seigneur, de ton église, pour la délivrer de tout mal et la parfaire dans ton amour. Rassemble-la des quatre vents, cette église sanctifiée, dans ton royaume que tu lui as préparé; car à toi appartiennent la puissance et la gloire pour les siècles! Amen.* [6]*Que la grâce vienne et que ce monde passe! Amen : Hosanna à la maison de David! Que celui qui est saint, vienne; que celui qui ne l'est pas, se repente : Maranatha! Amen.* [7]*Laissez les prophètes prononcer la bénédiction à leur gré.*

L'instruction sur l' « eucharistie » clôt le recueil de la *Did.* en son premier état. Pour autant qu'elle concerne l'espérance propre à l'évangile, elle occupe, dans le premier état du recueil, une situation analogue à celle de l'instruction sur la vigilance du ch. 16, qui clôt la *Did.* en son deuxième état. Il est remarquable, d'ailleurs, que l'instruction sur la vigilance commence précisément par une invitation à une synaxe de vigile dont il est difficile de penser, dans le contexte, qu'elle soit étrangère à celle de l'instruction sur l' « eu-

charistie » (16:1, « Veillez... »; 2, « Assemblez-vous fréquemment,
πυκνῶς συναχθήσεσθε...; comp. 14:1, sur la synaxe dominicale).
Tout cela se tient parfaitement. Aussi bien la position de l'instruction sur l' « eucharistie » est-elle par elle-même emphatique.
Comparée à la position de l'instruction sur le baptême (7:1), elle est
un très sûr indice de la manière dont l'auteur, et son milieu, appré-
ciaient globalement les choses.

Au premier abord, la vaste littérature qui s'est développée autour
des ch. 9-10 de la *Did.* depuis quelque soixante-quinze ans, pour une
part signée des plus grands noms, ne va pas sans inspirer quelque
doute sur la possibilité d'obtenir un meilleur résultat. Le problème n'est-il pas réellement désespéré? Faute de données suffi-
santes pour le résoudre, le plus sage ne serait-il pas de classer une
fois pour toutes le document parmi ces gyrovagues de l'antiquité
dont chacun se sent à peu près libre de faire ce qu'il lui plaît, dans
les limites permises par les simples possibilités, au mieux par les
vraisemblances?

Il me semble cependant que nous sommes dans des conditions
générales d'interprétation meilleures qu'on ne l'a été jusqu'ici.
Le moment ne me paraît donc pas encore venu de nous abandonner
à cette sorte de résignation. D'une part, en effet, l'analyse de
l'ensemble du recueil nous a permis de reconstituer, je crois, avec
certitude, les divers stades de sa composition. Le résultat nous met
ici en mesure d'apercevoir les véritables rapports de l'instruction
sur la synaxe dominicale, au ch. 14, dans le deuxième état du
recueil, et de l'instruction sur l' « eucharistie » des ch. 9-10, dans le
premier état du recueil. Négativement, on peut dire tout de suite
que, les deux instructions étant jusqu'à un certain point indépendantes, la première en date à tout le moins doit pouvoir s'expliquer
par elle-même, sans qu'il soit nécessaire de chercher, au surplus,
des raisons bien mystérieuses à une reprise ultérieure du même
thème, ou, si l'on veut, d'un thème apparenté (14). Du point de vue
de l'intention de l'auteur, les relations entre les deux instructions
sont moins étroites qu'on ne l'a pensé généralement et la distance
qui les sépare dans le recueil s'explique tout entière par les circonstances de composition de celui-ci. Cette distinction des deux premiers états du recueil est capitale pour l'interprétation comparée
de l'instruction sur l' « eucharistie » (9-10) et de l'instruction sur la
synaxe dominicale (14). Faute de l'avoir reconnue, toutes les hypothèses se sont embrouillées dès ce point.

Il faut bien avouer, d'autre part, que la confusion dans laquelle le genre littéraire de la *Did.* a été retenu, en particulier, par le double titre du recueil, a été spécialement préjudiciable à l'intelligence de l'instruction sur l' « eucharistie ». Que n'y a-t-on pas vu, en partant de l'hypothèse de la pseudépigraphie apostolique? Il fallait bien qu'il y eût anguille sous roche et il était interdit même aux choses les plus simples d'avoir un sens naturel. L'instruction a été ballottée ainsi du judéo-christianisme au montanisme, quand elle n'était pas refoulée vers ces marches « écartées » de l'église où l'on imaginait qu'il était plus normal de trouver une « eucharistie » aussi étrange. A moins qu'on ait préféré, comme Lietzmann, faire de l'instruction de la *Did.* l'une des bases essentielles de tout le développement de la liturgie « eucharistique », ce qui supposait, à l'inverse, que le recueil charriait, parmi des matériaux de diverses qualités, au moins quelques pièces plus solides et très anciennes. Combien ces oscillations peuvent recouvrir d'incertitudes sur le genre littéraire du recueil, on a déjà commencé à s'en rendre compte. En réalité, la *Did.* entre tout entière, et sans effort, dans le genre littéraire de l' « instruction » apostolique contemporaine et le titre original du recueil, de son côté, ne fait penser à rien d'autre. Il ne reste, après cela, qu'à prendre chacune des instructions pour ce qu'elle signifie, y compris celle qui nous occupe présentement, suivant les lois ordinaires de la lecture des textes anciens, quoi qu'il puisse advenir par ailleurs de nos premiers étonnements, auxquels il serait certes exagéré d'attribuer la valeur de règles objectives.

Au surplus, s'il y a une « énigme » dans l'instruction sur l' « eucharistie », il ne semble pas, du moins au premier regard, que la faute en soit à une composition mytérieuse. Il y a toute apparence, au contraire, que l'auteur de la *Did.* est simplement resté ici fidèle à ses habitudes et à son propos, tels qu'ils nous sont connus par les instructions antérieures. Il s'appuie sur des usages, ce qui indique assez que les instructions qu'il donne, il n'est pas seul à les donner. Le *Duae viae* auquel il a attaché les quatre instructions qui ont formé tout le premier recueil : baptême, jeûnes hebdomadaires, prière quotidienne et « eucharistie », n'a pas été retouché par lui mais par l'interpolateur, au troisième stade de la formation de l'écrit. C'est à l'interpolateur, comme nous l'avons déjà reconnu, qu'appartiennent 1:3*b*-2:1 et 6:2-3. L'instruction sur le baptême, à son état primitif (7:1), se bornait à donner une formule, sans aucun doute déjà connue, et à indiquer une seule modalité, celle de « l'eau courante », certainement, elle aussi, une modalité très ancienne, même si l'on peut penser qu'elle n'a pas été originellement exclusive. Si l'auteur avait pensé innover sur l'un ou l'autre de ces deux points, il est à croire que son instruction eût revêtu une forme moins dépouillée. Il faut en dire autant de l'instruction sur les jeûnes hebdomadaires (8:1) et sur la prière quotidienne (8:2-3).

Or, il n'y a aucune raison de penser, à première vue, qu'il en aille autrement de l'instruction sur l' « eucharistie ». A y regarder d'un peu plus près, la comparaison de 9:5 avec un détail correspondant de 10:6, εἴ τις ἅγιός ἐστιν, ἐρχέσθω· εἴ τις οὐκ ἔστι, μετανοείτω, met la chose hors de doute. L'auteur de la *Did.* incorpore ici à ses instructions une formule « eucharistique » déjà en usage. Ses seules interventions reconnaissables autour de cette formule sont du genre de celle dont il a entouré la prière du Seigneur (8:2) : une présentation, 9:1, deux indications d'ordre à suivre, 9:2a,3a, une restriction apportée à la participation des non-baptisés, 9:5 (contre l'implication de 10:6), une rubrique de transition, 10:1, et enfin, une direction sur les limites dans lesquelles il entend proposer l'usage de la formule, 10:7. Un des premiers devoirs de l'analyse, en abordant l'instruction sur l' « eucharistie », était donc de distinguer nettement les couches rédactionnelles et d'attribuer à chacun des « auteurs » ses propres responsabilités. On risquait autrement d'engendrer de nouvelles confusions, ce qui, en fait, n'a pas manqué de se produire. La part personnelle de l'auteur de la *Did.* se superpose, en réalité, ici comme en tout le reste du recueil en son premier état, à ce qui fait véritablement le fond de son instruction. C'est dire que les conditions d'origine et d'usage primitif de son « eucharistie » ne sont pas nécessairement de tous points celles de l'usage connu de lui, peut-être en partie différent, en tout cas plus tardif. De toutes manières, il y a une distance à observer, dans le temps comme dans l'espace, qui laisse éventuellement la voie ouverte à des hypothèses autres que celles qu'autoriserait le seul recueil de la *Did.* si tout appartenait au même degré à son auteur.

Il faut bien dire, enfin, qu'on n'a pas été généralement trop difficile sur le choix des catégories littéraires grâce auxquelles on pensait pouvoir percer les secrets de l'instruction sur l' « eucharistie ». Celle-ci a résisté : ce fut sa vengeance. Beaucoup, en effet, se sont contentés, à son propos, de parler de « prières », puis, avec une détermination, de « prières eucharistiques », ou de « prières d'action de grâce », dans lesquelles on distinguait ensuite des « parties » ou des « sections » terminées chacune par une « doxologie », dont la fonction organique passait d'ailleurs le plus souvent inaperçue. Or, ce qui était implicitement en cause dans l'utilisation de pareilles catégories, ce n'était rien moins que le genre littéraire distinctif de ces « prières ». C'eût été merveille que, en de telles conditions, l'anachronisme n'eût pas foisonné dans l'analyse. Le miracle ne s'est pas produit. Les choses ne s'éclairaient guère, au surplus, lorsqu'on entreprenait de parler, dans ce brouillard, de « prières de table, avant et après le repas », de « fraction du pain », d' « agape » et d' « eucharistie ». Pas un de ces termes n'avait un sens défini, je ne dis pas seulement en regard des usages ou des institutions de l'époque, mais d'abord en regard du genre littéraire du texte même qu'on avait sous les yeux. C'était pourtant de là qu'il fallait partir, si l'on voulait mettre de son côté quelque chance d'arriver à l'authentique intention de l'auteur et de rejoindre ensuite les institutions.

Je suis tout prêt à admettre, d'ailleurs, que nous ne disposons pas de catégories « pures », avec lesquelles nous pourrions aujourd'hui analyser « candidement » notre instruction. Ces choses ont vécu comme le reste : les noms qui les désignent les ont inévitablement accompagnées dans leur marche, nouant des liens parfois profonds avec des états de conscience inconnus du passé, perdant souvent du même coup certaines implications spontanées qui les avaient distingués jusque-là pour les échanger contre de nouvelles, à l'intérieur d'équilibres sémantiques dont il serait vain de laisser entendre qu'ils sont absolument immobiles. Non sans crainte d'ambiguïté, je me suis résolu à mettre en avant, en ce qui concerne le genre littéraire, la catégorie de « bénédiction ». Elle me paraît essentielle à une correcte intelligence de tout le problème.

Je me rends bien compte cependant du danger qu'elle présente. Peu de termes sont chargés d'une plus lourde histoire dans l'expression de notre conscience chrétienne. Située à la frontière du sacré et du profane, la bénédiction a partagé les vicissitudes de l'un et de l'autre. A leur tour, ces vicissitudes ont été enregistrées, à travers les siècles, dans l'équilibre sémantique du nom lui-même. Suivant l'usage actuel, la bénédiction est avant tout un rite, dans lequel la parole et le geste se mélangent en proportions variées, et dont on entend spontanément qu'il est accompli au nom de l'église par un ministre en fonction sacrale, en vue de réserver des objets ou des personnes au service de Dieu, ou encore en vue de procurer de la part de Dieu quelque bienfait spirituel ou temporel. C'est, comme on déclare, avec une candeur qui désarme et afflige à la

fois, « le » sens « liturgique » (voir, par exemple, les articles du *Dict.*
de théol. cath., de l'encyclopédie *Catholicisme* et du *Dict. d'arch.*
chrét. et de lit., *s. v.*, tous trois développés entièrement dans cette
ligne, — ce qui, à coup sûr, est moins justifiable pour le dernier
d'entre eux). Mais cette acception sacrale réduit inconsciemment
de plus de la moitié l'acception biblique qui lui a donné naissance,
en dépit des vagues efforts qu'on tente obligatoirement pour faire
de notre « bénédiction » l'héritière directe de la *berâkhâh* ancienne.
Celle-ci, en effet, n'a pas eu d'abord une acception sacrale, mais
religieuse, ce qui est beaucoup plus étendu et qui, de toutes manières,
est autre chose, bien qu'on n'ait pas toujours l'air de s'en rendre
compte. L'équilibre sémantique de la *berâkhâh*, fidèlement reproduit par tous les documents de la période apostolique, a ainsi
reposé pendant très longtemps sur une acception principalement
religieuse du terme, non sur une acception principalement sacrale.
La différence est profonde. Comme, d'autre part, nos termes
d' « eucharistie » et d' « action de grâce » dérivent de la *berâkhâh*
juive, par l'intermédiaire du grec, on aperçoit tout de suite l'intérêt qu'il y aurait pour notre propos à disposer là-dessus de quelques précisions. C'est la seule issue qui me semble s'offrir à l'impasse où s'est trouvée enfermée l'instruction sur l' « eucharistie »
des ch. 9-10 de la *Did.*

* * *

Εὐχαριστοῦμέν σοι : ces deux mots sont le premier et principal
indice du genre littéraire distinctif des « prières » que nous avons
sous les yeux (9:2, 3; 10:2, 4, et sous une forme grammaticale un
peu différente, 10:3). C'est de cette indication qu'il convient de
partir. Mais le problème est vaste. On comprendra que je ne veuille
m'y engager ici que dans la mesure requise par notre sujet.
    Observons d'abord que le grec n'est pas ici celui de la langue
commune, où εὐχαριστεῖν pourrait simplement signifier « rendre
grâce — remercier », mais celui d'une langue spéciale, issue d'une
tradition qui, lorsqu'elle s'est exprimée, ou s'est transposée en grec,
avait assez de vigueur pour infuser dans la langue commune une
foule de nuances que celle-ci ne connaissait pas. Le phénomène
général est d'ailleurs bien connu. Des équilibres sémantiques,
pourtant très fermes dans le grec commun, se sont trouvés complètement renversés dans la langue spéciale du judaïsme d'expression
grecque. Autour d'un même terme, des implications secondaires

sont devenues principales, des nuances ont été perdues, de nouvelles connotations se sont greffées sur les connotations anciennes,
etc. Bref, les modifications sont allées assez loin pour que nous
devions souvent nous défier même de significations qui pourraient
paraître obvies d'après le lexique du grec commun.

C'est le cas, notamment, pour εὐχαριστεῖν. La tendance générale, et spontanée, de notre part, est de lui donner le sens de « rendre grâce » et d'en faire avant tout une expression de gratitude. Il
y a là, je crois, une grave méprise, non seulement sur la conscience
des premières générations chrétiennes, mais sur la conscience de
l'antiquité juive dont ces mêmes générations ont reçu l'héritage.
Comme on pourra s'en rendre compte, les racines de cette erreur
plongent très loin dans notre passé et ses conséquences se font
lourdement sentir sur toute notre interprétation du développement
de la liturgie eucharistique primitive, pour ne mentionner ici que
ce qui est de notre propos immédiat.

S'il faut le regretter, il n'y a d'ailleurs pas à s'étonner outre
mesure qu'un pareil glissement se soit produit, quand on songe aux
conditions dans lesquelles l'église s'est trouvée placée, par la
force des choses, lorsqu'elle perdit sa composante juive originelle.
L'équilibre sémantique d'εὐχαριστεῖν et de son dérivé εὐχαριστία
reposait sur un certain nombre de connotations spontanées qui
surgissaient du tréfonds de la conscience d'Israël. Il était difficile
que ces connotations conservent la même spontanéité dans des
groupements humains qui n'avaient pas traversé, au long des
siècles, les mêmes expériences historiques. On pense, en particulier,
à un certain sens de la création comme fondement des relations
de l'homme avec Dieu et comme dernier appui où se complaît
l'espérance. On pense aussi à une certaine expérience collective
d'un « salut » qui semblait s'opérer, par phases successives, à travers une histoire où éclataient de loin en loin les « mirabilia Dei ».
C'est une chose de « croire » en la création sur une parole qui a servi
à la représenter après coup. C'en est une autre, du point de vue de
l'expérience humaine, d'être arrivé à une telle « foi » avant la parole
elle-même. On pourrait faire une observation parallèle en ce qui
regarde le « salut ».

Nous sommes ainsi portés au cœur de notre problème. Il est
d'abord significatif que les anciennes versions alexandrines aient,
à l'unanimité, choisi εὐλογεῖν de préférence à εὐχαριστεῖν, que
l'usage connaissait déjà, pour représenter l'hébreu בָּרַךְ (employé
surtout au *piel*, sauf le part. passé בָּרוּךְ, *qal*). S'il y avait eu lieu,

elles auraient pu faire une fortune à εὐχαριστεῖν. Elles ne l'ont pas fait. C'est un indice sûr de la manière dont les traducteurs comprenaient la « bénédiction », בְּרָכָה. Celle-ci se tenait avant tout, à leurs yeux, du côté de la « louange » et non du côté de l' « action de grâce » (-remerciement), ce qui ne veut pas dire, certes, que toute expression de gratitude fût, d'autre part, exclue des nombreuses implications du terme.

On peut penser, du reste, que cette traduction ne les a pas trouvés hésitants. Elle n'a dû être pour eux que le reflet naturel d'une dominante de la prière de leur peuple. A cet égard, la traduction εὐλογεῖν ajoute simplement son témoignage à celui d'autres faits dont la signification profonde n'est pas moins claire et qu'il sera utile de souligner ici. Le recueil des psaumes porte en beaucoup d'endroits la marque de la manière dont il était compris au moment où il a revêtu la forme que nous lui connaissons. Son titre, תְּהִלִּם, rendu en grec par ψαλμοί, est révélateur. Il indique par quel côté le recueil retenait principalement l'attention de la piété parmi la diversité de ses genres littéraires (voir, en particulier, le *Ps.* 145, le seul à porter individuellement le titre de תְּהִלָּה; *LXX :* αἴνεσις). C'est le même caractère de « laudes » et les mêmes tendances d'interprétation globale en ce sens que font ressortir les doxologies qui terminent chacune des quatre premières parties du recueil (41:14; 72:18-20; 89 : 52; 106:48). Le *Ps.* 150, qui répond, à la fin, au titre général du livre, n'est lui-même tout entier qu'un invitatoire enthousiaste à la « louange » (non une doxologie, comme le voudrait la *Bible de Jérusalem :* « Doxologie finale »). La signification d'un tel fait dépasse de beaucoup assurément l'histoire littéraire du psautier. C'est un témoignage non équivoque rendu à toute la tradition de prière de l'antiquité juive.

La « bénédiction » se détache sur cet arrière-fond et s'éclaire en partie grâce à lui. La forme est très ancienne. Il ne semble pas, au surplus, qu'elle soit née dans le culte : ses origines ne sont pas sacrales. Lorsque nous la voyons paraître pour la première fois, c'est dans un récit. Elle y exprime un sentiment religieux, mais rien n'indique qu'elle soit dès ce moment engagée en quoi que ce soit de sacré. C'est dans le très bel épisode du cycle patriarcal où le serviteur d'Abraham va chercher dans l'Aram des Fleuves une épouse pour le fils de son maître. Arrivé sur le soir à la ville de Nahor, il fait agenouiller ses chameaux près du puits et adresse au Dieu de son maître Abraham une prière (*Gen.*, 24:12-14). Il importe de remarquer que cette prière demande un signe. Lorsque la rencontre avec la fille de Bétuel se fut produite effectivement selon le signe proposé dans la prière, « l'homme se prosterna et adora Yahvé, et il dit : Béni soit Yahvé, Dieu de mon maître Abraham, qui n'a pas ménagé sa bienveillance et sa bonté à mon maître. Yahvé a guidé mes pas chez le frère de mon maître » (26-27). Le sentiment est d'abord exprimé dans un geste : l'homme se prosterne, en « adoration », comme si l'accomplissement merveilleux du signe l'eût mis soudain en présence du Dieu de son maître. C'est après ce geste que la « bénédiction » monte aux lèvres du serviteur : elle représente, sans aucun doute possible, le sentiment principal, celui dans lequel tous les autres se résolvent. On remarquera que la forme est exclamative : « Béni soit Yahvé! ». C'est un cri d'admiration devant le « merveilleux » du signe accompli. L'essentiel de la « bénédiction » est là. Mais on comprend aussi que cette admiration, dans la circonstance, n'aille pas sans gratitude. Avec une admirable discrétion, celle-ci cependant ne cherche pas à se manifester isolément, par une expression directe. Elle passe tout entière, au contraire, dans la « bénédiction » et en revêt ainsi littérairement la forme exclamative. L' « action de grâce » est recouverte par la louange qui naît spontanément de l'admiration devant le « merveilleux ».

Le sens est encore plus clair, peut-être, dans la « bénédiction » que le narrateur met sur les lèvres de Jéthro au moment où Moïse achève de lui raconter les « merveilles » de l'évasion du peuple : « Jéthro se réjouit de tout le bien que Yahvé avait fait à Israël, de ce qu'il l'avait tiré des mains des Égyptiens. Jéthro dit alors : Béni soit Yahvé qui vous a tirés des mains des Égyptiens et de celles de Pharaon, qui a libéré le peuple de la sujétion égyptienne. Je sais maintenant que Yahvé est plus grand que tous les dieux » (*Ex.*, 18:9-10). Ce dernier trait mérite d'être souligné. Il complète sur un point l'image de la « bénédiction » telle que nous la trouvions dans le récit du serviteur d'Abraham. Le « merveilleux » s'impose à l'attention de tous. Il peut être après coup refusé (l' « endurcissement » des Égyptiens). Mais ceux qui sont droits, ou « justes », reconnaissent son origine. C'est le cas de Jéthro. De là, pour clore la « bénédiction », une sorte de « confession de foi » : « Je sais maintenant que Yahvé est plus grand que tous les dieux ». Ce lien de la « confession de foi » et de la « bénédiction » souligne, dans les formes littéraires, la valeur intrinsèque du « merveilleux » comme proclamation du nom de Yahvé. Ainsi se révèle l'une des associations d'idées les plus importantes à retenir pour le développement ulté-

rieur de la « bénédiction ». Inspirée par une admiration, souvent
mêlée de gratitude, devant le « merveilleux », à quelque degré que
celui-ci se manifeste, la « bénédiction », dans la conscience de l'antiquité juive, ne fut jamais bien loin d'une certaine proclamation
du nom divin. A cet égard, il est intéressant de noter que plusieurs
« bénédictions » sont mises par les narrateurs sur les lèvres d'étrangers : ainsi le serviteur d'Abraham (*Gen.*, 24:27), Jéthro, prêtre de
Madian (*Ex.*, 18:10), et Hiram, roi de Tyr (1 *Rois*, 5:21).

Toutes ces « bénédictions » sont, cependant, des « bénédictions »
individuelles, improvisées dans une circonstance particulière dont
elles reflètent directement le « merveilleux ». Il est bien probable,
sinon certain, en outre, que nous sommes ici aux véritables origines
de cette forme de « prière », l'une des plus pures et des plus durables
qu'ait jamais créées l'âme d'Israël. Elle devait traverser les siècles.
On la retrouve sans changement sensible, quant au fond, sur les
lèvres de Jésus : « Je te bénis, Père, Seigneur du ciel et de la terre,
d'avoir caché cela aux sages et aux habiles et de l'avoir révélé aux
tout petits. Oui, Père, car tel a été ton bon plaisir » (*Mt.*, 11:25 s.;
sur ἐξομολογοῦμαί σοι, pour « Je te bénis », voir ce qui a été dit
ci-dessus de la proclamation du nom de Dieu et de la « confession »
de foi dans leurs rapports avec la « bénédiction »; comp. *Lc.*, 10:21-
22). On sait, d'autre part, quelle place la « bénédiction » individuelle
a occupée dans la piété du judaïsme postérieur, non sans risquer,
cette fois, de tarir par la fréquence même de son usage, la source
vive de son inspiration : le « merveilleux » des œuvres divines (voir
la liste des cent « bénédictions » quotidiennes extraites du Talmud;
elle est reproduite par K. KOHLER, *Benedictions*, dans *Jew. Encycl.*,
III, 10-12; pour l'obligation de leur récitation quotidienne, voir
Men., 43*b*, qui rapporte un enseignement de R. Meir).

Il était naturel, cependant, que le culte attirât un jour à lui
l'antique « bénédiction » (voir 1 *Rois*, 8:56, qui est peut-être significatif à cet égard). C'est ce qui se produisit, en fait, à une époque
qu'il est d'ailleurs impossible de préciser, aussi bien pour le culte
individuel que pour le culte public. Mais les formes et leur signification nous importent ici plus que les dates. La « bénédiction » originelle comprenait, on l'aura noté, deux éléments principaux : la
« bénédiction » proprement dite, « Béni soit Yahvé », ou « Béni sois-tu,
Yahvé », et son motif immédiat, « Béni soit Yahvé, Dieu de mon maître
Abraham, qui n'a pas ménagé sa bienveillance et sa bonté à mon
maître. Yahvé a guidé mes pas vers le frère de mon maître » (*Gen.*,
24:27; pour les autres exemples analysés ci-dessus, voir de nouveau

Ex., 18:10 ; 1 *Rois*, 5:21). Or, de ces deux éléments, c'est évidemment le second qui présentait le plus de virtualités cultuelles. Dès là que la « bénédiction » se détachait de toute circonstance particulière, son motif, en effet, devenait du même coup susceptible d'être développé à même le trésor commun des « mirabilia Dei », tel que la tradition en conservait le souvenir. Pour s'harmoniser à ce développement, la « bénédiction » proprement dite, de son côté, n'avait alors à subir qu'un petit nombre de retouches correspondantes dans la forme (notamment, le passage au style de l'invitatoire), et dans les titres donnés à Dieu. La « bénédiction » pouvait être ainsi une composition relativement étendue, en tendance vers le genre hymnique. Suivant les goûts de la composition hébraïque, il était normal, dans ces conditions nouvelles, que l'ensemble cherchât, en outre, à s'enfermer dans une inclusion.

Telle semble avoir été, en fait, du point de vue littéraire, la genèse et la structure idéale de la « bénédiction » cultuelle. Au terme de son évolution, celle-ci comprend non plus seulement deux, mais trois éléments fondamentaux : la « bénédiction » proprement dite, toujours assez brève, l'anamnèse des « mirabilia Dei », développement plus ou moins prolongé du motif tel qu'il existait déjà dans la « bénédiction » originelle, et enfin, le retour de la « bénédiction » initiale en guise d'inclusion, ou la doxologie. Dans l'emploi qui sera fait ici de ces catégories littéraires, c'est la « bénédiction » proprement dite qui donne son nom au genre littéraire pris en son ensemble.

Nous ne saurions, d'autre part, sans nous écarter de notre propos, analyser ici en détail des exemples particuliers. Je dois me contenter du minimum indispensable. Un bon terrain d'expérience me semble fourni par 1 *Chron.*, 16:4-38, qui utilise dans un contexte cultuel, *Ps.*, 105:1-15 ; 96 ; 106:1, 47-48. Je lis le texte, en accompagnant la lecture de quelques notes. « Bénissez Yahvé » : הוֹדוּ, ἐξομολογεῖσθε, pratiquement synonyme de בּרכוּ, εὐλογεῖτε, qu'on trouve, par exemple, à *Ps.*, 66:8 : « Peuples, bénissez notre Dieu, donnez une voix à sa louange, lui qui rend notre âme à la vie et préserve nos pieds du faux pas » (voir aussi 68:27 ; 96:2 ; 100:4, où les deux verbes se suivent dans un parallélisme très étroit). « Proclamez son nom, jouez pour lui, répétez toutes ses merveilles » : שִׂיחוּ, διηγήσασθε, noter ce verbe, évoquant la « méditation » à la manière de l'antiquité juive. « Tirez gloire de son nom de sainteté : joie pour les cœurs qui cherchent Yahvé. Recherchez Yahvé et sa force, sans relâche poursuivez son visage. » C'est la « bénédiction » proprement dite. Suit alors l'anamnèse des « merveilles » accomplies par Yahvé en faveur d'Israël, *Ps.*, 105:5-15 : « Rappelez-vous quelles merveilles il a faites (זְכֹרוּ, μνημονεύετε : noter le verbe)... Rappelez à jamais son alliance » (comp. *Ps.*, 115:18 : « Il se rappelle... »). Puis, vient l'anamnèse des « merveilles » de la création, suivant *Ps.*, 96:4-13, après une brève invitation à la louange par manière de transition : « Grand, Yahvé, et digne d'être loué, hautement; redoutable, lui, par-dessus tous les dieux! Néant, tous les dieux des nations! C'est Yahvé qui fit les cieux, etc. » Enfin, en inclusion, vient le retour de la « bénédiction » initiale, sous une forme un peu modifiée, empruntée à *Ps.*, 106:1 : « Bénissez Yahvé, car il est bon, car éternel est son amour », — suivie d'abord d'une rubrique adressée à l'assemblée pour l'inviter à une courte supplication : « Dites : Sauve-nous, Dieu de notre salut, etc. », d'après *Ps.*, 106:47; puis, d'une nouvelle « bénédiction », cette fois sous une forme plus proche des modèles les plus anciens : « Béni soit Yahvé, בָּרוּךְ, le Dieu d'Israël, depuis toujours jusqu'à toujours! » L'ensemble se clôt alors sur une dernière rubrique invitant l'assemblée à ratifier toute la « bénédiction » : « Et que toute l'assemblée (le peuple) dise Amen! Alleluia! » (on pourra comparer, ensuite, du point de vue du contexte cultuel, 1 *Chron.*, 29:10-20; on verra aussi, d'une façon plus générale, *Ps.*, 103-106, 118; 135-136, 144-145; *Neh.*, 9:5-37; *Tob.*, 3:11-15; 8:5-8; 11:15-17; *Eccli.*, 50:22-24; 51:1-12, avec l'addition de l'hébr.; *Dan.*, 3:22-90, et enfin, sous une forme plus rigide, les « bénédictions » de l'*Amidah*, recension palestinienne).

A ces données, qui me paraissent être les données de base, je voudrais maintenant ajouter trois remarques complémentaires. On ne peut s'attendre d'abord à ce que la « bénédiction » se présente toujours à l'état pur. Les genres littéraires ne vivent pas en vase clos, pas plus que n'existent isolément les états de conscience et de culture auxquels ils sont liés. Il importe de les analyser avec souplesse. Ainsi arrive-t-il souvent que la « bénédiction » précède ou suive une supplication (voir, par ex., 1 *Rois*, 8:14-61, dont le mouvement est caractéristique; ci-dessus, 1 *Chron.*, 16:35). Dans cet ordre de faits, la forme la plus intéressante à observer pour nous est peut-être un « Souviens-toi » qui paraît répondre, dans la « prière », à l'anamnèse des « mirabilia Dei » dans la « bénédiction » elle-même (ainsi *Ps.*, 106:1-5, « Bénissez Yahvé, car il est bon... Souviens-toi de moi, Yahvé, par amour de ton peuple... »). Il est à propos de noter aussi que les affinités originelles de la « bénédiction » avec la proclamation du nom de Dieu et la « confession de foi » remontent souvent à la surface, de diverses manières, avec ce résultat que la « bénédiction » revêt alors une nuance didactique plus ou moins prononcée (ainsi, par ex., 1 *Rois*, 8:56-61; *Ps.*, 103-104, 107, noter, en particulier le v. 43; *Néh.*, 9:5-37; comp. 8:4-6, du point de vue du contexte, lecture de la Loi par Esdras devant le peuple assemblé; dans le prolongement de cette dernière remarque, on pourra voir encore, en général, les *Hodayoth* de Qumrân, et à propos de leur genre littéraire, les observations de H. BARDTKE, *Considérations sur les cantiques de Qumrân*, dans *RB*, LXIII (1956) 220-233).

Une méprise très commune doit être évitée, d'autre part, en ce qui concerne l'anamnèse. Son thème général est celui des « mirabilia Dei », et c'est à la qualité spéciale de ce thème que répond d'ordinaire l'éclat du revêtement stylistique de la « bénédiction » dans son ensemble. L'admiration perce partout et à tout moment. On le reconnaît sans peine quand il s'agit des merveilles accomplies par Dieu à l'égard de son peuple. Mais une confusion se produit presque infailliblement à propos de la création, lorsque les formes littéraires sont trop réduites pour permettre à l'admiration de se manifester à loisir. La conséquence, c'est que la « bénédiction » n'est plus alors pour nous qu'une « action de grâce » (-remerciement) pour les « bienfaits » des créatures. C'est assurément une erreur. Elle a sévi, en particulier, autour des jugements portés par la critique sur l'instruction « eucharistique » de la *Did.*, et, d'une façon plus générale (hélas!), autour de l'appréciation des valeurs religieuses de la prière juive ancienne. Il faut souligner, au contraire, que l'anamnèse de la création est, elle aussi, dans la structure de la « bénédiction », avant tout une anamnèse de « mirabilia Dei ». C'est dire que l'admiration (gratuite!) y vient au premier rang, ce qui, encore une fois, n'exclut pas la gratitude, mais, en revanche, peut la dépasser immensément. La tradition d'Israël a cru, de façon au moins implicite, et avec raison, semble-t-il, qu'il y avait plus de valeur religieuse dans l'admiration que dans la reconnaissance. C'est ce jugement implicite qu'il faut supposer derrière l'anamnèse de la création, chaque fois que la « bénédiction » évoque ses grandeurs, et même ses « bontés », si discrètement que ce soit. En cela, du reste, la piété juive ancienne se rencontre d'une manière très significative avec le premier récit de la *Genèse*. L'interprétation doit éviter de faire qu'elle le contredise.

Ma dernière remarque, après cela, peut être brève. C'est, en effet,

le même sens général de la « bénédiction », tel qu'il ressort de
l'anamnèse, que souligne, à la fin, l'inclusion lorsqu'elle s'y trouve.
Tout le mouvement de la « bénédiction » tient à ses deux termes.
La substance de sa signification est aussi là. On aperçoit, du même
coup, quelle fonction organique la doxologie a pu revêtir, le moment
venu, par rapport au corps de la « bénédiction ». Littérairement,
la doxologie a pris, en fait, une valeur inclusive semblable à celle
de l'ancien retour de la « bénédiction » initiale, dont elle n'est qu'une
forme cultuelle plus évoluée et plus tardive. Son sens global se
trouve fixé par là même. La signification de la « bénédiction »
initiale et celle de la doxologie s'éclairent et se garantissent ainsi
l'une l'autre.

Cette brève analyse du développement historique et de la structure de la « bénédiction » jette, il me semble, quelque lumière sur
un certain nombre de problèmes assez ardus qui se posent à nous
en regard du genre littéraire de l' « eucharistie » de la *Did.* Elle
nous permet d'abord de fixer avec certitude le sens d'εὐχαριστεῖν,
lorsqu'il est de quelque manière lié au genre littéraire de la « bénédiction ». Tout comme εὐλογεῖν, il en est, du point de vue de la
forme, l'indice principal, et du point de vue du fond, il est clair
qu'il en retient également toutes les implications essentielles.
« Eucharistie » et « bénédiction » deviennent ainsi identiques. On ne
peut penser, en effet, que le passage d'εὐλογεῖν à εὐχαριστεῖν
a eu pour but, ou a signifié au premier moment, un changement de
quelque envergure dans un genre littéraire comme celui de la « bénédiction », qui avait derrière lui une très longue histoire et qui était
encore en pleine vie à l'époque où l'on peut croire que le fait a
commencé de se produire.

Quelques textes à tout le moins nous permettent de nous rendre
compte des conditions réelles dans lesquelles le dédoublement du
vocabulaire grec de la « bénédiction » s'est opéré. Quand Judith a
terminé sa harangue aux anciens de Béthulie décidés à livrer la
ville, elle ajoute : « Pour toutes ces raisons, εὐχαριστήσωμεν
τῷ θεῷ ἡμῶν, ὃς πειράζει ἡμᾶς καθὰ καὶ τοὺς πατέρας ἡμῶν.
Souvenez-vous (μνήσθητε) de ce qu'il a fait à Abraham, de combien
d'épreuves il a usé envers Isaac, de tout ce qui est arrivé à Jacob
en Mésopotamie de Syrie, alors qu'il gardait les brebis de Laban,
son oncle maternel. Car, comme il les éprouva pour scruter leur
cœur, de même ce n'est pas une vengeance que Dieu tire de nous,
mais c'est plutôt un avertissement dont le Seigneur frappe ceux qui
le touchent de plus près » (*Jud.*, 8:25-27). Comment allons-nous

rendre εὐχαριστήσωμεν? « Rendre grâce », dans notre usage actuel, est chargé d'équivoques. Le secours de Dieu n'est pas encore obtenu : il est seulement prédit et espéré. Au reste, les premiers mots de la phrase renvoient à ce qui précède, non à ce qui suit. Les chefs de la ville n'ont rien compris aux voies de Dieu et leur politique à courte vue a été sur le point de tout compromettre par manque de confiance en lui. εὐχαριστεῖν s'oppose à cet état de conscience et le renverse, non pas du côté de la gratitude, comme il est clair, mais du côté de la louange, de la proclamation du nom de Dieu et de la « confession de foi » (par où εὐχαριστεῖν emprunte une partie de ses implications à ἐξομολογεῖσθαι, suivant l'usage des *LXX*; pour le fond, comp. *Is.*, 7:10; *Sag.*, 16:5-7). A partir de ce moment, nous nous retrouvons dans un registre d'expression parfaitement connu. C'est la « bénédiction » ancienne, inchangée. Il n'y manque même pas l'évocation de l'anamnèse, et dans sa forme la plus classique, habilement tournée en explication de la situation présente et en exhortation à imiter les exemples les plus impressionnants du passé : « Souvenez-vous de tout ce qu'il a fait à Abraham, μνήσθητε, etc. ». Il est bien évident, dans ces conditions, qu'il faut traduire ici εὐχαριστεῖν par « bénir », plutôt que par « rendre grâce », dont l'ambiguïté, en ce qui regarde la langue biblique, paraît irrémédiable. Et certes, « bénir » ne paraîtra pas non plus sans défaut, pour peu qu'on ait réfléchi aux graves problèmes pastoraux et théologiques posés par l'emploi que nous en faisons. Il est tout de même nettement supérieur à « rendre grâce ». Au reste, il serait utopique, et tout à fait superficiel, d'espérer rencontrer partout des catégories « pures » en traduction. Il en existe moins que partout ailleurs, sans doute, dans la traduction des textes anciens.

Le sens d'εὐχαριστεῖν demeure le même dans 2 *Macc.*, 1:11. Le verbe se présente au début de la lettre festale invitant Aristobule et les Juifs d'Égypte à la dédicace du Temple : « Sauvés par Dieu de graves périls, écrit-on de Jérusalem, μεγάλως εὐχαριστοῦμεν αὐτῷ de ce qu'il est notre champion contre le roi. Car c'est lui qui a expulsé ceux qui ont marché en armes contre la ville sainte (suit le récit de la délivrance « merveilleuse »); puis en inclusion, à la fin :) En toutes choses, béni soit notre Dieu qui a livré (à la mort) les impies, κατὰ πάντα εὐλογητός ἡμῶν ὁ θεός, ὃς παρέδωκεν τοὺς ἀσεβήσαντας » (17; sur le texte et le problème historique, voir F.-M. ABEL, *Les livres des Maccabées*, Paris, 1949, pp. XXVII s., XL s., et le comm. *in loc.*). A première vue, la mention, en tête de phrase (11), d'une délivrance dont on se félicite, ferait

penser à donner à εὐχαριστεῖν le sens de « rendre grâce », sans plus.
Mais une telle traduction serait aussi inexacte que celle que nous
examinions il y a un instant. Les associations d'idées sont, en effet,
de nouveau celles de la « bénédiction », quoique, cette fois, sous
une forme qui ne paraisse pas être celle de la « bénédiction » cultuelle
(comp. les exemples analysés ci-dessus, *Gen.*, 24:27 ; *Ex.*, 18:10).
Sans doute, la gratitude y est-elle, mais il n'est pas moins clair qu'on
ne s'y arrête pas pour elle-même, comme on peut s'en rendre compte
par le mouvement de la phrase et par le motif « eucharistique »
expressément ajouté à εὐχαριστοῦμεν αὐτῷ. Dieu s'est fait lui-
même le « champion » (παρατασσόμενος) de son peuple dans le
danger. C'est l'introduction attendue, dans le genre littéraire, à un
récit de « mirabilia Dei ». Celui-ci ne manque pas : « Car c'est lui,
continue la lettre, qui a expulsé ceux qui ont marché en armes
contre la ville sainte » (12). Suit alors le détail du châtiment d'An-
tiochus, au niveau de l'observation courante (13-16) ; puis, pour
terminer cette première partie de la lettre, le retour de la « bénédiction » initiale, par mode d'inclusion, sous une forme qui enlève
tout doute sur le sens réel de l'εὐχαριστοῦμεν du début : « En toutes
choses, béni soit notre Dieu, εὐλογητός ἡμῶν ὁ θεός, qui a livré les
impies » (17). C'est « nous bénissons (Dieu) » qu'il faut mettre, et
non pas « nous lui rendons grâce » (noter, en ce sens, l'adverbe
μεγάλως et comp. le κατὰ πάντα de la fin).

2 *Macc.*, 10:7, moins intéressant du point de vue du genre littéraire, est en revanche précieux du point de vue liturgique. On y
voit, en effet, plus clairement que dans aucun des textes évoqués
jusqu'ici, qu'une « eucharistie », autour du Ier siècle avant notre
ère, n'est pas nécessairement réduite à des paroles, même accompagnées de musique et déjà intégrées à un cadre cultuel. L'accompagnement liturgique qui reçoit de l' « eucharistie » son sens principal,
peut revêtir, en fait, toute la variété de formes et d'expressions
que comportait, par exemple, à l'époque, le grand cérémonial de
la fête des Tentes. Du moins est-ce ainsi que l'abréviateur de
Jason de Cyrène a vu les choses et les a présentées à ses lecteurs de
la colonie égyptienne : « Ce fut le jour même où le Temple avait
été profané par les étrangers, écrit-il, que tomba le jour de la purification du Temple, c'est-à-dire le vingt-cinq du même mois qui est
Kisleu. Ils célébrèrent avec allégresse huit jours de fête à la manière des Tentes, se souvenant comment naguère, aux jours de la
fête des Tentes, ils gîtaient dans les montagnes et dans les grottes
à la façon des bêtes sauvages. C'est pourquoi, portant des thyrses,

des rameaux verts et des palmes, ils bénirent celui qui avait mené à bien la purification de son (saint) lieu, ηὐχαρίστουν τῷ εὐοδώσαντι καθαρισθῆναι τὸν ἑαυτοῦ τόπον ». Je lis ηὐχαρίστουν avec A et la recension lucianique, contre Abel *(in loc.)*, qui suit Kappler. La leçon rivale, ὕμνους ἀνέφερον, ressemble beaucoup trop à une glose pour n'être pas suspecte (comp. 3 *Macc.*, 7:16, ci-dessous). Ce doit d'ailleurs être une glose ancienne et elle a au moins le mérite de montrer de quelle manière on entendait εὐχαριστεῖν dans le contexte. Ne se propose-t-elle pas justement de pallier au danger qu'offrait l'usage courant d'εὐχαριστεῖν dans la langue commune? Du point de vue de la conscience juive ancienne, la célébration perd, en effet, plus de la moitié de sa signification si elle est réduite à une manifestation de gratitude. A cet égard, il faut souligner de nouveau le caractère « merveilleux » que présente aux yeux de l'auteur la restitution du Temple à son culte véritable : « Maccabée, avec ses compagnons, recouvra sous la conduite du Seigneur, τοῦ κυρίου προάγοντος αὐτούς, le Temple et la ville et détruisit les autels élevés par les étrangers sur la place publique ainsi que les enceintes sacrées... » (10:1-2), — à quoi répond très exactement, dans le motif de la célébration : « ils bénirent celui qui avait mené à bien la purification de son (saint) lieu » (7).

Il y a pourtant un cas, dans le même écrit, où εὐχαριστεῖν n'implique pas plus que la gratitude (12:31). Mais alors on est dans l'ordre des relations humaines, ce qui change tout. Les Scythopolites sont ainsi « remerciés » par Judas et ses hommes d'avoir fait bon accueil à leurs compatriotes opprimés (dans le même sens, *Eccli.*, 37:11, εὐχαριστία; *Esth.*, 8:12d = 16:4; comp. 2 *Macc.*, 2:27, διὰ τὴν τῶν πολλῶν εὐχαριστίαν, « de façon à obliger tout le monde »). 3 *Macc.*, 7:16, par contre, nous ramène à quelque chose qui ressemble d'assez près à 2 *Macc.*, 10:7 (mises à part les circonstances de cette explosion de joie!) : « Quant à ceux qui s'étaient attachés à Dieu jusqu'à la mort et qui avaient obtenu une délivrance et une sécurité complètes, ils quittèrent la ville couronnés de toutes espèces de fleurs les plus odorantes, avec des cris de joie, par des louanges et des hymnes toutes mélodieuses bénissant le Dieu de leurs pères, le saint sauveur d'Israël, ἐν αἴνοις καὶ παμμελέσιν ὕμνοις εὐχαριστοῦντες τῷ θεῷ τῶν πατέρων αὐτῶν ἁγίῳ σωτῆρι τοῦ ἰσραήλ ».

Je ne puis m'étendre ici sur l'usage de Philon, dont la continuité avec les genres littéraires anciens est de toutes manières à peu près complètement rompue. On se fera une idée de l'étendue et des conséquences d'une telle rupture de continuité dans les genres littéraires en lisant, par exemple, deux morceaux qui offrent un contraste tout à fait piquant avec l'anamnèse ancienne des « mirabilia Dei » : *De spec. leg.*, i, 38, 210-211, en ce qui concerne la création, et *In Flacc.*, xiv, 121-124, en ce qui regarde le « salut ». Ce n'est certes pas un hasard, au surplus, si le phénomène s'accompagne, chez Philon, de la formation d'un équilibre sémantique d'εὐχαριστεῖν-εὐχαριστία très incliné du côté d'une expression de gratitude (voir spécialement *De leg. all.*, i, 26, 80; *De plant.*, xxxi, 130; *Quis rer. div. her.*, xli, 200; *De spec. leg.*, i, 35, 169; 36, 195; 51, 283-284; aussi *De leg. all.*, ii, 24, 95-96; *De mut. nom.*, xxii, 127-128, du point de vue des termes connexes, ἐξομολογεῖσθαι, εὐλογεῖν; comp. *Sag.*, 16:28). L'expérience philonienne, semble-t-il, est ici extrêmement significative, car elle prélude à des phénomènes analogues qui devaient plus tard se produire ailleurs, et à une tout autre échelle.

Ce n'est évidemment pas de ce côté qu'il faut regarder pour comprendre l' « eucharistie » apostolique, y compris celle de la *Did.*, à moins, bien sûr, qu'on veuille se donner le bénéfice des contrastes, ce qui est toujours légitime. A ce propos, on est bien forcé d'avouer que nos lexiques du N. T. sont dans une inextricable confusion et mettent la plupart des textes importants sens dessus dessous (aussi l'article de Th. SCHERMANN, Εὐχαριστία *und* εὐχαριστεῖν *in ihrem Bedeutungswandel bis* 200 *n. Chr.*, dans *Philologus*, LXIX (1910) 375-390, et la thèse de G. H. BOOBYER, « *Thanksgiving* » *and the* « *Glory of God* » *in Paul* (Heidelberg), 1929, auxquels renvoie Bauer; l'ouvrage d. P. SCHUBERT, *Form and Function of the Pauline Thanksgivings*, Berlin, 1939, était mieux orienté que les travaux antérieurs, mais son champ d'observation, du point de vue des formes, est demeuré trop rivé au genre épistolaire pour lui permettre de dépasser l'hypothèse commune). Comment pourrait-il en être autrement? Leurs analyses font attention au contexte immédiat, ce qui s'impose en toute circonstance, mais négligent entièrement les genres littéraires. Or, tous les mots importants du cycle sémantique de l' « eucharistie » : εὐλογεῖν, εὐχαριστεῖν, ἐξομολογεῖσθαι, etc., dès, et à mesure, qu'ils furent adoptés par le judaïsme d'expression grecque, héritèrent, dans l'usage concret, d'une situation déjà depuis longtemps créée par un genre littéraire où l'hébreu lui-même, bien avant le grec, avait établi tout le registre des nuances et tout le réseau des principales implications. Négliger ce fait fondamental, et abstraire unifor-

mément des mots comme ceux-ci de leurs conditions réelles d'existence, c'est livrer pieds et poings liés l'interprétation des textes à
l'anachronisme. On a pu voir, du reste, par les quelques exemples
analysés précédemment et par l'expérience globale de Philon,
ce qui s'est produit dans la sémantique des termes qui nous occupent ici, chaque fois que, pour une raison ou pour une autre, ils
se sont trouvés soustraits à l'influence de l'antique genre littéraire
de la « bénédiction », l'un des plus vivaces, à coup sûr, et des plus
caractéristiques dans lesquels se soit exprimée la conscience d'Israël. C'est la contre-épreuve de l'histoire, autant que les données
dont nous disposons nous permettent de l'observer.

Dans les limites de notre objet, l'usage apostolique d'εὐχαριστεῖν
paraît interchangeable avec celui d'εὐλογεῖν (comp., par exemple,
Mt., 14:19 et 15:36; noter l'hésitation significative de la tradition
manuscrite à 26:26; voir également *Lc.*, 9:16; 24:30 et 22:17, 19;
1 *Cor.*, 14:16). L'alternance de ces deux verbes, en contexte identique et en référence au même genre littéraire de la « bénédiction »,
reproduit simplement, en réalité, le parallélisme que nous avons
déjà pu constater dans l'exemple remarquable qu'en offre 2 *Macc.*,
1:11-17. La constatation brute des faits ne saurait d'ailleurs prêter
à discussion et leur implication est, d'autre part, trop immédiate
pour laisser place au doute. Aussi ce point est-il communément
admis. Là où la difficulté commence, pour nous, c'est lorsqu'on
détermine implicitement le sens d'εὐλογεῖν par celui d'εὐχαριστεῖν,
après avoir tacitement supposé que le sens de celui-ci peut être
emprunté sans plus à l'usage de la langue commune, nul compte
n'étant tenu du genre littéraire dans lequel, par référence, l'un et
l'autre verbe se trouve engagé. Mais nous nous sommes précédemment assez expliqué là-dessus pour que notre position soit maintenant claire. C'est εὐλογεῖν, au contraire, qui détermine εὐχαριστεῖν,
à l'intérieur du genre littéraire de la « bénédiction », dont
personne ne mettra en doute, au surplus, qu'il était familier à la
génération apostolique. Nous avons affaire ici à une langue spéciale,
et non simplement à la langue commune. Très caractéristique, à
cet égard, est l'emploi d'εὐχαριστία en pleine doxologie, *Apoc.*,
4:9, καὶ ὅταν δώσουσιν τὰ ζῷα δόξαν καὶ τιμὴν καὶ εὐχαριστίαν τῷ
καθημένῳ ἐπὶ τῷ θρόνῳ, τῷ ζῶντι εἰς τοὺς αἰῶνας τῶν αἰώνων,
πεσοῦνται κτλ.; 7:12, ἀμήν, ἡ εὐλογία καὶ ἡ δόξα καὶ ἡ σοφία καὶ ἡ
εὐχαριστία καὶ ἡ τιμὴ καὶ ἡ δύναμις καὶ ἡ ἰσχὺς τῷ θεῷ ἡμῶν εἰς τοὺς
αἰῶνας τῶν αἰώνων. ἀμήν. C'est, peut-on dire, la pointe extrême
de la tendance sémantique de tout le groupe de termes dis-

tinctifs de la « bénédiction » (comp. *Lc.*, 17:16-19; *Jn.*, 11:41).

Tel est le fait, sous son aspect le plus général. Comme on pouvait s'y attendre, Jésus lui-même, et la génération apostolique après lui, ont hérité des habitudes et des moyens d'expression créés par la « bénédiction » ancienne. La tradition passe à travers eux, profondément renouvelée et enrichie dans son contenu, certes, mais identique à elle-même et ininterrompue dans sa forme. C'est dans cette perspective, me semble-t-il, qu'il faut comprendre, en particulier, deux détails des récits de l'institution de l'eucharistie, qui ont été tirés en tous sens, le premier surtout, et qui doivent être éclaircis, s'il est possible, avant d'aborder l'instruction de la *Did.* Tous deux entrent à leur place dans le genre littéraire de la « bénédiction ». Il n'y aurait donc pas lieu, en soi, de les discuter séparément. Dans l'intérêt de la clarté, cependant, il me semble plus convenable de les prendre l'un à la suite de l'autre.

Je commence par le plus décisif. Dans son instruction aux Corinthiens relative aux assemblées eucharistiques (« instruction » au sens propre, διδαχή, ce qui est important pour mesurer ici l'intention de l'auteur), Paul est conduit à rappeler la « tradition » sur laquelle s'appuyait tout ce qu'il a « transmis » en ce qui concerne la « cène du Seigneur ». A un récit qui s'accorde en substance avec ceux de *Mt.*, 26:26-29, *Mc.*, 14:22-25 et *Lc.*, 22:14-20, il ajoute ce qu'on appelle communément l' « ordre de réitération », d'abord à propos du pain : τοῦτο ποιεῖτε εἰς τὴν ἐμὴν ἀνάμνησιν, puis, à propos de la coupe : τοῦτο ποιεῖτε, ὁσάκις ἐὰν πίνητε, εἰς τὴν ἐμὴν ἀνάμνησιν (1 *Cor.*, 11:24-25). Le même « ordre de réitération » est reproduit par Luc, en des termes identiques à ceux de Paul, mais à propos du pain seulement (*Lc.*, 22:19; je n'ai pas à me prononcer ici sur le problème textuel posé par la transmission de *Lc.*, 22:19b-20; il me suffit pour le moment que le texte long témoigne, à sa manière, d'un usage liturgique particulièrement proche de la tradition paulinienne; sur toute cette question, voir surtout P. BENOIT, *Le récit de la cène dans Lc.* XXII, 15-20, dans *RB*, XLVIII (1939) 357-393; J. JEREMIAS, *The Eucharistic Words of Jesus*, Oxford, 1955, pp. 87-106; H. SCHÜRMANN, *Lk 22, 19b-20 als ursprüngliche Textüberlieferung*, dans *Bibl.*, XXXII (1949) 364-392; 522-541). Comment faut-il l'entendre?

La tendance générale, favorisée par le silence de *Mt.* et de *Mc.*, est d'isoler l' « ordre de réitération » de ce qui précède et de le traiter en conséquence. La pointe extrême, en cette direction, me semble représentée par J. Jeremias, qui propose d'entendre ποιεῖτε dans

le sens strict de l' « action » eucharistique, abstraction faite des
« paroles » qui accompagnent la distribution du pain et la présentation de la coupe (*op. cit.*, pp. 161 s.). Sur la même voie, on a pu
également suggérer d'entendre l' « ordre de réitération » comme une
« rubrique », dont l'omission dans *Mt.* et dans *Mc.* ne saurait causer
beaucoup de surprise : « On ne récite pas une rubrique, on l'exécute »
(ainsi spécialement P. BENOIT, *art. cité*, p. 386; voir en outre, du
même auteur, l'importante recension de l'ouvrage de Jeremias,
2 éd., dans *RB*, LVIII (1951) 132 ss.). Mais ne sommes-nous pas
ici de nouveau plus ou moins victimes de la perte de certaines implications, autrefois spontanées, du terme qui, à mon avis, du point
de vue des formes cultuelles, domine tout le contexte, en dépit de
la position subordonnée qu'il occupe du point de vue grammatical ?
Une « eucharistie » (εὐχαριστήσας, *Mt.* et *Mc.*, pour la coupe,
Lc. et Paul pour le pain, ὡσαύτως pour la coupe), qui n'est rien d'autre, en fait, qu'une « bénédiction » (εὐλογήσας, *Mt.* et *Mc.*, pour
le pain), comporte, de soi, une anamnèse, plus ou moins développée,
mais toujours présente, comme il ressort à l'évidence de toute l'histoire de ce genre littéraire depuis ses origines jusqu'au temps où nous
reportent les récits qui nous occupent. Privée de cet élément, une
« eucharistie », ou une « bénédiction », devient une doxologie, et
de fait, il y a tout lieu de croire qu'historiquement la doxologie
est née de la « bénédiction » par dissociation de son anamnèse
(voir ci-dessus l'analyse des textes; les doxologies de l'*Apoc.*
pourraient fournir ici un bon terrain d'observation). Mais on ne
peut supposer que, dans nos récits, le couple εὐλογήσας-εὐχαρισ-
τήσας représente une doxologie plutôt qu'une « eucharistie » ou
une « bénédiction ». Dans ces conditions, la conséquence est immédiate. Exprimée ou non, l'idée d'anamnèse est de toutes manières
incluse dans celle de « bénédiction » ou d' « eucharistie », si bien que
l'addition de Paul et de Luc ne fait, en réalité, qu'expliciter, et
préciser (à l'usage des gentils?), ce qui se trouve déjà dans εὐλογήσας
et εὐχαριστήσας, et que des milieux familiers, par continuité
directe de tradition, avec les formes cultuelles du judaïsme pouvaient fort bien comprendre correctement sans qu'on le leur dise.
J'ajoute, en m'appuyant toujours sur nos analyses antérieures (spécialement 2 *Macc.*, 10:7), qu'au premier siècle de notre ère une
« eucharistie » n'est pas nécessairement réduite à des paroles :
ce peut être tout aussi bien, et même davantage, une action liturgique complète, paroles et gestes réunis, indissolublement liés
pour le sens (préludant, en cette direction : l'accompagnement

instrumental de certaines « bénédictions » du recueil des psaumes; spécialement, le grand invitatoire que constitue notre *Ps.* 150).

Ces observations, il me semble, aident à comprendre le τοῦτο ποιεῖτε εἰς τὴν ἐμὴν ἀνάμνησιν de Paul et de Luc. Elles mettent en garde contre un usage peut-être trop rigide, « juridique », des catégories de « rubrique » et d' « ordre de réitération ». C'est, en fait, une très simple et très naturelle explicitation de l' « eucharistie » que Jésus avait laissée à ses disciples avant de les quitter. On peut même se demander si, dans les circonstances originelles, et dans le monde juif, il était bien nécessaire qu'une telle explicitation fût souvent répétée, ce qui rendrait assez bien compte du silence de *Mc.* et de *Mt.* en même temps que de l'insistance de Paul et de Luc.

L'histoire du genre littéraire, et, plus tard, de la forme cultuelle de la « bénédiction » nous permet, en outre, de préciser un second point dont l'importance est fondamentale dans tout le problème des origines de notre « eucharistie ». De façon constante, en effet, l'anamnèse « eucharistique », dans la variété d'exemples que nous avons analysés, est une anamnèse de « mirabilia Dei ». A cet élément de fond, nous avons rattaché, en particulier, la forme exclamative originelle de la « bénédiction » (« Béni soit Yahvé! »), puis, les invitatoires à la louange et le style enthousiaste des grandes « bénédictions » cultuelles (spécialement, *Ps.*, 105). A cet égard, nous avons souligné enfin que l'observation valait tout autant pour l'anamnèse de la création que pour celle des œuvres merveilleuses accomplies par Dieu en faveur d'Israël (voir de nouveau *Ps.*, 111).

Pour quelle raison renoncerions-nous maintenant aux suggestions impliquées dans ce fait global? Il est hors de propos de rapporter ici l'anamnèse (εἰς τὴν ἐμὴν ἀνάμνησιν) à une commémoraison funèbre destinée à faire revivre le souvenir d'un disparu, dans le genre de ce qui se pratiquait dans le monde gréco-romain (en particulier, Lietzmann; voir les références et les principaux textes épigraphiques relatifs à cet usage dans J. JEREMIAS, *The Eucharistic Words of Jesus*, p. 160). Il suffit de songer à ce qu'a été la « bénédiction » dans la piété et la conscience juives anciennes pour reconnaître le contresens : il est complet. Plus récemment, J. Jeremias a proposé de donner à la formule un sens impératratoire : « Faites ceci pour que Dieu se souvienne de moi » (*op. cit.*, pp. 159-165). Il cite à ce propos *Did.*, 10:5 (p. 164), qui est bien, en effet, une supplication. Mais nous sommes ici, avec le εἰς τὴν ἐμὴν ἀνάμνησιν, dans une « eucharistie », ou une « béné-

diction », non dans une demande. Il est vrai que la « bénédiction »
ancienne, comme nous l'avons déjà fait observer, est assez souvent
précédée ou suivie d'une véritable prière. C'est, du reste, le cas
de *Did.*, 9:4 et 10:5. Mais le passage du style de la « bénédiction »
à celui de la « supplication » est généralement facile à observer, ce
qui montre bien que les genres ne doivent pas être confondus.
L'anamnèse de la « bénédiction » peut appeler, corrélativement,
une prière (μνήσθητι) qui demande à Dieu de « se souvenir » en
retour. Ce sont toutefois deux choses fort différentes. Ne les confon-
dons pas (voir, en particulier, le mouvement très caractéristique
à cet égard de *Ps.*, 106:1-5, et les remarques que nous avons faites
à ce propos ci-dessus; comp., en outre, εἰς ἀνάμνησιν, dans la
titulature des *Ps.* 38 et 70, où il est évident qu'il s'agit de la prière
proprement dite).

Il suffit, au contraire, de demeurer à l'intérieur du genre littéraire de la « bénédiction » et des formes cultuelles qui lui sont liées,
pour que tout s'explique sans peine. Dans la pensée de Paul et
de Luc, ce que Jésus a demandé aux siens dans le renouvellement
de son « eucharistie », ce n'est pas de se souvenir de lui lorsqu'il
serait disparu, ni non plus de prier le Père de se souvenir de son
Messie, mais bien de rappeler en louange les « merveilles » accomplies
par Dieu dans l'évangile. L'ancienne anamnèse « eucharistique »
de la création et des « merveilles » de Dieu à l'égard de son peuple
touchait sa « plénitude » dans l'anamnèse nouvelle. Les relations
de l'une et de l'autre étaient identiques aux relations générales de
l'évangile et de l'ordre ancien. L'anamnèse de l' « eucharistie »
nouvelle répondait au plein accomplissement des desseins de Dieu
en Jésus, « jusqu'à ce qu'il vienne » de nouveau, dans la gloire,
comme les disciples l' « avaient vu partir vers le ciel » (*Act.*, 1:11).

L'idée était simple et profonde. Elle avait d'innombrables appuis
dans la tradition juive la plus lointaine, reflétée encore de tant de
manières dans la conscience des contemporains de Jésus. Elle n'en
avait pas moins dans les événements immédiats qui avaient marqué
le passage de Jésus lui-même. L'évangile était « l'évangile de Dieu ».
La persuasion que l'action et la parole de Jésus (*Act.*, 1:1), sa mort
et sa résurrection, avaient définitivement surpassé toutes les « merveilles » anciennes, éclate à tout moment dans les témoignages
directs qui nous en sont restés. Lorsque Luc raconte la descente
de l'Esprit sur la petite assemblée des Douze à Jérusalem, il note
en premier lieu le phénomène des « langues », puis, la présence dans
la Ville sainte d' « hommes pieux venus de toutes les nations qui

sont sous le ciel »; puis, l'étonnement de ces étrangers d'entendre
« publier dans leur langue les merveilles de Dieu, τὰ μεγαλεῖα τοῦ
θεοῦ ». C'est alors qu'il introduit le premier discours de Pierre,
dont on sait quelle sera la déclaration essentielle : « Que toute la
maison d'Israël le sache donc avec certitude : Dieu l'a fait Seigneur
et Christ, ce Jésus que vous, vous avez crucifié » (*Act.*, 2:1-36).
Le mouvement de ce récit autant que son contenu dit ici à peu près
tout ce qu'il importe de comprendre. L'anamnèse « eucharistique »
ne pouvait être, et n'a dû être, en fait, primitivement, que la résultante et la forme cultuelles des « merveilles » et de l' « admiration »
qui remplissaient l'annonce de l' « évangile de Dieu ». Refuser à
Jésus, d'autre part, la pensée d'avoir mis lui-même, de quelque
manière, ses disciples sur cette voie avant de les quitter, équivau-
drait, dans ces conditions, à lui dénier la conscience même de son
action parmi les siens (comp., dans l'*Apoc.*, dont les attaches liturgiques sont si nettes, la fonction des grandes doxologies par rapport
aux « merveilles de Dieu » dans l'église, avec la part qui y est naturellement faite à Jésus; aussi, l' « admiration » si caractéristique
qui entraîne tout le récit des *Actes*, sans parler des évangiles, en
somme, tout le κήρυγμα).

Le second détail dont nous devions nous occuper ne se trouve
que dans Paul. Il est d'ailleurs relié, du point de vue littéraire, à
celui qui a fait l'objet de nos précédentes remarques. Il doit donc
normalement s'entendre dans la même ligne. Il sera utile, cependant,
à l'intelligence de notre instruction de la *Did.* que nous n'en restions
pas à cette généralité.

Après avoir brièvement évoqué la « tradition » relative à la
« cène du Seigneur », Paul continue en reprenant le fil de son « instruction » : « Chaque fois en effet, écrit-il, que vous mangez ce pain
et que vous buvez cette coupe, vous proclamez la mort du Seigneur,
jusqu'à ce qu'il vienne, τὸν θάνατον τοῦ κυρίου καταγγέλλετε, ἄχρι
οὗ ἔλθῃ » (1 *Cor.*, 11:26). Le détail qui nous intéresse ici, du
point de vue du genre littéraire de l' « eucharistie » et des formes
cultuelles qui s'y rattachent, est celui de la « proclamation de la
mort du Seigneur, jusqu'à ce qu'il vienne ». Concrètement, dans
l'ensemble de l' « eucharistie-bénédiction », à quoi faut-il rattacher
une telle « proclamation », dont le double objet, d'autre part, doit
être tenu en équilibre? En premier lieu, rappelons que la mort
qui est « proclamée » dans l' « eucharistie », n'est pas la mort de
Jésus mais la « mort du Seigneur », de même que le repas n'est pas
non plus le repas de Jésus, purement et simplement, mais le « repas

du Seigneur » (la forme adjectivale, κυριακόν, 20, est significative),
ce qui est nécessaire, en particulier, pour qu'une attente de son
retour (« jusqu'à ce qu'il vienne ») signifie vraiment quelque chose.
Tel est, de façon précise et dans son exact équilibre, l'objet de la
« proclamation ».

Sa forme est moins facile à saisir. La plupart restent d'ailleurs
là-dessus dans le vague. Et certes, il est bien impossible de restituer
ici les formes avec précision. Elles ne nous ont pas été transmises.
L'histoire de la « bénédiction » ancienne, dont la nouvelle « eucharistie » est l'héritière, nous fournit cependant quelques renseignements généraux qui ne paraissent pas du tout négligeables. Nous
avons observé, en effet, que la « bénédiction » ancienne, en raison
même de l'objet propre de son anamnèse, les « mirabilia Dei »,
revêtait volontiers, par moments, la forme d'une « proclamation »
du nom de Dieu dont le corrélatif normal était une sorte de « confession de foi », à tout le moins souhaitée (voir, en particulier, *Ex.*,
18:9-10 et *Ps.*, 105:1). L'idée de fond est très commune : Dieu se
fait reconnaître à ses « merveilles » (tout le récit de l'exode; aussi
Ps., 115:1-2). C'est cette double valeur de la « bénédiction » comme
anamnèse des « mirabilia Dei » et comme « proclamation » du nom
de Dieu que représente spécialement l'emploi d'ἐξομολογεῖσθαι
dans les versions alexandrines, lorsque le verbe entre dans le genre
littéraire qui nous occupe ici (comp. *Phil.*, 2:11, et noter le contexte).
Mais alors, qu'y a-t-il d'étonnant à ce que nous retrouvions cette
double valeur attachée à l' « eucharistie » nouvelle? Son anamnèse
propre était celle des « merveilles de Dieu » dans l'évangile, et avant
tout, parmi celles-ci, de la mort et de la résurrection du « Seigneur »,
fondement de l'espérance de son retour, la seule des « merveilles
de Dieu » qui restât encore à venir pour que tout le dessein originel
soit vraiment achevé. Or, une telle anamnèse ne pouvait, en fait,
que coïncider avec la substance reconnue du κήρυγμα. On voit où
se faisait le passage. En réalité, le κήρυγμα était en communication
directe, non seulement avec la confession de foi baptismale, mais
encore avec l'anamnèse « eucharistique ». Ainsi était-il simplement
naturel qu'il partageât avec celle-ci, en particulier, sous le mode
de la louange, la « proclamation de la mort du Seigneur, jusqu'à
ce qu'il vienne » (comp. l'emploi ancien de *praedicare, praedicatio,
praefatio*, autour de ce qui est devenu notre « préface », en un sens
certainement très obscurci, mais qui prolonge de façon encore bien
reconnaissable l' « eucharistie » primitive; à titre de jalon, en ce
qui regarde le changement des formes, voir *Trad. apost.*, iv, 1-13;

sur le problème linguistique, A. BLAISE, *Dict. lat.-fr. des aut. chrét.*, *s. vv.*; J. A. JUNGMANN, *Missarum sollemnia*, II, pp. 123-125; C. MOHRMANN, *Sur l'histoire de Praefari-Praefatio*, dans *Vig. christ.*, VII (1953) 1-15).

Faisons un dernier pas, pour nous assurer, autant que possible, que nous avons jusqu'ici touché juste. Lietzmann s'est un jour représenté Paul présidant le repas du Seigneur. Il mettait sur ses lèvres une « eucharistie » semblable à celle d'Hippolyte, forme et contenu (*Messe und Herrenmahl*, pp. 179 s.). C'était pour lui, comme on sait, une manière de montrer l'étroite continuité liturgique de Rome et de Corinthe. Et sans doute, quant à l'essentiel, une telle continuité n'est-elle pas contestable, encore qu'elle soit moins exclusive que Lietzmann ne l'ait cru et que, d'autre part, elle s'accompagne de maints changements qui paraissent avoir échappé à son attention.

Mais n'est-ce pas chercher au loin ce qu'on avait tout près et dans des conditions de continuité encore bien meilleures? *Éph.* constitue jusqu'à un certain point un cas à part dans le recueil des lettres pauliniennes. Écartons pour le moment une brève en-tête, qui ne semble même pas avoir prévu de destinataires localisés avec précision (1:1-2), et un mot plus personnel à la fin (6:21-22), parallèle à *Col.*, 4:7, quoique un peu moins circonstancié. Le reste de l'épître se divise en deux parties, dont la seconde appartient au genre de l' « instruction » (4:1-5:20, 23-24). Ce qui est frappant, de notre point de vue, c'est que sa première partie (1:3-3:21), très liée de toutes manières au χήρυγμα paulinien, non seulement s'encadre dans les formes propres à la « bénédiction » (1:3-14 et 3:20-21), mais adopte son mouvement distinctif et revêt la plupart de ses caractères essentiels. L'ensemble donne l'impression d'une longue « bénédiction », à certains moments inclinée vers le genre épistolaire et somme toute analogue aux modèles anciens (comp. spécialement, ci-dessus, la lettre festale de 2 *Macc.*, 1:10-17), compte tenu de la transposition évangélique : au début, dans la « bénédiction » proprement dite, « Béni soit le Dieu et Père de notre Seigneur Jésus Christ »; dans l'anamnèse, le « mystère » de l'évangile tel qu'il était caché en Dieu dès « avant la création du monde » et tel qu'il devait se réaliser dans le Christ lorsque « les temps seraient accomplis » (1:4, 9; 3:3,4,9; comp. l'anamnèse de la création dans les « bénédictions » anciennes et noter que le « mystère » est ici, avant le temps, ce qu'avaient été et ce que sont encore, dans le temps, les « mirabilia Dei », en faveur d'Israël, d'une part, 1:11-12; et du peuple

que Dieu s'est maintenant acquis, d'autre part, 1:13-14); à la fin,
la doxologie « dans l'église et dans le Christ Jésus » (3:20-21; comp.
l'expression « à la louange de sa gloire », 1:6, 12, 14, éminemment
caractéristique de l'intention principale de toute « bénédiction »).
En outre, pour une bonne part, sinon pour tout, la chaleur admira-
tive du ton, la lenteur méditative du style, l'ampleur des horizons
qui donne à cette partie de la « lettre » son caractère de synthèse du
κήρυγμα paulinien, le passage spontané à la prière, transposée en
formules optatives (1:17-23; 3:14-19), s'expliquent d'eux-mêmes
si nous sommes devant une « bénédiction » utilisée à des fins d'enseignement, ou mieux encore peut-être, devant une liturgie
didactique dominée par une « bénédiction-eucharistie ». Aucun
de ces phénomènes, en soi, ne peut causer de véritable surprise,
quand on a devant les yeux les invitatoires des grandes « bénédictions » anciennes, dont la densité de sentiment s'exprime si volontiers dans une sorte de parallélisme accumulatif, et aussi ces
longues anamnèses de « mirabilia Dei » qui, en partant de la création,
repassent avec tant de complaisance tout le dessein de Dieu, non
sans prendre du même coup une tournure d'enseignement indirect,
conformément aux liaisons habituelles de la « bénédiction », des
« mirabilia Dei » et de la « proclamation » du nom de Dieu (spécialement, *Ps.*, 103-106; aussi l'arrangement de 1 *Chron.*, 16:8-36,
analysé ci-dessus, et celui de 1 *Rois*, 8:14-61; du point de vue des
tendances didactiques, *Ps.* 78, noter le début et comp. le « mystère »
de *Éph.*, 1:4,9; 3:3, 4, 9; pour la proclamation du nom dans les
« mirabilia », *Ps.*, 96; 98:1-4; 99:1-3).

Bref, s'il y a un endroit où l'on peut penser apercevoir quelque
chose de l' « eucharistie » paulinienne, c'est ici. Pour en reconnaître
les formes et en suivre avec sécurité le mouvement, il est nécessaire toutefois de tenir compte, non seulement de ses attaches au
κήρυγμα et de son contenu évangélique, mais aussi de son essentielle
continuité de sentiment et de son exacte continuité de forme avec
la « bénédiction » ancienne. Il nous reste à voir si, toutes proportions
gardées, l' « eucharistie » de la *Did.* ne s'expliquerait pas, elle aussi,
par des continuités et un renouvellement analogues.

*
* *

Avec l'histoire du genre littéraire à l'arrière-fond, la composition et la signification générales de l' « eucharistie » de la *Did.* appa-

raissent d'abord sans ambiguïté. C'est un premier gain et il est décisif. La liturgie que nous avons sous les yeux n'est pas faite simplement de « prières », ni non plus avant tout de « prières d'action de grâce » qui « remercieraient » pour des « bienfaits » reçus. Encore moins 9:2-3 pourrait-il être une bénédiction « de » la coupe et « du » pain, un *Benedicite* (Sabatier), dont 10:2-4 offrirait la contrepartie en gratitude après le repas, les *Grâces* (« prières de table », « bénédictions de repas »). Le dernier degré dans ce genre de méprises anachroniques serait bien de parler de « consécration », à un moment ou à l'autre, en relation avec ces « prières », et corrélativement de « communion » au sens qui nous est familier (par ex., autour du κατεσκήνωσας de 10:2). Pas un mot, soit de l'auteur de la *Did.*, soit de la liturgie qu'il rapporte, ne recommande, au premier abord, un emploi tel quel de ces catégories à propos du genre littéraire et des formes cultuelles engagés dans notre instruction.

Le genre littéraire est indiqué avec précision par εὐχαριστοῦμέν σοι, qu'il ne faut pas traduire par « nous te rendons grâce », mais par « nous te bénissons », si l'on veut autant que possible éviter l'amphibologie. C'est une « bénédiction », comme on a d'abord dit en hébreu, ou une « eucharistie », comme on a dit ensuite en grec, avec un sens qui demeura longtemps identique pour l'une et l'autre désignation.

La relation au motif de la « bénédiction », d'autre part, est marquée par ὑπέρ avec le génitif (hébr., עַל), dont le sens est très proche de celui de περί, sans se confondre cependant tout à fait avec ce dernier (pour les formes de l'hébreu, voir, par ex., *Ber.*, VI). Il s'agit d'un motif, et non d'un pur et simple objet. La meilleure traduction française serait « pour », qui marque le motif aussi bien dans la louange que dans la gratitude, et qui pour cette raison, suivant le contexte, pourra utilement souligner la seconde nuance sans détruire la première, qui demeure toujours principale.

Sous la relation de motif, la préposition introduit l'anamnèse, qui n'est rien d'autre, en fait, que le développement cultuel du motif de la « bénédiction » spontanée, inspirée par le choc des circonstances immédiates (voir, ci-dessus, nos remarques autour de *Gen.*, 24:27 ; *Ex.*, 18:9-10 ; *Mt.*, 11:25 s.). C'est le corps de la « bénédiction », ou de l' « eucharistie ». Suivant les lois du genre, son thème général est celui des « mirabilia Dei », comme tels, et ses sentiments de fond, comme ceux de la « bénédiction » tout entière, du reste, sont l'admiration et la joie, auxquelles pourra éventuellement s'ajouter la gratitude (par ex., *Ex.*, 18:9-10, « Jéthro se réjouit... (II) dit alors : Béni soit Yahvé... »; *Lc.*, 10:21, « A cette heure même, (Jésus) tressaillit de joie sous l'action de l'Esprit Saint et dit : Je te bénis, Père, ... »; comp. *Act.*, 2:46, ἐν ἀγαλλιάσει, à propos de la « fraction du pain » et des repas). Ce sont les sentiments « eucharistiques » par excellence. Quelle que soit la signification précise qui doive être donnée à la mystérieuse expression de « sainte vigne de David », ce qu'il faut dès maintenant présumer, c'est donc qu'elle recouvre une « œuvre de Dieu », étonnante et admirable. Le nom de David, qualifié de « serviteur » de Dieu, fait penser, en outre, qu'il s'agit de l'accomplissement d'une promesse, suivant un trait qu'on retrouve souvent dans les « bénédictions » anciennes. Les « mirabilia Dei » sont l'expression de la « vérité » ou de la « fidélité » divine (*Ps.*, 145:13, addition; 1 *Rois*, 8:15 et 56). C'est dans un tel contexte, au surplus, que le ἐγνώρισας (à l'aoriste !) qui suit peut avoir tout son sens (comp., dans un contexte semblable de « mirabilia Dei », *Lc.*, 2:15,17; *Act.*, 2:28, citant *Ps.*, 16:11, entendu prophétiquement de la résurrection de Jésus). L'identification commune de la « vigne de David » à l'église a l'air d'impliquer Dieu dans une sorte d'opération exégétique, d'ailleurs assez banale (« vigne de David » = Israël = nouveau peuple de Dieu). Il est à croire qu'il y a plus. Le sujet de ἐγνώρισας est Dieu, à qui s'adresse toute la « bénédiction » (« notre Père »). La révélation de la « sainte vigne de David » est donc son « œuvre », quoique accomplie διὰ ἰησοῦ, « par Jésus, son serviteur ». L'expression nous ramène aux structures fondamentales de l' « évangile de Dieu » et s'explique dans ses perspectives. La médiation de Jésus est envisagée dans le passé (ne pas confondre avec *Rom.*, 1:8, etc., où la médiation est envisagée dans le présent). On doit penser qu'elle regarde son rôle dans l'accomplissement d'une « œuvre » considérée en soi comme divine (voir, en particulier, *Mt.*, 12:22-28, et noter, dans le contexte, *Is.*, 42:1-4 : « Voici mon serviteur que j'ai choisi, etc. »; aussi *Lc.*, 11:14-20, sans parler de *Jn.*, où l'idée est encore plus en évidence, 5:36; 10:32-38; 14:10; 17:4). C'est l'évangile même. On ne peut s'étonner de le retrouver dans l'anamnèse d'une « eucharistie » chrétienne (voir, ci-dessus, à propos de 1 *Cor.*, 11:26-27 et *Lc.*, 22:19, εἰς τὴν ἐμὴν ἀνάμνησιν). C'est par là, en fait, que la nouvelle « eucharistie » devait marquer le plus nettement sa position par rapport à la « bénédiction » passée. Son ordre est celui de l'accomplissement de toutes les promesses et de la « plénitude ».

La doxologie, enfin, forme cultuelle de l'inclusion dans le genre littéraire de l' « eucharistie », souligne l'intention principale de l'ensemble. σοὶ ἡ δόξα est ainsi parallèle à εὐχαριστοῦμέν σοι, et pourrait, au besoin, garantir le sens que nous avons donné à celui-ci (même parallélisme, renversé, dans *Rom.*, 1:21, γνόντες τὸν θεὸν οὐχ ὡς θεὸν ἐδόξασαν καὶ ηὐχαρίστησαν). L'intention cultuelle principale, par où tout s'explique, en définitive, dans cette « eucharistie », est la louange et la glorification, impliquant directement une « proclamation » et une « confession » du nom de Dieu, bien que, me semble-t-il, un sentiment de gratitude, diffus dans l'ensemble, perce aussi, avec discrétion, dans le ἡμῖν de l'anamnèse (ἐγνώρισας ἡμῖν). Mais, quoi qu'il en soit des nuances relatives à ce dernier point, l'équilibre global ne saurait faire de doute. Il ne peut être que consolidé, au surplus, par l'ampleur d'horizons propre à la doxologie. Le εἰς τοὺς αἰῶνας est l'une de nos expressions cultuelles les plus usées. Nous ne devons pas oublier, cependant, qu'elle a eu son temps de fraîcheur et de vie. Elle n'est pas née de spéculations abstraites sur l'éternité de l'être divin, mais d'une ·conscience commune dans laquelle l'être lui-même, d'abord, revêtait spontanément l'aspect de la durée. Elle appartient à un mode de pensée génétique qu'il n'était pas loisible à l'âme d'Israël de dépouiller dans son culte. Elle est ici, dans ce mode de pensée, l'indice de l'absolu marqué dans la ligne du temps (comp., à l'autre extrémité de cette ligne, si l'on peut dire, le « au commencement » sur lequel s'ouvre le premier récit de la création; aussi *Jn.*, 1:1-3). Un tel trait, à coup sûr, nous conduit bien au delà de ce qu'on pourrait attendre dans une liturgie de gratitude, plus ou moins réduite à la mesure humaine de la jouissance des bienfaits pour lesquels on rend grâce, et plus ou moins anthropocentrique. Il est, en revanche, exactement conforme à l'ouverture illimitée (parce que théologale, justement!) d'une liturgie « eucharistique », telle qu'on la concevait encore à l'époque où nous sommes reportés par l'instruction de la *Did.*, et, au fait que la doxologie, comme expression cultuelle, soit selon toutes apparences née de la « bénédiction » elle-même.

Suivant l'usage, bien connu par ailleurs (1 *Cor.*, 14:16; STRACK-BILLERBECK, *Kommentar, in loc.*), on attendrait à ce point l'*amen* des participants. Il n'est indiqué ni par le *Hier.* 54 ni par la version géorgienne. Le remaniement des *Const. apost.* est, d'autre part, trop libre pour nous permettre de juger du texte que son auteur avait sous les yeux. Il se peut aussi que l'indication ait été primitivement jugée superflue : elle allait de soi. Mais il est bien plus probable, tout compte fait, que la version copte représente l'état originel des choses, à partir de 10:3-6, et qu'il faut suivre ses suggestions pour tous les cas parallèles antérieurs, 9:2, 3, 4; 10:2. On comprend, du reste, que l'omission ait pu se produire très naturellement lorsque la *Did.* se fut éloignée de sa destination primitive et commença, à beaucoup d'égards, à se survivre à elle-même.

La lecture de 9:3 n'offre plus, après cela, aucune difficulté, du point de vue de sa composition et de sa signification générale à tout le moins. C'est une « bénédiction », ou une « eucharistie », semblable à celle que nous venons d'analyser. Seule son anamnèse est en partie différente, ce qui est significatif de la manière dont le genre littéraire était conçu et pratiqué. L'anamnèse avait toujours été, et aussi bien était-elle de soi, la partie la plus mobile de la « bénédiction » ancienne. Il n'est que naturel que l'adaptation de l' « eucharistie » à la coupe et au pain se fasse, dans notre cas, à cet endroit. Une anamnèse de la « vie et de la connaissance » remplace ainsi l'anamnèse de la « sainte vigne de David ». Ajoutons que les lignes d'interprétation que nous avons fixées pour celle-ci valent aussi bien pour celle-là. De part et d'autre, il doit s'agir d'une « œuvre » grande et « merveilleuse » accomplie par Dieu διὰ ἰησοῦ, « par Jésus, son serviteur », de l'une des « merveilles » de l' « évangile de Dieu », dans laquelle, vraisemblablement, la foi primitive avait reconnu la réalisation d'anciennes promesses.

Nous avons bien des fois observé, d'autre part, dans les « bénédictions » anciennes, un passage de la « bénédiction » proprement dite à la prière. C'est un mouvement analogue qui se développe ici de 9:2-3 à 9:4. On le retrouve, en particulier, dans l'*Amidah* (4 ss.) et dans les « bénédictions » du *Shemaʻ*. Nous le rencontrerons de nouveau à propos de 10:2-5. La transition est faite, assez habilement, par le symbolisme de la miche de pain (κλάσμα), dont on retient le fait qu'elle recueille en son « unité » la multitude des grains d'abord disséminés sur les « montagnes ». C'est ce symbolisme qui introduit la prière : οὕτω συναχθήτω, dont il importe de préciser l'objet.

On notera d'abord la forme passive, plus apte à réserver le mystère de l'action de Dieu (comp. *Act.*, 1:9-11, à propos de l'ascension). Aussi bien l'ἐκκλησία est-elle envisagée comme sienne (σου ἡ ἐκκλησία), de même que le « royaume » où l'on aspire au rassemblement (comp. l'expression « évangile de Dieu », *Mc.*, 1:14; *Rom.*, 1:1, etc.;

voir aussi 1 *Cor.*, 1:2; 10:32; 11:16, 22, etc., à propos d'ἐκκλησία
τοῦ θεοῦ, au singulier et au pluriel). C'est bien, en effet, du rassemblement (συναχθήτω) qu'il s'agit, ce qui n'est pas la même chose que
l'union. Celle-ci pourrait simplement résulter de l'amour mutuel.
Le rassemblement est au delà de l'union, et par son ampleur autant
que par sa nature même, il relève de façon beaucoup plus directe de
l'initiative divine, comme d'ailleurs le royaume auquel il est lié
(comp., dans le *Pater*, la demande au sujet du « règne »). On comprend ainsi qu'il soit objet de prière, et qu'on regarde vers lui comme
s'il devait être le prélude aux « mirabilia » de la fin. C'est, en fait,
la contrepartie de l'anamnèse. Celle-ci regardait vers les « mirabilia » du passé (les aoristes de 9:2-3), dont le présent lui-même
tirait tout son prix. La prière pour le rassemblement, en s'appuyant
de façon implicite sur l'un et l'autre, regarde vers l'avenir, au même
niveau des « œuvres merveilleuses » dont Dieu a déjà donné tant
d'exemples (comp. *Jn.*, 13:34-35; 15:12, 17, sur le « commandement » de l'amour mutuel; puis, à la fin des entretiens, la « prière »
pour l' « unité », 17:11, 20-26, dont le sens peut être en partie précisé
par 11:52; sur les antécédents de *Did.*, 9:4, voir en particulier la
grande prophétie deutéro-isaïenne, à laquelle on ajoutera, dans
l'ordre même de la prière, 1 *Chron.*, 16:35 = *Ps.*, 105:47; 126;
Tob., 13:13; 2 *Macc.*, 1:27; ʿ*Amidah*, 10; comp. *Ps. Sal.*, 17:28-31).
Aussi la doxologie de la fin ajoute-t-elle avec à-propos la mention
de la « puissance » à celle de la « gloire », qui demeurait seule, on s'en
souvient, dans les doxologies des « bénédictions ». La « puissance »,
δύναμις, est évidemment alors la puissance bienveillante et glo-
rieuse qui accomplit les δυνάμεις, ces « mirabilia Dei » qui inspirent,
à l'arrière-fond, toute l'espérance de la prière.

On reconnaîtra, je crois, que cette liturgie est solidement construite. Seul le διὰ ἰησοῦ χριστοῦ de la doxologie de 9:4 (d'après *H*)
détonnerait dans l'ensemble. Mais la comparaison avec la doxologie
parallèle de 10:5 suffirait déjà à éveiller des soupçons sur son authenticité. Il est prudent de ne pas faire fond sur cet élément isolé,
qui paraît bien être intrusif (comp., les διὰ ἰησοῦ τοῦ παιδός σου
des anamnèses, 9:2, 3; 10:2, 3). Quant au reste de la composition,
il est sans faille.

L'analyse qui précède, toutefois, s'est placée avant tout du point
de vue des formes. Il est nécessaire à une exacte intelligence de
l'ensemble que nous insistions maintenant sur son mouvement.

L'un des traits qui ont le plus étonné dans cette « eucharistie »,
c'est l'ordre respectif de la coupe et du pain. On a vu dans la place
faite à la coupe, tantôt un indice de son importance liturgique
exceptionnelle (Greiff), tantôt une influence de *Lc.*, 22:17, d'ailleurs
mal compris, tantôt l'effet d'un manque de rigueur dans la représentation des usages de l'époque, tantôt encore un reflet de la
fluidité des formes liturgiques contemporaines, etc. L'explication
la plus extraordinaire est bien celle de Minasi, qui suppose la « consécration » déjà faite dans l'ordre normal, le renversement de cet ordre
n'affectant, dès lors, que la « prière eucharistique » (*in loc.*)!

Ceux qui dissociaient cette « eucharistie » de la grande « eucharistie » dominicale de 14:1-3, se sentaient, de leur côté, beaucoup plus
à l'aise pour s'en remettre ici aux suggestions offertes par les usages
de la Pâque et du *Qiddûsh*, connus avec une suffisante précision
par la tradition rabbinique, encore qu'il y ait à ce propos plus d'une
nuance à observer (voir les mises au point très opportunes de
J. JEREMIAS, *The Eucharistic Words of Jesus*, pp. 21 s.). A l'époque
où nous sommes, la coupe du *Qiddûsh*, qui est, à sa manière, une
coupe de « bénédiction », est d'abord sans contrepartie réelle du
côté de quoi que ce soit d'autre dans le repas dont elle se détache.
Tout ce que le rite peut nous dire, dans ces conditions, c'est que
l'usage tendait à favoriser la coupe par rapport au reste lorsqu'il
s'agissait de donner un sens particulier à un geste de table, ce que
nous savions par ailleurs et qui s'imposait de toutes manières pour
des raisons obvies. Quant au cérémonial de la Pâque, d'autre part,
il ne nous apprend rien de plus que le rite du *Qiddûsh* sur les données
de notre problème, sans compter que son caractère encore plus
exceptionnel l'éloigne davantage de la liturgie de notre instruction.
Au surplus, un ordre inverse de bénédiction pain-coupe pouvait
paraître normal ailleurs et en d'autres occasions, comme un important fragment qumranien nous l'a appris récemment : « ... que
personne ne mette la main à la première bouchée de pain et au vin
avant le prêtre ; car c'est à lui de bénir la première bouchée de pain
et le vin, et de mettre la main au pain en premier » (BARTHÉLEMY-
MILIK, *Qumran Cave I*, fr. 28a, II, 18-20).

Il n'y a donc rien de certain à tirer pour notre instruction des
usages juifs contemporains relatifs à la coupe. En fait, leur indétermination indiquerait plutôt que l' « eucharistie » de la *Did.* doive
sur ce point s'expliquer de l'intérieur. C'est ici que le mouvement
des deux premières « bénédictions » par rapport à la prière finale
devient important à observer. La « bénédiction » sur la coupe semble,

à première vue, fermée sur elle-même. Mais ce n'est qu'une apparence. Car, en réalité, elle communique par son anamnèse avec la
« bénédiction » sur le pain, comme on peut s'en rendre compte par la
comparaison avec 10:2, 3, où les deux anamnèses des « bénédictions »
antérieures ne sont pas loin effectivement de se fondre l'une dans
l'autre (surtout 10:3; noter l'ordre nourriture-breuvage). L'élément
dans lequel les deux anamnèses communiquent me semble être, en
définitive, celui de la « vie ». Mais alors, si la première « bénédiction »
se prolonge ainsi dans la seconde, il est encore plus évident que
celle-ci se prolonge à son tour dans la prière qui suit. D'une extrémité
à l'autre, le mouvement « eucharistique » est donc continu, dans
cette liturgie, en dépit du fait que les deux « bénédictions », de leur
côté, et la prière, de l'autre, constituent des unités consistantes
en elles-mêmes, fermées chacune par une doxologie et un *amen*
responsorial. Ce qu'il faut comprendre, et qui n'est après tout que
naturel, c'est que nos trois composantes n'ont rien d'une étanchéité
absolue.

Cette analyse, il me semble, découvre avec une parfaite netteté
le point où se trouve l'accent liturgique; il n'est pas au début, il est
à la fin. Ce que la préséance de la coupe indique, ce n'est donc pas
que son symbolisme l'emporte sur tout le reste. Au contraire, sa
position résulte simplement de l'importance majeure du symbolisme
du pain, d'abord pris en lui-même, puis par rapport à la prière pour
le rassemblement dans laquelle il se prolonge de façon explicite
(sur cette importance du pain, comp. *Jn.*, 6:32-35, « pain descendu
du ciel », « pain véritable », « pain de Dieu », « pain de vie »). Mais si
ces observations sont exactes, nous sommes en mesure, me semble-
t-il, de donner du même coup son nom véritable à la liturgie que
nous avons sous les yeux. C'est une liturgie de « fraction du pain »,
κλάσις τοῦ ἄρτου, comme on pourrait en outre jusqu'à un certain
point le confirmer par la manière dont l'auteur de la *Did.* paraît
s'être lui-même représenté les choses. Certes, sa rubrique, περὶ δὲ
τοῦ κλάσματος, 9:3, ne saurait être considérée à elle seule comme
décisive, mais elle reçoit quelque détermination additionnelle
lorsqu'on la compare à l'instruction de 14:1, συναχθέντες κλάσατε
ἄρτον καὶ εὐχαριστήσατε.

On prendra garde, cependant, que cette désignation de « fraction
du pain » ressort de l'analyse interne. Elle n'équivaut donc pas à
une identification pure et simple avec la « fraction du pain » dont
parlent les récits des *Actes* (2:42, 46; 20:7; comp. 27:35, *Lc.*, 24:35).
Nous n'avons pas les moyens de faire une telle identification, bien

qu'il soit évidemment probable que nous soyons, de côté et d'autre, dans l'aire d'expansion d'une même tradition liturgique (comp. le titre de « serviteur » donné à Jésus, *Did.*, 9:2, 3; 10:2, 3 et *Act.*, 3:13, 26; 4:25, 27, 30, associé à David, avec le même titre, *Did.*, 9:2; *Act.*, 4:25).

Il faut, en tout cas, éviter d'entourer la « fraction du pain » de la *Did.* d'une simple atmosphère d' « union » dans l' « amour fraternel », comme on a été amené à le faire, immanquablement, chaque fois qu'on a mêlé à cette question le nom de l' « agape ». Il m'est impossible d'entrer ici dans le détail de cette histoire. Mais une assez longue fréquentation des problèmes qui nous occupent, m'a persuadé que l' « agape » n'a jamais été, dans son inspiration profonde, identique à la « fraction du pain », malgré l'analogie des liens qui ont uni l'une et l'autre à la grande « eucharistie ». Je regarde comme assuré, en outre, que la « fraction du pain » n'a pas survécu, en réalité, à la perte faite par l'église de sa composante juive originelle. Si elle est approximativement représentée par notre instruction, on peut estimer, en effet, qu'elle demeurait trop associée, au delà de l'évangile, à l'expérience historique d'Israël pour être transplantée sans plus en terre des gentils (voir, à ce propos, les modifications très significatives subies par le thème de *Did.*, 9:4; 10:5, par ex., chez CYPRIEN, *Lettres*, 69, 5, où le rassemblement eschatologique est devenu un idéal d' « unanimitas »; dans le même sens, SÉRA-PION, *Euchol.*, 13:13; *Dêr-Bal.*, ii^v, 1-11; éd. Roberts-Capelle, pp. 26 s.). Aussi bien est-ce justement l' « agape », et non la « fraction du pain », qui a trouvé chez les gentils son milieu de croissance congénital, d'ailleurs non sans de continuels risques de perversion, venant à la fois de l'exemple du dehors et des habitudes antérieures (sur l'arrière-fond de l'instruction de Paul, 1 *Cor.*, 11:17-34, qui prélude à des embarras chroniques, les renseignements les plus utiles se trouvent chez PLUTARQUE, *Propos de table*, i, 2, mais surtout, ii, 10; on y verra, en image positive et négative, quel idéal de κοινωνία l' « agape » s'est trouvé rencontrer, pour une part, dans le monde païen, en ce qui concerne les repas communs; et aussi que les « abus des Corinthiens » ne représentent pas une corruption prématurée d'une institution encore jeune, comme on a toujours l'air de le penser, mais une très explicable persistance d'usages et d'habitudes solidement établis dans les mœurs de la commensalité grecque, auprès d'une institution nouvelle dont le moins qu'on

puisse dire, c'est qu'elle n'avait pas pour but principal de les corriger; voir aussi Xénophon, *Mém.*, iii, 14).

On voit la différence. La « fraction du pain » ne paraît pas avoir
jamais été, comme l' « agape » le sera effectivement un jour, à côté
d'elle, puis après elle, une liturgie de κοινωνία, dont l'inspiration
dernière aurait été prise dans le « commandement de l'amour ».
Et cela, malgré la confiance avec laquelle nous interprétons le plus
souvent en sens contraire la notice des *Actes* (2:42-47). Il est évident,
à tout le moins, que l'instruction de la *Did.* ne saurait être comprise
en ce sens. Le terme vers lequel les deux « bénédictions » sont
orientées est là-dessus décisif. C'est une liturgie d'espérance, qui
suppose sans doute dans le présent une κοινωνία, mais qui dépasse
de beaucoup cette union dans une attente du rassemblement de la
fin. La prière συναχθήτω, par sa forme comme par son objet, marque avec précision les distinctions à observer.

Pour nous rapprocher de la langue de notre écrit, plus concrète
et plus descriptive, on pourrait parler ici équivalemment, et mieux
encore sans doute, d'une liturgie de vigile. Il y a lieu de croire,
en effet, que la dernière instruction du recueil use de moins de
métaphores qu'il ne pourrait sembler à première vue : « Γρηγορεῖτε
ὑπὲρ τῆς ζωῆς ὑμῶν, Veillez sur votre vie (comp. le sens de « vie »
dans les « bénédictions » de la « fraction du pain »). Ne laissez ni
s'éteindre vos lampes ni se défaire la ceinture de vos reins. Mais
soyez prêts, car vous ignorez l'heure à laquelle notre Seigneur va
venir. Assemblez-vous fréquemment... » (16:1-2). Cette exhortation
me paraît refléter avec exactitude le caractère fondamental de la
liturgie du ch. 9. Ce n'est pas une « agape » et ce n'est pas encore
l' « eucharistie » majeure : c'est une « fraction du pain », qui est
une vigile. Comme nous aurons l'occasion de le préciser encore
davantage plus loin, c'est une célébration de la venue du « royaume »
(9:4; 10:5), dans la double perspective de la résurrection (les anamnèses des « bénédictions ») et du retour du Seigneur (la prière pour le
rassemblement).

Il n'y a plus lieu après cela d'entreprendre une analyse aussi
détaillée des « bénédictions » et de la prière qui suivent le repas
(10:2-5). Par leur forme et par leur contenu, elles sont parallèles à
celles dont nous venons d'essayer de déterminer le sens. Il suffira
maintenant de relever les quelques points où elles s'écartent de la
liturgie d'ouverture.

La première « bénédiction » (10:2), avec son double ὑπέρ, semble bien, de prime abord, avoir voulu réunir en une seule l'anamnèse des deux « bénédictions » d'entrée. La seconde anamnèse se reconnaît aisément, malgré l'addition de πίστεως et le changement de ζωῆς en ἀθανασίας. On ne peut s'attendre à un pur et simple décalque. C'est une variation sur le même thème, dont l'identité foncière est en outre soulignée par la reprise de la formule ἧς ἐγνώρισας ἡμῖν διὰ ἰησοῦ τοῦ παιδός σου. La première est un peu plus difficile à identifier. On peut noter toutefois, avec le retour de ἅγιος, l'étroite parenté de construction avec 9:2. C'est un indice. Pour saisir ensuite de quelle manière s'établit la relation avec l'anamnèse de la « vigne de David », il suffit de faire attention à un détail de la physiologie des anciens, à eux très familier mais perdu pour nous. En Orient comme en Occident, pendant toute l'antiquité, on s'est expliqué communément le phénomène de la soif par les poumons (à titre d'exemple, Jérôme, parlant du jeûne des ascètes : « Non quo Deus, ...intestinorum nostrorum rugitu et inanitate ventris pulmonumque delectetur ardore », *Lettres*, 22, 11). Comme, d'autre part, il était évident que les poumons étaient en relation directe avec le cœur, on en a conclu que les liquides descendaient en celui-ci, non seulement pour y étancher la soif, mais aussi y produire d'autres effets plus particuliers. Tel était naturellement le cas du vin. C'est cette représentation qui permet ici de passer, sans heurt apparent, de la coupe à la « vigne de David » (9:2), puis, de nouveau, de la coupe, au « nom » que Dieu « a fait habiter, κατεσκήνωσας, dans nos cœurs » (10:2). Du même coup, le parallélisme de l'anamnèse conjointe de 10:2 (coupe et pain) avec la double anamnèse de 9:2 et 3, sort de sa confusion. La première « bénédiction » qui suit le repas réunit simplement, et dans le même ordre, ce que les deux « bénédictions » d'avant le repas tenaient séparé (comp., du point de vue de l'imagerie sous-jacente, l'emploi de ἐκχέω dans la langue du N. T. en parlant de l'Esprit Saint, spécialement *Rom.*, 5:5, « l'amour de Dieu a été répandu, ἐκκέχυται, dans nos cœurs par l'Esprit Saint qui nous fut donné »; sur les représentations physiologiques anciennes engagées ici, on verra R. B. ONIANS, *The Origins of European Thought about the Body, the Mind, the Soul, the World, Time and Fate*, Cambridge, 1954, pp. 31-38, 66 s., 116 s.).

La deuxième « bénédiction » (10:3) présente un phénomène semblable. Son anamnèse réunit, cette fois, suivant leur ordre naturel, « la nourriture et la boisson », τροφήν τε καὶ ποτόν, dans la double perspective de la création (σύ, δέσποτα παντοκράτορ,

ἔκτισας τὰ πάντα) et de l'évangile (διὰ ἰησοῦ τοῦ παιδός σου). Il
est clair qu'elle a été conçue en regard de 10:2, et du même coup,
en regard de 9:2 et 3. Une seule variation notable dans la forme,
amenée sans doute par le sujet de l'anamnèse, qui vise non pas à
opposer la création à l'évangile (noter le διὰ ἰησοῦ) mais à faire
ressortir l'ordre progressif des « mirabilia Dei » (très vieux thème de
la « bénédiction ») : d'une part, ἔδωκας τοῖς υἱοῖς τῶν ἀνθρώπων,
et d'autre part, ἡμῖν δὲ ἐχαρίσω; puis, corrélativement, τροφήν
τε καὶ ποτόν... εἰς ἀπόλαυσιν, et πνευματικὴν τροφὴν καὶ ποτὸν καὶ
(= εἰς) ζωὴν αἰώνιον, la clef de voûte de cette petite construction
étant comme toujours dans l'intention « eucharistique », recueillant
l'anamnèse entière en son unité, ἵνα σοι εὐχαριστήσωσιν. On
aura noté la tournure indirecte, qui ne se rencontre pas dans les
autres « bénédictions » : « pour qu'ils te bénissent » au lieu de « nous
te bénissons ». C'est le seul écart, et il est de pure forme.

La troisième « bénédiction » (10:4) était particulièrement exposée
aux malentendus. Faute d'en avoir aperçu la pointe, certains
auraient même été disposés soit à la mettre ailleurs, soit à la supprimer purement et simplement (von der Goltz, suivi par Lietzmann,
Gavin, Peterson, etc.). Il n'y a pas de doute, au contraire, qu'elle
doive rester là, et dans la forme où la présente le *Hier.* 54. Je lis πρὸ
et non περὶ πάντων, comme le voudrait la version copte, dont la
leçon est adoptée par Klauser. La version copte corrige, justement,
son texte pour les raisons mêmes qui ont empêché la critique moderne
de s'y reconnaître à son tour. Il est clair, en effet, que si l'on entend
nos « bénédictions » comme autant d' « actions de grâce », la « bénédiction » de 10:4 n'a plus de sens avec un motif comme ὅτι δυνατὸς
εἶ La version copte a tenté d'arranger les choses en substituant
περί à πρό. Mais le succès n'est pas merveilleux. Cette gaucherie
n'aboutit qu'à mettre l' « action de grâce » en équilibre instable
entre περὶ πάντων au début et ὅτι δυνατὸς εἶ à la fin. Tout s'éclaire,
par contre, dès qu'on rend à εὐχαριστοῦμεν le sens de « bénir »
qu'il a partout ailleurs. Au lieu d'une surcharge dénuée de sens,
on a alors un mouvement admirable. Les « bénédictions » antérieures
(9:2, 3; 10:2, 3) avaient toutes une discrète nuance de gratitude
dans leur anamnèse. ἡμῖν dans 9:2 et 3, ἡμῶν et ἡμῖν dans 10:2,
τοῖς υἱοῖς τῶν ἀνθρώπων et ἡμῖν dans 10:3, étaient les points où
cette gratitude devenait le plus sensible. Ce que la « bénédiction »
de 10:4 veut exprimer avec plus de force, en conclusion, c'est précisément la pure louange qui est au delà de cette gratitude. De là son
πρὸ πάντων en position emphatique, au début, et de là ensuite,

son motif réduit à la seule considération de Dieu, dont la « puissance » garde l'initiative de toutes les « merveilles » : ὅτι δυνατὸς εἶ·
σοὶ ἡ δόξα εἰς τοὺς αἰῶνας. ἀμήν. C'est le digne finale des « bénédictions » qui précèdent. Il confirme de la façon la plus nette tout
l'essentiel de l'interprétation qui en a été donnée ici. Mais on comprend en même temps qu'il ait particulièrement embarrassé l'interprétation courante, qui n'a jamais bien su ce qu'elle pourrait en
faire.

  La prière pour le rassemblement n'offre pas de difficulté du
point de vue de la composition et de la signification générale de
notre « eucharistie ». Elle entre dans le mouvement des « bénédictions » de 10:2-4 de la même manière que la prière parallèle de la
liturgie d'ouverture (9:4). Son thème principal est identique à celui
que nous avons déjà analysé. Les variations ne dépassent pas ce
qu'il était loisible de prévoir en pareil cas. On notera seulement,
du point de vue de la forme, la très belle reprise, « Souviens-toi,
Seigneur », venant après les anamnèses des « bénédictions » (comp.
Ps., 106:4). Il est intéressant de remarquer aussi, du point de vue des
modèles contemporains, que la Birkat ha-mazon, traditionnellement
appuyée sur Deut., 8:10, obéissait déjà, dans le judaïsme, à un mouvement semblable à celui que nous avons essayé de mettre en lumière
dans la liturgie de la Did. Il est probable, comme l'a reconnu
Finkelstein, qu'une influence s'est exercée de la première sur la
seconde. Cette influence, toutefois, concerne beaucoup moins le
détail des « bénédictions » et de la prière que le canevas général et
le dynamisme de l'ensemble, où il est difficile que les rencontres
soient fortuites. Il me semble, en revanche, que Finkelstein se
montre trop sensible, lorsqu'il flaire une intention « ascétique »
et anti-juive dans les « bénédictions » et la prière de Did., 10:2-5
comparées à la Birkat ha-mazon. L' « ascétique » n'est pas la
même chose que le « spirituel » (10:3), et quant à l'anti-judaïsme,
n'est-il pas plutôt paradoxal de penser le découvrir là (voir L. Finkelstein, The Birkat Ha-Mazon, dans Jew. Quart. Rev., N. S. XIX
(1929) 211 ss.) ?

  Les quelques phrases et exclamations qui suivent (10:6) ressemblent à une allée de sphinx. Beaucoup les ont interrogés avant
moi, aussi désireux sans doute de connaître leur mystère. Bien que

je fasse cas de ce qu'ils en ont rapporté, je ne puis recenser ici leurs explications. L'entreprise serait infinie. Je suppose aussi que ce n'est pas en premier lieu ce qu'on attend de moi. De toutes les solutions proposées, qui ne diffèrent souvent que par des nuances, je n'en retiens donc qu'une seule, celle de Lietzmann, qui me paraît représentative et dont je ferai le point de départ des remarques et des suggestions qui vont suivre.

Lietzmann, s'appuyant sur ce que les liturgies postérieures mettent, à son avis, hors de doute, regarde ce petit cérémonial comme un supplément au formulaire eucharistique. Sa place naturelle, nous assure-t-il, serait avant la communion, c'est-à-dire avant la prière de 10:1-5 et avant l'instruction qui la précède, mais évidemment après 9:1-4. C'est, en effet, un rituel de communion, comme il ressort de la nature même du texte. Car on ne saurait d'abord prendre celui-ci pour des prières du célébrant, ni non plus pour des commencements d'hymnes, comme von der Goltz l'aurait voulu. Mais qui alors prononce ces paroles? Il est clair que c'est l'assemblée qui répond par l'amen, suivant l'usage. On peut être assuré aussi qu'il appartient au célébrant de dire : « Si quelqu'un est saint, qu'il s'approche; s'il ne l'est pas, qu'il se repente ». Or, qu'est ceci, sinon une variante de la formule τὰ ἅγια τοὶς ἁγίοις, dont la place normale est avant la communion? On a, du reste, un commentaire de ces paroles à 14:1-3, qui demande la confession des péchés et la réconciliation avant la « fraction du pain ». On voit de la sorte que ces phrases sont réparties entre le célébrant et l'assemblée. Quant à l'Hosanna, il est de sa nature même une acclamation collective, non individuelle. C'est par cette acclamation que l'assemblée salue l'approche du Seigneur. Nous obtenons donc, pour finir, un dialogue ainsi conçu : Célébrant : Ἐλθέτω χάρις καὶ παρελθέτω ὁ κόσμος οὗτος. Assemblée : Ὡσαννὰ τῷ υἱῷ Δαυίδ. Célébrant : Εἴ τις ἅγιός ἐστιν ἐρχέσθω· εἴ τις οὐκ ἔστιν, μετανοείτω. Μαραναθά. Assemblée : Ἀμήν. Comment se fait-il, après cela, que ce cérémonial soit devenu, dans notre texte, un supplément au formulaire eucharistique? Peut-être, justement, par suite du fait que nous avons ici autre chose que des prières du célébrant. De toutes façons, ce dialogue nous explique sans ambiguïté le sens de la cérémonie. L'Église attend la fin du monde et le retour du Seigneur. En qualité d'église des « saints », pure de tout péché, elle célèbre cette « fraction du pain » à laquelle le Seigneur est présent. Le mystérieux μαραναθά a ici une double signification : il soupire après le retour du Seigneur et en même temps il proclame sa parousie (sacramentelle, spirituelle) dans la célébration liturgique de l'église. Si l'on ajoute maintenant à cela que la célébration eucharistique en son ensemble est appelée « sacrifice » (14:1,2), et est traitée comme telle, on aura tout dit sur les idées contenues dans ce très ancien rituel (*Messe und Herrenmahl*, pp. 236-238; dans un sens voisin, quoique avec moins de précision dans l'analyse, J. BETZ, *Der Abendmahlskelch im Judenchristentum*, dans M. REDING, *Abhandlungen über Theologie und Kirche* (= Festschr.-Adam), Düsseldorf, 1952, pp. 112-113).

Cette explication a le mérite d'avoir au moins tenté de se représenter les choses concrètement. Tout le monde n'a pas eu la patience d'aller jusque-là. Combien n'ont demandé au texte que ses « idées »! En outre, une observation comme celle qui est faite à propos de l'Hosanna doit être retenue. Elle s'impose par son évidence intrinsèque et elle apporte une suggestion utile à la représentation de l'ensemble. On en dirait presque autant de l'interprétation du Maranatha, dont il est raisonnable de penser qu'il occupe, dans son propre contexte, une position analogue à celle des prières de 9:4 et 10:5 par rapport aux « bénédictions ». Le présent liturgique et le futur eschatologique peuvent se rencontrer en lui sans peine. Il y a quelque chose de valable aussi dans l'idée d'un dialogue. La version copte ajoute, après la première phrase, un « amen » qui doit représenter plus fidèlement l'original que les omissions obstinées du *Hier.* 54. On aurait ainsi, au début et à la fin de notre petit morceau, deux souhaits correspondants dont chacun aurait eu son répons normal dans l'*amen* : ἐλθέτω χάρις καὶ παρελθέτω ὁ κόσμος οὗτος. — ἀμήν... μαραναθά. — ἀμήν. Au premier regard, cela semble bien conçu.

A partir de ce point, toutefois, l'explication de Lietzmann paraît beaucoup moins satisfaisante, si peu satisfaisante même que ses suggestions principales s'en trouvent ruinées. Elle a d'abord le très sérieux inconvénient d'obliger à déplacer tout le texte pour le ramener après 9:4. Une telle opération est extrêmement risquée dans un document (9:2-4; 10:2-5) qui révèle jusque dans les moindres détails de sa composition une parfaite conscience de lui-même. Pourquoi tout à coup une défaillance, si sérieuse, sur le point qui nous occupe, qu'elle rendrait l'ensemble lui-même inintelligible sans la remise en ordre que nous propose Lietzmann? La justification qui nous est offerte, timidement d'ailleurs, est bien peu convaincante. L'auteur de la *Did.*, qui n'a pas craint d'insérer sa propre instruction après 9:4, montre assez par son exemple qu'un parti

semblable aurait fort bien pu être pris avant lui par l'auteur responsable des bénédictions et des prières elles-mêmes, ou, si l'on
veut, de leur mise en état. Pas un mot n'est perdu dans 9:2-4;
10:2-5: il est incroyable que 10:6 soit aussi mal placé qu'on le suppose. Il est beaucoup plus sûr de prendre le texte dans l'ordre où
il se présente.

Par la force des choses, Lietzmann est ensuite amené à appuyer
son hypothèse relative à 10:6 sur une interprétation générale de
9:2-4 qui est aussi anachronique qu'inadmissible. Pour lui, 9:2-4
représente des « prières » d' « action de grâce » qui, par les voies de
l'ambivalence familière, sont en même temps des bénédictions « de »
la coupe et « du » pain. Cette interprétation lui est nécessaire pour
pouvoir parler de « communion » après 9:4, même si la manière dont
il s'exprime sur ce point n'est pas toujours aussi explicite qu'on
pourrait le souhaiter. Mais l'analyse qui précède a fait voir, il me
semble, qu'il en est en réalité tout autrement. Or, dès le moment
où cet appui manque à l'hypothèse de Lietzmann, tout le reste
s'écroule.

En outre, lorsqu'il interprète le εἴ τις ἅγιός ἐστιν, ἐρχέσθω,
Lietzmann lit bien ἐρχέσθω, mais il entend προσερχέσθω, et dans le
sens des liturgies postérieures. C'est l'invitation à « s'approcher »
pour la communion. Le remaniement des Const. apost., il est vrai,
a compris ainsi les choses. Aussi a-t-il dûment changé le simple
ἐρχέσθω en προσερχέσθω (VII, 26, 6). Mais alors nous sommes en plein
IVe siècle finissant, et il y a tout lieu de croire que le προσ- reflète,
en pareil cas, un usage liturgique bien postérieur, et peut-être tout
autre que celui du texte de base, Did., 10:6. Bref, ἐρχέσθω n'est pas
nécessairement l'équivalent de προσερχέσθω, de sorte qu'un
mouvement différent de celui qu'a imaginé Lietzmann reste possible.

Enfin, l'invitation à « s'approcher » est en même temps, dans la
pensée de Lietzmann, une invitation à l'examen de conscience. « Si
quelqu'un est saint, ἅγιος, qu'il s'approche » : « saint », c'est-à-dire
sans péché; « s'il ne l'est pas, qu'il se repente ». De nouveau, n'est-il
pas à craindre que ce sens donné à ἅγιος, en fonction d'un examen
de conscience individuel, soit ici complètement anachronique? A
coup sûr, c'est encore une fois le sens dans lequel le remaniement des
Const. apost. a entendu son texte, comme c'est aussi le sens principal, sinon exclusif, de la formule préférée des liturgies postérieures,
τὰ ἅγια τοῖς ἁγίοις (voir VIII, 13, 12). Mais le moins qu'on puisse
dire, c'est que la retouche des Const. apost. ne constitue pas un

indice de tout repos dans l'interprétation de notre texte. Il ne sert
de rien, d'ailleurs, de renvoyer, à propos de celui-ci, à l'instruction
de 14:1, où la confession est commune, et où il s'agit donc vraisemblablement d'autre chose (même remarque à propos de 1 *Cor.*,
11:28, où il s'agit d'un discernement de la foi, plus proche cependant,
à tout prendre, de *Did.*, 10:6).

Positivement, l'ambiguïté est ici levée sur le sens de ἅγιος par
la comparaison avec 9:5. Il est important de remarquer d'abord que
cette petite instruction a toutes chances, à première vue, par sa
situation, son genre littéraire et son style, d'appartenir à l'auteur
de la *Did.* plutôt qu'à la liturgie même qu'il incorpore à son recueil
(en particulier, la correspondance avec 9:1 dans la façon de parler
de l' « eucharistie »; aussi la citation d'un mot du « Seigneur »;
comp., à ce propos, 8:2 avec 9:2,3; 10:2,3). Indépendamment de
toute autre considération, il est difficile d'imaginer, au surplus,
qu'une telle instruction ainsi attachée à la liturgie de 9:2-4; 10:2-6
ait pu accompagner celle-ci, non seulement dans son usage, mais
dans sa transmission propre, jusqu'au moment où l'auteur de la
Did. l'aurait recueillie. A qui alors se serait-elle adressée? Aussi bien
le simple souci d'efficacité pratique, sinon l'usage de l'époque, sugge-
rait-il, en pareille occasion, d'intégrer davantage un élément de
cette nature à la trame liturgique elle-même. Il y a quelque chose
de ce parti spontané, semble-t-il, dans le « Faites ceci en mémoire
de moi » de la tradition eucharistique de Paul et de Luc. Le procédé
n'était que naturel à un moment où la liturgie et la rubrique, en
général, constituaient des genres littéraires beaucoup moins diffé-
renciés qu'ils ne le devinrent par la suite (de ce point de vue, les parties liturgiques du Pentateuque mériteraient d'être étudiées de plus
près, de même que le *Man. de disc.* de la communauté de Qumrân).

Mais n'est-ce pas, précisément, ce qui sépare, du point de vue
littéraire, l'instruction de 9:5 et le εἴ τις ἅγιός ἐστιν, ἐρχέσθω· εἴ τις
οὐκ ἔστι, μετανοείτω de 10:6? D'un côté, une instruction
différenciée, donnée pour elle-même et consistante en elle-même;
de l'autre, une préoccupation analogue, mais indifférenciée et
insérée dans la texture liturgique. L'hypothèse est séduisante, car
elle semble pouvoir expliquer tout. Commençons par examiner
de plus près l'instruction de 9:5. Elle suppose, évidemment, que
l'usage antérieur avait permis, de quelque manière, que des non-
baptisés prissent part à la « fraction du pain ». Elle est autrement
sans objet aussi bien dans son interdiction que dans le motif qu'elle
apporte pour la justifier. A cet égard, il est significatif, du reste,

qu'elle ait trouvé place après 9:4, et non, par exemple, après 10:6. Lisons maintenant 10:6 en tenant compte de sa situation littéraire par rapport à l'ensemble. Le ἅγιος peut fort bien être ici, non pas l'homme qui s'estime sans péché, comme on l'a presque toujours supposé sans y regarder de trop près (ci-dessus, Lietzmann), mais le baptisé, ce qui est un sens normal. Corrélativement, le μετανοεί- τω, dans la contrepartie négative, peut tout aussi bien, dans le style primitif, être une invitation au baptême (comp. *Act.*, 2:38; 3:19; 5:31; 10:43; 13:38; aussi *Mt.*, 4:17; *Mc.*, 1:14-15).

Mais alors 9:5 et 10:6 reçoivent l'un de l'autre une lumière toute nouvelle. L'instruction de l'auteur de la *Did.* (9:5) rompt justement avec un usage qui était présupposé par 10:6, d'admettre des non-baptisés à la « fraction du pain » : ce qui peut expliquer, au passage, son désir de se couvrir de l'autorité du « Seigneur ». Du même coup, le ἐρχέσθω de 10:6 sort de son ambiguïté. Ce qu'il demande, ce n'est pas qu'on « s'approche » pour la « communion », mais que, la « frac- tion du pain » étant terminée, les baptisés (les « saints ») passent dans la pièce de la maison où, sans doute, aura lieu la grande « eucha- ristie ». Le cérémonial de 10:6 apparaît ainsi, conformément à sa position littéraire, comme un rituel de « passage » entre la « fraction du pain » et l' « eucharistie » majeure (comp. 14:1, κλάσατε ἄρτον καὶ εὐχαριστήσατε, qui suppose la distinction et qui pouvait évidemment s'accommoder, à un stade disciplinaire plus tardif, de l'ancien rituel de « passage »).

Dès lors, tout s'explique avec une relative simplicité. La « frac- tion du pain », en raison de son cadre domestique, a dû suivre primi- tivement, pour une part, les règles de l'hospitalité ancienne. De sa nature, elle n'excluait pas non plus nécessairement toute partici- pation de la part de non-baptisés, plus ou moins liés aux « saints » et plus ou moins gagnés à l'évangile. On pensera ici, en particulier, à la frange de sympathisants qui trouvaient un accueil favorable dans la vie de la synagogue. Il n'y aurait rien d'étrange à ce que les communautés chrétiennes primitives, baignant encore dans le judaïsme, aient spontanément développé, dans leurs réunions, une pratique analogue. Une telle situation suffirait à rendre compte de notre « fraction du pain » et de son rite de « passage » (10:6). Elle expliquerait aussi qu'à une époque un peu postérieure, la discipline ait commencé à se resserrer. C'est ce dont pourrait directement témoigner l'instruction de l'auteur de la *Did.* (9:5). Nous assisterions donc ici à une importante évolution, dont la très haute antiquité, au surplus, ne saurait faire de doute.

Le cadre de l'interprétation de 10:6 étant ainsi partiellement fixé, il est intéressant d'essayer de préciser maintenant certains détails qui le concerne. En soi, un mouvement comme celui que paraît supposer le cérémonial de 10:6 ne pose guère de difficulté du point de vue de l'ordonnance et de l'affectation des locaux dans l'habitation commune de l'époque. Les réunions, de toutes manières, devaient avoir lieu dans des maisons assez spacieuses pour recevoir tout le monde. D'autre part, si la « fraction du pain » était ouverte aux sympathisants, et si elle devait être suivie de l' « eucharistie » majeure, le procédé le plus simple de « renvoi » après le repas, était de passer dans une autre pièce où le nécessaire de la célébration pouvait être préparé d'avance. On évitait ainsi bien des embarras d'ordre pratique et l'on assurait en même temps à la grande « eucharistie » un cadre convenable. A elle seule, une telle disposition en dit long déjà sur la manière dont on concevait les rapports de l' « eucharistie » proprement dite et de la « fraction du pain » dans la tradition de la *Did.*, au moment où celle-ci a vu le jour. Elle permet de comprendre, également, que même après les changements impliqués dans l'instruction de 9:5, le petit cérémonial de 10:6 ait pu garder un sens et survivre ainsi à ce qui avait été, au moins pour une part, sa destination première.

Combien de temps ces conditions liturgiques ont-elles duré? quelle a été leur aire de diffusion dans l'église au 1er siècle? il est difficile de le dire et il ne m'appartient pas non plus de le rechercher ici. Il est probable, cependant, qu'elles se retrouvent derrière le cadre général et dans un certain nombre d'allusions de l'*Apoc.*, ce qui peut nous reporter jusque vers la fin du 1er siècle et couvrir au moins une partie de l'Asie Mineure (noter spécialement le caractère « prophétique » de l'écrit lui-même, son rattachement initial au « jour du Seigneur », 1:10, tout son décor nocturne rappelant la vigile, le symbolisme de « l'étoile du matin », 2:28; 22:16, toute l'imagerie de repas, l'attention, à mon avis, très significative portée à David, l'eau et l'arbre de vie, la nouvelle Jérusalem, plusieurs traits de l'épilogue, 22:16-17, 19-20).

Sans prétendre établir des relations trop précises entre nos textes et la documentation archéologique, il me semble utile, en outre, d'attirer de nouveau ici l'attention sur la *domus ecclesiae* de Doura-Europos. Elle a dû recevoir ses derniers aménagements liturgiques autour de l'année 232. Mais les idées qui ont présidé à l'affectation des lieux, à leur adaptation aux besoins des assemblées, et à la décoration de la salle du « baptistère » remontent certainement beaucoup plus haut et viennent non moins certainement de l'extérieur. Rostovtzeff a fait remarquer, à ce sujet, que les peintures de la salle du « baptistère » pouvaient avoir été exécutées par des artistes locaux, mais que le style de l'ensemble s'écarte nettement de la tradition mésopotamienne. De nombreux traits rapprochent au contraire ce style des traditions plus hellénisées de l'ouest (M. ROSTOVTZEFF, *Dura-Europos and its Art*, Oxford, 1938, pp. 132-134). Quoi qu'il en soit des routes suivies par ces traditions dans leur marche vers l'Orient, il est naturel de supposer qu'elles aient accompagné les usages liturgiques. Il est difficile alors, si elles n'y sont pas nées, qu'elles n'aient pas au moins traversé la Syrie ou l'Asie Mineure. C'est le domaine originel de la *Did.* L'influence de celle-ci ne saurait évidemment être précisée dans un cas individuel, mais il est permis de remarquer, sans exclure d'autres relations littéraires, que la *domus ecclesiae* de Doura répond aux conditions idéales de son « eucharistie ». La grande salle du côté sud représente, semble-t-il, le dernier développement dans l'histoire liturgique de la maison. Avant elle, la salle de l'est, plus petite, et contiguë à la salle du « baptistère » (angle nord-ouest) avec laquelle elle communique par l'une de ses portes, aurait pu offrir un cadre approprié à la liturgie de notre instruction de la *Did.* L' « eucharistie » proprement dite aurait été célébrée dans la salle du « baptistère », où l'on serait venu, soit par la porte intérieure, soit par la cour, après une « fraction du pain » qui aurait eu lieu dans la salle de l'est. Le petit cérémonial de 10:6 aurait alors donné un sens liturgique au déplacement d'une salle à l'autre (pour la description archéologique du monument, voir C. HOPKINS, *The Christian Church*, et P. V. C. BAUR, *The Paintings in the Christian Chapel*, dans M. I. ROSTOVTZEFF, *The Excavations at Dura-Europos. Preliminary Report of the Fifth Season*, New Haven, 1934, pp. 238-283).

Ce rapprochement global des textes et de la *domus ecclesiae* de Doura est d'autant plus suggestif qu'il ne semble pas être le seul à mériter ici notre attention. Le plafond de la salle du « baptistère », la seule ornée de peintures, avait reçu une décoration d'étoiles sur fond bleu, comme les fouilleurs ont pu le constater par le nombre des fragments retrouvés sur le sol (p. 254). Certes, un tel décor, prolongé jusque dans l'édicule du « baptistère », peut avoir été gratuit. Mais ce n'est pas ce que suggère le reste de l'ornementation, qui est très loin de professer un tel détachement. Sans vouloir préciser les distances, ne serions-nous pas plutôt dans les traditions liturgiques de notre vigile, avec son « eucharistie » précédée de la

« fraction du pain » (comp. de nouveau le symbolisme des « étoiles »
dans le décor nocturne de l'*Apoc.*; pour la documentation archéologique, voir H. LECLERCQ, *Astres*, dans *Dict. d'arch. chrét. et de
lit.*, I, 3005 ss.)?

Un second élément du décor me semble digne de remarque en
regard de notre texte. Sur le mur sud de la salle du « baptistère »,
entre les deux portes, sous une niche centrale, on a représenté une
victoire de David sur Goliath (pl. XLVII, 2; pp. 256, 275-277; pour
les inscriptions, pp. 241-243). Exceptionnellement, cette peinture
est accompagnée d'inscriptions, l'une dans le cadre, peut-être
pour rappeler le nom d'un donateur, les autres auprès des deux
champions, qu'elles servent à identifier. Du point de vue du traitement pictural, la victoire de David, pour ce qui en reste, semble
avoir été particulièrement apparentée à la représentation d'un
personnage qu'on identifie, d'autre part, au « Bon Pasteur », et qui,
du fond du baptistère proprement dit, paraît dominer tout le reste
de la décoration. La présence de David, en cet endroit, est-elle une
simple digression dans l'ensemble pictural de la pièce? La question
n'est pas oiseuse, car elle est liée, à mon avis, à l'interprétation du
sujet central lui-même, ce « Bon Pasteur » qui, par la situation
ornementale qu'il occupe, doit représenter, de toutes manières,
l'un des thèmes iconographiques les plus anciens de toute la pièce.

Coupons les approches et posons le problème sans détours : ce
« Bon Pasteur » est-il, purement et simplement, Jésus lui-même?
Sans pouvoir entrer ici dans la discussion de ce point, j'avoue que
cette identification me semble beaucoup moins sûre qu'on ne le
suppose d'ordinaire, lorsqu'on se contente de renvoyer à la parabole de *Mt.*, 18:12-14; *Lc.*, 15:4-7, et à l'allégorie de *Jn.*, 10:11-15,
sans faire attention, d'ailleurs, à de profondes différences de contexte
de part et d'autre. Il est permis de croire que les anciens savaient
mieux lire que ces renvois disparates voudraient nous le faire
admettre, et surtout, il est bien certain qu'ils lisaient autre chose.
Il y a de bonnes raisons de penser, en effet, que le thème iconographique du Pasteur s'est fixé originellement dans l'atmosphère des
idées messianiques que le thème littéraire avait lui-même trans-
portées de l'Écriture ancienne dans les paraboles et l'allégorie de
Jésus. Mais, dans de telles conditions, recouvertes plus tard par
une interprétation de plus en plus moralisante de la figure, un texte
comme *Éz.*, 34 ressortait avec incomparablement plus de relief
que nous l'estimerions à première vue, de la distance où nous sommes
(pour l'antiquité, voir ORIGÈNE, *Sel. in Psalm.*, 3,1). Or, dans la

prophétie d'Ézéchiel, le Pasteur porte un nom : « Je susciterai pour le mettre à leur tête un pasteur qui les fera paître, mon serviteur David : c'est lui qui les fera paître et qui sera pour eux un pasteur. Moi, Yahvé, je serai pour eux un Dieu, et mon serviteur David sera prince au milieu d'eux » (*Éz.*, 34:23 s.). C'est de là qu'il faut partir, semble-t-il, pour expliquer l'adoption et le développement du thème iconographique du Pasteur, ce qui n'exclut pas, à un moment ou l'autre, il va de soi, toute influence venue d'autres sources. Brièvement, on pourrait dire, en ce sens, que le thème iconographique (et littéraire) du « Pasteur Véritable » (*Jn.*, 10:11-15, ὁ ποιμὴν ὁ καλός) est devenu de plus en plus, avec le temps, un thème du « Bon Pasteur », et que dans la mesure où celui-ci l'a emporté, les implications messianiques de celui-là se sont trouvées obscurcies (le sentiment originel est encore perceptible dans l'épitaphe d'Abercius : « Je suis disciple, μαθητής, d'un saint pasteur... »; texte dans J. QUASTEN, *Monumenta eucharistica et liturgica vetustissima*, I, p. 22; le même sentiment se retrouve aussi, je crois, à l'arrière-fond de l'allégorie principale du *Pasteur* d'Hermas).

Mais si les observations et les suggestions qui précèdent sont exactes, — et il serait facile de les corroborer de bien des manières, — il n'est plus requis que le Pasteur de Doura soit purement et simplement Jésus. Ce peut être lui, sous la figure complexe de son ancêtre « selon la chair » (*Rom.*, 1:3) et de son type prophétique, c'est-à-dire sous la figure de David, dont nous ne devons pas oublier, d'autre part, qu'il a été regardé par la tradition chrétienne primitive, à travers les *Psaumes*, comme le « prophète » par excellence de la résurrection du Seigneur (voir *Act.*, 2:24-36; 13:34-37; à cet égard, comp., dans l'iconographie ancienne, le thème de Jonas, d'un pittoresque plus facile, secondaire pourtant par rapport au thème du Pasteur, qui occupe souvent la première place dans les ensembles où il se trouve; voir aussi *Rom.*, 15:12, le Christ, « rejeton de Jessé »; *Apoc.*, 5:5, Jésus, « le rejeton de David »; 22:16, « Moi, Jésus, je suis le rejeton de la race de David, l'Étoile radieuse du matin »). Mais, alors, le combat de David et de Goliath ne serait plus isolé dans la salle du « baptistère » : du point de vue iconographique, l'épisode se rattacherait à rien moins que l'image centrale de toute la décoration, et par là, à ce qui doit en être l'un des éléments les plus anciens (sur les problèmes discutés ici, voir pour ces dernières années, l'étude connexe, mais différemment orientée, de J. QUASTEN, *Der Gute Hirte in frühchristlicher Totenliturgie und Grabeskunst*, dans *Miscellanea G. Mercati* (= *Studi e Testi*, 121),

I, pp. 373-406; mais surtout, du même, *The Painting of the Good Strepherd at Dura Europos*, dans *Med. Stud.*, IX (1947) 1-18; à propos du Jonas et du Pasteur du Mausolée des Julii, mis au jour par les fouilles de Saint-Pierre, parois est et ouest respectivement, voir O. PERLER, *Die Mosaiken der Juliergruft im Vatikan*, Fribourg-en-Suisse, 1953, pp. 32-34; à propos du thème de David et Goliath et du Pasteur musicien, on me permettra peut-être de rappeler, en outre, le souvenir du *Ps.* 151 : tout le monde l'oublie depuis qu'il a été expulsé de nos Bibles savantes; le texte grec se trouve dans SWETE, *The Old Testament in Greek*, II, p. 415; le latin, dans R. WÉBER, *Le Psautier romain et les autres anciens psautiers latins*, pp. 357 s.; ce centon n'est pas de tous points identique à ses sources et il était beaucoup plus que certaines d'entre elles susceptible d'attirer l'attention commune).

A ce moment, l'archéologie n'aide-t-elle pas à son tour à comprendre les textes? J'ai donné ailleurs les raisons qui obligent à regarder la leçon τῷ οἴκῳ δαυίδ de la version copte, *Did.*, 10:6, comme plus probablement originale, contre les leçons facilitantes des *Const. apost.*, τῷ υἱῷ, et du *Hier.* 54, τῷ θεῷ (voir introd., pp. 62-67). Disons tout de suite que l'interprétation de 10:6 dans son ensemble va maintenant rendre cette leçon pratiquement certaine. Nous étions donc ainsi restés avec un « Hosanna à la maison de David » dont on excusera peut-être la tradition de n'avoir su que faire. C'est un texte malaisé. Il mérite cependant un effort d'interprétation d'autant plus attentif que son sort est partagé, dans l'antiquité chrétienne, par le parallèle de *Mt.*, 21:15. Nous faisons ici d'une pierre deux coups.

A *Did.*, 10:6, on s'en souvient, cet Hosanna précède immédiatement une invitation faite aux « baptisés » à « venir » dans le lieu où, après la « fraction du pain », doit se célébrer la grande « eucharistie », dernier acte de la vigile : ὡσαννὰ τῷ οἴκῳ δαυίδ· εἴ τις ἅγιός ἐστιν, ἐρχέσθω· εἴ τις οὐκ ἔστι, μετανοείτω. Le lieu où l'on va n'est pas désigné, à moins justement que, suivant les suggestions recueillies, il y a un instant, dans la décoration de la *domus ecclesiae* de Doura, il ne soit désigné, sous les voiles du style « prophétique », par le nom de « maison de David ». Pourquoi pas?

Mt. a un récit de l'entrée à Jérusalem plus circonstancié, ici ou là, que celui de *Mc.*, *Lc.* et *Jn.*, en particulier, à partir du moment où Jésus pénètre dans la ville (21:10-17). Si nous en croyons les manuscrits connus d'Origène (*Sel. in Psalm.*, 8,3) et le sommaire africain édité par de Bruyne (*Rev. bén.*, XXVII (1910) 277), l'accla-

mation des « enfants », dans le Temple, aurait été l'« Hosanna à
la maison de David », et non plus l'« Hosanna au fils de David »,
ou l'« Hosanna des hauteurs », comme lorsqu'on était en marche
vers Jérusalem. Ce changement est-il sans raison? Est-ce par hasard
aussi que les « enfants » font tout à coup cette irruption dramatique
dans l'évangile? Et puis, qui leur a appris à varier avec tant
d'à-propos l'Hosanna antérieur? Une seule explication paraît satisfaire à toutes les données. C'est que l' « Hosanna à la maison de
David » et l' « Hosanna des hauteurs » à tout le moins, sinon même
l' « Hosanna au fils de David » étaient des acclamations bien connues
à Jérusalem au temps de Jésus. Allons plus loin. Leur forme,
grammaticalement curieuse, rappelle à s'y méprendre la titulature
psalmique. Ces datifs, τῷ υἱῷ, τῷ οἴκῳ δαυίδ, ne correspondraient-ils
pas simplement à des *lamed*, marquant, dans cet emploi, aussi bien
la destination que l'appartenance ou le classement (sur les titres des
Psaumes, voir H. CAZELLES, *La question du « Lamed auctoris »*, dans
RB, LVI (1949) 93-101)? Le ἐν (τοῖς) ὑψίστοις pourrait alors avoir,
lui aussi, un sens de titulature (noter, à ce propos, l'emploi isolé de
l'Hosanna, sans détermination; ainsi *Jn.*, 12:13; comp. *Mc.*, 11:9-10).
Ce qui resterait à comprendre, ensuite, c'est que ces acclamations
aient été liées, en fait, dans l'usage liturgique du Temple, à des
compositions plus étendues où elles achevaient de prendre leur signification. On peut penser, si l'on veut, que celles-ci avaient d'abord été
prévues dans un cérémonial de réception du roi, peut-être à la fête
des Tentes, et que l'usage les avait ensuite retenues pour des circonstances analogues. On s'expliquerait ainsi que tout cela soit si spontanément remonté à la surface de la conscience populaire lors de l'entrée
de Jésus à Jérusalem. On verrait mieux de cette façon, également,
le sens précis qu'une telle manifestation de la part des foules pouvait revêtir aux yeux de ses adversaires. Enfin, lorsque les « enfants »
de *Mt.*, 21:15 crient, « dans le Temple », leur « Hosanna à la maison
de David », il ne serait plus nécessaire de leur supposer de trop merveilleuses facultés d'improvisation. Il suffirait qu'ils aient déjà été
dans le service liturgique du Temple, ou plus simplement, qu'ils
en aient déjà été témoins. De toutes manières, l'adaptation de
l'Hosanna au lieu pouvait être faite d'avance pour eux dans l'usage.

Certes, je ne nierai pas qu'il n'y ait dans cette explication une
part d'hypothèse. Il y en a moins toutefois qu'on ne pourrait penser
au premier abord. Car la tradition rabbinique postérieure a conservé,
autour du dernier psaume du *Hallel*, le souvenir de trois drama-
tisations différentes de l'Hosanna qui pourraient bien refléter les

usages plus anciens que nous venons de supposer (*Midr. Hallel, Targ. Ps.*, 118:22-27, *Pes.*, 119a-b; les textes ont été rassemblés et discutés par E. WERNER, « *Hosanna* » *in the Gospels*, dans *Journ. of Bibl. Lit.*, LXV (1946) 114-121, où l'on trouvera d'utiles remarques). De notre point de vue, les plus remarquables de ces arrangements sont ceux du *Targ.* et du *Talm.*, sorte de « Chant des constructeurs » développé autour de la dernière partie du psaume de l'Hosanna. Le principal personnage est David. L'ensemble se réfère à la construction du Temple, dans une ligne d'inspiration qui prolonge celle des *Chron.* (voir, spécialement, 1 *Chron.*, 17:1-27; 29:10-20). La perspective dernière regarde vers le futur, et de toute évidence, c'est un temple idéal qui est construit, par anticipation, en vue du Messie. La proximité des associations dynastiques et cultuelles du nom de David ne saurait être plus étroite (comp., dans le récit synoptique de l'entrée à Jérusalem, le rapprochement de la purification du Temple par Jésus et de l'acclamation messianique des foules, *Mt.*, 21:12-13 et par.; aussi '*Amidah*, 14).

Bien qu'il soit difficile d'évaluer les distances, tout cela, à n'en pas douter, nous ramène assez près de l' « Hosanna à la maison de David » de *Mt.*, 21:15 et de *Did.*, 10:6 dont nous sommes partis. L'acclamation, déjà liée, dans l'espérance messianique, non seulement à la dynastie de David mais au Temple lui-même, était éminemment susceptible de revêtir, sous ces deux aspects, dans la foi en Jésus, un sens d'accomplissement de l'attente ancienne. Rien ne me paraît mieux convenir, à tous égards, à notre cérémonial de *Did.*, 10:6. L'acclamation se réfère, d'un côté, à la personne même de Jésus, qu'elle proclame implicitement comme messie fils de David, et de l'autre, au lieu même où se célèbre le culte nouveau, « eucharistie » majeure, dont il y a de bonnes raisons de penser que le souvenir de David n'était pas absent (9:2). C'est une double implication de cette nature, au surplus, qui doit être sous-jacente à l'instruction de 14:1-3, où l'auteur de la *Did.* rappelle aux églises que leur synaxe dominicale, avec sa « fraction du pain » et son « eucharistie », est « (leur) sacrifice », θυσία ὑμῶν, citant pour sa justification *Mal.*, 1:11,14 (comp. *Apoc.*, 21:1-22:5, pour un transfert global analogue du messianisme à la « nouvelle Jérusalem »; noter 21:22, à propos du Temple). Un tel usage liturgique, avec les idées et l'atmosphère qu'il suppose, ne peut être que très ancien. Le plus naturel serait, d'autre part, qu'il n'ait pas vu le jour à de trop grandes distances du Temple et de la Ville sainte. De là à supposer que notre « fraction du pain » reflète celle des premiers récits des *Actes* (2:42,46), quoique sans doute avec un certain retard permettant une plus grande maturité liturgique, il n'y a guère qu'un pas. Mais, à ce point, il importe peu qu'on soit disposé ou qu'on se refuse à le franchir.

J'aurais souhaité plus que personne une explication moins longue du petit bout de texte qui nous occupe. Son importance ne m'a pas semblé, cependant, requérir moins de soins. C'est tout le sens de la « fraction du pain » qui en dépend. J'ose croire aussi que les résultats ne sont pas négligeables, s'ils contribuent à restituer l'ensemble du document à sa véritable signification. Malgré les apparences, le cérémonial de transition de la « fraction du pain » à l' « eucharistie » que nous lisons à *Did.*, 10:6, est aussi bien ordonné que les « bénédictions » et les prières de la « fraction du pain » elle-même. Son caractère transitionnel l'oblige à regarder à la fois vers ce qui précède et ce qui suit. Il opère, si l'on peut dire, le changement de registre liturgique de la « fraction du pain » à l' « eucharistie » majeure. C'est à lui qu'il revient, en dernier lieu, d'assurer à celle-ci communication vivante des valeurs cultuelles et religieuses renfermées dans celle-là. Ainsi, la première phrase, qui est un souhait : ἐλθέτω χάρις καὶ παρελθέτω ὁ κόσμος οὗτος, a pour parallèle, à la fin (inclusion), un μαραναθά qui est encore un souhait. On répond à chaque fois par ἀμήν. La χάρις, opposée au κόσμος, est évidemment ici la « grâce » du « royaume » vers lequel la prière pour le rassemblement vient de tourner toute l'espérance (10:5; comp. 10:3, ἡμῖν δὲ ἐχαρίσω... ζωὴν αἰώνιον). Le μαραναθά est une nouvelle expression de la même espérance : il entre à sa place dans l'anticipation liturgique du retour du Seigneur (comp. *Apoc.*, 22:20). Au centre, deux éléments. D'abord une acclamation commune, qui est tout ensemble une confession de foi implicite en la personne de Jésus et un salut rempli de joyeuse assurance au lieu réservé à la grande « eucharistie », transposition chrétienne de la ferveur dont l'âme d'Israël entourait depuis longtemps le Temple : ὡσαννὰ τῷ οἴκῳ δαυίδ, « Hosanna à la maison de David ». Puis, le geste autour duquel gravite tout ce petit cérémonial : le président invite les baptisés (les « saints ») à « venir » après lui là où l' « eucharistie » majeure mettra un terme à la vigile, mais il convient de prendre en même temps congé de ceux qui restent. Le président emploie à leur adresse une formule kérygmatique courante d'invitation au baptême, leur proposant par là de manière implicite la participation de ce dont ils demeurent pour l'instant exclus. « Que celui qui est saint, vienne; que celui qui ne l'est pas, se repente. » C'est naturel, de bon goût, et par surcroît, conforme aux règles de l'hospitalité.

Ainsi, ce qui paraissait disjoint au premier regard se révèle, au contraire, à l'examen, très bien articulé. Les liens à discerner sont intérieurs. Reconnaissons, du reste, que le temps a ajouté, par ses dépôts familiers d'équivoques, à la profondeur où ils gisent aujourd'hui. Il est clair, toutefois que, dans leurs conditions originelles, ces choses n'avaient pas besoin de beaucoup d'explications.

**
**

Pour terminer, je voudrais maintenant revenir sur un certain nombre de détails qu'il m'a semblé opportun de laisser provisoirement de côté, pour ne pas embarrasser la marche d'une analyse déjà assez complexe en elle-même.

L'introduction générale de l'instruction, 9:1, appartient à l'auteur de la *Did.* On a beaucoup discuté sur l'emploi qui y est fait d'εὐχαριστία, mais sans distinguer nettement les couches rédactionnelles du recueil dans son ensemble et dans une obscurité à peu près complète sur le genre littéraire de la « bénédiction » ancienne dont l' « eucharistie » évangélique a recueilli l'héritage. Ainsi posé, le problème était sans issue. Ce qui est maintenant clair, c'est que le nom d' « eucharistie » n'est pas nécessairement celui par lequel la liturgie de notre instruction a été désignée à l'origine. Mais ce qui n'est pas moins clair, c'est qu'une « fraction du pain », se développant dans une liturgie de « bénédictions », était, en fait, dès le premier moment, une liturgie « eucharistique », une « eucharistie », comme s'exprime ici l'auteur de la *Did.* Que cette désignation se soit en outre échangée entre le mémorial du Seigneur, enveloppé lui aussi dans une « eucharistie », et la « fraction du pain » à laquelle il était lié, qui était elle-même une « eucharistie », c'était à peu près fatal, et il n'y a certes pas lieu de s'en étonner. Dans cet usage, le même terme d' « eucharistie » a donc pu désigner, suivant les occasions, soit la « fraction du pain » (9:1), soit le mémorial du Seigneur (14:1), aussi longtemps que ce dernier, par voie d'excellence, n'eut pas attiré à lui presque tout l'emploi d'un mot qui avait été originellement beaucoup plus libre. La fluidité de l'usage primitif apparaît encore à 9:5, où l'abstrait devient concret : « Que personne ne mange ni ne boive de votre eucharistie, ἀπὸ τῆς εὐχαριστίας ὑμῶν », et à 10:7, où le verbe nous ramène aux asso-

ciations de l' « eucharistie » avec l'antique genre littéraire de la
« bénédiction » : « Laissez les prophètes bénir, εὐχαριστεῖν, comme
ils l'entendent » (aussi 9:1 ; comp. 14:1, en parlant cette fois de
la grande « eucharistie »). Il va sans dire, enfin, que, dans la pensée
de l'auteur de la *Did.*, toute référence indirecte à l' « eucharistie »
majeure n'est pas exclue de son emploi d'εὐχαριστία à 9:1, si
l'on se souvient que sa « fraction du pain » elle-même prévoit,
à 10:6, un prolongement de cette nature à l'intérieur de la vigile,
celle-ci étant l'unité liturgique dernière qui comprend tout dans
son ampleur.

L'anamnèse de la première « bénédiction » (9:2) célèbre la « sainte
vigne de David ». L'expression est pour nous très voilée. Elle peut
répondre à une intention de mystère, mais elle peut simplement
aussi résulter d'une préférence spontanée pour un certain style
« prophétique » (10:7). C'est, me semble-t-il, le plus probable. De
toutes façons, le genre littéraire indique de quel côté il faut se diriger.
Il ne peut s'agir que de l'une ou l'autre des « merveilles de Dieu »
dans l'évangile. Ce sens est du reste impliqué dans ἐγνώρισας joint
ici à διὰ ἰησοῦ τοῦ παιδός σου. Le nom de David, accompagné
d'une qualification qui souligne ses rapports avec Dieu, achève
de nous mettre ensuite sur la voie. David a certainement été
regardé, dans la plus grande partie, sinon dans toute la tradition
chrétienne primitive, comme le « prophète » par excellence de la
résurrection du Seigneur (très clair dans *Act.*, 2:24-36 ; noter que
ce premier discours, dans la pensée de Luc, est un discours-type ;
dans le même sens, probablement, *Lc.*, 24:45, où la mention des
Psaumes doit viser en dernier lieu la résurrection). Le texte qui
est cité, à ce propos, est *Ps.*, 16:8-11. Mais il faut évidemment
supposer que le psaume en son entier avait attiré l'attention. Il
suffit de le lire ensuite pour comprendre qu'il orientait de lui-
même vers les images de la « coupe » et du vin.

Le reste s'éclaire si l'on se reporte au discours de Paul à Antioche
de Pisidie, qui est ici parallèle à celui de Pierre à Jérusalem : « Et
nous, dit Paul avant de conclure, nous vous annonçons la bonne
nouvelle : la promesse (noter) faite à nos pères, Dieu l'a accomplie
en notre faveur à nous, leurs enfants : il a ressuscité Jésus (ἀναστήσας
ἰησοῦν). Ainsi est-il écrit au psaume premier : Tu es mon fils,
moi-même aujourd'hui je t'ai engendré. Que Dieu l'ait ressuscité
des morts et qu'il ne doive plus retourner à la corruption, c'est

bien ce qu'il avait déclaré : Je vous donnerai les choses saintes de David, celles qui sont véritables (δώσω ὑμῖν τὰ ὅσια δαυὶδ τὰ πιστά, *Is.*, 55:3). C'est pourquoi il dit ailleurs encore : Tu ne laisseras pas ton saint voir la corruption (*Ps.*, 16:10, reprenant l'essentiel de la citation du discours de Pierre). Or David, après avoir en son temps servi les desseins de Dieu, est mort, a été réuni à ses pères et a vu la corruption. Celui que Dieu a ressuscité, lui, n'a pas vu la corruption. Sachez-le donc, etc. » (*Act.*, 13:32-38). De nouveau, il faut supposer que la citation réduite d'*Is.*, 55:3 tient lieu de son contexte (comp. la réduction de la citation du *Ps.* 16). Or, toute l'imagerie qui conduisait le prophète à parler des « choses saintes de David », est empruntée à la nourriture et aux banquets. Le « blé » et le « vin », en particulier, ne pouvaient y faire défaut. Ils y sont, de même que l'invitation caractéristique : « Prêtez l'oreille et venez à moi, écoutez et votre âme vivra, et je conclurai avec vous une alliance éternelle, καὶ διαθήσομαι ὑμῖν διαθήκην αἰώνιον (comp. 1 *Cor.*, 11:25), τὰ ὅσια δαυὶδ τὰ πιστά ».

C'est autour de ces textes, rattachés au κήρυγμα par l'événement même de la résurrection de Jésus, qu'on peut le mieux se représenter la naissance de notre anamnèse. Les « saintes choses de David », τὰ ὅσια, pouvaient aisément suggérer la « sainte (ἀγία) vigne de David », une fois que la grande « eucharistie » avait attiré l'attention sur la coupe. L'image se comprend aisément dans la perspective évangélique commune d'accomplissement des promesses anciennes. Notre anamnèse est donc bien, comme nous l'avons déjà proposé, une anamnèse de la résurrection : celle de Jésus d'abord (c'est le sens de la détermination ἧς ἐγνώρισας... διὰ ἰησοῦ τοῦ παιδός σου), mais aussi celle de ceux qui ont cru en lui (c'est le sens impliqué dans ἡμῖν). A ce propos, il paraît significatif que Luc, de son côté, en rapportant *Is.*, 55:3, ait abrégé, διαθήσομαι ὑμῖν διαθήκην αἰώνιον en δώσω ὑμῖν. Ainsi les ὅσια δαυίδ sont-ils, à ses yeux, « donnés » à ceux qui croient. L'annonce apostolique les présente, dans la résurrection de Jésus, comme la substance même de la « bonne nouvelle » (*Act.*, 13:32, εὐαγγελιζόμεθα), prémices de l'espérance. Selon toutes apparences, c'est aussi la persuasion et le sentiment auxquels obéit notre anamnèse (du même point de vue, comp. le discours « eucharistique » de *Jn.*, 6:32-58).

Il n'y a plus lieu, après cela, de nous réfugier dans une allusion de Clément d'Alexandrie, qui en a porté un bon nombre à voir dans la « sainte vigne de David » le « sang » eucharistique du Sei-

gneur (*Quis div. salv.*, 29; comp. Origène, *Hom. in Jud.*, vi, 2).
Certes, la coupe de la « fraction du pain » dit assez par elle-même
qu'elle prépare et annonce la coupe de la grande « eucharistie »
(comp. *Lc.*, 22:17-18, sur quoi l'on verra P. Benoit, *Le récit de la
cène dans Lc.* xxii, 15-20, dans *RB*, XLVIII (1939) 389 s.). Mais
son anamnèse montre aussi que sa signification propre à tout le
moins n'est pas limitée à la mort de Jésus. C'est bien plutôt sa
« vie » qui est mise en avant, ou, si l'on préfère, son triomphe sur
la mort par la résurrection. Remarquons tout de suite que ce sens
se retrouve, pour l'essentiel, dans les anamnèses de 9:3, 10:2,3,
ce qui peut servir à confirmer l'interprétation ici donnée de celle
de 9:2.

Enfin, il y a peut-être encore quelque chose à recueillir de l'archéologie pour notre sujet. Un texte souvent cité de Tertullien suppose
l'usage de calices de verre à fond peint, où l'on trouvait communément une représentation d'un « pasteur » (*De pud.*, 7 et 10). Tertullien lui-même interprète l'image en fonction de la parabole
évangélique. Mais il faut remarquer, d'une part, qu'il a besoin de
cette interprétation pour régler sa dispute, et, d'autre part, que son
identification avec le « Bon Pasteur » ne reflète, au mieux, que les
idées de son époque. La question se pose donc de nouveau : s'agit-il
du « Bon Pasteur » ? Comme l'usage connu de Tertullien ne saurait
avoir été très récent, il faut le faire remonter, en réalité, assez avant
dans le iie siècle pour expliquer sa diffusion. Mais plus on remonte,
moins il est vraisemblable qu'un « Bon Pasteur » ait été peint dans
les coupes eucharistiques, et plus il devient vraisemblable, au
contraire, que ce « Bon Pasteur » ait été, en fait, le « Pasteur Véritable », ce qui comporte une nuance, et une nuance assez prononcée
pour faire rentrer dans la perspective la figure trop oubliée de David
(voir de nouveau Clément d'Alex., *Quis div. salv.*, 29; Origène,
Hom. in Jud., vi, 2; en outre *Or. sib.*, vi, 15-16, qui reçoit ici une
lumière assez étonnante : (il s'agit de Jésus) ἐκ δὲ μιῆς ῥίζης ἄρτου
(ainsi Alexandre; πήρης, Geffcken, à la suite de Lactance, *Div.
inst.*, iv, 15, 25, qui n'a pas saisi les véritables allusions du texte)
κόρος ἔσσεται ἀνδρῶν, οἶκος ὅταν δαβὶδ φύῃ φυτόν; rappelons
que *Or. sib.* VI est une hymne chrétienne qui peut remonter au
iie siècle). Pour expliquer l'usage auquel fait allusion Tertullien,
il suffirait alors de partir des idées qui entourent l'anamnèse de
notre première « bénédiction », en relation beaucoup plus directe,
de toutes manières, avec l' « eucharistie » que ne put jamais l'être
la parabole. Bref, plutôt qu'à celle-ci, le fait ne se rattache-t-il

pas, en dernier lieu, avec l'anamnèse de la *Did.* elle-même, aux ὅσια δαυίδ du κήρυγμα le plus ancien? En faisant ensuite un crochet du côté de Doura-Europos, ne serait-il pas permis de voir, en outre, plus qu'une rencontre fortuite dans la représentation d'un David triomphant de Goliath juste au-dessous de la niche qui, à l'entrée de la salle du « baptistère », servait peut-être à déposer le nécessaire de l' « eucharistie » (en ce sens, pour le dernier point, C. HOPKINS, *The Excavations at Dura-Europos*, p. 242)? Quel relief prendrait alors, à distance, dans l'espace comme dans le temps, l' « Hosanna à la maison de David », dans notre rituel de « passage » de la « fraction du pain » à l' « eucharistie » majeure (10:6)!

L'anamnèse de la deuxième « bénédiction » (9:3) est une variation sur le thème de la première. C'est encore, fondamentalement, une anamnèse de la résurrection, ou de la « vie » que le Père a fait connaître « par Jésus son serviteur ». Le contexte fixe ici le sens de γνῶσις. Il serait hors de propos d'évoquer la « gnose ». La « connaissance » dont il est parlé est celle du « merveilleux » accomplissement des promesses divines en Jésus, comme le suggère déjà le ἐγνώρισας tout proche, trois fois répété dans nos anamnèses. Il n'est pas nécessaire non plus de faire intervenir le IVe évangile, ni même les « milieux johanniques », pour expliquer l'un ou l'autre des termes de « connaissance » ou de « vie ». Ils se présentaient d'eux-mêmes dans n'importe quelle intelligence de l'événement évangélique en continuité vivante avec la tradition des sages.

Dans l'une et l'autre anamnèse, Jésus est qualifié de « serviteur », παῖς (9:2,3; aussi 10:2,3). David reçoit, lorsqu'il est nommé, la même qualification (9:2; comp. *Act.*, 4:25-27 où le fait se reproduit). Mais, en dépit des apparences, le terme n'est identique pour Jésus et David que dans sa matérialité. Car la structure même de l'anamnèse où la rencontre se produit interdit de donner une égale valeur à παῖς dans les deux cas. Il y a entre les deux emplois du même terme toute la distance qui pouvait séparer, dans la pensée de l'auteur, la promesse de son accomplissement, l'ancien et le nouvel ordre de choses. On ne saurait préciser davantage sans entrer dans le domaine de l'hypothèse. Mais cette seule précision suffit à rattacher le menu fait que nous avons sous les yeux aux conditions générales dans lesquelles s'est développée l'expression primitive de la foi en Jésus. L'explication qu'il faudrait donner de celles-

ci vaudrait également pour celui-là. Néanmoins, ce n'est pas de
la *Did.* qu'il convient de partir : ses données sont trop restreintes.
Ainsi, la discussion de ce problème échappe à notre propos (les
meilleures études publiées entre 1940-1950 ont été recensées par
J. Dupont, *Les problèmes du livre des Actes d'après les travaux
récents*, Louvain, 1950, pp. 103-111; ajouter J.-E. Ménard, *Pais
Theou as Messianic Title in the Book of Acts*, dans *Cath. Bibl.
Quart.*, XIX (1957) 83-92, qui complète la bibliographie et qui
offre d'utiles remarques).

La prière pour le rassemblement est une supplication pour
l' « église » de Dieu, σου ἡ ἐκκλησία (9:4; dans le même sens, 10:5,
(μνήσθητι, κύριε, τῆς ἐκκλησίας σου). Certes, en un sens, cette
« église » est regardée comme universelle, puisque la petite assemblée réunie pour la vigile demande qu'elle soit rassemblée « des
extrémités de la terre » dans le « royaume », et qu'elle n'en parle
qu'au singulier. Mais il faut bien prendre garde, en même temps,
que l'universalité impliquée de la sorte n'est pas une qualification
de valeur positive absolue. C'est l'universalité d'une « dispersion »,
qu'on assimile justement à celle du blé semé sur les montagnes
(ὥσπερ ἦν τοῦτο < τὸ > κλάσμα διεσκορπισμένον). Il est clair,
d'autre part, que « les extrémités de la terre » sont ici une hyperbole, depuis longtemps devenue cliché. L'universalité effective n'est
donc pas nécessairement aussi large que le ferait supposer une lecture superficielle du texte. De toutes façons, le point de vue rappelle beaucoup plus directement la conscience qu'Israël avait
gardée de son exil que les sentiments qui devaient se développer
bientôt, et ailleurs, autour de la « catholicité » chrétienne (voir
Irénée, *Adv. haer.*, ı, 2). La différence des deux attitudes spirituelles est ici capitale. Il est à peine besoin de dire, au surplus,
que la prière de la « fraction du pain » n'est pas une simple prière
de « retour », dans la ligne de l'ancienne espérance. Les niveaux
sont changés. Le rassemblement ne ramènera plus les dispersés
vers Jérusalem, mais « dans le royaume » de Dieu, εἰς τὴν σὴν
βασιλείαν (9:4; 10:5), au delà de la terre palestinienne et au delà
du temps. Le « retour » est eschatologique. L'image qui le représente le mieux, en avant, est celle des « foules » de l'*Apoc.*, que le
« prophète » aperçoit déjà rassemblées « des quatre vents de la
terre » (comp. *Did.*, 10:5; aussi 9:4), les cent quarante-quatre mille
appartenant aux douze tribus d'Israël et la « foule immense, impossible à dénombrer, de toute nation, race, peuple et langue, debout
devant le trône et devant l'Agneau, vêtus de robes blanches, des

palmes à la main, (criant) d'une voix puissante : Le salut à notre
Dieu, qui siège sur le trône, ainsi qu'à l'Agneau » (7:1-10; comp.
14:1-6). La liturgie du « royaume » est ici en continuité exacte avec
celle qui, dans la « fraction du pain », dispose plus humblement
l'espérance à y parvenir, au milieu des retards, des épreuves et des
peines (en particulier, pour ce dernier point, 10:5).

La brève instruction liturgique de 9:5 appartient à l'auteur de
la *Did.* Nous avons déjà eu plus d'une occasion de nous en occuper
(introd., pp. 173-174; ci-dessus, pp. 414-416). Je n'y reviens
pas, sauf pour rapprocher le μὴ δῶτε τὸ ἅγιον τοῖς κυσί d'une
curieuse découverte archéologique faite à Qumrân. Pendant la
quatrième campagne, on a mis au jour contre le mur nord du bâti-
ment secondaire et dans l'esplanade qui s'étend au sud, « de nombreux dépôts d'os d'animaux soigneusement enterrés dans des
pots ou des grands tessons de jarres » : os d'animaux domestiques,
surtout moutons et chèvres. « Ils sont certainement, ajoute le direc-
teur des fouilles, les reliefs des repas sacrés que prenait la communauté. Cette découverte est fort importante : elle s'explique évidemment par des règles religieuses, dont on n'a pas encore trouvé
l'écho dans les textes » (R. de Vaux (*Chronique archéologique*),
dans *RB*, LXIII (1956) 73 s.). De ces règles religieuses, n'avons-
nous pas un écho ici? On notera, à cet égard, que la forme, identique dans *Mt.*, 7:6 et *Did.*, 9:5, est frappée à la façon d'un dit populaire. Jésus a pu simplement le recueillir pour en faire une application de son choix. Le mot peut donc venir d'assez loin, et alors
il n'est pas impossible que, pris à la lettre, il ait quelque chose à faire
avec les pratiques qumraniennes d'ensevelissement des restes des
repas sacrés (comp. *Ex.*, 12:10 : « Ce qui en resterait au point du jour,
vous le brûlerez au feu », à propos de la Pâque; aussi 22:30).

La rubrique de 10:1, qui est aussi de l'auteur de la *Did.*, a particulièrement embarrassé ceux qui ne voulaient voir ici que l' « eucharistie » majeure. Leur seul recours était de donner à ἐμπλησθῆναι,
« être rassasié », un sens métaphorique (Batiffol), très difficile à
imaginer par ailleurs dans une formule disciplinaire où les termes
propres s'imposent de soi. Ceux qui admettaient, au contraire,
que l' « agape » et l' « eucharistie » conjointes, ou l'agape seule, avaient
précédé, se sentaient plus à l'aise avec le « rassasiement » de la
rubrique de 10:1; ils étaient persuadés de le rendre inoffensif en

le rapportant « à la fois à l'agape et à la communion » (Jacquier, Keating). En fait, la rubrique ne concerne que la « fraction du pain », la grande « eucharistie » n'étant envisagée qu'à 10:6, et il faut bien qu'elle ait, en outre, son sens normal, puisque la « fraction du pain » introduit à un véritable repas (comp. *Act.*, 2:46). A ce propos, on ne saurait trop souligner, au surplus, que les anciens n'auraient pas conçu aussi aisément que nous une réunion cultuelle se présentant dans les formes extérieures d'un repas, qui se serait réduite, en réalité, à prendre une bouchée de pain et à tremper ses lèvres à une coupe (comp. le cas du baptême : immersion-infusion). Les symboles liturgiques ne se sont « immatérialisés » qu'avec lenteur. Il est tout à fait anachronique de raisonner ici implicitement dans l'hypothèse où l'union d'un véritable repas à l' « eucharistie » eût dû paraître insolite aux yeux des toutes premières générations chrétiennes. C'est le contraire qui est vrai (la même observation vaut naturellement pour 1 *Cor.*, 11:17-34). Enfin, il se peut bien que la langue de l'auteur de la *Did.* reflète justement, ici, le passage du *Deut.* auquel la tradition du judaïsme postérieur a rattaché l'obligation des « bénédictions » après le repas : « Tu mangeras, tu te rassasieras (*LXX :* καὶ φάγῃ καὶ ἐμπλησθήσῃ) et tu béniras Yahvé ton Dieu (εὐλογήσεις) en cet heureux pays qu'il t'a donné » (*Deut.*, 8:10; voir aussi *Tos. Ber.*, 6:1).

L'anamnèse de la première « bénédiction » (10:2) est parallèle aux anamnèses séparées de 9:2-3. Il ne reste que deux points à préciser à son sujet. L'anamnèse du « saint nom (de Dieu) » fait pendant, comme nous l'avons vu, à celle de la « sainte vigne de David » (9:2). Que faut-il entendre au juste par ce « saint nom que (Dieu) a fait habiter, κατεσκήνωσας, dans nos cœurs »? La voie la plus sûre est de suivre les indications du parallélisme. L'anamnèse correspondante, 9:2, concerne la résurrection, comme d'ailleurs celle de 9:3. La résurrection est dans tout le contexte. Il est dès lors difficile que l'anamnèse du « saint nom (de Dieu) » fasse exception. Suivant les substitutions accoutumées, le « nom » doit tenir ici lieu de la personne du « Père », dans ses relations avec ceux qui s'adressent présentement à lui. Par κατεσκήνωσας (aoriste), nous entrons ainsi dans le cycle d'idées et de représentations qui faisaient du Temple de Jérusalem et de la terre palestinienne elle-même la demeure de la gloire divine : « Seigneur, j'ai aimé (grec)... le lieu du séjour de ta gloire, τὸν τόπον σκηνώματος τῆς δόξης σου » (*Ps.*, 26:8) ; « Proche est son salut, τὸ σωτήριον αὐτοῦ, pour ceux qui le craignent, et la gloire habitera notre terre, τοῦ κατασκηνῶσαι δόξαν ἐν τῇ γῇ ἡμῶν (*Ps.*, 85:10 ; comp. 72:19, « son nom de gloire »). La transposition évangélique, avec le passage de la « terre » et du Temple aux « cœurs », suivant une association d'idées très naturelle en présence du vin et de la coupe, peuvent ensuite expliquer le reste (sur l'association coupe-vin-cœur, voir ci-dessus, p. 408). Le « nom » de Dieu, ce doit donc être ici le « salut » et son espérance de « gloire », sens qui s'accorderait au mieux avec l'idée générale de « vie (éternelle) » et d' « immortalité » des anamnèses parallèles (comp., chez Paul, le don et l'habitation de l'Esprit comme prémices de l'héritage, *Rom..* 8:9-27, etc.).

Le deuxième point sur lequel une précision pourrait être utile concerne la « foi et l'immortalité ». Le contexte indique que le premier terme, πίστις, incline du côté de ses implications de confiance et d'espoir (aussi *Hébr.*, 10:32-39, citant *Hab.*, 2:4), plutôt que du côté de celles de connaissance que nous pourrions être portés à lui trouver ici (comp. 16:2). Malgré les apparences, la γνῶσις qui précède pointe aussi dans cette direction : elle est avant tout « connaissance » des « mirabilia Dei » évangéliques. L' « immortalité », d'autre part, nous reporte dans la tradition des sages, ce qui n'est pas pour nous étonner (voir spécialement *Sag.*, 1:15 ; 3:4). Ce n'est ici qu'une variante de ce qui est appelé ailleurs « vie » et « vie éternelle » (9:3 ; 10:3 ; dans le même sens, probablement, la qualification de « spirituels » appliquée à la nourriture et au breuvage « eucharistiques »). Il n'y a pas lieu, dans un pareil contexte, de demander d'autres lumières aux religions du monde gréco-romain. Elles ne sauraient fournir que des analogies lointaines.

A cette « eucharistie » reçue dans son milieu, l' « apôtre », auteur de la *Did.*, ajoute enfin une dernière directive : « Laissez les prophètes faire à leur gré l' « eucharistie » (10:7). Une telle liberté revenait, en effet, comme naturellement aux « prophètes », dans les conceptions du judaïsme de l'époque, très influencé là-dessus par l'exemple de David et le recueil des *Psaumes*. La « bénédiction » y était devenue, par excellence, expression « prophétique ». C'est ainsi que Luc, par exemple, souligne que Zacharie fut rempli de l'Esprit Saint au moment où il prononça son *Benedictus*, lequel, faut-il le dire ? est pour l'essentiel une « bénédiction » (à propos de David et du recueil des *Psaumes*, où les « bénédictions » tardives

puisaient à pleines mains, noter le détail très significatif de *Mt.*,
22:43 et par. : « Comment donc David, en Esprit, ἐν πνεύματι,
l'appelle-t-il Seigneur dans ce texte? », suit la citation de *Ps.*, 110:1;
pour le titre de « prophète » donné à David, voir *Act.*, 2:30-31).
C'est ainsi également que Paul voit les choses, à coup sûr, dans son
instruction aux Corinthiens sur le bon usage de la glossolalie dans
la « prière » et la « bénédiction », εὐχαριστία (1 *Cor.*, 14:13-19;
comp. la « prière » de l'Esprit, *Rom.*, 8:26-27; le « Abba! Père »,
8:15; *Gal.*, 4:6). Il conviendrait de rappeler enfin, de façon globale,
le caractère liturgique de l'*Apoc.*, où abondent les éléments de
« bénédiction », sous forme de doxologies liées aux descriptions
anticipées des « mirabilia Dei » dans l'église, « nouvelle Jérusalem »,
brillante comme une « fiancée ». Or, l'*Apoc.* se donne elle-même
comme une « prophétie » et l'œuvre d'un « prophète » (1:3; 10:7;
22:18-19). Pour peu qu'on y songe, du reste, on n'a pas de peine à
reconnaître que le rapport spécial du prophète à la « bénédiction »
devait simplement résulter de la nature des choses. La « bénédiction » étant regardée comme la plus haute forme cultuelle revêtue
par la parole, elle revenait de droit, pour ainsi dire, à ceux que
l'Esprit comblait de l'admiration et de la joie des « œuvres » de
Dieu et à qui il donnait en même temps les moyens pour le dire.
C'est l'arrière-plan de la directive ici donnée par l'auteur. Nous
supposons que la signification d'un tel trait de vie ecclésiale, aux
origines, n'échappera à personne (comp. pour une époque postérieure, et dans des conditions déjà différentes, 1 *Clém.*, 41; Justin,
1 *Apol.*, 67,5 : « Celui qui préside fait monter des prières et des
bénédictions, autant qu'il peut, et l'assemblée lui fait écho en
répondant Amen »; aussi 13,1; *Trad. apost.*, x, 4).

11:1-2 *Si quelqu'un, donc, se présente à vous avec des instructions
conformes à tout ce qui vient d'être dit, recevez-le;* [2]*mais si celui-là
même qui enseigne est perverti et propose d'autres instructions, dans
le but de démolir, ne lui prêtez pas attention; enseigne-t-il, au contraire, en vue d'accroître la justice et la connaissance du Seigneur,
recevez-le comme le Seigneur.*

C'est la dernière instruction de la *Did.* en son premier état. La
fonction littéraire de cette directive par rapport aux instructions

qui précèdent, est analogue à celle que nous avons déjà examinée
à propos de 4:12-13 et de 6:1 (voir le comm. *in loc.*). C'est le sceau
de l'authenticité et de l'autorité apostoliques posé sur le recueil
avant de le mettre en circulation. Les églises regarderont les présentes instructions comme une règle permettant de juger de ce
qu'elles pourront éventuellement recevoir par ailleurs.

Les conditions concrètes impliquées dans une telle directive
méritent d'être observées de plus près. Car elles annoncent celles
que nous verrons prévaloir dans le recueil en son deuxième état
(11:3-16:8). Les instructions (au sens propre, διδάξῃ, διδάσκων,
διδάσκῃ, διδαχάς) sont d'abord normalement portées aux églises
et introduites dans leur vie courante par un personnage qui n'est
pas ici désigné par son nom, mais qu'on n'a pas de peine à reconnaître, grâce à l'exacte correspondance du titre du recueil, Διδαχαὶ
τῶν ἀποστόλων) et de la formule de 11:2, ἄλλας διδαχάς, conservée
par la version copte (sur le problème textuel, voir introd., pp. 70-71.
). Ce personnage, c'est l' « apôtre » (comp. 1 *Cor.*, 4:17, où l'on
voit Timothée partir rappeler à la communauté de Corinthe, de la
part de Paul, les instructions que celui-ci donne dans toutes les
églises; voir aussi 1 *Tim.*, 4:11; 6:2). Il peut se présenter aux églises
à sa convenance et au moment de son choix. C'est un ἐλθών (11:1), un
ἐρχόμενος (11:4), quelqu'un dont les allées et venues, d'église en
église, sont considérées comme l'exercice naturel d'une activité
que tous reconnaissent.

Mais ceci, à vrai dire, ce sont les choses en soi. La pratique,
comme toujours, est plus complexe et offre des dangers de surprise,
faciles à comprendre dans les conditions de l'époque. Un intrus,
un égaré, un « franc-tireur », un agent de perversion, un fauteur de
troubles (στραφείς... εἰς τὸ καταλῦσαι) peut se présenter un jour
ou l'autre aussi bien qu'un « apôtre » authentique. Comment le
reconnaître? On le jugera, répond l'auteur, à la conformité (générale) de ses instructions avec celles qui sont enregistrées ici. S'il ne
fait rien d'autre que reprendre « tout ce qui précède πάντα τὰ
προειρημένα, recevez-le » (11:1; comp. 1 *Cor.*, 4:17, ci-dessus).
Mais si celui qui vient à vous s'écarte des présentes instructions
et vous en donne d'autres « avec l'intention de démolir » (εἰς τὸ
καταλῦσαι) ce que nous construisons, « ne l'écoutez pas ». Par
contre, s'il vous apporte d' « autres instructions », non avec le
dessein de « détruire », mais avec celui « d'ajouter (plutôt) à la
justice et à la connaissance du Seigneur, recevez-le comme le Seigneur » lui-même (noter que εἰς δὲ τὸ προσθεῖναι renverse l'hypo-

thèse de la proposition précédente, et sous-entend un ἄλλας διδαχάς que beaucoup de traducteurs et de commentateurs sont portés à négliger, non sans un grave dommage pour l'intelligence de l'ensemble; correctement traduit par Lightfoot, Jacquier, Lake; noter aussi les termes de « justice » et de « connaissance du Seigneur » = Dieu, reprenant la plus pure phraséologie du judaïsme contemporain). Ainsi, en même temps qu'une précaution était prise, une juste liberté était-elle prévue, dont l'auteur sera naturellement le premier à se prévaloir, dans la longue addition qu'il fera à son premier recueil, et dont se prévaudra de nouveau après lui l'interpolateur lorsque, à l'écrit parvenu à cet état, il ajoutera ses propres instructions (1:3b-2:1; 6:2-3; 7:2-4; 13:3, 5-7).

11:3-6 *Au sujet des apôtres et des prophètes, suivez la règle de l'évangile. ⁴Ainsi, que tout apôtre qui se présente à vous soit reçu comme le Seigneur; ⁵mais il ne restera qu'un seul jour, et s'il en est besoin, le jour suivant; s'il reste trois jours, c'est un faux prophète. ⁶A son départ, que l'apôtre ne reçoive rien, si ce n'est son pain jusqu'à l'étape; s'il demande de l'argent, c'est un faux prophète.*

Le problème général des deux premiers états de la *Did.* a été discuté en son lieu (introd., pp. 110-115). L'essentiel est qu'une relative discontinuité littéraire soit reconnue à 11:3 pour tout ce qui suit. Autant qu'on en puisse juger, sur les bases de comparaison plutôt étroites offertes par le premier état du recueil, l'auteur est le même de part et d'autre. Mais son dessein primitif était plus limité qu'il ne paraît maintenant, à négliger, comme on le fait d'habitude, l'indication de 11:1-2, ou à la prendre à contresens, comme le fait Knopf, parmi d'autres (11:1-2 viserait les instructions qui suivent et non celles qui précèdent).

A un *Duae viae* déjà bien connu, l'auteur n'avait d'abord pensé joindre qu'un petit nombre d'instructions sur des points que tout le monde, autour de lui, considérait sans doute comme fondamentaux : le rite baptismal, le jeûne hebdomadaire, la prière quotidienne, la « fraction du pain » conduisant à la grande « eucharistie », ce qui, pris ensemble, n'était probablement rien d'autre que la vigile dominicale. De fait, le recueil a dû circuler quelque temps dans cet état. Combien de temps? nous ne saurions dire. Le fait, cependant, que l'auteur ait pu « rattraper » son livret et que la tradition manuscrite ne paraisse pas avoir été sérieusement embrouillée par les circonstances de composition de l'ensemble du recueil, suggère un intervalle assez court. Il faut toutefois donner à celui-ci une longueur suffisante pour rendre vraisemblable, dans la pensée de l'auteur, le projet d'une addition de la nature et de l'étendue de celle que nous avons sous les yeux. Il est nécessaire aussi que le délai puisse permettre la rédaction, ou la diffusion, dans les églises concernées, d'un « évangile » tel que celui qui est supposé par le deuxième état du recueil (11:3; 15:3-4). En revanche, rien ne nous oblige à imaginer que les circonstances des instructions additionnelles soient purement et simplement nées dans l'intervalle 11:2-3. Il suffit que l'expérience ait montré à l'auteur la nécessité d'intervenir, dans une situation qui pouvait exister déjà en substance au moment où il mettait à exécution son premier projet. Aussi bien aucun des points touchés entre 11:3 et 16:8 n'est-il de la nature des difficultés ou des crises soudaines. Dans ces limites, chacun, s'il en a le désir, peut déterminer le chiffre qu'il veut. La précision absolue est sans importance.

On sait, d'autre part, quelles étonnantes constructions se sont élevées sur ces textes. Personne n'ignore non plus quelles déceptions ont fait suite à l'enthousiasme des premiers bâtisseurs, parmi lesquels il n'est que juste de mettre en avant le nom de Harnack (*Die Lehre der zwölf Apostel*, pp. 88-158; *Die Mission und Ausbreitung des Christentums*, 4 éd., I, pp. 332-379; *Entstehung und Entwickelung der Kirchenverfassung und des Kirchenrechts in den zwei ersten Jahrhunderten*, Leipzig, 1910, pp. 57-59 et *passim*; à mi-chemin entre les brillantes années de la découverte et la période actuelle, voir la réaction significative de J. A. ROBINSON, *The Christian Ministry in the Apostolic and Sub-Apostolic Periods*, dans H. B. SWETE, *Essays on the Early History of the Church and the Ministry*, Londres, 1918, pp. 59-92). On peut dire aujourd'hui qu'aucune partie de la *Did.* n'a été plus galvaudée que ses ch. 11-15, et qu'aucune partie n'a plus fait également pour discréditer tout le recueil. L'incertitude et l'inutilité progressives du document ont été les conséquences du traitement qu'il a subi.

Ainsi, expérience faite par l'histoire, deux remarques générales paraissent opportunes avant d'entrer dans le détail de l'interprétation. En quelque langue qu'elle se soit exprimée, la critique a regardé la *Did.* comme un « manuel de discipline ecclésiastique ».

A l'horizon, elle entrevoyait la littérature « canonique » qui a commencé à fleurir au début du IIIe siècle. De la première à la seconde, il y avait continuité, et une continuité telle que le chemin pouvait être parcouru dans un sens comme dans l'autre. Le genre littéraire, le propos, les conditions de naissance et d'existence de la littérature « canonique » se réfléchissaient rétrospectivement sur la *Did.* et servaient, croyait-on, à l'éclairer. C'était une « compilation », dans son genre la plus ancienne qui nous soit parvenue. Dans le détail, ce petit « manuel », « compilé » de sources d'âge différent et de diverse qualité, « traitait » de la « morale », du « culte » et de l' « organisation » ecclésiastiques. Du coup, l'écrit revêtait ce faux air abstrait sur lequel l'analyse lisait ensuite à son aise la suggestion des autres catégories dont elle avait besoin. Ces catégories étaient d'ordre principalement juridique. Avec elles, la *Did.* entrait dans le champ des « conceptions » anciennes de la « constitution » de « l'église », et par là, quand il plaisait, dans le dossier de « l'essence du christianisme ». Ainsi, d'un bout à l'autre, il n'était pas une catégorie qui, de quelque façon, ne contribuât à ouvrir un peu plus largement la porte à l'anachronisme. Il s'y est engouffré comme le vent.

Il reste à choisir avec plus de soin les catégories fondamentales de l'analyse. La composition même de la *Did.* suffit d'abord à faire rejeter la qualification de « manuel ». Le projet de l'écrit n'a pas été formé d'un coup. Il s'est développé, au contraire, suivant les appels successifs d'une réalité mouvante qu'il avait pour intention initiale de satisfaire. Nous avons reconnu, sur cette ligne, trois états littéraires de la *Did.* Chacun de ces états répond, suivant sa mesure, à des requêtes concrètes de la situation des églises concernées. De ces requêtes, l'auteur à deux reprises, puis l'interpolateur, ont été juges. Du point de vue interne, nous n'avons, de notre côté, aucune raison sérieuse de révoquer en doute la perspicacité de leur jugement. On ne voit pas non plus quel motif ils auraient pu avoir de déformer la réalité ecclésiale que leurs instructions supposent. Autant les soupçonner d'avoir mis, de façon délibérée, leur action en contradiction avec elle-même. La *Did.* n'est pas un « manuel de discipline ecclésiastique ». Elle est un recueil d' « instructions », dont le genre littéraire, parfaitement défini, est lié à une tradition, à des personnes et à une activité qui n'ont que de lointains rapports avec ce qu'on présuppose d'habitude à la naissance d'un « manuel ». Son propos, sauf la forme écrite (et encore !) est analogue à celui de Paul envoyant Timothée « rappeler » à Corinthe ses « instructions » ordinaires, « telles qu'il les donne partout en chaque église, καθὼς πανταχοῦ ἐν πάσῃ ἐκκλησίᾳ διδάσκω » (1 *Cor.*, 4:17). Ce que nous avons entre les mains, c'est un recueil d' « instructions » communes de ce genre, engagées dans une action apostolique à l'unité et à l'efficacité de laquelle elles sont regardées comme nécessaires. Le but de telles « instructions » est de tracer des « voies » à la conduite, dans le cadre général des relations de la διδαχή au κήρυγμα. Des « voies », c'est l'expression même de Paul dans le texte qui vient d'être cité : « Je vous ai envoyé Timothée... ; il vous rappellera mes voies dans le Christ, τὰς ὁδούς μου τὰς ἐν χριστῷ », — combien évocatrice des attaches de l' « instruction » à l'une des plus vieilles et des plus profondes images que la tradition d'Israël s'était formées de l'action de Dieu sur son peuple! Nous sommes loin, avec cela, de l'idée d'une « compilation », nourrie de souvenirs et de bibliothèques ; plus loin encore peut-être du dessein qui animera plus tard la littérature « canonique » des « Church Orders », hantée justement par l'imitation la plus artificielle de l'ancienne διδαχή apostolique, forcée par cela même d'étaler à tout propos les trucs utiles au maintien de sa fiction.

On peut ici comparer : la *Did.*, dans son premier état, ne mentionnait ses « apôtres » que dans le titre, et encore le faisait-elle sans ajouter la moindre qualification « honorable » et sans esquisser le premier linéament d'une mise en scène « suggestive ». Ce seul indice, s'il avait été aperçu, aurait dû suffire, dès l'abord, au discernement des genres littéraires et des intentions respectives des écrits en présence. De l' « instruction » apostolique, on passe à son imitation dans les « Church Orders », mais le chemin ne peut être indifféremment parcouru en sens inverse. Il y a, dans l'espace intermédiaire, modification de forme et dénivellement de qualité; il y a surtout, qui explique l'un et l'autre, changement profond, dans la conscience de ceux qui en sont les porteurs, des rapports de l' « instruction » à la réalité ecclésiale. Bref, sous tous les aspects, on n'est plus devant la même chose. La comparaison demeure possible, mais elle accuse les diversités plus que les ressemblances. La *Did.* n'est pas un « Church Order ». Elle ne « traite » pas, comme auraient pu le faire ceux-ci, de la « morale », du « culte » et de l' « organisation » ecclésiastiques. Son point de vue est beaucoup moins universel, moins incliné aussi vers le droit, à peu près totalement étranger à ce qui aurait été, pour son auteur principal, une « constitution » de l'église. Elle a un champ d'action dans lequel elle connaît des usages, un certain ordre de choses déjà établi, et dans lequel, au surplus, elle est sensible à des nécessités, les unes permanentes et anciennes, les autres nouvelles. Mais il n'y a aucune apparence que ce champ d'action soit « l'église ». La composition ne se comprend bien, au contraire, que si, dans son adaptabilité même aux circonstances, elle reflète des conditions localisées. Ce que chacune des instructions contient, compte tenu de son objet propre, doit être jugé à cette mesure.

Du point de vue des instructions qui nous restent à analyser, la transformation de la triade apôtre-prophète-docteur en une « hiérarchie charismatique » n'a pas été une opération critique plus heureuse que la représentation de la *Did.* en son ensemble comme un « manuel de discipline ecclésiastique », « compilation » secondaire à peu de chose près réductible au genre littéraire des « Church Orders ». Les effets de cette double méprise se sont conjugués pour créer l'état de confusion grâce auquel, pour une bonne part, la *Did.* s'est acquis, ces vingt-cinq dernières années, sa réputation d' « énigme » aberrante et fantasque. Pourquoi le tort serait-il rejeté sur l'auteur? Il n'a jamais, personnellement, écrit le mot de « charisme ». Il n'a pas non plus présenté ses apôtres, prophètes et docteurs comme une « hiérarchie ». Il en a parlé suivant cet ordre, ce qui n'est pas tout à fait la même chose. Effectivement, il ne fait mention de « l'Esprit » qu'au sujet des prophètes. Dès lors, que faisons-nous lorsque nous posons avec lourdeur, sur ses instructions, les cadres d'une « hiérarchie charismatique » que nous nous sommes par ailleurs simplement crus autorisés à lire chez Paul (surtout 1 *Cor.*, 12:28)? Il est clair dès l'abord que le procédé risque à tout moment de faire violence au texte. On ne peut s'étonner qu'il en soit sorti un certain nombre de fantômes.

En réalité, l'ordre apôtre - prophètes - docteurs était spontané dans la conscience de la première génération chrétienne issue du judaïsme, et il s'imposait à elle indépendamment de toute recherche consciente d'une « organisation » ecclésiale. Compte tenu des transpositions nécessaires du côté de l'objet de chacune des fonctions, il ne fait rien de plus que reproduire, en effet, et continuer, dans le service de la parole évangélique, l'économie générale de la parole ancienne : loi - prophétie - sagesse. On voit d'ailleurs assez mal comment les choses auraient pu se passer d'une autre façon. L'évangile n'est pas tombé miraculeusement, au premier jour, dans des consciences juives qui auraient su, par hasard, réserver jusque-là toutes leurs affinités et toutes leurs options personnelles à l'égard de Moïse, des prophètes et des sages. Il n'a pas été davantage reçu, au premier moment, dans des consciences pour lesquelles la tradition ancienne aurait représenté une quantité étale, amorphe et inarticulée. Cette tradition, au contraire, possédait depuis longtemps, aux yeux de tous, ses articulations et sa structure, susceptibles de déterminer, et déterminant en fait, à l'intérieur de l'allégeance commune, des options plus particulières répondant à la diversité même de ses formes et de ses valeurs. Ainsi l'évangile ne s'est-il pas normalement rencontré dans le judaïsme avec une poussière de consciences aux disponibilités inentamées. En ce sens, il n'a pas exigé non plus que personne renonçât à soi-même.

Le moment venu, la division du service de la parole se trouva donc faite de soi, sans que personne n'eût à intervenir et sans que personne non plus n'ait dû auparavant se préoccuper de ce qui allait en résulter pour l' « organisation » de « l'église ». Il y eut de cette manière des apôtres, des prophètes et des docteurs. L'apostolat venait en tête, non seulement parce que Jésus avait lui-même défini la fonction et pourvu à ses premiers titulaires, mais parce que, d'une façon plus générale, l'apôtre était le témoin par excellence de l' « alliance » et de la « loi » nouvelles (à cet égard, voir le rapprochement du choix des Douze et du discours inaugural dans *Lc.*, 6:12 ss. ; aussi la mise en scène, la place et la composition du Sermon sur la montagne, dans *Mt.*, 5:1 ss. ; également, la comparaison très significative de l'ancienne et de la nouvelle alliance, de l'ancienne et de la nouvelle loi, à propos du ministère apostolique, 2 *Cor.*, 3:4-11 ; comp., en outre, le κηρύσσοντας αὐτόν de *Act.*, 15:21, en parlant de l' « annonce » de « Moïse » dans l'assemblée synagogale). L'ordre prophètes - docteurs s'imposait ensuite par la voie d'une analogie parallèle à celle qui mettait les apôtres au premier rang. C'était la situation réciproque des prophètes et des sages anciens, dont les prophètes et les docteurs de l'évangile devaient paraître se rapprocher par les modalités respectives de forme et de contenu de leur parole.

L'origine précise ici les relations. La triade apôtres - prophètes - docteurs ne peut être qualifiée de « hiérarchie » qu'en un sens large. Si l'on ne craignait l'équivoque, on pourrait dire qu'il s'agit d'une hiérarchie moins juridique que simplement fonctionnelle. L'évangile, qui comprend aussi bien ici les gestes liturgiques inséparables de la parole, est le point de référence commun. L'apôtre, le prophète et le docteur s'y reportent comme à un tout infrangible, chacun suivant sa modalité. Le champ d'action du prophète ne commence pas où finit celui de l'apôtre, ni celui du docteur où finit celui du prophète. En partie tout au moins, les champs d'action se recouvrent, quoique certaines différences irréductibles dans les modalités de cette action même les empêchent de se recouvrir entièrement. Il en résulte une distribution, un ordre, et, si l'on veut, une hiérarchie, analogues à ce dont l'Écriture ancienne offrait l'image dans le vaste ensemble de la « parole de Dieu » : loi - prophétie - sagesse.

C'est d'ailleurs une telle distribution fonctionnelle des personnes qui se reflète dans les principales formes littéraires du N. T. Aussi bien celles-ci connaîtront-elles, en outre, vers la fin de l'âge apostolique, un sort semblable à celui du premier ministère de la parole. Le phénomène est révélateur. Il y a là plus qu'une coïncidence, comme il y a probablement plus qu'un hasard dans le fait que ce soit aux gentils de Corinthe que Paul ait dû préciser qu'il y avait « diversité de dons spirituels, χαρισμάτων », tous répandus par le « même Esprit », « diversité de ministères, διακονιῶν », tous au service du « même Seigneur », « diversité d'opérations, ἐνεργη-μάτων », toutes produites par le « même Dieu qui opère tout en tous », et que, « dans l'église (corps du Christ) », Dieu en avait « établis, premièrement comme apôtres, deuxièmement comme prophètes, troisièmement comme docteurs... » (1 *Cor.*, 12:4,28). Beaucoup de ces choses, sinon toutes, allaient de soi dans des églises dont la composition même assurait une communication plus immédiate avec les suggestions et l'équilibre régulateur de la tradition ancienne. Selon toutes vraisemblances, l'auteur de la *Did.* n'a pas eu besoin de penser « charismes », ni non plus « premièrement » apôtres, « deuxièmement » prophètes, « troisièmement » docteurs, pour écrire ses dernières instructions dans la forme et dans l'ordre où elles se présentent à nous. On peut croire que ceux à qui il s'adressait n'en avaient pas besoin davantage.

Un premier groupe d'instructions (11:3-12) s'ouvre par une directive générale : « Au sujet des apôtres et des prophètes, conformez-vous à la règle de l'évangile » (11:3). L'allusion est pour nous difficile à saisir. Quel était cet « évangile » auquel l'auteur renvoie et sur lequel il paraît lui-même s'appuyer? Une quantité définie, à coup sûr, car autrement l'instruction perd sa pointe. Cette inférence est confirmée par 15:4, qui offre une instruction du même genre, où le mode de renvoi est cependant plus expressif : « Pour vos prières, vos aumônes et toute votre conduite, faites selon ce que vous avez, ὡς ἔχετε, dans l'évangile de notre Seigneur » (comp. 15:3). Elle l'est de nouveau, et de façon décisive, par la différence de conditions que révèlent, à cet égard, le premier et le deuxième état de la *Did.* (introd., pp. 112 ss.). Un « évangile » a été rédigé, ou répandu, dans les églises auxquelles s'adresse l'auteur dans l'intervalle qui a séparé la première et la seconde partie de son recueil. Concrètement, on a suggéré, derrière le renvoi de 11:3, le discours de mission de *Mt.*, 10:5-42 et l'avertissement contre les faux prophètes du Sermon sur la montagne, 7:15-20 (Harnack, Funk, etc.). L'embarras de cette suggestion, c'est que les recommandations de *Mt.*, 10:5-42 s'adressent aux Douze, non à ceux qui doivent les recevoir, comme le suppose l'instruction, et que l'avertissement contre les faux prophètes reste alors seul à faire tous les frais. Il se peut qu'en soi il y suffise, mais alors on se demande pourquoi l'auteur s'attache justement à préciser ensuite ce que ses lecteurs auraient dû trouver dans *Mt.* Incontestablement, le renvoi perd du coup une bonne part de son utilité. A ce point, le problème ressortit aux conditions générales des rapports de la *Did.* avec la tradition matthéenne. Ces conditions ont été examinées ailleurs. Il n'y a rien de plus à ajouter ici (voir introd. pp. 169 ss.).

Du point de vue de l'intention de l'auteur, il importe de remarquer, d'autre part, que seuls les apôtres et les prophètes sont concernés dans les instructions qui suivent (11:4-12). Les docteurs ne feront leur première apparition que plus loin, après une instruction plus générale, non annoncée par 11:3, sur la pratique de l'hospitalité (12:1-5), et en liaison immédiate avec une brève instruction sur la conduite à tenir à l'égard des prophètes qui voudraient s'établir, plus ou moins à demeure, dans une église de leur choix (13:1-2). Cette composition, qu'on a généralement regardée d'un œil distrait, permet d'apprécier sur un point délicat la manière dont les instructions de la *Did.* se représentent les docteurs. Il n'est pas du tout sûr, en effet, que ceux-ci se soient déplacés d'église en église comme le faisaient les apôtres et les prophètes. C'est même le contraire qui est de beaucoup le plus probable. Pourquoi, autrement, ne seraient-ils pas entrés à leur place dans l'instruction de 11:3-12? La perte est sensible pour la « hiérarchie itinérante »! Les apôtres et les prophètes restent seuls. C'est très exactement le point de vue de 11:3.

La première instruction concerne les apôtres et précise quelques points relatifs à leur accueil dans les églises où ils passent (11:4-6). On aurait pu croire que son extrême simplicité l'assurait de paraître sans détours : elle a été jugée irréelle (Vokes). Nous sommes très sérieusement invités à penser que l'intérêt de l'auteur pour des apôtres inexistants n'est que littéraire. Il ne les aurait amenés là, en réalité, que pour flanquer ses prophètes, d'après 1 *Cor.*, 12:28 et *Éph.*, 4:11. Le parti répondrait chez lui au dessein avéré de faire « primitif ». Le seul ministère vivant, dans tout cela, et le seul auquel tienne vraiment l'astucieux auteur des instructions, serait celui des prophètes (montanistes), les docteurs, de leur côté, n'ayant pas une existence moins précaire que celle des apôtres. Bref, si cette explication était exacte, nous n'aurions qu'à enregistrer ici à notre guise une curiosité archaïsante, et à passer outre. On hésite pourtant à se prévaloir d'une telle liberté, car l'explication se fait la partie trop belle en supposant que l'auteur parle la moitié du temps pour ne rien dire. C'est plutôt, j'imagine, une manière savante de renoncer à expliquer le texte. Manifestement, l'auteur de la *Did.* n'est pas un homme qui perd ses phrases. Elles sont dures et drues, le temps les a rendues souvent difficiles. Ce n'est pas une raison pour que nous inventions maintenant des moyens de nous en débarrasser à peu de frais.

L'instruction met en avant une directive générale qui, dans la pensée de l'auteur, devait sans doute faire équilibre au reste. Tout apôtre, lorsqu'il se présente, doit être reçu « comme le Seigneur », ὡς κύριος. On notera l'absence de l'article (de même 11:2), signe qu'il ne faut pas trop s'empresser d'identifier ici le « Seigneur » à Jésus. Ce fut moins que nous ne serions portés à le penser, à cet égard, le point de vue de la haute antiquité chrétienne (comp. les expressions corrélatives d' « évangile de Dieu » et d' « église de Dieu »; aussi *Rom.*, 1:1, « Paul, serviteur du Christ Jésus, apôtre par vocation, mis à part pour l'évangile de Dieu »; 1 *Cor.*, 1:1, « Paul, appelé à être apôtre du Christ Jésus par la volonté de Dieu »; 12:28, « Il en est que Dieu a établis dans l'église, premièrement comme apôtres, etc. »; *Éph.*, 4:11 est plus flottant; voir également *Did.* 4:1, pour l'arrière-fond ancien, avec le comm. *in loc.*). L'accueil impliqué dans δεχθήτω comprend évidemment toutes les prévenances et toutes les attentions ordinaires d'une bonne hospitalité, comme on peut le voir par la suite, ce qui est conforme au cadre domestique dans lequel vit encore la communauté ecclésiale. L'instruction se rencontre ici, pour une part, avec les recommandations du judaïsme postérieur touchant le mérite de l'hospitalité offerte aux docteurs de la Loi : recevoir celui qui occupe toute sa vie au service de la *Tôrâh*, c'est comme recevoir la *Shekhînâh* elle-même (*Ber.*, 63*b*, *passim*). Il importe de remarquer toutefois que l'hospitalité requise par l'instruction de la *Did.* en faveur des apôtres ne paraît pas être une hospitalité purement et simplement privée, mais l'hospitalité des « églises » comme telles, quels que soit celui ou ceux à qui elle incombe nommément, à titre de service commun (comp. *Mt.*, 10:11-14 et par.; aussi *Rom.*, 16:23 et 3 *Jn.*, 5-11, très significatif). L'instruction équivaut donc à une « recommandation » générale des apôtres auprès des églises. Elle est analogue aux «recommandations » personnelles qui se faisaient d'ordinaire par lettre (comp. *Rom.*, 16:1-2; 2 *Cor.*, 8:16-24).

L'auteur pose cependant des limites à l'hospitalité qu'il demande pour les apôtres, et c'est ici surtout que son instruction a causé de l'étonnement. De façon normale, l'hospitalité ne devrait pas dépasser un jour. S'il en est besoin, l'apôtre pourra demeurer un jour de plus. Mais s'il s'attarde un troisième, c'est un « faux prophète ». On a généralement vu dans cette règle une marque de défiance, et sans doute, jusqu'à un certain point, n'est-ce pas contestable. Il ne faut pourtant pas exagérer. L'hospitalité des anciens, plus directement commandée par la nécessité que la nôtre, a aussi revêtu des caractères plus formels, dont nous aurions tort de nous étonner. Ainsi, dans la Grèce classique, l'hôte n'est invité qu'à un seul véritable repas (ἐπὶ ξένια καλεῖν), qui peut avoir lieu le jour de son arrivée, s'il n'est pas trop tard, qui sera offert le lendemain dans le cas contraire. Si l'hôte prolonge son séjour, on ne lui fait porter ensuite que des provisions de bouche plus modestes (d'une façon générale, voir Ch. LÉCRIVAIN, *Hospitium*, dans *Dict. des ant. gr. et rom.*, III, 294 ss.; aussi J. MARQUARDT, *Das Privatleben der Römer*, Leipzig, 1879, I, pp. 191-196). Des usages semblables, inspirés de conditions et de sentiments analogues, se retrouvent dans le judaïsme postérieur. La tradition rabbinique permet au maître de maison de déprécier quelque peu son hospitalité pour n'être pas surchargé d'appels. Les hôtes ne devaient pas non plus demeurer trop longtemps au même endroit. Plus on demeurait longtemps, moins on recevait d'honneurs à mesure que passaient les jours. La réserve n'était pas inutile. Qui se présentait en étranger passait rapidement de la condition d'hôte à celle de « maître de la maison ». On trouvait donc naturel, par exemple, d'offrir le premier jour de la volaille, le deuxième du bœuf, le troisième du poisson et le quatrième des légumes. L'intéressé était ainsi invité à comprendre que le moment était venu de repartir (sur ces usages, voir S. KRAUSS, *Talmudische Archäologie*, III, 25-26; également une remarque utile de A. EDERSHEIM, *Sketches of Jewish Social Life in the Days of Christ*, Londres, 1907, pp. 48 s.; STRACK-BILLERBECK, *Kommentar*,

IV, p. 569). Il y a ample raison de croire, du reste, que ce mode de
libération trouvait à s'exercer fréquemment. Si l'hospitalité était
un devoir, il ne s'imposait pas moins de la mettre à l'abri des pique-
assiette et des écornifleurs de toutes sortes, qui pullulaient dans les
villes, à l'époque où nous reporte l'instruction de la *Did.* Laisser
libre jeu aux parasites eût simplement équivalu à décourager l'hospitalité elle-même (comp. *Eccli.*, 29:21-28, qui ne présente certes
pas la condition de l'hôte comme un enchantement, et où l'on
aperçoit peut-être quelque chose d'une hospitalité retournée).

Ce sont des conditions de cette nature que nous devons supposer,
lorsque notre instruction soumet les apôtres aux conditions ordinaires de l'hospitalité (comp. 12:2, avec le comm. *in loc.*). La règle
n'implique en soi aucune défiance à leur égard. Elle ne leur retire
pas non plus d'une main ce qu'elle vient de leur accorder de l'autre
en les recommandant aux églises. Elle est bonnement réaliste et
elle tient compte du prétexte que l'apostolat pouvait offrir aux
exploiteurs. Elle veut sans doute éviter aussi que même les apôtres
authentiques soient à charge à personne. On sait là-dessus quelle
règle sévère Paul s'était personnellement imposée (2 *Cor.*, 11:7-15). Il
jugeait qu'une telle discrétion était une prudence nécessaire pour
sauvegarder le bon renom de l'évangile. Le manque de scrupules
et l'exploitation souvent éhontée de la crédulité et de la générosité
populaires, de la part des itinérants de certains cultes contemporains, ne sont certes pas pour lui donner tort (voir F. CUMONT,
Astrology and Religion among the Greeks and Romans, pp. 88-90;
Les religions orientales dans le paganisme romain, 4 éd., 1929,
pp. 96-101; du point de vue de l'hospitalité et des réactions que
pouvait produire ici l'abus de confiance, voir MÉNANDRE L'ÉG.,
Sent., 43; texte dans *RB*, LIX (1952) 70).

La règle de la journée unique, dans notre instruction, peut s'inspirer en partie de considérations et d'expériences semblables. Pour
le reste, notre ignorance des conditions concrètes dans lesquelles
les apôtres sont censés exercer leur action ne nous permet pas d'en
juger. Nous devons ici faire confiance à ceux qui étaient mieux placés
que nous pour savoir, et prendre le texte tel qu'il est. Il faut croire
que dans les conditions normales, une journée ou deux pouvaient
suffire. Les apôtres n'en sont pas diminués pour autant, ni non plus
renvoyés dans l'irréel. Ils sont simplement intégrés à leur temps, à
leur milieu. Ajoutons que les plus grands d'entre eux, ceux dont
l'action nous est le mieux connue, ne s'estimaient pas des princes
mais des « serviteurs ». Qu'y a-t-il d'extraordinaire à ce qu'ils aient

été pris au sérieux? Les apôtres concernés dans l'instruction de la *Did.* sont traités à ce niveau. On est bien obligé de penser, du reste, qu'ils avaient accepté d'avance la règle du séjour limité. Il est difficile d'imaginer, en effet, qu'elle ait dû les surprendre en route. C'est de cette manière seule que l'instruction avait chance d'être efficace. Une fois admise par les intéressés et reconnue par les églises, elle était, en revanche, un moyen simple et normal de reconnaître les « faux prophètes », ces vagabonds en marge de l'évangile, qui avaient choisi de voir dans leur « apostolat » une occasion d'honorable parasitisme.

La dernière règle entre, après cela, sans effort dans le cadre d'explication qui vient d'être tracé. A son départ, l'apôtre ne recevra que le « pain », ou plus généralement peut-être, la « nourriture », nécessaire à son voyage. S'il réclame de l'argent, c'est un faux prophète. Le « pain », c'était peu de chose. Mais, chez les petites gens, il formait le seul élément indispensable du viatique ordinaire (comp., dans *Mt.*, 14:13-21 et par., les circonstances des multiplications des pains; aussi, pour l'antiquité, l'épisode du prophète Élie en route vers l'Horeb, 1 *Rois*, 19:3-8, où la pitance se résume à une galette et à une gourde d'eau; pour le judaïsme, voir MOORE, *Judaïsm*, II, p. 176; dans le monde grec, l'usage des ξένια, cadeaux offerts à l'hôte avant son départ).

Quels étaient, d'autre part, ces apôtres dont l'instruction de la *Did.* détermine ainsi les règles d'accueil? Ce ne sont évidemment pas les Douze. La seule alternative, c'est que ce soit les apôtres mentionnés dans le titre de la *Did.* elle-même. Ce renvoi implicite ne nous donne aucun nom d'individu. Qu'en ferions-nous? Il détermine, en partie tout au moins, la forme revêtue par le ministère, ce qui est beaucoup plus important. Nous avons sous nos yeux des exemples d' « instructions » apostoliques, sous la plume de l'un d'entre eux, écrivant probablement à leur place, à l'adresse des églises auxquelles ils sont ensemble intéressés (voir, en particulier, 11:1-2, avec le comm.). Il n'est que de les relire pour nous faire une première idée de leurs intérêts et de leur mode d'action. Les rapports constants de la διδαχή et du κήρυγμα, à l'âge apostolique, nous permettent ensuite de présumer le reste avec une suffisante sécurité. Annonce de l'évangile et instruction, c'est le ministère apostolique tel qu'il nous est connu par ailleurs, spécialement par l'exemple paulinien. A partir de ce point, les précisions dépassent les limites de notre texte. On notera, cependant, dans les instructions mêmes qui nous occupent, les appuis demandés à l'évangile (8:2;

9:5; 11:3; 15:3,4), soulignant par endroits une référence plus
générale au κήρυγμα. Nous aimerions savoir aussi dans quelles
relations ces apôtres pouvaient se trouver avec les Douze. La *Did.*
n'en dit rien. Elle ne permet non plus de former aucune hypothèse
définie. Le meilleur commentaire, dans ces conditions, est celui
du silence. Ce qu'on entrevoit un peu mieux, par contre, c'est que
les apôtres auxquels appartient notre *Did.*, se rattachaient à une
église plus importante, où ils pouvaient se rencontrer, échanger
leurs expériences, déterminer des règles à suivre d'après des usages
éprouvés, en rechercher de nouvelles d'après les besoins changeants
des églises. Il convient de s'arrêter là. C'est assez. C'est peut-être
même beaucoup.

---

*11:7-12 D'autre part, vous ne mettrez à l'épreuve ni ne jugerez aucun
prophète parlant sous l'inspiration, car tout péché sera remis, mais ce
péché-là ne le sera point. ⁸Tout chacun, cependant, qui parle sous
l'inspiration, n'est pas prophète, mais celui qui a la manière du
Seigneur. C'est donc à son style de vie que vous reconnaîtrez le faux du
vrai prophète. ⁹En outre, tout prophète qui, sous l'inspiration, ordonne
de dresser une table, doit s'abstenir d'y manger; autrement, c'est un
faux prophète. ¹⁰Tout prophète qui enseigne la vérité sans mettre en
pratique ce qu'il enseigne, est un faux prophète. ¹¹Par contre, tout
prophète éprouvé et reconnu authentique qui représente le mystère
cosmique de l'église sans demander qu'on fasse avec lui tout ce qu'il
fait, ne sera pas jugé par vous, car c'est devant Dieu qu'il a son jugement. Ainsi firent, au surplus, les anciens prophètes eux-mêmes.
¹²Mais quiconque vous dit sous l'inspiration: Donne-moi de l'argent,
ou quelque autre chose, vous ne l'écouterez pas. Si toutefois c'était
pour d'autres dans le besoin qu'il vous sollicitait, que personne ne
le juge.*

L'instruction sur les prophètes (11:7-12) est construite suivant le
même cadre que l'instruction sur les apôtres : une règle tout à fait
générale au début, comme arrière-fond commun d'un petit nombre
de directions plus particulières; la question des sollicitations d'argent à la fin. Sauf 11:8, qui n'est que la contrepartie de 11:7 et qui
a aussi un caractère très général, la matière intermédiaire semble

avoir voulu ensuite envisager successivement les principaux aspects
de l'activité des prophètes : culte, πᾶς προφήτης ὁρίζων τράπεζαν (9) ;
enseignement selon les modes ordinaires, πᾶς δὲ προφήτης διδάσκων
τὴν ἀλήθειαν (10); enseignement selon les modes extraordinaires,
πᾶς δὲ προφήτης... ποιῶν εἰς μυστήριον κοσμικὸν ἐκκλησίας (11;
sur δεδοκιμασμένος ἀληθινός, comp. 8 et 10).

Il ne sera pas inutile, peut-être de souligner la différence de
point de vue par rapport à l'instruction qui précède. Celle-ci se
préoccupait de l'accueil des apôtres dans les églises. Elle touchait
directement les modalités de leur itinérance. L'instruction relative
aux prophètes ne manifeste, au contraire, aucune préoccupation
spéciale de ce côté. Son point de vue est celui de la limite des
libertés prophétiques. A cet égard, 11:8 précise dès les premiers mots
tout ce qu'il importe ici de remarquer : οὐ πᾶς δὲ ὁ λαλῶν ἐν πνεύματι
προφήτης ἐστίν. Cette restriction domine tout le reste. On voit,
du même coup, le contresens auquel se sont laissés entraîner ceux
qui ont voulu faire de l'auteur de la *Did.* un promoteur plus ou
moins déguisé du montanisme. Une telle interprétation n'a aucun
appui dans le texte. Elle n'est favorisée que par l'imprécision des
analyses sur lesquelles on prétend l'asseoir, ce qui est une base
fragile. Il faut en dire presque autant de l'incorporation massive
des prophètes connus de la *Did.* à une « hiérarchie itinérante ».
Il est rien moins qu'assuré, en effet, que l'itinérance des prophètes
ait été celle des apôtres. On a beaucoup trop présupposé que la
fréquence et la régularité des déplacements étaient identiques
pour les deux groupes. Le postulat est non seulement gratuit : il
semble renversé par le point de vue respectif des instructions
qui les concernent. L'itinérance des prophètes ne paraît, du point
de vue de l'auteur, avoir créé aucun problème. Qu'ils se soient
déplacés, il n'y a pas de doute (13:1). Mais le fait brut ne préjuge
pas des modalités, assez importantes de toutes manières pour que
le point de vue de l'instruction sur les prophètes fasse le silence
le plus complet sur les préoccupations révélées par l'instruction sur
les apôtres. Le plus sage est assurément de s'en tenir à cet indice.

Mais alors on rejoint une situation ecclésiale qui ne semble pas
différer de celle que Paul rencontrait, vers 58, sur la longue route
qui le conduisit, par la Macédoine, de Corinthe à Jérusalem (*Act.*,
20:3-21:17). « Voici maintenant qu'enchaîné en esprit, τῷ πνεύματι,
dit-il aux anciens de Milet, je vais à Jérusalem, sans savoir ce qui
m'y adviendra, sinon que, de ville en ville, κατὰ πόλιν, l'Esprit
Saint m'avertit que chaînes et tribulations m'attendent » (20:22 s.).

Dans la pensée de Luc, l'Esprit qui avertit l'apôtre, « de ville en ville », est évidemment l'Esprit qui y parle par les prophètes, comme le suppose déjà l'expression κατὰ πόλιν et comme il est clair par la suite de la narration : « Ayant découvert les disciples (après être descendus à Tyr), nous restâmes là sept jours. Poussés par l'Esprit, διὰ τοῦ πνεύματος, ils disaient à Paul de ne pas monter à Jérusalem... Ayant achevé la traversée, nous nous rendîmes de Tyr à Ptolémaïs. Après avoir salué les frères et être restés un jour avec eux, nous repartîmes le lendemain pour gagner Césarée. Descendus chez Philippe l'évangéliste, qui était un des sept, nous demeurâmes chez lui. Il avait quatre filles vierges qui prophétisaient. Comme nous passions là plusieurs jours, un prophète du nom d'Agabus descendit de Judée (en voici un qui se déplace; comp. 11:27-28). Il vint nous trouver et, prenant la ceinture de Paul, il s'en lia les pieds et les mains en disant : « Voici ce que dit l'Esprit Saint, etc. » (21:4, 7-11; comp. 13:1-3; voir aussi, un peu plus tard, les conditions générales impliquées par les sept lettres « prophétiques » d'*Apoc.*, 2:1-3:22, pour ce qui est de l'Asie Mineure).

Le point de vue de l'auteur ainsi précisé, en même temps que la situation concrète à laquelle il se réfère, il doit être maintenant possible d'entrer avec plus de sécurité dans le détail du texte. La directive générale demande qu'on évite de « mettre à l'épreuve et de juger », οὐ πειράσετε οὐδὲ διακρινεῖτε, le prophète qui parle « en Esprit », ἐν πνεύματι (11:7). Quelles que soient les réserves faites par la suite, l'intention de mettre avant tout l'action prophétique à l'abri des oppositions indiscrètes ne sera donc pas douteuse. L'idée sous-jacente est d'ailleurs très commune. Elle est impliquée dans le jugement porté par la tradition synoptique tout entière sur l'opposition faite aux miracles et à l'enseignement de Jésus, dont il ne faut pas oublier qu'il a été reconnu comme prophète avant de l'être comme messie. Elle affleure, en particulier, à *Mt.*, 12:22-32 et par., dont les termes principaux se retrouvent ici même : « Tout péché sera remis, mais celui-ci ne le sera pas ». La transposition est peut-être elle-même significative. L'Esprit des prophètes est « l'Esprit de Jésus » (*Act.*, 16:7; *Phil.*, 1:19). On ne « tente » ni ne « juge » l'un sans « tenter » et « juger » implicitement l'autre, et au fond, sans « tenter » et « juger » Dieu (comp., dans le même cercle d'idées, la « tentation », πειρασμός, de Jésus par Satan, à la fois prélude et présage, au delà de la scène humaine, d'une opposition qui se manifestera ensuite normalement sous ses modes humains, *Mt.*, 4:1 ss., et par.).

L'instruction marque, cependant, une réserve non équivoque, qui
sera ensuite maintenue jusqu'à la fin. Tout homme qui parle « en
Esprit » n'est pas pour autant prophète (véritable). On en jugera
sur l'ensemble de la conduite. Si elle reflète fidèlement la « manière du Seigneur », τοὺς τρόπους κυρίου (sans article, probablement
Dieu d'abord, quoique Jésus ne soit peut-être pas hors des perspectives; comp. 11, μετὰ θεοῦ), le prophète sera reconnu   comme
« éprouvé et véritable » (11). Sinon, c'est un faux prophète. Il y a
donc un « jugement » du prophète dans chaque église, censée, comme
telle, capable de reconnaître les « manières du Seigneur », mais il
est indirect et il s'exerce en quelque sorte de lui-même (comp. *Mt.*,
7:15-20; *Lc.*, 6:43-44; plus concrètement, *Act.*, 13:9-11, qui est le
« jugement » de l'apôtre Paul sur le faux prophète Élymas, en réalité, un « magicien »; noter que Paul est à ce moment « rempli de
l'Esprit Saint »; aussi 2 *Pi.*, 2:1-3).

Suivent les applications de la règle précédente à divers aspects
de l'action des prophètes. Celui qui demande de « dresser une
table » ἐν πνεύματι, et donc en dehors des circonstances ordinaires,
s'abstiendra de prendre part au repas. On jugera autrement que
c'est un faux prophète (9). Il n'a pas la « manière du Seigneur ».
L' « inspiration » n'est pas un prétexte d'invitations à dîner dont
chacun pourrait user et abuser à sa guise. Quelle est, d'autre part,
cette « table », τράπεζα, qu'un prophète pouvait ainsi demander de
préparer? Le texte n'en dit rien, mais il faut probablement penser
en premier lieu à la « table » commune dont le rite nous est décrit
aux ch. 9-10. Nous savons que les prophètes pouvaient y faire
l' « eucharistie » suivant leur inspiration (10:7).

L'instruction envisage ensuite l'enseignement prophétique ordinaire, dans des termes qu'il n'est malheureusement possible de
préciser que grâce à ce que nous savons par ailleurs (10, διδάσκων
τὴν ἀλήθειαν). Sous le terme vague de « vérité », sans doute s'agit-il
ici de l'exhortation prophétique commune, telle que les premières
générations chrétiennes l'ont spontanément façonnée en s'inspirant des modèles anciens (pour le sens spécial de « vérité » tel que le
terme est employé ici, comp., dans l'ordre du κήρυγμα, 2 *Cor.*, 6:7;
Éph., 1:13; *Col.*, 1:5, voir aussi 2 *Thess.*, 2:10, 12, 13). On a de bons
exemples du genre dans les lettres de l'*Apoc.* (2:1-3:22). Cette sorte
de διδαχή prophétique (notre διδάσκων, dans son ordre normal
du ποιεῖν) va et vient de la réprimande à l'encouragement, de la
« désolation » à la « consolation », en s'adaptant aux circonstances
des personnes, des temps et des lieux (voir aussi 1 *Cor.*, 14:3). Ce

balancement en équilibre, où la « consolation » est cependant toujours tenue un peu plus haut que la « désolation », est corrélatif
à la conscience commune de la justice et de la miséricorde de Dieu.
Il se retrouvait partout, sous cette forme, chez les anciens prophètes. La tradition chrétienne primitive n'avait pas à créer le genre,
mais à le transposer.

La directive suivante (11) a donné du mal à tout le monde, anciens
et modernes. La pierre d'achoppement est le ποιῶν εἰς μυστήριον
κοσμικὸν ἐκκλησίας. Les versions copte et éthiopienne révèlent
leur embarras par leurs gloses. La version géorgienne suit de près
le grec tel qu'il nous est connu par le *Hier.* 54, sauf deux additions
mineures, qui sont bien de son goût et qui n'avancent d'ailleurs à
rien. Il n'y a donc pas à tenter une correction du texte en s'appuyant sur les versions. Elles ne nous conduiraient qu'à expliquer
leurs propres commentaires, qui sont médiocres. La leçon du
Hier. 54 est difficile, mais elle ne paraît pas anormale. Il faut la
garder (sur les corrections suggérées dans les premières années
qui ont suivi la découverte, voir Funk, *in loc.*).

L'opinion commune reconnaît qu'il s'agit d'actions symboliques,
de prophéties mimées, ce en quoi elle a sûrement raison. Mais elle
reconnaît aussi que la véritable difficulté n'est pas là. Elle est dans
l'espèce particulière d'action susceptible de symboliser le « mystère
cosmique de l'église ». A ce point, les avis sont partagés. La plupart,
cependant, suivent Harnack *(in loc.)*, et mettent à l'arrière-fond
quelque chose comme *Éph.*, 5:32 (τὸ μυστήριον τοῦτο μέγα ἐστίν,
ἐγὼ δὲ λέγω εἰς χριστὸν καὶ τὴν ἐκκλησίαν), à peine moins obscur,
il faut bien le dire, que l'expression de la *Did.* qu'on se propose
d'éclairer. On croit y gagner, néanmoins, l'indication précieuse
d'un rapport quelconque avec le mariage. Le « mystère cosmique »
serait celui d'un mariage « prophétique » symbolisant l'union du
Christ et de l'église. Ce mariage serait tel, en outre, qu'il ne devait
pas être imité. Ainsi l'exige la suite du texte. On en conclut qu'il
devait offrir quelque chose d'inattendu, d'irrégulier, d'offensant,
d'étrange, suivant la nuance préférée de chacun. Certains pronon-
cent alors les mots de « mariage spirituel », sans préciser toutefois
en quoi ce mariage pouvait se distinguer du mariage ordinaire, à
moins que la comparaison avec les « anciens prophètes », aussi
dans le contexte immédiat, ne leur suggère à point l'exemple bien
connu du prophète Osée. D'autres, par contre, apparemment peu
satisfaits de cette voie moyenne, préfèrent trancher dans le vif.
Il s'agirait d'ascètes ayant renoncé au mariage (Knopf), ou encore

d'ascètes « exerçant (leur) corps en vue du mystère terrestre de l'église », suivant des formes qu'on laisse indéterminées, mais où il est bien difficile, en fait, que le mariage soit absent (Hilgenfeld, Bonet-Maury, songeant au montanisme). Enfin, Broek-Utne, critiquant Harnack, s'est orienté dans une direction nouvelle. Il s'appuie sur 11:12 pour suggérer d'entendre l'énigmatique formule d'une demande extraordinaire d'aumônes, d'après *Act.*, 11:27-28. Le sens de μυστήριον est ensuite déterminé à partir de ce point (A. Broek-Utne, *Eine schwierige Stelle in einer alten Gemeindeordnung, Did.*, 11:11, dans *Zeitschr. f. Kirchengesch.*, LIV (1935) 576-581).

Il est superflu, semble-t-il, d'instituer ici une discussion détaillée de ces diverses interprétations. Elles ont assez de peine à exister pour nous épargner le souci de les détruire. En regard du contexte, la plus favorisée du grand nombre (hypothèse de Harnack) est un coup de tonnerre dans un ciel sans nuage. L'ordonnance de l'instruction dans son ensemble, l'attention aux genres littéraires prophétiques de l'époque, suggèrent une solution beaucoup plus simple, qui rend compte de tous les éléments du texte. Si 11:10 concerne la διδαχή prophétique dans ses formes ordinaires d'exhortation, il est tout de suite permis de penser que 11:11 pourra éventuellement envisager ses formes complémentaires plus « mystérieuses », qui de leur nom propre s'appellent « apocalypse » (voir 1 *Cor.*, 14:26; comp. 2 *Cor.*, 12:1, 7). C'est la séquence et l'équilibre mêmes de l'*Apoc.* de Jean : 2:1-3:22, d'une part, et 4:1-22:5, d'autre part. Il suffit ensuite de songer à la place que tient le « mystère cosmique » de l'église dans les visions de ce dernier et au nombre des actions symboliques qui s'y déroulent, puis, d'imaginer que des prophètes semblables à lui, au lieu d'écrire leurs visions dans un livre qui les place « dans le ciel » (4:1), pouvaient être tentés de les faire descendre sur la terre, et le faisaient effectivement, au moyen non seulement de paroles, mais de mimes, auxquels ils invitaient leurs auditeurs à participer, pour comprendre la signification et l'à-propos de la directive donnée par notre instruction de la *Did.* Ce qu'elle cherche à éviter, ce sont les désordres que pouvait facilement entraîner un mimodrame apocalyptique commun. Ce qu'elle demande, c'est donc que le prophète n'engage que lui-même dans sa représentation du « mystère cosmique de l'église » (comp. *Act.*, 21:10-11, action symbolique d'Agabus, utilisant la ceinture de Paul pour annoncer son arrestation). S'il se conforme à cette règle, que personne ne le juge. Dieu le jugera. Il a pour lui l'exemple des

« prophètes anciens ». — Sur la règle de 11:12, comp. 9 ci-dessus ;
aussi *Act.*, 11:27-30.

———

12:1-13:2 *Que tout passant qui se présente à vous au nom du
Seigneur soit accueilli. Ensuite, après l'avoir sondé, vous saurez bien
discerner la droite de la gauche : vous avez votre jugement.* ²*Si l'hôte
est un voyageur à l'étape, aidez-le de votre mieux ; mais il ne demeurera
chez vous que deux ou trois jours, s'il est nécessaire.* ³*S'il a l'intention
de s'établir parmi vous, et qu'il ait un métier, qu'il travaille pour sa
nourriture.* ⁴*S'il est sans métier, voyez à son cas selon votre jugement,
de façon à ne pas laisser un chrétien vivre parmi vous dans l'oisiveté.*
⁵*S'il refuse de se conformer, c'est un trafiquant du Christ : gardez-vous
de telles gens. 13. D'autre part, tout prophète authentique désirant
s'établir parmi vous mérite sa nourriture.* ²*De même, le docteur authentique est digne, lui aussi, comme l'ouvrier, de sa nourriture.*

C'est à tort que Knopf met ici en doute l'ordre des instructions.
Ce qui est annoncé par 11:3 s'achève bien, en réalité, avec 11:12,
comme l'indique le parallélisme des structures (voir ci-dessus).
L'instruction suivante pourvoit à l'hospitalité à l'égard des chrétiens (12). De façon très naturelle, le sujet amène à considérer le
cas particulier de celui qui, s'étant présenté en hôte, voudrait ensuite
s'établir à demeure parmi ceux qui l'ont accueilli (12:3-5). A son
tour, cette dernière considération ramène un moment l'attention
sur les prophètes, auxquels cette fois sont joints les docteurs
(13:1-2). Leur établissement posait, en effet, un problème spécial,
qui n'était pas de soi résolu par 12:3-5. On revient donc à eux (du
point de vue de la composition, noter les attaches verbales de 12:3
et de 13:1). L'auteur nous conduit, en somme, du général au
particulier. La composition est excellente dans l'état où elle se
trouve. Elle n'est accidentellement déséquilibrée que par l'addition
de 13:3-7, qui appartient à l'interpolateur. C'est cette instruction
adventice qui a porté Bryennios à couper son texte comme nos
éditions le présentent aujourd'hui. En fait, si la main de l'interpolateur avait été reconnue, 13:1-2 aurait dû être rapproché de
12:1-5, et la coupure normale aurait été reculée à 13:3, ce qui eût
aidé l'interprétation à trouver son propre équilibre.

Les règles de l'hospitalité commune manifestent le même caractère précautionneux et formel que nous observions à propos de l'accueil prévu pour les apôtres (11:4-6). Elles n'offrent d'ailleurs pas de difficulté majeure, et nous pouvons nous contenter d'annotations rapides. Du point de vue de la forme, on remarquera la parenté de 12:1 avec 11:7 et 11:4. Une directive très générale couvre un petit nombre de précisions qui la restreignent et la nuancent sous divers aspects. Le voyageur se présente ἐν ὀνόματι κυρίου, « au nom du Seigneur », toujours sans article (comp. spécialement 9:5). « Recevez-le » d'abord simplement, sans lui disputer les égards d'une bonne hospitalité. Il sera toujours temps « ensuite », après vous être rendu compte de la sincérité de ses intentions (δοκιμάσαντες) de décider pour vous-mêmes de ce qu'il y aura à faire (γνώσεσθε, futur). C'était une délicatesse élémentaire de ne pas commencer par mettre ses hôtes devant un barrage de questions indiscrètes. L'instruction s'en remet ainsi à l'intelligence et au discernement de chacun (σύνεσιν γὰρ ἔχετε, au présent, avec les versions copte et éthiopienne et les *Const. apost.*). « Connaître la gauche et la droite », dans ce contexte, est une expression analogue à « connaître le bien et le mal ». C'est posséder la maturité de la conscience, en vue de la conduite générale de la vie, ou des nécessités d'une situation particulière, et ainsi se décider de façon réfléchie, en un cas donné, après avoir pesé le pour et le contre (voir *Jon.*, 4:11; comp. BARTHÉLEMY-MILIK, *Qumran Cave I*, fr. 28a, i, 8-11, « ... lorsque, ayant vingt ans accomplis, il sera capable de distinguer le bien et le mal »; aussi les remarques faites ci-dessus, 4:9).

La règle du séjour limité (2) est ici en tout comparable à celle à laquelle une instruction précédente soumettait les apôtres eux-mêmes (11:5). On assurera tout le secours possible au frère de passage, mais celui-ci ne restera pas plus de deux jours, ou trois s'il en a besoin. Cette règle des trois jours n'était probablement pas spéciale aux traditions de l'hospitalité juive, dont la *Did.* doit ici dépendre de façon directe. Elle se retrouve encore aujourd'hui dans le monde arabe. « Le devoir de l'hospitalité dure trois jours et celui qui en bénéficie peut en outre compter sur une protection supplémentaire de la part de ceux qui l'ont reçu, jusqu'à ce que le sel de l'hospitalité soit sorti de son ventre. Au delà de cette limite dans le temps, la protection n'est plus obligatoire et le voyageur peut, à la rigueur, être dépouillé de tout ce qu'il possède par ceux-là mêmes qui l'ont accueilli sous leur tente en lui prodiguant toutes les marques de l'hospitalité la plus généreuse » (R. MONTAGNE, *La civilisation du désert*, Paris, 1947, p. 87). Il n'est que juste de

souligner « à la rigueur ». En fait, avec une plus sincère bienveillance, l'hôte est plutôt invité, au matin du quatrième jour, à
prendre sa part des travaux ordinaires auxquels chacun s'occupe,
puisqu'il fait lui aussi partie de la famille (voir H. C. Trumbull,
Studies in Oriental Social Life, Londres, 1895, pp. 104 s.; aussi
A. Bertholet, *A History of Hebrew Civilization*, Londres, 1926,
p. 120; Strack-Billerbeck, *Kommentar*, IV, p. 569).

Il n'est pas nécessaire que ces usages puissent être reliés de façon
précise à notre instruction pour que celle-ci en reçoive une lumière
opportune. Ils font d'abord ressortir le fait que l'auteur de la *Did.*,
et l'église, ou les églises, sur lesquelles il s'appuie, n'ont pas eu à
créer de toutes pièces leur règle des trois jours, ni non plus leur
règle complémentaire du travail pour les hôtes qui s'établissent
(12:3-5). Ces règles ont dû exister communément bien avant eux.
Elles avaient derrière elles l'expérience. Il suffisait de leur infuser
un esprit conforme à l'évangile. C'est ce qui transparaît, effectivement, vers la fin de l'instruction. Un « chrétien » ne doit pas vivre
dans l'oisiveté aux dépens de ses frères, s'il a un métier et s'il peut
gagner son pain. Il abuse autrement de l'hospitalité qui lui est
offerte et c'est un vil « trafiquant du Christ » (χριστέμπορος),
dont on fait mieux de se tenir éloigné (comp. 2 *Thess.*, 3:6-15; aussi
1 *Thess.*, 4:11-12; 5:14).

On perçoit, semble-t-il, du même coup une nuance du texte qui
autrement pourrait échapper. C'est qu'il n'est pas nécessaire que
les hôtes aient résolu de s'installer de façon définitive pour que la
règle du travail commence à les toucher. Il est probable, au contraire, qu'elle s'appliquait, dans la pensée de l'auteur, dès le quatrième jour. L'installation visée ici (εἰ δὲ θέλει πρὸς ὑμᾶς καθῆσθαι)
peut donc être en réalité temporaire. En soi, les expressions marquent simplement que l'hospitalité demandée excède la limite des
trois jours. C'est un séjour prolongé, qui pourra devenir une installation définitive, mais qui d'abord n'a pas normalement ce caractère puisqu'on se présente en hôte, et qui, dans la plupart des cas
sans doute, ne l'aura jamais non plus en fait.

Il importe de se souvenir de cette précision dans le cas spécial
des prophètes, que l'instruction envisage ensuite (13:1). La règle
qui les concerne est dans le prolongement immédiat de 12:3-5,
et il n'y a aucun indice que le point de vue soit changé. Loin de là!
13:1 évoque la situation des prophètes, hôtes des églises, exactement dans les termes dont l'instruction s'était servi à 12:3 pour les
simples chrétiens : εἰ δὲ θέλει πρὸς ὑμᾶς καθῆσθαι...; πᾶς δὲ

προφήτης ἀληθινός θέλων καθῆσθαι πρὸς ὑμᾶς... Il est donc parfaitement vain de vouloir tirer de 13:1 une indication sur la « sédentarisation » progressive d'une « hiérarchie itinérante » sur le point de céder la place au « ministère local » (15:1). Le texte ne dit ni ne suggère rien de tel. Nous pouvons être à n'importe quel moment du ministère prophétique en sa pleine efflorescence. Tout ce qu'il faut comprendre, c'est donc que l'instruction pourvoit ici au séjour plus ou moins prolongé des prophètes dans les églises, sans impliquer que tous ces arrêts soient autant d'installations à demeure. Ce qui est demandé pour eux, c'est un prolongement indéterminé, et par là, éventuellement indéfini, des devoirs de l'hospitalité commune. La raison de ce privilège est donnée avec une simplicité aussi éloignée que possible de la plaidoirie « prophétique » qu'on s'est plu à imaginer derrière ces textes : le prophète, comme tel, par l'accomplissement de sa fonction, « est digne de sa nourriture », ce qui est une règle commune dans le service primitif de la parole (comp. *Mt.*, 10:10; 1 *Cor.*, 9:1-18; 2 *Cor.*, 11:7-11; 1 *Tim.*, 5:17-18).

C'est ici que l'instruction introduit pour la première fois le docteur (13:2). La manière dont elle s'exprime n'implique pas qu'il soit itinérant, mais simplement qu'il partage, avec les prophètes, le ministère de la parole (voir, ci-dessus, le comm. sur 11:3). A ce titre, il a droit, comme eux (ὡσαύτως... καὶ αὐτός), à sa « nourriture ». Il est clair toutefois que la parité est partielle. Le docteur n'a pas tout le prestige du prophète. A cet égard, sa situation dans l'évangile évoque de près celle des sages anciens, dont il est naturel de croire en même temps, qu'il a hérité les goûts, les champs d'intérêt, les traditions de pensée et d'expression. La deuxième et la troisième instructions du *Duae viae* (3:1-6; 3:7-4:14) offrent, à portée de la main, deux excellents exemples de l'instruction sapientielle, dans l'état où il serait le plus normal qu'elle soit passée des sages aux docteurs. Nous avons déjà analysé en détail leur forme et leur contenu. Je ne puis maintenant que renvoyer au commentaire, sauf à rappeler d'un mot les transformations profondes que le ferment évangélique a dû ici introduire dans l'héritage du passé, et à souligner une fois de plus que les instructions du *Duae viae* ne fixent pas des cadres infrangibles, mais avant tout des modalités et des thèmes. Le rattachement des *Instructions des apôtres* au *Duae viae* paraît, à cet égard, significatif (pour la distinction de la διδαχή des docteurs et des prophètes, voir *Barn.*, 18:1, avec cette transition significative : μεταβῶμεν δὲ καὶ ἐπὶ ἑτέραν γνῶσιν καὶ διδαχήν, pour introduire un développement sur les thèmes du

Duae viae; pour une utile comparaison avec la situation du « sage »
dans la Communauté de l'alliance et avec le genre d'instruction
pratiqué par lui, voir *Man. de disc.*, III, 13-IV, 26, mis en regard
du *Duae viae* dans *RB*, LIX (1952) 226-232; je n'écrirais plus
aujourd'hui la n. 3, p. 226, dans les termes où je pouvais le faire
alors; voir également BARTHÉLEMY-MILIK, *Qumran Cave I*, fr.
28*b*, I, 1; III, 22; V, 20).

13:3-7 [*Tu prendras donc, du pressoir et de l'aire, des bœufs et des
brebis, les prémices de tous les produits pour les donner aux prophètes : ils sont vos grands prêtres.* ⁴[[*Au cas où vous n'auriez pas de
prophète, donnez-les aux pauvres.*]] ⁵*Si tu prépares une fournée,
prélève les prémices et donne-les, selon le commandement.* ⁶*De même,
si tu ouvres une jarre de vin ou d'huile, prélèves-en les prémices et
donne-les aux prophètes.* ⁷*Sur ton pécule, ta garde-robe et n'importe
quel bien, prélève les prémices, suivant ton appréciation, et donne-
les, selon le commandement.*]

Cette instruction est de l'interpolateur (introd., pp. 105 ss.). Elle
ne réussit à établir sa continuité avec ce qui précède (οὖν)
qu'en enjambant 13:2, où il n'est plus question des prophètes mais
des docteurs. La soudure est évidente. On voit, d'autre part, sans
peine l'intention de l'auteur. Il a voulu préciser la directive de
13:1, et déterminer une modalité pratique de soutien des prophètes. Ses sources littéraires ne sont pas plus difficiles à reconnaître,
du moins en substance, bien qu'il n'en reproduise exactement
aucune (voir spécialement, *Nomb.*, 15:17-21; 18:11-19; *Deut.*,
18:3-5; *Néh.*, 10:36-40). Sans doute s'appuie-t-il, de façon immédiate,
sur des usages plutôt que sur des textes, en dépit de son insistance
sur le κατὰ τὴν ἐντολήν (13:5,7), que personne ne songera à regarder
comme une pure référence à la loi ancienne (dans le « testament
pastoral » de Paul, une allusion qui ne paraît pas très éloignée des
usages sur lesquels s'appuie ici l'interpolateur : « Je n'ai convoité ni
l'argent ni l'or ni les vêtements de personne, ἀργυρίου ἢ χρυσίου ἢ ἱματισμοῦ οὐδενὸς ἐπεθύμησα. Vous savez vous-mêmes qu'à mes besoins
et à ceux de mes compagnons ont pourvu les mains que voici »,

Act., 20:33 s.; comp. spécialement, dans notre instruction, 13:7).

Aussi bien le titre de « grand prêtre » qu'il donne aux prophètes pour justifier son instruction doit-il s'entendre en premier lieu dans ce contexte de redevances des prémices. Il n'implique pas que ce soit, sans plus, sa « conception » du prophète. De toutes manières, le grand prêtre n'enseignait pas. En revanche, nous pouvons considérer comme probable que l'interpolateur songe ici à la fonction liturgique des prophètes nouveaux (10:7; 15:1). Toutefois, nous ferons bien de ne pas l'enfermer pour autant de façon trop rigide dans les cadres de l'auteur de la *Did.* Il manifeste justement plus d'une tendance à s'en échapper.

Enfin, il convient d'attirer l'attention sur 13:4, qui ne va pas sans introduire quelque incohérence dans le texte. On voit mal, en effet, le sens du οὖν de 13:3, renvoyant à 13:1, si l'interpolateur a déjà présente à la pensée l'alternative de 13:4. Du point de vue de la forme, l'apparition insolite de la deuxième personne du pluriel dans le commandement (δότε) n'est pas, d'autre part, dans la manière de l'interpolateur (voir les exemples voisins; aussi 6:2-3; 7:2-4). On en conclura que nous sommes vraisemblablement ici devant une interpolation (au second degré!), inspirée par un désir renouvelé d'adapter la règle ancienne aux conditions de l'époque. L'addition serait d'ailleurs ancienne. Elle se trouve dans tous les témoins du texte.

14:1-15:2 *Le jour du Seigneur, assemblez-vous pour la fraction du pain et l'eucharistie, après avoir d'abord confessé vos péchés pour que votre sacrifice soit pur.* ²*Mais que celui qui a un différend avec son compagnon ne se joigne pas à votre assemblée avant de s'être réconcilié, afin que votre sacrifice n'en souffre pas de souillure.* ³*Ce sacrifice est bien, en effet, celui dont a parlé le Seigneur :* « *Qu'en tout lieu et en tout temps, on m'offre un sacrifice pur, car je suis un grand roi, dit le Seigneur, et merveilleux est mon nom chez les nations* ». *15. Choisissez-vous donc des évêques et des diacres dignes du Seigneur, hommes doux, désintéressés, véridiques et sûrs, car ils remplissent, eux aussi, auprès de vous, l'office des prophètes et des docteurs.* ²*Ne les prenez donc pas de haut : ils comptent parmi vos notables, avec les prophètes et les docteurs.*

Pour rappeler une dernière fois l'exacte perspective, l'instruction sur la synaxe dominicale (14:1-3) faisait immédiatement suite, dans la pensée de l'auteur, à une instruction sur l'hospitalité s'étendant jusqu'à notre actuel 13:2. Si de 14:1-3 on se tourne ensuite du côté opposé, on se rend bientôt compte que la coupure proposée par Bryennios à 15:1 démembre de nouveau, de façon assez arbitraire, une instruction très cohérente qui réunit dans une même perspective 14:1-15:2. Il est clair, en effet, que le οὖν de 15:1 ne peut renvoyer qu'à l'un ou l'autre élément de la directive générale de 14:1. Comme, d'autre part, un second οὖν, à 15:2, vient souligner expressément le lien qui unit la pensée à 15:1, il n'y a pas à hésiter : la vraie coupure doit être reculée à 15:3.

Sans raffiner outre mesure, il n'est peut-être pas sans intérêt de noter, au surplus, la correspondance prophètes-docteurs entre 15:1-2 et 13:1-2, analogue à la sollicitation d'argent de 11:12 et 11:6, dans les instructions sur les apôtres et les prophètes. Ces modes de composition ne sont pas de nos habitudes ni de nos goûts, mais ils ne sont pas inattendus dans des écrits de provenance juive. Ils le sont moins que partout ailleurs dans un genre littéraire comme celui de notre recueil, où la symétrie et l'équilibre de la composition équivalaient au besoin à un système de référence, et en toutes occasions, donnaient des points d'appui faciles à la mémoire. Notre typographie très analytique, avec pagination, capitulation, séparation en paragraphes et même en versets numérotés, division des mots, ponctuation et majuscules, nous fait trop oublier l'écriture massive des anciens. Voit-on seulement dix pages du *Code de droit canonique* imprimées dans le mode du Ier siècle? Manifestement, les instructions de la *Did.* n'ont pas été écrites pour être lues, puis mises de côté, mais pour être consultées, retenues et mises en pratique. Le dessein de l'auteur et ses attaches à la vie réelle des églises se retrouvent, de la façon la plus candide, jusque dans ces caractères négligés de sa composition et de son style mêmes. Nous sommes à l'exact opposé d'une pure et simple compilation, plus ou moins en retard sur la vie, et aussi éloignés que jamais de la fiction archaïsante imaginée par Robinson.

Nous pouvons, en outre, recueillir ici l'avantage de notre distinction d'un premier et d'un second état de la *Did.* (1:1-11:2 et 11:3-16:8 respectivement, moins les surcharges de l'interpolateur de part et d'autre). Cette distinction implique pour nous, on s'en souvient, avec un certain intervalle de temps, un changement relatif dans la situation des églises et, plus importante encore peut-être, une nou-

velle expérience apostolique de leurs nécessités. C'est en regard de
cette distinction qu'il faut évidemment comprendre les rapports de
l'instruction de 14:1-3 sur la synaxe dominicale (second état) avec
l'instruction de 9-10 sur la vigile « eucharistique », « fraction du
pain » conduisant à l' « eucharistie » majeure (premier état). L'auteur revient sur le sujet, non parce qu'il compose mal, ou qu'il a
curieusement oublié quelque chose, ou qu'il compile ses matériaux
au hasard, ou qu'un autre a fait pour lui après coup l'insertion de
14:1-3, mais simplement parce que l'expérience a montré, dans l'intervalle, l'insuffisance de l'instruction de 9-10. Du coup, nous
sommes avertis, en gros, des points où il faudra regarder pour
comprendre l'instruction sur la synaxe dominicale, étroitement
liée, dans la pensée de l'auteur, aux directives particulières de
15:1-2.

A la suggestion de la version géorgienne et des *Const. apost.*, je
lis καθ'ἡμέραν δὲ κυρίου (14:1) au lieu de l'impossible κατὰ κυριακὴν δὲ κυρίου du *Hier.*, 54, qui a bien l'air du résultat d'une glose
intrusive, κυριακή éliminant en partie l'archaïque ἡμέρα κυρίου
(comp. 2 *Thess.*, 2:2, ἡ ἡμέρα τοῦ κυρίου; *Apoc.*, 1:10, ἐν τῇ κυρια-
κῇ ἡμέρᾳ; IGNACE, *Magn.*, 9:1, κατὰ κυριακὴν ζῶντες; noter l'absence
de l'article devant κυρίου, le Seigneur Jésus, cette fois, sans ambiguïté possible, et comp. 1 *Cor.*, 10:21, τράπεζα κυρίου, en regard
de *Mal.*, 1:7,12). Pour le sens, le meilleur commentaire de l'expression se trouve sans doute dans les « bénédictions » et les prières
de la « fraction du pain » (9-10), avec leurs anamnèses de la résurrection de Jésus et leur attente de son retour. Il faut les relire
pour entrer ici dans les sentiments qui ont d'abord conduit à désigner le « premier jour de la semaine » (ainsi, dans les récits de la
résurrection, *Mt.*, 28:1; *Mc.*, 16:2; *Lc.*, 24:1; *Jn.*, 20:1; également
1 *Cor.*, 16:2; *Act.*, 20:7) comme le « jour du Seigneur », et à y renou-
veler ensuite régulièrement la « fraction du pain » et la grande
« eucharistie ». La désignation du jour et l'expression liturgique de
la joie et de l'espérance communes dans le salut et la vie coïncident
exactement. On notera que le « jour du Seigneur » est ainsi
le jour « merveilleux » par excellence, prenant la qualification dans
le sens impliqué par les anamnèses eucharistiques. On notera
également que les « mirabilia » auxquels le nom du jour est alors
associé, ne sont pas seulement ceux de la résurrection de Jésus,
mais encore ceux dont cette résurrection est inséparable : la
mort effectivement dépassée dans la « vie », ce qui est le salut
déjà présent (10:2), et le rassemblement de l' « église » dans le

« royaume » (9:4; 10:5), ce qui est la plénitude de l'espérance.

L'instruction ne nous cause pas une grande surprise, d'autre part, lorsqu'elle paraît distinguer une « fraction du pain » de ce qui serait l' « eucharistie » proprement dite (συναχθέντες κλάσατε ἄρτον καὶ εὐχαριστήσατε). C'est l'ordre même de la vigile « eucharistique » tel qu'il était prévu à 9-10, dans le premier état de la *Did.* Le petit rituel de 10:6 est justement le rite de passage de la « fraction du pain » à l' « eucharistie » majeure, dont la forme n'est pas décrite là plus qu'elle ne l'est ici même (pour le sens d'εὐχαριστεῖν, voir ci-dessus, pp. 424 s.). Pourquoi, en outre, les deux instructions gardent-elles le silence sur ce qu'elles regardent toutes deux comme le principal? Nous n'en savons rien, et le plus simple est de s'en remettre au jugement de l'auteur, qui avait sans doute de bonnes raisons d'estimer qu'il n'y avait pas lieu. Rien de vraiment défini n'autorise à prononcer le mot d' « arcane ». N'était le propos de *Mt.*, *Mc.* et *Lc.* de couvrir tout l'événement évangélique et n'étaient les « abus » très accidentels des Corinthiens, que saurions-nous, avant le milieu du IIe siècle, de la forme liturgique concrète revêtue par la célébration de l'eucharistie?

Comparée à l'instruction de 9-10, la règle de 14:1 n'introduit que deux éléments nouveaux : la régularité de la synaxe eucharistique « le jour du Seigneur », καθ'ἡμέραν κυρίου, et la confession préalable des fautes, προεξομολογησάμενοι τὰ παραπτώματα ὑμῶν. Il est inutile de démontrer, d'autre part, que cette confession est une confession commune et liturgique, dans le genre de celles dont les *Psaumes* donnaient de nombreux exemples, et sans doute aussi, dans des formes liturgiques assez proches de celles qui se développaient alors dans la liturgie synagogale (voir spécialement *Ps.* 106, qui s'ouvre sur une brève louange « eucharistique » (1-2), passe ensuite pour un moment à la prière (3-5), puis se déploie en une longue confession des errements du passé (6-43, à la place normale de l'anamnèse des « mirabilia Dei », dont on n'oubliera pas qu'elle est aussi une ἐξομολόγησις), pour revenir enfin, par d'habiles transitions, à la prière et à la « bénédiction » initiales; aussi *Esdr.*, 9:6-15; *Dan.*, 9:3-19; *Prière de Manassé*; pour l'usage synagogal, G. F. Moore, *Judaism*, II, pp. 59 s.; I. Elbogen, *Der jüdische Gottesdienst*, 2 éd., 1924, pp. 75 s.; W. O. E. Oesterley, *The Jewish Background of the Christian Liturgy*, pp. 76-79). Une telle confession, en outre, pouvait précéder aussi bien la « fraction du pain » que l' « eucharistie » majeure, comme paraît l'indiquer la structure de la phrase. En réalité, l'une et l'autre formaient l'objet d'une seule et même synaxe, et il suffit de se rappeler ici les « bénédictions » et les prières de la « fraction du pain », telles qu'elles nous sont connues par 9-10, pour comprendre dans quelle étroite unité intérieure se déroulait toute la vigile (à cet égard, voir l'usage du mot « eucharistie » dans la « fraction du pain », 9:1,5; aussi le rapport analogue de la première coupe à la seconde dans *Lc.*, 22:17,20).

Le motif donné par l'instruction à la règle de la confession préliminaire sera plus avantageusement considéré à part. L'idée que l'humble aveu des fautes obtient leur pardon, et ainsi « purifie », est assez commune pour que nous n'ayons pas à nous y attarder. Le *Ps.* 51 devait être en ce temps-là dans toutes les mémoires, plus encore sans doute qu'aujourd'hui : « Pitié pour moi, ô Dieu, en ta bonté, en ta grande tendresse efface (*LXX* : ἐξάλειψον) mon péché; lave-moi de toute malice et de ma faute purifie-moi (καθάρισόν με)... Contre toi, toi seul, j'ai péché; ce qui est mal à tes yeux, je l'ai fait... Purifie-moi (ῥαντιεῖς) avec l'hysope : je serai net; lave-moi : je serai blanc plus que neige... O Dieu, crée en moi un cœur pur (καρδίαν καθαρὰν κτίσον ἐν ἐμοί)... Rends-moi la joie de ton salut (aussi 10)... Seigneur, ouvre mes lèvres, et ma bouche publiera ta louange. Tu ne prendrais aucun plaisir au sacrifice... Mon sacrifice, c'est un cœur brisé; d'un cœur brisé, broyé, tu n'as point de mépris. En ton bon vouloir, fais du bien à Sion : tu rebâtiras Jérusalem. Alors tu te plairas aux justes sacrifices, — holocauste et totale oblation, — alors on offrira de jeunes taureaux sur ton autel » (voir aussi *Ps. Sal.*, 9:12). On aura noté le mouvement de la prière, passant du regret des fautes à la paix d'un « cœur pur », de ce sentiment nouveau à la « joie » du « salut », puis, de cette « joie » anticipée à la « louange » qui en sera l'expression, et de celle-ci, enfin, à la substitution (momentanée) du « sacrifice » du cœur aux holocaustes, jusqu'à ce que Dieu rebâtisse Jérusalem. Autant qu'il soit possible de s'en assurer, c'est le cercle d'idées et de sentiments dans lequel se meut notre instruction. La « pureté », en ce sens, est la condition préalable, et très naturelle, de la « joie du salut », de la célébration des « mirabilia Dei » (louange), et par là, de l' « eucharistie » elle-même. Il est vrai qu'en rigueur de termes, c'est ici le « sacrifice » qui doit être « pur ». Tout le monde comprend, cependant, que ce « sacrifice » n'est pas considéré en soi, mais dans l'acte « eucharistique » de l'assemblée par laquelle il est offert. Aussi bien n'y a-t-il pas lieu de presser outre mesure cette qualification de « sacrifice » (θυσία), avec le désir plus ou moins conscient d'incorporer la *Did.* au dossier de préoccupations théologiques en réalité bien postérieures. Le terme est pris, en fait, dans une acception plutôt large. Ses implications essentielles ne sauraient différer de celles de l' « eucharistie » elle-même, dont l'équilibre propre repose, au dernier lieu, non sur la mort de Jésus, mais sur sa résurrection. L' « eucharistie » de la *Did.* n'est pas une commémoraison funèbre : c'est une célébration de la « merveille » de la « vie » que le Père nous « a fait connaître par Jésus, son serviteur », jusqu'au rassemblement de l' « église » dans le « royaume ». Il n'y a d'ailleurs pas de raison de penser que la *Did.*, sur ce point, s'écarte sensiblement de la tradition commune (noter que, dans 1 *Cor.*, 11:20, la qualification de κυριακόν, pour le repas du Seigneur, doit être prise en un sens fort, inséparable de la résurrection et de la « vie »; comp. 30; aussi 10:21, ποτήριον κυρίου, τραπέζης κυρίου; voir de nouveau les remarques faites ci-dessus à propos de ἡμέρα κυρίου).

La règle de l'exclusion (temporaire) des membres de l' « église » qui pourraient s'être brouillés dans une querelle (14:2), répond sans doute au commandement de la charité (1:2, *Duae viae*; l'article devant ἀμφιβολίαν, que les éditeurs ont été tentés de corriger, est un sémitisme; voir MOULTON-HOWARD, *Grammar of N. T. Greek*, II, p. 430). Il convient de ne pas oublier, toutefois, les sentiments plus communs que les anciens attachaient à la commensalité. Encore moins serait-il permis de négliger ici la signification profonde diffusée dans toute l' « eucharistie » par l'espérance du rassemblement de l' « église » dans le « royaume ». Il eût été assez contradictoire d'attendre un *amen* à la prière pour le rassemblement de la part de membres de l'église en réalité dressés les uns contre les autres (9:4; 10:5). L'instruction, cependant, ne souligne que le motif déjà présenté sous forme positive à 14:1, dont elle fait ici une application particulière : Que ceux qui se sont querellés ne soient pas admis avant leur réconciliation, « afin que votre sacrifice n'en soit pas souillé, ἵνα μὴ κοινωθῇ ἡ θυσία ὑμῶν ».

C'est le retour de la qualification de θυσία, « sacrifice », appliquée à l' « eucharistie », qui amène ensuite la citation libre de *Mal.*, 1:11,14. Il demeure clair, néanmoins, qu'au delà de 14:2, le témoignage invoqué touche indirectement 14:1. L' « eucharistie » est le « sacrifice » nouveau entrevu par le prophète (sur le « nom » de Dieu, comp. 10:2 et voir le comm. *in loc.* ; en regard des sentiments qui sous-tendent l' « eucharistie », noter les qualifications de μέγας pour βασιλεύς, et de θαυμαστόν pour ὄνομα). L'addition de καὶ χρόνῳ, d'autre part, repose peut-être sur un texte ancien, aujourd'hui perdu, mais elle peut aussi résulter d'une appropriation de la prophétie aux conditions propres au « sacrifice » de l' « église ». Il est intéressant d'observer, en outre, que la citation est coupée de manière à ne retenir que la portée positive de la pensée du prophète. Un Justin, plus tard, ne manquera pas d'en récupérer les éléments négatifs et d'insister, contre Tryphon, sur ce que l'instruction de la *Did.* avait plus discrètement laissé de côté : « Je ne prends nul plaisir en vous, déclare Yahvé Sabaoth, et n'ai point pour agréables les offrandes de vos mains » (*Dial.* 28:5; 41:2; 117:1). On voudrait pouvoir affirmer que la cause servie par l'apologiste s'en trouve relevée par une meilleure intelligence des desseins de Dieu.

La directive donnée à 15:1 sur le choix des évêques et des diacres se présente comme une conséquence pratique de ce qui précède. Mais, par la nature même des choses, la conjonction qui marque cette conséquence (οὖν) ne peut renvoyer proprement, en fait, qu'à la directive générale de 14:1. Or, celle-ci à son tour se décompose en plusieurs éléments dont la portée sur la directive de 15:1 ne saurait être considérée comme égale. L'élimination se fait ensuite d'elle-même. C'est la synaxe dominicale régulière, avec sa « fraction du pain » et son « eucharistie » qui, dans la pensée de l'auteur, impose, comme une (relative) nécessité, que chaque église se choisisse des évêques et des diacres.

Ce point paraît ferme et c'est sur lui normalement qu'il faut faire reposer le reste de l'interprétation. L'instruction de 9-10, sans spécifier ni jour ni fréquence pour la « fraction du pain » et l' « euchatie », nous a cependant permis d'apercevoir, concrètement, ce que leur célébration éventuelle devait représenter dans une vigile. Qu'on imagine maintenant, d'après 14:1, ce que pouvait entraîner de soins de toute nature, avant, pendant et après, une célébration hebdomadaire du type de celle que nous avons analysée à 9-10. Dans ces conditions, le plus élémentaire désir d'efficacité et le moindre sens de l'ordre et de l'organisation, sans parler des exemples que les chrétiens avaient sous leurs yeux dans le paganisme comme dans le judaïsme, ni de l'expérience que certains pouvaient avoir auparavant acquise en ce domaine, suffisaient amplement à faire comprendre que quelqu'un, ou plutôt quelques-uns, devaient assumer les responsabilités immédiates de pourvoir aux nécessités liturgiques de l' « église ». Dans la préparation, ces responsabilités impliquaient l'administration d'une caisse commune, plus ou moins importante suivant le système adopté pour la « fraction du pain » en particulier, des achats fréquents, l'attention à une foule de

détails matériels concernant les locaux, etc. Dans l'exécution, on
ne pouvait guère se passer non plus d'un certain nombre de services,
analogues à ceux qui eussent été nécessaires à une honnête hospitalité, même si l'on pense que les groupes étaient relativement
restreints et que, de toutes manières, ils ne dépassaient pas les
mesures du cadre domestique.

N'est-ce pas à peu près ce que suppose notre instruction lorsque,
songeant à la synaxe dominicale, elle demande que chaque église
se choisisse des évêques et des diacres, ἐπισκόπους καὶ διακόνους?
Les deux mots, il est vrai, rendent un autre son à nos oreilles. Mais,
en grec, à l'époque où nous reporte la *Did.*, un ἐπίσκοπος est un
surveillant, un contremaître, un curateur, un modérateur, un
gardien, un intendant (voir spécialement la documentation recueillie
et discutée par L. PORTER, *The Word* ἐπίσκοπος *in Pre-Christian
Usage*, dans *Angl. Theol. Rev.*, XXI (1939) 103-112; C. SPICQ,
S. Paul. Les Épîtres pastorales, Paris, 1947, pp. 84-86). Un διάκονος,
d'autre part, est très simplement un serviteur susceptible de remplir
diverses fonctions suivant les circonstances particulières de son
service. Les deux termes sont généraux. Ils ne se précisent et ne se
restreignent qu'en regard de fonctions concrètes où les intéressés
savent d'ordinaire ce dont il s'agit. Il faut bien, au surplus, qu'avant
d'être liés à une langue spéciale, ils aient pendant quelque temps
retenu une partie tout au moins du sens qu'ils avaient alors dans la
langue commune. Prise en elle-même, l'instruction de 14:1-15:2
n'en requiert pas davantage, ni pour ἐπίσκοπος ni pour διάκονος,
sauf à ajouter qu'elle suppose les deux termes déjà reçus dans la
langue des « églises », ce qui implique que, de notre côté, nous pouvons nous attendre, en principe, à les rencontrer ailleurs dans un
sens équivalent. En fait, les exemples contemporains où on les
trouve associés sont rares (*Phil.*, 1:1, « à tous les saints qui sont à
Philippes, σὺν ἐπισκόποις καὶ διακόνοις », dans l'adresse, peut-être
par un sentiment de spéciale gratitude, voir 4:14-20; comp. 2 *Cor.*,
8:1-2; 11:8-9; 1 *Tim.*, 3:1-13). Lorsqu'on les rencontre, ils s'accordent
cependant avec notre instruction, en ce qu'elle dit comme en ce
qu'elle implique.

Le mode concret de désignation (χειροτονήσατε) reste pour nous
obscur. Ils sont choisis et nommés, peut-être par élection : c'est
tout ce qu'on peut dire. Ce qui est clair, par contre, c'est que le
procédé est le même pour les évêques que pour les diacres. Les
mêmes qualités sont en outre exigées indifféremment pour les uns
et les autres (comp. 1 *Tim.*, 3:2-13, *passim*). Ils doivent être « dignes

du Seigneur », se distinguer par leur humilité et leur mansuétude, leur désintéressement et leur sincérité, bref, être tels que l' « église » puisse vraiment compter sur eux pour tout ce qui regarde leur fonction. Celle-ci n'est déterminée que par son rapport à la synaxe dominicale, « fraction du pain » et « eucharistie » (14:1). On peut penser qu'ils partageaient conjointement la responsabilité de sa préparation et de sa célébration. Au delà, il est plus difficile de préciser, mais, si les mots signifient quelque chose, les premiers devaient en avoir l' « intendance » et les seconds, le « service ». Pour les uns et les autres, « intendance » ou « service », la responsabilité que leur confie l' « église », de toutes manières, est regardée comme une « liturgie » (λειτουργία). De cette « liturgie », toutefois, évêques et diacres ne s'acquittent pas seuls. Elle continue même à retomber en premier lieu sur les prophètes et les docteurs (comp. *Act.*, 13:1-2). Ils ne remplacent donc pas ces derniers dans une fonction laissée par eux en déshérence : ils partagent, au contraire, avec eux une « liturgie » devenue trop lourde (noter le καὶ αὐτοί, et pour le sens, comp. 13:2). C'est une différenciation rendue nécessaire par des conditions en partie nouvelles (14:1), à l'intérieur d'une « liturgie » qui conserve malgré tout son ancienne unité. Encore moins pourraient-ils recueillir ici la « succession » des apôtres. Les instructions mêmes que nous analysons montreraient, au besoin, que le moment n'est pas encore venu d'y songer. Il est d'ailleurs significatif que l'instruction qui nous occupe trouve opportun, pour finir, de recommander les évêques et les diacres à la « considération » des « églises » (15:2). Elle ne pouvait indiquer plus nettement que les attitudes à leur égard ne sont pas encore prises (comp. 1 *Tim.*, 3:1). Or, ce sont les prophètes et les docteurs qui, psychologiquement, servent de point de référence. Évêques et diacres partageront leur « honneur » comme ils partagent leur « liturgie » (même procédé de rapprochement à 13:2, à propos des docteurs). Ainsi viennent-ils après eux.

Tout cela paraît cohérent. Rien n'y éveille le soupçon d'invraisemblance. On ne voit pas non plus où serait l'artifice. Un point, cependant, demeure dans l'ombre sur lequel il convient d'ajouter un mot. La « liturgie » que les évêques et les diacres partagent avec les prophètes et les docteurs, comprend-elle une responsabilité d'enseignement? A cette question, il me semble impossible de répondre avec beaucoup de certitude. Ce qu'on peut dire, c'est que l'instruction de 15:1-2 (14:1) ne pose pas de limite. Il est vrai, d'autre part, qu'elle ne retient expressément que la « fraction du pain » et l' « eucharistie » majeure dans l'ensemble de la synaxe dominicale. Mais cette perspective en apparence limitée exclut-elle délibérément d'autres composantes? On a peine à l'imaginer. Tout ce qu'on sait du service primitif de la parole porte à penser le contraire. Même dans ces conditions, néanmoins, il reste un doute. L'action des évêques et des diacres n'est pas de tous points identique ni coextensive à celle des prophètes et des docteurs. Où passaient dès lors les lignes de distinction? Ont-elles d'abord tranché dans l'enseignement comme dans le reste, pour retenir autant que pour exclure? C'est, en définitive, le plus probable (comp. 1 *Tim.*, 3:2; 5:17; *Tit.*, 1:9, qui, par implication, semblent aller dans le même sens).

15:3-4 *Reprenez-vous les uns les autres, non avec colère, mais dans la paix, comme vous l'avez dans l'évangile; aussi, à qui que ce soit qui aurait commis un écart à l'endroit de son prochain, que personne ne parle et que lui-même ne reçoive pas un mot de votre part jusqu'à ce qu'il se soit repenti. ⁴Pour vos prières, vos aumônes et toutes vos actions, faites comme vous l'avez dans l'évangile de notre Seigneur.*

Ces deux petites instructions forment de nouveau un couple, lié par quelques éléments symétriques : de part et d'autre, une incidence plus commune que dans les autres instructions de cette partie du recueil sur la vie des églises (correction fraternelle, prières, aumônes, etc.), un même renvoi à « l'évangile » au delà de ce que l'auteur choisit de rappeler brièvement, ὡς ἔχετε ἐν τῷ εὐαγγελίῳ (τοῦ κυρίου ἡμῶν).

De manière indirecte, l'instruction sur la correction fraternelle (15:3) permet d'entrevoir l'étroite proximité dans laquelle les membres de l' « église » vivent les uns par rapport aux autres. D'un point de vue psychologique, elle ne se comprend bien, en effet, que dans des groupes restreints et de forte cohésion intérieure. C'est dans de tels groupes qu'un blâme infligé par mode de rupture temporaire des relations sociales les plus courantes peut normalement exercer une pression efficace sur les individus et les amener à réfléchir sur leur conduite : παντὶ ἀστοχοῦντι κατὰ τοῦ ἑτέρου μηδεὶς λαλείτω μηδὲ παρ'ὑμῶν ἀκουέτω, ἕως οὗ μετανοήσῃ. Ce trait est d'ailleurs conforme au cadre domestique supposé en général par

les instructions du recueil. Psychologiquement et sociologiquement, l' « église » est encore gouvernée par la loi des petits nombres.
Lorsqu'elle passera, plus tard, sous la loi des grands nombres, elle
en sera affectée à de telles profondeurs que ce passage peut être
considéré comme l'un des événements les plus importants de son
histoire après la perte rapide de la composante juive originelle,
moins de cent ans après le départ de Jésus. Dans le détail, on notera
l'intéressant parallélisme de cette instruction avec 14:2, à propos
de l'exclusion de la synaxe dominicale. La seconde (15:3) n'est que
l'extension de la première à la trame de la vie quotidienne. On
remarquera aussi, du point de vue de la conscience commune,
l'emploi de ἑταῖρος, compagnon, membre d'une même association,
à 14:2, dont le ἕτερος du *Hier.* 54, à 15:3, pourrait fort bien n'être
qu'une corruption accidentelle (comp. le *ḥabher* hébreu, membre
d'une *ḥabûrâh;* noter également que ἑταῖρος, dans le N. T., ne se
rencontre que dans *Mt.*; à cet égard, voir surtout 26:50; d'une
façon plus générale, en ce qui concerne la correction fraternelle,
comp. *Mt.*, 18:15-17, l'un des deux endroits, avec 16:18, où le mot
ἐκκλησία apparaît dans les évangiles; soulignons que le membre
de l'ἐκκλησία y est cependant désigné comme un ἀδελφός, frère;
voir aussi *Man. de disc.*, v, 25-vi, 1, et ici même, 2:7, dans la première instruction du *Duae viae*, et 4:3, dans la troisième).

  La seconde instruction (15:4) n'est guère qu'un renvoi général à
« l'évangile ». Ce renvoi est intéressant à plusieurs égards et nous
avons eu plus d'une fois l'occasion d'attirer l'attention sur lui
(spécialement, introd., pp. 112 s.). Il montre de façon concrète
comment la διδαχή et le κήρυγμα ont pu réagir l'un sur l'autre
dans la vie des églises, et, du même coup, comment celle-ci a pu
contribuer à façonner la tradition évangélique en son ensemble
(sur les rapports généraux du κήρυγμα et de la διδαχή, voir ci-
dessus le comm. sur le titre; en ce qui concerne l'objet propre de la
διδαχή apostolique, noter ici la référence à la πρᾶξις et au ποιεῖν).

---

  *16:1-8 Veillez sur votre vie, ne laissez ni s'éteindre vos lampes ni se
dénouer la ceinture de vos reins, mais soyez prêts, car vous ignorez
l'heure où notre Seigneur va venir. ²Assemblez-vous fréquemment,
cherchant l'intérêt de vos âmes, car tout le temps de votre foi ne vous*

servira de rien, à moins qu'au dernier moment vous ne soyez devenus parfaits. ³*Dans les derniers jours, en effet, les faux prophètes et les corrupteurs se multiplieront, les brebis se changeront en loups et l'amour se tournera en haine.* ⁴*Avec les progrès de l'iniquité, les hommes se haïront, se poursuivront et se trahiront les uns les autres, et alors paraîtra le séducteur du monde, se donnant pour fils de Dieu. Il fera des signes et des prodiges, si bien que la terre passera entre ses mains, et il commettra des crimes tels qu'il ne s'en est jamais vu depuis le commencement du monde.* ⁵*Alors toute créature humaine entrera dans le feu de l'épreuve : beaucoup succomberont et périront, mais ceux qui auront persévéré dans leur foi seront sauvés du tombeau lui-même.* ⁶*Et alors paraîtront les signes de la vérité; d'abord, le signe de l'ouverture dans le ciel, puis, le signe du son de la trompette, et le troisième signe, celui de la résurrection des morts,* ⁷*non point de tous, cependant, mais selon ce qui a été dit : « Le Seigneur viendra et tous les saints avec lui ».* ⁸*Alors le monde verra le Seigneur venir sur les nuées du ciel...*

Le recueil se clôt sur une instruction d'une nuance différente, qui ferait plutôt penser à la διδαχή prophétique, par le ton aussi bien que par le contenu (en regard de 16:3-8 spécialement, voir 1 *Tim.*, 4:1, où l'on notera que l'« Esprit » est celui des prophètes; aussi 2 *Pi.*, 3:2-3). Il se peut que l'auteur de la *Did.* l'ait trouvée telle quelle, déjà plus ou moins connue et utilisée dans son milieu. Il y a quelque raison de croire qu'elle est arrivée dans cet état jusqu'à Barnabé, qui de toutes façons l'utilise (*Barn.*, 4:9; sur le problème littéraire posé par cette utilisation, voir introd., pp. 161 s.). Mais il n'est pas impossible non plus que l'auteur de la *Did.* l'ait retouchée au début et à la fin pour l'adapter à son propos. Par contre, il est remarquable qu'elle ne porte au début aucune particule de transition, ce qui n'est pas dans la manière de l'auteur de la *Did.* (habituellement δέ). Du point de vue littéraire tout au moins, l'instruction ne s'en trouve que plus détachée du reste du recueil. Mais, quoi qu'il en soit de son origine, l'idée à laquelle elle répond à la place qu'elle occupe est en accord profond avec tout ce que l'instruction des ch. 9-10, dans le premier état de la *Did.*, nous a déjà révélé de la « fraction du pain » et de l'« eucharistie » majeure. De part et d'autre, les sentiments sont ceux de la vigile ecclésiale, anticipation et préparation liturgiques du retour du Seigneur.

L'exhortation à la vigilance et les images sur lesquelles s'ouvre l'instruction nous sont devenues familières par les évangiles (*Mt.*,

24:42, 44; 25:13; *Lc.*, 12:35). C'est autre chose de montrer qu'elles
leur sont empruntées (voir introd., pp. 180 s.). La démonstration
n'est certes pas rendue plus facile par l'analyse détaillée des instructions qui précèdent dans la *Did.* Mais plutôt que de rouvrir
cette discussion, il me semble opportun de souligner ici le sens
concret et précis que revêt l'exhortation à la vigilance en regard
de la liturgie de 9-10 et de 14:1-3. Comme le marquera encore plus
nettement la suite, c'est dans une vigile que s'exprime avant tout
la vigilance de l' « église » en attente de son Seigneur (pour le sens
de ὑπὲρ τῆς ζωῆς ὑμῶν, comp. 9:3, 10:2-3, qui donnent peut-être la
nuance exacte : « vie » que Dieu a « fait connaître » en Jésus et dont
il étend le bénéfice « gratuitement » à tous ceux qui « croient »).

L'ambiguïté du début disparaît, en effet, dès que l'exhortation
laisse les métaphores pour adopter le langage direct (16:2). Sans
doute serait-il exagéré de prétendre que la première phrase de
16:2 n'est que la transcription, en termes propres, de la première
phrase de 16:1. Elle n'en paraît cependant pas loin, même
en tenant compte de la transition faite par δέ. On a bien l'impression que συναχθήσεσθε est une particularisation de γρηγορεῖτε,
et que la « vigilance » de l' « église » se traduit, en fait, principalement dans la « synaxe ». Autour de celle-ci, il faut pourtant relever
un trait que les instructions antérieures ne permettaient pas d'apercevoir d'une façon aussi directe. La synaxe dominicale nous est
connue par 14:1-15:2. Elle comprend la « fraction du pain » et
l' « eucharistie » majeure, par où elle rejoint simplement l'instruction
de 9-10, qui ne spécifiait aucun jour régulier de célébration. L'exhortation finale, se plaçant à un autre point de vue, où la liturgie de
la parole semble avoir plus de place, invite plus vaguement à des
assemblées « fréquentes » (πυκνῶς συναχθήσεσθε). Quelle est la
pointe d'une telle invitation? On pourrait répondre avec certitude
si l'on était assuré de lire ici un texte de l'auteur de la *Did.* Nous ne
le sommes pas. Mais, d'autre part, celui-ci a incorporé l'exhortation
à son recueil, dans quelque état qu'elle se soit présentée à lui, ce
qui nous est un signe suffisant qu'elle ne lui paraissait pas contre-
dire ses propres instructions. La réponse est probablement à chercher, dès lors, dans le point de vue spécial de l'exhortation à 16:1-2.
Le caractère de la synaxe y est, en effet, déterminé par une intention
de « rechercher ce qui pourrait être convenable » à la perfection commune, de peur que le temps d'une longue espérance ne soit finalement perdu si l'on est surpris par le jour du Seigneur (pour le sens
de πίστις, voir 10:2, avec le comm.). Qu'est-ce à dire? Toutes les

implications d'un tel avertissement inclinent à penser qu'en plus
de s'assembler pour la « fraction du pain » et l' « eucharistie », les
églises se réunissaient aussi, à une fréquence irrégulière, dans un
but d'encouragement et de consolation par la parole. On peut
croire que cette synaxe était, en réalité, pour les prophètes et les
docteurs, l'occasion la plus ordinaire de leurs instructions (voir
13:1-2). Un usage analogue se retrouve plus tard dans la *Trad. apost.*,
qui invite de même les fidèles, hommes et femmes (πιστός et πιστή),
à se rendre à l'instruction « catéchétique » du matin lorsqu'elle a
lieu, plutôt que de prier seuls dans leurs maisons (xxxv, 1-3).
On remarquera, au passage, la différence de tension eschatologique
supposée respectivement par la synaxe de la *Did.* et la synaxe
romaine. Elle est assez sensible, à coup sûr, pour marquer un large
écart temporel entre les écrits où leur existence nous est signalée.

La transition de 16:3, d'autre part, ne doit pas être pressée (ἐν
γάρ). L'auteur a simplement fait de son mieux pour tenir ensemble
tous les morceaux. Il faut lui savoir gré de son effort. L'exhortation
incline en même temps vers l'anticipation eschatologique du retour
du Seigneur. Les principaux moments fixés par la tradition du
genre se reconnaissent sans peine : recrudescence de l'iniquité
(16:3-4a, αὐξανούσης γὰρ τῆς ἀνομίας), apparition du Séducteur
universel (4b, ὁ κοσμοπλανής), résultant dans la suprême épreuve
de l'humanité (5a, εἰς τὴν πύρωσιν τῆς δοκιμασίας) dont seuls
sortiront vainqueurs ceux qui auront persévéré dans la « foi »
(5b, οἱ δὲ ὑπομείναντες ἐν τῇ πίστει αὐτῶν σωθήσονται), puis
apparition des « signes de la vérité » (6a), dont le dernier sera la
« résurrection des morts » (6b), non point de tous cependant, mais
des héritiers du royaume (7-8).

Le cadre est convenu : ce qu'il contient ne paraît guère représenter aussi que des données courantes, à divers degrés, dans la διδαχή
prophétique (comp. 2 *Thess.*, 2:3-12; *Mt.*, 24:10-31, *passim*). Nous
n'y apprenons à peu près rien qui, sauf nuances, ne nous soit familier par ailleurs. Il suffira de renvoyer ici au N. T. pour mettre au
besoin sur la voie des rapprochements les plus utiles : 16:3, sur la
multiplication des faux prophètes, à l'approche de la fin, comp.
Mt., 24:11; 1 *Tim.*, 4:1-3; 2 *Pi.*, 3:3; *Jud.*, 18; sur les corrupteurs,
Apoc., 19:2, à propos de la grande Prostituée; — 16:3-4a, sur les
trahisons et les haines de ces temps d'épreuve, *Mt.*, 24:10-12;
— 16:4b, sur l'apparition de l'Antichrist, le Séducteur universel
qui sera ὡς υἱὸς θεοῦ, 2 *Thess.*, 2:3-4; sur les signes et les prodiges
opérés par lui, 2 *Thess.*, 2:9; *Apoc.*, 13:13; sur son pouvoir, *Apoc.*,

13:1-8; — 16:5, sur l'étendue de l'épreuve et la chute d'un grand nombre, *Mt.*, 24:10; *Apoc.*, 13:1-8, 14-17; sur la persévérance qui assurera aux autres le salut, *Mt.*, 24:13; — 16:6, sur le signe de la trompette, *Mt.*, 24:31; 1 *Cor.*, 15:52; 1 *Thess.*, 4:10; sur la résurrection, 1 *Cor.*, 15:52; 1 *Thess.*, 4:16; — 16:7 cite consciemment *Zach.*, 14:5; comp., pour le sens que l'auteur donne à sa citation, le point de vue également restreint de Paul, 1 *Thess.*, 4:13-18; aussi 1 *Cor.*, 15:20-24, où le jeu des implications élargit cependant les perspectives; — 16:8, sur la venue du Seigneur, comp. *Mt.*, 24:30, 1 *Thess.*, 4:16.

Quelques détails réclament toutefois une attention plus spéciale. L'Adversaire, Antichrist, est appelé ici κοσμοπλανής, « Séducteur du monde », nom qu'il ne reçoit nulle part ailleurs. Le nom est évidemment formé tout exprès pour décrire un mode d'action. Ce n'est pas une simple désignation du personnage. Son intérêt, dans le contexte, est de donner un sens naturel aux « signes de la vérité » (16:6) en regard des signes du séducteur (16:4). L'ἀλήθεια s'oppose à la πλάνη, dont le Séducteur universel est comme la personnification (sur la formule ἡ κτίσις τῶν ἀνθρώπων, comp. *Eccli.*, 43:25, κτίσις κητῶν, *B*).

Le κατάθεμα de 16:5 a été communément rapproché de *Apoc.*, 22:3, καὶ πᾶν κατάθεμα οὐκ ἔσται ἔτι, qu'on traduit d'ordinaire par un recours à l'équivalence κατάθεμα-ἀνάθεμα, d'après *Zach.*, 14:11, καὶ ἀνάθεμα οὐκ ἔσται ἔτι, ce qui donne : « Il n'y aura plus de malédiction », ou quelque chose de semblable. Swete commente : « aucune personne ni aucune chose maudite, ou digne de malédiction, n'aura de place dans la Cité Sainte » (*in loc.*). Toutes les pièces de cette construction sont-elles bien solides? κατάθεμα = malédiction peut passer dans *Apoc.*, 22:3, encore que ce ne soit pas tout à fait ce qu'on attendrait dans le contexte. La vision se rapporte au « fleuve de vie » et aux « arbres de vie » plantés sur les deux rives du fleuve, ces arbres qui fructifient en tous mois de l'année et dont les feuilles sont destinées à guérir les nations. Guérir de quoi? Un peu auparavant, la vision de la « Jérusalem nouvelle » avait amené une prophétie de consolation : « Voici la demeure de Dieu avec les hommes. Il aura sa demeure avec eux; ils seront son peuple et lui, Dieu-avec-eux, sera leur Dieu. Il essuiera toute larme de leurs yeux; de mort, il n'y aura plus, καὶ ὁ θάνατος οὐκ ἔσται ἔτι, ni de pleur, ni de cri, ni de peine » (21:3-4). Le parallélisme de forme, dans le même contexte, ne suggère-t-il pas, pour κατάθεμα, un autre sens que celui de « malédiction » en dépit du rapprochement avec

Zach., 14:11? Ne demande-t-on pas à celui-ci plus qu'il ne peut donner?

L'un des sens classiques de κατατίθημι est « déposer » dans un tombeau. Le verbe se trouve avec ce sens dans *Mc.*, 15:46; Joseph d'Arimathie « déposa (Jésus) dans un tombeau, κατέθηκεν αὐτὸν ἐν μνήματι ». Corrélativement, κατάθεσις peut désigner, entre autres choses, la sépulture donnée à un mort : ainsi *Pap. Oxyrh.*, 475, 31 (IIe siècle de notre ère), dans une lettre demandant que soit pourvu à la sépulture d'un esclave. Pourquoi, dès lors, κατάθεμα ne se situerait-il pas dans la même ligne et n'aurait-il pas le sens qui répond à sa forme? Le résultat de la κατάθεσις (*depositio*) est le κατάθεμα, normalement le cadavre déposé dans son tombeau, l'état de mort. Que le mot ait ensuite évoqué, plus vaguement, avec le tombeau, la mort elle-même, ce ne serait que naturel. Ce sens serait parfait dans *Apoc.*, 22:3. Il n'y en a guère d'autre qui puisse convenir à *Did.*, 16:5 : « Ceux qui auront persévéré dans leur foi (espérance) seront sauvés du tombeau lui-même », σωθήσονται ἀπ' αὐτοῦ τοῦ καταθέματος » (ἀπό, avec la version géorgienne). C'est une très simple allusion à la « résurrection des morts », qui sera expressément nommée ensuite (16:6). Son parallèle immédiat se trouve dans le σκανδαλισθήσονται πολλοὶ καὶ ἀπολοῦνται de la phrase qui précède. Tout le texte prend ainsi son équilibre. « Malédiction », par contre, reste en l'air, et encore bien davantage « maudit », « objet de malédiction », chez ceux qui ont préféré lire ὑπό avec le *Hier.* 54. Le κατάθεμα, c'est donc probablement ici l'état misérable du tombeau, symbole de la puissance de la mort, le contraire même de l' « espérance » et du « salut ». Ce sens lève toutes les difficultés.

On ne voit pas, d'autre part, pourquoi le σημεῖον ἐκπετάσεως ἐν οὐρανῷ ne s'entendrait pas simplement suivant le sens normal des termes. Le véritable, et le seul, déterminatif d'ἐκπέτασις est ἐν οὐρανῷ. C'est l' « ouverture dans le ciel », premier moment de la fin et en même temps « premier signe » que l'événement est déjà en cours. Si l'auteur avait voulu parler de la croix de Jésus, il est à croire que le déterminatif n'aurait pas été seulement ἐν οὐρανῷ, même en style apocalyptique où l'on s'accommode de bien des obscurités (comp. *Mt.*, 24:30, « alors paraîtra dans le ciel le signe du Fils de l'homme »; pour l'ouverture des cieux, voir *Apoc.*, 6:14).

Enfin, autant il est certain que le *Hier.* 54 nous offre à 16:8 un texte écourté (introd. pp. 73 s.), autant il est difficile de se fier à la version géorgienne pour sa reconstruction. Nous la prenons ici même en flagrant délit de paraphrase : *Hier.* 54, τότε ὄψεται ὁ κόσμος τὸν κύριον; vers., Dann wird (diese) Welt (unsern) Herrn (Jesus Christus, den Sohn des Menschen, der gleichzeitig Sohn Gottes ist), sehen (als) kommend auf den Wolken, etc. Cette version géorgienne, au surplus, ne se lit pour nous qu'en allemand : « (τότε... τὸν κύριον ἐρχόμενον ἐπάνω τῶν νεφελῶν τοῦ οὐρανοῦ) mit der Macht und grosser Herrlichkeit, damit er jedem Menschen gemäss seinen Werken in seiner heiligen Gerechtigkeit vergelte vor dem ganzen Menschengeschlecht und vor den Engeln. Amen ». Aucune rétroversion sérieuse n'est possible, même en nous aidant du remaniement des *Const. apost.*, dont la relative sobriété ne va pas jusqu'à inspirer une bien grande confiance dans le détail, en l'absence d'un contrôle meilleur que ne pourrait être ici celui de la version géorgienne : (τότε... οὐρανοῦ μετ'ἀγγέλων δυνάμεως αὐτοῦ, ἐπὶ) θρόνου βασιλείας, κατακρῖναι τὸν κοσμοπλάνον διάβολον καὶ ἀποδοῦναι ἑκάστῳ κατὰ τὴν πρᾶξιν αὐτοῦ. Le sens général de la phrase est cependant conservé de part et d'autre. Il ne nous donne pas de raison spéciale de regretter trop amèrement la mutilation de l'exemplaire sur lequel a été copié le manuscrit découvert par Bryennios.

INDEX

INDEX DES CITATIONS DE LA DIDACHÈ

Cet index comprend toutes les citations de la *Didachè*, sauf celles qui tombent dans leur section respective du commentaire. La même restriction s'applique à la discussion des variantes du chapitre deuxième consacré au texte.

INDEX DES MATIÈRES PRINCIPALES

INDEX DES AUTEURS CITÉS

INDEX DES CITATIONS DE L'ÉCRITURE

———————— Imprimé en France ————————
TYPOGRAPHIE FIRMIN-DIDOT ET Cie. — MESNIL (EURE). — 4103.
Dépôt légal : 1er trimestre 1958.